Hildegard Erlemann

Die Heilige Familie

(Raffael): Die Hl. Familie. (Madonna del Velo oder Madonna di Loreto). Mitte 16. Jhdt.
(Malibu/California, J. Paul Getty Museum)

Hildegard Erlemann

DIE HEILIGE FAMILIE

Ein Tugendvorbild der Gegenreformation im Wandel der Zeit
Kult und Ideologie

Schriftenreihe zur religiösen Kultur
herausgegeben vom
Freundeskreis Heimathaus Münsterland e.V., Telgte
Schriftleiter Dr. Thomas Ostendorf

Dieses Werk entstand mit der freundlichen Unterstützung der Nordrhein-Westfalen-Stiftung

 Nordrhein-Westfalen-Stiftung
Naturschutz, Heimat- und Kulturpflege

Die Deutsche Bibliothek – CIP-Einheitsaufnahme

Erlemann, Hildegard:
Die Heilige Familie : ein Tugendvorbild der Gegenreformation
im Wandel der Zeit : Kult und Ideologie / Hildegard Erlemann.
– Münster : Ardey-Verl., 1993
   (Schriftenreihe zur religiösen Kultur ; Bd. 1)
   Zugl.: Münster (Westfalen), Univ., Diss., 1991
   ISBN 3-87023-033-9
NE: GT

D6

1. Auflage 1993
© Ardey-Verlag, Münster

Printed in Germany
Grafische Gestaltung: Günter Schmidt
Satz: Tim Doherty, Münster
Herstellung: Bonifatius Druck, Paderborn
ISBN 3-87023-033-9
ISSN 0944-0542

Meinen Eltern

Inhaltsverzeichnis

VORWORT DER HERAUSGEBER

In ihrer beachtlichen wissenschaftlichen Untersuchung zur „Heiligen Familie" arbeitet Hildegard Erlemann detailliert heraus, vor welchem geistesgeschichtlichen Hintergrund die breite Verehrung der Heiligen Familie entstanden war und welche religiösen und politischen Anliegen damit verbunden waren. Sie verfolgt den Wandel des Kults und der Ideologie der Heiligen Familie im wesentlichen vom 17. bis zum 19. Jahrhundert und veranschaulicht ihn mit ikonographischen Belegen. Ihre komplex angelegte, akribische und wissenschaftlich sorgfältige Forschungsarbeit verdichtet die bisherigen Erkenntnisse zur Heiligen Familie und fügt viele neue Ergebnisse hinzu.

Davon profitierte das Telgter Museum Heimathaus Münsterland, das sich neben der regionalen Handwerkskultur die Erforschung und Darstellung der religiösen Volkskunde in Westfalen zur Aufgabe gemacht hat: Der Sammlungsbestand zur Verehrung der Heiligen Familie konnte fundierter aufgeschlossen und der Begriff „Die Heilige Familie" wesentlich differenzierter aufgefaßt und in die Museumsveröffentlichungen eingebracht werden. Das gute Ergebnis veranlaßte den *Freundeskreis Heimathaus Münsterland*, der sich seit 1969 die Förderung des volkskundlichen Regionalmuseums in Telgte angelegen sein läßt, mit der Abhandlung von Hildegard Erlemann – 1991 an der Universität Münster als Dissertation bei Herrn Prof. Dr. Heinz Dollinger vorgelegt – eine geplante Schriftenreihe mit Forschungsarbeiten zur religiösen Kultur zu beginnen.

Der Förderverein des Heimathauses Münsterland will mit der Schriftenreihe drei Ziele erreichen: Zuvorderst geht es ihm um die konkrete Unterstützung der wissenschaftlichen Arbeit seines Museums, indem durch themenspezifische Studien notwendige Grundlagen, soweit noch nicht ausreichend vorhanden, für die wissenschaftliche Dokumentation von gegenständlichen Zeugnissen der religiösen Kultur zur weiteren Erforschung und schließlich zur fundiert erklärten Darstellung in Ausstellungen und weiteren Museumsveröffentlichungen an die Hand gegeben werden. Darüber hinaus steht die Schriftenreihe dem Museum Heimathaus Münsterland selbst für die Publikation eigener Forschungen zur Verfügung.

Das zweite, weiter gefaßte Anliegen des *Freundeskreises* ist es, mit der Schriftenreihe ein Forum für thematische Arbeiten im Bereich der religiösen Kultur zu bieten, das Wissenschaftler zu vielfältigen weiteren Untersuchungen anregt. Das Konzept schränkt die Reihe absicht-lich weder räumlich auf Westfalen noch fachlich auf das Feld der religiösen Volkskunde ein, sondern hält sich interdisziplinär offen. Die Reihe will damit die Komplexität von Objektivationen religiöser Kultur beachten; überdies kann die möglichst adäquate Erfassung der gegenständlichen Zeugnisse in einer Museumssammlung nur aufgebaut auf einem breit gelagerten Fundament gelingen. Der im erstgenannten Anspruch bezweckte Rückfluß auf die Arbeit des Museums Heimathaus Münsterland findet in der Konkretisierung der neuen, allgemein formulierten Erkenntnisse in den regional und volkskundlich bestimmten Sammlungsgegenständen statt; ähnliches will der *Freundeskreis* auch anderen Interessenten offenhalten. Gleichwohl sollen der Raum Westfalen und die religiöse Volkskunde bevorzugt eingebunden sein.

Drittes, generelles Ziel ist es schließlich, durch die Schriftenreihe in Verbindung mit der Ausstellungstätigkeit des Museums Heimathaus Münsterland in der breiten Öffentlichkeit zu einem tiefergehenden Verständnis für Themen insbesondere der religiösen Volkskunde und letztlich allgemein von der kulturellen Existenz von Individuen und Gemeinschaften beizutragen. Die religiöse Prägung unserer Kultur wird von uns heute nur noch bedingt wahrgenommen, verschiedentlich wird sie von vornherein nicht akzeptiert. Wie die Studie von Hildegard Erlemann nachweist, nährte die Heilige Familie als von der katholischen Kirche propagiertes populäres Vorbild schon seit Jahrhunderten die ideale Vorstellung von der harmonischen, eigenständigen Kleinfamilie, wie sie erst in unserer Zeit weit verbreitet für verwirklicht gehalten wird. Doch während zumindest bei den Katholiken noch in den 1950er Jahren die „Heilige Familie" mit ihrem idealen Charakter als Objekt der andächtigen Verehrung und des leuchtenden Beispiels geläufig und mit dem Bewußtsein von „Familie" durchaus verbunden scheint, ist diese Begrifflichkeit heute offensichtlich, wie schlichte Nachfragen darlegten, verlorengegangen – häufig sogar unter Katholiken.

So werden die Erforschung und Darstellung von Äußerungen des religiösen Alltagslebens früherer Generationen zunehmend wichtig für das Verständnis der wirkenden Zusammenhänge unserer heutigen Kultur. Trotz seiner Bedeutung ist dieser Themenbereich nur wenig erforscht und kaum in die Aufmerksamkeit der Öffentlichkeit gestellt; dem will – in bescheidenem Maß – die Schriftenreihe im Einklang mit der musealen Arbeit abhelfen.

Der *Freundeskreis* ist überzeugt, sich mit der Schriftenreihe sinnvoll für die konkrete Museumsarbeit des Heimathauses Münsterland und darüber hinaus allgemein für die Förderung von wissenschaftlichen Forschungsarbeiten zur religiösen Kultur zu engagieren. Entgegen kommt ihm, daß die geschichtliche Bedeutung der religiösen Prägung der Kultur gerade im Münsterland und in Westfalen noch heute von vielen erkannt wird. So war es möglich, eine Reihe von Institutionen und privaten Förderern für die nötige finanzielle Hilfe zu gewinnnen.

Hier ist zunächst auf die Nordrhein-Westfalen-Stiftung Naturschutz, Heimat- und Kulturpflege in Düsseldorf hinzuweisen. Zu danken ist insbesondere Herrn Landesdirektor a.D. Herbert Neseker, Vorstandsmitglied der Stiftung. Herr Neseker, der als Vorsitzender des Westfälischen Heimatbundes auch der Volkskunde besonders nahesteht, hat sich über die spontan geäußerte Förderbereitschaft hinaus durch konstruktives Engagement um das Vorhaben verdient gemacht.

In besonderer Verbundenheit ist dem Landschaftsverband Westfalen-Lippe für die grundsätzliche Unterstützung der neuen Reihe zu danken. Durch Vermittlung von Herrn Landesdirektor Dr. Manfred Scholle konnten namhafte private Spenden eingeworben werden.

Schließlich gilt unser Dank dem Ehrenvorsitzenden des Freundeskreises, Herrn Handwerkspräsidenten Paul Schnitker, der zur Finanzierung des Werkes maßgeblich beigetragen hat, sowie dem Vorstand und allen privaten Spendern des Freundeskreises, die durch ihr Engagement den Beginn der neuen Reihe zur Förderung der religiösen Volkskunde ebenfalls ermöglicht haben. Eingeschlossen in den Dank sind zudem die Inhaber der Bildrechte.

Abschließend ist der Verfasserin, Frau Hildegard Erlemann, dafür zu danken, daß sie ihre Arbeit für die Veröffentlichung in der neuen Reihe zur Verfügung gestellt hat. Mit großer Sorgfalt und hohem persönlichem Einsatz hat sie die Drucklegung bis zum Schluß begleitet.

Freundeskreis Heimathaus Münsterland e. V.

Sudbrock	Dr. Ostendorf
Erster Landesrat	Museumsleiter
Vorsitzender	Geschäftsführer

VORWORT

Zur Durchführung dieser Untersuchung waren mir zahlreiche Personen und Institutionen behilflich. Mein erster Dank für die langjährige Betreuung gebührt meinem Doktorvater Herrn Prof. Dr. Heinz Dollinger, der mir nicht nur zahlreiche Einzelhinweise gab, sondern mich auch auf die grundsätzlichen Korrespondenzen zwischen dem Bildtyp *Hl. Wandel* und der *Sacra Conversatione* hinwies und mir damit wichtige Perspektiven für den *Hl. Wandel* erschloß. Desgleichen machte er mich auf den Aspekt des ‚christophoros‘ im Josephsbild aufmerksam, einen Aspekt, der für die Stellung des Nährvaters Jesu in der Heiligenhierarchie von nicht geringer Bedeutung war. Zudem verdanke ich der Initiative meines Doktorvaters, daß ich für zwei Jahre in den Genuß der Graduiertenförderung des Landes Nordrhein-Westfalen kam. Außerdem danke ich meinem Korreferenten Herrn Prof. Dr. Siuts.

Während meiner Arbeit am Manuskript waren mir besonders das Bayerische Landesamt für Denkmalpflege (Herr Dr. Kraft), das Erzbischöfliche Archiv in Köln, die Bischöfliche Bibliothek in Münster, die Staats- und Stadtbibliothek Augsburg, die Bayerische Staatsbibliothek München, die Stiftsbibliothek in Rein/Österreich, die mir ein frühes Jesuitendrama zur Hl. Familie zugänglich machte, und die Universitätsbibliothek Münster mit der ‚Prälat Schreiberschen Andachtsbuch-Sammlung‘ behilflich.

Durch die Aufnahme meiner Arbeit in die Reihe des Freundeskreises Heimathaus Münsterland e. V. und die großzügige Hilfe von Herrn Sudbrock, der sich der Finanzierung dieses Projekts annahm, wurde die Publikation in der nun vorliegenden Ausstattung, die den normalen Rahmen einer Dissertationsveröffentlichung übersteigt, ermöglicht. Dem Freundeskreis wie auch Herrn Sudbrock sei an dieser Stelle herzlich gedankt. Weiterhin bin ich dem Schriftleiter dieser Reihe, Herrn Dr. Thomas Ostendorf, für die eingehende Hilfe bei der Beschaffung der Abbildungen zu Dank verpflichtet. Das Gleiche gilt für die zahlreichen Institutionen und Privatpersonen, die fast ausnahmslos sehr zuverlässig und sehr schnell die Druckvorlagen für die Abbildungen bereitstellten.

Mein persönlicher Dank gebührt zudem dem Herrn Ludwig Gierse, der mir über die Jahre immer wieder geholfen hat. Besonders danken möchte ich auch meinen Freunden, die regen Anteil an meiner Arbeit genommen haben und meiner Familie, die mich durch alle Höhen und Tiefen begleitet und mich nie im Stich gelassen hat.

Recklinghausen, März 1993

Hildegard Erlemann

EINLEITUNG

„Maria ist immer und überall". Mit diesem Titel zu seinem Buch zu spätmittelalterlichen Marienmirakeln hat Peter-Michael *Spangenberg*[1] indirekt auch die Forschungssituation zur Marienfrömmigkeit im ausgehenden 19. und im 20. Jahrhundert beschrieben. Zahlreiche Autoren widmeten sich diesem Bereich der Frömmigkeit. Erinnert sei nur – quasi als Marksteine – an die Arbeiten von Stephan *Beissel* zu Anfang unseres Jahrhunderts und an die überaus interessante Studie von Ernst *Guldan*: Eva und Maria, von 1966. Desgleichen erfuhr der hl. Joseph seit der Arbeit von Joseph *Seitz* (1908) die Beachtung der Forscher (z. B. *Foster* 1978.), die sich sogar in internationalen Symposien niederschlug[2].

Demgegenüber hat die Hl. Familie nur sporadisch und meist im eng begrenzten Rahmen der Aufsatzliteratur das Interesse der Wissenschaftler gefunden. Besonders der Kunsthistoriker Hans *Wentzel* thematisierte im Zusammenhang mit dem Marienbild und der mittelalterlichen Fluchtlegende die Hl. Familie. Ebenso widmete Cynthia *Hahn* zwei Aufsätze der Bedeutung der Kirchenväter für die Ikonographie der Hl. Familie in der flämischen Kunst. Starkes Interesse brachte die Volkskunde dem Thema ‚Hl. Familie' entgegen, sei es im Zusammenhang mit dem Liedbestand zur Flucht (Dietz-Rüdiger *Moser*), dem Alltagsleben (Nils-Arvid *Bringéus*, Torsten *Gebhard*) oder dem Bildtyp des Hl. Wandels (Torsten *Gebhard*), während die historische Disziplin ihr Augenmerk auf die Bedeutung der Hl. Familie-Verehrung für die spätmittelalterliche Ausbildung der Familien allgemein richtete (David *Herlihy*).

Die verschiedenen Lexikon-Artikel zum Stichwort ‚Hl. Familie' (LThK, LCI, *Marienlexikon*, *Dictionnaire de spiritualité*) erwecken den Eindruck, als sei das Thema ausreichend behandelt. Torsten *Gebhard* ist es durch seine Wiederentdeckung des Hl. Wandels zu verdanken, daß die Bedeutung der Hl. Familie für die Frömmigkeit des Barock neu problematisiert werden konnte und ‚Vorurteile' des 19. Jahrhunderts, die z. B. bei *Beissel* und *Seitz*[3] den Blick für eine adäquate Betrachtungsweise der Hl. Familie-Verehrung für die Zeit vor der Aufklärung verstellt hatten, überwunden werden konnten.

In diesem Sinne soll diese Arbeit, die als Ausgangspunkt eine Staatsarbeit mit dem Schwerpunkt auf der Hl. Familie-Verehrung im 19. Jahrhundert hatte, ein Beitrag zu einer differenzierteren Sicht des Hl. Familie-Kultes und der mit diesem Kult transportierten theologischen und ideologischen Inhalte im deutschsprachigen Raum sein. So geht es mir in dieser Untersuchung nicht nur um die Verehrungsform der Hl. Familie in Liturgie und volksfrommer Rezeption, sondern auch um eine Klärung der theologisch-dogmatischen Inhalte und der dynastischen, politischen und sozialen Implikationen, die in das von Gegenreformation und Absolutismus geprägte Weltbild des katholischen Barock eingebunden waren. In diesem Weltbild vermittelte die Hl. Familie Erklärungs- und Wertemuster, übernahm also Funktionen ideologischen Charakters[4], die sich inhaltlich von denen des 19. Jahrhunderts unterschieden. Die Differenzen zwischen dem Barock und der Zeit nach der Aufklärung und der Säkularisation äußerten sich im Kult und in der Ideologie der Hl. Familie in einem gravierenden Bedeutungs- und Funktionswandel, in dem zahlreiche Aspekte der barocken Hl. Familie-Vorstellung verloren gingen und die ehemals reich ausgestaltete und differenzierte Heiligengruppe zum platten Exempel als vorbildliche christliche Familie reduziert wurde.

Der Begriff *Familie* galt im Spätmittelalter wie auch in der Frühen Neuzeit als Terminus für eine Gruppe mit einer besonders engen Bindung der Gruppenmitglieder, die aber nicht oder nur bedingt genealogischer Natur sein mußte und sowohl auf die Wirtschaftseinheit des ‚ganzen Hauses' wie auch auf die spirituelle Gemeinschaft z. B. der katholischen Geistlichkeit oder die Gemeinschaft Jesus, Maria und Joseph auf Erden angewandt werden konnte. Uns soll hier besonders die Hl. Familie als Heiligengruppe interessieren, die sowohl als irdische, wirtschaftlich-soziale wie auch als spirituelle Gemeinschaft definiert wurde.

Mit dem wachsenden Interesse der abendländischen Frömmigkeit für das irdische Leben und die Bedingtheit des in Jesus menschgewordenen Gottes zum Zwecke der Intensivierung der religiösen Erfahrung und der mystischen Gottesschau bildeten sich im ausgehenden Mittelalter und in der Frühen Neuzeit die Grundlagen für eine neue Gruppenkonstellation als Ausschnitt aus der Hl. Sippe, die wir heute gängigerweise als *Hl. Familie* bezeichnen. Sie umfaßt Jesus, Maria und Joseph, und so wollen auch wir den Begriff als *terminus technicus* für diese enge Personengruppe verwenden, obwohl diese Bezeichnung bis zum ausgehenden 18. Jahrhundert nicht in dieser eindeutigen Weise gebraucht wurde.

Zwar bildeten z. B. entsprechende Gemälde des 16./17. Jahrhunderts häufig die Kernfamilie im heutigen

Sinne ab, dennoch fanden die Begriffe *Sancta* bzw. *Sacra Familia* und *Hl. Familie* auf diese Gruppe nicht im exklusiven Sinne Anwendung. Sie wurden auch auf erweiterte Gruppendarstellungen der Hl. Sippe bezogen, die wahlweise die Heiligen Elisabeth, Johannes d. Täufer, Anna, Joachim usw. umfassen konnten. Ebenso fand der genealogisch, im Sinne von *Verwandtschaft* verstandene Begriff der *Freundschaft* bei der Bezeichnung der Hl. Familie bzw. Hl. Sippe Anwendung. Doch schloß diese Terminologie den Gläubigen nicht aus. Vielmehr war das Ziel seiner Bestrebungen, in diese hl. Freundschaft aufgenommen zu werden, sei es durch das Betreten des Kirchenraums, der Wohnung der Heiligen[5], oder mittels einer Bruderschaft, die den Gemeinschaftsaspekt sowohl der Gläubigen untereinander wie auch der Gläubigen mit den Heiligen betonte. In diesem weitesten Sinne wurde von der Hl. Familie auch als der *Hl. Gesellschaft*, der *Hl. Haushaltung*[6] usw. gesprochen, Termini, die im Gegensatz zur genealogischen Bedeutungsebene der Kernfamilie im Personenbestand ebenfalls nicht exklusiv aufgefaßt werden mußten, sondern – wie wir besonders im Bereich der Loretoverehrung und des Todespatroziniums sehen werden – auch die Gläubigen als fromme, andächtige Individuen miteinbeziehen konnten und so die Basis für eine außerordentliche Identifikation der Gläubigen mit dem menschgewordenen Gottessohn boten.

Demgegenüber ist der heute wenig geläufige Begriff des Hl. Wandels, der auf einen ganz bestimmten Bildtyp Anwendung findet, sehr exklusiv zu verstehen. Diese Exklusivität prädestinierte ihn – neben anderen, formalen wie inhaltlichen Komponenten – u.a. zum Kultbild der Hl. Familie im 17. und 18. Jahrhundert.

Die Hl. Familie war nicht nur mit verschiedenen Bedeutungen und Funktionen behaftet, diese Bedeutungen und Funktionen waren auch einer Veränderung unterworfen, als deren Wendemarke Aufklärung und Säkularisation anzusehen sind.

Schon zu Anfang des 19. Jahrhunderts geriet die reiche barocke Tradition im Kult dieser Heiligengruppe in Vergessenheit und der Begriff der Hl. Familie wurde nun meist recht eng im Sinne eines Hl. Familie-Portraits gefaßt.

So definierte z.B. die Leipziger *Allgemeine Encyklopädie der Wissenschaften und Künste* im Jahre 1828 die Darstellungen der Hl. Familie unter rein kunsthistorischen Aspekten als Gemälde,

> welche Jesus mit seinen Ältern darstellen, dann aber auch solche, auf denen die Maria nebst ihrer Mutter Anna befindlich ist. Die Gruppierung der heiligen Familie und die Wahl ihrer Umgebung ist natürlich nach der Scene verschieden, welche dargestellt werden soll; da aber die biblische Erzählung aus der Jugendzeit Christi sehr wenig aufbewahrt hat, so ist natürlich keine sehr große Mannichfaltigkeit möglich. (*Ersch/Gruber* 1818–1850. S. 142)

Mit dieser Verengung in der Ikonographie der Hl. Familie, die ihre Entsprechung in den eingeschränkten Ausdrucksformen der Frömmigkeit hatte, ging eine Konzentration der Kultinhalte auf den Vorbildcharakter der Hl. Familie für alle christlichen Familien einher.

Einen Abschluß fand die Entwicklung 1921, als die katholische Kirche allgemein das Fest der Hl. Familie auf den ersten Sonntag nach Weihnachten festlegte und auf diese Weise die Vorstellungen des 19. Jahrhunderts von der Hl. Familie endgültig festschrieb.

Es erscheint mir angebracht, sich zuerst anhand der Verbreitung der Hl. Familie-Patrozinien ein grobes Bild vom äußeren Umfang dieses Kultes in der Neuzeit zu machen. Dabei möchte ich zuerst hauptsächlich die Kirchen-, Kapellen-, Altar-, und Bruderschaftspatrozinien berücksichtigen, die entsprechenden Vereine, Orden und Kongregationen aber – da sie typische Erscheinungen des 19. Jahrhunderts sind – dem letzten Großkapitel dieser Arbeit zuordnen. Leider können die Angaben über die Häufigkeit der Patrozinien keinen Anspruch auf Vollständigkeit erheben, da sie in Abhängigkeit von der entsprechenden Literatur gemacht wurden. So bieten z.B. die *KD Bayern. Oberbayern*, in deren Bearbeitungsraum eine Vielzahl entsprechender Erscheinungen zu vermuten ist, kaum Hinweise auf Hl. Familie-Patrozinien oder ein Altarbild mit dieser Gruppe. Dennoch ergibt sich ein ungefähres Bild, das als Einstieg in die Materie deutliche Hinweise auf zeitliche und regionale Dominanzen aufzeigt.

In einem zweiten Schritt sollen die mittelalterlichen Voraussetzungen geklärt werden. Anschließend beschreibe ich die verschiedenen Facetten der Hl. Familie-Verehrung vom 17. bis zum beginnenden 20. Jahrhundert und ihre Erscheinungsweisen in Bildtypen, Gebeten und Liedtexten, ihre Inhalte im sakralen und volksfrommen Bereich, ihre Einbindung und Funktionalisierung im Rahmen der gegenreformatorischen Staats- und Herrscherdoktrin sowie der konservativ-restriktiven Familienideologie des 19. Jahrhunderts und die Rezeption dieser Inhalte.

DAS PATROZINIUM DER HL. FAMILIE

1 Kirchen-, Kapellen- und Altarpatrozinien

Kirchen-, Kapellen- und Altarpatrozinien der Hl. Familie waren in vorreformatorischer Zeit sehr selten, und es muß vermutet werden, daß mit entsprechenden Titeln, wie z. B. ‚Ad S. Familiam', nicht die Hl. Familie nach unserer Definition, sondern die Hl. Sippe gemeint war[1].

Nach der Reformation wandelt sich das Bild nur geringfügig. Das Vorkommen von Hl. Familie-Patrozinien im Bereich der Kirchen, Kapellen – wobei auch Seitenkapellen in Betracht gezogen werden – und Altäre bleibt bis zur ersten Hälfte des 17. Jahrhunderts spärlich. Auch sind die Daten zuweilen recht ungenau, wie das Beispiel einer Schloßkapelle bei Günzelhofen (B. Freising) zeigt. Diese früheste definitiv der Hl. Familie geweihte Kapelle befand sich in einem Schloß auf dem Spielberg, das 1588 gebaut, 1624 abgebrochen und anschließend neu errichtet wurde (*Mayer/Westermayer* 1874–1884. I. S. 297–300). Wie die folgenden Beobachtungen – besonders im Bereich der Bruderschaftspatrozinien – zeigen werden, spricht vieles für eine späte Datierung des Hl. Familie-Patroziniums nach 1624, das damit in die frühe Phase der Propagierung des Kultes fallen würde und nichtsdestoweniger als ältestes Beispiel eines Kapellenpatroziniums der Hl. Familie gelten könnte.

Erst gut zwanzig Jahre später erhielt eine Kapelle (erbaut 1645) der zu der Pfarrei Wald gehörenden Filiale Bergers (B. Augsburg) den Titel ‚*Zu Ehren der Flucht nach Ägypten*' (*Steichele/Schröder* 1864–1939. VII. S. 546. *KD Bayern. Marktoberdorf*. S. 29 f) und erinnert daran, daß der Kult der Hl. Familie in der Frühzeit seiner Entwicklung noch eng an die narrativen Traditionen gebunden war. Auch dieses Kapellenpatrozinium ist noch als Ausnahmeerscheinung zu werten, der erst gut dreißig Jahre später die Gründung einer Josephsbruderschaft am Ort folgte[2]. Um 1650 entstand eine Hl. Familie-Kapelle in Holdernach bei Landeck (Tirol), die zusammen mit der nur grob datierten Hl. Familie-Kapelle in Obergreit (ebenfalls bei Landeck) zu den wenigen Tiroler Kapellenbelegen des 17. Jahrhunderts gehört. Zählt man jedoch für Tirol die Altarpatrozinien hinzu, so ergibt sich für einen geographisch recht beschränkten Raum eine relativ hohe Dichte an Hl. Familie-Patrozinien im 17. Jahrhundert (Karte 1): schon 1642 wurde der Altar der Annenkapelle von Mils (bei Hall) mit einem Altarblatt versehen, das den Hl. Wandel zeigt, es folgte 1658 der Altar der Annenkapelle von Baumkirchen (bei Innsbruck), 1666 ein Hl. Wandel-Altar in der Wallfahrtskirche Maria Waldrast in Mühlbachl (bei Matrei am Brenner), desgleichen 1670 in der Dreifaltigkeitskirche am Kropfbüchl bei Längenfeld i. Ötztal, wo im selben Jahr eine JMJ-Bruderschaft eingerichtet wurde.

Besondere Aufmerksamkeit verdient die 1669 im Südtiroler Ort Fortezza[3] errichtete Kirche, da sie der erste definitive Nachweis einer *Pfarrkirche* mit der Hl. Familie als *Hauptpatrozinium* ist. Zwar wurde die Gemeindekirche bei einem Brand 1720 zerstört und ein Jahr später wieder aufgebaut, so daß auch das frühe 18. Jahrhundert als Einrichtungsdatum für das Hl. Familie-Patrozinium in Frage käme. Da aber schon seit 1683 in der Pfarrei eine JMJ-Bruderschaft bestand (*KD Südtirol*. I. S. 188. *Hochenegg* 1984. S. 167), spricht vieles für eine frühe Datierung des Patroziniums, in dessen Gefolge die Hl. Familie-Fraternität gegründet wurde.

Anknüpfend an die frühen schwäbischen Belege aus Spielberg und Bergers wurde der südliche Seitenaltar in der Stadtpfarrkirche St. Peter in Dillingen um 1660/70 mit einem Altarblatt, das die Hl. Familie bei der Arbeit zeigt, ausgestattet. 1664 erhielt die Filialkirche von Bachtel (Gemeinde Mittelberg) neben dem der Dreifaltigkeit das Patrozinium der Hl. Familie und der Hl. Dreikönige (*KD Bayern. Kempten*. S. 75 f). Auch in diesem Fall erinnert – ähnlich wie in Bergers – die Kombination der Nebenpatrozinien an eine Begebenheit aus den Evangelien, die zusammen auf das Fest der Epiphanie hinweisen. Zwei Jahre später wurde die Marienwallfahrtskirche von Dorfen (Lkr. Erding) am Chor um eine von der Rosenkranz-Bruderschaft des Ortes betreute Jesus-Maria-Joseph-Kapelle erweitert. Doch ist zu vermuten, daß die Kapelle mit Blick auf die 1660 errichtete JMJ-Bruderschaft des Nachbarortes Isen errichtet wurde, da zwischen diesen beiden Orten schon frühzeitig eine rege Wallfahrtstätigkeit zu belegen ist (*Gribl* 1981. S. 47, 116 ff. Anm. 839, 1068).

Nebenbei muß bemerkt werden, daß ein Bild der Hl. Familie im Altar keineswegs zwangsläufig den Schluß zuläßt, daß auch der Altar diesen Heiligen geweiht ist. Als Beispiel sei hier auf den 1696 errichteten Hauptaltar der Kirche von Wertach – der wichtigsten Josephswallfahrt im Bistum Augsburg – verwiesen, der zwar den Bistumsheiligen Ulrich und Afra geweiht war[4], im Hauptbild aber die

Hl. Familie in Gestalt des Hl. Wandels zeigte (*KD Bayern. Schwaben* VIII. S. 980). Durch die Bedeutung der Kirche als Josephskultstätte angeregt, verdrängte das Hl. Familien-Bild das Hauptpatrozinium der Kirche und wurde im gesamten Sonthofener Raum rege rezipiert. So finden wir nicht nur in Wertach selbst eine Kopie (spätes 18. Jhdt.) des 1893 bei einem Kirchenbrand zerstörten Hochaltargemäldes, sondern auch in Börlas (1706) (*KD Bayern. Schwaben* VIII. S. 168 f), Wilhams (1715) (ebda. S. 1006 f) – jeweils als Hochaltarbild der Wendelin- bzw. Josephkapelle –, in Hinterstein (ebda. S. 387–391)[5], Schöllang (im Auszug des Hochaltares. ebda. S. 774), Oberellegg (ebda. S. 576 f) und Hinterschneid (ebda. S. 382 f). Die beiden letzten Orte gehören zur Gemeinde Wertach, so daß es nicht erstaunlich ist, daß hier das Hochaltarbild der Hauptpfarre in der jeweiligen Ortskapelle als Kopie erscheint. Ein Fresko am Giebel eines Bauernhauses mit dem Hl. Wandel in Hinterschneid (*KD Bayern. Schwaben* VIII. S. 383) zeigt, daß die regionale Heiligentradition auch außerhalb der Kirche von den Gläubigen gepflegt wurde.

Sieht man von dem strengen Kriterium einer direkten Kopie des Wertacher Hochaltarbildes ab und betrachtet den Raum zwischen Oberstaufen, dem kleinen Walsertal, Kempten und Füssen, so breitet sich vor unseren Augen ein Netz von Beziehungen der einzelnen Orte untereinander aus, die ihren gemeinsamen Nenner in der Verehrung der Hl. Familie haben (Karte 2). Neben den Kapellen-, Altar- und Bruderschaftspatrozinien z. B. in Ratholz, Stein, Immenstadt, Kranzegg, Ober- und Unterteusch bei Weissensee, Füssen[6], Liebenstein bei Hindelang, Fischen, in den verschiedenen Ortsteilen von Schöllang und in Oberstdorf fand dieser Kult seinen Niederschlag in Gemälden, Fresken, an Kelchen und Glocken[7], so daß sich das Netz der Zeugnisse der Hl. Familie in diesem Raum noch verdichtet. Dieses Zentrum des Hl. Familie-Kultes lag keineswegs isoliert da, sondern wurde von entsprechenden Zeugnissen im Nordosten um Marktoberdorf und von Füssen ‚umrahmt‘.

Die oben schon genannten Kirchen- und Kapellenpatrozinien in Dorfen und Fortezza, bei deren Patrozinium sich keine narrativen Reminiszenzen mehr finden lassen, markieren eine neue Phase in der Propagierung der Hl. Familie, die mit der Erhebung des hl. Joseph zum Landespatron verschiedener Diözesen und Länder seit 1652 eingeleitet wurde (1652 Diözese Trier, 1654 Böhmen, 1661 Diözese Münster, 1663 Bayern, 1675 Österreich) und in deren Verlauf ein stetiger Anstieg von Hl. Familie- und – in weit höherem Maße – Josephs-Patrozinien zu beobachten ist. Doch auch in dieser Phase sind die Belege noch recht gestreut.

Bemerkenswert sind zwei für die Erzdiözese Köln leider nur vereinzelt dastehende Nachweise, nach denen 1670 in Oberbreidenbach eine Kapelle mit dem Titel ‚Ad S. Familiam‘ entstand, die von der Josephsgemeinde aus Linde betreut wurde (*Schematismus Köln* 1966. II. S. 534) und eine heute durch einen Neubau ersetzten Kapelle in

Hünningen, die bei ihrer Errichtung 1696/98 ebenfalls der Hl. Familie geweiht war. Heute trägt die Kapelle ein Josephspatrozinium (*KD Eupen-Malmedy*. S. 257 f).

Für die süddeutschen, österreichischen und schweizerischen Gebiete ist das Bild etwas günstiger. Für 1678 ist ein der Hl. Familie geweihter, heute jedoch zerstörter Seitenaltar in der Pfarrkirche des Nordtiroler Ortes Hatting/Inn bezeugt (*Felmayer* 1967. S. 88). Ein Jahr später findet sich der erste Hl. Familie-Altar auf Schweizer Gebiet in der Loreto-Kapelle von Biberegg (Kanton Schwyz) (*KD Schweiz. Schwyz*. II. S. 154). Es folgen ein heute zerstörter Kapellenaltar von 1688 in Biberwier bei Lermoos/Tirol (*Felmayer* 1967. S. 87. *Dehio* 1980. S. 213) sowie ein auf das Ende des 17. Jahrhunderts datierter Hl. Wandel-Altar (li. Seitenaltar) aus Brixlegg/Tirol und eine 1697 dem Namen der Hl. Familie geweihte Kapelle in Wies bei dem Ort Weissensee/Schwaben (B. Augsburg) (*Steichele/Schröder* 1864–1939. IV. S. 562 f. *KD Bayern. Füssen*. S. 180)[8], der Ende des 17. Jahrhunderts dem Kloster St. Mang in Füssen angehörte. Die von den Bewohnern der umliegenden Ortschaften wohl unter der Ägide des Füssener Abtes Gerard Oberleitner (1696–1714)[9] erbaute Kapelle wurde erst 1832 geweiht[10]. Für das Jahr 1698 sind nochmals zwei Seitenaltäre mit dem Patrozinium der Hl. Familie in Nordtirol (in Pettnau und in Nasserreith, beide nicht erhalten. *Felmayer* 1967. S. 90) und für 1699 im Sonthofener Raum bezeugt (in Oberstdorf (1865 zerstört) und in Fischen. *KD Bayern. Schwaben*. VIII. S. 617, 271).

Auch wenn diese Auflistung noch sporadisch wirkt – dies mag z. T. an der unvollständigen Erhebungsgrundlage liegen –, so wird bei der Betrachtung der gleichzeitigen Entwicklung der Josephspatrozinien deutlich, daß mit dem letzten Viertel des 17. Jahrhunderts die Verehrung der gesamten Hl. Familie in eine neue Phase trat, die durch die entsprechenden JMJ-Bruderschaften vorbereitet wurde[11] und sich in der 1. Hälfte des 18. Jahrhunderts kontinuierlich weiterentwickelte.

Insgesamt lassen sich so für die zweite Hälfte des 17. Jahrhunderts im Bereich der Kirchen-, Kapellen- und Altarpatrozinien 20 Hl. Familie-Patrozinien belegen. In den folgenden 50 Jahren änderte sich die Zuwachsrate an Hl. Familie-Patrozinien nur unerheblich auf 24 weitere Nachweise, die bis zum Ende des 18. Jahrhunderts jedoch auf 11 sanken. Schwerpunkte ergaben sich dabei in den ersten beiden Jahrzehnten des 18. Jahrhunderts – als kontinuierliche Fortführung des beginnenden Aufschwungs der letzten Jahrzehnte des 17. Jahrhunderts – und in der Mitte des Jahrhunderts[12]. Alle Belege des 18. Jahrhunderts betreffen Kapellen oder Altäre, aber keine Gemeindekirchen. Meistens handelt es sich bei Hl. Familie-Altären um Seiten- oder Kapellenaltäre, nur in seltenen Fällen wurde der Hauptaltar einer Pfarrkirche der Hl. Familie geweiht[13]. Eine Vermehrung der Nachweise ergibt sich bei den Altären, wenn man die Möglichkeit der Addition der einzelnen Heiligen zur Hl. Familie mit in Betracht zieht. Dies kann einerseits innerhalb eines einzelnen Altares durch die Kombination einer Marien- und Josephsfigur geschehen oder durch die Zusammenschau zweier Seitenaltäre, die gemeinsam die Hl. Familie oder die Hl. Sippe in ihren Patrozinien repräsentieren konnten. Als Beispiel für den ersten Typ der Heiligenaddition in Altären sei auf ein Exemplar von ca. 1720 im Augsburger Dom (Mariä Heimsuchung) verwiesen, bei dem eine Sandsteinfigur der Muttergottes aus dem 14. Jahrhundert durch begleitende Holzfiguren von Joseph, Joachim, Zacharias, einem König, Elisabeth und Anna ergänzt wurde (*KD Bayern. Stadt Augsburg.* S. 11), während sich die zweite Additionsform z. B. in der Burgkirche St. Michael in Schöllang (Schwaben) wiederfindet. Dort ist der nördliche Seitenaltar Maria, Jesus und dem Johannesknaben geweiht, während sein südliches Pendant den hl. Joseph zum Patron hat. Beide Altäre stammen aus dem Jahr 1707 (*KD Bayern. Schwaben.* VIII. S. 774 f).

Berücksichtig man diese Varianten, die mir für das 17. Jahrhundert nicht bekannt sind, und zählt noch die Altäre hinzu, die zwar im Altarbild die Hl. Familie zeigen, bei denen aber nicht eindeutig geklärt werden kann, ob sie der Hl. Familie geweiht waren[14], erweitert sich die Zahl der Belege für das 18. Jahrhundert auf 56. Auch unter Einbeziehung dieser zusätzlichen Exemplare bleibt bei der Errichtung dieser Altäre der zeitliche Schwerpunkt in der ersten Hälfte des 18. Jahrhunderts erhalten.

Mit der Säkularisation kam die Einrichtung von Kirchen, Kapellen und Altären mit dem Hl. Familie-Patrozinium fast völlig zum Erliegen, nahm aber in den letzten zwei Jahrzehnten des 19. Jahrhunderts unter dem Einfluß einer konservativen Familienideologie, die mit Hilfe der Hl. Familie propagiert wurde, einen außerordentlichen Aufschwung, der in der Einführung des Festes der Hl. Familie 1921 gipfelte.

Allein 27 Kirchen und Kapellen wurden innerhalb dieser vierzig Jahre (zw. 1880 und 1921) der Hl. Familie geweiht[15], ein Ergebnis, das zu einem nicht geringen Teil auf die Aktivitäten des 1892 gegründeten ‚*Allgemeinen Vereins der christlichen Familien zu Ehren der heiligen Familie von Nazareth*‘ und entsprechender Kongregationen – wie z. B. den ‚*Missionaren von der Hl. Familie*‘ oder noch stärker den sozial engagierten ‚*Franziskanerinnen von der Hl. Familie*‘ (gegr. in Mayen (B. Trier) 1857) und den aus Mallersdorf (B. Regensburg) stammenden ‚*Armen Franziskanerinnen von der Hl. Familie*‘ (gegr. 1855) – zurückzuführen ist. Die Kapellen aus der Spätphase waren nicht selten an sozialfürsorgliche Institutionen, wie Kindergärten, Krankenhäuser u. ä.[16] oder Klöster[17] angegliedert, so daß das Patrozinium der Hl. Familie in diesen Fällen im programmatischen Sinne zu verstehen ist. Beachtung verdient für diese späte Phase der Patroziniumswahl außerdem die Tatsache, daß ein nicht geringer Teil von Gemeindekirchen der Hl. Familie geweiht wurde, während in der Frühphase des Hl. Familiekultes im 17. und 18. Jahrhundert die Hl. Familie nur ausnahmsweise als Patron einer Kirche gewählt wurde. Besonders das frühe 20. Jahrhundert scheute sich nicht, neu eingerichtete Filialen der Hl. Familie zu weihen. In den ersten beiden Jahrzehnten unseres Jahrhunderts, einer Zeit, in der viele Orte expandierten und neue Pfarreien eingerichtet wurden, stellte man in 9 von 17 Belegen eine Gemeindekirche – zumeist als Filialkirche konzipiert – unter den Schutz der Hl. Familie. Vergleichbares ist noch einmal in der Zeit des Aufbaus der 50er Jahre zu beobachten.

2 Bruderschaftspatrozinien

Das Bild der Patroziniumsverbreitung vervollständigt sich, wenn man die Bruderschaften, die der Hl. Familie geweiht sind, hinzuzieht. In vielen Fällen verdichtet sich das Bild vom Kult der Hl. Familie, teilweise läßt sich sogar eine direkte Beziehung zwischen Altar und Bruderschaft nachweisen, in der die Hl. Familie-Altäre als Bruderschaftsaltäre dienten[1]. Aber auch wenn kein Bruderschaftsaltar nachweisbar ist, finden sich häufig andere Belege sakraler Kunst[2], die offenbar in den Rahmen der Bruderschaftsstiftungen einzuordnen sind.

Der früheste Bruderschaftsbeleg mit dem Patrozinium der Hl. Familie stammt aus München und datiert von 1592. Nicht nur aufgrund seiner frühen Gründung bildet diese Fraternität eine Besonderheit; sie ist auch durch ihre offenbar berufsständische Orientierung von den meisten späteren Bruderschaften zu unterscheiden. So nannte sie sich im Laufe der Zeit nicht nur ‚Liebesbund von Jesus, Maria und Joseph‘, sondern auch ‚Verein für Fußboten‘ oder ‚Verband der Kanzleiboten‘. 1838 wurde sie zum letztenmal in ‚Verein herrschaftlicher Diener‘ umbenannt (Mayer/Westermayer 1874–1884. II. S. 421). Auffälligerweise bestand keine direkte Affinität zwischen der Berufsgruppe und einem entsprechenden Patron[3], wie es z. B. bei Joseph als möglichem Patron der Zimmerleute oder Holzhandwerker nahelag[4].

Diese, auch nach der Säkularisation bestehende Fraternität war keineswegs mit der 1676 ebenfalls an St. Peter eingerichteten Hl. Wandel-Bruderschaft[5] identisch, die zur großen Gründungsphase in der zweiten Hälfte des 17. Jahrhunderts gehört und Anfang des 19. Jahrhunderts aufgehoben wurde.

Diese erste Gründungsphase wurde durch die Erhebung des hl. Joseph zum Landespatron in den Habsburger und Wittelsbacher Ländern initiiert, so 1654 für Böhmen, 1663 für Bayern[6] und 1675 für die gesamten österreichischen Kronlande, noch im selben Jahr gefolgt von der Unterschutzstellung des gesamten Reiches unter das Patrozinium des hl. Joseph. Zwar finden sich zwischen den ersten beiden Daten (1654–1663) nur vier Bruderschaftsgründungen[7], doch folgen auf das Jahr 1663, in dem Bayern den hl. Joseph zum Patron erhielt, bis 1675 schon elf Fraternitäten in Bayern und Tirol[8]. In den 70er Jahren treten Bruderschaftsgründungen auf schwäbischem Gebiet, das zu einem großen Teil zum Bistum Augsburg gehörte, hinzu[9].

Bis zur Jahrhundertwende wurden weitere 15 JMJ-Bruderschaften hauptsächlich in Tirol und Schwaben gegründet[10]. Insgesamt entstanden so in der zweiten Hälfte des 17. Jahrhunderts im süddeutschen Sprachraum 37 Fraternitäten mit dem Patrozinium der Hl. Familie. Diese Entwicklung wurde im 18. Jahrhundert mit 29 Neugründungen kontinuierlich fortgeführt.

Neben der hohen Bedeutung der Josephserhebung zum Landespatron für die Verbreitung der Hl. Familie-Bruderschaften ergeben sich in manchen Fällen für die Wahl des Patroziniums direkte Hinweise auf den Einfluß der Volkskatechese und der Volksmissionskampagnen der Jesuiten und Kapuziner[11]; so z. B. bei der Einführung der JMJ-Bruderschaften im Erzbistum Köln.

Als frühestes eindeutig belegtes Beispiel ist mir die Christenlehrbruderschaft unter dem Patrozinium der Hl. Familie in Hilberath bekannt, die 1650 von den Jesuiten Henning Cnell und Johann Heringsdorff errichtet wurde. Sie ging aber in der folgenden Zeit wieder ein und mußte am 31.3.1716 neu gegründet werden (Dumont 1889. S. 103–107). Im Dekanat Blankenheim war in den späten 60er und frühen 70er Jahren der Jesuit Philipp Scouville (1622–1701)[12] im gleichen Sinne tätig (Dumont 1893. IV. Nr. V. S. 373, 386. Nr. IX. S. 482).

Alle drei Jesuiten führten die für das Erzbistum Köln typische Christenlehrbruderschaft ein, die in Köln unter dem Patrozinium sowohl der Hl. Familie als auch des hl. Franz Xaver stand. Generell mußten die Christenlehrbruderschaften nicht notwendigerweise das Patrozinium der Hl. Familie tragen. So sind z. B. die Christenlehrfraternitäten in Tirol und der Schweiz meist dem hl. Cassian geweiht (Hochenegg 1965. S. 39)[13]. Das Hl. Familie-Patrozinium war eine Besonderheit des nichthabsburgischen deutschsprachigen Raumes, wie entsprechende Bruderschaften auch im Würzburger, Regensburger und Hildesheimer Bistum beweisen[14].

Da die Christenlehrbruderschaften im Erzbistum Köln nach der Synode von 1662, in der das Josephsfest für die Diözese verbindlich eingeführt (Küppers 1981. S. 154. Anm. 165) und die Beschlüsse des Konzils von Trient vollzogen wurden, besonders in der ersten Hälfte des 18. Jahrhunderts systematisch in den einzelnen Dekanaten eingerichtet wurden[15], kann man annehmen, daß alle diese Fraternitäten im Erzbistum der Hl. Familie und dem hl. Franz Xaver geweiht waren, selbst wenn die Heiligen im Titel nicht ausdrücklich genannt werden[16]. Diese Vermutung wird durch das Bruderschaftsbüchlein des Kölner Jesuiten Leopold Offermans (1665–1706)[17] bestätigt, in dem der volle Titel der Fraternität genannt wird: ‚Bruderschaft der christlichen Lehre oder Gesellschaft Jesus, Maria, Joseph, unter dem Schutze des H. Francisci Xaverii zu mehrerer [!] Beförderung der christlichen Lehre‘.

Ihren Ursprung nahm diese Art der Bruderschaft in den 60er Jahren des 16. Jahrhunderts in Mailand[18]. Weitere Gründungen folgten in Genf und Capua (Königreich Neapel). 1571 empfahl Papst Pius V. sie als Hilfe für die Katechese in der Phase der Erneuerung und Reformierung der katholischen Kirche und als Gegenwehr zum Protestantismus (Beringer 1900. II. S. 729 ff). Sie sollte die vom Tridentinum angeordnete sonntägliche Katechese in Form der Christenlehre pflegen. 1607 wurde sie zur Erzbruderschaft mit Sitz in Rom erhoben und Kardinal Alexander de Medici, der spätere Papst Leo XI., übernahm die Leitung. 1610 erhielt die Erzbruderschaft die Erlaubnis, in allen Pfarreien eine von ihr abhängige Fraternität einzurichten, und 1686 bekräftigte Innozenz XI. in einer Enzyklika nochmals die Dringlichkeit ihrer Errichtung in allen Diözesen. 1707 erging eine weitere Bulle des Papstes die Christenlehrbruderschaft betreffend. So wurde diese Fraternität zu einer wichtigen Institution zur Verbreitung und Durchsetzung der Tridentiner Beschlüsse und zur Intensivierung des katholischen Kultes.

Während im Erzbistum Trier die Christenlehrbruderschaft 1645 unter Erzbischof Peter Christoph eingeführt wurde und sie im Würzburger Bistum sogar schon in den 20er Jahren des 17. Jahrhunderts bestand, stieß ihre Verbreitung im Erzbistum Köln auf Schwierigkeiten, in Hildesheim und Regensburg wurde sie sogar erst in der Mitte des 18. Jahrhunderts errichtet (*Schrems* 1929. S. 150 f. Anm. 14). In Köln konnte die Christenlehrfraternität nach mehrmaligen, seit 1610 ausgesprochenen Empfehlungen durch die Erzbischöfe erst von den späten 80er Jahren des 17. Jahrhunderts an Fuß fassen, wobei dem Jesuitenpater Philipp Scouville besondere Verdienste zukamen.

Die relativ späte und anfänglich recht schleppende Einführung der Bruderschaft im Erzbistum Köln findet ihre Ursache einerseits in den Wirren der Zeit, dem 30jährigen Krieg, andererseits wurden die Beschlüsse des Konzils von Trient erst relativ spät, 1662 auf einer Diözesan-Synode, im Erzstift veröffentlicht und damit eingeführt.

Mit der Ergänzung des Titels der Christenlehrbruderschaft um das Patrozinium der Hl. Familie stand diese Fraternität – und damit auch die Volkskatechese – unter dem Schutz der hervorragendsten Heiligen im Himmel. Erzbischof Maximilian Heinrich stellte die Bruderschaft 1685 zusätzlich unter das Patrozinium des Missionars und Jesuitenheiligen Franz Xaver. Außerdem verfügte er eine Fusion mit der *„Sodalität unter dem Titel der gottesfürchtigen Gesellschaft zur Abwendung der fünf Hauptübel der Menschen'* (*Offermans*: Bruderschafts-Büchlein. 1863. S. 12 f), eine Maßnahme, die zur Straffung und Steigerung der Effektivität der Bruderschaft führte. Doch erst mit dem Amtsantritt von Joseph Clemens von Bayern (1688–1723) blühte die Christenlehrbruderschaft im Erzbistum Köln auf. In seine Regierungszeit und die seines Nachfolgers Clemens August von Bayern (1723–1761) fällt dementsprechend die erste erfolgreiche Phase der Einrichtung dieser Bruderschaft im Erzbistum[19].

Inwiefern die zahlreichen Nachweise der Christenlehrfraternität im 18. Jahrhundert[20] Aussagen über die Wirksamkeit der Bruderschaft im Erzbistum machen können, muß dahingestellt bleiben. Zweifel an ihrer Bedeutung für die Masse der Gläubigen sind zumindest für das frühe 19. Jahrhundert angebracht.

Spätestens seit 1808 wurden z. B. in der Siegbur-ger Christenlehrbruderschaft alle Erstkommunikanten eingeschrieben, so daß man ab 1808 von einer Zwangsmitgliedschaft sprechen muß[21]. Die 1747 gegründete Fraternität konnte so nach einigen Jahren die ganze Pfarrgemeinde in sich aufnehmen. Sie wurde zu einem zusätzlichen Organisationsmittel in den Händen der Geistlichkeit, die auf diese Weise eine erweiterte Kontrolle über den religiösen Eifer der Gläubigen (Kirchgang, Christenlehre, Beichte) in Händen zu haben glaubte. Andererseits konnte die fehlende Exklusivität genau das Gegenteil bewirken. Da die Christenlehrbruderschaft quasi zur Zwangsgemeinschaft avancierte, kann man gewiß nicht bei allen Mitgliedern von einem persönlichen Engagement für die Fraternität und für ihr Anliegen ausgehen.

Die Aufnahme der Kommunionkinder widersprach auch der ursprünglichen Aufgabenstellung der Christenlehrbruderschaft, in der Laienhelfer für die Katechese in der Christenlehre organisiert werden sollten[22], und die Stiftung von 425 holländischen Gulden zum Kauf von Prämien für die eifrigsten Siegburger Christenlehrbesucher (*Mittler* 1986. S. 21) bezeugt, daß sich die Gläubigen ursprünglich mit dieser Absicht um die Aufnahme bewarben. Mit dem Eintritt der Erstkommunikanten wurde die Bruderschaft in Siegburg zu einer Organisation vornehmlich derjenigen, die der Christenlehre beiwohnen sollten: ein Kontrollinstrument über die Pfarrjugend.

Neben den Christenlehrbruderschaften kennen wir als weitere Grundtypen von JMJ-Fraternitäten bis zur Säkularisation außerdem die Hl. Wandel-Bruderschaft, die, vor 1640 erstmals in Florenz von den Jesuiten gegründet, die Hl. Familie mit diesem besonderen und – wie wir noch sehen werden – inhalts- und beziehungsreichen Terminus versah, der bis zum Ende des 18. Jahrhunderts besonders in den südlichen Gebieten des deutschen Sprachraums geläufig war. Mit dieser Form der Hl. Familie-Fraternität begegnet uns zugleich die Vorstellung eines tugendhaften Lebenswandels[23], der zu einer glückseligen Sterbestunde führt (*Duhr* 1907–1928. II,2. S. 89)[24].

Die Hl. Wandel-Bruderschaften scheinen besonders in Tirol und im süddeutschen Raum verbreitet gewesen zu sein und das Äquivalent zur Kölner Ausprägung der Christenlehrbruderschaften zu bilden, ohne jedoch die gleiche strenge Spezialisierung erfahren zu haben. Erstmals wurde im deutschen Sprachraum die Hl. Wandel-Fraternität 1640 in Görz/Südtirol eingerichtet, ihr folgten weitere Gründungen in Absam/Tirol (1655), Laatsch/Tirol (1669), Mittelpettnau/Tirol (1674), Münsing (1675), München (1676)[25], Stäzling (1676), Dillingen (1677), Prittriching, Winkel und Tandern (1686), Angath im Inntal/Tirol (1701), an der Dompfarre in Bozen (1743) und in Sterzing/Tirol (1772), sowie verspätet in Brixlegg/Tirol (1845)[26]. Auffallend ist, daß die 3 frühesten Belege aus Tirol (B. Brixen) stammen.

Zum Ende des 17. Jahrhunderts errichteten die Kapuziner 1694 in Prag quasi eine ‚Konkurrenz'-Bruderschaft zu den jesuitischen Gründungen, die sich explizit um die Erlangung einer glücklichen Sterbestunde bemühte und hier kurz als JMJ-Seelenbruderschaft bezeichnet werden soll. Ihr exakter Titel lautete: ‚*Löbliche Seelen-Bruderschaft unter denen Nahmen JEsu / Mariä / Josephs*' (*Regeln der Heil. Bruderschaft*. (um 1800). S. 5.).

Bruderschaften, die allgemein das Anliegen eines Guten Todes vertraten, gab es im Barock in allen von mir bearbeiteten Gebieten. Von den insgesamt 36 bayerischen Gut-Tod-Bruderschaften, die *Krettner* ohne nähere Patroziniumsangabe auflistet (*Krettner* 1980. S. 90 f), führten sechs Fraternitäten das Hl. Familie-[27] und zwei das Josephs-Patrozinium[28]. Die älteste dieser JMJ-Bruderschaften in Tandern wurde schon acht Jahre vor der Errichtung der Erzbruderschaft in Prag gegründet.

Auch in Tirol war die JMJ-Seelenbruderschaft bekannt. Von den insgesamt 18 Gut-Tod-Bruderschaften führten drei das Patrozinium der Hl. Familie[29] und zwei das des hl. Joseph[30]. Wahrscheinlich war auch die JMJ-Bruderschaft von St. Andrä eine Seelenbruderschaft, da sie in der Friedhofskapelle des Ortes 1697 errichtet worden war. Außerdem fanden sich bei drei weiteren Gut-Tod-Fraternitäten dieses Gebiets in Bild und Text der Bruderschaftsbriefe Bezüge zum hl. Joseph[31] bzw. zur Hl. Familie[32].

1698 wurde in der Hauptwallfahrtsstätte des Bistums Mainz, Walldürn, eine ‚*Seelenbruderschaft zu den drei heiligsten Namen Jesus – Maria – Joseph (Sub titulo Jesu et Maria ac Sancti Josephi prosuffragio animarum purgatorii)*' errichtet. Ihr folgte zwanzig Jahre später eine entsprechende Gründung in der Probstei St. Michaelis von Fulda, die regelmäßige Wallfahrtsgänge nach Walldürn besorgte (*Brückner* 1958. S. 119 ff).

Für das Bistum Köln sind mir keine Gut-Tod-Bruderschaften des hl. Joseph bekannt, dafür aber drei entsprechende Fraternitäten, die der Hl. Familie geweiht waren[33], während für die Innerschweiz der Befund genau umgekehrt ist. Dort konnte ich keine Hl. Familie-Bruderschaft mit dieser speziellen Ausrichtung auf den Guten Tod feststellen, stattdessen aber sechs entsprechende Fraternitäten des hl. Joseph[34].

Insgesamt gesehen sind die Nachweise von JMJ-Seelenbruderschaften eher spärlich[35], doch kann davon ausgegangen werden, daß ihre Zahl erheblich war, wie die beiden überlieferten Bruderschaftsbücher beweisen (*Bruderschaffts Büchlein*. Köln 1716. *Regeln der Heil. Bruderschafft*. (um 1800).).

Sieht man einmal von den Bruderschafts-Belegen des Erzbistums Köln ab, die hauptsächlich nicht mit ihrem Gründungsdatum, sondern durch die Nachweise in den Visitationsprotokollen erfaßt werden konnten und deshalb die statistischen Angaben verzerren, so bietet sich in der Verbreitung der Fraternitäten ein ähnliches Bild wie bei den Kirchen-, Kapellen- und Altarpatrozinien.

Auch hier liegt der Schwerpunkt der Entwicklung mit 37 Gründungen in der 2. Hälfte des 17. Jahrhunderts und mit 29 Gründungen in der 1. Hälfte des 18. Jahrhunderts. In der folgenden Zeit ist die Zahl der Neuerrichtungen von Fraternitäten rückläufig, was sich teilweise mit der Aufklärung und der Säkularisation erklären läßt. So klafft in der Statistik an der Wende zum 19. Jahrhundert ein Lücke von zwanzig Jahren (zwischen 1784 und 1805), in denen keine einzige JMJ-Bruderschaft gegründet wurde. Allerdings muß dies kein Beweis für ein Erlahmen der Verehrung der Hl. Familie sein; bis 1900 entstanden noch 21 neue JMJ-Bruderschaften[36], ein Beweis, daß auch im 19. Jahrhundert, in dem das Vereinswesen außerordentlich gefördert wurde, die Organisationsform der religiösen Bruderschaft anerkannt blieb. So forderte z. B. der Theologieprofessor W. Reischl aus Regensburg 1857 auf der ‚9. General-Versammlung des katholischen Vereins Deutschlands' (später ‚General-Versammlung der Katholiken Deutschlands') eine Wiederbelebung des Bruderschaftswesens und lobte die Universalität der wahrgenommenen Aufgaben in den Bruderschaften, die Regionalität und Volksverbundenheit der alten Fraternitäten sowie deren Finanzkraft zur Einrichtung von Stiftungen aller Art gegenüber der Spezialisierung und Anonymität der Vereine (*Verhandlungen*. 9 (Salzburg 1857). S. 166–177).

Die Verbreitung der Hl. Familie-Bruderschaften legt ein beredtes Zeugnis für die Verehrung dieser Heiligengruppe im deutschsprachigen Raum ab, eine Verehrung, die sich auch in Kapellen- und Altarpatrozinien und in der sakralen Kunst niederschlug und sich recht kontinuierlich – sieht man einmal von den ‚Einbrüchen' der Aufklärung und Säkularisation in die Frömmigkeitskultur ab – seit dem 17. Jahrhundert entwickelte.

Doch konnten wir bisher nur relativ allgemeine Aussagen zu diesem Kult machen, und so wollen wir im folgenden näher fassen, welche weiteren Ausprägungen die Verehrung der Hl. Familie hatte, welche Inhalte mit ihr transportiert werden sollten, wer die Protagonisten dieses Kultes waren und welche Bedeutung die Hl. Familie für die Gläubigen hatte. Doch zuvor bedarf die Frage der Klärung, auf welche Traditionen der barocke Kult der Hl. Familie aufbauen konnte, um so die Innovationen der Neuzeit genauer benennen zu können.

DIE GRUNDLAGEN DES KULTES DER HL. FAMILIE
IN DER RELIGIÖSEN LITERATUR
VON SPÄTANTIKE UND MITTELALTER

Um den Kult der Hl. Familie beschreiben und analysieren zu können, muß sich der erste Blick auf die Grundlagen richten, an denen sich ein christlicher Kult ausrichten und orientieren kann.

Die frühesten und grundlegendsten, d. h. bedeutsamsten und dauernd gültigen Quellen in Bezug auf unser Thema sind die Zeugnisse der Bibel und der neutestamentlichen Apokryphen.

1   Die Bibel

Für die Überlieferung in der Bibel gilt: nur zwei der vier Evangelisten – nämlich Matthäus und Lukas – thematisieren die Geburt und Kindheit Jesu. Beide Evangelien entstammen etwa dem Ende des 1. Jahrhunderts, Matthäus hängt von Lukas ab bzw. sie haben die gleiche Quelle. Dennoch unterscheiden sich beide Texte und ergänzen einander[1].

Matthäus, dessen Evangelium das wichtigste der alten Kirche war, berichtet über die Geburt Jesu – ohne ausführlicher auf die Verkündigung einzugehen –, die Huldigung der drei Weisen (Mt. 2,1–12), die Flucht nach Ägypten (Mt. 2,13–15) und den Kindermord durch Herodes (Mt. 2,16–18).

Demgegenüber setzt Lukas andere Schwerpunkte: er ignoriert die Episoden um die drei Weisen, die Flucht nach Ägypten und die Rückkehr mit dem zwischengeschalteten Kindermord in Bethlehem, betont stattdessen die Verkündigung (Lc. 1,26–38) und deutet die für die volksfromme Kultur so wichtige Herbergssuche (Lc. 2,7) an (*Moser* 1972.). Er berichtet weiter von der Huldigung der Hirten (Lc. 2,8–20), der Darbringung im Tempel (Lc. 2,21–38) und der Auffindung des zwölfjährigen Jesus im Tempel (Lc. 2,41–50). Es fällt auf, daß die gerade für den späteren Kult der Hl. Familie bedeutsamen Szenen um die Flucht nach Ägypten im Lukasevangelium mit keinem Wort erwähnt werden.

Hier läßt sich die Hl. Familie nach der Darbringung Jesu im Tempel sofort und ohne nähere Begründung in Nazareth nieder (Lc. 2,39)[2]. Der Evangelist verzichtet auf die durch Engel an Joseph vermittelten göttlichen Weisungen, die für Matthäus so kennzeichnend sind und die Joseph etwas mehr in das Heilsgeschehen miteinbeziehen[3].

Lukas räumt auch der Vorgeschichte um Johannes – also besonders den Ereignissen mit dessen Eltern Elisabeth und Zacharias – einen bedeutend breiteren Raum ein als Matthäus, bei dem plötzlich und völlig unvermittelt Johannes als Vorläufer Jesu auftaucht. Die speziellen Ausprägungen des Kultes der Hl. Familie, in denen Elisabeth und der Johannesknabe erscheinen, weisen also auf das Lukasevangelium und die ihm folgenden Apokryphen hin.

Gemeinsam ist beiden Evangelien, daß sie, obwohl die göttliche Herkunft Jesu betont wird, auf einen ,Stammbaum Jesu', der richtiger ,Stammbaum Josephs' heißen sollte, nicht verzichten[4]. Während allerdings Matthäus betont, daß hier Jesu Genealogie beschrieben sei, schaltet Lukas die Bemerkung vor, daß er als Sohn Josephs *gegolten* habe. In beiden Fällen wird die königliche Abstammung Josephs vom Hause David erläutert, die ihn als Nährvater Jesu prädestiniert erscheinen lassen soll.

Ansonsten erfahren wir über Joseph kaum etwas: Matthäus charakterisiert ihn nur mit dem Wort ,gerecht' (Mt. 1,19). In beiden Evangelien ist der hl. Joseph jedoch in der Geburtsszene präsent und wird dort auch namentlich genannt.

2 Die apokryphen Kindheits-Evangelien

Wie wir gesehen haben, bieten die Evangelien – d. h. die kanonisierten Texte – nur wenige Anhaltspunkte für die Kindheitsgeschichte Jesu, selbst wenn man sie synoptisch zusammenschließt.

Die zentralen Glaubenspunkte des Christentums sind die Menschwerdung Christi und sein Erlösungswerk. Während die vier Evangelien letzteres ausführlich behandeln, mußte die Spärlichkeit der Kindheitsberichte als Mangel empfunden werden, der den Gläubigen die Bedeutung der Inkarnation verschloß und eine Veranschaulichung des menschgewordenen Gottessohnes auf Erden verhinderte. So nimmt es nicht wunder, daß seit der Frühzeit des Christentums Texte entstanden, die diese Traditionslücke zu schließen versuchten. Daß einige von ihnen theologisch mehr oder minder fragwürdig waren – z. T. mit gnostischer Orientierung – und damit der Lehre durchaus nicht dienlich und der Kirchenführung auch nicht genehm waren[1], tat ihrer Popularität keinen Abbruch. Sie ermöglichten dem Gläubigen bei den dogmatisch schwierigen Sachverhalten wie Menschwerdung und Opfertod, konkrete Anhaltspunkte für seinen Glauben und eine Vorstellung speziell von der Kindheit Jesu zu gewinnen, die dem Bedürfnis nach biographischen Kenntnissen gerade aus der menschlichsten Lebensphase Jesu entsprach.

Die Literatur, die diese Inhalte vermittelte, wird als ,apokryph' bezeichnet, was je nach Lage der Dinge in der Phase der frühen Dogmendiskussion und Kanonisierung der vier Evangelien den breiten Bedeutungsrahmen von ,ketzerisch-verwerflich' bis ,zweifelhaft, aber inhaltlich z. T. akzeptabel und brauchbar' umfaßte. In der zweiten Bedeutung konnten die Apokryphen auch die Funktion übernehmen, die Offenbarung zu erläutern und zu ergänzen[2]. Diese Skala zwischen ,häretisch' und ,dem Glauben förderlich' entspricht der geschichtlichen Entwicklung zwischen früher Kanonbildung und der Hochschätzung des apokryphen Schrifttums im Mittelalter (s. unten. und *Masser* 1969.). Bei *Hennecke/Schneemelcher* wird die Gattung der neutestamentlichen Apokryphen folgendermaßen definiert:

> Neutestamentliche Apokryphen sind Schriften, die nicht in den Kanon aufgenommen sind, die aber durch Titel und sonstige Aussagen den Anspruch erheben, den Schriften des Kanons gleichwertig zu sein, und die formgeschichtlich die im NT geschaffenen und übernommenen Stilgattungen[3] weiterbilden und weiterformen, wobei nun allerdings auch fremde Elemente eindringen. (*Hennecke/Schneemelcher* 1968. I. S. 6)

Um den Geltungsbereich dieser eigentlich nur für die frühen Apokryphen gültigen Beschreibung auch auf die später entstandenen apokryphen Texte ausweiten zu können, wird die Definition ergänzt:

> Wenn wir von ,Apokryphen des NT' sprechen, so meinen wir damit Evangelien, die nicht nur dadurch gekennzeichnet sind, daß sie nicht in das NT gekommen sind, sondern die an die Stelle der vier Evangelien des Kanons (das gilt für die älteren Texte) oder in Erweiterung neben sie treten wollten. (ebda. S. 7)

Die Charakterisierung bezüglich der Stilgattung bleibt auch hier gültig, so daß nun nicht nur das motivgeschichtlich wichtige Thomasevangelium (entstanden Ende des 2. Jhdts.), sondern auch das Pseudo-Matthäus-Evangelium (8./9. Jhdt. ebda. S. 303 f) in den Gesichtskreis tritt und als Apokryphe gewürdigt werden kann.

Diese beiden Berichte und das frühere Protevangelium des Jakobus bilden – im Bereich der Kindheits-Evangelien und damit auch für unser Thema – die für die Volksreligiosität wichtigsten apokryphen Quellen. Daneben existieren noch andere Traditionen, wie z. B. die der gnostischen Apokryphen, die aber entweder als Varianten der älteren Schriften anzusehen sind oder für die abendländische Tradition von geringerer Bedeutung waren.

Gerade weil die legendenhaften Erzählungen nicht in den Kanon aufgenommen wurden und somit auch nicht als offenbartes, göttliches Wort galten, waren ihrer Überlieferung in formaler und inhaltlicher Hinsicht kaum Grenzen gesetzt, so daß zahlreiche alte Handschriften mit verschiedenen Varianten auf uns gekommen sind (ebda. S. 272–311). Dies, wie auch die mittelalterliche Rezeption dieser Texte, die wir noch im folgenden behandeln werden, zeigt, daß sie trotz der Versuche der Kirche, sie zu diskreditieren und sogar zu verbieten[4], weit verbreitet und daher ihre frömmigkeits- wie kunstgeschichtliche Bedeutung groß war.

Im folgenden möchte ich zwischen Apokryphen oder Kindheits-Evangelien und apokryphen Erzählungen bzw. Schriften unterscheiden, wobei die zweite Bezeichnungsart die mittelalterlichen Bearbeitungen der frühen Kindheits-Evangelien meint.

2.1 Das Protevangelium des Jakobus (Prot.-Jak.)

Das Protevangelium des Jakobus ist die älteste Schrift zur Kindheit Jesu; es entstammt dem 2. Jahrhundert n. Chr. (nicht vor 150), jener Zeit also, in der die Ausbildung und Festlegung des Kanons begann[5]. Dementsprechend ist das Evangelium ein Zeugnis der theologischen Auseinandersetzung sowohl innerhalb des frühen Christentums wie auch mit dem Judentum, das u. a. besonders die Jungfräulichkeit Mariens angriff und bestritt. Aus diesem Konflikt heraus entstand die später von päpstlicher Seite so oft gerügte Hebammengeschichte.

Das Protevangelium berichtet von der Verkündigung und Geburt Mariens, ihrem Leben im Tempel und der Verlobung mit dem Witwer [!] Joseph[6], mündet in die Geburt Jesu ein und übernimmt schließlich die Magierepisode und den bethlehemitischen Kindermord vom Matthäus-Evangelium[7]. Doch findet sich kein Hinweis auf die Flucht der Hl. Familie nach Ägypten. Das Protevangelium des Jakobus endet vielmehr mit der Flucht Elisabeths mit dem Johannesknaben in die Wüste und mit der Ermordung des Zacharias[8]. Von dem Protevangelium ist uns keine lateinische Handschrift überliefert, da der Text im Abendland als anstößig verworfen wurde. Von der dennoch hohen Bedeutung zeugen zahlreiche Manuskripte aus dem 3. bis ins 10. Jahrhundert in anderen Sprachen[9].

Neben der Verherrlichung Mariens fällt die erhöhte Bedeutung Josephs gegenüber den kanonischen Evangelienberichten auf. Diese Tendenz ist allen Kindheits-Apokryphen eigen. Auf seinen Beruf als Zimmermann wird im Protevangelium durch die Arbeitsgeräte (Prot.-Jak. 9,1) und seine Beschäftigung (Prot.-Jak. 9,3; 13,1) hingewiesen, und hier finden wir auch zum ersten Mal einen Hinweis auf seinen Witwenstand und seine Söhne (Prot.-Jak. 8,3; 9,2; 17,2). Doch auch in stilistischer Hinsicht erfährt er eine besondere Behandlung. Im Augenblick des Stillstandes der Natur bei der Geburt Jesu bricht die bisherige Erzählweise ab, und Joseph spricht plötzlich selbst (Prot.-Jak. 18,2). Auch wenn der Sprecherwechsel ein Versuch sein mag, verschiedene Texte miteinander zu verbinden und zu harmonisieren, deutet dieser stilistische Bruch auf jeden Fall auf die wachsende Bedeutung der Josephsfigur in der weiteren Tradition der Kindheits-Evangelien hin, die in der ältesten Handschrift aus dem 3. Jahrhundert noch nicht festzustellen war. Denn erst später wurde diese Veränderung des Textes vorgenommen (*Hennecke/Schneemelcher* 1968. I. S. 278). Das Protevangelium des Jakobus liefert somit durch seine verschiedenen, z. T. allerdings nur fragmentarischen Handschriften vom 3. bis zum 10. Jahrhundert die Beweisstellen für die Entwicklungsgeschichte des Josephskults im frühen Mittelalter.

2.2 Das Thomasevangelium (Th.)

War das Protevangelium des Jakobus hauptsächlich auf Maria hin orientiert, so konzentrierte sich das nur wenig jüngere Thomasevangelium ganz auf die Kindheit Jesu, ohne aber die Flucht nach Ägypten und den dortigen Aufenthalt der Hl. Familie in die Erzählung aufzunehmen. Diese Tatsache und die Übernahme der Episode ‚Der zwölfjährige Jesus im Tempel‘ (Lc. 2,41–50) deuten darauf hin, daß sich der nichtjüdische Autor[10] an Lukas angelehnt hat. Doch scheint diese Orientierung an Lukas nur sehr schwach zu sein und eher formale als inhaltliche Ursachen gehabt zu haben[11].

In diesem Kindheits-Evangelium zeigt sich uns ein ungestümer, z. T. jähzorniger und mutwilliger Jesusknabe, der – fast rachsüchtig – jene, die ihn ärgern oder strafen, zu Schaden kommen läßt, ja teilweise sogar tötet. Daß er sie alle später wieder gesunden läßt oder vom Tode auferweckt, ändert an dem erschreckenden Eindruck, den man erhält, nur wenig. Doch auch von einigen ‚positiven‘ Wundern weiß Thomas zu berichten, von denen das Richten und Längen eines Holzbrettes bis ins Spätmittelalter hinein ein beliebtes Motiv war[12].

Viele Episoden[13] – besonders jene, in denen der Jesusknabe dem Ideal des gehorsamen und demütigen Kindes widersprach – wurden schon im Mittelalter aus dem ‚Kanon‘ der auf die Legenden und volkstümlichen Lieder einwirkenden apokryphen Erzählungen getilgt, während – neben der Holzlängung – die Schul- und Lehrerepisoden (Th. 6 f; 14 f), das Wasserschöpfen im Oberkleid (Th. 11) und das Weizenwunder (Th. 12) für die Tradition mehr oder minder bedeutsam blieben[14].

Die bunte Vielfalt und Verschiedenartigkeit der Wunderberichte läßt vermuten, daß wir hier weniger ein geschlossenes Werk vor uns haben als vielmehr eine Legendensammlung, die Parallelen zu Krishna- und Buddhalegenden aufweist und der Wundersucht der Zeit Rechnung trug[15]. Entsprechend uneinheitlich ist auch die Überlieferungssituation dieser Quelle. Zahlreiche Fassungen vom 5./6. bis zum 15. Jahrhundert sind auf uns gekommen, unter denen sich auch zwei Handschriften in lateinischer und drei in griechischer Sprache befinden. Auch die Inhalte variieren[16], wodurch der Sammelcharakter des Thomasevangeliums noch betont wird[17].

Eben diese Eigenschaft prädestinierte das Thomasevangelium für die Zusammenstellung und Verquickung mit anderen volkstümlichen Legenden, auch mit dem kirchlich nicht gern gesehenen Protevangelium des Jakobus. Die Vielzahl der Handschriften verschiedenster Sprachen (griechisch, lateinisch, syrisch, georgisch, äthiopisch, altslawisch) zeugt von dem hohen Verbreitungsgrad dieser Apokryphe.

Von diesen beiden ältesten Apokryphen hängen alle jüngeren Kindheits-Evangelien ab. Dennoch sind diese nicht nur als Wiederholung der alten Quellen zu verstehen; sie bieten auch neue Episoden oder neue Aspekte und Varianten älterer Geschichten. So ist ihnen das Typische aller Legendenbildung eigen, das *Hennecke/Schneemelcher* das „natürliche Gesetz der Legendenwucherung" (*Hennecke/Schneemelcher* 1968. I. S. 302) nennen: Ausschmückung und Erweiterung bei gleichzeitiger Kürzung[18]. Einige Motive gehen so der Tradition verloren, andere, neue treten hinzu. Neben diesen beiden Prinzipien läßt sich bei den jüngeren Kindheits-Apokryphen eine dritte Art der Behandlung beobachten, nämlich die der „bewußte[n] Verbindung der beiden älteren Quellen miteinander, wobei [auch] die kanonischen Erzählungen und mancherlei neuer

Legendenstoff verwertet werden: vor allem Geschichten über die Flucht nach Ägypten und Jesu Aufenthalt daselbst, worüber vielleicht schon eine ältere schriftliche Sonderquelle bestanden hat." (ebda.)

2.3 Das arabische Kindheits-Evangelium (arab. KE)

Eine dieser Apokryphen ist das arabische Kindheits-Evangelium, das die Geburt Jesu, die Wunder in Ägypten und die Wunder des Jesusknaben (von Thomas übernommen) in sich vereinigt. Gerade dadurch, daß diese Quelle – wie auch das Pseudo-Matthäus-Evangelium – die Wunder in Ägypten aufnahm, bekam sie eine große Bedeutung für die spätere Legendenbildung und -verarbeitung besonders im volksfrommen Liedgut (*Moser* 1972. ders. 1981.).

Das genaue Alter der Schrift ist nicht mehr feststellbar, da die Handschrift, nach der der erste Druck im 17. Jahrhundert erfolgte, verlorenging. Das älteste erhaltene Manuskript, das in Teilen das arabische Kindheitsevangelium wiedergibt, stammt aus dem 13./14. Jahrhundert (*Hennecke/ Schneemelcher* 1968. I. S. 302 f.).

Neben den uns schon aus den älteren Quellen bekannten Episoden enthält das arabische Kindheits-Evangelium Wundergeschichten vom Weg nach Ägypten. Hierzu gehören eine Aussatzheilung (arab. KE. 17), die Räuberepisode, in der der ,gute' Räuber verhindert, daß sein Kumpan die Hl. Familie überfällt[19], das Balsamwunder (arab. KE. 24) und die Geschichte von den in Geißlein verwandelten Kindern (arab KE. 40), die in ihrer Kuriosität an das Thomasevangelium erinnert.

2.4 Das Pseudo-Matthäus-Evangelium (Ps.-Mt.)

Ähnlich wie das arabische Kindheits-Evangelium thematisiert die Pseudo-Matthäus-Schrift (*Hennecke/Schneemelcher* 1968. I. S. 303 f, 306–309) aus dem 8./9. Jahrhundert die Flucht nach Ägypten. Sie ist von höherer Bedeutung für die abendländische Verehrungstradition der Hl. Familie als alle vorher beschriebenen Apokryphen, die allerdings durch dieses Evangelium doch wieder mittelbar wirksam wurden. Mit ihm wurde eine verfeinerte Fassung der vorangegangenen apokryphen Evangelien geschaffen, die einerseits dem Bedürfnis der Zeit nach Kindheitsberichten entsprach, andererseits aber Legendenbildung und Verehrungsformen gezielt in bestimmte Bahnen leitete und so kontrollierbar machte.

So erschloß sich die Kirche eine Quellenart, die sie in der Frühzeit zwar geschmäht hatte[20], die ihr nun aber – in gereinigter Form – ein willkommenes Hilfsmittel bei der Glaubensvermittlung bot. Hiervon zeugt nicht nur der hohe Verbreitungsgrad des Pseudo-Matthäus und seiner Varianten, sondern auch sein Einfluß auf die mariologische Literatur und Kunst. Zu dieser starken Verbreitung und hohen Wirksamkeit hat sicherlich auch die Autorität des vermeintlichen Verfassers – des Evangelisten Matthäus[21] – und seines angeblichen Übersetzers Hieronymus beigetragen.

Der Bekanntheitsgrad dieser Schrift wurde durch einige Kurzfassungen begünstigt, zu denen als die wichtigste die ,*Historia de nativitate Mariae*' aus dem 9. Jahrhundert gehört. In dieser Fassung kam die als anstößig geltende und von Hieronymus verurteilte erste Ehe Josephs nicht mehr vor. Der Einfluß des Pseudo-Matthäus-Evangeliums reicht bis zur ,*Legenda Aurea*' des Jacobus de Voragine (vor 1267), der besonders die mariologisch orientierten Teile rezipierte.

Die Texttradition des Pseudo-Matthäus war im Mittelalter nicht einheitlich. Zwei wichtige Handschriften des 13. und 14. Jahrhunderts – die Herreford- und die Arundel-Handschrift – ergänzen den Motivkreis um die Flucht nach Ägypten mit Themen, die offensichtlich einer ebenfalls apokryphen Tradition entstammten (*Hennecke/Schneemelcher* 1968. I. S. 304. *Masser* 1969. S. 83 f).

Neben den uns schon aus den älteren Apokryphen bekannten Inhalten finden wir im Pseudo-Matthäus das Motiv der Anbetung Jesu durch Ochs und Esel und andere wilde Tiere in einem paradiesischen Zustand (Ps.-Mt. 14; 19) und eine Drachenbezwingung durch Jesus (Ps.-Mt. 18). Außerdem berichtet eine Episode im Zusammenhang mit der Flucht nach Ägypten von dem Palmbaumwunder: die Palme neigt sich zu Maria, um ihr ihre Früchte anzubieten, an ihren Wurzeln entspringt eine Quelle (Ps.-Mt. 20 f). Eine weitere Erzählung teilt die beschleunigte Reise nach Ägypten mit einer Andeutung des für das religiöse Volkslied interessanten Seefahrtmotivs (Ps.-Mt. 22,1. *Moser* 1972. S. 258 ff) mit. Bei der Ankunft der Hl. Familie in Ägypten finden der Sturz der Götzenbilder und die Bekehrung der Ägypter ausführliche Behandlung (Ps.-Mt. 22,2–24), während der dortige Aufenthalt der Hl. Familie nicht thematisiert wird. Mit Mt. 2,20 f wird die Sammlung beendet (Ps.-Mt. 25). So mündet der Motivkreis des Pseudo-Matthäus auf dem Weg durch die verschiedenen christlichen Überlieferungen schließlich ein in das kanonisierte Matthäus-Evangelium.

2.5 Die Johannes-Vita und die ,*Historia Josephi Fabri Lignarii*'

Neben diesen bis jetzt behandelten, die Hl. Familie betreffenden Apokryphen müssen noch zwei Schriften unsere Aufmerksamkeit finden, die nur teilweise oder am Rande mit unserem Thema etwas zu tun zu haben scheinen. Es sind dies die Vita Johannes des Täufers und eine Geschichte von Joseph dem Zimmermann. Beide sind motivgeschichtlich für uns interessant.

Die Johannes-Vita soll nach eigenem Zeugnis von dem ägyptischen Bischof Serapion im späten 4. Jahrhundert verfaßt worden sein, doch meinen *Hennecke/Schneemelcher*, daß sie erst recht spät bekannt wurde (*Hennecke/*

Schneemelcher 1968. I. S. 304, 310 f). Allerdings ist für das 16. Jahrhundert eine Handschrift vorhanden, so daß man annehmen kann, daß die dort mitgeteilten Episoden spätestens in der Frühen Neuzeit bekannt gewesen sein müssen.

Der in griechischer und arabischer Sprache überlieferte Text knüpft inhaltlich an den Schluß des Protevangeliums des Jakobus (Prot.-Jak. 22,3–24,4) an und spinnt den Faden der Johanneslegende fort. Der Autor der Johannes-Vita konstruierte parallel zum Ägyptenaufenthalt der Hl. Familie die Wanderung Elisabeths mit ihrem Sohn durch die Wüste; beiden – Jesus und Johannes – drohte die Ermordung durch Herodes. Die Johannes-Vita berichtet weiter, daß Elisabeth nach fünf Jahren der Wanderung stirbt[22] und den siebenjährigen Johannes allein zurückläßt. Jesus eilt daraufhin mit seiner Mutter Maria und seiner Halbschwester [!] Salome auf einer Wolke zu dem verlassenen Johannes in die Wüste. Sie beerdigen Elisabeth und bleiben sieben Tage dort, um anschließend, Johannes in der Wüste zurücklassend, nach Nazareth zu gehen.

Auch wenn diese Erzählung nicht direkt mit der – von uns hauptsächlich auf die drei wichtigsten Personen Jesus, Maria und Joseph beschränkten – Hl. Familie zu tun hat, muß doch der gemeinsame Aufenthalt in der Wüste Erwähnung finden, da er indirekt über Erzählungen – wie die des Kartäusers Philipp (s. unten) – den Ausgangspunkt für den Themenbereich ‚Die Hl. Familie mit dem Johannesknaben‘ schuf.

Die zweite oben genannte Apokryphe ‚*Historia Josephi fabri lignarii*‘[23] ist für unser Thema von noch höherer Bedeutung, denn sie stellt eine der Quellen für die in der Neuzeit bedeutsam werdende Verehrung Josephs als Patron des Guten Todes dar. Der in seinem Kern wahrscheinlich im letzten Drittel des 4. Jahrhunderts in Ägypten entstandene koptische Text[24] berichtet von dem sich vor dem Tode ängstigenden Joseph, der durch Jesus Beistand und Trost erhält (*Hist. Jos.* 12–23). Vor Christus flieht der Tod, und die Erzengel Michael und Gabriel[25] tragen die Seele Josephs – mit Anklängen an altägyptische Totenriten – davon, ohne daß diese Seele von den Gefahren und Qualen des Weges zu Gott berührt wird.

Der in eine Rahmenhandlung eingebetteten Erzählung ist – in Anlehnung an das Protevangelium des Jakobus – auszugsweise die Kindheitsgeschichte Jesu vorgeschaltet (*Hist. Jos.* 8 f; 27,4)[26]. Die gesamte Schrift setzt die Tendenz des Protevangeliums fort, Joseph eine bedeutendere Stellung zu geben, als er sie in den kanonischen Evangelien hatte[27]. Wir hören von seinem Alter – 111 Jahre[28] –, seinem Todestag – der 26. Epep, das ist der 19./20. Juli[29] –, seinen Familienverhältnissen inklusive der ersten Ehe und den daraus entstammenden Kindern, seinem Beruf, wobei besonders das Arbeitsethos der Genesis (Gen. 3,19) betont wird[30], und von seiner hohen Würde. *Morenz* stellt fest, daß die oft gebrauchten Formulierungen „*der gesegnete Greis*" (*Hist.*

Jos. 9,2) oder „*unser Vater*" (*Hist. Jos.* 0)[31] in Kombination mit dem Arbeitsethos der Genesis darauf verweisen, daß Joseph die Würde einer kirchlichen oder klösterlichen Autorität zugeschrieben wurde (*Morenz* 1951. S. 27, 41)[32]. Auch klingt das Thema der kindlichen Unterordnung Jesu und sein Gehorsam gegenüber seinen Eltern an (*Hist. Jos.* 11,2 f)[33].

Außerdem finden sich einige Gebete[34], die in ihrer Formelhaftigkeit weniger spezifisch für die Josephsvita sind, als vielmehr auf die Absicht hinweisen, einen neuen Kult – den Josephskult – zu etablieren (s. unten. Anm. 38). In die Rahmenhandlung ist eine allgemeine theologische Erörterung über die Notwendigkeit und Unabänderlichkeit des leiblichen Todes eingebettet, die sich gegen den Entrückungsglauben richtete (*Hist. Jos.* 1,2–8; 30 ff). Dies wurde in der Geschichte vom Zimmermann Joseph, in der *Historia Josephi fabri lignarii*, konkretisiert und wirkte auf die Marienlegenden des 5. Jahrhunderts nach, nach denen Maria erst *nach* ihrem leiblichen Tode in den Himmel aufgenommen worden sei.

Morenz unterscheidet entsprechend diesen unterschiedlichen Textteilen verschiedene Intentionen, von denen die Redakteure der Schrift geleitet wurden (*Morenz* 1951. S. 107 f). Es sind dies sowohl theologisch polemische (als Abgrenzung gegen den Entrückungsglauben) als auch erbauliche und propagandistische Absichten. So diente die Erzählung über das christliche Sterben unter dem Beistand Jesu der Erbauung und bot die Grundlage für das neuzeitliche Josephspatrozinium vom Guten Tod.

Doch die dominante Intention war sicherlich die der religiösen Propaganda, mit deren Hilfe ein Josephsfest mit einem bestimmten Kultort eingeführt werden sollte[35]. Hiervon zeugt besonders das 26. Kapitel der Josephsgeschichte, in dem neben der Unversehrtheit des Leibes Josephs[36] – dies wurde mit Blick auf einen möglichen Reliquienkult betont[37] – die Verdienste desjenigen, der den Josephskult fördert, aufgezählt werden und die Belohnung dafür bestimmt wird[38].

Morenz resümiert:

[Der Antrieb für die Abfassung der Josephsgeschichte] war zweifellos der propagandistische Zweck, dem die Förderung der Gestalt Josephs, seines Festes und wohl auch seiner Grabstätte am Herzen lag und der deshalb selbstverständlich über Joseph etwas erzählen mußte, so wie man über Heilige, die man autorisieren will, alleweil Legenden schreibt. Daß man zugleich einen erbaulichen und einen theologischen Nebenzweck verfolgen konnte, mochte der Werbung im Trost suchenden Volke [um das Trost suchende Volk] förderlich und der Kirche in ihren Auseinandersetzungen mit fremden Lehren angenehm sein, notwendig war es nicht dafür, daß gerade die Josephserzählung entstand. (*Morenz* 1951. S. 107 f)

In der ersten Hälfte des 14. Jahrhunderts gelangte dieser koptische Bericht in einer lateinischen Übersetzung ins Abendland und wurde z. B. in einem niederländischen Blockbuch vom Ende des 15. Jahrhunderts rezipiert, in dem berichtet wird, Joseph sei unter dem Beistand Jesu und Mariens an dem Geburtsort Christi gestorben und dort zusammen mit drei Reliquien – seiner Hose, den Windeln Jesu und etwas Heu aus der Krippe (*Foster* 1978. S. 255 f) – beigesetzt worden.

Fassen wir das bisher Gesagte zusammen, so können wir zwei Grundthemen der Kindheits-Apokryphen feststellen. Sie legen Zeugnis ab von dem Ringen um das Geheimnis der *Menschwerdung* Gottes[39] und der *Göttlichkeit* Jesu, die sie speziell in den Wunderberichten thematisieren. Die Josephsgeschichte läßt sich hier nicht direkt einordnen, ist aber – wie schon betont – für den neuzeitlichen Kult von Bedeutung.

Die Tatsache, daß selbst der Entschluß des Konzils von Trient, die Kanonisierung zu beenden und die apokryphen Texte endgültig aus dem Kanon auszuschließen, ihrer Bekanntheit keinen Abbruch tun konnte, zeigt den hohen Stellenwert der Apokryphen für die Frömmigkeit. Wie sollte auch ein Konzilsbeschluß einer ca. tausendjährigen Tradition entgegentreten und diese eliminieren können? Die Konsequenz war, daß die katholische Kirche auch weiterhin mit den apokryphen Inhalten leben mußte.

Doch nicht nur im Rahmen der spätmittelalterlichen und frühneuzeitlichen Frömmigkeitstradition wurden die Apokryphen rezipiert. Selbst in den Sprach- und Rhetorikunterricht des Schulhumanismus der zweiten Hälfte des 16. Jahrhunderts fanden die apokryphen Texte Eingang. So erscheint z. B. das Protevangelium des Jakobus in einer für Schulzwecke gedachten Sammlung von Michael Neander in Basel 1564. Schon 1552 war der erste Band einer Ausgabe des Protevangeliums in lateinischer Sprache erschienen, die bezeichnenderweise von einem französischen Jesuiten – G. Postel – ausgerichtet, dann aber – ebenso bezeichnend – nicht weitergeführt wurde. Postel und Neander prägten den Begriff *Protevangelium* (*Hennecke/Schneemelcher* 1968. I. S. 277).

Mit dem Aufschwung in der wissenschaftlichen Erforschung des christlichen Altertums am Ende des 17. Jahrhunderts wandte sich das Interesse auch den apokryphen Schriften zu. So erschien 1697 eine lateinische Übersetzung des arabischen Kindheitsevangeliums von Heinrich Sike unter dem Titel ,*Evangelium infantiae vel liber apocryphus de Infantia Salvatoris*' (*Hennecke/Schneemelcher* 1968. I. S. 302)[40], und 1703 veröffentlichte der Hamburger Johann Albert Fabricius (1668–1736) – protestantischer [!] Theologe und Philologe[41] – den ,*Codex Apocryphus Novi Testamenti*'[42]. Im Jahre 1700 war das Thomasevangelium als Fragment von Cotelier gedruckt worden. Die vollständige

Ausgabe erfolgte 1764 (*Hennecke/Schneemelcher* 1968. I. S. 291).

Auch die Josephsgeschichte fand im 18. Jahrhundert ihren Herausgeber. 1722 edierte der Schwede Georg Wallin (1686–1760)[43] in Wittenberg das arabische Originalmanuskript, das in der Königlichen Bibliothek in Paris lag, zusammen mit einer lateinischen Übersetzung. Diese nahm der oben schon genannte Fabricius auf und veröffentlichte sie in der zweiten Auflage seines ,*Codex Pseudepigraphus Veteris Testamtenti*' von 1723. Im 19. Jahrhundert erschloß die Forschung durch die Weiterentwicklung der archäologischen und historischen Disziplin und ihre historisch-kritische Methode z. T. auch neue apokryphe Quellen und Handschriften (vorzugsweise Papyri). Als hervorragendste Forscher und Editoren dieser Zeit sind Constantin Tischendorf und der Theologe Thilo zu nennen (*Hennecke/Schneemelcher* 1968. I. S. 36).

Wie wir gesehen haben, tritt uns in der apokryphen Tradition eine erstaunenswerte Vielfalt und Variabilität in der Legendenbildung entgegen – *Hennecke/Schneemelcher* sprechen sogar von ,Legendenwucherung' –, deren Wirksamkeit die junge Kirche, sollte sie ihre beginnende Autorität nicht verlieren und sich erfolgreich gegen häretische Richtungen absichern, nicht ignorieren durfte. Nach den vergeblichen Versuchen der Eindämmung solcher Inhalte durch Verbote adaptierte sie sie und unterwarf sie einer strengen Redaktion.

Doch auch wenn die ,offizielle' Kirche im Mittelalter der Verbreitung ,ihrer' Fassung der Apokryphen – dem Pseudo-Matthäus-Evangelium – ihre Aufmerksamkeit widmete, darf man nicht zu dem Trugschluß kommen, alle älteren, in den Pseudo-Matthäus nicht aufgenommenen Episoden seien verlorengegangen. Zwar ist die Beurteilung von *Hennecke/Schneemelcher* für den Pseudo-Matthäus[44] in keiner Weise einzuschränken, dennoch zeigen gerade der Josephskult oder die Kornfeldlegende (s. S. 38), daß die Volksfrömmigkeit auch Motive aus anderen Apokryphen rezipierte und weitertradierte.

3 Die Rezeption der Kindheits-Apokryphen in der lateinischen und mittelhochdeutschen religiösen Literatur

Mit der Behandlung der späten Kindheits-Apokryphen sind wir im letzten Abschnitt schon weit in das Mittelalter vorgedrungen. Welche Wirkungen sie im Motivbereich der Hl. Familie hatten, soll nun thematisiert werden.

In der Verbreitung und Ausgestaltung der apokryphen Kindheitsepisoden spiegelt sich das seit dem Hochmittelalter wachsende Interesse an der Biographie des menschlichsten Lebensabschnittes Jesu, seiner Kindheit, wider, ein Interesse, das von der Bibel kaum, dafür aber um so stärker von dem apokryphen Schrifttum befriedigt werden konnte.

Mittelalterliche Dichter empfanden wie schon die Autoren der apokryphen Kindheitsberichte den Mangel der Evangelien an Einzelepisoden aus der Kindheit Jesu und sahen z. T. gerade darin die Legitimation, sich der im übrigen auch durch verschiedene kirchliche Autoritäten überlieferten Apokryphen zu bedienen. So klagte im späten 13. Jahrhundert Bruder Philipp in seinem ‚Marienleben':

> Hie hebet sich mîn grôze klage
> die ich in mînem herzen trage,
> die wil ich Jêsû vriunden sagen
> dazs mir alle helfen klagen,
> 4900 daz ich niht geschriben vinde
> von Jêsû, dem vil lieben kinde,
> wie sîn leben waer gestalt
> dar nâch dô er was worden alt
> zwelf jâr unz an die zît
> 4905 daz er die heilegen kristenheit
> ane huop mit sîner lêre.
> wie dâ vor sîn leben waere,
> des wâren mêr dan niunzehn jâr,
> des enhnât [!] uns niht vür wâr
> 4910 in ir puoch die heilegen viere
> geschriben, die êwangeliere.
> sî hânt uns anders niht geschriben,
> wan daz eine ist uns beliben
> daz in den drin jârn begienc
> 4915 Jêsus, dô er ane vienc
> zu predegen, dô er worden was
> als drîzec jâr, und sî uns daz
> allez gar verswigen hânt,
> daz uns des niht ist bekant
> 4920 wie Jêsus leben ist gewesen.
> ouch hân ich leider niht gelesen
> wâ er waer und wes er phlaege
> vor der zît, wand er al wege
> zeichen unde grôziu dinc

> 4925 begie diu niht geschriben sint,
> und daz ouch ungeloublîch ist
> daz gotes sun, her Jêsus Christ,
> waere niun unt zweinzic jâr
> âne grôziu zeichen gar,
> 4930 âne wunder und ân lêre,
> diu doch der kristenheite waeren
> nütze, und waeren sî geschriben.
> wan sî leider niht sint bliben,
> des ist mîn herze gar unvrô.[1]

Zwar richtete sich das Interesse einerseits auf die Wunderwirksamkeit des göttlichen Kindes, um so die Kindheit Jesu als Präfiguration zu seinem öffentlichen Auftreten bis zur Passion interpretieren zu können. Doch wuchs auch – besonders im Rahmen der verinnerlichten franziskanischen Frömmigkeit – die Bedeutung der Normalität des Mensch gewordenen Gottes[2]. Schon im Pseudo-Matthäus kanalisiert, bildete sich ein Wunderkanon aus, der sich – nun nicht mehr anstößig, weil von den derben Mirakeln gereinigt – in das private und häusliche Ambiente der Hl. Familie-Erzählungen einfügte.

Das Bedürfnis nach Anschauung bzw. Veranschaulichung des privaten, ja intimen Umgangs der hl. Personen miteinander fand seit dem 13. Jahrhundert im Kindsein des Gläubigen[3] – verstanden als *imitatio christi* – seinen Niederschlag. So forderten die ‚Meditationes Vitae Christi', den Menschen auf:

> Be a child with the child Jesus! Do not disdain humble things and such as seem childlike in the contemplation of Jesus, for they yield devotion, increase love, excite fervor, induce compassion, allow purity and simplicity, nurture the vigor of humility and poverty, perserve familiarity, and confirm and raise hope. We cannot rise to the highest things, because that which seems foolish to God is most wise to men, and what is weak to Him is most powerful to us (I Cor. I,25). It appears that the contemplation of these things banishes pride, destroys cupidity, and confounds levity. You see how much good is born of it? Therefore, as I said, be a child with the Child, while with Him who begins to grow, you become older, ever maintaining humility. Follow Him wherever He goes, always watching His face. (MVC. XIII. zitiert nach der engl. Übersetzung von *Ragusa/Green* 1961. S. 71 f)

Mit der Kanalisierung der apokryphen Episoden ging die Ausbildung des idealen kindlichen Verhaltens im Bilde Jesu einher, das durch eine besondere Meditationsanleitung vermittelt wurde, deren Ziel die *Vergegenwärtigung Gottes in Menschengestalt*, d. h. auch seiner irdischen Bedingtheit, durch Mitgefühl für das Kind und seine Eltern war. So leitete schon Bernhard v. Clairvaux die Gläubigen zur Meditation an, indem er auf das emphatische Miterleben durch den geistigen Nachvollzug, der alle Sinne miteinbeziehe, verwies:

> Kommt zum jungfräulichen Brautgemach, geht – wenn ihr könnt – keusch und sittsam in das Schlafgemach eurer Schwester. Seht, ein Engel – von Gott zu der Jungfrau geschickt – spricht Maria an. Legt euer Ohr an die Wand und lauscht, was er ihr verkündt! Vielleicht vernehmt ihr etwas, das euch trösten kann.[4]

In ähnlicher Weise fordern die ‚Meditationes‘ zum Nachvollzug des Lebens Jesu in der Vergegenwärtigung auf, ja der anonyme, wahrscheinlich franziskanische Autor aus der 2. Hälfte des 13. Jahrhunderts (Ragusa/Green 1961. S. XXI. Anm. 2) versetzt den Leser in die biblische Zeit und bezieht ihn so direkt in den Alltag der Hl. Familie mit ein. So heißt es z. B. zur Rückkehr aus Ägypten:

> Go back to Egypt to visit the child Jesus. Perhaps you will find Him outside among boys, but when He sees you He will eagerly come to you, for He is benign, kind, and courteous. Kneel before Him and kiss His feet, then take Him in your arms [!][5] and repose with Him. Then He will say to you, „We have been given permission to return to our land, and tomorrow we must leave here. You have come at the right time to return with us." To this you will answer cheerfully that you are very happy about it and wish to follow Him wherever He goes. In talk of this kind you will find pleasure with Him. [...]. Then He will take you to His mother, who will honor you with courtesy. You will kneel to do reverence to her and the saintly old Joseph and you will rest with them.
> Early the following morning you will see a few good women of the neighborhood, and also men, come to accompany them to the outside of the city-gate, to enjoy their pleasing and holy conversation. (MVC. XIII. zitiert nach Ragusa/Green 1961. S. 78)[6]

Ebenso verfährt Ludolph v. Sachsen in seiner ‚Vita Christi‘ (Mitte 14. Jhdt.), wenn er immer wieder insistierend sein conspice, vidisti o. ä. in die Betrachtung des Lebens Jesu einfügt (VC. I. Cap. XVL. S. 164). Foster bemerkt zu dieser Meditationsform, die ganz besonders von dem Autor der ‚Meditationes Vitae Christi‘ gepflegt wurde:

> Such proposed flights of imagination were the necessary first steps toward mystic union with God. But for most of the population they resulted only in endowing the sacred figures with excessive humanity. Nevertheless, this type of mystical exercise did free the sacred figures from the limited sphere of historical-narrative events. Christ, the Virgin, and Joseph might now be depicted with all the paraphernalia of ordinary human beings – individually an collectively. (Foster 1978. S. 215)

Ziel war die visio dei, in der der Mensch Gott erkennt[7]. In diesem, im Mittelalter und noch für die Neuzeit gültigen Verfahren der Meditation[8] entspricht die Methode der Visualisierung dem Objekt der Betrachtung, dem quasi materialisierten, menschgewordenen Gott. Mit der Hinwendung zum Inkarnationsgedanken, der u. a. seinen Ausdruck in einer verstärkten Marienfrömmigkeit seit dem 11. Jahrhundert fand, wurde der fleischgewordene Logos in seiner irdischen Realisation mit den dem irdischen Wesen Mensch zur Verfügung stehenden Mitteln in der Vergegenwärtigung der Meditation sinnenhaft erfahrbar[9].

So bedingten sich Meditationsmethode und Meditationsgegenstand in gewisser Weise gegenseitig und richteten sich, verstärkt durch die wachsende Aufmerksamkeit für das Individuum und das Individuelle und in Ermangelung biblischer Nachrichten, auf die Kindheit Jesu. Sie wurde zum einen im Sinne des typologischen Verfahrens als Vorwegnahme des öffentlichen Auftretens Jesu mit Inhalt gefüllt, so daß damit auch die ‚Neugier‘ der Gläubigen nach biographischen Nachrichten aus der Kindheit Jesu und gleichzeitig die nicht zu leugnende Wundersucht der Zeit kanalisiert und befriedigt wurde. Zum zweiten konnte das Vorbild des Jesuskindes – als Prototyp des ‚normalen‘, d. h. auch unspektakulären irdischen Lebens – die Grundnormen christlichen Verhaltens, allen voran die Demut als christliche Basistugend, vermitteln.

Abgesehen von der generellen Entscheidung – Gebrauch apokrypher Motive: ja oder nein – muß man bei der Auswahl der einzelnen Episoden davon ausgehen, daß die Gründe für eine spezielle Wahl individuell motiviert waren und diese dementsprechend relativ beliebig ausfiel, aber immer auch durch die Art der zur Verfügung stehenden Quellen bestimmt war[10].

Da die spezielle individuelle Motivation der Dichter meist unbekannt ist, bleibt uns nur, die Reflexe der mittelalterlichen, literarischen wie bildenden Kunst auf die apokryphen Motive aus der Kindheit Jesu zu beobachten, ihre Ausschmückungen festzustellen und Motivverluste aufzuzeigen.

3.1 Apokryphe Wunderberichte und Viten

Wie wurde nun die Tradition der apokryphen Kindheits-Evangelien im Mittelalter fortgeführt? Die maßgebliche Quelle aus diesem Bereich blieb für das gesamte Mittelalter Pseudo-Matthäus. Doch muß noch einmal betont werden, daß man weniger von dem Pseudo-Matthäus-Evangelium sprechen kann als von einer dieser Quelle angehörenden Handschriftenfamilie, die durch ihre variantenreiche Überlieferung auffällt.

Masser hat in seiner Habilitationsschrift 1969 die Abhängigkeiten und Unterschiede der Motive in den wichtigsten deutschen religiösen Dichtungen des Mittelalters in Bezug auf die Kindheit Jesu untersucht. Er analysierte insgesamt zwölf z. T. lateinische, z. T. volkssprachliche Texte[11], die er nach ihren Quellen in drei Gruppen aufteilte. Es sind dies: 1.'die Gruppe, die sich hauptsächlich direkt auf apokryphe Schriften, wie Pseudo-Matthäus, bezieht[12], 2. jene Werke, die auf der ‚Vita rhythmica' fußen[13] und 3. die Texte derjenigen Autoren, die bewußt als Hauptgrundlage die kanonisierten Evangelien wählten.

Zur ersten Gruppe gehören nach *Masser* z. B. die Werke von Hrotsvitha von Gandersheim, Priester Wernher, Konrad von Fussesbrunnen und das ‚Passional'; zur zweiten das ‚Marienleben' des Kartäusers Bruder Philipp und die Dichtungen Walthers von Rheinau und des Schweizers Wernher; zur dritten besonders die Zeugnisse der älteren Autoren wie Frau Ava und Otfried von Weißenburg (*Masser* 1969. S. 113–116).

Bei dieser Aufzählung fällt auf, daß es sich nicht nur um reine Kindheitsbeschreibungen handelt, sondern hauptsächlich über das Marienleben oder das gesamte Leben Jesu berichtet werden sollte[14], mit der Absicht, die z. T. recht widersprüchlichen Berichte der Evangelien und auch der Apokryphen in einer Darstellung zu *harmonisieren*. Daß daraus viele Diskrepanzen erwuchsen, die in den meisten Fällen weder inhaltlich noch dichterisch bewältigt werden konnten, beschreibt *Masser* in seiner Arbeit.

3.1.1 Die ‚Vita Beate Virginis Marie et Salvatoris Rhythmica' (VR)

In einer anschaulichen Tabelle führt *Masser* die Inhalte der ‚Vita rhythmica' zu der Kindheit Jesu, ihre Quellen und ihre Parallelen zu Pseudo-Matthäus und der ‚Kindheit Jesu' von Konrad v. Fussesbrunnen synoptisch auf (*Masser* 1969. S. 78 ff). So stellt er die Vielfalt der Motive der ‚Vita rhythmica' dar, die sich gerade darin von den meisten anderen untersuchten Schriften unterscheidet und abhebt[15]; den Hauptteil dieser Motive bezog der Verfasser der ‚Vita rhythmica' aus dem ‚Liber de Infantia Salvatoris'. Der Autor, der im 13. Jahrhundert lebte[16], faßte zahlreiche apokryphe Motive der Kindheit aus den verschiedensten Quellen und Handschriften zusammen, so daß die ‚Vita rhythmica' die lange Zeit wichtigste und umfangreichste Quelle für die Motivtradition der Hl. Familie war. Aus dem reichen Fundus dieser Schrift schöpften sowohl die späteren religiösen Dichter als auch die bildende Kunst. Doch trotz ihrer thematischen Vielfalt blieb die ‚Vita rhythmica' in der Ausgestaltung der Einzelmotive recht summarisch. Ihr Grundcharakter ist nach *Fromm* durch den Wandlungsprozeß von der in sich logischen und geschlossenen Erzählung zur Stoffreihung bestimmt:

> Hier wird zum ersten Male, für die Folgezeit wichtig, das epische Zeitband entwertet zugunsten einer Fülle

von austauschbaren oder auch fortlaßbaren, gereihten Erzählstücken und deskriptiven Gliedern. Deren ganz innerweltliche und ‚gotische' Freude am minutiös gesehenen Gestalt- oder Ausstattungsdetail muß in ihrer Auswirkung auf die Marienikonographie des späten MA.s noch untersucht werden. Die Vita stellt Stoff- und Formtypen bereit, die sich verselbständigen können: als legendäre Kleinerzählung, als lyrischer Lobpreis der königlichen Herrlichkeit, als dramatisierte Klage [Planctus Mariae]. (*Fromm* 1965. S. 274 f)[17]

Moser pflichtet *Fromm* bei und untermauert dessen Feststellung der Reihung in der ‚Vita rhythmica' in seiner Untersuchung zur Tradition des Motivbereichs ‚Flucht nach Ägypten' (*Moser* 1972.).

3.1.2 Das ‚Marienleben' des Kartäusers Philipp (Ph.)

Demgegenüber ist das ‚Marienleben' des Kartäusers Philipp, obwohl eine seiner Quellen die ‚Vita rhythmica' war[18], nicht nur mit viel mehr Liebe zum Detail, sondern auch mit mehr innerer Logik ausgestaltet.

> Im Gegensatz zu Walther [von Rheinau] und [dem Schweizer] Wernher [beide sind ebenfalls der ‚Vita rhythmica' verpflichtet] steht er der Vita rhythmica auch hier frei gegenüber. Wenn es ihm richtig erscheint, folgt er seiner Quelle sehr genau; in anderen Fällen scheut er sich nicht vor größeren Abweichungen [möglicherweise durch eine weitere Quelle bedingt]. Er kürzt, erweitert, bringt den Stoff in bessere Ordnung oder läßt ganze Abschnitte aus. Für ihn steht nicht die Einzelerzählung im Vordergrund, die er nachdichtet, ohne sich um die vorhergehende oder die folgende zu kümmern. Er hat stets das thematisch Zusammengehörige im Auge und gestaltet aus dieser Sicht geschlossene Erzählkomplexe, in denen nicht länger wundersame Begebenheiten beziehungslos aneinandergereiht, sondern in denen die einzelne Episode, das einzelne Wunder dem Ganzen organisch eingefügt sind. (*Masser* 1969. S. 264)

Bruder Philipp gestaltete außerdem Motive um, die in dieser neuen Form bis in die Neuzeit hinein tradiert wurden[19]. Insgesamt gilt in Bezug auf die Verarbeitung des Stoffes gegenüber der ‚Vita rhythmica':

> Die Geschichten der Vita rhythmica sind steif, ihre Personen von typisierender Farblosigkeit. Philipp hat die Szenerie belebt, hat den handelnden Personen individuelle Züge verliehen. Joseph, Maria und Jesus – bei ihm gewinnen sie Gestalt, bilden sie wirklich eine sancta familia[20]. [...]. Nicht zufällig hat Philipps Werk eine so weite Verbreitung erfahren: Philipp ist der einzige deutsche Dichter des Mittelalters, dem es gelungen ist,

die apokryphen Geschichten über Maria und Joseph wie die zahlreichen damit zusammenhängenden Wunderberichte im Ton volkstümlicher Legenden nachzuerzählen. (ebda. S. 264 f)

3.1.3 Die ‚*Kindheit Jesu*‘ von Konrad v. Fussesbrunnen (Konr.)

Von der ‚*Vita rhythmica*‘ und Bruder Philipp unterscheidet sich die ‚*Kindheit Jesu*‘ von Konrad v. Fussesbrunnen (*Fromm/Grubmüller* 1973.) besonders durch die Reduzierung der Episoden auf hauptsächlich jene, die sich *nach der* Rückkehr aus Ägypten ereignen[21].

Aus der Vielfalt der vorhandenen Fluchtepisoden wählt er das Palmbaum- und Quellwunder und die erste Räubergeschichte aus, über den Aufenthalt der Hl. Familie in Ägypten finden wir jedoch keine konkreten Angaben. Vielmehr erweckt er den Eindruck, als sei sie gleich nach der Ankunft wieder aufgebrochen und heimgekehrt; nur dreizehn Verse allgemeinen Inhalts trennen die Bekehrung des Fürsten Affrodisius von der Aufforderung zur Rückkehr, der die zweite Räuberepisode folgt.

Hatten die ‚*Vita rhythmica*‘ und Bruder Philipp großen Wert auf eine schlüssige Chronologie des Geschehens gelegt, so finden sich bei Konrad keine Hinweise auf die Dauer des Aufenthaltes. Allein die Magierepisode enthält eine Zeitangabe, aus der geschlossen werden könnte, daß Jesus zur Zeit der Flucht mindestens zwei Jahre alt war (*Konr.* 1207)[22] und deshalb die Episoden um das Laufen- und Sprechenlernen entfallen konnten[23]. Erst mit der Rückkehr nach Nazareth liegen die Wunderberichte fast parallel zu denen der ‚*Vita rhythmica*‘, wenn auch nur in inhaltlicher Hinsicht (*Masser* 1969. S. 78 ff). *Masser* hat nachgewiesen, daß diese Tatsache nicht zu dem Trugschluß führen darf, die ‚*Vita rhythmica*‘ sei Konrads Vorlage gewesen. Neben der sich nur um etwa zehn Jahre überschneidenden Datierung[24], nach der die ‚*Kindheit Jesu*‘ aber auch schon *vor* der ‚*Vita rhythmica*‘ entstanden sein könnte, sprechen vor allem die Differenzen in der Räuberepisode gegen diese Annahme[25]. Wahrscheinlicher ist, daß Konrad als Quelle eine Handschrift der großen Pseudo-Matthäus-Familie benutzte, die der Arundel-Handschrift aus dem 14. Jahrhundert sehr ähnlich gewesen sein muß (ebda. S. 80–87)[26].

Nach dem Schulbesuch Jesu endet Konrads ‚*Kindheit*‘ ziemlich abrupt mit einem Schlußwort, ohne – wie bei den anderen Dichtern meist üblich – mit Hilfe der Episode ‚Der zwölfjährige Jesus im Tempel‘ an die biblischen Berichte wieder anzuknüpfen. Dieser Fixpunkt, auf den die beiden vorherigen Werke nicht verzichten konnten, ist bei Konrad von Fussesbrunnen überflüssig, da er durch die ausdrücklich von ihm intendierte Ausschnitthaftigkeit seines Berichtes von vornherein ein begrenzteres Ziel hatte als andere Autoren.

3.2 Die ‚*Meditationes Vitae Christi*‘ (Pseudo-Bonaventura) (MVC) und die ‚*Vita Christi*‘ des Kartäusers Ludolph v. Sachsen (VC)

Auch der Kartäuser Ludolph v. Sachsen bezog in seiner ca. hundert Jahre nach der ‚*Vita rhythmica*‘ entstandenen ‚*Vita Christi*‘ einige der wichtigsten apokryphen Motive in den Teil seines Werkes mit ein, der die Kindheit Jesu behandelt[27]. Wie *Baier* jedoch für den Passionsteil der ‚*Vita Christi*‘ nachgewiesen hat (*Baier* 1977. II.)[28], haben die apokryphen Motive hauptsächlich über die Vermittlung anderer Autoren Eingang in seine Schrift gefunden. Es ist zu vermuten, daß dies auch für die Kindheitsgeschichte gilt.

In ihr finden sich die gängigsten Episoden wieder, wie: Aufforderung zur Flucht, nächtliche Flucht nach Ägypten, Länge und Beschwerlichkeit des Weges, Räuberepisode (VC. I. Cap. XIII,9)[29], bethlehemitischer Kindermord, Götzensturz, Bilder von Jesus und Maria, siebenjähriger Aufenthalt, Aufforderung zur Rückkehr, in der Wüste, Ankunft in Nazareth, Jesus schöpft Wasser und sammelt Kräuter für seine Mutter (VC. I. Cap. XIV,10)[30], Jesus im Tempel.

Bemerkenswert ist, daß all diesen Episoden die erzählerische Ausgestaltung fast völlig fehlt; sie scheinen vielmehr nur Anklänge an altes, apokryphes Traditionsgut zu sein, dem der biblisch belegte Erzählstoff vorgezogen wurde. So handelt von den insgesamt vier Kapiteln eines ausschließlich von dem biblischen Bericht des zwölfjährigen Jesus im Tempel (VC. I. Cap. XV)[31]. Dem Kapitel über die Flucht nach Ägypten (VC. I. Cap. XIII) sind sechs Abschnitte über den bethlehemitischen Kindermord zugeordnet (VC. I. Cap. XIII,10–15), dem Kapitel XIV (Rückkehr aus Ägypten) drei Teile über Johannes den Täufer (VC. I. Cap. XIV,3 ff).

Die ‚*Vita Christi*‘ sollte primär die Funktion einer erbaulichen Erläuterung zum Leben Jesu haben, mit Schwerpunkt auf der Schriftauslegung. Diesen ausführlichen Exegesen folgt am Ende eines jeden Kapitels ein kurzes abschließendes Gebet (*Baier* 1977. I. S. 19). Zielpunkt ist die Nachfolge Christi, dessen Kindheit mit der Erniedrigung der Gottheit im Menschen vorbildhaft ist. Für Ludolphs Konzeption der ‚*Vita Christi*‘ waren die an Zauberei erinnernden Wunder, z. B. aus dem Thomasevangelium, unakzeptabel. Auf sehr menschliche Weise leidet Jesus in der ‚*Vita Christi*‘ als Kind an den Beschwernissen der Flucht[32] und den kargen Lebensverhältnissen:

> Conspice etiam qualiter ipsi tres comedunt ad unam mensam simul per singulos dies, non lautas et exquisitas, sed pauperes et sobrias coenas sumentes; et qualiter postea simul colloquuntur, non inania et otiosa verba, sed plena Spiritu Sancto et sapientia, nec minus mente reficiuntur quam corpore et qualiter post aliqualem recreationem convertunt se in cubilibus suis ad orationem, non enim erat eis domus ampla, sed parva. Meditare etiam tria cubilia in aliqua camerula,

scilicet unum pro quolibet eorum, et intuere Dominum Jesum super unum sero post orationem se componere per singulas noctes, tam longissimi temporis spatio, sic humiliter, sic viliter, sic etiam perseveranter, ut faceret quicumque alius pauperculus de populo. (VC. I.. Cap. XVI,8. S. 164)

So ist Gott in diesem Kind den Menschen gleich und wirkt dennoch als Vorbild für alle Gläubigen (*Baier* 1977. III. S. 450–457).

Ähnlich sparsam und zurückhaltend in der Verwendung der apokryphen Motivik ist Ludolphs Vorläufer, die Pseudo-Bonaventura-Schrift ‚*Meditationes Vitae Christi*‘ (2. Hälfte 13. Jhdt.), die wahrscheinlich für Nonnen geschrieben wurde und in über zweihundert Manuskripten überliefert ist (*Ragusa/Green* 1961. S. XXII. Anm. 3)[33].

Dort kommt von den apokryphen Wunderberichten einzig der Götzensturz kurz zur Sprache (MVC. XII. S. 68 f). Ansonsten betont der unbekannte franziskanische Autor in den für uns interessanten Kapiteln die Demut, Einfachheit und Armut der Hl. Familie, die dementsprechend unauffällig lebt. So wird Maria als Spinnerin, Joseph als Zimmermann und Jesus als dienstbarer Sohn seiner Eltern beschrieben, dem jede spektakuläre Wundertat fremd ist[34]. Diese Tendenz findet sich besonders in Kapitel XV der ‚*Meditationes*‘, in dem das Leben Jesu zwischen dem zwölften und dreißigsten Lebensjahr beschrieben wird.

Trotz der gemeinsamen abstinenten Haltung gegenüber der Wundersucht der Apokryphen unterscheiden sich die ‚*Vita Christi*‘ und die ‚*Meditationes*‘ voneinander:

The *Vita* ist by far no more learned work than the *Meditationes* as is evident from the wealth and diversity of its source material. It is more abstract. [...]. The unity of structure of the *Meditationes* is regrettably marred by a long digression in the middle of the work – fourteen chapters on the contemplative and active forms of life. Ludophus has a number of such digressions. In narrative and descriptive power the *Meditationes* surpasses the *Vita*. Both works had great influence. The former inspired the literature and art of the late Middle Ages, the latter lives on in the Spiritual Exercises [von Ignatius v. Loyola]. (*Bodenstaedt* 1944. S. 5 f)

Entgegen Konrad v. Fussesbrunnen, der als höfischer Autor anderen Intentionen folgte als der strenge Mönch, begnügte sich Ludolph v. Sachsen nicht mit einem Ausschnitt aus dem Leben Jesu, nahm aber dafür eine Reduzierung der Motivik vor, die besonders die Apokryphen betraf. Er ordnete die Kindheit in das gesamte Heilsgeschehen des Neuen Testaments ein und wies zusätzlich immer wieder auf das Alte Testament hin, als dessen gesteigerte Verwirklichung – in der typologischen Interpretation – das Neue Testament galt. So ist die uns interessierende Phase in der ‚*Vita Chri-*

sti‘ eingebunden in ein Gesamtkonzept, das auf die Passion und Auferstehung als Erlösungswerk hinzielte und die Kindheitsberichte darin integrierte.

3.3 Die ‚*Legenda aurea*‘ von Jacobus de Voragine (LA) und der ‚*Catalogus Sanctorum*‘ von Petrus de Natalibus (CS)

Eine ähnliche Reduzierung der apokryphen Wundermotive wie bei Ludolph finden wir in der ‚*Legenda aurea*‘ des Dominikaners Jacobus de Voragine. Zwar wird in der Literatur über die Apokryphen immer wieder betont, besonders Pseudo-Matthäus habe großen Einfluß auf das vor 1267 (LA els. I. S. XIII) entstandene Werk gehabt (*Hennecke/Schneemelcher* 1968. I. S. 304), doch zeigt sich bei einem Vergleich mit der anderen mittelalterlich-religiösen Dichtung, daß der Anteil des apokryphen Materials an der Fluchtgeschichte doch recht gering ist, auch wenn er den der ‚*Vita Christi*‘ leicht übersteigt. Dieser Zug ist aber nicht unbedingt typisch für die Legendare, wie der ‚*Catalogus Sanctorum*‘ von Petrus de Natalibus aus dem 14. Jahrhundert zeigt.

So finden wir zur Verkündigungsszene in der ‚*Legenda aurea*‘ das apokryphe Motiv des grünenden Zweiges Josephs und seine Reise nach Bethlehem[35]. Zum Weihnachtsfest werden aus den Apokryphen die Wunder während der Geburt, die Hebammengeschichte und die Anbetung der Tiere erwähnt (LA. IV. S. 41–45). Zum Fest der unschuldigen Kinder berichtet die ‚*Legenda aurea*‘ von der Flucht nach Ägypten, der Ankunft der Hl. Familie in Hermopolis, dem Götzensturz und der Verehrung Jesu und Mariens durch den Baum Persides (LA. X. S. 64). Dagegen fehlt die sonst so beliebte Räuberepisode, und konsequenterweise ist auch kein Abschnitt über Dismas zu finden, der in der apokryphen Literatur sowohl mit dem Räuber aus dieser Episode als auch mit dem gerechten Schächer am Kreuz identifiziert wurde. Ebenso fehlt eine Eintragung zum Fest des hl. Joseph.

Einen ähnlichen Befund können wir für die früheste deutsche Prosaversion der ‚*Legenda aurea*‘ aus dem beginnenden 14. Jahrhundert konstatieren. Obwohl ein hagiographisches Werk dieser Art Eingriffe in den Bestand bestens verkraften könnte und damit Ergänzungen und Erweiterungen geradezu herauszufordern scheint, verstärkt sich in der elsässischen Fassung[36] die Tendenz zur Distanzierung von der apokryphen Überlieferung. So fehlt bei der Verkündigung z.B. der Hinweis auf die Geschichte von der Geburt Mariens (‚*Historia de nativitate Mariae*‘) aus der lateinischen Fassung (LA. LI. S. 217) und das Wunder um den Baum Persides. In der Überarbeitung dieser elsässischen Version durch die Zisterziensernonne Margaretha († 1478) aus dem Kloster Lichtental bei Baden-Baden (LA els. II. S. XXIII, LVII) fällt die schon von Hieronymus verworfene Hebammengeschichte völlig weg.

Der Grund wird in diesem speziellen Fall der gewesen sein, daß eine apokryph-verbrämte hagiographische Sammlung für die Lesung im Refektorium eines gerade reformierten Zisterzienserinnenklosters (LA els. S. XXIII) nicht angebracht schien und so die schon spärlichen apokryphen Inhalte weiter reduziert wurden.

So kann trotz der hohen Verbreitung der ‚Legenda aurea‘[37], die *Williams/Williams-Krapp* „als eines der meistgelesenen [Werke] des Mittelalters" (LA els. I. S. XIII) und deren deutschsprachige Fassung sie als ein „ein Sachgebiet summierende[s] Standardwerk volkssprachlicher Gebrauchsliteratur" (ebda. S. XVII) bezeichnen, die These von *Hennecke/Schneemelcher* nicht uneingeschränkt aufrecht erhalten werden. Zwar hat die ‚Legenda aurea‘ im 14. Jahrhundert gerade im süddeutschen Raum weite Verbreitung gefunden, so daß sie theoretisch ein guter Übermittler apokrypher Traditionen hätte sein können. Doch aufgrund des franziskanischen „Horror[s] vor apokryphen [Wunder-]Traditionen" (LA els. II. S. XII) – der auch in den Bestrebungen zur Vermenschlichung Jesu in der *Devotio Moderna* zu beobachten ist – sind ihre Rückgriffe auf diese Quellengattung relativ gering, so daß wir die Vermittler für die Apokryphen eher im Raum der mittelalterlichen Epik zu suchen haben. Dennoch muß festgehalten werden, daß diese Ablehnung der Apokryphen in der ‚Legenda aurea‘ nicht unbedingt typisch für die mittelalterlichen Legendare war.

Dies zeigt der ‚Catalogus Sanctorum‘ des Petrus de Natalibus, Bischof von Asolo, um 1370. Petrus benutzt in den für uns interessanten drei Abschnitten (CS. II,51; III,209; III,228)[38] nicht nur apokryphe Quellen, er nennt sie sogar[39]. Der mir zur Verfügung stehende, mit kleinen, teilweise leicht kolorierten Holzschnitten versehene Druck von 1502 zeigt in den drei Kapiteln über die Flucht nach Ägypten, über Joseph und über Dismas einen starken Einfluß der apokryphen Tradition, der besonders in Buch III,51 bei der Beschreibung der Flucht sichtbar wird.

Der Autor beschränkt sich darin nicht nur auf die drei Motive von Jakobus de Voragine (Ankunft in Hermopolis, Götzensturz und Baum Persides), sondern beschreibt in chronologischer Reihenfolge die Reise[40], die Dienerschaft als Reisebegleitung, die Ereignisse und Wunder auf dem Weg nach Ägypten inklusive der Verehrung durch Drachen und wilde Tiere, das Palmbaum- und Quellwunder[41] und das Balsamwunder; es fehlt in diesem Abschnitt die Räuberepisode, die in Buch III,228 (Festtag des Dismas) (*Moser* 1972. S. 303) berücksichtigt wird.

Der für uns interessante Abschnitt des ‚Catalogus Sanctorum‘ zur Flucht lautet folgendermaßen:

In libro tamen de infantia Christi: quem hieronymus chromatio & heliodoro episcopus transtulit ex hebraico in latinum: scribit: Quod Ioseph virginem cum filio iumento imposuit: & ipse in alio ascendit: & arripuerunt [!] iter per montana & per desertum: nolentes ire

per maritima timore herodis. Erant quod [!] cum eis iii [3] pueri & una puella in obsequium Christi. Et exeuntes dracones de quadam spelunca: cum ceteri timentes fug[.]ierent: serpentes puerum adoraverunt. Similiter leones & leopardi & alia genera ferarum adorantes iesum per desertum ante cedentes: viam eis ostendebant.

Et post dies tres dum aqua in utribus defecisset: & omnes fessi sub palme arbore quiescerent: virgo maria respiciens ad coma[..] arboris de fructibus eius concupivit. Et confestim palma cacumen suum ante pedes virginis inclinavit: & collectis ex ea fructibus ad satietatem omium: arbor se iterum erigens ad statum pristinum rediit. Tuncque angelus apparuit: & ramum ex palma evellens & asportans: ad celestia evolavit. Deinde ad radices palme fons aque limpidissime erupit: ex quo omnes refecti sunt. Et dum iter agentes maximo calore comprimerent: & adhuc xxvii [27] diebus itinerari opporteret: anteque ad egyptum pervenirent: miro modo post tres dies in egyptum devenerunt: & in civitatem hermopolim se receperunt. Ibique manserunt peregrini usque ad obitum herodis.

Multa quoque miracula de christo puero ab eodem ostensa: in prefato libello reperiunt: que [!] tamen brevitatis causa quod ex eo que inter apocripha connumerat omittuntur. Illud tamen memorabile pro constantia doctoribus habetur: quod ingrediente puero iesu in templum idolorum cum maria matre sua: omnia phani idola corruerunt: iuxta prophetiam Isaie propter quod miraculum multi egyptiorum conversi sunt ad eum: & virginem matrem benigne tractantes: puerum iesum pulcherrimum plurimum reveriti sunt & ipsum aliquem magnorum deorum existimabant. Extat ibidem fons modicus: in quo fertur virginem matrem puerum sepius balneasse: & pannos eius propriis lavasse manibus. In quo fonte omnes pueri etiam saracenorum quacumque valitudine detenti: descendentes: confestim sanantur. Est & ibi lapis: ubi virgo panniculos christi lotos ad siccandum extendebant. Ibi est vinea engaddi [!]: quem profert balsamum: que dicto fonte irrigatur: & si aqua alia irrigaret: eo anno nullum fructum produceret. Et hoc notorium est in omni terra egypti[.] Est et ibi prope arbor quae persidis dicitur: ut ponit cassiodorus in tripartita. Que fertur usque ad terram inclinata: christum humiliter adorasse. que valet in salutem membrorum: si fructus: folium: vel cortex patientis collo alligentur. Igitur postquam septem annis christus fuerat in egypto: defuncto herode: ut scribitur matthei secundo: Ioseph in somnis [!] monetur ab angelo: ut christum in terram iudeam reducat: quod & fecit. Sed audiens quod archelaus regnaret in iudea pro herode patre suo: quin adhuc erat patre crudelior: timuit illo ire. Et admonitus in somnis [!] ab angelo seccessit in partes galilee: habitavitque in civitatem nazareth. (CS. II,51. fol. 27)

3.4 Die ‚*Biblia pauperum*' (BP)

Wie wichtig die apokryphen Inhalte für die Religiösität des Mittelalters waren, kann man daran ablesen, daß selbst beim Minimalprogramm der ‚*Biblia pauperum*' z. B. nicht auf den apokryphen Götzensturz verzichtet wurde. Die ‚*Biblia pauperum*', die typisch für den deutschsprachigen Raum ist und nur dort vorkommt, war die Bibel der Scholaren und ärmeren Kleriker und ursprünglich weniger eine typologische Bilderbibel als eine lateinische Zusammenfassung der wichtigsten heilsgeschichtlichen Berichte des Alten und Neuen Testaments.

Das typologische Moment, wichtiges Strukturelement der mittelalterlichen Historienbibeln wie z. B. das überaus weit verbreitete ‚*Speculum Humanae Salvationis*', wurde bald auch das maßgebliche Charakteristikum der in der Neuzeit als ‚Armenbibel' bezeichneten, meist titellosen Handschriften und Blockbücher. Dies verwundert nicht, war doch die Darstellung der typologischen Zusammenhänge zwischen Altem und Neuem Testament eine der wichtigsten mittelalterlichen Methoden der Schriftauslegung. Sie geht davon aus, daß im Alten Testament das Erlösungswerk Christi vorgebildet sei und sich so aufgrund der „Einheit der Heilsgeschichte" (*Berve* 1969. S. 11) zwischen Altem und Neuem Testament Parallelen ergäben, die zur wechselseitigen Auslegung beider Teile der Bibel dienten. Die Typologie wurde nicht als System der Menschen zur Bibelauslegung verstanden, sondern galt als der Wortoffenbarung inhärent. Dabei wurde Christus als Angelpunkt angesehen.

> Wer nun systematisch nach messianischen Typen suchte, dem mochte sich im Alten Testament eine Fülle von mehr oder weniger echten Vorausfigurierungen oder Realprophetien Christi, seiner Inkarnation und Passion sowie der christlichen Kirche enthüllen. (*Berve* 1969. S. 14)[42]

Ohly betont, daß ein einfacher Parallelismus zwischen Typus (AT) und Antitypus (NT) das Verhältnis beider zueinander nicht richtig, weil nicht vollständig charakterisiere. Vielmehr zeichnet sich der Antitypus gegenüber seiner Präfiguration durch eine Steigerung aus:

> Das Spezifikum der Typologie liegt in ihrer Zusammenschau des in der Zeit Getrennten, in der Zusammenrükkung zweier aus der Sukzession der Zeit gehobener Szenen, in der Augenfälligmachung einer Simultanität des Ungleichzeitigen in der Weise, daß das Alte auf das Neue als eine Steigerung herüber deutet, immer hinweg über die Zeitgrenze und die Zeitenmitte des historischen Erscheinens Christi als der Wendepunkt der Heilsgeschichte. (*Ohly* 1989. S. 74)

So findet man z. B. im alttestamentlichen Joseph nicht direkt Christus wieder, denn dieser ist die *Steigerung* der Präfiguration Joseph. Ebensowenig entsprach ursprünglich der ägyptische Joseph dem Nährvater Jesu, da dies als ein einfacher Parallelismus angesehen wurde. *Berve* schränkt allerdings für die spätmittelalterliche Typologie ein, daß sie diesen Richtlinien nicht streng folgte, sondern großzügig die Beziehungen zwischen Altem und Neuem Testament interpretierte[43].

Formal findet diese mittelalterliche Typologie ihren Niederschlag in der siebenteiligen Gruppe der ‚*Biblia pauperum*', die neben dem neutestamentlichen Hauptbild (Antitypus) zwei alttestamentliche Szenen (Typus) und vier Prophetenbildnisse in sich vereinigt. Häufig haben zwei dieser Gruppen auf einer Seite Platz, so daß der aufgeschlagene Faszikel – verso und recto – vier, meist thematisch zusammenhängende Gruppen zeigt. Diese Einheit findet sich nicht immer, ist aber meist gewahrt (*Berve* 1969. S. 18).

In der reichen Heidelberger Handschrift cod. pal. germ. 148, die *Berve* in seiner Arbeit besonders berücksichtigt, wird die erste Einheit von den Gruppen Verkündigung, Christi Geburt, Anbetung der Könige und Darstellung im Tempel gebildet. Ihnen folgen die Gruppen Flucht nach Ägypten, der apokryphe Götzensturz, bethlehemitischer Kindermord und Rückkehr aus Ägypten, die thematisch ebenfalls eine Einheit bilden[44]. Weiter erscheinen Gruppen aus dem öffentlichen Leben Jesu, der Passion, Auferstehung, Himmelfahrt, Pfingsten und der Krönung Mariens (ebda. S. 23 ff)[45].

Durch die Typen ist auf diese Weise die ganze Heilsgeschichte von der Erschaffung des Menschen bis, wenn auch in einer späteren Ergänzung, zum Jüngsten Gericht nachbzw. vorgezeichnet. Die Vorbilder für die Fluchtszenen sind im Heidelberger Exemplar: für die Flucht nach Ägypten: Jakobs Flucht vor Esau (Gen. 27,42), David flieht vor Saul (1. Sm. 19,11 f); für den Götzensturz: Moses zerschlägt das goldene Kalb (Ex. 32,19 f), Sturz des Götzen Dragon (1. Sm. 5,1–4); für den bethlehemitischen Kindermord: Saul läßt die Priester töten (1. Sm. 22,17 f), Athalia läßt die Prinzen umbringen (2. Kg. 11,1 f); für die Rückkehr aus Ägypten: Jakobs Rückkehr (Gen. 32), Davids Rückkehr (2. Sm. 2,1) (ebda. S. 23)[46].

Insgesamt muß man feststellen, daß die Typologie der ‚*Biblia pauperum*' stark christozentrisch war und deshalb wenig Rückschlüsse auf die mittelalterliche Sichtweise über Maria und Joseph wie auch über die Gesamtheit der Hl. Familie zuläßt.

Auch wenn die meisten zuletzt vorgestellten Beispiele nur knappe Auszüge der Apokryphen bieten, wäre der Eindruck falsch, im Spätmittelalter sei ihre Bedeutung zurückgegangen und man habe sich nur auf die wichtigsten apokryphen Motive beschränkt. Vielmehr zeugen frühe Drucke – die Volksbücher – von dem besonderen Interesse dieser Zeit an den Kindheitslegenden und von deren weiter Verbreitung[47].

Doch hatte sich der Charakter der apokryphen Berichte und ihrer Nachfolger im großen und ganzen gewandelt. Bis ins 12./13. Jahrhundert fällt die Dominanz der übernatürlichen Ereignisse auf. Die Magie beherrschte sowohl die frühen Apokryphen als auch die ‚Vita rhythmica‘ und ihre Nachfolger.

Mit dem franziskanischen Frömmigkeitsideal trat eine Gegenbewegung zur Wundersucht der Zeit auf, die in der Meditation auf die innere Gottesschau abzielte. Nicht mehr die Verschiedenheit Gottes zu den Menschen, sondern Jesu Ähnlichkeit mit ihnen stand im Zentrum der frommen Betrachtung, die ein besonderes biographisches Interesse am Leben der historischen Personen weckte. In diesem Sinne litt Jesus alle Mühen, die der Gläubige im Alltag erleiden mußte: er fror, er hungerte, ermüdete usw.. Die Distanz des Gottes wandelte sich zur Nähe Jesu: eine zweite ‚Menschwerdung‘ Gottes fand in den Köpfen der Gläubigen statt.

So kann man mit Fug und Recht sagen, daß das Interesse an den apokryphen Kindheitserzählungen – und zwar auch an den von Mirakeln überquellenden Berichten – an der Wende zur Neuzeit in keiner Weise geschwunden war, wie nicht nur die Volksbücher, sondern auch das volksfromme Liedgut und die hohe Zahl entsprechender Bilddokumente beweisen. Die seit dem 10. Jahrhundert wirksame Leben-Jesu-Frömmigkeit und die Mystik wirkten, trotz mancher z. T. rationalistisch anmutenden Bemühungen um die Kanalisierung dieser Frömmigkeit[48], lange fort. Nicht nur der hl. Antonino, Erzbischof von Florenz, monierte diese Tendenz in der bildenden Kunst[49]. Noch Luther wetterte in seinen Tischreden gegen die ‚Infantia‘.

„CUM MARIA ET JOSEPH PUERI JESU CONVICTUS ATQUE CONVERSATIO"

„Cum Maria et Joseph pueri Jesu convictus atque conversatio", so betitelt ein Holzschnitt aus dem ausgehenden 15. Jahrhundert eine Tischszene der Hl. Familie und eröffnet uns durch seine Begrifflichkeit die Inhalte auch des nachreformatorischen Hl. Familie-Kultes. Das Zitat kann in Bezug auf die Hl. Familie quasi als Brückenschlag zwischen den Formen der spätmittelalterlichen Frömmigkeit und denen des nachtridentinischen Katholizismus verstanden werden.

Nach dem krassen Einschnitt, den die Reformation grundsätzlich verursachte, besann sich die katholische Kirche in ihrer Reform im Konzil von Trient (1545–1563) u. a. auf ihre mittelalterlichen Traditionen, reinigte sie von dogmatisch anfechtbaren Elementen und normierte sie auf diese Weise.

Die Kirchenreform konnte aber nicht in allen Gebieten schnell wirksam werden, da die Beschlüsse des Tridentinums, die keinen absoluten Bruch mit der vorreformatorischen Frömmigkeit, sondern eine gezielte Auswahl bedeuteten, im Reich nicht gleichzeitig eingeführt wurden. Während z. B. in den Bistümern Konstanz, Augsburg und Salzburg die Dekrete des Konzils schon recht früh Gültigkeit erlangten, ging die Einführung der Reform im Erzbistum Köln nur schleppend voran und wurde erst nach der Diözesansynode von 1662 voll wirksam.

Die Aktivitäten der katholischen Kirche erhielten durch die Verknüpfung von Territorialgewalt und Konfession im Augsburger Religionsfrieden 1555 eine besondere Bedeutung, da mit dieser Verbindung die religiöse Entwicklung direkt im Staats- bzw. Herrscherinteresse lag. Auch die Ergebnisse des Westfälischen Friedens 1648, in dem durch die Festsetzung des Normaljahres 1624 dem Grundsatz *cuius regio, eius religio* Grenzen gesetzt wurde, konnten an der Identifizierung der Dynastien mit ‚ihrer' Konfession und dem daraus erwachsenen dynastischen Anspruch nichts mehr ändern[1].

Die katholische Kirche baute in ihrer Reform – als Gegenpol zum Purismus z. B. des Calvinismus – auf die Kraft der sinnlichen Erfahrung des Religiösen im Kultus[2], in der Katechese[3], wie auch in der frommen Einzelbetrachtung[4]. Zielsicher definierte sie als Reaktion auf die protestantischen Vorwürfe gegen den Bilderkult unter Berufung auf das zweite Konzil von Nicäa (787) das Bildwerk nicht als Verehrungsobjekt (Idol), sondern als Anschauungsobjekt heiliger Personen oder heiliger Begebenheiten, ließ aber die Bilderverehrung weiter zu und bediente sich selbst in der Verkündigung des katholischen Glaubens der Anschaulichkeit der Bilder, um die eigenen katechetischen Aufgaben bewältigen zu können.

Bilder dienten in der Katechese zur Glaubensunterweisung in den wichtigsten katholischen Wahrheiten und zur Verbreitung und Festigung neuer Heiligenkulte, wie z. B. die der Jesuitenheiligen Ignatius v. Loyola[5] und Franz Xaver, oder der Neuakzentuierung bekannter Kulte, wie den Marienkult[6], aber auch zur Veranschaulichung ‚abstrakter' Kultobjekte, wie die der Hl. Namen und Hl. Herzen Jesu und Mariä[7] oder der ‚Fünf Wunden Christi', die ihren Ursprung in der mittelalterlichen mystischen Tradition hatten[8]. Das Konzil von Trient wies in seiner 25. Sitzung 1563 dabei besonders auf die Beispielhaftigkeit der heiligen Vorbilder hin, die die Gläubigen zur Nachahmung dieser Heiligen im Alltagsleben sowie „zur Anbetung und Liebe Gottes und zur Übung der Frömmigkeit" anhalten sollten[9].

Neben dieser Personalisierung der Frömmigkeit in der Heiligenverehrung bildete die katholische Kirche im Barock einen prägnanten Sakramenten- und speziellen Eucharistiekult[10] aus, der sich in seinen Äußerungsformen, wie Umgängen mit dem Allerheiligsten – z. B. in der Fronleichnamsprozession[11] – oder auch in den Kultobjekten verschiedener Wallfahrten[12], von der protestantischen Frömmigkeit abhob und unterschied. Auch die barocke Verehrung der Trinität[13] gehört in die Reihe des typisch katholischen Kultus.

In diesen Rahmen der barocken Frömmigkeit, die auch weiterhin die alten narrativen Traditionen pflegte, ist der Kult der Hl. Familie einzuordnen, der einerseits als personalisierte Kultform zu verstehen ist, da in ihm die drei heiligen Personen Jesus, Maria und Joseph verehrt wurden. Andererseits war die Hl. Familie – wie wir noch sehen werden – weniger eine homogene Gruppe als eine Konstruktion aus den verschiedenen Kulten, die mit dem Hl. Wandel in der Idee von der doppelten Trinität gipfelte und daher auch den abstrakten Kulten zuzuordnen ist.

1 Narrative Traditionen in der Neuzeit

Wir haben gesehen, welch reiches Repertoire an apokryphen Erzählungen an der Wende zur Neuzeit zur Verfügung stand, das im Zusammenhang mit der Ausbildung des Hl. Familie-Kultes z. T. rezipiert und tradiert wurde. Die Bedeutung der alten apokryphen Erzählungen für die gegenreformatorische Katechese und Frömmigkeit spiegelt sich beispielsweise in zahlreichen Predigtmärlein (*Moser-Rath* 1964.), Exempeln (*Vogler*: Catechismus. Würzburg 1624. *Metzger* 1982. Teil II, III), Liedern (*Moser* 1972. ders. 1981. *Pailler* 1881/1883.) und geistlichen Dramen – vorzugsweise der Jesuiten (*Szarota* 1979–1987. *Valentin* 1983/1984. *Wimmer* 1982.) – wider. So stoßen wir im weiteren Verlauf dieser Arbeit immer wieder auch auf die Einbettung der Hl. Familie in den narrativen Kontext und die Rezeption dieses in der Tradition des Mittelalters stehenden Kontextes im neuzeitlichen Kult.

Der Einfluß der katholischen Katechese für den Hl. Familie-Kult auf das fromme Liedgut durch jesuitische Exempellieder, die das Ideengut der christlichen Hauslehre mit den Erzählungen von der Flucht und dem Exil der Hl. Familie verbanden, ist konkret am Beispiel des lothringischen Volksliedes ,*Es wird den Heiden ein Kind geboren*' ablesbar, das die apokryphe Kornfeldlegende rezipiert. Im Rahmen einer Kombination von Weizenwunder und Wegkürzung entstand eine Erzählung, die von dem wunderbaren Schutz der Hl. Familie vor den Soldaten des Herodes berichtet: Auf der Flucht nach Ägypten, gleich nach ihrem Aufbruch, begegnet die Hl. Familie einem Bauern beim Säen. Die ihnen folgenden Häscher des Herodes fragen diesen Bauern, ob er die Flüchtlinge gesehen habe, und dieser bejaht, daß sie, als er säte, vorbeigekommen seien. Da aber das Saatgut in kürzester Zeit so gewachsen ist, daß es geerntet werden kann und die Häscher auf diese Weise den Eindruck erhalten, die Hl. Familie sei schon vor langer Zeit vorübergezogen, lassen sie von der Verfolgung ab.

Seit dem 13. Jahrhundert wurde diese Legende auch auf Bildwerken dargestellt und scheint zwischen dem späten 13. bis zum späten 16. Jahrhundert hauptsächlich in der Buch- und Tafelmalerei weit verbreitet gewesen zu sein (*Wentzel* 1965. *Chowanetz* 1987.), wobei die Buchmalerei – ähnlich *I* wie ein norddeutscher Bildteppich von 1500 (*Kurth* 1926. I. S. 277) – zuweilen mit Verkürzungen im Motivbestand arbeitete[1].

II Bei der Tafelmalerei des späten 15. und frühen 16. Jahrhunderts fällt die Veränderung der Kornfeldlegende zum Genre auf, eine Entwicklung, die *Wentzel* mit dem Satz: „[...] das Bedeutungsschwere des Wunderbaren ging verloren." (*Wentzel* 1957. S. 188) umschreibt und die mit der auch im Zusammenhang mit den spätmittelalterlichen Alltagsszenen zu beobachtende Entzauberung (s. S. 66 f.) zu erklären ist. Sie bedeutete eine Verdrängung der Magie, die im Zusammenhang mit Franziskanertum, Mystik und *Devo-*

tio Moderna zu sehen ist. So ist es auch kein Zufall, daß sowohl die *Devotio Moderna* als auch die meisten späteren Bildzeugnisse der Kornfeldlegende mit Genre-Charakter dem städtischen, franko-flämischen Raum angehören.

Für die Neuzeit gilt, daß seit dem frühen 17. Jahrhundert nicht nur das Motiv der Kornfeldlegende, sondern auch die Fluchtszene selbst einen starken genrehaften Zug erhielt. Wie hätte – so stellt sich die Frage – unter solchen Bedingungen ein Assistenzmotiv wie die Kornfeldlegende, das sich u. a. durch seine Zuordnung zur Flucht definierte, in voller Ausprägung Bestand haben können, zumal seine dogmatische Aussagekraft bedeutend geringer war als die des Götzensturzes.

Dennoch beweist gerade ein Beispiel aus der Liedtradition der Kornfeldlegende, das starke Spuren des Zersingens und der Verschmelzung mit anderen Elementen zeigt, nicht nur die Beständigkeit des Legendenkanons im volksfrommen Brauchtum, sondern auch den Einfluß der katholischen, vorzugsweise in der Christenlehre praktizierten Katechese.

Das oben schon angesprochene und von *Pinck* edierte lothringische Volkslied ,*Es wird den Heiden ein Kind geboren*' (*Pinck* 1926–1939. II. S. 19 f)[2] verbindet die Kornfeldlegende mit Teilen liturgischer Texte und verdeutlicht auf diese Weise, wie mit einem volkssprachlichen, traditionell gestalteten Lied wichtige religiöse Formeln wenigstens rudimentär dem Gläubigen ins Gedächtnis gerufen wurden[3]. Als Folge der Angleichung an konventionelle Liedschemata (Dreiergliederung, Anrede mit ,herzliebster') in Kombination mit lateinischen, durch die Katechese motivierten Textbruchstücken ist die Kornfeldlegende in diesem Beispiel nur entstellt auf uns gekommen. Die inhaltlichen Veränderungen verschieben die Akzentuierung von einem Wunder, durch das der Trupp des Herodes irregeführt wird, zu einem belohnenden Mirakel[4]. Dennoch weist nicht nur das Wunder an sich, sondern auch die letzte Strophe des Liedes auf den ursprünglichen Inhalt hin, in dem es darum ging, daß der Bauer, ohne eine Lüge zu begehen, Jesus dennoch nicht verraten hatte.

Das Lied ,*Es wird den Heiden ein Kind geboren*' ist offensichtlich ein Zeugnis katholischer Katechese im Barock, die sich keineswegs scheute, apokryphe Episoden für die Verbreitung und Vertiefung des Glaubens nutzbar zu machen. Die starke Verschiebung und Verwischung des Inhalts, unter der die Stimmigkeit der Episode leidet, deutet gleichzeitig auf eine aktive Tradition hin, deren Grundlage mittelalterliche Erzählungen waren, ähnlich jenem französischen Epos aus dem 13. Jahrhundert, das die Kornfeldlegende ausführlich mitteilt (*Reinsch* 1879. S. 60–74).

Doch die volksfromme Liedtradition rezipierte auch andere apokryphe Motive und zwar in weit höherem Maße als das katechetische Schrifttum. So ist z. B. für die von Konrad v. Fussesbrunnen so reich ausgestaltete Räuberepisode eine kontinuierliche Verbreitung im Liedgut des 15.

bis 20. Jahrhunderts zu beobachten (*Moser* 1972.), das den gesamten deutschsprachigen katholischen Raum betraf und vereinzelt sogar in protestantischen Gebieten[5] bekannt war. Die weite Verbreitung des überaus variantenreichen Liedes ‚*Do Jhesus Christ geboren ward*'[6] läßt nicht nur auf die Beliebtheit und ‚Volkstümlichkeit' des Themas der Flucht und die vorreformatorische Tradition des Liedes[7], sondern auch auf seine Verbreitung im Rahmen der Intensivierung der katholischen Frömmigkeit im 17. Jahrhundert durch die katechetischen Orden – die Jesuiten und Kapuziner, die in der Volksmission besonders engagiert waren – schließen. Das Lied gehörte offenbar zum Repertoire der katholischen Katechese.

Inhaltlich bot die Flucht nach Ägypten, die schon in den Apokryphen – besonders im Thomasevangelium und bei Pseudo-Matthäus – reich bedacht und variantenreich ausgearbeitet worden war, den fruchtbarsten Anknüpfungspunkt für die Legendenbildung aus der Kindheit Jesu. Insgesamt standen die frommen Erzählungen der Neuzeit in der Tradition einer nicht unerheblichen Zahl mittelalterlicher Autoren.

Einer der populärsten neuzeitlichen Autoren dieser Art war der Kapuziner Martin v. Cochem (1634–1712), der in hohem Maße Pseudo-Matthäus und die ‚*Meditationes Vitae Christi*' rezipierte[8] und mit seinem ‚*Leben Christi*' eine der einflußreichsten Christusviten des Barock schrieb. Das ‚*Leben Christi*', das seit ca. 1676/77 in zahlreichen Auflagen[9] und mehrmals überarbeitet erschien, bezieht sich in seinem ersten Teil, der auch der Kindheit Jesu und den Fluchtepisoden gewidmet ist und reich mit apokryphen Motiven durchsetzt ist, auf die ‚*Meditationes Vitae Christi*', die lange Zeit dem hl. Bonaventura zugeschrieben wurden, heute aber als Andachtsbuch eines anonymen, wahrscheinlich franziskanischen Autors gelten müssen (*Ragusa/Green* 1961. S. XXI f. Anm. 2).

Die Schrift v. Cochems zeichnet sich durch eine sehr persönliche, zuweilen intim wirkende Beschreibung der Begebenheiten aus der Kindheit Jesu aus, die zum frommen Affekt anregen sollen:

Hiermit präsentire ich dir dan diß gegenwärtige Leben Christi / mit versicherung / daß es solches anmüthiges / nutz und tröstliches Buch seye / welches dir manche andacht und hertzensbewegung bringen / und hoffentlich manchen süssen und bittern Zähren auß deinen Augen treiben wird. Wann du dan so glücklich bist / daß du über das Leben oder Leiden Christi wainen kanst / so seye versichert / daß Christus dir diese deine zähren gar reichlich belohnen werde. [. . .]. Da ja kaum möglich ist / daß die auffmercksame ablesung des Lebens und sterbens Christi ohne Andacht und besserung des Lebens abgehen können: dieweil so wohl die freudenreiche als schmertzliche Geheimnussen so anmüthig beschrieben seynd / daß sie auch ein hartes

hertz erwaichen / und zum mitleyden bewegen können. (*M. v. Cochem*: Leben Christi. Mainz/Köln 1716. Vorrede [ohne Seitenzählung])

In der Überarbeitung der ersten, umstrittenen Fassung benennt Martin v. Cochem seine Zielgruppe: „*die gemeine fromme Leuth*" (ebda.). Er wehrt sich gegen die Anfeindungen der gelehrten Theologen und vergleicht sie mit den Pharisäern:

Die Schrifftgelehrten aber ärgern sich in diesem Buch / tadlen die einfältige schreibens-manier / halten die leuth von lesung dieses Buchs ab / und sprengen auß / es seyen viele Fablen / falschheiten / ja Ketzereyen darinn begriffen. Diß thun sie nicht / wie ich vermeine / auß göttlichem antrieb / sonder auß Pharisäischer eiffersucht: . . . (ebda.)

So spiegelt sich auch bei M. v. Cochem die Kontroverse über das apokryphe Schrifttum wider. Gleichzeitig dokumentiert das ‚*Leben Christi*', daß kanonisch orientierte Lehre und apokryphe Tradition auch in der Neuzeit nebeneinander bestanden. Besonders die volksfromme Überlieferung zeigt bis ins 20. Jahrhundert hinein Reflexe auf diese mittelalterlichen Traditionen (*Moser* 1972.).

Vorzugsweise die stark in der Katechese engagierten Orden machten bei den apokryphen Motiven Anleihen, deuteten sie um und nutzten sie so für ihre Ziele (*Moser* 1981.). Martin v. Cochem, der selbst lange Zeit in der Volksmission tätig gewesen war, legitimierte das hohe Ansehen der „*Fablen / falschheiten / ja Ketzereyen*" in seinem Buch, indem er sie – ähnlich wie im Mittelalter – in die Nähe der göttlichen Offenbarung rückte:

[. . .]: und weil sie [die gegnerischen Theologen] durch ihr tadlen vile fromme leuth von lesung dieses nutzlichen Buchs abschrecken / leisten sie Christo eben solchen dienst / welchen die Schrifftgelehrten ihm geleistet / indem sie das Volck von anhörung seiner Lehr / und annehmung seines Glaubens abgewendet haben. (*M. v. Cochem*: Leben Christi. Mainz/Köln 1716. Vorrede)

Er sichert sich weiter mit einer ‚als ob'-Formulierung ab, indem er mit Bonaventura darauf hinweist, daß die nicht in der Bibel überlieferten Teile so anzusehen seien, als ob Jesus sie gesagt und erlebt hätte. In diesem Sinne sind sie nach Martin v. Cochem für die andächtige Betrachtung geeignet, in der die Glaubensinhalte in der geistigen Schau visualisiert wurden – eine Methode, die maßgeblichen Einfluß auf die reale Gestaltung der Bilderwelt hatte (*Baxandall* 1987. S. 60–73).

Nach dieser Argumentation war es legitim, auch apokryphe Motive in einen Text einzuflechten, der hauptsächlich für die private und familiäre Andacht konzipiert war. Dementsprechend leitet v. Cochem seine Leser an:

> Alle fromme Haußleuth sollen sich befleissigen selbiges [Buch] in ihren Häusern zu haben / fleissig zu brauchen / und ihren Kindern und Gesind an Sonn- und Feyertägen / absonderlich in dem Advent und Fasten beweglich vorzulesen. (*M. v. Cochem*: Leben Christi. Mainz/Köln 1716. Vorrede)[10]

Über die Kindheit Jesu weiß v. Cochem folgendes zu berichten. In dem Kapitel ‚*Was für Wunder auff der Reiß und in Egypten geschehen seyen*‘ teilt er das Palmbaumwunder, die Räuberepisode mit Badewasserwunder, die Anbetung der wilden Tiere, die Rosen von Jericho, die Ankunft in Hermopolis, drei weitere Baumwunder, den Götzensturz, die Bekehrung des ägyptischen Oberpriesters und das Balsamwunder, aber nicht die Kornfeldlegende mit (ebda. Kap. LI. S. 423–430).

Der Autor knüpft diese Wunder geschickt in die Erzählung ein, indem er Maria angesichts der hoffnungslosen Situation auf der Flucht nicht verzweifeln, sondern voll Gottvertrauen sagen läßt:

> Nicht betrübt euch / also mein lieber Joseph / wir werden keine noth haben: dan wir haben ja GOtt selber bey uns: und die lieben Engelen raisen mit uns / welche uns schon für aller gefahr beschützen werden. (ebda. S. 417 f)

Und um nochmals hervorzuheben, daß es sich bei den folgenden Geschehnissen zweifellos um Wunder handelt, betont er:

> Gleichwie der liebe Gott die seinige nimmer in den nöthen verlasset / also hat er seinen allernechstverwandten [!] / JEsu / Mariä / Joseph in ihrer höchsten noth auff dieser Egyptischen raiß sonderlich wollen beystehen: / sonst wäre es natürlicher weiß unmöglich gewesen / daß dise drey arme und schwache leuth in solcher armuth und verlassenheit disen ungeheuren weg hätten können vollbringen. Wo ihnen die natürlichen mittel abgiengen / da hats Gott miraculoser weiß erstattet: [...]. (ebda. S. 423)

Martin v. Cochem war nicht der einzige Überlieferer dieser ausgedehnten apokryphen Episoden. Schon vor ihm wurden die narrativen Traditionen des Mittelalters in Wort und Bild gepflegt, wie z. B. die von Adriaen Collaert in Antwerpen gedruckte ‚*Vita, Passio et Resurrectio Christi*‘ (ca. 1605/06) bezeugt. Die Schrift enthielt nach den Vorlagen von Marten de Vos (1532–1603) begleitende Illustrationen (*König-Nordhoff* 1982. Abb. 424)[11], von denen uns die der Flucht besonders interessieren dürfte, führt sie doch ungebrochen und von der Reformation unberührt den mittelalterlichen Motivkanon um die Flucht nach Ägypten mit Götzensturz und Kornfeldlegende fort. Die Konstituenten

des Bildes scheinen direkt aus einem Bild von Joachim Patinir übernommen zu sein (Madrid, Prado: Inv.-Nr. 1611. *Pons/Barret* 1980. S. 109), und sie begegnen uns auch auf dem norddeutschen Bildteppich (ca. 1500), der als Begleitmotive der Flucht den Götzensturz und – verkürzt – die Kornfeldlegende zeigt[12]. Auch die entsprechende Illustration bei Martin v. Cochem rezipierte den Götzensturz (*M. v. Cochem*: Leben Christi. Mainz/Köln 1716. S. 415), der das dominanteste Begleitmotiv auch in den neuzeitlichen Fluchtszenen blieb und im 17. und 18. Jahrhundert zum Kanon der katholischen Andachtsbildkunst[13] gehörte, da die Signifikanz dieser apokryphen Episode[14] außerordentlich hoch war. Während die Tradition der Kornfeldlegende nur mehr oder weniger rudimentär im Liedgut weiterlebte, wurde der Götzensturz aufgrund seiner dogmatisch deutbaren Aussage auch in der offiziellen, barocken Katechese rezipiert.

Pseudo-Matthäus, auf den diese Episode zurückgeht, berichtet, daß nach der gefahrvollen Reise die Hl. Familie in die ägyptische Stadt Sozinen (bei anderen Autoren Hermopolis) gelangt und, da sie völlig fremd waren, zum Tempel der Stadt gegangen seien. Sobald aber Maria mit dem Jesusknaben den Tempel betrat, stürzten alle dort aufgestellten 365 [!] Götzenstatuen nieder und zerbrachen. Der mit einem Heer anrückende Vorsteher der Stadt, Affrodisius, bekehrte sich, als er die Macht des Jesuskindes über die Götzen sah, und das ganze Volk folgte seinem Beispiel (Ps.-Mt. 22,2–24)[15].

Während sich die mittelalterlichen Texte[16] auf eine einmalige und endgültige Bekehrung der Ägypter konzentrierten, finden sich in den neuzeitlichen Varianten der Götzensturzepisode (z. B. in den Jesuitendramen) wiederholt Hinweise auf einen erneuten Abfall vom wahren Glauben (JESVS MARIA JOSEPH. München 1636. Akt II,4; III,1. S. IOSEPHVS. Solothurn 1648. Akt I,4) nach der Bekehrung durch die Hl. Familie oder aber die Ägypter werden wegen ihrer Verstocktheit und ihres Verharrens im Unglauben getadelt[17]. Durch dieses Insistieren auf dem Abfall der Ägypter vom Glauben sollte offenbar die Eindringlichkeit der Episode gesteigert werden, nach der der Kontrapunkt zum Unheil des Unglaubens – personifiziert in den stürzenden Götzenstatuen, aus denen bei Hendrik Douvermann im Sieben-Schmerzen-Altar in Kalkar (1522) der Dämon entweicht[18] (*Hilger* 1990.) – im Heil des christlichen Glaubens und seinem heilbringenden Erlöser Jesus zu finden ist. Der Fall der Götzen steht *ursächlich* mit der in den Tempel einziehenden Hl. Familie in Zusammenhang, der in den Bildzeugnissen in der Simultanität von Sturz und Einzug ablesbar ist (*Kat. Staufer*. 1977. II. Kat.-Nr. 630).

Für die Katholiken der Neuzeit konnte ohne Probleme der Protestantismus mit dem Unglauben und der Verstocktheit der Ägypter gleichgesetzt werden, so daß dem Götzensturz z. B. in den Jesuitendramen eine stark propagandistische Tendenz zugesprochen werden muß, die sich u. a. auch

1. Heinrich Douvermann: Flucht nach Ägypten mit Räuberepisode und Götzensturz. Altar der Sieben Schmerzen
Mariä (Kalkar, Nikolaikirche)

2. Flucht nach Ägypten mit Palmbaumwunder und Götzensturz. Elfenbein. Bamberg Anfang 13. Jhdt. (Florenz,
Museo Nazionale del Bargello)

gegen den Okkultismus und den Glauben an die schwarze
Magie in der eigenen Bevölkerung richtete und am Beispiel des Götzensturzes den Unterschied zwischen Unglauben und rechtem Glauben verdeutlichte[19].

Schon in ihren frühen Schuldramen nahmen sich die
Jesuiten des Themas an. In dem 1636 in München auf-
geführten Stück ‚JESVS, MARIA, JOSEPH' beklagt ein
uneinsichtiger Gärtner die Vertreibung der Götzen. Ein
Händler schafft daraufhin sofort Abhilfe, indem er Götzen-
statuen verkauft. Neben Hunden, Katzen, Ochsen und
Kühen bietet er „*Zwibel*" (JESVS MARIA JOSEPH.
München 1636. Akt II,4)[20] an. Nachdem die Hl. Fami-
lie Ägypten wieder verlassen hat, kehrt der Unglaube in
Gestalt der Götzen wieder zurück, doch werden sie von den
Tugenden *Religio*, *Marter*, Jungfräulichkeit und Enthalt-
samkeit wiederum vertrieben (JESVS MARIA JOSEPH.
München 1636. Akt III,2. S. JOSEPHVS'. Solothurn 1648.
Akt I,4). Demgegenüber findet sich in einem Weihnachts-
spiel aus Brixlegg nur noch in der Kulisse ein Hinweis auf

die ägyptischen Götter, während der Text das Palmbaumwunder thematisiert (*Pailler* 1881/1883. II. S. 400 ff).

Seltener als in den Jesuitendramen kam der Götzensturz in den jesuitischen Exempelliedern vor, deren Haupt-
ziel in der Vermittlung idealer Verhaltensnormen in der
christlichen Familie war. Dies konnte schwerlich mit Hilfe
einer hochdramatischen Episode geschehen, die gerade dieser Eigenschaft wegen für das Drama umso geeigneter
war. Dennoch gibt es auch im Bereich der jesuitischen
Exempellieder vereinzelt Zeugnisse, die den Götzensturz
thematisieren[21]. In einem wohl aus dem frühen 18. Jahrhundert stammenden Flucht-Lied heißt es:

> Und wo nur das Kindlein hinwendet den Blick,
> Da fallen die Götzen in Trümmer,
> Wo Christus erscheint, weicht die Hölle zurück,
> Und stürzt und erhebet sich nimmer."
> (*Moser* 1981. S. 179)

Ausflüsse der apokryphen Wunderberichte finden sich in
Form von Mirakeln, die die Heiligkeit der Hl. Familie oder
speziell des hl. Joseph beweisen sollten, in einigen Jesuitendramen – wie z. B. in einem 1653 in Feldkirch aufgeführten
Stück (PATROCINIVM DIVI IOSEPHI. Feldkirch 1653.) –
oder bei dem Augustinerprediger Abraham a Sancta Clara,
der sich die Propagierung des Josephskultes zum Ziel setzte
(*Abr. a S. Cl.*: Paradeyß-Blum Joseph. [S. XX]. s. S.148).

Gerade diese Wunderberichte und ‚Absonderlichkeiten‘ regten die Phantasie der Gläubigen an, die z. B. glaubten, in zwei Vertiefungen im Felsen Sesselstein bei Tittling den Rastplatz der Hl. Familie auf der Flucht (*Kriss* 1953–1956. II. S. 144 f) oder in Lohn bei Schönbach (Niederösterreich) in einer als heilkräftig geltenden Quelle den Ort erkennen zu können, an dem Maria ihr Kind gebadet habe (*Gugitz* 1955–1958. II. S. 82 f). Sowohl der Sesselstein als auch Lohn thematisieren in ihrer, wenn auch regionalen Wallfahrt das Badewasserwunder (arab. KE. 17), das in den Kontext der Räuberepisode gehörte, die ihrerseits – inklusive des Badewasserwunders – auch bei Martin v. Cochem zu finden ist (*M. v. Cochem*: Leben Christi. Mainz/Köln 1716. S. 423 f). Während in der bildenden Kunst der Neuzeit das mittelalterliche Palmbaum- und Quellwunder meist in den als Ruhe-auf-der-Flucht bezeichneten Darstellungen aufging, bewahrte sich die volksfromme Tradition das Miraköse dieser Szene.

Auch die von *Moser* dokumentierte Liedgruppe über die Flucht der Hl. Familie (*Moser* 1972.) kannte in Anlehnung an Konrad v. Fussesbrunnen (*Konr.* 2151–2221) und Bruder Philipps ‚Marienleben‘ (*Ph.* 3026–3052)[22] die Räuberepisode und das Badewasserwunder (*Moser* 1972. S. 287. Str. 10. *Konr.* 1783–1818; 2151–2221), demzufolge ein verletzter Räuber bzw. ein krankes Kind durch das Wasser, in dem Maria zuvor das Jesuskind gebadet hatte, geheilt worden sei. In drei Fassungen der mündlichen Überlieferung des Liedes ‚*Do Jhesus Christ geboren ward*‘, die zwischen 1817 und 1925 aufgezeichnet wurden, wird mit dem Bad eine Heilung verbunden, die weniger an den verletzten Räuber bei Konrad v. Fussesbrunnen als an das arabische Kindheitsevangelium erinnert: in allen drei Fällen wird das kranke (lahme, krumme oder blinde) Kind des Wirtes von seinem Gebrechen befreit (*Moser* 1972. S. 297 f). So kannte z. B. ein 1881 von *Pailler* veröffentlichter oberösterreichischer Flugblattdruck (*Pailler* 1881/1883. I. Nr. 14. Str. 9–12), der dieser Liedgruppe angehört, die Räuberepisode mit dem Badewasserwunder, die in eine üppige und zuweilen überflüssig anmutende Ausgestaltung der Wundererzählungen[23] der Flucht eingebettet war.

Auf dem Nährboden dieser populären, apokryphen Erzählungen gedieh die Kultstätte in Lohn, von deren Quelle sich der Fromme bei Augenleiden Heilung erhoffte. Neben dem Sesselstein in Bayern wurde sogar eine Kapelle mit dem Patrozinium der Hl. Familie erbaut, die ein entsprechendes Kultbild beherbergte[24]. *Kriss* beschreibt die Kultstätte folgenderweise:

> Zwei tiefe rundliche Aushöhlungen an seinem Rande [gemeint ist der Fels Sesselstein] gleichen in der Tat zwei Sesseln. Es nimmt nicht Wunder, daß sich die Sage dieses auffallenden Naturspiels bemächtigt hat. Sie erzählt, die hl. Familie habe auf der Flucht nach Ägypten hier gerastet. Zwei andere Vertiefungen auf dem Plateau des Felsens, die nach Regen stets mit Wasser gefüllt sind, gaben Stoff zur weiteren Ausgestaltung der Legende. In der einen von ihnen, die einem ovalen Becken gleicht, habe Maria ihr Kindlein gebadet, in der anderen kleineren habe sie ihm das Müslein zubereitet. (*Kriss* 1953–1956. II. S. 144 f)[25]

Auf der gleichen Linie der Vergegenwärtigung und Anteilnahme des Gläubigen an der Kindheit Jesu liegen – wie wir noch sehen werden – die, allerdings für die Frömmigkeitskultur weitaus bedeutenderen Loreto-Wallfahrten, in denen die Gläubigen den Ort des ‚verborgenen‘ Lebens Jesu als authentisch erkannten und den sie in kleinen Andachtsbildern, die sowohl der Dokumentation als auch der Memorierung und Vergegenwärtigung des Topos ‚Alltagsleben der Hl. Familie‘ dienten, quasi nach Hause trugen (s. S. 124).

Die hier eher nur angedeuteten narrativen Traditionen waren für die volksfromme Kultur der gesamten Neuzeit von erheblicher Bedeutung. Auch nach der Säkularisation, in der die fromme Kultur einen nicht unbeträchtlichen Schaden nahm, blieben sie lebendig. Dies beweisen die umfangreichen volkskundlichen Lied- und Dramensammlungen, in denen die reiche, z. T. mündliche Tradition unter volkskundlichen Gesichtspunkten erst seit dem ausgehenden 19. Jahrhundert systematisch aufgezeichnet wurde. Hingegen gingen andere, noch zu beschreibende Aspekte des barocken Hl. Familie-Kultes im 19. Jahrhundert verloren.

2 Das Hl. Familie-Portrait

Mit dem Begriff *Hl. Familie* verbinden wir in der christlichen Ikonographie heute zumeist Darstellungen, die Maria mit dem Kind, Joseph, teilweise auch Elisabeth mit dem Johannesknaben zeigen. Zu dieser Gruppe können auch Zacharias oder die hl. Anna hinzutreten. Personell lassen sich diese Bilder als Ausschnitte aus den Hl. Sippe-Bildern verstehen, als ikonographischer Typus knüpfen sie z. T. an die ‚Ruhe auf der Flucht' an. Wir wollen sie mit dem Begriff ‚Hl. Familie-Portrait' kennzeichnen.

Trotz der angesprochenen Verbindungen zu Hl. Sippe- und Ruhe-auf-der-Flucht-Darstellungen zeigen die Hl. Familie-Bilder der Neuzeit gravierende Unterschiede zu den mittelalterlichen Darstellungen. Im Gegensatz zu diesen ist die Gruppe später meist nicht mehr in einen geschlossenen Raum oder einen eng umgrenzten Bezirk, wie z. B. einen Garten, sondern in die freie Landschaft gesetzt, deren lokale Fixpunkte ein Baum bzw. eine Baumgruppe oder ein verfallenes Gebäude bzw. Gebäudeteile sein können. Die Haus- und Gartenmetapher – Zeichen der Jungfräulichkeit Mariens – werden mit der Renaissance zugunsten eines allgemeinen Schöpfungs- und Paradiessymbols im Bild der freien Natur aufgegeben. Gerade der Baum nimmt in diesen Darstellungen als Paradies- und Christussymbol, d. h. als *arbor vitae*, sowohl kompositorisch als auch inhaltlich *III* eine zentrale Stellung ein. Meist lagert sich Maria – als Braut Christi und *ecclesia*-Personifikation in Anlehnung an das Hohe Lied Salomons – unter dem Baum und ißt dessen Früchte, die ihr entweder von Engeln, Joseph oder dem Jesuskind gereicht werden. Gern wird das Element des Früchte-Pflückens als typologischer Verweis auf den Sündenfall mit aufgenommen[1]. Grundlage der Interpretation ist die positive Deutung der sich wiederholenden Handlung: so wie Eva im Alten Testament durch die verbotene Frucht das Unheil in die Welt brachte, bringt Maria als *neue Eva* das Heil in Gestalt des Jesuskindes in die Welt.

> Wie Eva die Gattin Adams und Mutter der Lebenden war, so ist Maria – als Ecclesia – die Braut des neuen Adam und Mutter nicht nur des Gottessohnes, sondern auch des mystischen Leibes Christi, dessen Glieder die Kinder der Kirche sind. (*Guldan* 1966. S. 43)

Neben diesen sich noch relativ eng an die alte Bildlichkeit der Bibelexegese haltenden Darstellungen trat immer mehr die Betonung der persönlichen Beziehung der Figuren zueinander, die weniger auf eine strenge Bibelexegese als auf ein menschliches Nachempfinden abzielte. So wie die mütterliche Fürsorge (allgemein) mit dem Bild der *caritas* in Zusammenhang gebracht wurde, symbolisierte Maria als Gottesmutter die christliche *caritas*. Schon im Mittelalter wurde diese christliche Grundtugend mit dem Bild der *Maria lactans* verbunden.

Während aber frühe Zeugnisse der *Maria lactans* hauptsächlich symbolischen Charakter hatten, gewann das Bild der stillenden Maria im Laufe der Zeit einen biographisch-menschlichen, mütterlich-anrührenden und empfindsamen Zug, der sich von der strengen Madonnenikonographie durch ein besonderes Maß liebevoller Zuwendung zum Kind unterschied. Dies galt auch für jene Hl. Familie-Darstellungen, in denen Joseph, Elisabeth, Anna oder andere Heilige mitserschienen. Die Menschwerdung Gottes in Gestalt des Jesuskindes war üblicherweise das Zentrum der Darstellungen, drückte sich aber nun durch eine besonders ausgeprägte Menschlichkeit, durch eine innige, emotionale Beziehung zwischen Mutter und Kind aus[2]. Die ehemals majestätische Präsentation wurde zugunsten einer z. T. idyllischen Atmosphäre – u. a. auch hervorgerufen durch die Garten- bzw. Landschaftsgestaltung – aufgegeben.

Gott, die Heiligen Maria und Joseph zeigen sich als Menschen in einer zumeist paradiesischen Umgebung, die durch ihre Idealität darauf hinweist, daß hier nicht die Realität abgebildet wird. Vielmehr unterstreicht dieses Landschaftsideal, das auch in der Neuzeit mit den bekannten Christus- und Marienmetaphern (Garten, Baum, Frucht) arbeitete, den Symbolgehalt der Bilder.

2.1 Die Ruhe auf der Flucht am *locus amoenus christianus*

Die antike Idylle ist seit Theokrit eine retrospektiv an Arkadien orientierte Utopie (*Bloch* 1968. *Maisak* 1982. *Schütz* 1986.), ein Gegenentwurf zur Realität des Jetzt, der das Bewußtsein um den Verlust des Idealen evoziert[3]. Sie lädt mit ihrer mythisch-utopischen, visionären Kraft zur Übertragung auf die wirksamste Utopie des Abendlandes, das Christentum mit seiner Hoffnung auf die Wiedergewinnung des Paradieses geradezu ein. Schon Vergil füllte mit der Vorstellung vom Anbruch des Goldenen Zeitalters durch die Geburt eines Knaben[4] die Idylle mit „eschatologischen Hoffnungen" (*Snell* 1955. S. 26) und so wurde in der mittelalterlichen Vergil-Exegese diese Stelle der vierten Ekloge als Hinweis auf das Jesuskind interpretiert[5]. Eine Verknüpfung der Hl. Familie mit der Idylle war also von alters her vorgezeichnet.

Die von Vergil geprägte Idee der Rast unter einem Baum, die Idee des *locus amoenus*, wurde demgemäß mit der Vorstellung von der Ruhe der Hl. Familie auf der Flucht gefüllt. Diese Übertragung der antiken Idylle konnte zwar nicht ohne den Verlust einiger Inhalte[6] vonstatten gehen, doch führte sie zu einer Steigerung ins Transzendentale[7], die es z. B. erlaubte, daß die Reliquienzone im Chor der Kölner Jesuitenkirche St. Mariä Himmelfahrt mit Gemälden *12-* verkleidet wurde, auf denen das Marienleben in arkadischen *a–b* Landschaften eingebettet war (*Hilger* 1982. S. 23).

IV In der Übertragung der biblischen Szene in die arkadi-
V sche Landschaft sitzt Maria bei der Ruhe auf der Flucht
5 unter dem christlich-paradiesischen *locus amoenus*[8], der
auch als Baum des Hohen Liedes im ehemals verschlossenen Garten interpretiert werden kann. Die Gottesmutter
selbst gilt als Personifikation der Freundin des mystischen
Paares im Hohen Lied. Die Flucht nach Ägypten mit ihrer
Not, Armut und Bedrängnis verlagert sich quasi in den Idyl-
lenraum, verliert ihre Schrecken und gewinnt eine friedvolle Grundstimmung, die dem Paradies eigen ist und ikonographisch in den Elementen Baum, Frucht und Quelle
widerscheint[9].

Doch im Kontrast zum *hortus conclusus*, dem ebenfalls diese Elemente eigen sind[10], und der das durch den
Sündenfall menschlichem Zugang *verschlossene* Paradies
symbolisiert, aus dem selbst der hl. Joseph ausgeschlossen ist[11] und somit eine Distanzierung der Madonna vom
Menschen anzeigt, verweist der christlich gedeutete *locus
amoenus*, an dem sich Maria mit dem Kind *und* dem
hl. Joseph lagert, auf die Heilserwartung der Gläubigen
und ihre Realisation im Erlösungswerk Christi, Mariens
und der Heiligen; eine Vorstellung, die für die Bilderwelt
der nachreformatorischen katholischen Kirche sehr bezeichnend ist, da auf diese Weise auch die Heiligen eine besondere Bedeutung für die Heilsvermittlung erhielten. Dabei
wurde besonderer Wert auf die Geborgenheit suggerierende
Intimität der Hl. Familie-Gruppe gelegt, eine Intimität, die
die Unbegrenztheit und Weite der Landschaft[12] im Verein
mit einer die Familie beschirmenden und abschirmenden
Baumgruppe kompensierte.

Auf diese Weise wird die Ruhe auf der Flucht aus ihrem
ehemals narrativen, apokryphen Kontext gehoben. Die in
den mittelalterlichen und spätmittelalterlichen Illustrationen, Drucken und Tafelbildern als Verweise auf einzelne
Fluchtepisoden und Mirakel dienende Motivteile – wie
II Baum oder Quelle als Hinweise auf das Palmbaum- oder
Quellwunder – erfuhren eine Umdeutung zum idyllischen
Umraum und wurden so als Element der Idylle in die
Gesamtkomposition integriert, ohne ihren christlichen Symbolgehalt zu verlieren. Eingebunden in das Konzept ‚christliche Idylle' behielten sie ihre biblisch-allegorische Bedeutung bei, mit deren Hilfe die Darstellung als christlich identifiziert werden konnte. Der Baum, der Hirte, die Quelle und
der Weinstock waren durch das ideelle Zentrum in Gestalt
der Hl. Familie christologisch deutbar.

Die das Jesuskind stillende Gottesmutter – womöglich
gelagert an einer Quelle – galt, neben dem durch alle Jahrhunderte und Kulturen mit diesem Bild kombinierten Paradigma der Mutter Erde (*Muthmann* 1975. Kap. Xf), als
Allegorie auf die höchste christliche Tugend, die *caritas*
(die Nächstenliebe), die seit alters her mit Maria identifiziert wurde. Aus ihr erwuchs die Demut (*humilitas*),
jene christlichen Grundtugend, die der Hl. Familie trotz
ihrer davidischen Herkunft und der Gegenwart Jesu, dem

König des Himmels und der Erde[13], von Gott abverlangt
wurde. So umfassen die Ruhe-auf-der-Flucht-Bilder trotz
ihres idyllischen Charakters die Angelpunkte der christlichen Tugendlehre: in Maria wie auch in dem Früchtepflückenden Joseph die christliche *caritas* und in der Situation an sich, die der Betrachter sehr wohl in den Kontext
der Flucht einzuordnen wußte, die christliche *humilitas*,
die sich sowohl in der Demut der Hl. Familie gegenüber
den Menschen wie auch in ihrer Ergebenheit gegenüber
Gottes gerechtem und unvermeidlichem Willen ausdrückte,
als auch im ikonographischen Schema der ‚Madonna Humi-
litatis', in dem Maria auf dem Boden hockt (*Schiller* 1966.
IV,2. S. 191 f. *Meiss* 1936.). Zugleich konnte durch die
Einbindung in den Sakralraum – wie in der Kölner Jesuitenkirche St. Mariä Himmelfahrt – das Sanctuarium zum
Paradies interpretiert werden, in dem – hinter den arkadischen Gemälden – die heiligen Leiber in Gestalt zahlreicher
Reliquien ruhten (s. oben).

EIA AGE CARE PVER, CALICEM BIBE, TE MANET ALTER
QVI TENSIS MANIBVS NON NISI MORTE CADET

3. Jacques Callot: Joseph reicht dem Jesuskind den Kelch.
um 1628. (Hamburg, Hamburger Kunsthalle)

Durch das Früchte-Pflücken oder Früchte-Darbieten
gewann der Verweis der heiligen Idylle auf das Paradies,
das durch die an der Quelle gelagerten Maria – Sinnbild des *fons hortulus* (*Muthmann* 1975.) – verdeutlicht
wurde, an Prägnanz. Hier wurde die Geste des Sündenfalls
unter umgekehrten Vorzeichen wiederholt, um die Verfeh-
lung des ersten Menschenpaares aufzuheben, das sich durch
das Gegenteil der *humilitas* (Demut), durch die *superbia*
(Hochmut), von Gott entfernt hatte. Mit diesem indirek-

4. Tiziano Vecellio (Werkstatt oder Kopie): Madonna und hl. Dorothea. um 1530/1540.
(Philadelphia, Philadelphia Museum of Art)

ten Hinweis auf die Schuld der Menschen fällt der Blick auch auf den als unschuldiges Kind daliegenden Erlöser, der durch seinen Kreuzestod diese Schuld der Menschen auf sich nehmen sollte. Zur Verdeutlichung des Erlösungsgedanken in Christi Passion konnte das Darreichen der Frucht durch das Anbieten der Marterinstrumente – wie z. B. Geissel und Nägel – ersetzt werden. Stärker an die Bibelexegese angelehnt, nahm Jacques Callot das Darreichen eines Passions- und Erlösungssymbols durch Joseph in einem ungewöhnlichen Blatt von ca. 1628 auf[14], wobei der Nährvater Jesu in der Position Gottvaters dargestellt wird, ein Reflex auf die alte Joseph-Gottvater-Typologie, die – wie wir noch sehen werden – in der Neuzeit durch die zunehmende Dominanz des *pater familias*-Paradigmas im Rahmen der Hauslehre für den hl. Joseph an Bedeutung verlor (s. S. 81). Callot läßt dem Jesusknaben durch Joseph – als Passionssymbol und damit als Pendant zu den Kirschen der Barocci-Tradition – einen Kelch reichen und

fügt die Worte hinzu: „*Eia, age, care puer, calicem bibe, te manet alter, / Qui tensis manibus non nisi morte cadet.*" (Also, lieber Knabe, trinke diesen Kelch, ein anderer wartet auf dich, der nicht aus deinen Händen fallen wird, außer durch den Tod.).

Das Reichen der Frucht im Garten als Verheißung des neuen Paradieses (*Guldan* 1966.), der Hinweis auf diesen Erlösungsakt wurde nicht mehr wie im Mittelalter allein auf die Madonna und Christus bezogen, sondern durch das Hinzutreten anderer heiliger Personen (als Handlungsträger) ergänzt und auf diese Weise die Gruppe des mystischen Paares aufgebrochen. Seit der Mitte des 16. Jahrhunderts wurde in der italienischen Kunst meist der hl. Joseph beim Pflücken der Früchte gezeigt, wobei die Darstellungen z. T. mit der Ambivalenz von Szene und Allegorie spielen, wenn sich z. B. der Nährvater Jesu angestrengt recken muß, um die Früchte zu erreichen[15].

Diese Betonung des Anteils der Heiligen[16] an der Heilsvermittlung und der Erlösung beschränkte sich keineswegs nur auf die Personen der Hl. Familie, auch wenn sie oder Angehörige der Hl. Sippe bevorzugt in Zusammenhang mit dem Darreichen der Frucht in der Ruhe auf der Flucht gezeigt wurden. So reicht z. B. auf dem Tizian-Gemälde 4 ‚Madonna und hl. Dorothea‘ (ca. 1530/40) (*Wethey* 1969. Abb. 32), das – schon im 16. Jahrhundert beschnitten – ursprünglich auch den hl. Joseph zeigte (*Hendy* 1933. S. 53), die Heilige dem Christuskind eine Schale mit Obst. Das mehrfach kopierte und z. T. variierte Werk gehörte im 17. Jahrhundert zur Brüsseler Sammlung des Erzherzogs Leopold Wilhelm, der Gouverneur der spanischen Niederlande und ein Sohn des Kaisers Ferdinand II. war.

Noch bei Raphael konnte man nicht eigentlich von der Madonna oder der Hl. Familie *in* der freien Landschaft sprechen, als vielmehr von einer Gruppe *vor* der Landschaft. Auch die flämische Malerei des späten 15. und frühen 16. Jahrhunderts[17] folgte dieser Kompositionsidee, selbst wenn die Verschränkung von Ort und Heiligen in dem entsprechenden Motiv, bei dem Maria unter einem Baum lagert, bisweilen enger ist, als bei den Italienern und man sogar von einer Integration der Personen in die Landschaft sprechen kann. Dennoch haben diese Beispiele eine andere Qualität als die späteren Ruhe-auf-der-Flucht-Darstellungen, denn sie kreisen in ihrer Aussage explizit um die Idee des *hortus conclusus*.

Zwei schöne Beispiele für diesen Typus finden sich in dem Werk von Joachim Patinir (1475/85–1524), bei denen die typischen Merkmale des *locus amoenus* schon vorhan*II* den zu sein scheinen (*Pons/Barret* 1980. Abb. 109): der Baum, die Quelle oder ein Bach und (singende) Vögel. Doch wird in beiden Fällen Maria mit dem Kind zwar nicht durch einen Zaun, aber durch andere topographische Gegebenheiten von der sich im Hintergrund detailliert ausbreitenden Welt abgeschirmt und somit der Bezug zum *hortus conclusus*, dem ebenfalls der schattenspendende Baum und die Quelle eigen sind (Cant. 2,3; 4,12–15), hergestellt. Im Gegensatz zu den neuzeitlichen Ruhe-auf-der-Flucht-Darstellungen, die ein Bild vollkommener Harmonie zeigen und somit als *Gegenentwurf* zur außerbildlichen Realität des Betrachters zu verstehen sind, nimmt Patinir die zum *hortus conclusus* kontrastierende Welt, in Form der verschiedenen Fluchtlegenden wie den bethlehemitischen Kindermord, die Kornfeldlegende und den Götzensturz, wie auch der Armbrustschütze im Wald (*Pons/Barret* 1980. Abb. 109), die als Signa der Disharmonie und Gewalttätigkeit der Welt stehen, in seine Bilder auf. Zusätzlich wird die Madonna durch das auffällig im Vordergrund deponierte Reisegepäck in die Erzählebene eingebunden.

Entsprechend dem Paradigma ‚hortus conclusus‘, das auch die Keuschheit Mariens symbolisiert und zudem durch einen von Weinlaub (Christus- und Passionssymbol) umrankten Apfelbaum (ebda.) als (verschlossener) Paradiesgarten gekennzeichnet wird, ist der hl. Joseph bei Patinir nie innerhalb der Begrenzung um Maria zugegen[18]. Die durch Christus bevorstehende Erlösung wird durch die Darstellung einer Hirschkuh verdeutlicht, die sich auf einer Lichtung abseits der Gewalttätigkeit der Welt – aber auch außerhalb des *hortus conclusus* – befindet und die Sehnsucht der Seele nach ihrem Erlöser symbolisiert (Ps. 42,2)[19].

Demgegenüber leistete gut 50 Jahre später Federico *III* Barocci (Urbino 1535–1612) – angeregt durch Correggios ‚Madonna della Scodella‘ (um 1530) (*Muthmann* 1975. S. 431. Taf. 46,2)[20] – die Integration der *gesamten* Hl. Familie in die harmonische Landschaft unter Wegfall aller apokryphen Hintergrundszenen (*Emiliani* 1985. I. S. 78–85. *Olsen* 1962. Nr. 22. S. 154 ff); einzig der Esel deutet noch den Zusammenhang mit der Flucht an. Barocci schuf mit seinen Verarbeitungen dieses Bildmotivs, die er in kirchlichem[21] und sogar päpstlichem Auftrag für Pius IV. und Clemens VIII. ausführte, unter Vermeidung apokrypher Anklänge vielbeachtete und häufig rezipierte Werke, die für die folgende Zeit prägend sein sollten[22].

Die ganze Hl. Familie ist nun nicht nur das Zentrum der Darstellung, sie füllt sie sogar – gelagert unter dem nun wirklich schattenspendenden und sich wie ein Dach über die drei Personen ausbreitenden Geäst des Baumes – fast ganz aus. Joseph reicht dem Jesuskind einen Zweig mit Kirschen (Passionssymbol) (*Aurenhammer* 1967. I. S. 173 ff), während Maria Wasser aus der am Fuße des Baumes sprudelnden Quelle schöpft. Die entspannte, ja heitere Atmosphäre läßt apokryphe Anklänge vergessen, zumal ein mirakulöses Geschehen selbst nicht abgebildet ist[23] und sich das Früchte-Pflücken durch Joseph ganz erheblich von der apokryphen Episode unterscheidet, in der Maria die Empfängerin der durch das Wunder erlangten Früchte ist (Ps.-Mt. 20 f).

Die Abweichungen von den Wunderberichten wie auch die Einordnung des Gemäldes in einen Sakralraum[24] bestimmen es eindeutig als allegorische Darstellung des Paradieses, das durch die Inkarnation, die Menschwerdung Gottes durch den Gnadenbrunnen Maria[25] und den Versöhnungs- und Entsühnungsakt der Passion und Auferstehung Christi – symbolisiert im Darreichen der Kirschen – eröffnet wird. Von diesem Gemälde sind drei Fassungen von Barocci und mindestens sieben Kopien anderer Künstler, sowie zahlreiche Stiche auf uns gekommen[26].

Besonders Hendrik Goltzius adaptierte kurz nach seiner Italienreise Baroccis Gemälde, so z. B. das eben besprochene, indem er das Jesuskind die Kirschen nicht nur ergrei *5* fen, sondern auch kosten ließ (*Strauss* 1977. II. S. 460 f. Nr. 264)[27]. Eine weitere Adaption von Baroccis Formensprache stellt das zu den sogenannten ‚Meisterstichen‘ zählende Blatt der Hl. Familie mit dem Johannesknaben unter einem Baum, der bei einem Haus steht, dar (*Strauss* *6* 1977. II. S. 574 f. Nr. 313). Auch hier hält das Jesuskind

5. Hendrik Goltzius: Ruhe auf der Flucht unter einem Kirschbaum. 1589. (Berlin, Kupferstichkabinett: B 24)

6. Hendrik Goltzius: Die Hl. Familie mit dem Johannesknaben. aus: Marienleben. 1593. (Berlin, Kupferstichkabinett: B 20-II)

Kirschen in der Hand. Dieses dem Herzog Wilhelm V. von Bayern gewidmete Blatt aus der Serie ‚Marienleben‘ orien
IV tiert sich an Baroccis ‚Madonna del Gatto‘ (*Emiliani* 1985. I. S. 92–103. *Olsen* 1962. S. 156 ff), das im Unterschied zu Goltzius' Bearbeitung die Hl. Familie in einen Raum plaziert. Der kleine Johannesknabe hält bei Barocci einen Vogel – ein Symbol für die in der Sünde befangene und durch Christi Passion erlöste Seele und die Auferstehung – in der Hand, den eine Katze fixiert, während sie bei Goltzius den Vogel in der Fensterlaibung gerade gefangen hat, so daß die Erwartungshaltung bei Barocci von Goltzius – wie in dem Blatt mit dem Kirschen-reichenden Joseph – zur Vollendung geführt, die Handlung aus der Schwebe genommen und somit zur Eindeutigkeit überführt wird.

Ebenso scheint ein Stich von Jacob Matham – nach Goltzius[28] – auf Barocci zurückzugehen, der mit einem
7 ähnlichen Deckengemälde das Casino des Papstes Pius IV. schmückte (*Emiliani* 1985. I. S. 14 ff. *Olsen* 1962. Kat.-Nr. 8. S. 142 ff). Das stark beschädigte Fresko korrespondiert in den Hauptgruppen der Madonna mit dem Jesuskind und der hl. Elisabeth mit dem Johannesknaben mit Mat
8 hams Blatt (*Bartsch*. IV. S. 97. Nr. 107 (160)). Im Gegensatz zu Barocci setzt Matham die Hl. Familie unter einen Baum und nicht – wie in der Barocci-Fassung – in einen geschlossenen Raum[29]. Die untergeordnete Bedeutung des

Fruchtmotivs bei Matham[30] zeigt, daß die Grundkomposition seines Stiches nicht in eine Landschaft, sondern in einen Innenraum gehörte, dem das Motiv des Früchte-Reichens[31] originär nicht entsprach.

So fügte er in seinem Entwurf das Velum[32] und zahlreiche christologische Symbole – wie das Lamm oder die Weintrauben und Äpfel zu Füßen Mariens – zur Verdeutlichung der Situation ein, doch verzichtete er – sei es aus kompositorischen Gründen, sei es aus grundsätzlichen Erwägungen – auf das Darreichen der Frucht, das in dem Stich nur mittelbar durch die auf dem Boden liegenden Früchte erschlossen werden kann. Die zu Füßen Mariens liegenden Früchte haben die Bedeutung von Requisiten, die nur noch auf die Passionssymbolik und den Erlösungsgedanken hinweisen. Ihnen kann deshalb nicht die gleiche allegorische Potenz im Bild zukommen, wie den Früchten in den Händen Marias, Josephs oder gar des Jesuskindes. Vielmehr ist in diesem Stich die Darstellung der Göttlichkeit im *segnenden* Jesuskind dominant. Dem entspricht, daß einzig Jesus und Maria mit Nimben bezeichnet sind.

Matham verzichtet auf die Geste des Frucht-Reichens, die er in seinem Blatt mit der Hl. Familie *in* der Landschaft durchaus homogen hätte einfügen können[33]. Als

47

7. Federico Barocci: Die Hl. Familie. 1561/1563. (Vatikan, Monumenti Musei e Gallerie Pontificie)

‚Ersatz' läßt er – entsprechend Baroccis Vorbild im päpstlichen Casino – den Johannesknaben durch dessen Mutter Elisabeth der frontal zum Betrachter sitzenden Madonna zuführen. Maria bildet zusammen mit dem segnenden Christuskind[34] das Zentrum der Komposition, auf das sich Elisabeth mit dem Johannesknaben parallel zur Blickrichtung des Betrachters zubewegt[35].

Offenbar besaß Goltzius, nach dessen Vorlage Matham arbeitete, in seinem Entwurf nach Motiven von Barocci nicht die gleiche Kühnheit wie später Peter Paul Rubens. Goltzius plazierte die Hl. Familie zwar an einen Ort, der die Konstituenten des *locus amoenus* – schattenspendender Baum und Quelle – zeigt, gleichzeitig aber mit der Andeutung eines Hauses rechts oben eine Reminiszenz auf Baroccis Vorbild bot.

Die Hauptleistung des Stiches gegenüber dem Barocci-Vorbild liegt somit im – wenn auch nicht ganz konsequenten – Wechsel des Ortes (vom Haus in die Landschaft) und in der Zusammenfassung der beiden Familien zu zwei Drei-Personen-Gruppen[36].

V   Erst Peter Paul Rubens (1577–1640) führte diese Komposition in den Außentafeln des Ildefonso-Altares (Brüssel, 1630/1632) (*Corpus Rubenianum.* VIII,1. S. 92 ff. Nr. 118) zur Vollendung, indem er den *locus amoenus* durch die Wahl des Apfelbaumes explizit als Ort der Erlösung und als Paradies charakterisierte und die gesamte Komposition um ca. 90 Grad drehte, so daß die Gruppen zwar formal

stärker voneinander getrennt wurden, die Darstellung an sich aber an Klarheit gewann[37].

Das zweiteilige Gemälde, das im geschlossenen Zustand des von Erzherzog Albert und seiner Gemahlin Isabella gestifteten Marienaltars die beiden Gruppen – die Hl. Familie und die Familie des Johannesknaben – in einer lebendigen Gesamtkomposition vereinigte, ist – überreich an Verweisen und Symbolen – als Paradieses-Allegorie zu verstehen. So läßt Rubens den hl. Joachim in Anlehnung an Baroccis ‚Madonna della Scodella' einen Zweig vom *III* Apfelbaum, unter dem die hl. Familie lagert, reichen, eine Geste, die Goltzius und sein Kreis zuvor kaum rezipiert hatten[38].

In dem ausladenden, die gesamte Komposition beherrschenden und reich mit Früchten behangenem Apfelbaum tummeln sich übermütig zwei kleine Engel und blicken auf die Ereignisse am Fuße des Baumes herab. Dort lagert unter einem Velum in aufsteigender Linie die Hl. Familie. Maria, mit entblößter Brust, hält das Jesuskind, das den mit zwei Äpfeln behangenen Zweig Joachims schon ergriffen hat, während der Johannesknabe, geleitet von seiner Mutter Elisabeth, mit gefalteten Händen dem Jesuskind entgegeneilt. Der hl. Joseph bleibt im Hintergrund stiller Betrachter.

Die Parallelität der zwei Familiengruppen, die durch die Drehung der Komposition offensichtlich wurde, erlaubt eine typologische Deutung, nach der die letzten Menschen

8. Jacob Matham (nach Goltzius): Die Hl. Familie mit dem Johannesknaben. Anfang 17. Jhdt. (London, British Museum)

des Alten Bundes – Elisabeth, Joachim und Johannes d. T. – auf die ersten Vertreter des Neuen Bundes – die Hl. Familie – treffen. Das Darreichen des Apfelzweiges bildet quasi die ‚Nahtstelle‘, den Übergang vom Alten zum Neuen Testament und verdeutlicht so die Erfüllung der alttestamentlichen Prophezeiung der Erlösung der Menschen durch Gottes Sohn. Beim Schließen des Altares wurden beide Gruppen sinnfällig zusammengeführt (*Corpus Rubenianum*. VIII,1. S. 93) und so der Übergang vom Alten zum Neuen Testament als Anbruch des neuen Zeitalters der Versöhnung aktualisiert.

Als Paradieses-Allegorie gedeutet zeigen die beiden Tafeln in Gestalt der Mutter Gottes mit dem Christuskind, die sich wie die Freundin des Hohen Liedes unter den Schatten des Baumes lagert (Cant. 2,3), den *fons vitae* im *hortus conclusus*, wo die Erlösung der Menschheit – antithetisch zur Genesis – im Darreichen der Frucht vollzogen wird. Nicht nur die entblößte Brust Mariens als *Maria-lactans*- und *caritas*-Symbol, auch die Quelle am unteren rechten Bildrand verweist auf diese Bedeutung

(*Muthmann* 1975. S. 423–435), wie auch die Putten im Geäst anzeigen,

> daß [der Baum] nicht ein gewöhnlicher, sondern der mystische Apfelbaum des neuen Paradieses ist, von dem das Jesuskind als neuer Adam den Apfel, das Symbol der Versöhnung und Entsühnung empfängt. (*Muthmann* 1975. S. 422)

Das Anbieten der Frucht blieb auch in der folgenden Zeit das Symbol der Versöhnung und wurde vielfach verwandt[39].

Die Eindeutigkeit dieser Paradieses-Allegorie hat Rubens durch keinerlei Zusätze verunklaren lassen. So verzichtete er im Gegensatz zu den Blättern von Goltzius oder Matham auf jegliche Reiserequisiten oder den Esel als Transporttier und entzog sich auf diese Weise ganz einer narrativ-szenischen – wie z. B. in den Ruhe-auf-der-Flucht-Szenen – oder womöglich sogar apokryphen Aussage, wie sie noch in nachreformatorischer Zeit in Fluchtszenen relativ häufig waren[40], und ließ alle interpretatorisch nicht notwendigen Symbole weg.

Demgegenüber verlor sich die allegorische Aussage bei Matham in vagen Andeutungen, die sich auch durch die Häufung in der Symbolik nicht kompensieren ließen. So blieb bei Matham eine unter dem dominanten Velum sehr repräsentativ ruhende Madonna mit Kind, deren Heiligkeit nun durch Nimben festgestellt werden mußte, und die sich scheu und demutsvoll nähernde Familie des Johannesknaben, die eher als verehrende Gläubige, denn als am Heilsgeschehen aktiv Beteiligte gezeigt wurden, übrig. Eilte bei Rubens Johannes als Vorläufer Christi dem Jesuskind zielstrebig entgegen, verharrte er bei Matham vor seinem Erlöser, der segnend die Hand erhoben hat und damit – entgegen der kompositorischen Nähe der beiden Gruppen bei Rubens – eine Distanzierung signalisiert.

Mit der Wende zur Neuzeit ist ein steigendes Interesse an der Hl. Familie als Vorbild für die sich ausbildende Kernfamilie zu beobachten. Gleichzeitig ergab sich ein Wechsel in der Gewichtung der eschatologischen Aussage der Madonnen-Bildnisse im Garten, die sich in vielen Fällen durch eine personelle Erweiterung um den hl. Joseph zum Hl. Familie-Portrait entwickelten.

Diese Wende bedeutete ein Ende der krassen Abgrenzung von *hortus conclusus* und Welt, so daß nicht mehr nur die Idee der Keuschheit und Jungfräulichkeit Mariens im Zentrum standen. In Einklang mit den Beschlüssen des Tridentinums war man – vor allem in den neuen katechetischen Orden – um die Vermittlung des Erlösungsgedankens und der Betonung des Anteils der Heiligen am Heilsgeschehen bemüht. Im Rahmen dieser wachsenden Bedeutung der Heiligen für das Heilsgeschehen trat auch der hl. Joseph an die Madonnengruppe heran, konnte aber – sowohl im reinen Portrait, wie auch als Handlungsträger im Bildtyp

,Die Hl. Familie unter dem Baum' – von anderen Heiligen ersetzt werden[41].

Der Wegfall der Hinweise auf apokryphe Episoden, die noch bei Joachim Patinir vorhanden waren, charakterisierte die Hl. Familie in der Landschaft als Gegenentwurf zur Welt des Betrachters. Da der Erlösungsgedanke wichtiger als der Status des Paradieses war, wurde die direkte Begrenzung (z. B. durch eine Mauer) als *hortus conclusus*-Symbol in der Regel obsolet, zumal die Landschaft nicht explizit als wiedereröffnetes Paradies beschrieben werden mußte[42].

Bei dem Versuch der Intensivierung der allegorischen Aussage und des idyllischen Charakters konnte es zu Entgleisungen kommen. So entsprach die Darstellung der Hl. Familie bei der ,großen Wäsche'[43] zwar z. T. dem idyllischen Charakter der Bilder, doch wirkte besonders der die Wäschestücke aufhängende hl. Joseph eher grotesk (s. S. 85).

Die für die antike Idylle typische Zeitlosigkeit[44] stand in Einklang mit der christlichen Paradiesesvorstellung, in der die Zeit, das Temporäre im Sinne der Vergänglichkeit – dem Zentrum aller Vanitas-Darstellungen – aufgehoben war und auf diese Weise mit der Konzentration der Idylle auf die Räumlichkeit korrespondierte (*Wedewer*/*Jensen* 1986. S. 8). Der Traum nach Harmonie mit der Natur[45] war im christlichen Denken der Traum nach dem Paradies, jenem Ort ohne Vergänglichkeit, Angst, Not, Mühsal, dem Ort, an dem der Mensch Gott nahe war, dem Ort, der für das Wesen geschaffen worden war, das Gott „nach seinem Bilde" (Gen. 1,26) gemacht hatte.

Die profane Utopie wurde zur christlichen Vision, einer Vision des Paradieses, in dem sich das Zentrum christlichen Glaubens, der menschgewordene Gottessohn im Verein mit den ihm nahestehenden Heiligen mit den profanen Vorstellungen von menschlicher Eintracht und Harmonie mit der Natur verband und so die spirituellen Bedürfnisse des in der Welt lebenden, sündigen Menschen widerspiegelte.

In den Bildern ,Ruhe auf der Flucht' wurde somit die profane, antike Idyllenidee transzendiert, gleichzeitig aber auch dem gläubigen Menschen angenähert, da er in christlicher Heilsgewißheit bei einem gottgefälligen Leben auf dieses Paradies hoffen konnte, während die profane Idylle, indem sie die Idealität des Ortes zeigt, gleichzeitig auf dessen Verlust hinwies und ihn als Utopie entrückte (*Wedewer*/ *Jensen* 1986. S. 21).

Exkurs: Der *locus amoenus christianus* im Andachtsbild

In ganz anderer Weise als Rubens und unter verstärkter Konzentration auf die Hohe-Lied-Exegese behandeln zwei Augsburger Andachtsblätter von ca. 1700, die offenbar der Katechese dienten, die Paradieses-Allegorie. In der dogmatischen Aussage einfacher gestaltet deuten sie durch ihre z. T. mangelhafte sprachliche Erscheinung – dies gilt besonders für das Blatt von Steudner – darauf hin, daß es sich

hier um Massenware für die Katechese ungebildeter Leute handelt. Beide Exemplare sind Zeugnis eines zur Volkskunst abgesunkenen Kulturguts, dessen komplexe exegetische Aussage verlorenging.

Die idyllische Grundsituation am *locus amoenus*, die Ruhe unter dem Baum, wurde bei diesen Beispielen zugunsten einer eher reihenden Komposition aufgegeben, mit der Folge, daß die fehlende Verschränkung von Baum und Madonna zu einem Verlust der *fons vitae*-Allegorie führte. Die beiden Blätter thematisieren hauptsächlich den Erlösungs*akt*, weniger den Erlösungs*ort*, das Paradies. So ist beiden Blättern die Quell- oder Brunnen-Symbolik verlorengegangen und die Aussage im Bild eindimensional geraten. Die fehlenden Bezüge zur Quelle und zum *fons vitae* versucht der Text mit einer starken Hohe-Lied-Orientierung zu kompensieren, die bei Rubens im Bild voll integriert worden war[46].

Die beiden Augsburger Blätter von ca. 1700 quellen, trotz ihrer vordergründig gezeigten Häuslichkeit und familiären Idylle, von biblischen Querverweisen und Textbezügen über. Sie zitieren ganz besonders deutlich im Zusammenhang mit der Hl. Familie das Hohe Lied Salomons und beziehen sich damit auf einen der wichtigsten Texte der Marienallegorie.

Die Blätter stammen von den Augsburger Briefmalern Albrecht Schmid (ca. 1667 in Ulm – 1744 in Augsburg) und Johann Philipp Steudner (1652–1732 in Augsburg). Es ist anzunehmen, daß beide Exemplare um 1700 entstanden[47]. Ob die Briefmaler die Hl. Familie auch sonst als Thema persönlich bevorzugten, kann nicht eindeutig geklärt werden. Zwar ist uns von Steudner ein Blatt ,Die Hl. Familie' und von Schmid eines mit dem Titel ,*Familia Sacra*'[48] bekannt, doch entsprachen beide Stecher mit diesen Holzschnitten dem allgemeinen Trend der Zeit, die Hl. Familie darzustellen. So ist zu vermuten, daß es sich bei den beiden Blättern mit dem Hohe Lied-Bezug um inhaltlich genau vorgegebene Auftragsarbeiten handelt.

Im Zentrum des Blattes ,*Joseph und Maria unter einem Apffelbaum / mit dem lieben JEsulein*' von Schmid steht vor einer Balustrade ein Apfelbaum, an dessen Stamm der hl. Joseph faßt. Das Jesuskind hält in seinem geschürzten Oberrock die Früchte, die es offensichtlich vom Boden aufgesammelt hat und seiner nähenden Mutter bringt, die unter einem Baldachin sitzt. Im Hintergrund öffnet sich der Blick zu einer Landschaft. Während das Motiv des Baum-schüttelnden Joseph in den Alltagsszenen ansonsten nicht vorkommt, sind dort die Topoi des aufsammelnden und dienstbaren Jesuskindes und der nähenden (spinnenden) Maria sehr wohl anzutreffen[49].

Die Darstellung wird von einem Text begleitet, der den Blick auf das Hohe Lied richtet und so die Aussage des Blattes erheblich erweitert, allerdings ohne daß klar ersichtlich wäre, wem das Hohe Lied-Zitat in den Mund gelegt wird:

9. Albrecht Schmidt: Die Hl. Familie unter einem Apfelbaum. Augsburg 1700. (Augsburg, Städtische Kunstsammlungen)

10. Johann Philipp Steudner: Die Hl. Familie unter einem Apfelbaum.
Augsburg um 1700. (Augsburg, Staats- und Stadtbibliothek)

Gleich wie ein Apffelbaum vorauß
    So stehen thut in dem Gestrauß,
Erkennet wird an seiner Frucht,
    So wird mein Freund von mir besucht,
Ich sitz unter dem Schatten sein,
    Dessen ich thu begehren allein,[50]
Mein Freund der kommt in seinen Garten,
    Und thut der edlen Früchten warten.[51]

Und esse sie mit seiner Braut,
    Die Ihm von GOtt worden vertraut,
Sein Gewächs ist wie ein Lustgart,
    Von Granatäpffeln so zart.[52]
Nun sihst du Joseph also stehn,
    Unter einem Apffelbaum gar schön,
Die schüttelt er mit Fleiß herab,
    Daß sich Maria damit lab.

Leider ist das Blatt beschädigt, so daß von den insgesamt drei Strophen die letzte verderbt und kaum mehr lesbar ist[53]. Möglicherweise enthielt sie eine Conclusio, die die Gesamtaussage des Blattes noch einmal prägnant wiedergab.

Die ersten vier Zeilen des Textes beziehen sich auf das Bild und seinen zentralen Gegenstand, den Apfelbaum als Christussymbol, und schließen ohne Umschweife wichtige Schlüsselworte und Textteile des Hohen Liedes paraphrasierend und zitierend an:

Cant. 2,3:
Wie ein Apffelbaum unter den Bäumen im Wald, also ist mein Geliebter unter den Söhnen. Ich hab unterm Schatten desjenigen gesessen, nach dem mein Verlangen ware, [...].

Nachdem die Braut im Hohen Lied als wunderbarer, verschlossener Garten (*hortus conclusus* = Jungfräulichkeit Mariens), als Granatapfelparadies mit den köstlichsten Früchten beschrieben worden ist:

Cant. 4,13:
Dein Gewächs ist, wie ein Paradeiß von Granatapffel-Bäumen, mit den Früchten ihrer Aepffeln

folgt die Einladung der Braut an den Bräutigam und dessen Antwort:

Cant. 5,1:
Mein Geliebter komme in seinen Garten, und esse die Frucht seiner Aepffel. Ich bin kommen in meinen Garten, meine Schwester, meine Braut, ich hab meine Myrrhen abgeschnitten, samt meinem Gewürtz: mein Honigseim samt meinem Honig, hab ich gegessen: [...]: esset ihr Freund und trincket, und werdet truncken ihr Allerliebste.[54]

Das Blatt Schmids thematisiert also zentrale Textpassagen des Hohen Liedes, das seit dem Mittelalter besonders in den Klöstern beliebt war und in einer kontinuierlichen exegetischen Tradition stand. Die Bezüge sind offensichtlich.

Das zentrale Thema des Hohen Liedes sind die Liebenden, der Freund und die Freundin, wie sie sich preisen, suchen und im Garten finden. Es wurde sowohl auf Maria und Christus als auch auf die ganze Kirche und Gott bezogen und im Mittelalter gerne mit dem Gleichnis von den klugen und törichten Jungfrauen kombiniert[55], ein Bezug, auf den die beiden vorgestellten Blätter zugunsten der Hl. Familie-Darstellung verzichten.

Mit der Hohe Lied-Exegese wird in diesen Blättern eine andere Bedeutungsebene hervorgehoben: die des Gartens bzw. des Gartens Eden, des Paradieses. Die Kombination von Hohem Lied und dem Apfelpflücken, mit dem der hl. Joseph nicht nur seiner Aufgabe als ‚Nährvater‘ im wörtlichen Sinne nachkommt, verweist eindeutig auf den Sündenfall der Ureltern Adam und Eva. Die Äpfel deuten in diesen Blättern Maria zur ‚neuen Eva‘ um, die den Antitypus zur Eva der Genesis bildet und den Sündenfall der Urmutter durch ihre Geburt des Gottessohnes aufhebt. Die Wiederholung des Vorgangs, das Darbieten des Apfels, steht unter veränderten Vorzeichen konträr zum Sündenfall des Alten Testaments. So wie dieser die Sünde in die Welt brachte, verweist die Handlung Josephs auf den Akt der Erlösung[56]. Entgegen dem alttestamentlichen Vorbild ist die Personenbesetzung umgekehrt. Während in der Genesis die ‚alte Eva‘, verführt durch die Schlange, dem Mann die Frucht anbot, pflückt bei Schmid der hl. Joseph – nach Abraham a Sancta Clara der ‚andere Adam‘ – den Apfel und reicht ihn, über die Vermittlung des Jesuskindes, Maria, der ‚neuen Eva‘, die, so wie Eva das Verderben in die Welt brachte, der Welt und den gefallenen, sündigen Menschen die Erlösung in Gestalt Christi bringt.

Auch Steudners Blatt (*Strauss/Alexander* 1977. II. *10* S. 601. Nr. 2), das – wie die Orthographie des Textes zeigt – auf einem unteren Bildungsniveau mit niedrigster Schriftlichkeit angesiedelt ist, bezieht sich auf das Hohe Lied. Doch liegt der Schwerpunkt des begleitenden Textes stärker auf der Beschreibung des Bildes[57] und den daraus folgenden Verhaltensmaßregeln der einzelnen Personen in der Familiengemeinschaft: der Liebe der Eltern zu ihrem Kind, die Fürsorgepflicht des Nähr- und Hausvaters Joseph, der ihr symbolisch im Pflücken der Äpfel nachkommt, und die Demut, Selbstbeherrschung und Dienstbarkeit des Kindes gegenüber seinen Eltern:

Joseph auff eienem [!] Apffelbaum / die Junckfraw mit ihren [!] lieben JEsulein

Hie ist zu sehen in disem Bild /
    die Lieb der Eltern gar [sehr] mild /

Gegen den lieben Kinderlein /
    wie hiethut seyn der Augenschein /

Herman van Suanevelt Inventor fecit et excudit   cum privilegio Regis

Herman van Suanevelt Inventor fecit et excudit   cum privilegio Regis

11. a–d Herman van Swanevelt: Flucht nach Ägypten. vierteiliger Kupferstichzyklus.
1. Hälfte 17. Jhdt. (Amsterdam, Rijksmuseum)

Herman van Suanevelt Inventor fecit et excudit   cum privilegio Regis

Herman van Suanevelt Inventor et fecit excudit   cum privilegio Regis

12. a–b Johann Toussijn: Die Flucht nach Ägypten. Die Rückkehr aus Ägypten.
7. und 8. Bild aus dem Gemäldezyklus zum Marienleben aus dem Chor der
Jesuitenkirche St. Mariä Himmelfahrt in Köln. 1. Hälfte 17. Jhdt.

Joseph auff dem Apffelbaum thut /
   Christo abbrechen schön Oepffel gut.

HIe ist dir worden fur[r]gemahlt /
Maria in schöner Gestalt /
Vnd auch ihr [l]iebes JEsulein /
Mit Joseph auffeim [!] Baum gar fein
Hat ein Laiter lang angestelt /
Sich auch fest an den Baum anhä[l]t[58]

Daß Er nicht fall vnd schaden nehm /
   Knyet ob eim Ast der ihm bequem /

Vnd bricht die schöne[s?] Oeffel ab /
   Dieselbste dem JEsulein gab /
Der langt Begier [begierig] nach der Frucht /
   Siht vorrsich [!] in aller Zucht /
Maria die Jungfraw noch mehr /
   Zeig jhm die Oepffel hinvnd her /
Die liegenauffderErdt [!] im Graß /
   Daß Er dieselb auffheben was /

Mein Freund der komt in seinen Garten /
   Vnd thu[t] den edlen Fruchten warten /
Vnd essest mit sei[n]er Braut /
   Die ihm von GOttworden [!] vertraut /
Diß ist diewerth [!] Christenheit /

Die liebt vnd ehrt in allezeit /
Der wird sie auch erfrewen thon
   Mit ewiger Seeligkeit vnd Wohn [Wonne].[59]

In Steudners Blatt wird nicht nur sehr deutlich Cant. 5,1 zitiert – in diesen Zeilen ist es mit Schmids Blatt identisch (Steudner: Str. 3,1–4. Schmid: Str. 1,7–2,2) –, sondern auch die Deutung der Braut als die gesamte Christenheit gegeben, die vielleicht auch Schmid vermittelt hatte. Im Unterschied zu diesem wird der Hohe Lied-Bezug bei Steudner aber nur in der letzten Strophe angesprochen, während Schmid mindestens die Hälfte des Textes darauf verwendet. Steudner, bzw. seinem Auftraggeber, war die Beziehung der Personen untereinander und ihre Bedeutung im Exempel offenbar wichtiger, so daß er als Erweiterung der Bildlichkeit und Conclusio das Hohe Lied erst in die letzte Strophe aufnahm.

2.2 Die Hl. Familie in der Landschaftsidylle

Neben der primär eschatologisch orientierten Einbindung der Hl. Familie unter dem Paradiesesbaum in der Landschaft entstanden auch Bildwerke mit der Hl. Familie, die ihre dominante Aussage auf die Landschaftsdarstellung legten. Anknüpfend an die an Theokrit und Vergil orientierten Landschaftsidyllen der Frühen Neuzeit wurde die Hl. Familie auch in diese Bildgattung miteinbezogen, wobei sich die Landschaftsdarstellung unter Umständen so

weit verselbständigen konnte, daß sich die heiligen Personen – miniaturisiert und als Staffage verwandt – kaum von anderen Gruppendarstellungen entsprechender profaner Bilder unterschieden und nur zur Belebung der großartigen Panoramen, die ihrerseits zuweilen kulissenhaft wirken, dienten[60].

VI   Ein frühes Beispiel von Adam Elsheimer (1609), zeigt aber, daß – umgesetzt in eine Nachtszene[61] – eine Landschaftsdarstellung keineswegs den oben beschriebenen Staffagecharakter haben mußte. Elsheimer malte vielmehr ein stimmungsvolles Nachtbild, in dem die Dunkelheit der Nacht die Bedrängnis der ikonographisch eindeutig gekennzeichneten fliehenden Hl. Familie anschaulich verdeutlicht[62].

In den späteren Landschaftsidyllen hingegen, die zur Mitte des Jahrhunderts von Claude Lorrain meisterlich ausgeführt wurden, kann die Unterscheidung, ob profane Personen oder die Hl. Familie gezeigt werden, z. T. nur durch die Titel der Bilder getroffen werden, die entweder von der Flucht der Hl. Familie oder der Ruhe auf der Flucht sprechen und somit einen narrativen Charakter zumindest suggerieren wollen, obwohl das Thema der Ideallandschaft offensichtlich dominant ist. Die Kombination von paganem Arkadienbild und eschatologischer Aussage war in den seltensten Fällen so ausgewogen, daß man von einem neuen, geistlichen Arkadien sprechen konnte. Selbst für Lorrains ‚Flucht nach Ägypten‘ von 1647 (Dresden, Staatliche Kunstsammlungen) wird „das Fluchtmotiv [...] viel stärker von der Umgebung absorbiert, es verschwindet fast im Schatten einer dunklen Baumgruppe im Hintergrund." (*Maisak* 1982. S. 144), und diese Beurteilung findet seine Bestätigung in allen nachfolgenden Werken dieses Genres, das auf die reine Landschaftsdarstellung verweist[63].

Ein interessantes Beispiel für diese Entwicklung stellt *11-* ein Fluchtzyklus von Herman van Swanevelt (ca. 1600 *a–d* Woerden – 1655 Paris) – einem Goltziusschüler – dar, in dem die Hl. Familie mit Nimben bezeichnet und von Engeln begleitet wird und auf diese Weise die Thematik vom Figurenbestand her eine eindeutige Definition erfährt. Dennoch ist die Übermacht der Naturdarstellung zu groß, um hier von Fluchtszenen im traditionellen Sinne sprechen zu können. Die vier an italienischen Landschaftsdarstellungen orientierten Blätter, die im Gegensatz zu der flämischen Landschaftsmalerei einen stark pastoralen, idealisierten Zug haben, zeigen: die von Engeln geführte Hl. Familie, Maria steigt vom Esel, Joseph führt das Tier zur Tränke, Ruhe auf der Flucht mit dem lesenden Joseph.

Obwohl diese Bilder in einen Erzählzusammenhang gehören könnten und sich dieser Eindruck beim Lesen der Titel geradezu aufdrängt, zeigen alle vier Blätter unterschiedliche Orte, die die vorherrschende Intention des Stechers nach verschiedenen idealen Landschaftsdarstellungen deutlich machen. Die Motivation für die Füllung der Landschaften mit der Hl. Familie wird aus den Blättern selbst nicht klar. Anders ist es bei den acht Gemälden im Chor *12-* der Kölner Jesuitenkirche Mariä Himmelfahrt, die Statio- *a–b* nen aus dem Marienleben zeigen und als Verkleidung der Reliquienzone den heiligen Raum eindeutig als zeitlosen *locus amoenus christianus* charakterisieren.

Außerhalb dieses ikonologischen Kontextes war die Beliebigkeit in der Wahl der 'lebenden Staffage', also die Entscheidung, ob die Hl. Familie oder sonst eine Familie bzw. Gruppe diese Funktion im Bild übernehmen sollte, weit verbreitet. Adriaen van der Kabel (ca. 1630–1705) wählte z. B. sowohl die Hl. Familie (*Bartsch*. V. S. 260. Nr. 49 (259)) wie auch eine beliebige andere Familie (ebda. S. 257. Nr. 46 (257)) zur 'Bevölkerung' seiner Stiche[64]. Der einheitliche idyllische Charakter der Stiche setzt sich in Einzelelementen fort: hier ein Hirt mit einer Schafherde, dort ein Hirt mit Ziegen; in beiden Fällen ein Fluß, eine befestigte Ortschaft oder Burg, Gebirge im Hintergrund und die von Baumgruppen aufgelockerte Landschaft.

All diese Elemente gehören sowohl zum von Theokrit und Vergil geprägten Motivkanon der literarischen Idylle wie auch zur Landschaftsidylle in der bildenden Kunst (*Böschenstein-Schäfer* 1967. S. 8–13. *Klussmann* 1986. S. 33–65). Die gesamte Landschaftsgestaltung mit den Hirten wurde von den antiken Dichtern vorgebildet. Ebenso gehörte zum Typus der literarischen Idylle die Stadt, der befestigte Ort als negativ besetzte Gegenposition der Kultur zur natürlichen, freien, aber auch beschützenden Landschaft. Sie fand im Bild ihren Niederschlag in einer idealen, Geborgenheit suggerierenden Begrenztheit (durch Bäume und Haine), die sich auch in der Theorie der Gartenbaukunst der Renaissance und des Barock wiederfindet.

Idealer Garten und ideale Landschaft der Idylle stehen als Inbegriff des antiken Arkadien und christlichen Paradieses für die verlorene Harmonie[65], das verlorene Paradies.

2.3 Die familiäre Idylle

Wie wir gesehen haben, zeichneten sich die großen und bedeutenden Gemälde und Tafeln der flämischen Malerei des 16. und 17. Jahrhunderts – neben ihrer allegorischen Bedeutung als wiedererlangtes Paradies – durch die innige persönliche Beziehung der Personen zueinander aus.

Auf diese Weise erhielt das Pflücken der Früchte – ausgehend vom mirakulösen Ereignis der Apokryphen[66] – neben seiner dominanten symbolischen Qualität im Kontext der Paradieses-Allegorie auch einen idyllischen Zug, der die Vertrautheit, Zuneigung und Fürsorge der Personen widerspiegelt und sich damit dem allgemeinen Charakter der Idylle seit Vergil zuordnet[67].

Das Empfindsame, das Mitgefühl, die Sympathie und das Mitleid am Schicksal des Gegenüber faßt die heiligen Personen in ihrer Bedrängnis als *Individuen* in einer individuellen Situation[68]. So sprechen uns diese Blätter sowohl auf symbolische als auch auf eine persönliche empfindsame Weise an, die die Göttlichkeit bzw. Heiligkeit der Hl. Familie in den Hintergrund rückt, bisweilen sogar ganz vergessen läßt, was sich u. a. im Fehlen der Nimben ausdrücken konnte.

War das Fehlen der Nimben im Rahmen der *Devotio Moderna* einst Zeichen einer besonderen inneren Spiritualität gewesen, so deutet diese Eigenart in der Neuzeit besonders auf die Gemeinsamkeit der Hl. Familie mit allen Menschen hin, allerdings mit dem Vorbehalt, daß es sich um besonders vorbildhafte und gottgefällige Menschen handelt. So zeichnet sich gerade die Bildsprache dieser Zeit durch eine Ambivalenz in den Zeichensystemen, durch Vielschichtigkeit in der Deutung aus. Der mütterlich-fürsorgliche Zug der Madonnengruppe gewann besonders in diesen Bildern an Signifikanz und rief im Verein mit den Elementen der profanen Idylle ein außergewöhnlich intensives Harmonieerlebnis hervor, das wiederum mit der Vorstellung vom christlichen Paradies übereinstimmte.

13. Peter Paul Rubens: Die Hl. Familie mit dem Johannesknaben. vor 1617/1618. (London, British Museum)

Rubens ging den seit der Gotik und besonders in der Renaissance beschrittenen Weg der Intimisierung zu Ende. Um den menschlichen Aspekt in der Gemeinschaft der Hl. Familie zu betonen, hatte schon Bartholomäus Spranger (1546 Antwerpen – 1611 Prag)[69] auf die Nimben der heiligen Personen – nicht aber auf das Fruchtsymbol – verzichtet (*Strauss* 1977. I. Nr. 281. II. S. 494) und auf diese Weise die sakrale und die profane Interpretationsebene näher zusammenrücken lassen. Gleichzeitig bestand er aber durch die Monumentalisierung der Personen im Bild auf einer prinzipiellen Unterscheidung der Betrachter- und der Bildebene[70].

Die schon bei Spranger sichtbare zärtliche Zuneigung der Mutter zum Kind – bei ihm allerdings zu einer Schablone geworden – wird bei Rubens in der Intensität des menschlichen Ausdrucks gesteigert, indem er die Größe der Personen im Bild reduzierte und so – im Gegensatz zu Spranger – die Möglichkeit für eine Einbindung der Figuren in eine spezifisch menschliche Umgebung, die die Situation der heiligen Personen in ihrer irdischen Bedingtheit näher bezeichnete, schuf. Neben der typischen Umgebung einer Ruhe-auf-der-Flucht-Szene interessieren uns jene Bildmotive, in denen ein besonders innig-familiäres Verhältnis zu Ausdruck kommt.

13 Eine Rubenszeichnung, die vor 1617/18 entstand (*Burchard/d'Hulst* 1958. I. Abb. 113), zeigt die Hl. Familie mit dem Johannesknaben und dem Lamm. Die symbolischen Hinweise auf die Passion des sich eng an Maria schmiegenden Jesuskindes werden durch ein am Boden liegendes Siegeskreuz mit Schriftband (mit der Aufschrift „*agnus [dei]*") ergänzt. In der Komposition folgen die Figu-

14. Peter Paul Rubens: Die Hl. Familie. 1620. Stechervorlage (Paris, Musée du Louvre)

ren einer steil aufsteigenden Linie, die direkt zum Gesicht der im Profil gezeigten Maria führt. Die Gestalt Josephs mildert die Dynamik der extremen Bewegung und weist – als Kontrapunkt – auf den Anfang der Linie, das Lamm.

Die Personen befinden sich im Freien, offenbar vor einem einfachen Haus, das durch eine Balkenkonstruktion angedeutet ist. Vor der Steinbank, auf der Maria sitzt, liegt eine zerbrochene Säule – ein gängiger Topos, der auf die untergegangene, heidnische Antike verweist und die Geburt Christi im Sinne der Heilsgeschichte als neuen Anfang unter christlichem Vorzeichen interpretiert. Dem neuen, christlichen Leben in der Person des Kindes liegt die alte, heidnische Welt zerbrochen zu Füßen[71]. Hinter der zerbrochenen Säule wächst eine Lilie, Zeichen der Keuschheit und Jungfräulichkeit Mariens und Verweis auf das Mysterium der Inkarnation. Der Johannesknabe und das Lamm sind die zutraulichen Betrachter der mütterlichen Zärtlichkeit.

Die familiäre Idylle ist in dieser Rubenszeichnung eingebunden in ein reiches Netzwerk von Symbolen, die im Kind als dem künftigen Erlöser kulminieren. So umfaßt das Blatt in der Mutter mit ihrem Kind die irdische Dimension mit all ihren emotionalen Implikationen, gleichzeitig verweist das Bild auf die Inkarnation und das Ziel dieses göttlichen Gnadenaktes: die Erlösung der Menschheit durch Christi Passion und Auferstehung.

Auf dieser Zeichnung basierend entstand 1620 in der Werkstatt von Rubens ein Gemälde, das bemerkenswerte Abweichungen zur früheren Zeichnung aufweist. Die Personen befinden sich nun in einem geschlossenen Raum mit Kamin und Fenster. Die reichen symbolischen Verweise, die im Entwurf von 1617/18 dem Betrachter die gesamte heilsgeschichtliche Dimension des Bildes erschlossen, sind zugunsten einer häuslichen, d.h. auch menschlichen Idylle aufgegeben. Diese neue Nuancierung in der Auffassung der Hl. Familie war Rubens so wichtig, daß er 1621 auch bei der Ausfertigung eines Stiches durch Lucas Vorstermann (1595–1675), der seit 1618 in Rubens' Werkstatt tätig war (*Pohlen* 1985. S. 46–70, 260f. Nr. 39), zu dieser Komposition nicht mehr auf die symbolträchtige erste Fassung von 1617/18, sondern auf die Gemäldefassung von 1620 *14* zurückgriff. Zwar verzichtet die Stechervorlage, wie auch der Stich selbst auf die in den früheren Fassungen gebrauchten Chiffren der Häuslichkeit (Kamin und Fenster), gleichzeitig fallen aber auch alle symbolischen Bezüge (Lamm, Kreuz, zerbrochene Säule und Lilie) weg. Statt dessen erscheint nun zur Steigerung der familiären und besonders mütterlichen Note eine Wiege[72], auf die sich eine alte Frau – wohl die hl. Elisabeth – stützt[73]. Wie dieses Beispiel zeigt, konnte die Umgebung bei gleichbleibender Gesamtkomposition variieren und sich der Interpretationsschwerpunkt auf diese Weise verschieben.

Wir sehen in der Verarbeitung des Bildmotivs im Stich nun also eine Idylle, in der sich das Kind vertrauensvoll seiner Mutter zuwendet. Die Mutter-Kind-Gruppe wird durch die Figur des hl. Joseph vom Hintergrund abgegrenzt und erhält so eine besondere Geschlossenheit, in die auch der Johannesknabe miteinbezogen ist. Die hl. Elisabeth beobachtet die zärtliche Zuneigung der Hl. Familie. Der Gesamtcharakter des Bildes ist so privat und innig, daß man auf den ersten Blick kaum realisiert, daß es sich hier um die Hl. Familie handelt. Es fehlen die Nimben oder andere Attribute und Symbole, und einzig in der Kleidung des Johannesknaben folgt das Blatt dem Topos des Hl. Familie-Portraits mit dem Johannesknaben.

Durch den Wegfall der Symbole konzentriert sich das Blatt auf eine differenzierte emotionale Aussage, die von der zärtlichen Mutter-Kind-Beziehung über die abschirmende und schützende Figur des Vaters bis zur neugierigen Betrachtung der Idylle durch die anderen Familienangehörigen reicht.

Der idyllische Charakter des Bildes kommt dadurch zustande, daß alle Personen in einer auf sich selbst konzentrierten Zufriedenheit keinerlei Kontakt mit dem Betrachter aufnehmen; wir sehen eine *andere Welt* im Sinne eines *Gegenentwurfs* (*Warncke* 1977. S. 8), unabhängig von der unsrigen. Diese Distanz deutet eine *andere Lebenssphäre* der heiligen Personen an, die zwar *analog* zu der des Betrachters erscheint, mit ihr aber *nicht identisch ist*. Auf diese Weise wird die Abgeschlossenheit der Szene gewahrt und eine derbe Profanisierung vermieden[74].

In der folgenden Zeit favorisierte Rubens in seinen Hl. Familie-Bildern immer wieder eine Darstellungsweise, die die innige persönliche Beziehung, und ganz speziell der Mutter zu dem Kind, festhielt, sei es, indem Rubens das Kind an die entblößte Brust der Mutter fassen läßt – ein Maria-lactans-Verweis –, sei es, daß es sich schlafend an sie schmiegt. Immer zugegen sind die Angehörigen (Joseph, Anna, Elisabeth), die Mutter und Kind wohlwollend mit zärtlichen Blicken betrachten und zum Bildhintergrund hin abschirmen[75].

Rubens folgte der katholischen Kunstauffassung mit ihrem gegenreformatorischen Decorum-Gebot, das eine „geschichtlich angemessene [...] Verbildlichung im Sinne der gegenreformatorischen Theologie" (*Warncke* 1987. S. 81)[76] forderte und schuf in diesem Sinne ‚katholische Kunst', wie auch der römische Auftrag an ihn, die Vorlagen zu den Illustrationen zum Missale Romanum (dem Meßbuch der katholischen Kirche) und dem Breviarum Romanum (den Stundengebeten des katholischen Klerus') zu schaffen, zeigt.

Dementsprechend atmen Rubens' Hl. Familie-Bilder nicht nur seine individuelle Vorstellung, sie sind auch ein Zeugnis für eine psychologisierende, verinnerlichte Heiligen- und Christusauffassung der katholischen Kirche im 17. Jahrhundert, die besonders die Ideale der mütterlichen Fürsorge Mariens für ihr Kind Jesus *und* die Gläubigen in einer Zeit der Bedrängnis und Verunsicherung hervorhob. Rubens zeigte die Hl. Familie in ihrer positiven Menschlichkeit ohne das gängige Heiligensignum, den Nimbus.

Zentrum ist die Madonnengruppe, in die der hl. Joseph durch seine Zuneigung – im wörtlichen wie im übertra-

genen Sinne – miteinbezogen wird. Er rückt näher an Maria und Jesus heran, gewinnt für sich die Rolle des fürsorgenden, schützenden Vaters, ohne jedoch die Betrachterpose aufzugeben, die er schon im Mittelalter in den Geburts- und Anbetungsszenen innehatte. Durch die neue Josephsrolle als väterlicher Beschützer verändert sich – und dies ist besonders bei Rubens zu beobachten – die scheue Distanz des ‚ungläubig' Gläubigen, der das Wunder schaut, zu einer direkten positiven Betroffenheit, die sich in einer bisweilen zärtlichen Gestik und Mimik und einem beschützenden Umfangen der Mutter-Kind-Gruppe ausdrückt.

Rubens stellte die Hl. Familie menschlich, aber nicht im alltäglichen Dasein, d. h. mit alltäglichen Verrichtungen beschäftigt, dar, wie z. B. Rembrandt, der die heiligen Personen durch das Interieur in den Bildern stärker in die Alltagswelt einband und damit in der Tradition der frühen flämischen, durch franziskanisches Gedankengut beeinflußten Malerei stand[77]. „Das religiöse, biblische Vorbild wird im menschlichen, persönlichen Bereich gedeutet." (*Hubala* 1984. S. 179). Diese Einbindung in die Alltagswelt wird aber relativiert, z. B. durch den aufgemalten Vorhang und Rahmen bei Rembrandts Kasseler ‚Hl. Familie' von 1646 *VII* (*Bauch* 1966. Nr. 77) oder durch Putten, so daß eine Distanzierung des Betrachters zum Bildgegenstand stattfindet, die explizit vom Künstler intendiert war. Besonders der zur Seite geschobene Vorhang in dem Gemälde von 1646 ist als Zeichen der bewußten Präsentation und Distanzierung zu verstehen, die das Bild von einer Idylle einer Handwerkerfamilie unterscheidet.

Die für Rembrandts Hl. Familie-Bilder typische Einbindung der Alltagswelt, z. B. durch die Darstellung des hl. Joseph bei seinem Handwerk, unterscheidet sich von der Art des Rubens, der die Hl. Familie in ihrer innigen emotionalen Bindung zeigt. Hier wie dort befindet sich der hl. Joseph mehr oder minder am Rande neben der Madonna. Doch während er bei Rembrandt hauptsächlich als Zeichen für die alltägliche Situation der Hl. Familie zu dienen scheint, beziehen die ca. zwanzig Jahre älteren Rubensbilder den Nährvater Jesu enger in das emotionale Geschehen mit ein. Neben seiner besonderen Stellung als Hausvater, der z. B. fürsorglich seine Arme um die Mutter-Kind-Gruppe legt, ist er auch der Betrachter der innigen Mutter-Kind-Beziehung und führt durch seine Blickrichtung auf Maria als Zentrum des Bildes den außerbildlichen Betrachter in des Bildgeschehen ein. Er trägt nicht nur im profanen Bereich Sorge für Frau und Kind, sondern vollzieht durch die Betrachtung der Gottesmutter und des Jesuskindes im frommen Affekt den Glauben an die Inkarnation, deren Zeuge er ist. Damit hat der hl. Joseph eine besondere Stellung eingenommen, die sich sowohl von seiner Passivität und Naivität in den mittelalterlichen Geburts- und Anbetungsszenen unterscheidet, als auch im Kontrast zu seiner Abgrenzung durch Mauer oder Rasenbank in den marianischen *hortus-conclusus*-Darstellungen steht. Er befindet sich nicht mehr im Schatten – wie z. B. bei Tizian oder noch beim Goltziuskreis –, sondern wird mit den gleichen oder ähnlichen Helligkeitswerten bedacht wie die Madonna mit dem Kind.

2.4 Das Hl. Familie-Portrait als Kultbild

So wie die Trauer der Mutter um ihren toten Sohn seit dem Spätmittelalter und vermehrt in der Renaissance in der sogenannten Pietà ihren Ausdruck fand, zeigte sich entsprechend die Freude der Mutter am Kind in den Madonnen- und Hl. Familie-Darstellungen.

Beide, Freude und Leid, gehen von einer engen emotionalen Bindung aus, die auch bei einer Interpretation Mariens als *ecclesia* nicht an Ausdruck und Eindringlichkeit verlor. Die besondere Freudens- und Leidensfähigkeit[78] der Hl. Familie führte zu einer Vermenschlichung, wobei sich aber die heiligen Personen durch ihre Fehl- und Sündlosigkeit von den Gläubigen unterschieden. Entsprechend der in den Hl. Familie-Bildern dargestellten innigen Beziehung zwischen Mutter und Kind wuchs auch die emotionale Bindung der Gläubigen zu Jesus und Maria.

Schon unter dem Einfluß der *Devotio Moderna* lassen sich dementsprechend ‚vermenschlichte‘ Darstellungen finden, bei denen auf die Nimben als Zeichen der Heiligkeit verzichtet wurde, oder es finden sich Beispiele, in denen der Nimbus durch eine besondere Haartracht oder einen Hut ersetzt ist[79], so daß der Strahlenkranz um das Haupt Mariens mittelbar erkennbar bleibt und somit dem Topos des Nimbus Genüge getan wurde.

Durch diese ‚Vermenschlichung‘ war das Ideal der Nachfolge Christi – im 14. Jahrhundert durch die aus mystischen Kreisen stammende Schrift ‚*Imitatio Christi*‘ propagiert – für die Gläubigen leichter zu erfüllen, ohne gleich zum Martyrium aufzufordern. Die Gottes- und Menschenvorstellung bewegten sich aufeinander zu und führten – über die Vermittlung der Heiligen, deren Nachfolge Christi den Gläubigen beispielhaft vor Augen geführt wurde – zur Identifikationsmöglichkeit des Gläubigen mit Jesus und den Heiligen. Spätestens seitdem Ludolph v. Sachsen in seiner ‚Vita Christi‘ die Verfolgung, Not, Armut der Flucht und des Exils der Hl. Familie beschrieben hatte, konnten diese Umstände als frühe Passion und als deren Präfiguration angesehen werden, die – bei analogen Verhältnissen der Gläubigen – im Sinne der Nachfolge Christi von dem Einzelnen gemeistert werden sollte, ohne daß der frühchristlichen Vorstellung der Nachfolge im blutigen Martyrium entsprochen werden mußte. Fortan galt es, die widrigen Umstände des Lebens nach christlichen Normen zu meistern, d. h. sein Kreuz auf sich zu nehmen und das alltägliche Leben zu einem christlichen Alltagsleben umzugestalten, wie es von den Heiligen und speziell von der Hl. Familie vorgelebt worden war.

Symbolisiert wurde dieses Ideal in den auf die Innigkeit der menschlichen Beziehung abzielenden Hl. Familie-Portraits des 16. und 17. Jahrhunderts, die im Bereich der individuellen Andacht und im Kultbild[80] große Popularität erlangten.

Diese Jesus, Maria und Joseph meist halbfigurig zeigenden Darstellungen konnten durch weitere Personen der Hl. Sippe ergänzt werden und zeichnen sich durch das Fehlen einer szenisch-narrativen Einbindung aus. Mitunter waren die Grenzen zur Szene aber auch fließend, wenn z. B. ein Baum an die Paradieses-Allegorie erinnert oder aber die frontale Präsentationsweise des Kindes durch Maria Anklänge an die Verehrung der Hl. Drei-Könige zu Epiphanie erkennen läßt.

Prinzipiell standen die Hl. Familie-Portraits im Einklang mit der seit der Mystik sich verstärkenden Idee von der Mütterlichkeit Mariens, die dem Gläubigen Zuflucht in Not und Bedrängnis bot. Besonders im Kultbild und den Altarbildern verharrten sie aber – durch ihre Frontalität und die Absicht, einen repräsentativen Zug zu zeigen – in der Komposition und künstlerischen Gestaltung zuweilen in einer unangenehmen Statik und verloren so an Ausdruckskraft. Dieser Typ des Hl. Familie-Portraits vereinigte – im Unterschied zu den flämischen Beispielen – den Topos der emotionalen Aussage[81] mit einem stark repräsentativen Charakter in sich und wurde gerne als Altarbild gebraucht, um den Gläubigen Maria als die den Menschen mütterliches Verständnis und Mitgefühl entgegenbringende, höchste Heilige vor Augen zu führen. Schon Spranger hatte durch die Monumentalisierung der Figuren den Hl. Familie-Portraits einen erhabenen Charakter gegeben, der dem älteren italienischen z. B. von Cimabue und Giotto gebrauchten Bildtypus in der *Maestà* thronenden Madonna (*Schiller* 1966. IV,2. S. 188–191) entsprach, die von dem Hl. Familie-Portrait als Kultbild z. T. abgelöst wurde.

Ein von Raffael für Papst Julius II. ca. 1508/09 für die Kirche S. Maria del Popolo in Rom gearbeitetes Gemälde stellt ein nicht nur kunstgeschichtlich, sondern auch frömmigkeitsgeschichtlich interessantes Exemplar eines Hl. Familie-Portraits als Altarbild dar (*J. P. Getty Museum* 1975. S. 87. *Oppé* 1970. Abb. 212; Frontispiz des vorliegenden Bandes)[82]. Das heute verschollene Bild war einst so populär, daß ca. vierzig Kopien entstanden[83]. 1717 stiftete Girolamo Lottorio eine solche Kopie dem Marienwallfahrtsort Loreto, die aber in den Wirren der napoleonischen Kriege verlorenging (*Klesse* 1973. S. 118). Offenbar entsprach das Bild im 18. Jahrhundert so sehr den Vorstellungen eines Kultbildes für dieses beliebte marianische Heiligtum, daß der Bildtypus nach Raffaels Komposition fortan mit diesem zentralen Wallfahrtsort in Zusammenhang gebracht und ‚*Madonna di Loreto*‘ genannt wurde.

Auch künstlerisch weniger bedeutsame Werke des Hl. Familie-Portraits waren für die barocke Frömmigkeitskultur von Wichtigkeit. Diesseits der Alpen gilt dies z. B. für ein 1677 bei den Barmherzigen Brüdern in Wien gestiftetes Hl. Familie-Portrait. Das Bild, ca. 1666 auf Initiative des Stadtpfarrers von Bruck a. d. Leitha (Niederösterreich) entstanden, zeigt Maria, die das Kind stillt, rechts hinter ihr den hl. Joseph. Es befand sich ursprünglich in der Schloßkapelle zu Bruck a. d. Leitha und gelangte 1676 durch Erbfall in den Besitz des kaiserlichen Rates und Sekretärs der Kaiserin Eleonora, Karl Franz Tarrachia, der es der ein Jahr zuvor in der Wiener Leopoldstadt fertiggestellten Klosterkirche der Barmherzigen Brüder[84] stiftete. Schon vor dieser Stiftung stand das Bild in dem Ruf der Wundertätigkeit und ein Jahr nach seiner Überführung nach Wien soll es auch dort Wunder bewirkt haben (*Gugitz* 1955–1958. I. S. 49 f). Es wurde besonders in Pestzeiten – d. h. 1679 und 1713 – sowohl vom Volk als auch vom Adel verehrt. Sein Kult muß in Zusammenhang mit der habsburgischen Josephs- und Hl. Familie-Verehrung gesehen werden, die Kaiser Leopold I. zwei Jahre zuvor (1675) durch die Unterschutzstellung der Erb- und Kronlande unter das Patrozinium des hl. Joseph zu einem ersten Höhepunkt geführt hatte.

Auch dieses Hl. Familie-Portrait – am Hochaltar angebracht – wurde primär als Marien-Kultbild verstanden und trug den Namen ‚*Maria, Heil der Kranken*‘. Sechzehn Heilungen sind überliefert, von denen zwei durch sogenannte kleine Andachtsbilder, druckgraphische Kopien, mit denen man das Kultbild berührte und die man während der Pest als Amulett auf der Brust trug, bewirkt worden sein sollen[85].

Die Barmherzigen Brüder verbreiteten die Wallfahrt tatkräftig, indem sie zur Wallfahrt zum Wiener Gnadenbild wie auch zu seinen Kopien in ihren Filialklöstern in Feldsberg (Niederösterreich) (*Gugitz* 1955–1958. II. S. 26) und in Graz (Steiermark) (ebda. IV. S. 140) aufriefen. An beiden Orten entwickelten sich regionale Wallfahrten. Weitere Nachbildungen des Wiener Kultbildes befanden sich in Neuburg a. d. Donau (Schwaben), in Ungarn in Preßburg und Pest und im böhmischen Kukus (ebda. I. S. 49 f)[86].

Auch in anderen Orten wurden Hl. Familie-Portraits als Kultbilder verehrt; so z. B. in Wagenham bei Mattighofen (ebda. V. S. 138), in der Münchner Kapuzinergruft, wo auf einem wundertätigen Muttergottesbild die Madonna mit Elisabeth, dem Johannesknaben und dem hl. Joseph vereint ist (*Spamer* 1930. S. 212) oder im schwäbischen Limbach, einer ehemals habsburgischen Enklave in Bayern, wo sich ebenfalls eine Wallfahrt mit stark mariologischer Ausrichtung um ein Hl. Familie-Portrait entwickelte (*Steichele/ Schröder* 1864–1939. V. S. 366–370. *Schulz* 1980.). Initiatorin der Wallfahrt bei Limbach war die österreichische Erzherzogin Eleonore Maria (1653–1697), Tochter des Kaisers Ferdinand III. aus dritter Ehe (mit Eleonore Prinzessin v. Mantua), selbst mit dem polnischen König Michael verheiratet, der nach kinderloser Ehe 1673 starb. Auch ihre zweite Ehe mit dem Herzog Karl von Lothringen schien kinder-

los zu bleiben. Als das Ehepaar bei der Verlegung seiner Residenz von Innsbruck nach Günzburg in dem Pestjahr 1678/79 das Kloster Wettenhausen besuchte, riet ihnen der Subdekan des Klosters, ihr Anliegen im Gebet der Wettenhauser Muttergottes – einer Statue der Schmerzhaften Madonna – vorzutragen. Offenbar hatte die fromme Bitte Erfolg, und am 11. September 1679 gebar Eleonore ihren ersten Sohn Leopold, den späteren Vater Kaiser Franz I..

15. Johannes Brandenburg: Die Hl. Familie (Maria-Königin-Bild). Limbach 1680. (Burgau/Schwaben, Pfarrkirche)

Anlaß für die Limburger Stiftung war ein Gelöbnis, das Eleonore während ihrer Schwangerschaft tat. In dieser Zeit fuhr das Herzogspaar von Günzburg über Augsburg nach Innsbruck, als „*nach kaum angetrettener Räiß auf der Land-Straß in Mitte deren zweyen Städt Güntzburg und Burgau nächst dem Dorff Lempach, ihre so sehnlich gewunschene und von Gott durch Mariä Fürbitt erhaltene Leibs-Frucht des Erstemahl empfande.*“ (*Scheffer*, Andreas Franz Xaver: Ausführlicher Bericht der Berühmten … Wallfahrt Königin-Bild. Augsburg 1740. S. 6 f. zitiert nach *Schulz* 1980. S. 17). Eleonore versprach, an der Stelle dieser Begebenheit eine Feldkapelle zu errichten, und stiftete 1680 ein Gnadenbild, das zur Gruppe der Hl. Familie-Portraits gehört, gemalt von dem Schweizer Johannes Brandenburg

(1661–1720). Die zentrale Personengruppe des Bildes zeigt Maria mit dem Kind, die links von Joseph mit seinem Lilienattribut und rechts von der Basis einer Säule flankiert ist.

Das mäßige Bild wurde 1740 als Titelkupfer in Andreas Franz Xaver Scheffers Wallfahrtsbuch wiederverwendet (*Schulz* 1980. S. 16. Abb. 14), und man kann sich des Eindrucks nicht erwehren, daß der Stecher mit seinen gestalterischen Mitteln besser umzugehen wußte als der Maler des Kultbildes. Vielleicht kannte der Stecher auch die direkte Vorlage für die biedere Arbeit. *Schulz* vermutet, daß es sich um einen Stich nach Anton van Dyck (1599–1641)[87] gehandelt habe, dem der Maler den hl. Joseph hinzufügte.

Der Grund für diese Ergänzung ist nicht überliefert. Zwar gibt es im Kloster Wettenhausen ein Altarbild mit der Hl. Familie in Gestalt des Hl. Wandels von ca. 1670, doch fand die Anrufung Eleonores vor einem Marienbildnis statt. Der Einfluß des Wettenhauser Altarbildes mit der Hl. Familie muß also fraglich erscheinen, zumal das Limbacher Bild ausdrücklich als Maria-Hilf-Darstellung geplant war. Die Ursache für die Ergänzung des Bildes mit dem hl. Joseph ist wohl in der allgemeinen zeitgenössischen Stimmung einer wachsenden Josephsfrömmigkeit und der speziellen Vorliebe der Habsburger für den Nährvater Jesu zu suchen[88]. Kaiser Leopold I., Eleonores Stiefbruder, bat den hl. Joseph um einen Thronerben und gelobte, alle seine männlichen Erben nach dem Nährvater Jesu zu benennen[89] (s. S. 153). So mag die erfolgreiche Bitte ihres Stiefbruders, Kaiser Leopold I., um einen Thronerben direkter Anstoß für Eleonores Stiftung gewesen sein. Rechnet man die Bedeutung des oben erwähnten Kultbildes von 1677 bei den Barmherzigen Brüdern in der Wiener Leopoldstadt hinzu, so erscheint es nur konsequent, daß auch Eleonore den, den Habsburgern offenbar so wohlgesonnenen, 1675 zum Schutzheiligen Österreichs ausgerufenen hl. Joseph auf dem Limbacher Kultbild darstellen und so die Hl. Familie als Schutzpatrone ihrer eigenen Familie und Dynastie verehren ließ.

Eleonore ließ es aber mit dem Bau der Feldkapelle (1680) und der Stiftung des Bildes, das später ‚Maria-Königin-Bild‘ genannt wurde, nicht bewenden, sondern förderte den Kultort bis zu ihrem Tode 1697 mit Geschenken und einem Benefizium von viertausend Gulden. Die Kapelle wurde schon in den ersten Jahren ihres Bestehens mehrfach umgebaut und erweitert und wich 1691/92 einem Neubau, der dem großen Andrang der Gläubigen[90], die vor dem Kultbild beten wollten, gerecht werden sollte. Vorzugsweise schwangere und kinderlose Frauen setzten ihre Hoffnungen in die Kraft des Bildes, das Zeugnis einer vorherigen Gebetserhörung war. Im 18. Jahrhundert erlangte die Kirche einige Reliquien, die die Popularität der Wallfahrt zusätzlich erhöhten (*Schulz* 1980. 35 f).

Diese Popularität, die u. a. in der hervorragenden Stellung der Stifterin des Limbacher Kultbildes begründet liegt, spiegelt sich in den zahlreichen Wallfahrtsgängen aus der Umgebung wider, die sich jährlich zu bestimmten Festtagen wiederholten[91]. Doch trotz der regen Wallfahrtsaktivität nahm im Gegensatz zum Wiener Gnadenbild oder der Ikonographie der – weiter unten behandelten – Wertacher Wallfahrt Limbach kaum Einfluß auf das sakrale Bildprogramm der umliegenden Gemeinden.

Zwar gibt es im nahe gelegenen Scheppach einen Bezug zur Hl. Familie, der aber eher dem dortigen eigenständigen Hl. Familie-Kult als dem Limbacher Maria-Königin-Bild zuzuordnen ist. 1694 wurde in Scheppach eine Bruderschaft zu Ehren der Hl. Familie gegründet (*Steichele/Schröder* 1864–1939. V. S. 748)[92]. Die im selben Jahr durchgeführte Innenausstattung der Limbacher Kirche steht damit in keinerlei Beziehung. Vielmehr scheint für Scheppach und seinen Hl. Familie-Kult die Errichtung der ersten Seelenbruderschaft der Hl. Familie bei den Prager Kapuzinern von Bedeutung gewesen zu sein. Wahrscheinlich wurde diese Gründung zum Anlaß genommen, in Scheppach eine entsprechende Fraternität zu errichten[93]. Demgemäß gehört das 1770/71 fertiggestellte Fresko der Langhausdecke in Scheppach mit dem Marien- und Josephs-Tod und den Szenen aus der Kindheit Jesu nicht in den Einflußbereich der Limbacher Wallfahrt, sondern der Scheppacher JMJ-Bruderschaft. Auch das Gnadenbild in Limbach wurde kaum rezipiert. Es gibt nur eine einzige Kopie des Limbacher Bildes aus dem 18. Jahrhundert im Kloster Wettenhausen, das nicht nur der Ausgangspunkt der Begebenheit war, sondern auch das Gelände für die Limbacher Wallfahrtskirche bereit gestellt hatte.

Die Tatsache, daß es in den genannten Ausgangsorten der Wallfahrtsgänge keine direkten Zeugnisse z. B. in Gestalt von weiteren Kopien des Bildes gibt[94], erklärt sich durch das Fehlen eines Ordens zur Propagierung des Kultes – wie z. B. in Wien die Barmherzigen Brüder. Limbach war eine rein dynastisch getragene Wallfahrt und ohne Anbindung an einen katechetischen Orden, der das Kultbild überregional hätte bekanntmachen können.

Die Limbacher Wallfahrt ist ein Beispiel eines von den Habsburgern geförderten Kultes mit einem Hl. Familie-Portrait, das als Bildtyp im Barock sehr geläufig und populär war, wie – neben dem Wiener Exemplar – auch andere Beispiele in der sakralen Verwendung überzeugend zeigen[95]. Sowohl der Hl. Familie-Kult in Limbach wie auch der in Scheppach zeugen – trotz ihrer unterschiedlichen Genese und Ausprägung – von der gleichen frommen Tendenz einer verstärkten und durch die katholischen Mächte propagierten Hl. Familie- und Josephs-Verehrung zum Ende des 17. Jahrhunderts.

Die Wirksamkeit dieser Kultbilder und entsprechender Exemplare aus dem Bereich des kleinen Andachtsbildes für die volksfromme Kultur zeigt sich in einigen Votivbildern, die das Hl. Familie-Portrait adaptierten und von denen z. B. eines aus dem Jahre 1844 die Grundstruktur dieses Typs sehr deutlich wiedergibt (Abb. bei *Theopold* 1981. S. 2). Das aus Privatbesitz stammende Bild hat leider keine Angaben zur Lokalisierung, steht aber inhaltlich in Zusammenhang mit dem Gut-Tod-Patrozinium der Hl. Familie (s. S. 160)[96].

In Kranzegg läßt sich die Verquickung von Hl. Familie-Portrait und allgemeinem Hl. Familie-Kult deutlicher fassen. In dem Ort befand sich eine Marienkapelle, deren nördlicher, dem hl. Joseph geweihter Seitenaltar die Hl. Familie auf der Flucht darstellte. Außerdem zeigt ein Fresko an der Längsseite eines Bauernhauses in Kranzegg die Hl. Familie als Gruppenportrait. Auffällig ist besonders die Übereinstimmung der Familiennamen in den Signaturen des Altarblattes und des Bauernhausfreskos: Das Altarblatt ist mit ,Nikolaus Weiß Rettenberg' und das Fresko mit ,Franz Anton Weiß Rettenberg' bezeichnet. Eine verwandtschaftliche Beziehung zwischen den beiden Malern ist wahrscheinlich, und man kann annehmen, daß Fresko und Altarblatt demselben Gedankenkreis entstammen, zumal beide Zeugnisse auf das Jahr 1782 datiert sind (*KD Bayern. Schwaben*. VIII. S. 496–500).

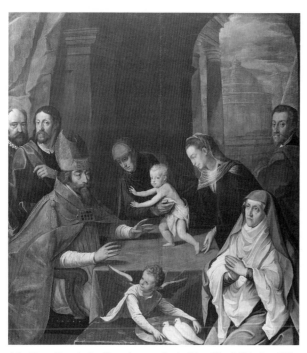

16. Engelhard de Pee (zugeschr.): Familienbild der Wittelsbacher als Darstellung im Tempel. um 1575/1585. (München, Alte Pinakothek)

Doch reichte die Bedeutung des Hl. Familie-Portraits schon frühzeitig weit über den rein sakralen und volksfrommen Bereich hinaus. Es wurde zum Topos, dessen hohe prägende Kraft und repräsentativer Gehalt Einfluß auf das profane Familienbildnis nahm. Ja, es wurde sogar als Mittel

der herrschaftlichen und dynastischen Repräsentation von den Wittelsbachern genutzt, die sich gerne als Akteure der Heilsgeschichte darstellten; so in einem Gemälde von ca. 1575/85, das die Darbringung im Tempel mit der kurfürstlichen Familie zeigt (*Kat. Wittelsbach und Bayern*. 1980. II,2 Kat.-Nr. 138. Tafel 3), und auf diese Weise, neben der besonderen Devotion der Wittelsbacher für die Hl. Familie, noch stärker das „konfessionspolitische [...] Selbstverständnis [...] des bayerischen Herrscherhauses während der Kindheit Maximilians [I.]“ (*Kat. Wittelsbach und Bayern* 1980. II,2. Kat.-Nr. 138. S. 96) demonstriert. Etwa hundert Jahre später malte ein anonymer Künstler die kurfürstliche Familie mit Anklängen an die biblische Ikonographie (*Kat. Kurfürst Max Emanuel* 1976. II. S. 17 f. Nr. 30), indem er neben dem Kurfürsten Ferdinand mit seiner Gemahlin Adelheid Henriette und ihren Kindern Maria Anna Christina, die ihren kleinen Bruder Joseph Clemens – den späteren Bischof von Freising, Regensburg, Lüttich und Hildesheim und Kurfürst von Köln – hält, den Kurprinzen Max Emanuel als Johannesknaben darstellte.

Auch von den Habsburgern, die schon frühzeitig die Verehrung ihrer heiligen Vorfahren förderten[97], kennen wir solche Darstellungen. Da sich das Selbstverständnis der Dynastie auf ihre Abstammung von Heiligen[98] gründete, mußte eine Adaptation religiöser Bildschemata für die Demonstration der eigenen Gottgefälligkeit keineswegs blasphemisch wirken. Schon im frühen 16. Jahrhundert ließ sich Margarete von Österreich – Tochter Kaiser Maximilians und Statthalterin der Niederlande – in einem Stundenbuch bei einer Darstellung der Heimsuchung in der Rolle der hl. Elisabeth abbilden. Auch von der Gemahlin des Kaisers Matthias, Erzherzogin Anna (1585–1618, Tochter des Erzherzogs Ferdinand II. von Tirol), sind Devotionsbilder erhalten, auf denen die Gestalten der Heilsgeschichte die Züge der Erzherzogin tragen (*Hawlik-van de Water* 1987. S. 66).

Dieses Verfahren war auch für andere Fürsten nicht ungewöhnlich. So demonstrierte der Mainzer Erzbischof und Erzkanzler des Reiches Kardinal Albrecht v. Brandenburg (1490–1545) mehrfach sein theologisches wie auch humanistisches Programm, indem er Künstler wie Matthias Grünewald, Lucas Cranach und Niklas Glockendon anwies, z. B. den hl. Erasmus mit seinen eigenen Portraitzügen zu malen (*Kat. Albrecht v. Brandenburg*. 1990. S. 83–98. Abb. 34–38, 42. S. 186 ff).

Bei der Adaptation der Hl. Familie-Gemälde für die Herrscherdarstellung scheint die formal additive Struktur des Hl. Familie-Portraits, die die Heiligen z. T. beliebig neben die Madonna setzte und darin an die *Sacra Conversatione* (s. S. 97) erinnert, den Austausch der Personen im Bild begünstigt zu haben. Die Hauptqualität der Hl. Familie-Portraits, der sakrale Gehalt, prädestinierte es zum Vorbild für ein Portrait einer durch Gottesgnadentum legitimierten Dynastie.

Doch nicht nur für die Selbstdarstellung der Herrscherhäuser bildete das Hl. Familie-Portrait die Vorlage. Auch das profane Familienbildnis adeliger und bürgerlicher Kreise profitierte von dieser Folie, nach der Familienportraits gestaltet wurden (*Malecki* 1950. S. 35 ff. *Lorenz* 1985. S. 58 f) und die auf die göttliche Weihe der Familie im Sakrament der Ehe verwies. Der kurfürstlich kölnische Hofmaler Johann Jacob Schmitz (1724–1801) portraitierte z. B. seine Ehefrau mit einem Gemälde und mehreren Graphiken mit christlichem Sujet in der Hand, um so einerseits auf seinen eigenen Berufstand hinzuweisen, andererseits das christliche Selbstverständnis seiner Ehe darzustellen. Bezeichnenderweise ist neben einem Gemälde von Adam Elsheimer (Tobias mit dem Engel) eindeutig eine ‚Ruhe auf der Flucht‘ zu erkennen, in der die Hl. Familie als Familien-Portrait präsentiert wird (Köln, Wallraf-Richartz-Museum: Inv.-Nr. 1096) (*Erichsen-Firle/Vey* 1973. S. 72 f. Abb. 92).

In diesem Sinne ist die Hl. Familie im Hl. Familie-Portrait als Prototyp für die Familie im profanen Familienbildnis des 18. und 19. Jahrhunderts zu verstehen. In der Befolgung bestimmter Kompositionsmuster kommt so das christliche Selbstverständnis der Eheleute zum Ausdruck, ohne jedoch dezidiert auf bestimmte Einzelheiten einzugehen oder gar eine Art ‚christlicher Sittenlehre für die Familie‘ im Bild zu entwickeln.

Trotz aller Unterschiede der Einzelgestaltung in Malerei und Druckgraphik ist das Hl. Familie-Portrait wohl eines der am weitesten verbreiteten Hl. Familie-Darstellungen der Neuzeit. Dennoch kann man nicht von einem typischen ‚Hl. Familie‘-Bild, das dem Kult der Hl. Familie als Ganzes diente, sprechen, da – wie wir sahen – die mariologische Aussage dominant war und der hinzutretende hl. Joseph diese Grundtendenz in der Verehrung und Frömmigkeitspraxis nur unerheblich beeinflußte.

4 Die Beliebigkeit, mit der in diesem Bildtypus der hl. Joseph weggelassen oder hinzugefügt wurde, zeigt vielmehr, wie wenig das Hl. Familie-Portrait als typisches Kultbild der Hl. Familie angesehen werden kann. So hing die Entscheidung, ob der hl. Joseph der Madonnengruppe zugeordnet wurde oder nicht, im 17. und 18. Jahrhundert hauptsächlich von der Intention des Auftraggebers oder des Künstlers ab, der – eher einer individuellen frommen Neigung folgend – der populär gewordenen Josephsverehrung entsprechen und den Nährvater mit in das Bildprogramm übernehmen konnte oder aber die mariologische Komponente des Bildes durch eine eindeutige Konzentration auf die Mariengruppe betonte. In einem Stich von dem kaiserlicher Kammermaler in Wien, Nikolaus van Hoy (1631–1679) (*Olsen* 1962. Abb. 122a. *Thieme/ Becker*. XVII. S. 590), nimmt z. B. der hl. Hieronymus mit seinen Attributen die Position Josephs innerhalb eines – somit variierten – Hl. Familie-Portraits ein, so daß wir schließen können, daß in den Hl. Familie-Portraits des 16.

und 17. Jahrhunderts eine heilige, d. h. zugleich spirituelle Gemeinschaft – eine *Sacra Conversatione* –, und nicht eine soziale Gruppe dargestellt wurde, in der die Position des Nährvaters Joseph nicht obligatorisch von ihm besetzt werden mußte[99]. Offenbar verbanden sich im Hl. Familie-Portrait zwei Bildtypen: der der abstrakten *Sacra Conversatione* (mit der für sie charakteristischen Beliebigkeit in der Kombination der Heiligen mit der Madonna) und der Typus des von der biblischen Historie herkommenden Hl. Familie-Portraits, das sich von der Szene der Ruhe auf der Flucht distanziert und emanzipiert hatte.

In diesem Sinne ist das Hl. Familie-Portrait eine *additive Konstruktion*, in der die Stelle des hl. Joseph nicht zwingendermaßen besetzt werden mußte, zumal durch ihn die allemal dominante mariologische und eschatologische Aussage des Bildes und dessen Funktion in der Marienverehrung kaum tangiert wurde: es blieb – so oder so – ein *Marienkultbild*.

3 Die Alltagsszenen der Hl. Familie

Stärker als die Fluchtszenen, die allerdings im Bereich der Legenden und des Liedgutes weiter tradiert wurden, waren in der Neuzeit jene Vorstellungen für den Kult der Hl. Familie bestimmend, die zwar als Ausgangspunkt auch die Situationen der Apokryphen nehmen, sich aber insgesamt von diesen erzählenden Vorlagen lösen – wie es z. B. auch in den Hl. Familie-Portraits geschieht –, eigene Inhalte ausbilden und z. T. genrehaften Charakter zeigen. Hierzu gehören vor allem die Alltagsszenen, im weiteren Sinne auch der sogenannte Hl. Wandel.

Die Alltagsszenen der Hl. Familie entstanden in Anknüpfung an die apokryphen Berichte, die freilich ihrerseits den ‚normalen‘ Bereich des Alltagslebens der Hl. Familie nur streiften[1], während die Wunderberichte aus der Kindheit Jesu in diesen Erzählungen eine in Einzelheiten gehende Beschreibung erfuhren. Die Vorliebe für das Wunderbare, Mirakulöse blieb das ganze Mittelalter hindurch erhalten. Doch mit der *Devotio Moderna* trat eine Wende ein, die eine Konzentration auf das betont normale, eben nicht-spektakuläre Leben der Hl. Familie und eine weniger mirakulöse Auffassung von der Kindheit Jesu zur Folge hatte. Die Kindheit wird dementsprechend auch als das ‚verborgene Leben Jesu‘ – im Sinne von zurückgezogen, privat, unspektakulär und ohne öffentliches Aufsehen – bezeichnet.

Hiermit korrespondierte auch die spätere Verehrung des Loreto-Heiligtums, des Hl. Hauses von Nazareth, das ikonographisch Berührungspunkte mit den Alltagsszenen der Hl. Familie aufweist (s. S. 124 f.). Die – erdachte – Normalität im Alltagsleben der Hl. Familie wurde in der Neuzeit zum Vorbild und Beispiel für das christliche Alltags- und Familienleben[2]. Offensichtlich war eine Wechselwirkung zwischen den biblischen und apokryphen Traditionen einerseits und der festen Vorstellung von der Familienstruktur andererseits vorhanden, die zu einer gegenseitigen Prägung führte. Die patriarchalische Familie fand ihre Legitimation in dem Vorbild der Hl. Familie, deren Erscheinungsweise durch die real existierende wie auch ideale Familienstruktur bedingt war.

Um den Alltag der Hl. Familie zu beschreiben, wurden bevorzugt Tisch- und Arbeitsszenen als Bildthemen gewählt, da sie die elementaren Alltagssituationen der Hl. Familie wie auch jeder anderen Familie wiedergaben[3]. Beide Bildmotive treten sowohl einzeln als auch zusammen auf oder wurden zyklisch verarbeitet, indem man z. B. der Tagesablauf der Hl. Familie dargestellte.

Der an der protestantischen Hauslehre orientierte 17- Holzschnitt-Zyklus *‚Die Vier Zeiten deß Tages‘*[4] (entstan- a–d den um 1670) des Augsburgers Abraham Bach[5] besteht aus vier Abbildungen, Holzschnitten, die vermutlich auf einem Bogen zusammen gedruckt wurden. Sie zeigen den Tag (d. h. den Morgen), den Mittag, den Abend und die Nacht im Leben der Hl. Familie. Diese Form der Darstellung des Tageszyklus war durchaus gebräuchlich, wie z. B. eine profane Kupferstichfolge von Jan Saenredam (ca. 1565– 1607) nach Hendrik Goltzius zeigt (*Bartsch* IV. S. 407–410. Nr. 91 (248) – 94 (248)).

Ein direktes Vorbild für Abraham Bach könnte ein 63- süddeutscher Gemäldezyklus des frühen 17. Jahrhunderts a–d gewesen sein (*Erichsen-Firle/Voy* 1973. S. 77), der Bachs Holzschnittreihe direkt vorwegnimmt, sich in Details allerdings von ihm unterscheidet. Konstitutiv für die Haushalt-Situation scheint im Gemäldezyklus der Kamin zu sein, der trotz manch unterschiedlicher Anordnung des Interieurs immer an derselben Stelle gezeigt wird. Ebenso sind die Haustiere – Hund, Katze und zwei Tauben – für die Charakterisierung der häuslichen Atmosphäre sehr wichtig, während in der Tischszene auf die Magd am Feuer verzichtet wurde. Zudem ist der hl. Joseph – im Unterschied zu Bachs Blättern – in drei Bildern mit einem Nimbus versehen.

Gravierende Unterschiede betreffen die Komposition des Nacht-Gemäldes, auf dem das Bett des Jesuskindes nicht wie bei Bach wie auf einer Bühne präsentiert wird und die Anordnung eher an ein Gemälde aus Wasserburg a. Inn 33 erinnert. Bedeutsamer sind die Unterschiede der Gemäldefassung zu Bachs Holzschnitten in der ersten Szene, die den Aufbruch Josephs zur Arbeit zeigt. Der Vergleich demonstriert, daß in der Rezeption die Eindeutigkeit des Gehalts verlorengehen konnte. So scheint der hl. Joseph sich in Bachs erstem Blatt ‚Der Tag‘ von Maria und Jesus zu verabschieden. Das süddeutsche Vorbild macht deutlich, daß ursprünglich der Vater zusammen mit dem Kind (er faßt es bei der Hand) die Mutter im Haus verläßt, um – einem gängigen Topos folgend – gemeinsam der Arbeit nachzugehen.

Kompensiert werden diese Mängel bei Bach durch den Text, der den Zyklus eindeutig der christlichen Hauslehre zuordnet. Im zweiten und dritten Blatt gibt Bachs Zyklus in den beiden Szenen ‚Tischgebet‘ und ‚Werkstatt‘ das familiäre Zusammenleben besonders ausgeprägt wieder. Hier wird am Beispiel der Hl. Familie das ganze Haus – allerdings in seiner Minimalbesetzung – mit seinen elementaren Strukturen und Funktionen gezeigt. Das erste und das letzte Blatt der *‚Tageszeiten‘* stellen die beiden mittleren, elementaren Bildmotive in den Rahmen der christlichen Hauslehre und thematisieren als deren Prämisse die göttliche Ordnung.

3.1 Die Hl. Familie beim Mahl

3.1.1 Vorreformatorische Zeugnisse

Das Motiv der Mahlzeit der Hl. Familie war schon im Mittelalter bekannt, beliebt und verbreitet. Erinnert sei – sehen wir von dem besonderen Motiv der stillenden Maria[6] ab –

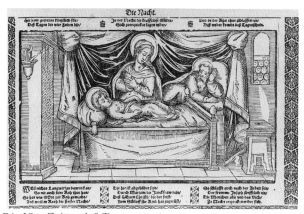

17. a–d Abraham Bach d. J.: *Die Vier Zeiten deß Tages.*
Augsburg um 1670. (Nürnberg, Germanisches Nationalmuseum)

18 an die Kindlbreiszenen, in denen Joseph paradoxerweise neben der Muttergottes im Wochenbett oder der *Maria lactans* in einer Pfanne oder einem Topf auf offenem Feuer einen Brei kocht[7]. Hier wurde dem hl. Joseph eine aktivere, wenn auch heilsgeschichtlich nicht relevante Rolle zugestanden[8] und auf diese Weise auf ihn als ‚Nährvater' hingewiesen. Später kehrte sich diese Aufgabenverteilung unter den Vorzeichen der christlichen Hauslehre um. Ein *33* süddeutsches Gemälde des 17. Jahrhunderts zeigt Joseph, der sich behütend über das schlafende Jesuskind beugt, derweil Maria als treusorgende Hausmutter in einem Topf über dem Feuer rührt. Der breikochende Joseph des Mittelalters wird zum Hüter über das schlafende Kind, die sonst behütende Muttergottes zur kochenden Hausfrau.

In einigen spätmittelalterlichen flämischen Bildzeugnissen geht es weniger um das gemeinsame Mahl an einem Tisch oder um die Vermittlung religiös und sozial relevanter Verhaltensnormen in der als soziales Gebilde das ‚ganze Haus' umfassenden ‚Haushaltung', wie in den z. T. stark an der christlichen Hauslehre orientierten Zeugnissen der Neuzeit. Primär strahlen diese Darstellungen eine Ruhe aus, die nicht nur mit dem Begriff ‚bürgerliche Idylle', sondern auch mit dem der Zufriedenheit und Eintracht gefaßt werden kann.

Diese Bilder machten auf eine der christlichen Haupttugenden aufmerksam: die Eintracht (*concordia*), die, verbunden mit der Tugend der Zufriedenheit[9], im christlichen Tugendkanon der Nächstenliebe (*caritas*) zugeordnet ist. Das in einer Miniatur des Stundenbuchs der Katharina v. Kleve (Utrecht, um 1435/1440) (*Plummer* 1966. Tafel 93. *VIII Gorissen* 1973. S. 552 ff) gezeigte Nebeneinander der Mutter mit ihrem Kind (Maria) und Josephs hat also nichts mit Gleichgültigkeit und gegenseitiger Ignoranz zu tun. Es zeigt die Eheleute – nicht primär die Eltern (nur Maria kümmert sich um das Kind) – einträchtig in ihrer gemeinsamen Wohnung, die wie ein Guckkasten in ihrer räumlichen Beschränkung klar definiert ist.

Ähnliches gilt für Jan Mostaerts (um 1475–1555) Gemälde ‚Hl. Familie beim Mahl' (*Kat. WRM.* Köln 1986. *19* S. 119), in dem zwar der Tisch als Ort der gemeinsamen Mahlzeit als Requisit an Bedeutung gewonnen hat, das Kind aber im Gegensatz zu den neuzeitlichen Tischszenen noch eindeutig der Mutter zugeordnet ist und keine Eigenständigkeit besitzt.

18. Geburt mit Kindlbreiszene. Ausschnitt aus dem Flügelaltar von Fröndenberg.

Mostaerts Tafelbild gehört zu den besonders um die Wende zum 16. Jahrhundert in der flämischen Kunst beliebten Darstellungen, die den Jesusknaben als Kleinkind zeigen und die Mahlzeit direkt in einen Wohnraum plazieren. Der Künstler bildet den das einträchtige Zusammenleben symbolisierenden Innenraum detailliert aus: man sieht eine Tür, ein Fenster, eine Bank mit Kissen und weitere Ausstattungsstücke. Sein Bild birgt weniger einen didaktischen als einen erbaulichen Gehalt in sich. Das Kleinkind sitzt auf dem Schoß der Mutter und wird von ihr gefüttert, während der Vater Brot schneidet. Die Personen sind nicht mit einem Nimbus bezeichnet. Zusätzlich zum Titel ‚Hl. Familie beim Mahl‘ grenzen die symbolischen Bezüge – wie z. B. der gestickte Hirsch auf dem Kissen (Ps. 42,2) – diese bürgerlich anmutende Szene aus dem profanen Bereich aus. Ähnlich wie bei Mostaert dient *IX* auch die ‚Maria mit der Breischüssel‘ (‚Suppenmadonna‘) von Gerard David (ca. 1460–1523)[10] (*Miegroet* 1989. Kat.-Nr. 33. S. 243) der Darstellung des Alltäglichen im Leben der Hl. Familie.

Die Verinnerlichung im Ausdruck beider Bilder, die neben den fehlenden Nimben u. a. auch durch die Blickrichtung der dargestellten Personen verdeutlicht wird[11], läßt sie in den Umkreis der *Devotio Moderna* rücken. Die Heiligkeit der Personen kennt keine sichtbaren Zeichen, sie ‚äußert‘ sich nicht adäquat in Herrlichkeit und Hoheit, durch Nimben oder Herrschaftszeichen, sondern ist verbor-

gen, das Göttliche versteckt im allgemein Menschlichen der Kindheit Jesu (das ‚verborgene Leben Jesu‘). Mostaert und David geben dementsprechend kein repräsentatives Bild der Hl. Familie, das ihre Göttlichkeit im Symbol widerspiegelt. Sie stellen vielmehr die dem christlichen Tugendkanon entsprechende, menschliche Normalität dar, in der die Göttlichkeit verborgen, immanent vorhanden ist. Der Schwerpunkt der Darstellung liegt nicht auf der *Gottessohnschaft* Jesu, sondern vielmehr auf der *Menschwerdung* Gottes in Jesus.

19. Jan Mostaert: Die Hl. Familie beim Mahl. 1. Hälfte 16. Jhdt. (Köln, Wallraf-Richartz-Museum)

Entsprechend diesem hohen theologischen Gehalt fehlt beiden Bildern eine platte didaktische Tendenz, die zu bestimmten Verhaltensweisen im Alltag anhalten will, wie sie in der etwa gleichzeitig entstehenden Gattung der didaktischen Alltagsbilder, die sich zusammen mit der christlichen Ökonomie ausbildete, populär wurde (*Raupp* 1991.). Diese flämischen Beispiele zeigen vielmehr scheinbar beliebig austauschbare Szenen des familiären Alltagslebens, das im gemeinsamen Mahl kulminiert. Sie zielen auf die Verinnerlichung des religiösen Erlebnisses, auf die menschliche Seele als dem Ort der mystischen Gotteserfahrung und Gottesschau.

So bedeutsam diese vorreformatorischen Darstellungen auch für die Etablierung eines neuen Hl. Familie-Bildes waren, dennoch überzeugen sie als Vorläufer der neuzeitlichen Tischszenen der Hl. Familie aufgrund ihrer speziellen Konfiguration nicht. Zwar weisen sie dem Thema der Mahlzeit der Hl. Familie einen neuen Stellenwert zu, der einen weiteren Deutungsrahmen hat als z. B. der Typus der *Maria lactans*, doch scheint der in den neuzeitlichen Beispielen so gewichtige Gemeinschaftsaspekt des Mahls in den vorzugsweise flämischen vorreformatorischen Bildern von geringerer Bedeutung zu sein.

20. Lienhart Ysenhut: Die Hl. Familie bei Tisch. aus: *Itinerarius sive peregrinarius Beatissime Virginis Marie*. Basel um 1489. (Bremen, Kunsthalle)

Einem völlig anderen Kompositionsschema als bei Mostaert und David folgte eine Illustration aus der um 1489 in Basel bei dem Drucker Lienhart Ysenhut erschienenen Inkunabel ‚*Itinerarium beatae Mariae Virginis*‘[12]. Diese Tischszene der Hl. Familie hat eine ausgeprägte eucharistische Orientierung und ist nach *Gebhard* durch die ‚*Vita Christi*‘ von dem Kartäuser Ludolph v. Sachsen beeinflußt

(Gebhard 1956. Anm. 1a), der besonders die Dürftigkeit und Armut im Leben der Hl. Familie hervorhebt (s. S. 32).

Das Baseler Blatt zeigt von links nach rechts Maria, Jesus und Joseph an einem gedeckten, quadratischen Tisch sitzen. Die in der Bildkomposition zentrale Figur des Jesusknaben trägt den Kreuzesnimbus (Passion), greift mit der Hand nach einem Stück Brot und wendet sich mit einem Segensgestus seiner Mutter zu, die mit gefalteten Händen ihn anschaut. Joseph betrachtet beide, während er mit der Linken ebenfalls ein Stück Brot berührt und mit der Rechten zum Herzen weist[13]. So stellt das Bild Bezüge zum Meßopfer als das ‚Mahl des Herrn‘ her und deutet generell die gemeinsame Mahlzeit als Erinnerungswerk an das Letzte Abendmahl, in dem Jesus seine Jünger aufforderte: „*Tut dies zu meinem Gedächtnis.*" (Lc. 22,19).

21. Lehrbuchmeister: *Gratias*. Initialminiatur zu den Tischgebeten aus dem ‚Tafel‘-Lehrbuch für Maximilian I. Wien Ende 15. Jhdt. (Wien, Österreichische Nationalbibliothek)

Verfolgt man die Linie möglicher Vorläufer dieser Tischszene mit der Hl. Familie nicht unter dem Aspekt der personellen Besetzung, sondern der Komposition, zeigt sich, daß hier die ‚klassische‘ Konfiguration der Tischszene, wie sie sowohl in biblischen wie auch profanen Darstellungen wiederzufinden ist, benutzt wurde. So zeigt z. B. das ‚Tafel‘-Lehrbuch des späteren Kaisers Maximilian I. diesen bei Tisch flankiert von zwei Personen[14].

Beachtung verdienen auch jene Bilder, die die Bewirtung Gottes in Gestalt dreier Männer durch Abraham zeigen (Gen. 18,1–8) und häufig auf Ikonen vorkommen[15]. Unser Interesse richtet sich um so mehr auf diesen Bildtyp, da er in seiner Verschränkung der Themen ‚Tischszene‘ und

,Trinität' eine verblüffende Korrespondenz mit einem Hinterglasbild von 1830/40 aufweist, das eine Tischszene der Hl. Familie mit dem Trinitätsgedanken verbindet. Mag auch eine direkte Entwicklungslinie vom alttestamentlichen zum neutestamentlichen Bildthema nicht wahrscheinlich sein, so kann doch festgestellt werden, daß eine Verschränkung beider Themen im Bild der Hl. Familie keineswegs eine singuläre Erscheinung war, die allein auf den – wenn auch unbestreitbar – dominanten Einfluß der Vorstellung der doppelten Trinität im Hl. Wandel zurückzuführen ist. Die formale Grundstruktur – drei Personen an einem Tisch beim Mahl – konnte auch direkt auf den Trinitätsgedanken weisen.

Neben diesem alttestamentlichen Konnex von Trinität und Tischszene war besonders die offensichtliche eucharistische Orientierung der neutestamentlichen Emmausszene[16], in der der auferstandene Christus seinen Jüngern erscheint, mit ihnen zu Tisch sitzt und postfigurierend zum Abendmahl das Brot bricht (Lc. 24,30), für die Tradition der Tischszenen mit der Hl. Familie von Bedeutung. Ihr Einfluß ist besonders bei dem Baseler Holzschnitt von 1489 unverkennbar.

Diese Inkunabelillustration wählte als Personengruppe, in der Jesus das Brot bricht, die Hl. Familie, die in der Überschrift des Blattes genau benannt und in ihrem Verhältnis zueinander bestimmt wird („*Cum Maria et Joseph pueri Jesus convictus atque conversatio*"). Der Begriff *familia* fehlt. Statt dessen werden die Namen der drei Personen durch die Worte ,convictus' und ,conversatio' verbunden und die Gruppe als Lebens- und Tischgemeinschaft charakterisiert.

Die Kombination der gemeinsamen Mahlzeit als elementarer Situation des Zusammenlebens (*convivium*) und der leiblichen wie auch spirituellen Gemeinschaft (*conversatio*) wird im Baseler Holzschnitt mit der Idee der Eucharistie verknüpft, damit aus der alltäglich anmutenden Situation des familiären Zusammenlebens gehoben und in die Sphäre der ,heiligen Versammlung', der alle Gläubigen in der Messe angehören, transponiert. Die Aussage dieses Blattes reicht über andere, alltägliche Hl. Familie-Darstellungen wie auch über zeitgleiche profane Darstellungen mit didaktischer Absicht hinaus, da in ihr die Hl. Familie, die *trinitas terrestris*, die Eucharistie vollzieht.

3.1.2 Neuzeitliche Zeugnisse

Die von den vorreformatorischen Bildbeispielen vermittelten Inhalte wurden – wenn auch nicht immer mit der gleichen Prägnanz – auch in der Neuzeit rezipiert. Zusätzlich brachte man in die Alltagsszenen der Hl. Familie die christliche Hauslehre mit eindeutig didaktischer Zielsetzung ein. *Raupp* bezeichnet profane Darstellungen gleichen Typs „als komplexes Bildzeichen mit didaktischer und mnemonischer Funktion, als Lehr- und Merkbild", mit dem „idealtypische Vorstellungen, wie die Verhältnisse einer Familie beschaf-

fen sein sollen, welche Formen des Zusammenlebens in den Innen- und Außenbeziehungen der Familie anzustreben sind" dokumentiert wird (*Raupp* 1991. S. 246 f).

Abraham Bach hat konsequent in Wort und Bild seiner ,Tageszeiten' die Hauslehre in das Alltagsleben der Hl. Familie eingearbeitet und damit Zeugnis für eine bedeutende Erweiterung der Bildtradition im Rahmen des Hl. Familie-Kultes gegeben.

Das zweite Blatt ,Der Mittag' aus Bachs Zyklus thematisiert die Mahlzeit als eine zentrale, gemeinschaftliche Handlung im Familienleben und „regelmäßig praktizierte Form ritualisierter Gemeinschaft" (*Raupp* 1991. S. 254), durch die es z. T. sogar konstituiert wird, und besitzt eine prägnante und konkret auf das Alltagsleben der Gläubigen anwendbare Aussage. Aus diesem Grund fand die Tischszene mit der Hl. Familie weite Verbreitung in der Fresken- und Tafelmalerei und Druckgraphik (*Gebhard* 1956. *Bringéus* 1982. *Raupp* 1991.).

Im Innern des auf dem ersten Bach'schen Blatt ,Der Morgen'[17] angedeuteten Hauses finden wir die Hl. Familie in einem Raum um einen runden, gedeckten Tisch versammelt. In der Mitte, als Zentrum der gesamten Komposition, ist Maria mit schräg gestelltem Kopf und gefalteten Händen in einer Haltung dargestellt, die als Vorbild ein Marien-Kultbild vermuten läßt[18]. Links von ihr sitzt auf einem Schemel Joseph und hat ebenfalls die Hände zum Gebet gefaltet, das der rechts stehende Jesusknabe – auch mit gefalteten Händen – spricht. Die Szene zeigt also das Tischgebet der Hl. Familie. Maria und Jesus sind durch verschieden gestaltete Nimben gekennzeichnet, Joseph trägt keinen Nimbus.

Der Raum, in dem das Mahl stattfindet, wird rechts durch eine Tür und ein Tellerbord, links durch einen großen Kamin, vor dem eine Magd[19] mit einer Schüssel in der Hand steht, begrenzt. Ihr zu Füßen picken zwei Tauben Körner auf. Sie können als Hinweis auf die Opfertauben bei der Darstellung Jesu im Tempel (Lc. 2,24) verstanden werden. Ganz ähnlich gestaltet der ältere süddeutsche Gemäldezyklus dieses Bildmotiv. Differenzen treten in der Behandlung des hl. Joseph auf, der auf dem Gemälde ebenfalls mit einem Nimbus bezeichnet ist, während die Magd ganz fehlt. Der bei Bach begleitende Text lautet:

Wann nun der Morgen ist vergangen /
Und die Mittagszeit angefangen /
Von wegen auch der Arbeit schwer /
Der Magen jetzo worden leer /
So muß man den Leib wider laben /
Mit Speiß so gut man die kan haben.

Zu Mittag setzt sich zu dem Essen /
Der Joseph und thut nit vergessen /
Daß es sey alles GOttes Gaab /
Der ihnen beschert solches hab.

22. Hans Hoffmann: *Der deutsch Benedicite – das Deutsch Gratias*. Einblattdruck.
Nürnberg 1490. (Hannover, Kestner-Museum)

Deswegen sie nach guten Sitten /
  Umb seinen reichen Seegen bitten /
Und sagen GOtt auch Lob und danck /
  Für eingenom[m]ne Speiß und Tranck.

Desgleichen ein Hauß Vatter soll /
  Sein Gsind mit Speiß versehen wol /
Und danckbar GOtt dem HErren seyn /
  Für alle Wolthat ingemein.

Nachdem die ersten sechs Verse den Übergang vom ersten zum zweiten Bild mit einer Begründung für die Mahlzeit bilden, führen die nächsten Zeilen das Exempel ‚Die Hl. Familie unter der Führung Josephs‘ vor, um es dann in der letzten Strophe zur allgemeinen Anwendung zu empfehlen. Die Person Josephs ist zentral: er ist *pater familias* und Vorbild aller Hausväter. Er erinnert an den Dank für die Gabe (Str. 2) und ist als Haushaltsvorstand für die Versorgung der ihm Anvertrauten verantwortlich (Str. 4,1 f).

In welcher Weise das Mahl und besonders die Danksagung an Gott geschieht, spezifiziert die Illustration in der oben schon beschriebenen Weise. Das Kind verrichtet vor dem Essen stehend das Tischgebet, dem die Erwachsenen still folgen. Als zentrales Zeichen für die gesamte Kindererziehung wurde das Gebet schon im späten 15. Jahrhundert verwendet (*Raupp* 1991. S. 255 ff). Der Jesusknabe wird bei

Bach also als Exempel für das gute Kind vorgeführt, das entsprechend seiner Stellung in der Familiengemeinschaft noch keinen Sitzplatz am Tisch der Erwachsenen hat, sondern stehend das Gebet verrichtet.

Genauere Auskunft über das erwünschte Verhalten des Kindes bei Tisch und seine Aufgaben gibt uns ein anderer Holzschnitt von Abraham Bach, der den Titel ‚*Ein schöne Tischzucht*‘ trägt. Sowohl das im Text beschriebene Geschirr wie auch die Kleidung der Personen und das reichhaltige Interieur weisen auf höhere Gesellschaftsschichten als Adressaten des Blattes hin. Es ist eine Tischszene mit zehn Personen verschiedensten Alters abgebildet[20], und auch hier begegnet uns eine Magd mit einer Schüssel in der Hand. Sie scheint ein Topos für entsprechende Tischszenen des 17. Jahrhunderts zu sein und soll wohl das „*Gsind*" (Der Mittag. Str. 4,2) darstellen. Die Eltern sind auf beiden Holzschnitten ähnlich plaziert. Wie der begleitende Text ausführt, kommt dem Knaben – quasi als Page – in diesem profanen Blatt die Aufgabe des Tischdeckens, des Tischgebets und der Bedienung zu[21].

Ziel war eine besonders von den Reformatoren propagierte ‚christliche Tischzucht‘, die bestimmten Benimmregeln gerecht werden sollte und als deren zentrales Symbol das Tischgebet galt. „Das Tischgebet war im wohldiszipinierten Benehmen bei Tisch, das in den Familien herrschte, einbegriffen; [. . .]." (*Bringéus* 1982. S. 70). Die Tischgebete, das ‚*Benedicite*‘ und das ‚*Gratias*‘, waren als solche allgemein üblich und wurden im Katechismusunterricht, in der Christenlehre, eingeübt[22].

63-
a–d
17b
Als zentrales Zeichen des idealen kindlichen Verhaltens im rituellen Gemeinschaftsleben der christlichen Familie ist der Jesusknabe sowohl im süddeutschen Gemäldezyklus als auch in der Tageszeiten-Reihe von Bach betend dargestellt. Diese Betonung des Gebets, das – wie wir sahen – generell als Symbol für die rechte Tischzucht des Kindes zu verstehen ist, schloß aber die Vorstellung vom Tisch-dek-kenden Jesusknaben nicht aus, wie eine Strophe aus einem jesuitischen Exempellied beweist:

JEsus zu jederzeit /
Thät andere Hauß-Arbeit /
Thät sich nicht schämen /
Er deckt und bett beym Tisch.
(*Moser* 1981. S. 168. Str. 7)

So ist der Gebetsgestus im Blatt ‚Der Mittag‘ auch für den Jesusknaben als Zeichen für alle anderen Kindes-Aufgaben bei Tisch zu verstehen. Es sollte also auch für das Tischdek-ken und die Bedienung der Erwachsenen zuständig sein, und in diesem umfassenden Sinne stellt er ein Vorbild für die Kinder dar. Das Tischdecken und Bedienen betont zudem die Gedanken des Gehorsams und des Dienstes des Kindes gegenüber seinen Eltern, zwei Ideen, die besonders im folgenden Holzschnitt ‚Der Abendt‘ behandelt werden.

Die weite Verbreitung dieser oder ähnlicher Tisch-szenen in der religiösen Druckgraphik[23] zeugt von der besonderen Bedeutung und dem hohen Ansehen der Mahl-zeit als dem im umfassenden Sinne wichtigsten täglichen Ereignis in der Gemeinschaft. Dementsprechend bezeichnet *Bringéus* das Tischgebet als „Integrationsritus“ (*Bringéus* 1982. S. 70) innerhalb der Familie.

Mit Abraham Bachs Blatt ‚Der Mittag‘ brach diese Bildtradition, die das Thema ‚Die Hl. Familie beim Mahl‘ verarbeitete, keineswegs ab. Ein oberbayerisches Gemälde des 18. Jahrhunderts (*Bringéus* 1982. S. 59. Abb. 1) kopiert Bachs Druck in der Personenkonstellation, jedoch sind Kamin und Tür vertauscht, das Tellerbord ist durch ein Regal mit den Gesetzestafeln – als Pendant zum Herrgotts-winkel – ersetzt, auf die dienende Magd am Feuer wurde ganz verzichtet[24].

Ein anderes Ölbild aus der 1. Hälfte des 18. Jahrhun-derts (*Gebhard* 1956. Abb. 9) stattet – entgegen der Karg-heit des Raumes in Bachs Druck – das Zimmer üppig aus. Der Muttergottes ist das Küchengerät zugeordnet, während an der Wand hinter dem hl. Joseph sein Werkzeug zu sehen ist und auf diese Weise beide Personen in ihrer spezifi-schen Funktion im Haushalt charakterisiert sind (*Raupp* 1991. S. 248. Abb. 3). Zudem korrespondiert die Anord-nung der Personen am Tisch[25] mit dem eucharistisch ori-
20 entierten Baseler Blatt von 1489; allerdings verrichtet auch hier der Jesusknabe stehend das Gebet.

23. Abraham Bach d. J.: *Ein schöne Tischzucht*. Augsburg vor 1680. (Bamberg, Staatsbibliothek)

Ein Kupferstich aus der 1. Hälfte des 18. Jahrhunderts, 64 der in München verbreitet wurde, zeigt in noch stärke-rem Maße die Hl. Familie in der Personenkonstellation des Baseler Holzschnittes um einen Tisch versammelt, der in einem reich ausgestatteten Raum steht. Dieser Raum, des-sen Gewölbe auf gewundenen Säulen ruht, scheint trotz der Kücheneinrichtung auf einen Kirchenraum zu verweisen[26]; möglicherweise eine Reminiszenz an den hinteren Raum der Loreto-Kapellen mit dem ‚*Santo Camino*‘ (s. S. 125), sicherlich aber ein zusätzliches Symbol für die Heiligkeit der Personen. Im Gegensatz zum Baseler Blatt von 1489 ist jedoch im Text die eucharistische Komponente zugun-sten des Tischgebetes zurückgedrängt und korrespondiert viel eher mit dem Bach'schen ‚Der Mittag‘ als mit dem Baseler Holzschnitt: „*hier bit der götlich sohn umb brod, segnes uns in aller nott:*“[27].

Alle diese Beispiele aus dem 18. Jahrhundert zeigen, daß mit diesen Hl. Familie-Darstellungen nicht nur didak-tische Ziele verfolgt wurden, sondern auch der eucharisti-sche Gedanke bei den Tischszenen der Hl. Familie lebendig blieb.

So behält der Jesusknabe auch in dem Hinterglasbild 24 von ca. 1830/40 die zentrale Position in der Bildmitte. Jesus ist wie im Baseler Blatt seiner Mutter zugewandt, und auch die Gestik folgt dem vorreformatorischen Vorbild. Neben geringfügigen Unterschieden in der Gestaltung der Personen hebt sich das Hinterglasbild vor allem durch seine horizontale Aufteilung in zwei Ebenen, die eine irdische und eine himmlische Sphäre darstellen, von dem vorreformatorischen Holzschnitt aus Basel ab. Über der Hl. Familie und von ihr durch Wolken getrennt befindet sich die Hl. Dreifaltigkeit. Diese Kombination von Trinität und Hl. Familie erinnert nicht nur an das Gastmahl, das Abraham unter den Eichen von Mamre der Dreifaltigkeit in Gestalt dreier Männer bereitete (Gen. 18,1–8), sondern auch an eine ähnliche Konstellation in den Hl. Wandel-Darstellungen, und es ist zu vermuten, daß bei dieser Hinterglasmalerei der Einfluß der doppelten Trinität, wie sie Hieronymus Wierix gestaltet hat, sichtbar wird. So bezeichnet der Untertitel des Hinterglasbildes beide Ebenen bzw. Personengruppen (DREÜ EINICHKEIT. IESUS MARIA. U. IOSEPH), verzichtet aber auf den Begriff *Hl. Familie* oder gar *Hl. Wandel*.

24. Anonym: DREÜ EINICHKEIT. IESUS MARIA U. IOSEPH. Hinterglasbild. um 1830/1840.

Es scheint also, daß die Möglichkeit der Kombination von Trinität und Hl. Familie dem Maler des Hinterglasbildes oder seiner Vorlage durchaus geläufig war; allerdings

nicht in der Verquickung der himmlischen mit der irdischen Ebene, sondern nur in ihrer Addition. Die Idee der Durchdringung beider Ebenen in Jesus, die u. a. den Typus des Wierix-Stiches ausmacht, wird auf dem Hinterglasbild nicht nachvollzogen. Jesus erscheint hier zweimal: im irdischen Bereich als Knabe und im himmlischen als Christus mit dem Kreuz. Die Verbindungselemente beider Ebenen sind die übereinstimmende Zahl der Personen und die Idee des Opfertodes, der am Tisch nachvollzogen und im himmlischen Bereich durch Christus mit dem Kreuz symbolisiert wird.

Gerade in dem Bildmotiv der Tischszene wurde – neben der eucharistischen Idee – das familiäre Element im Zusammenleben der drei heiligen Personen für jeden verständlich dargestellt. Das Tischgebet leitete jede gemeinsame Mahlzeit in einem christlichen Haushalt ein. Sowohl für Protestanten wie auch für Katholiken war das Motiv akzeptabel, anschaulich und lehrreich, und so konnte es überkonfessionelle Bedeutung erlangen. *Bringéus* führt dementsprechend zahlreiche Beispiele aus dem skandinavischen Raum an und bezeichnet das variierte Bildmotiv der Tischszene im späten 19. Jahrhundert sogar als „evangliche[s] Andachtsbild" (*Bringéus* 1982. S. 63).

Ähnliches gilt auch für das stark verbreitete Werkstattbild, mit dem Bach das Blatt in seinem Zyklus ‚Der Abendt' illustrierte.

3.2   Die Hl. Familie bei der Arbeit

3.2.1   Josephs Werkstatt

Das Bildmotiv ‚Die Hl. Familie bei der Arbeit' bzw. ‚in der Werkstatt Josephs' genoß schon im Mittelalter hohe Popularität. Daß Joseph ein Zimmermann war, hatte die Bibel festgelegt (Mt. 13,55). Dem fügten die apokryphen Berichte das Wunder der Holzlängung hinzu, das ihrem mirakulösen Charakter entsprach.

Das apokryphe Thomasevangelium berichtet in seinem 13. Kapitel über das Wunder der Holzlängung, in dessen Verlauf der Jesusknabe ein zu kurz geschnittenes Brett auf die gewünschte Länge zieht[28]. Diese Episode wurde im Mittelalter gern übernommen, da sie die Wundertätigkeit des Jesusknaben anschaulich dargelegte. Wir kennen sogar Übertragungen dieser populären Erzählung auf andere Heiligenviten, wie die der hl. Ottilie, eine der 11 000 Jungfrauen der hl. Ursula, deren Legende z. B. 1509 von Hans Holbein in einem Altarentwurf für das Kloster Odilienberg in Hohenburg gezeichnet wurde (LCI. VII. Sp. 105. *Müller* 1959. S. 184. Nr. 181).

Doch wollte man in der Tradition der Jesuserzählungen den Fehler des zu kurz geschnittenen Holzes, der als ein Hinweis auf mangelnde berufliche Qualifikation verstanden werden mußte, nicht bei Joseph belassen und erfand so kurzerhand einen Gehilfen, dem das Malheur passiert war.

Beide – der Jesusknabe und der Gehilfe – zogen nun an dem Holz, um ihm die gewünschte Länge zu geben[29]. Im ‚Marienleben' von Bruder Philipp wird Maria selbst Zeugin des Wunders[30] und bürgt somit für die Glaubwürdigkeit des Mirakels (*Masser* 1969. S. 294 ff).

25. Anonym: Wunder der Holzlängung. aus: *Petrus de Natalibus*: Catalogus Sanctorum. Venedig 1502. (Münster, Westfälisches Landesmuseum)

Bei Petrus de Natalibus (‚*Catalogus Sanctorum*') konzentriert sich die Episode der Holzlängung wieder ganz auf Jesus und Joseph; die kleine, dem Abschnitt ‚*De sancto Ioseph sponso domine nostre*' vorangestellte Illustration in der venezianischen Ausgabe von 1502[31] gibt das Motiv des gemeinsamen Ziehens wieder. Der dazugehörige Text, dessen Inhalt sich nach Petrus de Natalibus auf den ‚*Liber infantia*' bezieht, lautet:

Eodem etiam infantie christi libello traditur: quod ioseph faber lignarius fuit: unde & ibidem fertur: quod cum ioseph grabatum faceret: & omnes tabulas secuisset: una ipsarum ex errore mensure minor ceteris reperta est: Et cum ioseph ex hoc tristaretur: puer iesus tabulam brevem aliis apposuit; & ipsam uti cetera mollis protrahens ad ceterarum longitudinem divina virtute protendit: propter hoc in evangelio ioannis iesus a iudeis fabri filius appelatur. (CS. Lib. III. Cap. CCIX. fol. 66)

Obwohl die Episode nur einen kleinen Teil des Gesamtabschnitts ausmacht, fällt ihr durch die Illustration das Hauptgewicht in der Charakterisierung des hl. Joseph zu.

Etwa zur gleichen Zeit wurde das Bildmotiv vom Zweifel Josephs an Marias Jungfräulichkeit ebenfalls gerne in die Werkstatt plaziert. Die Darstellungen zeigen eine Kombination der handarbeitenden Maria mit der Werkstatt Josephs (*Wyss* 1983. S. 162–172)[32]. Ein weiteres ungewöhnliches Zeugnis des 15. Jahrhunderts ist der Mérode-Altar (New York, Metropolitan Museum of Art: The Cloisters

Collection), in dem die Werkstatt Josephs mit ihren reichen symbolischen Bezügen der Verkündigungsszene zugeordnet ist (*Hibbard* 1980. Abb. 345. *Schapiro* 1945. *Hahn* 1986.).

Im Gegensatz zur wunderbaren Holzlängung ging mit der Hinwendung der franziskanischen Frömmigkeit und der *Devotio Moderna* zum menschlichen, zum vermenschlichten Gotteskind eine ‚Entzauberung' einher, die der nach außen gewandten und an mirakulösen Zeichen festzumachenden Magie eine innere, verborgene Mystik entgegensetzte. Diese Sichtweise vertrat auch Ludolph v. Sachsen in der ‚*Vita Christi*', in der er sich besonders darum bemüht, das Leben Jesu vor seinem öffentlichen Auftreten als menschlich, bescheiden und ohne Wundertaten zu beschreiben und deshalb auf das Wunder der Holzlängung ganz verzichtet. Er begründet seine Auffassung mit den Worten: „*[...] Jesus coepit prius facere quam docere.*" (VC. Primae Partis. Cap. XVI,4. S. 161) und stützt seine Beweisführung besonders auf Thomas v. Aquin (ebda. Cap. XVI,1. S. 159), indem er die bescheidenen Lebensverhältnisse und den Arbeitseifer der Hl. Familie betont:

Ipsi autem Nazareth remanent, et pauperem vitam ducunt. Ubi, more solito, Joseph operas fabriles locavit, et Maria filando, et suendo, et alias, prout potuit, laboravit, ac nihilominus circa Filium suum diligens et sollicita fuit. (VC. Primae Partis. Cap. XIV,9. S. 147)

Christus propriis manibus laborat. – Sed redeamus ad intuendum actus et vitam Domini Jesu speculi nostri, quod est principale nostri propositi. Igitur in omnibus exhibeas te praesentem, et considera illam super omnes alias benedictam familiam parvam, sed valde excelsam, pauperem, et humilem vitam ducentem. Felix Joseph senex quaerebat de arte lignaminis quod poterat; Domina vero colo et acu pro pretio laborabat, victum sponso et Filio parabat, et alia expedientia domus obsequia, quae multa sunt, faciebat, quia servientem non habebat. Compatere igitur sibi quam sic oportet laborare, et suis manibus operari. Compatere etiam Domino Jesu, quia eam adjuvat fideliter, et laborat in his, quae potest: Filius enim hominis, ut ipse ait, non venit ministrari, sed ministrare. Intuere igitur bene eum, humilia obsequia domus facientem, et nihilominus intuere etiam Dominam et Joseph senem pro vitae necessariis laborantes. (ebda. Cap. XVI,8. S. 163)

Dieser Auffassung von der Kindheit Jesu entspricht eine 1461 von Loyset Liédet gemalte Miniatur, die zu einem Manuskript der ‚*Vita Christi*' gehört (Brüssel, Bibliothèque Royale Albert Ier: MS. IV 106. fol. 49[v]. *Wyss* 1983. S. 184. Abb. 46). In einem ziemlich ruinösen Haus sitzt rechts Maria mit dem Spinnrocken in der Hand vor einem Kamin, während Joseph zusammen mit dem Jesusknaben einen Balken zersägt.

26. Lienhart Ysenhut: Die Hl. Familie bei der Arbeit. aus: *Itinerarius sive peregrinarius Beatissime Virginis Marie*. Basel um 1489. (Bremen, Kunsthalle)

27. Adriaen van Wesel: Die Hl. Familie bei der Arbeit. 3. Viertel 15. Jhdt. (Utrecht, Rijksmuseum Het Catharijneconvent)

26   Bei einer Abbildung der Inkunabel ‚*Itinerarium beatae Mariae Virginis*‘, 1489 von Lienhart Ysenhut in Basel gedruckt, findet sich eine Reminiszenz an das Wunder der Holzlängung, indem Jesus und Joseph das Maßband, die Richtschnur, an ein Stück Holz anlegen[33]. Ähnliches läßt
27 sich bei einer Holzskulptur von Adriaen van Wesel (um 1417 – ca. 1490) beobachten (*Kat. Adriaen van Wesel* Amsterdam 1980/1981. Nr. 13. S. 102 f). Die Plastik ist auch deshalb bemerkenswert, weil Maria nicht mit der traditionellen Handarbeit, sondern lesend dargestellt wird. Dieser Verweis auf die Verkündigung läßt die Vermutung zu, daß die dargestellte Szene weniger durch die Apokryphen beeinflußt ist, sondern im Sinne Ludolphs verstanden werden sollte.

    Die Parallelen der Werkstattszenen sowohl im Text wie auch in der Illustration des Manuskripts der ‚*Vita Christi*‘ von 1461 zu den – weiter unten besprochenen – nachre-
28 formatorischen Blättern von Wierix, Bach u. a. sind unver-
29 kennbar, so daß die ‚*Vita Christi*‘ von Ludolph v. Sachsen
17c als eine der wichtigsten literarischen Quellen für die in den späteren Blättern wiedergegebene Auffassung vom unspektakulären Alltagsleben der Hl. Familie angesehen werden darf.

    Mit der Entzauberung im Spätmittelalter ging zwar das Mirakel der Holzlängung unter, der Handlungsraum der Holzlängung – die Werkstatt – blieb aber der spätmittelalterlichen und neuzeitlichen Bildtradition erhalten. Ein Neujahrswunsch der Zimmermannsgilde in Haarlem von ca. 1550 (Amsterdam, Rijksprentenkabinet) (*Kat. Wort und Bild*. Kat.-Nr. 64. S. 206) zeigt nur noch Anklänge an das Wunder der Holzlängung. In einer Werkstatt, in der der hl. Joseph an der Hobelbank steht, während Maria mit Webarbeiten beschäftigt ist, messen der Jesus- und der Johannesknabe im Vordergrund ein Brett mit einer Richtschnur ab[34] und erinnern damit an das apokryphe Mirakel. Die nachreformatorischen Werkstattszenen waren also in der Wahl des Handlungsraumes wie auch z. T. in der Metaphorik der mittelalterlichen apokryphen Tradition beeinflußt, inhaltlich aber von der ‚entzauberten‘ Alltagsbeschreibung der ‚*Vita Christi*‘ verpflichtet.

28. Hieronymus Wierix: Die Hl. Familie bei der Arbeit.
4. Blatt der Serie: *Jesu Christi Dei Domini Salvatoris Nostri Infantia*. Antwerpen Anfang 17. Jhdt. (Wien, Albertina)

29. Hieronymus Wierix: Die Hl. Familie bei der Arbeit.
7. Blatt der Serie: *Jesu Christi Dei Domini Salvatoris Nostri Infantia*. Antwerpen Anfang 17. Jhdt. (Frankfurt a. Main, Städelsches Kunstinstitut)

3.2.2   Neuzeitliche Zeugnisse der Arbeitsszene

Insgesamt neunmal hat sich einer der in Antwerpen ansässigen und für die Reproduktionsgraphik ihrer Zeit wichtigen Wierix-Brüder, Hieronymus Wierix (ca. 1553–1619), in seinem zwölf Blätter umfassenden Zyklus „*Jesu Christi Dei Domini Salvatoris Nostri Infantia*' mit dem Thema ‚Die Hl. Familie bei der Arbeit' beschäftigt (*Mauquoy-Hendricks* 1978. I. S. 60–64. Abb. 407–418)[35]. Dabei zeigt sich, daß der Ort der Arbeit nicht zwingend auf die Werkstatt festgelegt war; sie konnte – wie schon im Dürer-Holzschnitt ‚*Die Hl. Familie in Ägypten*' (ca. 1520) (*Bartsch*. X,1. S. 185. Nr. 90 (132)) – auch unter freiem Himmel stattfinden. Ein handkolorierter Holzschnitt aus dem späten 15. Jhdt. mit der arbeitenden Hl. Familie in einem Garten (*hortus conclusus*) beweist, daß diese Vorstellung schon früh auch im Bereich der populären Andachtsbilder bekannt war[36]. Da größter Wert darauf gelegt wurde, die Hl. Familie *zusammen* bei der Arbeit zu zeigen, mußte

Maria als Hausfrau in diesem Fall ihren angestammten häuslichen Bereich, vorzugsweise den Herd oder Kamin, verlassen und in den entsprechenden Graphiken im Freien ihrer Handarbeit nachgehen[37].

Das vierte Blatt der Kupferstichfolge *Jesu Christi Dei Domini Salvatoris Nostri Infantia*' von Wierix beschreibt die Arbeit der Hl. Familie außerhalb des Hauses. Zwei ⟨28⟩ Engel helfen dem Jesusknaben beim Späne-Aufsammeln, während Maria Garn wickelt und Joseph mit der Axt arbeitet[38]. Dasselbe Thema nimmt Wierix in den folgenden Blätter variiert auf, die der Errichtung eines Hauses, der Umzäunung eines Gartens und dem Bau eines Schiffes ⟨68⟩ gewidmet sind. In der siebten Darstellung der Reihe behält ⟨29⟩ Maria ihre Aufgabe im Vordergrund bei, doch leistet Jesus nicht mehr reine Handlangerdienste. Dies überläßt er offenbar den beiden Engeln, die sich mit einem schweren Balken abmühen. Er hingegen hilft dem hl. Joseph tatkräftig beim

Zersägen eines großen Holzbalkens, der – wie die beiden folgenden Blätter zeigen – zur Errichtung des Hauses dient.

Diese qualifiziertere Betätigung des Jesusknaben im Handwerk steht auf den ersten Blick der dienenden Haltung des Kindes in den anderen Werkstattszenen entgegen, denn der Akzent ist von dem Handlangerdienst des Kindes für seine Eltern zur qualifizierten Mitarbeit verlagert. Der anderen Gewichtung entsprechen die begleitenden Texte, die besonders den kreativen Prozeß im Handwerk betonen und eine Analogie vom Handwerker zum Schöpfer der Welt ziehen.

Während die Aussage des siebten Blattes dieser Serie durch den Gegensatz von *secare* (zerspalten, zerschneiden) und *continere* (zusammenhalten) getragen wird[39], spielt der Text des vierten Andachtsbildes der Reihe mit dem Wortfeld um die Begriffe *fabricator* (Bildner, Urheber) und *faber* (Handwerker). Letzterer erscheint zwar nicht im Text, dafür aber um so deutlicher im Bild in der Person Josephs[40]. Doch ist Joseph trotz aller Anklänge an die ambrosianische *faber-fabricator*-Typologie, die den hl. Joseph auf der irdischen Ebene als Pendant zum himmlischen Schöpfergott erscheinen läßt[41], nicht der Kern, um den sich die Allegorie organisiert. Diesen bildet vielmehr Jesus selbst, der den Brennpunkt der Aussage darstellt, eine Orientierung, die – wie wir noch sehen werden – in noch stärkerem Maße beim Hl. Wandel zu beobachten ist.

Wierix griff offenbar auf diese bekannte Allegorie zurück, indem er die irdische Trinität[42] im Bild durch den ihr beigefügten Text auf den Schöpfer hin deutet. Im Unterschied zu den frühen Beispielen der *faber-fabricator*-Typologie ist der Schöpfer aber nicht durch Gottvater, sondern durch Christus selbst repräsentiert, wie der Text des Andachtsbildes von Wierix ausdrücklich anzeigt: *Mundi puer fabricator*. In gleicher Absicht[43] stellte Frans van Mieris d. Ä. (1635–1681) den Jesusknaben mit dem Zirkel dar (*Kat. Gods, Saints & Heros*. 1980. S. 255. Abb. 3. *Naumann* 1981. II. Abb. 121. *Thieme/Becker*. XXIV. S. 540 f), einem Attribut, das schon im Mittelalter Gottvater als Weltenbaumeister kennzeichnete[44].

Für die beiden hier besprochenen, wie auch die übrigen Arbeitsszenen-Blätter der Serie von Wierix gilt, daß der Text zwar den allegorischen und damit spirituellen Gehalt der Werkstattszene erschließt, die früher gepflegte Vorstellung von Joseph als dem irdischen Pendant zu Gottvater allerdings abschwächt.

Indem der Jesusknabe in der Neuzeit die *fabricator*-Rolle explizit besetzte, konnte Joseph nur noch bedingt die Position Gottvaters einnehmen. Josephs Bedeutung konzentrierte sich im 17. Jahrhundert – wie der Zyklus von Abraham Bach ausdrücklich zeigt – auf seine Stellung als *pater familias*, in der er im Mikrokosmos der häuslichen Gemeinschaft uneingeschränkt aber *gut* regiert bzw. regieren sollte, in allem nur seinem Schöpfer verantwortlich.

Neben dem Begriffskomplex *faber – fabricator* arbei-

tete Wierix in den Werkstattblättern in Bezug auf Maria mit der Assonanz von *linum – linea*. Bei der Betrachtung der begleitenden Texte zeigt sich, daß die Handarbeiten Marias nicht nur als hausfrauliche Tätigkeiten zu deuten sind. Vielmehr spielen die Blätter von Wierix mit dem Wort *linea* (Richtschnur) („*Fila trahens linea[m]*" bzw. „*Mater fuso voluit lina / Angelorum quae regina / Supra coelos eminet.*")[45] und dem anklingenden *linum* (Leinen)[46]. Die Richtschnur-Metapher muß für das Bildprogramm der Hl. Familie bei der Arbeit sehr bedeutsam gewesen sein, denn die Richtschnur bzw. der Maßstab tauchen mehrfach in entsprechenden Darstellungen wie auch in einer Predigt von dem Minoriten Christian Brez auf und werden dort im Zusammenhang mit Jesu Passion durch den hl. Joseph gedeutet:

> Mein Hausgerath / dessen ich dich meinen Sohn einen völligen Erben einsetze / seynd Nägel / Holtz / Zoll und Maßstab / Schwam und Chrodel / welche in rothe Farb eingedunckt / die rechte Linie zeigt. [...]. Der Maßstab wird dir zeigen die allerungerechteste Maß / durch welche deine unendliche Weißheit / als ein Thorheit wird abgemessen werden. (*Brez*: Lust-Garten. 1720. S. 69)

In dem Bild der spinnenden Muttergottes verbindet sich zudem die antike Vorstellung vom Lebensfaden, der mit dem Tode reißt oder abgeschnitten wird[47], mit der christlichen Heilslehre. *McMurray Gibson* hat in einem Aufsatz anschaulich dargelegt, daß das seit Pseudo-Matthäus bekannte Bild der spinnenden Maria (als Tempeljungfrau) bei der Verkündigung gleichwertig und gleichbedeutend neben entsprechenden Szenen mit der lesenden Maria steht:

> Mary's book is explained by the legendary tradition that at the moment of the Annunciation she was engrossed in reading the Old Testament passages pointing to her Son's Incarnation and Passion. [...]. The spinning of the veil [...], remained a meaningful emblem of the Virgin. Both activities symbolically foreshadowed her Son's Passion Luke XXIII:44 tells that the veil of the Temple, and thus Mary's handiwork as Temple Virgin, „was rent in two, from the top even to the bottom" after Christ had yielded up His spirit. Seen in the light of this passage, Mary spun the thread for the veil at the moment of the Incarnation that would be torn at the moment of Christ's death at Golgatha. Both motifs of the Annunciation, the spinning of the wool and the reading of the Old Testament prophecies, by pointing at Christ's Passion, carried basically the same prophetic message. (*McMurray Gibson* 1972. S. 10 f)

Nicht zuletzt soll jene Handarbeit Marias nach der Legende mit dem aus einem Stück gefertigten Gewand Jesu identisch sein, das mit ihm mitwuchs und das unter dem Kreuz verlost wurde. *McMurray Gibson* resümiert:

XI
26
27

30. Die Hl. Familie bei der Arbeit. Ausschnitt aus einem Bildteppich in Leinenstickerei mit der Hl. Sippe. Bodenseegebiet 1591. (Konstanz, Rosgartenmuseum)

In representations such as these, we may justifiably speak of the Virgin with the Thread of Life in her hand, clothing the Word in flesh. Much like the threads in the hands of the classical Fates, the symbolic threads in the hand of Mary serve as a hint at divine Providence, intimately linking with one another the three phases of Christ's terrestrial Life: Incarnation and Nativity, His Public Life, an His Passion. (ebda. S. 13)

3.2.3 Die innere ‚Chronologie‘ in den Arbeitsszenen

Die Arbeitsszenen, die als Versuch einer Ergänzung der dürftigen biblischen Erzähltradition zu deuten sind, folgten mit der Idee des heranwachsenden Jesusknaben und seiner entsprechend anwachsenden Arbeitsbelastung und Kompetenz einem ‚Raster‘, das der realen, kleinhandwerklichen Lebenssituation entsprach. In die Chronologie der Leben-Jesu-Berichte gestellt, ergab sich für die Werkstattszenen eine sinnvolle Reihenfolge, die dem Gläubigen nicht nur plausibel erscheinen mußte, da sie im Grundmuster der eigenen Lebenswirklichkeit entsprach, sondern auch umgekehrt durch die hervorragenden heiligen Personen als

Ansporn und Vorbild speziell im Leben des Kindes diente. M. v. Cochem legte dementsprechend dem Jesusknaben den Satz in den Mund:

> Ich bin nicht kommen bedient zu werden / sondern zu dienen; damit ich den kindern ein exempel gebe / wie sie ihren Eltern dienen sollen. (*M. v. Cochem*: Leben Christi. S. 459 f)[48]

In vielen Fällen ordnete das Werkstattbild dem Kind die Aufgabe des Späne-Aufsammelns zu. Doch gibt es auch abweichende, z. T. recht frühe Darstellungen, in denen Jesus nicht aktiv ist, wie z. B. in einem Holzschnitt Albrecht Dürers aus dem Zyklus ‚Marienleben‘. Auf dem Blatt ‚Die Hl. Familie in Ägypten‘ (ca. 1502) übernehmen Putten die Aufgabe des Aufsammelns, Jesus liegt als Wickelkind fest verschnürt in der Wiege[49].

Eine Miniatur aus dem 15. Jahrhundert zeigt das Jesus- X kind im Laufstall, während Maria und Joseph mit den bekannten Tätigkeiten beschäftigt sind. Jesus ist mit dem Kreuzesnimbus bezeichnet und hält ein Schriftband in der Hand: „*[e]go s[u]m solaciu[m]*“ (Ich bin euer Trost / eure Zuflucht)[50].

In dieser Miniatur wird zugunsten einer Darstellung, die die natürliche Entwicklung eines jeden Kindes zeigt und so die menschliche Seite des Jesusknaben in veristisch anmutenden Bildern beschreibt, das Mirakel der apokryphen Berichte, wonach Jesus im Alter von einem bzw. eineinhalb Jahren ohne Schwierigkeiten sofort laufen und sprechen konnte (VR 2486–2509. Ph. 3674–3703), aufgegeben. Es zeigt sich die in allen biblisch-biographischen Szenen aus dem Leben Jesu offenbare Tendenz der Vermenschlichung des Gottessohnes, wie wir sie schon beim

19
IX ‚Mahl der Hl. Familie' von Jan Mostaert und bei der ‚Suppenmadonna' von Gerard David beobachten konnten.

30 Entsprechend der natürlichen Entwicklung des Kindes wird Jesus in seinem ersten Lebensabschnitt als Kleinkind seiner Mutter bei der Arbeit zugeordnet; so in einer Stickerei aus dem Bodenseegebiet von 1591[51]: er sitzt auf einem Stuhl und wickelt Garn von einer Haspel für Marias Stickerei (Stickrahmen). Diese Zuordnung des Kindes zunächst in den häuslich-mütterlichen Bereich wurde auch in den Leben-Jesu-Beschreibungen und Liedern rezipiert. Mit zunehmendem Alter vergrößert sich der Lebensbereich des Kindes Jesus und weitet sich über die Dienste im Haushalt (s. oben die Tischszenen) auf den väterlichen Arbeitsbereich in der Zimmermannswerkstatt aus. Martin v. Cochem schreibt:

Der Sohn des höchsten GOttes / welchem sonn und mond aufwarten / muß haußknecht seyn / und seiner frau Mutter in notwendigen dingen die hand bieten. Was mainstu / daß er gethan habe? St. Bonaventura sagt: Weil Christus ware kom[m]en / nicht bedient zu werden / sonder[n] zu dienen / halffe er seiner mutter treulich arbeiten: er deckte den tisch / sauberte die kammern / und verrichtete andere hauß-geschäfften. Wan Joseph in der arbeit ware / gienge er offt hinauß und truge spän heim. Wan im hauß wasser manglete / nahm er einen krug / und gienge zum brunnen wasser zu schöpffen. (*M. v. Cochem*: Leben Christi. S. 459)[52]

Martin v. Cochem legt diese Tätigkeiten Jesu in den Zeitabschnitt seines achten bis zwölften Lebensjahres. Die typische Zimmermannsarbeit führt Jesus nach v. Cochem erst nach seinem ersten Auftreten im Tempel aus (ebda. S. 490). Diese Chronologie der Tätigkeiten Jesu spiegelt ebenfalls ein jesuitisches Exempellied wider[53]; so wird Jesus als Kleinkind auch hier in seinen kindlichen Diensten der Mutter zugeordnet:

Maria thät mit Freud /
Zu Hauß andere Arbeit /
Würcken und nähen /
Daß [das] zarte JEsulein /
Trug ihr die Arbeit heim /
Mit Freuden gehen.
(*Moser* 1981. S. 168. Str. 5)[54]

Mit zunehmendem Alter hilft er – als männlicher Nachkomme – seinem Vater im Handwerk[55]; zuerst mit Handlangerdiensten wie Fegen (*Mielke* 1975. S. 68 f) und Späne- *31* Aufsammeln:

Joseph geht alle Tag /
Seiner Hand-Arbeit nach /
JEsus das Kinde /
Folgt ihm nach in Gehorsam /
Rechet die Schaidel [Scheite] zam /
Tragts nach Hauß geschwinde.
(ebda. S. 169. Str. 12)[56]

später mit qualifizierteren Arbeiten:

Dein Heyland JEsu Christ /
Bey Joseph auf dem G'rist /
Hulffe arbeiten /
Als einen Zimmer-Knecht /
Arbeitet er auf recht /
Mit höchsten Freuden.
(ebda. Str. 14)[57]

Neben dem Späne-Aufsammeln ist dies die häufigste Tätigkeit Jesu im väterlichen Wirkungskreis, der Werkstatt. Meistens sägt er zusammen mit Joseph an einem großen Balken, und es scheint geradezu, als würden diese Strophen den Infantia-Zyklus von Wierix kommentieren, denn auch dort folgen die verschiedenen Arbeitsbilder diesem Schema[58]: Titelbild (*Mauquoy-Hendricks* 1978. Abb. 407); Madonna unter Engeln (408); Maria mit dem Wiegenkind (409); Hl. Sippe in der Werkstatt, Jesus hebt Späne auf (410); Arbeit im Freien, Jesus hebt Späne auf (411); Jesus im Haushalt, fegend (412); Arbeit im Freien, Handlangerdienste Jesu (413); dto., Jesus als Zimmermannsgeselle beim Hausbau (414–416); Jesus und Joseph beim Herrichten eines Gartens (417); Jesus und Joseph bauen ein Schiff (418).

Vorlieben für die verschiedenen Motivvarianten in einer bestimmten Zeit gab es nicht; sie existierten gleichzeitig. Selbst im 19. Jahrhundert, in dem die Tradition einiger alter Bildtypen verlorenging, ließ der ‚Verein zur Verbreitung religiöser Bilder von Düsseldorf' (gegr. 1842) nach Vorlagen der Nazarener Johann Friedrich Overbeck (1789–1869) und Karl Müller (1818–1893) sowohl den sägenden als auch den fegenden Jesusknaben, wie ihn schon H. Wierix *29* zeigte, drucken (*Kat. Rel. Graphik* 1981. Nr. 5 f). Die Bildkompositionen sind zwar gegenüber den älteren Beispielen verändert, dennoch blieb die Idee des Dienstes und der Unterwürfigkeit des Kindes vorrangig erhalten. Vor allem der fegende Jesusknabe zeigt eine eklatante Ähnlichkeit mit dem gleichen Bildmotiv von Hieronymus Wierix, bei dem sich der kindliche Dienst aber in die typischen Verrichtungen der anderen Personen eingliedert: Joseph geht im *31* Freien seinem Beruf nach, während Maria als treusorgende Hausmutter am offenen Kamin in einem Topf rührt. Diese alltägliche Verrichtung scheint im 19. Jahrhundert für die Muttergottes nicht mehr opportun gewesen zu sein, und so betrachtet sie in dem Stahlstich von 1864 in stiller Andacht die demutsvolle Beschäftigung ihres göttlichen Sohnes.

Auch die Gesellenvereine von Adolf Kolping griffen, da sie sich den hl. Joseph als ihren besonderen Patron auserkoren hatten, auf das Werkstattmotiv zurück und bildeten es auf ihren Fahnen quasi als Programm ab.

3.2.4 Abraham Bachs Werkstatt-Bild

Der komplexen Sinnstruktur der Werkstatt-Blätter von Hieronymus Wierix konnte Abraham Bach über fünfzig Jahre später in seinen einfachen, wahrscheinlich der Katechese dienenden Blättern nicht folgen. Doch ließen sich die alten Topoi der Einfachheit, Armut, des Arbeitsfleißes der Hl. Familie, des Zimmermannhandwerks für Joseph wie auch die Zuordnung der Textilarbeit zu Maria in die neuzeitliche Hauslehre gut einpassen und wurden in ihrem Sinne auch von Bach rezipiert. Sein Hauptthema war die christliche Haushaltung, die ihren Prototyp im gemeinschaftlichen Leben und Arbeiten der Hl. Familie hatte. Zwar entsprach der hl. Joseph als Handwerker nicht ganz den Vorstellungen der antiken und frühneuzeitlichen Ökonomie von einem idealen Hausvater in einer reinen Agrargesellschaft[59], doch kompensierte Bach die möglichen Differenzen mit Hilfe des beigefügten Textes, so daß der hl. Joseph in dem Tagzeiten-Zyklus als Exempel für den idealen Hausvater glaubhaft präsentiert werden konnte. Demgegenüber bedurfte Maria keiner näheren Spezifizierung im Text, da sie im Bild – neben ihrer Beschreibung als Madonna und Mutter – durch ihre textile Handarbeit eindeutig als Hausfrau charakterisiert war[60], der die Aufsicht, Betreuung und Erledigung der Aufgaben im häuslichen Bereich im Sinne der frühneuzeitlichen Hauslehre oblag.

17c   Auf dem dritten Bild der ‚Tageszeiten‘ von Bach befindet sich die Hl. Familie wie im vorherigen Blatt ‚Der Mittag‘ im Innern des Hauses. Eine Mauer etwa in der Mitte des Holzschnittes deutet an, daß hier zwei Räume abge-
63- bildet sind, während der ältere süddeutsche Gemäldezyklus
a–d bemüht war, die Hl. Familie in nur einem einzigen Wohnraum zu zeigen, der gleichzeitig auch als Werkstatt diente. Bei Bach hingegen ist eine Trennung der Bezirke angedeutet: links sitzt Maria bei Näharbeiten vor einem Kamin, rechts ist Josephs Werkstatt zu sehen, in der er zusammen mit dem Jesusknaben arbeitet. Dieser fegt – wie bei Wierix – mit einem großen Besen den Raum aus, während Joseph ein Brett abmißt. Es liegt im rechten Winkel auf einem anderen Brett, so daß eine Kreuzform angedeutet ist, die einen Verweis auf die Passion Jesu bildet[61]. Wie schon oben in bezug auf die Mariendarstellung bemerkt, zeigt sich auch beim hl. Joseph, daß Abraham Bach mit Vorlagen gearbeitet hat, deren Teile er wie Versatzstücke miteinander kombinierte. So geht der hl. Joseph an der Werkbank

auf ein Einzelmotiv eines Kupferstiches von Johann Sadeler d. Ä. zurück, der anläßlich der geplanten Einweihung der Münchner Jesuitenkirche St. Michael Ende des 16. Jhdts. entstand[62] und das seinerseits mehrfach nachgestochen und nachgedruckt wurde[63].

Wie im Bachs Blatt ‚Der Mittag‘ wird die Hierarchie der Heiligkeit in seinem Werkstattbild durch die Differenzierung in den Nimben angezeigt. Der begleitende Text lautet:

> Hie hat man sichtiglich zu sehen
>> Was in der Haußhaltung geschehen /
> Deß frommen Josephs. wie daß er /
>> Dem Zimmerwerck obglegen sehr /
> Und habe JEsus Christ sein Sohn /
>> Die scheitlen auch afflesen thon.
>
> Weil Joseph war ein Zimmermann /
>> Deß Handwercks sich thet nem[m]en an /
> In seinem Beruff also blib /
>> Und fleissiglich sein handwerck trib /
>
> Sein Sohn das liebe JEsus Kindt /
>> Zur Arbeit sich auch fleissig findt /
> Hilfft seinem Vatter allermassen /
>> Die Spän von der Erden auftfassen /
>
> Man thut Mariam die Junckfrawen /
>> Nit feyrend allhie auch anschawen /
> Thut zu der Arbeit sich fein schicken /
>> Mit schönem nähen zierlich stricken.

Jede der Personen folgt offenbar mit Fleiß und Zufriedenheit ihrem ‚Geschäft‘ (Str. 2,3), das dem gesamten Haushalt, der familiären Gemeinschaft dient.

Insgesamt finden sich auf diesem Blatt drei Topoi, die nicht nur auf die Hl. Familie bezogen wurden, sondern ganz allgemein auch auf Darstellungen des familiären Zusammenlebens im Haus – im Sinne einer zwar leistungsorientierten aber auch sozial-stabilisierenden Weltanschauung – Anwendung fanden: Joseph (der Hausvater) als Zimmermann oder Holzhandwerker, Maria (die Hausfrau) bei einer textilen Handarbeit und Jesus (das Kind), der einem der beiden Elternteile dienstbar zur Hand geht. Diese Topoi bewegen sich im Rahmen der Dominante ‚gemeinsame Arbeit‘, die – neben dem gemeinsamen Mahl – das allgemein familiäre Zusammenleben definierte und somit die Hl. Familie als Vorbild für alle christlichen Familien hervorhob.

Die Topoi waren schon frühzeitig in so umfassendem Maße für profane Haushaltungsdarstellungen prägend, daß der französische Hofmaler Jean Bourdichon (1457–1521) sie in der Miniaturenfolge ‚Les quatre tats de la Société‘, *XII* in der allgemein die Stände der Gesellschaft dargestellt werden sollten, rezipierte. Vater, Mutter und Kind befinden sich

31. Hieronymus Wierix: Die Hl. Familie bei der Arbeit im Haus. 5. Blatt der Serie: *Jesu Christi Dei Domini Salvatoris Nostri Infantia*. Antwerpen Anfang 17. Jhdt. (Frankfurt a. Main, Städelsches Kunstinstitut)

in der mit Handwerkszeug reich ausgestatteten Werkstatt des Vaters, die sich grundsätzlich von dem Bild des Neujahrswunsches aus Haarlem (s. S. 75) nicht unterscheidet. Der Vater steht an der Hobelbank, vor der Mutter mit dem Spinnrocken sammelt das Kind Späne und Abfallholz in einen Korb; es geht seinem Vater zur Hand.

Die Wahl des Handwerks ist nicht zufällig, zu groß sind die Parallelen mit den entsprechenden Darstellungen der Hl. Familie. Besonders der Topos des Späne-Aufsammelns ist in den Hl. Familie-Bildern als Aufgabe des Jesuskindes festgelegt[64]. Es scheint sich bei diesem Bild um die profanierte Handwerksstube der Hl. Familie zu handeln.

32. Strunz (nach Johann Friedrich Overbeck): *Venit Nazareth, et erat subditus illis*. Stahlstich für den Verein zur Verbreitung religiöser Bilder. Düsseldorf 1864. (Telgte, Museum Heimathaus Münsterland)

3.3 Der Alltag der Hl. Familie im Rahmen der christlichen Hauslehre

3.3.1 Die christliche Hauslehre

Die patriarchalisch orientierte Familie und die Arbeit im Rahmen der göttlichen Ordnung bilden nicht nur die Prämissen der protestantischen Hausväterliteratur bzw. der entsprechenden Predigten, sie sind auch die Grundlagen der katholischen Lehre vom Hausstand. Diese Übereinstimmungen zwischen protestantischer und katholischer Lehre vom Hausstand gingen bis in Details und Formulierungen und waren durch die gemeinsame Basis – antike Ökonomie und Agrarlehre und die Haustafeln des Neuen Testaments – begründet (*Hoffmann* 1959. Anm. 65. *Frühsorge* 1978.)

Die Hausgemeinschaft galt in der Hausväterliteratur hauptsächlich als Arbeits- und Tischgemeinschaft zum Zwecke des ‚notdürftigen' Lebensunterhaltes und der sittlichen und religiösen Bildung *aller* Mitglieder des Haushaltes[65]. Den Rahmen dieser Haushaltung bildet die Ordnung Gottes, nach der jeder Mensch in einen bestimmten ‚Stand' eingesetzt worden ist, in dem er seine Pflicht nach dieser Ordnung erfüllen muß. Luther hatte die drei Stände nicht im herkömmlichen Sinne definiert, sondern mit ihnen die Kirche, das Gemeinwesen und das Hauswesen gemeint. Diese drei sollen den ganzen Menschen umfassen, jeden Menschen betreffen, und jeder Mensch soll von den Aufgaben dieser drei Stände gefordert werden: als Verkünder des Wortes Gottes, als politisch-sozialer Mensch und als Mitglied eines Haushalts[66]. So erfuhr der bisher nur gering geachtete Bereich des Hauses gegenüber den anderen Bereichen eine Aufwertung.

In der Erfüllung seiner christlichen Pflicht konnte und mußte der Mensch auch im Haus Gott dienen. Die Haushaltung – in der antiken Ökonomie hauptsächlich unter dem Vorzeichen des wirtschaftlichen Nutzens gesehen – wurde sakralisiert und zur göttlichen Berufung, die Erfüllung der christlichen Pflicht in diesem Beruf[67] – nach katholischer Sichtweise – zum guten, gottgefälligen Werk.

Somit konnte das Haushalten nicht mehr allein auf den wirtschaftlichen Nutzen abgestellt sein. Eine sittliche und religiöse Bildung – zum Zwecke des irdischen und noch mehr des himmlischen Heils – wurde angestrebt, die direkten irdischen Zwecke und Ziele nicht nur unter rein ökonomischen Gesichtspunkten, sondern auch als Akt der Nächstenliebe an den Mitmenschen (im engeren Kreis des ganzen Hauses) begriffen[68]. So erhielten die alten Strukturen eine neue, sakrale Wertigkeit und Legitimation im Sinne des allgemeinen Priestertums. Im Rahmen der Lehre von der Analogie des Seins war die christliche Hauslehre eingebunden in den göttlichen Heilsplan, die *oeconomia divina*:

[Dieser] dogmatische Ökonomiebegriff, die oeconomia divina, ist an zwei Bestimmungen gebunden. Sein Inhalt deckt einmal den Akt der Erscheinung Gottes in der Person Christi auf Erden als Verwirklichung des göttlichen Heilsplans (= dispensatio). Zum anderen vollzieht sich diese Verwirklichung – und diese Bestimmung ist als Präfiguration für den irdischen Hausvater [...] gemeint – als die „Austeilung" (= distributio) „derer durch Christum erworbenen Heyls-Güter", die der ‚himmlische Hausherr' zum Heil der sündigen Menschheit vornimmt [...].
Im Gestus der Einteilung der für die Wohlfahrt des Hauses zu leistenden Arbeiten durch den Herrn an

jedem Abend vor dem neuen Arbeitstag, wie es die Hausbücher als Pflicht des Hausvaters durchgängig ausweisen, also die im Bild des höchsten Beispiels der dispensatio erinnerte Pflicht der Kinder Gottes in der Welt, und im Gestus der Austeilung der Nahrung des Hauses, der materiellen und ideellen, konkretisiert sich jener Zentralgedanke, der sich, mehr oder weniger ausgeführt, in repräsentativen Belegen zur Predigtliteratur über den Hausstand und in der alten Ökonomieliteratur findet: der von der Analogie von himmlischem und irdischen Hausvater. (*Frühsorge* 1978. S. 116)

Vor diesem Hintergrund erklärt sich – neben der didaktischen Tendenz – die Bedeutung der Tischszenen in den Alltagsszenen der Hl. Familie, in denen sich der *distributio*-Gedanke im gemeinsamen Mahl manifestierte. Der Vergleich zwischen dem Regiment Gottes und dem des Hausvaters war in der entsprechenden Literatur gängig und bildete die ethische und transzendente Basis der *oeconomia christiana*[69].

Der Hausvater sollte zum diesseitigen und jenseitigen Wohl des ganzen Hauses wie auch des einzelnen Haushaltsmitgliedes herrschen und sich bei seinen Befehlen und Weisungen am ‚rechten Maß' orientieren. Seine religiöserzieherische Aufgabe zielte auf die sittliche und ganz besonders auf die religiöse Bildung der Haushaltsmitglieder, speziell aber der Kinder und Hausangestellten. Diese Pflege des gemeinsamen religiösen Lebens wurde dem Hausvater ausdrücklich aufgetragen und sollte in verschiedenen Andachtsformen, dem Kirchgang, dem Morgen-, Mittag- und Abendgebet erfolgen (*M. v. Cochem*: Leben Christi. Mainz/Köln 1716. Vorrede. *Hoffmann* 1959. S. 97–100).

In der idealen Herrschaft des Hausvaters vereinigten sich Autorität und christliche Liebe. Seine Grenze lag im göttlichen Gebot, dessen Überschreitung durch den Hausvater aber nur in den seltensten Fällen von den zu striktem Gehorsam verpflichteten Haushaltsmitgliedern mit Verweigerung oder Widerspruch beantwortet werden durfte. Die Autoren der Hausväterliteratur und der entsprechenden Predigten rieten generell zu einem leidvollen Schweigen.

In diesem System von Über- und Unterordnung waren jedem Haushaltsmitglied der Gesamtheit dienende Aufgaben und ein spezielles Verhalten bei der Erfüllung dieser Aufgaben zugedacht. Eine zentrale Aufgabe für *alle* war die Arbeit, denn die wirtschaftliche Sicherung des ganzen Hauses stellte das vordringliche Interesse dar, das schon in der Antike dem Haushalt zugewiesen worden war und das unter christlichen Vorzeichen als Schritt zur Erfüllung des Heilsplans verstanden wurde.

Wie in den antiken Vorbildern (z. B. bei Xenophon) lag der Arbeitsbereich des Vaters in der agrarischen Gesellschaft, auf die die entsprechenden Theorien zugeschnitten waren, meist außerhalb, der der Mutter aber innerhalb des

33. Anonym: Maria kocht einen Brei. Wasserburg a. Inn, Josephskapelle (ehem. Wendelinskapelle) 17. Jhdt.

Hauses[70]. Diesem Modell folgt nicht nur Bach in seinem ersten Blatt (Der Morgen), auch Martin v. Cochem betont die Trennung der Familie bei der Arbeit[71].

3.3.2   Das Exempel der Hl. Familie

Gehen wir noch einmal rückblickend auf Abraham Bachs ‚Tageszeiten‘ ein, so sehen wir – in der Terminologie des 17. Jahrhunderts – die „Haußhaltung [...] Deß frommen Josephs“ (Der Abendt. Str. 1,2 ff) in Gestalt einer patriarchalisch geordneten Zwei-Generationenfamilie vor uns, die – als hierarchisch organisierte Gruppe – dem Gebot des Gehorsams gegenüber dem Hausvater und Gott verpflichtet ist. Sie umfaßt die Personen Joseph, Maria und Jesus (und eine Magd[72]) und ist hauptsächlich als Arbeits- und Tischgemeinschaft zu verstehen.

Bach betont in dem Blatt ‚Der Mittag‘ mit dem Tischgebet und dessen Demutsformel gegenüber Gott die religiös-erzieherische Aufgabe des Hausvaters[73]. Fragt man nach den weiteren Idealen dieser familiären Gemeinschaft, so stehen auch bei Abraham Bach die Idee der Arbeit und des Gehorsams, manifestiert in Joseph und Jesus, im Vordergrund, während die Beziehung der Eheleute untereinander unklar bleibt[74] und Maria als Hausfrau eine eher untergeordnete Rolle spielt[75].

Die hierarchische Struktur in der Familie zeigte sich besonders ausgeprägt im Bereich der Arbeit: Maria – die Hausmutter – unterstützt den Hausvater in seinen wirtschaftlichen Bestrebungen, indem sie das Kind zur Arbeit anhält. Dennoch untersteht auch sie der patriarchalischen Herrschaft Josephs: das Leitwort zum kindlichen Dienst (er war ihnen untertan. Lc. 2,51) wird ohne Bedenken und in Entsprechung zur paulinischen Eheauffassung

(Eph. 5,22) und zur protestantischen Hauslehre auf Maria ausgeweitet[76]. Zusammen mit dem – bei Bach nur einmal genannten ,Gesind' – spiegelt sich so das Rechtssystem des ganzen Hauses wider:

> die „Herrschaft" des Mannes über seine Ehefrau, des Vaters über seine Kinder und des Hausherrn über das Gesinde. Diese drei Rechtsverhältnisse aktualisieren sich in der Rechtsgewalt des Vaters, dessen tradierter sozialer Begriff [...] der des ,Hausvaters' war. (*Frühsorge* 1978. S. 110)[77]

Joseph ist entsprechend seiner Funktion als Hausvater die dominante Person, doch steht seiner hervorragenden Position im Amt des Haushaltsvorstandes die Heiligenhierarchie entgegen, die sich bei Abraham Bach in der unterschiedlichen Ausprägung der Nimben bzw. in dem völligen Fehlen des Nimbus bei Joseph – nur im ersten Blatt ist sein Haupt von einem Nimbus umgeben – manifestiert. Demgegenüber bezeichnete der süddeutsche Vorläufer-Zyklus den hl. Joseph in allen vier Bildern mit einem z. T. allerdings nur sehr schwach angedeuteten Nimbus.

63-a–d (margin)

Ihm wird bei Bach die *Rolle* des leiblichen Vaters zugeordnet, die göttliche Vaterschaft zugunsten einer direkten verwandtschaftlichen Beziehung zwischen Joseph und Jesus verschwiegen. An keiner Stelle wird Joseph – wie sonst etwa üblich – als Pflegevater bezeichnet. Statt dessen heißt es:

> [...]. wie daß er [Joseph] /
> dem Zimmerwerck oblegen sehr /
> Und habe JEsus Christ *sein Sohn* /
> Die scheitlen auch aufflesen thon.

> *Sein Sohn* das liebe JEsus Kindt /
> Zur Arbeit sich auch fleissig findt /
> Hilfft *seinem Vatter* allermassen /
> Die Spän von der Erden auftfassen /
> (*Der Abendt.* Str. 1,3–6; Str. 3)

Demgegenüber gingen die katholischen Autoren z. T. differenzierter vor. In seiner zu Bach etwa zeitgleichen Josephspredigt bezeichnete Abraham a Sancta Clara es als eine besondere Ehre Josephs, von dem Jesusknaben ,Vater' genannt worden zu sein (*Abr. a S. Cl.:* Paradeyß-Blum Joseph. [S. X])[78].

Die Frage nach dem Vorzug der leiblichen Vaterschaft gegenüber der ideellen Vaterschaft Gottes stellte sich im Rahmen des Alltagsszenen grundsätzlich nicht, da nach der christlichen Hauslehre der irdische Vater als Statthalter und Stellvertreter Gottes in der Familie aufgefaßt wurde: alle Väter waren Nähr- und Pflegeväter ihrer Kinder an Gottes statt[79]. Auf diesem Hintergrund ist der hl. Joseph der *pater familias*, der sein Hausregiment führt.

Maria, die von Abraham Bach als Hausfrau und Mutter beschrieben wird, die ihr Kind weckt (*Der Morgen.*

34. Ludovico Carracci: Maria als Wäscherin. Wende 16./17. Jhdt. (Wien, Albertina)

Str. 4,1 f), sich ihm zuwendet und es wieder zur Ruhe bettet (*Die Nacht.* Str. 3), ist – wie wir sahen – in den meisten Werkstattszenen mit textilen Handarbeiten beschäftigt. Sie wird auf diese Weise als ideale Hausmutter charakterisiert, denn besonders das Abbild der spinnenden Frau, wie es uns von z. B. von Wierix in der Gestalt Mariens vor Augen geführt wird, deutete die frühneuzeitliche Ökonomie als Personifikation der *agenoria*, dem häuslichen Bereich der Ökonomie. Sie wurde dem Ackerbau betreibenden Mann – als Personifikation von *labor* – zur Seite gestellt. Als Urtypen dieser Personifikationen galten Adam und Eva nach dem Sündenfall, die man bei entsprechenden Tätigkeiten zeigte (*Warncke* 1987. S. 230 ff). So ist eine der Bedeutungsvarianten Mariens (der ,neuen Eva') mit der Spindel – neben der oben schon beschriebenen reichen Symbolik[80] – die der idealen Hausmutter und Hausfrau, die entsprechend der Ökonomie-Lehre ihren häuslichen Bereich verwaltet.

Andere Hausarbeiten (wie z. B. Kochen und Waschen) wurden in den Bildwerken seltener ausgeführt. Ein Tafelbild des 17. Jahrhunderts in der Josephskirche in Wasserburg/Schwaben zeigt z. B. die kochende Muttergottes als Adaption der Kindlbreiszenen des 14./15. Jahrhunderts. Während in den mittelalterlichen Kindlbreiszenen der

33 (margin)

18 (margin)

35. Bartholomäus Kistler: Maria als Wäscherin. aus: *John Mandeville*: Reisebeschreibung. Straßburg 1499. (Göttingen, Kunstsammlungen der Universität)

Weihnacht dem hl. Joseph das Breikochen als sprechendes Attribut seiner ‚Nährvaterschaft' beigegeben wurde, zeigt sich in dem Wasserburger Beispiel eine Verschiebung der Marienvorstellung von der hochverehrten Madonna zur exemplarisch vorgestellten Hausmutter und Hausfrau. Schon zu Anfang des 17. Jahrhunderts verarbeitete *31* Hieronymus Wierix das Bildmotiv der kochenden Maria, band es aber in stärkerem Maße in die Alltagsdarstellung ein, die nicht nur das fegende Jesuskind zeigte, sondern auch – allerdings mehr im Hintergrund außerhalb des Raumes – den hl. Joseph bei seiner Arbeit darstellte. Die Hausarbeiten sind als ein besonderes Zeichen der Demutshaltung[81] zu verstehen und konnten – nach heutigem Maßstab – zu Entgleisungen in der zeitgenössischen Deutung führen, so wenn im Wierix-Bild der Fußboden, den der Jesusknabe fegt, selig gepriesen wird (*Mielke* 1975. S. 68). Doch auch in einer Vita des Jesuitengründers Ignatius v. Loyola findet sich dieser Topos wieder: er verrichtet in einem Augsburger Druck von 1616 ebenfalls Hausarbeiten in der Küche (*W. Kilian*: Vita Beati P. Ignatii ... Augsburg 1616. Blatt 70. *König-Nordhoff* 1982. Abb. 495). Ein spanisches Andachtsblatt, dessen Hauptmotiv aus dem 17. Jahrhundert stammt, wendet diesen Demutstopos sogar auf den kochenden Jesusknaben in der Werkstatt Josephs an (*Saupere* 1971. Abb. 51).

Grotesk mutet hingegen ein Blatt von Ludovico Carracci (1555–1619) an, das den ‚Waschtag der Hl. Fami- *34* lie' darstellt. Vielleicht sollte diese Szene eine ironische Reaktion auf eine übertriebene Hl. Familie-Verehrung und -Rezeption sein. Doch scheint sie mir eher eine Verzeichnung einer Motivik zu sein, die – sucht man nach möglichen Vorläufern – an eine Illustration aus einem Druck Bartholomäus Kistlers (Straßburg 1499) zum Reisebericht *35* des John Mandeville aus Jerusalem erinnert. Dieser alte Holzschnitt zeigt, gleichsam zur Illustration der Orte im Hl. Land, eine Wäschszene. Er unterscheidet sich aber von der Graphik des 16./17. Jahrhunderts einerseits durch das Fehlen des hl. Joseph[82], andererseits macht der Kreuzesnimbus des nackten Jesuskindes die gesamte Szene – neben ihren unbestreitbar veristischen Zügen – auch als Allegorie der Reinigung der Seelen durch Christus und Maria und der Reinheit und Jungfräulichkeit der Gottesmutter deutbar. Demgegenüber führte das neuzeitliche Blatt im Hinzutreten des hl. Joseph (ohne Nimbus), der die Wäsche zum Trocknen aufhängt, eine allegorische Deutung ad absurdum.

Auch wenn dergleichen Zeugnisse m. W. selten sind und nicht immer als ‚gelungen' bezeichnet werden können, entsprachen sie doch in ihren Absichten der allgemeinen Tendenz, die Hl. Familie als Exempel zur Vermittlung der Ideale einer christlichen Hauslehre zu benutzten – einer

Hauslehre, die vorzugsweise von jenen Orden vermittelt wurde, die ihre Katechese als eine Lehrtätigkeit im Dienste des privaten wie auch gesellschaftlichen Lebens verstanden.

Die Vorstellung, Maria habe alle alltäglichen Hausarbeiten ausgeübt, war der katholischen Gedankenwelt somit nicht fremd. Auch Martin v. Cochem ordnet der Muttergottes *alle* hausfraulichen Tätigkeiten zu; die Textilarbeiten Mariens dienten in seinem erzählerischen Kontext dem Unterhalt der Gemeinschaft (*M. v. Cochem*: Leben Christi. Mainz/Köln 1716. S. 434). Bachs Darstellung ist im Sinne v. Cochems zu verstehen: Maria versorgt nicht nur den Haushalt, sie trägt auch zu dessen Unterhalt bei.

In der Haushaltung der Hl. Familie entsprach der Jesusknabe dem menschlichen Ideal, indem er als Kind gehorsam seinen Pflichten im Sozialgefüge des ganzen Hauses nachkam. Jesus ist das sich demütig unterordnende Kind, das mit seinem ausgeprägten Gehorsam ein *exemplum virtutis* für alle Kinder darstellt. Wie bedeutungsvoll das vorbildhafte Beispiel des Jesusknaben für die Jugenderziehung war, bezeugen die jesuitischen Exempellieder, in denen immer wieder auf diese Haupttugend abgehoben wurde:

> Das ist ein Exempel minder /
> Vor stell und lehrne [lehre] die kinder /
> Wie sie sollen Ghorsamb seyn /
> Jhren Eltern hier auff Erden /
> Wollens anderst Seelig werden /
> Und mit mir in Himmel seyn.
> (*Moser* 1981. S. 174. Str. 10)[83]

Doch bleibt das 21-strophige Lied dabei nicht stehen, sondern nimmt, nachdem es Jesu Passion als Gehorsam gegenüber dem Willen Gottes gedeutet hat (ebda. S. 175 f. Str. 15; 20), die Wendung zum Ideal der Genügsamkeit, um wiederum mit der Gehorsamspflicht des Kindes als Voraussetzung zur Seeligkeit zu enden:

> Folgt JEsum nach mit Freud /
> Folgt folget eurem König /
> Seyt den Eltern unterthänig /
> So kombt jhr zur Seeligkeit.
> (ebda. S. 174 f)

Noch anschaulicher ist ein anderes jesuitisches Exempellied, das ebenfalls hauptsächlich das Alltagsleben der Hl. Familie beschreibt und als Lohn für die *imitatio christi* im Kindesalter verspricht:

> Also ihr Kinderlein /
> Folgt nach dem JEsulein /
> In Gehorsam zu leben /
> So wird er euch einmahl /
> Alldort im Himmels-Saal /
> Die Freuden geben.
> (ebda. S. 170. Str. 20)

Ganz ähnlich ist die Orientierung des österreichischen Kapuziners Prokop v. Templin (um 1609–1680) (LThK. VIII. Sp. 786), der in seiner Andachtssammlung für die Advents- und Weihnachtszeit ‚*Adventuale*‘ in der Lieddichtung die gleichen Schwerpunkte wie die Jesuiten setzte (*Prokop v. Templin*: Adventuale. München 1666. S. 607. 4. Gesang. Str. 2 ff).

Jesus folgte seiner Verpflichtung gegenüber dem Heilsplan, indem er sowohl als Kind im ‚verborgenen‘ Leben als auch als Erlöser im öffentlichen Leben und in der Passion seine heilsgeschichtliche Aufgabe erfüllte. Als Gott (Logos) und Mensch und auf diese Weise Prä- und Postfiguration in sich vereinigend, realisierte der Jesusknabe im alltäglichen Leben das System der Analogie von himmlischem und irdischem Sein.

So genau und detailliert die Rolle des Hausvaters und der Hausmutter am Beispiel Josephs und Marias – wie auch des Kindes – in der Hauslehre demonstriert wurde, so wenig konnte diese Lehre über das Verhältnis zwischen Joseph und Maria als Eheleute eine Aussage machen, die eine gleichwertige exemplarische Bedeutung gehabt hätte. Zwar spricht z. B. Martin v. Cochem von der gegenseitigen Achtung und Liebe der Ehepartner Joseph und Maria zueinander[84]. Er betont aber auch, daß dies keine irdische, sprich: fleischliche Liebe gewesen sei und folgt damit der Vorstellung von der ‚keuschen Josephsehe‘ (s. S. 144).

Die Unsicherheiten im Exempel Maria und Joseph als hl. Eheleute läßt sich am Titel mancher Standes- und Tugendbündnisse ablesen, die die Muttergottes und den hl. Joseph mit jeweils unterschiedlichen ‚Zuständigkeiten‘ zum Patron wählten[85]. Sie belegen, wie fragwürdig die Wahl dieser Patrone als Vorbilder einer idealen christlichen Ehe war, die häufiger mit Marias Eltern – Anna und Joachim – in Zusammenhang gebracht wurde (*Moser* 1981. S. 150–160). So benennt z. B. ein 1850 in Innsbruck an der Stadtpfarre St. Nikolaus nachgewiesener Tugendbund für *Ehemänner* nicht nur den hl. Joseph, sondern auch den hl. Joachim als seinen Patron (*Hochenegg* 1984. S. 82)[86]. Dieses Hinzuziehen des hl. Joachim zeigt, wie schwierig das Selbstverständnis der katholischen Männer in der Ehe mit dem Ideal einer asexuellen, ‚keuschen Josephsehe‘ zu vereinbaren war, die bei wörtlicher Befolgung ja kinderlos bleiben mußte, dann aber dem göttlichen Fortpflanzungsgebot (Gen. 1,28) widersprach. Hier tritt das alte, die Kirche seit der Frühzeit begleitende Dilemma zwischen dem Ideal der Askese und Keuschheit und der Notwenigkeit des Nachwuchses zwischen der spirituellen Elite und der Gemeinde auf.

Gegenüber der ehelichen Gemeinschaft Joachims mit Anna mußte das Eheleben Josephs mit Maria in der Hl. Familie im Rahmen der Hauslehre als frommes Konstrukt, als ein verkehrter Analogieschluß von der Postfiguration (ideale christliche Familie) zur Präfiguration

(Hl. Familie) erscheinen, dem man mühsam versuchte, Menschlichkeit einzuhauchen.

> Die familiären Züge, die diese Verehrung [gemeint ist hier die Annenverehrung; das Zitat läßt sich aber auch auf die Hl. Familie anwenden] trug, erklären sich zum großen Teil aus dem Bestreben der [jesuitischen] Ordensgeistlichen, die geistige Existenzart Gottes in engere Beziehung zum täglichen Leben der Gläubigen zu setzen, um sie so leichter begreifbar und einsichtig zu machen. Damit trat die Annaverehrung [und die Hl. Familie-Verehrung] in die Nachbarschaft zur Marienverehrung, die von den gleichen Grundsätzen bestimmt war. Gerade die Jesuiten versuchten, diese Beziehung durch die enge Verknüpfung von Heilslehre und eigener Lebenserfahrung der Gläubigen zu festigen. Aber anders als bei der ‚Zurichtung des Schauplatzes‘, bei der Umwelterfahrung auf die Heilsgeschichte projiziert wurde, sprach man hier die Erfahrung über zwischenmenschliche, vor allem familiäre Beziehungen an und machte sich diese katechetisch nutzbar. (*Moser* 1981. S. 150)

In diesem Sinne entspricht die Behandlung Marias und Josephs im Exempel der Eheleute quasi dem jesuitischen Verfahren der „Zurichtung des Schauplatzes"[87] im Sinne einer ‚Zurichtung der Personen‘, und aus dieser Verfahrensweise erklären sich die Mängel im Bild der Hl. Familie als einer idealen christlichen Familie.

3.3.3 Der Primat der Arbeit

Entgegen den vorchristlichen Theorien entwickelte – wie wir sahen – die protestantische Hauslehre auf der Grundlage des göttlich bestimmten und legitimierten Hausstandes ein Arbeitsethos, das von den antiken Vorstellungen der Ökonomie abwich und auch der einfachen und niedrigen Arbeit einen höheren Stellenwert zuwies[88].

Die wichtigste Komponente bei der Arbeit war der *Fleiß*, und sowohl die Hausväterliteratur als auch Abraham Bach wurden nicht müde, den Fleiß als besondere christliche Tugend in der Arbeit hervorzuheben. Besonders das Blatt ‚Der Abendt‘ mit der Werkstattszene weist immer wieder auf den Fleiß hin: neben Joseph, der „*fleissiglich sein Handwerck trib*" (Der Abendt. Str. 2,4) und dem Jesusknaben („*Zur Arbeit sich auch fleissig findt*" ebda. Str. 3,2) leistet Maria mit Handarbeiten ihren Arbeitsbeitrag („*Thut zu der Arbeit sich fein schicken / Mit schönem nähen zierlich stricken.*" ebda. Str. 4,3 f)[89].

Der Tugend des Fleißes steht das Laster des Müßiganges gegenüber, zu dessen Vermeidung die Arbeit – neben ihrer wirtschaftlichen Bedeutung – dient. Denn der Müßiggang ist aller Laster Anfang, er führt zur Sittenverderbnis und zum Verlust des Heils. Nach dem Motto: ‚Wehret den

Anfängen‘ fordert die Hausväterliteratur den Hausvorstand deshalb auf, jedes Haushaltsmitglied unabhängig von seinem Alter zur Arbeit anzuhalten, auch wenn sie wirtschaftlich sinnlos sei. Demgemäß wird nicht nur Maria, sondern auch der Jesusknabe – und zwar schon als Kleinkind – zu sinnvoller Arbeit herangezogen.

Bei Abraham Bach hat das Fleißmotiv aber nicht nur einen wirtschaftlichen und sittlich-moralischen Sinn, es ist auch ein Prinzip, das die gesamte Natur beherrscht und grundsätzlich zur göttlichen Ordnung gehört[90]:

> Wie nun der HErr das Firmament /
> Himmel und Erden in seine Hände /
> Alles regieren thut der massen /
> Und keines nicht thut feyren [ruhen] lassen.
> (Der Morgen. Str. 2)

In den ‚*Tageszeiten*‘ ist somit die ganze Natur auf die Arbeit des Menschen ausgerichtet: das Fleißprinzip gilt sowohl für das menschliche Tun wie auch für die Natur; die „*schöne Morgen Röth des Tagesschein*" (Der Tag. Str. 1,1 f) und die Sonne dienen der menschlichen Arbeit, indem sie die Straßen, die zur Arbeitsstätte führen, erleuchten: „*Die Sonn sich auch thut herfür lassen / zu zeigen zur Arbeit die Strassen.*" (Der Morgen. Str. 1,5 f)

> Damit wird die Ökonomie ausgewiesen als ein ebenso Gottes Willen unterliegendes System wie die kosmologische Ordnung und die Ordnung des menschlichen Lebens. (*Warncke* 1987. S. 233)

Ebenso richten sich die natürlichen Bedürfnisse des Menschen – wie Hunger und Müdigkeit, bzw. deren Befriedigung – auf die Wiederherstellung der Arbeitskraft[91].

Bachs Zyklus vermittelt zusätzlich zum Arbeitsethos den typisch katholischen Topos der Zufriedenheit im Beruf und Stand mit den Worten: „*In seinem Beruff also blib / Und fleissiglich sein Handwerck trib*" (Der Abend. Str. 2,3 f). In einem jesuitischen Lied von 1701 heißt es entsprechend über die Hl. Familie: „*Wie sie in wehrenden Zeiten / Haben gehalten jhren Stand.*" (Moser 1981. S. 173). Auch Martin v. Cochem formulierte diese Idee und kombinierte sie mit einem asketischen Arbeitsethos (Betonung von Armut, Genügsamkeit und Fleiß):

> Daß aber St. Joseph ein zimmermann gewesen / ist nicht aus armuth / sonder aus tugend geschehen: weil er die reichthum dieser welt verachtend / seine zeit lieber mit einer ehrlichen hand-arbeit als mit müssiggang verzehren wollen. (M. v. Cochem: Leben Christi. Mainz/Köln 1716. S. 173)[92]

Die jesuitische Liedkatechese wird in der Betonung der Mühsal und Ärmlichkeit im Leben der Hl. Familie noch deutlicher:

36.a–b Die göttliche Vorsehung (*divinia providentia*) über der Hl. Familie in der Werkstatt.
Deckenfresken im Langhaus der Josephskirche von Starnberg 1765.

Sie kamen in Egypten dar,
Unter die blinde Heiden.
Da mußte Joseph sieben Jahr,
Sehr schwere Arbeit treiben,
Er mußte da mit saurem Schweiß,
Sein täglichs Brod verdienen,
Er sparte auch gar keinen Fleiß,
Groß Armut war bey ihnen.
(*Moser* 1981. S. 134)

Dieser Topos gab dem Alltagsleben der Hl. Familie eine asketische Komponente, die der um Prosperität bemühten protestantischen Hauslehre weniger entsprach, auch wenn sich diese um die Achtung der niedrigen Arbeiten bemühte.

Ein anschauliches Beispiel dieser Arbeitsmoral und ihre Einbindung in den göttlichen Heilsplan bietet das Freskenprogramm der Starnberger Josephskirche von 1765, das als Hauptthema die göttliche Vorsehung über der Werkstatt Josephs zeigt. Das zweiteilige Deckenfresko im Langhaus teilt sich in einen himmlischen Bereich (*divina providentia* über der Werkstatt) und einen irdischen Bereich (Hl. Familie in der Werkstatt) auf[93]. Es thematisiert die Werkstatt Josephs, über der die personifizierte Vorsehung Gottes wacht. Sie ist mit dem Trinitätszeichen bekrönt. Im Rahmen der *divina providentia* hat der Heilige die Aufgabe des Zimmermanns und Hausvaters gewählt, obwohl in dem Füllhorn der ihr dienenden *fortuna* neben den Attributen des Handwerks und der schweren körperlichen Arbeit (Hammer, Hacke, Schaufel, Spitzhacke) auch die Zeichen der weltlichen und geistlichen Macht (Tiara, Krone, Dia-

dem, Kommandostab, Bischofsstab) und des Gelehrtenstandes (Bücher) zu finden sind. Dem Bildprogramm ist somit neben der Idee des freien, menschlichen Willens auch die von der Zufriedenheit im Stand inhärent, einem Ideal, das besonders gern mit der Figur des hl. Joseph verbunden wurde.

Die Werkstattszene, die auch Maria und Jesus zeigt, wird in den Zwickelfresken des Langhauses verstärkt auf Joseph ausgerichtet, indem hier allegorisch die Tugenden des Heiligen dargestellt sind. Neben den schon z. T. bei Pierre d'Ailly festgesetzten Eigenschaften wie Gotteserkenntnis, Gerechtigkeit, Reinheit und Sanftmut (s. S. 132 f.) treten die Tugenden des Fleißes und der Sparsamkeit[94], die Bezug auf seine Funktion als Hausvater nehmen und eindeutig auf die Einflüsse der Hauslehre zurückzuführen sind. Auffällig ist, daß in diesem Zusammenhang in den allegorischen Darstellungen sogar zweimal auf den Fleiß hingewiesen wurde (*Bauer/Rupprecht* 1976–1987. S. 350 f. A_1 und B_4). Diese besondere Gewichtung korrespondiert mit der für Bachs Zyklus typischen Dominanz des Arbeitsethos im Bild der idealen, christlich-katholischen Haushaltung.

Der irdische und alltägliche Joseph in seiner Rolle als Hausvater wurde in Starnberg im Langhaus der Gemeinde zugeordnet, die ihm in ihren Verhaltensweisen nacheifern sollte[95]. Der Schwerpunkt dieser Fresken im Gemeinderaum liegt auf der besonderen und dominanten Stellung Josephs als Hausvater im Alltagsleben der Hl. Familie. Demgegenüber konzentriert sich das Zentralfresko im Chor auf die Heiligkeit Josephs und seine Fürsprecherrolle für die Gemeinde Starnberg:

36-
a–b

Das ganze Starnberg, die Obrigkeit und Geistlichkeit, die Bauern und Fischer, die Kranken und Armen vertrauen sich der Fürsprache des hl. Joseph an, der ihr Patron ist. (*Bauer/Rupprecht* 1976–1987. S. 350)

Die räumliche Nähe Josephs in der Glorie zum Allerheiligsten im Altar, der ihm geweiht ist (*Reclams Kunstführer. Dtschl.* I. S. 888), entspricht seiner Nähe zu Jesus und Maria in biblischer Zeit wie auch in der neu definierten Heiligenhierarchie. Das Zentralfresko, in dem man ,den Himmel offen sehen kann', dokumentiert dies in einprägsamer Weise. Insgesamt gesehen ist das Freskenprogramm der Starnberger Josephskirche ein gelungenes Zeugnis für den Versuch, die Hierarchie des irdisch-biblischen hl. Haushalts mit der himmlischen Heiligenhierarchie zu verbinden.

3.3.4 Die Evangelischen Räte

Nach der katholischen Andachtsliteratur erkannte man in der Hl. Familie die Personifikation der Trias Arbeit, Gehorsam und Keuschheit, eine Trias, die stark an die drei Evangelischen Räte Armut, Gehorsam, Keuschheit – die Grundlage des abendländischen Mönchtums – erinnert. Der Zielpunkt der Evangelischen Räte, die auch in den Katechismen vermittelt wurden (*Vogler*: Catechismus. Würzburg 1625. S. 30) und nach katholischer Auffassung sowohl im Bereich des persönlichen freien Willens des Menschen liegen, als auch als Gnadenakt Gottes an den von ihm Berufenen zu verstehen sind (LThK. III. Sp. 1245–1250)[96], ist die *imitatio christi*, die die Befolgung der Evangelischen Räte nicht als bloße Handlungsanweisungen, sondern als konkrete Form

der Nachfolge Christi mit eschatologischer Dimension, als „ein zeugnishafter Ausdruck der endzeitl[ichen] Heilsfülle" (ebda. Sp. 1249) und somit als Heilsweg erscheinen läßt.

Arbeit und Armut sind für die Hl. Familie fast Synonyme, denn Josephs Arbeitseifer und Fleiß scheinen im materiellen Sinne ,zu nichts zu führen'. Ganz im Gegenteil: alle Autoren betonen gerade *die Armut* der Hl. Familie, die *trotz* ihres Fleißes und ihrer Ausdauer (Beständigkeit im Stand) in ihrem Hause herrscht. Somit ist eines der Hauptcharakteristika der Hl. Familie nicht die Arbeit an sich, als deren Zweck normalerweise die Prosperität gilt und die sich einzig auf die materielle Seite des Lebens bezieht, sondern die Armut, die die Hl. Familie befähigt, für Gott frei von der Welt zu sein (*M. v. Cochem*: Leben Christi. Mainz/ Köln 1716. S. 187). Die asketisch-mönchische Komponente in diesem Konzept ist unverkennbar, und ein jesuitisches Exempellied fordert die Gläubigen auf:

Ach Sünder schaue dann /
Die höchste Demuth an /
Lehrne Armuth leiden.
(*Moser* 1981. S. 170. Str. 19),

und noch 1861 ist auf einem Totenzettel unter dem Bild der Hl. Familie zu lesen: „*Scheue Armuth und Arbeit nicht*".

Als Träger der Ideale von den Evangelischen Räten weist die Hl. Familie den Gläubigen den rechten, heilbringenden Weg zur Nachfolge Christi. Die asketische Komponente, verbunden mit der ebenfalls mönchischen Maxime ,*ora et labora*', spiegelte sich im profanen Bereich in Gestalt des materiell erfolglosen Arbeitsfleißes wider. Diese

Armut, die weder auf Faulheit noch auf fehlende Strebsamkeit zurückzuführen ist, ist im Sinne der *divina providentia* gottgegeben und gottgewollt. In ihr wurde das mönchische Armutsgebot zur profanen Genügsamkeit (gepaart mit Fleiß) umgedeutet, die wohl die private, nicht aber die gesellschaftliche Prosperität verhinderte.

Die Maximen der christlichen Hauslehre konnten, umgedeutet auf die Evangelischen Räte, dem Gläubigen generell, d. h. auch außerhalb des Sozialverbandes des ganzen Hauses, den Weg zur *imitatio christi* und damit zum Heil der Seele weisen, eine Vorstellung, die weniger von Abraham Bach als von der gesamten katholischen Andachtsliteratur vermittelt wurde.

Die Verknüpfung der Hl. Familie als *exemplum virtutis* mit der Hauslehre hatte zudem zur Folge, daß die Person des hl. Joseph mehr in das Gesichtsfeld der Gläubigen rückte. Durch die Betonung seiner dominanten Stellung als Hausvater in der patriarchalisch orientierten und strukturierten Hl. Familie wuchs die Bedeutung des hl. Joseph, die in den Alltagsszenen, wenn auch nicht immer ganz widerspruchsfrei, so doch eingehend beschrieben wurde.

4 Der Hl. Wandel

So vielseitig und interessant auch die bisher beschriebenen Hl. Familie-Darstellungen sind, so wenig vermitteln sie uns eine prägnante und eindeutige Vorstellung von der besonderen Heiligkeit der Hl. Familie und ihrer ausgezeichneten Beziehung zu Gott. Sicherlich ist diese Vielfalt eines ihrer Charakteristika, dennoch scheint eine spezifische, theologisch-dogmatische Essenz in diesen Beschreibungen zu fehlen.

Während das an den apokryphen Wunderberichten orientierte, narrativ-szenische Hl. Familie-Bild den Bedürfnissen der volkssprachlichen Epik und des volksreligiösen Liedgutes entgegenkam, zeigten die protestantisch beeinflußten Alltagsszenen, die nur noch als Ausgangspunkt die apokryphen Vorstellungen des Spätmittelalters kannten, im Exempel hauptsächlich didaktischen Charakter. Mit der Wahl heiliger Personen im Exempel baute man auf eine stärkere Wirksamkeit heiliger Vorbilder als der von hervorragenden Menschen[1], da der appellative, ja imperativische Charakter des Exempels durch den nicht nur ethischen, sondern religiösen und sakralen Bezug erhöht wurde.

Bei der Ausgestaltung des Themas *Hl. Familie* in Szene und Exempel scheint dennoch das spezifisch Göttliche und Heilige dieser Gruppe, ihre numinose[2] und sakrale Dimension, die die außerordentliche Verehrungswürdigkeit der Gruppe begründen könnte, eher sekundär gewesen zu sein. Der Einwand, das Hl. Familie-Portrait habe diesen Charakter, greift nicht, da es sich hier – wie wir gesehen haben – primär um ein variiertes Madonnenbildnis handelt und von einem spezifischen, d. h. unverwechselbaren und eindeutigen Hl. Familie-Bildtyp nicht die Rede sein kann. Zwar zeugt es von der engen Verknüpfung von Marien- und Hl. Familie-Kult, die keineswegs geleugnet werden soll. Dennoch: sollten sich alle Hl. Familie-Darstellungen der Neuzeit allein von der Marienverehrung her erklären? Sollte etwa im Rahmen eines ausgeprägten Hl. Familie-Kultes – belegt in zahlreichen Einzelerscheinungen wie Patrozinien, Bildern, Liedern, Gebeten – nie ein eigener Bildtypus entwickelt worden sein, der besonders dem Kultischen gerecht wurde?

Diesem Anspruch nach einem typischen und unverwechselbaren Bildtypus der Hl. Familie entspricht der Hl. Wandel, der sich in seinem Erscheinungsbild so ganz von den bisher beschriebenen Bildtypen und Präsentationsweisen der Hl. Familie abhebt und in seiner Bedeutung für den frommen Kult wohl am ehesten den mariologischen Hl. Familie-Portraits entspricht.

4.1 Bildtyp

Das neuzeitliche Bild des Hl. Wandels speist sich aus zwei Kompositionstraditionen, die zum einen durch den hieratisch-flämischen Typ, dessen neuzeitliches Urbild eine

37. Schelte à Bolswert (nach Rubens): *Et erat subditus illis*. Hl. Wandel. Antwerpen um 1630/1645. (Köln, Wallraf-Richartz-Museum)

38. Hieronymus Wierix: Der Hl. Wandel. 9. Blatt aus: *Claudius Aquaviva*: Admodum Reverendo in Christo Patri. Antwerpen um 1600. (Frankfurt a. Main, Städelsches Kunstinstitut)

38 Graphik von Hieronymus Wierix darstellt, zum anderen durch einen bewegten Typ repräsentiert werden, den z. B. eine Altarskizze eines anonymen norditalienischen Künstlers aus dem 1. Drittel des 17. Jahrhunderts wiedergibt (*Auktionskat. Hauswedell & Nolte* 1981. Nr. 167. S. 29. Tafel 21), die eine andere, stärker von narrativen Elementen bestimmte Bildauffassung zeigt. Dieser Bildtyp wurde ver-
37 mutlich von einem heute verlorenen Altarbild in der Ant-
55 werpener Jesuitenkirche geprägt und war u. a. in Tirol und Bayern verbreitet.

Die Exemplare der niederländisch-flämischen Provenienz wurden in der Andachtsgraphik der katechetischen Orden jedoch dem bewegten, szenisch-episodenhaft wirkenden und häufig direkt mit der Flucht der Hl. Familie in Zusammenhang gebrachten Typus vorgezogen, da mit ihrer Hilfe eher dogmatische Inhalte vermittelt werden konnten.

4.1.1 Beschreibung

Das hieratische und in der Folgezeit für die Katechese so bedeutsame Bild des Hl. Wandels wurde in der Frühen Neuzeit durch die Graphik des Antwerpener Kupferstechers Hieronymus Wierix verbreitet.

In einer Landschaft, die im Hintergrund eine Stadt zeigt, *38* tritt uns frontal die Hl. Familie entgegen: Maria und Joseph führen das Jesuskind zwischen sich bei der Hand und wenden sich ihm zu. Jesus blickt zu Maria auf, die in der Rechten ein aufgeschlagenes Buch – die Schrift der göttlichen Offenbarung und zugleich Mariensymbol[3] – hält, während dem hl. Joseph als Attribute ein geschlossenes Buch und eine Lilie zugeordnet sind[4]. Alle drei Figuren tragen lange Gewänder, während die zwei im Vordergrund betenden (Kinder-)Paare modisch gekleidet sind. Die Köpfe der heiligen Personen sind mit einem Nimbus umgeben, der bei dem Jesusknaben besonders ausgeprägt ist und denjenigen gleicht, die Gottvater und die Hl. Geist-Taube bezeichnen.

In den Wolken breitet Gottvater – von beiden Seiten umgeben von jeweils vier Puttenköpfen – segnend die Arme aus. Die unter ihm schwebende Taube des Hl. Geistes sendet die göttlichen Strahlen direkt auf die Köpfe der Hl. Familie. Auf diese Weise wird die innere Beziehung zwischen Gott und der Hl. Familie graphisch verdeutlicht.

Das Blatt wird von zwei dreizeiligen Versen begleitet, die ihrerseits sowohl Bezug auf die Hl. Familie als auch auf Gottvater nehmen:

IESV matris deliciae   Paterne decus gloriae
Tu matri libas oscula,   Tu spes ad te clamentium
Tu patri das solatio   Salus et mundi pretium

(Jesus, Wonne deiner Mutter / Küsse den Mund deiner Mutter / Gib Trost deinem Vater // Zierde des väterlichen Ruhmes / Du Hoffnung derer, die zu dir rufen / Heil und Preis der Welt.)

Mit dieser kurzen Beschreibung sind die für den Hl. Wandel konstitutiven Bildelemente genannt: die frontal dargestellte Hl. Familie auf der Erde, deren formal additive Struktur durch die Symmetrie der Gruppe zu einer Einheit verschmilzt, und Gottvater mit dem Hl. Geist in den Wolken. Als drittes Element treten die betenden Paare hinzu, die durch ihre modische Kleidung wie durch den Gebetsgestus anzeigen, daß sie der irdischen Ebene angehören, während die Hl. Familie in zeittypischen Gewändern der Bibel dargestellt ist, durch die Hieronymus Wierix – in Befolgung des tridentinischen Decorum-Gebots – sie zwar als irdische Erscheinung, jedoch als eine außerhalb der irdischen Profanität seiner Zeit stehende Heiligengruppe bezeichnet.

4.1.2 Hieronymus Wierix

Hieronymus Wierix (geb. ca. 1553, gest. 1619) erarbeitete um 1600 im Auftrag der Jesuiten einen Zyklus von zehn Stichen (9 Blätter plus Titelkupfer) mit dem Titel ‚Admodum Reverendo in Christo Patri‘, zu dem als vorletztes Blatt der Hl. Wandel gehört[5]. Die drei Wierix-Brüder Antonie, Hieronymus und Johann waren in der zweiten Hälfte des 16. Jahrhunderts bis in die 20er Jahre des 17. Jahrhunderts in Antwerpen als Kupferstecher tätig. Ihr Gesamtwerk belief sich auf über 2 000 Blätter, die sowohl in Flandern als auch in Frankreich verlegt wurden (Wurzbach 1906/1910. II. S. 879). Nagler weist Hieronymus Wierix 400 Stiche zu, von denen etwa die Hälfte Kopien nach anderen Meistern – z. B. 35 nach Dürer – sind (Nagler 1835–1852. XXIV. S. 274 ff). Ca. 200 Blätter seines Werkes werden von religiösen Themen beherrscht, die er zusammen mit seinen Brüdern vorwiegend für die Jesuiten – nach deren Angaben und Vorlagen – stach. Wurzbach zählt insgesamt 462 Blätter der Brüder, die in jesuitischem Auftrag entstanden (Wurzbach 1906/1910. II. S. 879), wie z. B. 12 Blätter einer Ignatius-Vita (König-Nordhoff 1982. S. 104–109). Die Kupferstichserie zu ‚Admodum Reverendo in Christo Patri‘ des Ordensgenerals Claudio Aquaviva thematisiert die Anbetung des Jesusknaben durch die Jesuiten, vorzugsweise durch Ignatius v. Loyola, Franz Xaver, Stanislaus Kostka und Luigi Gonzaga. Jesus bildet in allen Blättern dieser Reihe das Zentrum, und die Konstellation des Hl. Wan-

dels im achten Blatt der Reihe galt als so typisch für die Bildsprache der Jesuiten, daß die Hl. Familie im Bild des Hl. Wandels auch als „jesuitische Trinität“ bezeichnet wurde (Réau 1957. II,2. S. 149. LCI. VII. Stichwort: Joseph von Nazareth. Sp. 212)[6].

Hieronymus Wierix nahm diesen Bildtyp mehrmals in sein Repertoire auf: einmal in der hier wiedergegebenen Form, außerdem z. B. in einer Variante, in der die betenden Paare fehlen, statt dessen aber sind in den Ecken Medaillons mit Szenen aus der Kindheit Jesu (Geburt, Flucht, Arbeit der Hl. Familie, Tod Josephs) abgebildet. Hier lautet der Text nur: „Jesus matris deliciae, Patris solatium.“ (Nagler 1835–1852. XXIV. S. 286. Nr. 209 f. Mauquoy-Hendrickx 1978. I. S. 60. Nr. 471). In einer anderen Fassung von seinem Bruder Antonie Wierix erscheint der Jesusknabe im Hl. Wandel mit einem Kreuz in der Hand (ebda. S. 63. Nr. 486).

In der Beurteilung des Werks der drei Brüder ist sich die ältere Literatur im großen und ganzen einig: sie waren zwar gute Handwerker, konnten aber keine Blätter von hohem künstlerischen Rang schaffen. Wurzbach polemisierte 1910, daß „viele Arbeiten [. . .] als Reproduktionen älterer Kunstwerke interessant [sind], leider aber überwiegen in ihren Werken die eigenen Kompositionen oder die Blätter nach der Erfindung von Brüdern der Gesellschaft Jesu; [. . .].“ (Wurzbach 1906/1910. II. S. 879).

Hingegen lobt Adolf Spamer in seiner Monographie ‚Das kleine Andachtsbild‘ die Kompositionen der Wierix'schen Blätter nach Technik, Aufbau, Lebendigkeit und Detailreichtum:

Dabei liegt, von der technischen Vollendung abgesehen, der Hauptreiz ihrer Entwürfe in der restlosen Durchdringung weltlicher Vorwürfe mit religiösem Gehalt, jener neuen unio mystica von Welt und göttlicher Idee, die der gegenreformatorischen Bild- und Wortkunst ihr Gepräge gibt. (Spamer 1930. S. 127).

Dieses Urteil ist wohl ebenso übertrieben wie das von Wurzbach. Mielke charakterisiert die Wierix-Entwürfe sehr treffend als kleinlich und kleinmeisterlich und illustriert diese Beurteilung mit Hilfe des fünften Blattes aus der Infantia-Serie[7]. Dennoch hebt der Autor positiv den Einfluß der Innenraumgestaltung durch die von den Wierix-Brüdern in ihrer Lehrzeit so häufig kopierte Dürer-Graphik hervor (Mielke 1975. S. 68 f).

Die Wierix-Brüder unterhielten zwar eine florierende Werkstatt, gehörten aber offensichtlich nicht zu den hervorragendsten Kupferstechern ihrer Zeit. Vergleicht man z. B. die frühen, von Hendrik Goltzius gestochenen und von Philipp Galle[8] herausgegebenen zwölf Allegorien des Glaubens mit der Wierix-Produktion, die ebenfalls um hohe allegorische Dichte bemüht war, so fällt das Qualitätsurteil zugunsten Hendrik Goltzius‘ aus.

Dementsprechend traten die Jesuiten, als es um die Illustrationen zu den ‚Evangelicae historiae imagines‘ des

31

spanischen Jesuiten Jeronimo Nadal (1507–1580) (LThK. VII. Sp. 774 f) ging, zuerst an Hendrik Goltzius heran und baten ihn, 153 Stiche anzufertigen – ein Angebot, das Goltzius 1586 ablehnte. Einige Zeit danach wurde der gleiche Auftrag den Wierix-Brüdern angetragen und von ihnen ausgeführt (Erstausgabe: Antwerpen 1593. *König-Nordhoff* 1982. S. 109). Es ist bezeichnend, daß sich die Jesuiten mit ihrem Angebot zuerst an Goltzius und nicht an die Wierix-Brüder wandten und daß Goltzius – nachdem er zuvor Bedingungen bezüglich eines Romaufenthaltes gestellt hatte – den Auftrag ausschlug (*Strauss* 1977. II. S. 343, 370 f), die Wierix-Brüder hingegen nicht; die Wierix-Werkstatt war also im besten Sinne des Wortes ‚zweite Wahl'.

4.1.3 Vorläufer

War der Hl. Wandel in seinen Einzelkomponenten aber wirklich eine völlige Neuschöpfung der Jesuiten? Mußte die katholische Kirche nicht mit der Traditionsgebundenheit der Gläubigen rechnen, die auch in starkem Maße die Bilderwelt betraf? Wolfgang *Brückner* hat an verschiedenster Stelle darauf hingewiesen, daß es im Bereich der Volksfrömmigkeit für den Wechsel vom Mittelalter zur Neuzeit durchaus Kontinuitäten gab und der eigentliche ‚Bruch' erst mit der Aufklärung kam (*Brückner* 1979. S. 566. ders. 1982. S. 65–70). Es sei hier als Beispiel an den hartnäckigen Fortbestand der dreigesichtigen Trinitätsdarstellung erinnert, die sich trotz des tridentinischen Verbotes bis weit in die Neuzeit hinein hielt. Griffen die Jesuiten also beim Hl. Wandel nicht vielmehr auf alte, bekannte Bildelemente zurück, die sie womöglich neu kombinierten und dementsprechend auch neu deuteten? Genau letzteres scheint der Fall gewesen zu sein.

Wie schon bemerkt, hebt sich die Hl. Familie-Darstellung im Hl. Wandel Wierix'scher Prägung besonders durch die Frontalität der Gruppe ab, die, folgen wir der gängigen Themenzuschreibung, nach der hier die Rückkehr der Hl. Familie aus Ägypten (*Gebhard* 1968. S. 57. *Mâle* 1951. S. 312) gezeigt wird[9] (oder auch die Rückkehr der Hl. Familie von Jerusalem mit dem 12jährigen Jesusknaben), unüblich war. So ist Interpretationsmuster ‚Hl. Wandel = Rückkehr aus Ägypten' ungeeignet, um die Vielschichtigkeit und Bedeutung dieses Bildtyps für die Neuzeit hinlänglich zu erklären. Warum sollte auch ein ikonographisch etabliertes Motiv wie die Flucht bzw. die Rückkehr durch ein Konkurrenzmotiv in Form des Hl. Wandels nochmals besetzt werden?

Schon im Mittelalter war das Bild des von seinen Eltern an der Hand geführten Jesusknaben bekannt, so z. B. in der Baseler Inkunabel von Michael Furter gedruckt zu einem Gebetbuch Ludwig Mosers mit dem Titel ‚*Bereitung zu dem heiligen Sakrament mit andächtigen Betrachtungen und gebeten [!] vorher und nachher.*' (um 1485). Hans *Wentzel*

hat in mehreren Aufsätzen besonders diejenigen Darstellungen ins Auge gefaßt, auf denen das Jesuskind an der Hand seiner Mutter Maria zu sehen ist. Der Autor ordnete die Jesus-Maria-Gruppe je nach den mitgeführten Attributen – Körbchen, Buch, Tafel, Rute – einer bestimmten Episode aus den Apokryphen zu (Schulbesuch, Rückkehr aus Ägypten, Wiederfinden des 12jährigen Jesus im Tempel. *Wentzel* 1959. S. 258). Dieser Versuch ist zwar von der Grundidee her berechtigt, da alle von *Wentzel* beobachteten Illustrationen vorherrschend narrativ-szenischen Charakter besitzen, doch ließ der Autor diesen Interpretationsansatz im Laufe der Zeit fallen und erkannte 1960 die Jesus-Maria-Gruppe als *Infantia Christi*, ein Typus, der seit der Mitte des 14. Jahrhunderts so geläufig war, daß er sogar auf Siegeln dieser Zeit auftauchte (*Wentzel* 1959.)[10] und in der Übertragung auf den hl. Joseph in einer *Biblia pauperum*-Ausgabe[11] wie auch in der Miniatur zum Josephsoffizium im Stundenbuch Karls V., einer flämischen Handschrift von 1516 (*Dogaer* 1987. S. 168 ff. *Irblich* 1988. S. 19–23), wiederzufinden ist. Dieser Bildtypus, den *Kotrba* als erster erkannte (*Kotrba* 1958. S. 244 ff. *Wentzel* 1960. S. 146 ff), kam ohne jeden epischen Hintergrund aus, wurde aber auch noch im 15./16. Jahrhundert – wie Beispiele zeigen – im narrativen Sinne gebraucht.

Bei allen seinen Untersuchungen nahm *Wentzel* auch die Drei-Personen-Gruppe (Jesus mit Maria und Joseph) wahr, die er aber immer als Variante verstand. Obwohl er selbst drei recht frühe Beispiele für eine Drei-Personen-Gruppe in der Art des Hl. Wandels aufführte[12], tat er sie als eine volkstümliche Abart der ‚*Infantia Christi*' ab (*Wentzel* 1960. S. 136). Diese Beurteilung *Wentzels*, die er besonders für den neuzeitlichen Hl. Wandel gelten lassen will, ist m. E. nicht berechtigt. Die Schwierigkeiten des Autors bei der Einordnung des Bildmotivs ‚Maria mit dem Jesusknaben an der Hand' verdeutlichen aber, mit welch variablen Behandlungsweisen ein und desselben Bildmotivs im Mittelalter gerechnet werden muß und wie vielfältig die literarischen Quellen dieser Bildtypen sein konnten. So ist es m. E. nicht unzulässig, auch den Ursprung für den Hl. Wandel, bzw. Teile seiner Komposition im epischen Bereich, in der mittelalterlichen, apokryphen Tradition zu suchen.

Im ‚*Marienleben*' des Kartäuser-Bruders Philipp (2. Hälfte 13. Jhdt.) finden wir eine Textstelle, die in auffälliger Weise mit der später als Hl. Wandel bezeichneten Drei-Personen-Gruppe korrespondiert, ohne daß eine Aussage über die für das neuzeitliche Bild so typische Frontalität der Gruppe gemacht würde.

mit beiden henden zwischen in
daz kint vuorten etwenn hin
Jôseph und Marjâ diu reine:
ir beider arbeit was niht kleine.
(*Ph.* 3848 ff)

XIII

Ein anderes Zitat aus dem ‚*Marienleben*‘ spiegelt nochmals die Szene wider, in der die Eltern das Kind zwischen sich nehmen:

dâ von betruogen sich die drî,
Jôseph, Jêsus und Marî. (*Ph.* 3910 f)

Auch in der bei *Wentzel* so häufig angesprochenen Schulszene finden in Bruder Philipps ‚*Marienleben*‘ sowohl Maria als auch Joseph Erwähnung:

Mariâ ir kint ze schuole liez.
[...]
mir ir sun gienc diu meit
und her Jôseph zuo der schuole,
daz kint dem meister sîbevuhlen; [...]
(*Ph.* 3985 ff)

Zwar bediente sich Bruder Philipp der ‚*Vita rhythmica*‘ als Vorlage, doch spricht der Text dort nur von Maria, die ihr Kind zur Schule führt („*Maria ducens filium ad scolas commendavit / Magistro, quod et litteras docent hunc rogavit.*“ VR 2784 f). Es liegt also nahe, daß die Vorstellung der das Kind bei den Händen fassenden Eltern (Maria und Joseph) auf Bruder Philipp zurückgeht. Wenn man die weite Verbreitung der Schriften Philipps in Rechnung stellt (*Masser* 1969. S. 264), so ist es nicht verwunderlich, daß man in der bildenden Kunst sowohl die Jesus-Maria- als auch die Drei-Personen-Gruppe mit Joseph antrifft.

Ob Bruder Philipp dieses Bild geprägt hat, kann nicht mit Bestimmtheit gesagt werden, dennoch ist die Übereinstimmung zwischen Text und Bild bemerkenswert. Auffällig ist außerdem, daß alle bei *Wentzel* angeführten Beispiele der Drei-Personen-Gruppe *nach* Bruder Philipps ‚*Marienleben*‘ liegen; der früheste Beleg stammt aus Marienburg und wird auf das Ende des 13. Jahrhunderts datiert (*Wentzel* 1942. Abb. 28)[13].

XIII Der kleine Holzschnitt aus Ludwig Mosers ‚*Bereitung zu dem heiligen Sakrament*‘ (Basel um 1485) zeigt solch eine Drei-Personen-Gruppe, die trotz des anscheinend dogmatischen und katechetischen Charakters des Werkes in einen Erzählkontext eingebunden ist und die Rückkehr der Hl. Familie aus Jerusalem wiedergeben soll[14].

39 Auch das etwa zeitgleiche Titelbild zu dem niederländischen Druck ‚*Die historie va[n] den heilige[n] patriarch Joseph: brudegom der maget marie eu opuveder ons here[n] ihesu cristi*‘ (Gouda Ende 15. Jhdt. *Schretlen* 1925. Tafel 78D. *Foster* 1978. S. 60–63), das die Personenkonstellation des Hl. Wandels mit der himmlischen Trinität zur doppelten Dreieinigkeit kombinierte und sogleich an das neuzeitliche Kultbild *Hl. Wandel* denken läßt[15], ist in den narrativen Kontext der Josephsgeschichte gesetzt, auf Grund dessen diesem Holzschnitt eher ein illustrierender als ein dogmatischer Charakter zukommt. Dennoch zeigt ein Steinepitaph *40* im Bremer Dom aus dem frühen 16. Jahrhundert, das dem holländischen Holzschnitt in verblüffender Weise ähnelt[16],

daß das Bildmotiv auch aus dem Erzählkontext ausgegliedert und als Gedenkstein, als *memoria* verwandt werden konnte. Offenbar war dieser Bildtypus im nordwestlichen Raum recht weit verbreitet und ikonographisch relativ fest gefügt.

So bezieht sich der neuzeitliche Hl. Wandel in seiner Komposition auf manche spätmittelalterliche Abbildung dieser oder einer ähnlichen Szene, doch widerspricht er sowohl in seinem komplexen Aufbau wie auch in seiner Statik und begrenzten Variabilität dem Grundcharakter des Szenisch-narrativen. Er hat mit der frontalen Darstellung und additiven Reihung seiner Figuren und der Erweiterung durch die himmlische Ebene jeden epischen Charakter verloren und sich somit auch von den Begebenheiten gelöst, die im Mittelalter meistens mit einer ähnlichen Komposition verbunden wurden. Tendenzen dieser Loslösung vom Erzählgrund lassen sich schon um 1500 beobachten. Eine neuzeitliche ‚Rückdeutung‘ des Hl. Wandels zum Exempel oder zur Szene[17] ist im Laufe der Rezeption dieses komplexen Kultbildes jedoch nicht auszuschließen.

Offenbar griff die katholische Kirche in der Phase ihrer Erneuerung auf einen bekannten apokryphen Bildtyp zurück, um so jene Traditionen zu betonen, die dogmatisch am wenigsten verfänglich und am einfachsten neu zu kombinieren und umzudeuten waren.

Graphisch neu aufgearbeitet und mit der Darstellung Gottvaters und der Taube ausgestattet, wurde die Drei-Personen-Gruppe im Hl. Wandel ein beliebter und weit verbreiteter Bildtyp. Die statuenhafte, frontale Darstellungsweise der Personen – schon im mittelalterlichen Bild ansatzweise vorhanden – begünstigte die nötige Neudeutung, da auf diese Weise dem Bildmotiv von vornherein jeder epische Charakter fremd war.

4.1.4 Der Begriff *Hl. Wandel* als Gruppenbezeichnung für die Hl. Familie

Bisher haben wir den Begriff *Wandel* bzw. *Hl. Wandel* als Bezeichung eines bestimmten ikonographischen Typs verwandt, obwohl der Terminus im 17. und 18. Jahrhundert zwar der Hl. Familie, nicht jedoch explizit dem Bildtyp Wierix’scher Prägung zugeordnet wurde, den man zumeist mit den Namen der drei Personen bezeichnete. Dennoch bestand schon zu jener Zeit eine Beziehung zwischen dem Bildtyp und der speziellen Terminologie, die sich nicht zuletzt in der Wahl der Wierix-Darstellung als Kultbild für die Hl. Wandel-Bruderschaften sowohl in der Gebrauchsgraphik der Fraternitäten als auch in ihren Altären niederschlug.

Der Ausdruck *Hl. Wandel* in Zusammenhang mit JMJ-Bruderschaften fand nach Torsten *Gebhard* zuerst im bayerischen Gebiet Anwendung (*Gebhard* 1968. S. 59)[18], während *Duhr* von einer Fraternität im norditalienischen, ehemals habsburgischen Görz (heute Gorizia) von 1640

40. Anonym: Die Hl. Familie. Sandsteinepitaph. Bremen frühes 16. Jhdt. (Bremen, Dom)

39. Jacob Cornelisz. van Amsterdam: Die Hl. Familie. Titelholzschnitt zu: *Die historie va[n] den heilige[n] patriarch Joseph: brudegom der maget marie en opuveder ons here[n] ihesu cristi.* Gouda 1500.

weiß, deren Vorläufer eine entsprechende jesuitische Bruderschaft in Florenz war (*Duhr* 1907–1928. II,2. S. 89).

Einige der uns bekannten Bruderschaftstitel[19] aus dem deutschen Sprachgebiet scheinen auf eine Konzentration auf ganz bestimmte Aspekte in der Auffassung der Hl. Familie hinzudeuten, die mit der Semantik des Begriffs *Wandel* korrespondieren. Dabei ist für uns ganz besonders jene Sinnvariante von Interesse, die der kirchlich-biblischen Sprache entspringt und mit *Wandel* die Lebensführung faßt, wie sie z. T. auch die Bruderschaftstitel widerspiegeln:

– Jesus, Maria und Joseph, die heiligste auf Erden wandelnde Gesellschaft (Nachweis: 1675 Münsing. *Mayer/ Westermayer* 1874–1884. II. S. 334)
– Bruderschaft unter dem Titel des Hl. Lebens und Wandels Jesu, Maria und Joseph (Nachweis: 1677 Dillingen. *Steichele/Schröder* 1864–1939. III. S. 114)

– Bruderschaft unter dem Titel des hl. Lebenswandels von Jesus, Maria und Joseph (Nachweis: 1701 Angath. *Hochenegg* 1984. S. 122)
– Bruderschaft zu Ehren des hl. Lebenswandels Jesus, Maria und Joseph (Nachweis: 1792 Mittelpettnau. ebda. S. 86).

Diese Titel suggerieren, mit dem Begriff *Hl. Wandel* sei primär die Lebensführung der Hl. Familie gemeint[20]. In diesem Sinne bittet auch ein Gebet der in der zweiten Hälfte des 17. Jahrhunderts gegründeten JMJ-Bruderschaft aus Mittelpettnau (B. Innsbruck) ausdrücklich um die Gnade, *51* „*dem H. Wandel vnd Leben*"[21] von Jesus, Maria und Joseph folgen zu können.

Auch die Vorstellung, daß der Begriff *Wandel* auf die Fortbewegung zielt, muß – entsprechend seiner Bedeutungsvarianten – verbreitet gewesen sein, wie u. a. die Idee von Jesus, Maria und Joseph als Totengeleit zeigt (*Gebhard* 1968. S. 60). *Gebhard* bezweifelt aber ebenso wie *Mâle*, daß eine etwaige Zugehörigkeit des Hl. Wandels zu einer narrativ-szenischen Bildgruppe dem Grundcharakter des Bildtyps entspricht (*Gebhard* 1968. S. 56 f. *Mâle* 1951. S. 312 f.). Er verweist in diesem Zusammenhang auf ein Rubensblatt, das die Rückkehr der Hl. Familie aus Ägypten thematisiert, sich aber in der Komposition vom Hl. Wandel *41* z. B. darin unterscheidet, daß er nur die irdische Ebene mit der dominanten Dattelpalme abbildet[22]. Diese Zuordnung erscheint somit als unbefriedigend. Allerdings befand sich in der Antwerpener Jesuitenkirche ein Altargemälde aus der Rubensschule, das dem Hl. Wandel-Typus sehr nahe kam, uns heute aber nur noch in einer Kopie (New York, Metropolitan Museum of Art) und in einem Stich von Schelte à Bolswert, der zeitweilig der Rubenswerkstatt angehörte, überliefert ist. Das Original ging 1718 bei einem Brand verloren.

37

Offensichtlich wurde der Begriff von den Gläubigen hauptsächlich im Sinne von *Lebenswandel*, die Hl. Familie also als Exempel verstanden und somit einem Sprachgebrauch gefolgt, der spätestens seit Luthers Bibelübersetzung allgemein gültig war. Schon im Mittelhochdeutschen seit Notker wurde das lateinische *conversatio* der Vulgata in typischer Weise mit *Wandel* im Sinne von *Lebensführung* übersetzt und bis Luther für die Bibelsprache reserviert[23].

Auch das kleine vorreformatorische Blatt von 1489 aus Basel nahm diesen Gedankengang in seiner Überschrift „*Cum Maria et Joseph pueri Jesu convictus atque conversatio*" (Die Tisch- und Lebensgemeinschaft des Knaben Jesus mit Maria und Joseph) (*Gebhard* 1968. Abb. 4. *Schramm* 1940. XXII,2. Taf. 35. Abb. 18.) auf, wie ja auch der Titel der Bruderschaft von Hergiswald von der Hl. Familie als den „*Hausgenossen*" (*Henggeler* 1955. S. 244) spricht.

20

Im Rahmen dieser Überlegung stellt sich die Frage, warum die Blätter der Alltagsszenen, die doch offenbar den Lebenswandel der Hl. Familie thematisieren, nicht den Terminus *Hl. Wandel* gebrauchen, sondern nur von den Einzelpersonen sprechen, obwohl zur Zeit von Bachs Tageszeiten-Zyklus (nach 1682) der Begriff durchaus etabliert war. Offenbar sollte mit dem Begriff *Wandel* in Zusammenhang mit der Hl. Familie mehr gefaßt werden als nur die Lebensführung der ‚Hausgenossen' in den Alltagsszenen, denn die narrative Auffassung unter dem Aspekt des Exempels, in der die direkte Visualisierung sittlichen Verhaltens im Rahmen einer Alltagsszene kaum möglich war, hatte einen geringeren theologischen Aussagewert als dies in einem Kultbild der Fall sein konnte, das umfassend die christlich-katholischen Glaubensinhalte darstellen sollte.

Aus der Diskrepanz zwischen dem Vorbild aus dem frühen 17. Jahrhundert und seiner Rezeptionsweise seit der 2. Hälfte des 17. Jahrhunderts (s. S. 114 ff.) läßt sich schließen, daß die ursprüngliche, intendierte Bedeutungsebene des Hl. Wandels komplexer war als die des Exempels oder der biblischen Szene. Mit diesem vielschichtigen Bildtyp war vielmehr ein umfassendes christlich-katholisches Symbol zur Verdeutlichung der Inkarnation beabsichtigt, für deren Darstellung sowohl die irdische[24] als auch die himmlische Ebene notwendig war.

4.1.5 Der Hl. Wandel als *conversatio*

Die frühe Genese des Bildtyps *Hl. Wandel* und seiner Vorläufer konnte die Frage nach seinem sakralen Gehalt nicht klären, doch führt uns der spezifisch biblische Sprachgebrauch des Begriffs *Wandel* und sein lateinisches Pendant *conversatio* aus der Vulgata[25] mit ihrer Bedeutung als *sittliche* Lebensführung weiter[26].

41. Lucas Vorstermann (nach Rubens): Die Rückkehr aus Ägypten. Kupferstich. 1620. (Paris, Cabinet des Estampes de la Bibliothéque Nationale)

Das lateinische *conversatio* wurde schon vor Luther vorzugsweise mit *Wandel* im Sinne von Lebenswandel übersetzt, eine Praxis, der z. B. auch das Baseler Blatt von 1489 Rechnung trug. Die einzige Verbindung zwischen diesem Blatt und dem Hl. Wandel besteht scheinbar in der Anordnung der Personen. Der Text aber schlägt die Brücke zum Hl. Wandel, denn in ihm wird von der Hl. Familie als *convivium* und *conversatio* gesprochen. Diese Begriffe können mit *Tischgemeinschaft* und *Umgang* bzw. *Lebensgemeinschaft* und *Lebenswandel* übersetzt werden. Schon hier klingt der Begriff *Wandel* im Zusammenhang mit einer bestimmten Art der Lebensführung an. Bedeutete im 15./16. Jahrhundert *Wandel – conversatio* noch *äußere Lebensführung, Lebensgewohnheit*, so gewann im Laufe der Zeit die schon von dem Mystiker Heinrich Seuse gebrauchte Sinnvariante des moralisch-sittlichen Verhaltens, das seinen Niederschlag in einer spezifischen äußeren Lebensführung findet, immer mehr an Bedeutung (*Grimm.* XIII. Sp. 1533 f).

Bei genauer Betrachtung der zeitgemäßen, d. h. frühneuzeitlichen Übersetzungsweise zeigt sich, daß das Begriffspaar *convictus – convivium* die allgemein menschliche Gemeinschaft bezeichnet, die sich – ähnlich wie in *17-* Bachs Drucken – besonders in der gemeinsamen *wirt-* *a–d* *schafft, gesel-schafft* und *malzyt, zerung* ausdrückt. *Conversatio* fügt dieser Beschreibung noch eine kommunikative, moralische und spirituelle Komponente hinzu, die – aus dem biblischen Sprachgebrauch stammend – besonders im monastischen Bereich Anwendung fand. Schon Johannes Gerson sprach in einer Predigt vor dem Konstanzer Konzil im Gegensatz zu *convictus* als dem gemeinschaftlichen Bewohnen eines Hauses von *sanctissima conversatione Joseph cum Maria (In Festo Nativitatis B. Mariae Virginis.* gehalten am 8. Sept. 1416. *Gerson.* V. Nr. 232. S. 353). Für das Niederdeutsche war der Begriff *conversatio* in dem uns bekannten Sinne von *wandelunge, gaistlich wandlung*[27] geläufig.

So weist der Begriff *Wandel* auch im Bildtyp des Hl. Wandels nicht primär auf die Fortbewegung (Flucht bzw. Rückkehr) oder den vorbildlichen äußeren Lebenswandel hin, der in einer derart statischen Komposition nicht anschaulich präsentiert werden konnte. Vielmehr zielt der Begriff als *conversatio* auf den besonderen spirituellen Gehalt der Gruppe, den der Hl. Wandel als Kultbild transportierte.

Der Hl. Wandel unterscheidet sich in sofern auch vom Hl. Familie-Portrait[28], als daß in ihm die spirituelle Gemeinschaft zwingend auf die drei Personen der Hl. Familie – Jesus, Maria, Joseph – festgeschrieben war und mit ihm ein typisches Kultbild der Hl. Familie etabliert wurde.

In dem Maße, in dem der Begriff *Wandel* bzw. *Hl. Wandel*[29] auf diesen ikonographischen Typus angewandt wurde, dessen Erscheinungsbild keiner narrativen, wohl aber einer abstrakt sittlichen und dogmatischen Bedeutungsebene entsprach, konnte sich der Hl. Wandel vom Wortsinn der allgemeinen Lebensführung lösen, zum Synonym für die im Kultbild *Hl. Wandel* dargestellten Hl. Familie und auf diese Weise zum komplexen christlich-katholischen Symbol werden, das der Vermittlung durch die Katechese bedurfte, ohne die Konnotation der Lebensführung wie auch der Fortbewegung besonders für den volksfrommen Glauben gänzlich zu verlieren. Der Hl. Wandel wurde zum Träger einer primär sittlich-spirituellen Aussage und zum sittlich-spirituellen Symbol.

So ist es durchaus zulässig, von dem Hl. Wandel als einer *Sacra Conversatione* zu sprechen, obwohl sich dieser Bildtypus von der gängigen kunsthistorischen Definition einer *Sacra Conversatione* mit thronender Madonna und beliebigen Heiligen (*Lexikon der Kunst.* IV. S. 259. *LCI.* IV. Sp. 4 f) durch seine eindeutige personelle Besetzung abhebt.

Die Zusammensetzung der ‚normalen‘ *Sacra Conversatione* war häufig durch das Kirchen- oder Altarpatrozinium bestimmt[30], in manchen Fällen konnten die Heiligen dieses Bildtyps aber auch wie die Hl. Familie in einem verwandtschaftlichen Verhältnis zueinander stehen (wie z. B. die Heiligen Benedikt und Scholastika); dies ist jedoch nicht obligatorisch. Das auf die Madonna hin orientierte Schema wurde zuweilen durchbrochen, ohne die Hauptcharakteristika des Bildtyps zu berühren. So zeigt z. B. ein Gemälde von Francesco Vecellio (ca. 1475 – ca. 1560)[31], das fälschlicherweise Tizian selbst zugeschrieben wurde, dieselbe Grundstruktur wie eine *Sacra Conversatione*, wobei das Christuskind als Salvator das Zentrum der Komposition ausmacht (*Wethey* 1969. I. S. 173)[32]. Ebenso wie die Madonna steht es erhöht auf einem Sockel[33], der rechts und links von den Heiligen Katharina und Andreas flankiert wird.

Folgte Francesco Vecellio formal noch dem alten *Sacra Conversatione*-Typus, so wurde die Bildstruktur bei Wierix über die sprachliche Kongruenz von *conversatio* und *Wandel* in die Form des Hl. Wandels transformiert, der die Idee der spirituellen Gemeinschaft der Heiligen mit der des sittlichen Ideals bei gleichzeitiger Intensivierung der dogmatischen Aussage erweiterte.

Die Begriffe *conversatio* und *Wandel* wurden also im 15. und 16. Jahrhundert als Synonyme gebraucht, um die Idee einer bestimmten Heiligengemeinschaft – der Hl. Familie – zu benennen und zu beschreiben. Speziell im Hl. Wandel konnte der spirituelle Gemeinschaftsaspekt des Begriffs *conversatio* verdeutlicht werden, da die abgebildeten, durch Attribute und Symbole als heilig bezeichneten Personen nicht nur – wie es rein formal scheinen will – additiv nebeneinander gestellt wurden, sondern durch die Symmetrie zu einer Einheit verschmolzen und durch ihr Bei-den-Händen-fassen neben ihrer verwandtschaftlichen Beziehung auch ihre persönliche Verbundenheit dokumentieren. Zugleich legte die alte sittliche Besetzung des Begriffs *Wandel* die Wertigkeit der Hl. Familie als einer idealen, d. h. gottgefälligen Gruppe fest. Aufgrund dieser Korrespondenz ist der Hl. Wandel als eine spezielle Form der *Sacra Conversatione* anzusprechen.

4.1.6 Die Idee der Trinität im Wierix-Stich

Wir haben bisher im Wierix-Blatt die Gruppe um Gottvater außer acht gelassen. Dabei ist gerade sie es, die dieses *38* neuzeitliche Blatt in der Komposition von vielen mittelalterlichen Vorläufern unterscheidet und die irdische Sphäre, die im Mittelalter in narrativ-szenischer Weise behandelt wurde, um eine neue Bedeutungsdimension erweitert. Diese ‚himmlische‘ Ebene oder Dimension des Blattes berechtigt uns zu der These, daß es sich beim Hl. Wandel um eine spezifische Hl. Familie-Darstellung mit besonderem theologischem Gehalt handelt, so daß es zum Kultbild in der Hl. Familie-Verehrung werden konnte.

Zu der Frage, welchen Stellenwert der Hl. Wandel im Kultus hatte, später mehr. Zunächst müssen wir klären, wie sich der theologische Gehalt im Hl. Wandel manifestierte.

Als Gestaltungsmoment verdeutlicht besonderes die Symmetrie des Wierix-Blattes die innere Relation der abgebildeten Personen zueinander und macht das Bild ‚lesbar‘:

> Lesen wir die mittlere Vertikale, so haben wir es mit der göttlichen Dreifaltigkeit zu tun. Lesen wir das Bild aber horizontal, so steht ebenfalls eine Dreifaltigkeit vor uns, die nach der theologischen Terminologie des 17. Jahrhunderts nicht anders als irdische Dreifaltigkeit, trinitas terrestris, bezeichnet werden kann. (*Gebhard* 1968. S. 37)

Dadurch also, daß der Wierix-Stich den Hl. Wandel mit der Personenkonstellation des bekannten Gnadenstuhls kombiniert, erhält das Bild sowohl die Vertikale als auch die Horizontale als Strukturelemente, die durch die frontale Darstellungsweise offen zutage treten. Das Kind bildet in der Bildmitte den Schnittpunkt beider Sphären, trennt den himmlischen vom irdischen Bereich, verbindet aber auch beide miteinander. Die Trennung weist gleichzeitig auf die Hierarchie dieser beiden Ebenen hin: der himmlische Bereich steht über dem irdischen.

So ergeben sich zwei Dreiergruppen, die auf die Analogie der Hl. Familie als irdischer Dreifaltigkeit zur himmlischen Trinität hinweisen, die in dem Jesusknaben ihre Gemeinsamkeit haben. Diese Strukturierung im Wierix-Stich und dessen Etablierung als Kultbild ist die besondere Leistung des 16. und 17. Jahrhunderts.

Der Schwerpunkt der Verbreitung dieser doppelten Trinität liegt in der zweiten Hälfte des 17. und der ersten Hälfte des 18. Jahrhunderts, jener Zeit also, in der auch die Blüte der JMJ-Bruderschaften zu verzeichnen ist. In dieser Zeit wurde die himmlische Dreifaltigkeit als *trinitas caelestis* oder *trinitas increata* bezeichnet, während der Hl. Wandel mit *trinitas terrestris* und *trinitas creata* begrifflich gefaßt wurde (*Gebhard* 1968. S. 57 f). Bei einer Glockeninschrift aus dem Jahre 1687 wird sie auch „*secunda Trinitas*" (*Glockenatlas* 1956–1985. IV. S. 495. Nr. <1513>) genannt. Daß sowohl das Bild der doppelten Trinität als auch die entsprechende Begrifflichkeit von Bedeutung und allgemein gängig war, bezeugen weitere Glockeninschriften[34], Kirchenausmalungen[35] oder auch ein Hinterglasbild (DREU EINICHKEIT JESUS MARIA U. JOSEPH) von 1830/40, das eine Tischszene mit der Hl. Familie darstellt. Ebenso kennt die barocke Predigt- und Andachtsliteratur die doppelte Trinität; sie erscheint z. B. 1675 bei Abraham a S. Clara (*Abr. a S. Cl.*: Paradeyß-Blum Joseph. (S. XVIII)), 1677/83 bei Martin v. Cochem

24

(*M. v. Cochem*: Leben Christi. S. 489) und 1720 bei Christian Brez (*Brez*: Lust-Garten. 1720. S. 44 f). Auch die Predigt eines Karmeliterpaters aus München im Jahre 1664 in Weihenlinden thematisierte die doppelte Trinität:

> Zur Zeugnus aber, daß euch also von Herzen gehe, so schreiet samentlich zu der hochgelobten erschaffenen Dreifaltigkeit (TRINITAS CREATA) mit Herz und Mund, daß es einen Widerhall gebe bis in den Himmel, allwo ihr von der unerschaffenen (TRINITAS INCREATA) allerhochwürdigsten Dreifaltigkeit begehret, auf ewig gesegnet zu werden: Rueffet dann einhellig von Grund eurer Seelen mit hellauter Stimm Jesus, Maria, Joseph. (zitiert nach *Gebhard* 1968. S. 57)[36]

Anlaß der Predigt war die Einführung einer JMJ-Bruderschaft in Weihenlinden, der der Josephsaltar der Kirche als Bruderschaftsaltar zugewiesen wurde. Da die Wallfahrtskirche von Weihenlinden der Hl. Dreifaltigkeit geweiht ist, lag das Thema der doppelten Trinität besonders nahe.

Auch die beiden Trinitätsbegriffe waren wie das Kompositionsschema des Hl. Wandels im Spätmittelalter vorgebildet. Johannes Gerson, der sich schon frühzeitig um den Josephs-Kult bemühte (s. S. 132), verwandte diese Vorstellung in seiner Predigt ‚*In Festo Nativitatis B. Mariae Virginis*‘ vom 8. September 1416 anläßlich des Konstanzer Konzils[37]. Der Straßburger Humanist Jacob Wimpfeling (1450–1528) übernahm diese Idee von der Trinität der Hl. Familie und überlieferte sie in einem Josephs-Offizium (*Seitz* 1908. S. 222–246), das allgemeine Gültigkeit erlangte und später auch bei dem populären Kölner Jesuiten Wilhelm Nakatenus wiederzufinden ist (*Nakatenus*: Palm-Gärtlein. Köln 1737. S. 373–392. *Küppers* 1981. S. 152 ff).

Die Analogie in der doppelten Trinität scheint hauptsächlich formaler Art zu sein und auf der magischen Dreizahl (HDA. II. Stichwort: Dreieinigkeit. Sp. 430–436. Stichwort: Dreimarien- bzw. Dreifrauensegen. Sp. 438–444) zu beruhen, die in nicht unerheblichem Maße zur Verfestigung des Hl. Familie-Kultes in der hier beschriebenen Form beitrug. So erläuterte der Minoritenpater Christian Brez 1720 in einer Predigt zum Fest Mariä Reinigung die besondere Bedeutung der Dreizahl mit dem Motto: „*Omne trinum perfectum, aller guter [!] Ding seynd 3.*" (*Brez*: Lust-Garten. 1720. S. 43). Diese seit 1640 bekannte Zeile, die Brez in Zusammenhang mit dem Tagesevangelium und den Worten des weisen Simeon im Tempel (*Nunc dimittis . . .* Lc. 2,29) bringt, gehörten zu einem populären Lied, das seinerseits durch die Zahl drei gegliedert und strukturiert ist.

Nach Brez stehen die einzelnen Personen innerhalb dieser Gruppe der *trinitas terrestris* nicht gleichwertig, additiv nebeneinander, sondern differieren in ihren spirituellen Funktionen und beziehen sich in diesen Funktionen aufeinander. Sie bilden so ein Ganzes, das in seiner Systematik

z. T. der himmlischen Trinität entspricht, in der die einzelnen göttlichen Personen ebenfalls unterschiedliche ‚Funktionen‘ innehaben können. Schon eine in der ‚Legenda Aurea‘ wiedergegebene Vision, in der der hl. Dominikus seinen Schülern erschien[38], beschrieb die spirituelle Funktion der Hl. Familie als Vervollkommnung der Seelen durch Joseph[39], als Erleuchtung durch Maria[40] und als Errettung durch Jesus – ein Programm, dem die Einzelsymbole wie auch die gesamte Komposition des Mérode-Altars (um 1425) folgen (*Hahn* 1986. S. 64 f.). In manchen Fällen konnte der hl. Joseph in der irdischen Analogie der Vermittler der Botschaft von der sich in Jesus manifestierenden lebensspendenden Essenz sein[41], während Maria den Grund, aus dem diese Essenz den Menschen erwächst, darstellte[42]. Zusätzlich zu der Vermittlerfunktion übernahm Joseph – entsprechend seiner irdischen, sozialen Rolle als Nährvater – die des Beschützers, die aber nicht die gleiche mystische Qualität hatte wie die des Vermittlers.

Wie aber verhalten sich die beiden Trinitäten zueinander? Nach der Lehre von der Analogie des Seins z. B. bei Francisco Suarez (1548–1617), einem der wichtigsten jesuitischen Theologen, wird Gott „gleichsam positiv in den geschaffenen Wesen widergespiegelt“ (*Lundberg* 1966. S. 83)[43]. Unter diesem Vorzeichen des Abhängigkeitsverhältnisses der Welt von Gott gewinnt das Bild der doppelten Trinität neben dem Moment der Veranschaulichung christlich-katholischer Glaubenswahrheiten eine zusätzliche, umfassendere, ontologische Dimension.

Die Hl. Familie ist in ihrer Dreiheit nicht nur Sinnbild, Allegorie der göttlichen Trinität, sondern deren irdische Realisation. Diese Eigenschaft hebt sie aus der normalen, menschlichen Bedingtheit heraus. Andererseits ist die Hl. Familie in ihrer menschlich-irdischen Erscheinungsform direkt von Gott abhängig, sie ist von Gott in ihrer Menschlichkeit auserwählt, dies gilt ganz besonders für Maria und Joseph.

In diesem umfassenden Sinne weisen die Strahlen von Gott auf die *trinitas terrestris* im Bild des Hl. Wandels einerseits auf den Trinitätscharakter der Hl. Familie hin, andererseits auf die spezielle Wahl Gottes und seine Beziehung zu diesen drei Personen, wie auch zu den Menschen allgemein, als deren hervorragendste Repräsentanten die Hl. Familie gelten kann.

Die Hl. Familie ist somit *Allegorie, Sinnbild und heilige Realisation* der göttlichen Trinität auf Erden, gleichzeitig aber repräsentiert sie das menschliche Geschlecht in einer elementaren Gruppe – der Kernfamilie. Auf dieser Doppelfunktion basiert ihre Mittlerrolle für die Gläubigen vor Gott.

Obwohl die Idee der doppelten Trinität nicht zwangsläufig mit dem Hl. Wandel verbunden werden mußte[44], kombinierte man in der Neuzeit vorzugsweise den Hl. Wandel mit der Begrifflichkeit der doppelten Trinität, ein Indiz, daß die Komposition vor der Folie der Gersonschen Terminologie konstruiert worden war, und zwar so perfekt, daß sie die Aussage der Begriffe augenfällig übertraf. Dementsprechend heißt es in einer Unterschrift zu einem einfachen, derben Schnitt, der den Hl. Wandel in Gestalt der doppelten Trinität zeigt, zu Martin v. Cochems Gebetbuch ‚Der große Myrrhengarten‘ (Ausgabe: Köln 1780): „Drey seind die da zeigen / der Vatter das Wort u. der H. Geist / die drey sind eins.“

Nur in Ausnahmefällen wurde die Vorstellung von der doppelten Trinität nicht auf den Hl. Wandel bezogen, sondern auch mit anderen Personenkonstellationen der Hl. Familie kombiniert, so z. B. in dem Gnadenbild der schwäbischen Josephswallfahrt in Wertach (B. Augsburg), in dem der das Jesuskind tragende Joseph den Mittelpunkt der unteren, irdischen Ebene bildet[45]. Anknüpfungspunkt für die Bildgestaltung war das überaus populäre, 1893 verbrannte Hochaltarbild der Pfarrkirche mit dem Hl. Wandel, in dem die Idee der doppelten Trinität versinnbildlicht wurde. Deutlicher zeigt ein Gemälde von Jacob Jordaens (1593–1678) diese Entwicklung, bei dem das Jesuskind aus der Mittelachse herausgerückt ist und auf diese Weise der neben ihm stehende hl. Joseph, der zudem von zwei Putten gekränzt wird, an Bedeutung gewinnt (Braunschweig, Herzog Anton Ulrich-Museum. *Kat. Braunschweig* 1976. S. 36. Kat-Nr. 117. Abb. 29). Dennoch bleibt die ikonographische Herkunft der Komposition vom Hl. Wandel klar. Die Strahlen Gottvaters und die Taube des Hl. Geistes senken sich – ebenfalls aus der Mittelachse herausgerückt – auf den Jesusknaben herab.

Offenbar steigerte der Bildtypus Wierix'scher Prägung die begriffliche Parallelität der Trinitäten im Himmel und auf der Erde durch *Kombination* und *Verschränkung* der Figuren, eine Verfahrensweise, die auch aus anderen religiösen Bildern bekannt ist.

Die Idee der Verschränkung einer Trinitätsdarstellung mit einem Marienbild, in dem die irdische Seinsweise Jesu seiner himmlischen Gemeinschaft mit Gottvater und dem Heiligen Geist gegenüber gestellt wird, erscheint seit dem späten 14. Jahrhundert in der französischen Kunst und den von ihr beeinflußten Bildwerken. *Wilhelm-Kästner* führt eine westfälische Doppelfigur aus Sandstein von ca. 1430/40, die auf der einen Seite Maria mit dem Kind, auf der anderen einen Gnadenstuhl zeigt, ikonographisch auf burgundische Vorbilder zurück (*Wilhelm-Kästner* 1958. *Jászai* 1990. Nr. 36. S. 83 f)[46].

Eine noch subtilere Art der Verschränkung von Trinitäts- und Inkarnationsgedanken bieten die Schreinmadonnen, ebenfalls französischen Ursprungs, bei denen der Körper der thronenden Madonna wie ein Schrein mit zwei Flügeln geöffnet werden konnte, so daß eine plastische Kreuzigungsgruppe oder ein Gnadenstuhl sichtbar wurde[47].

Der Typus der Schreinmadonnen, der wohl im Rahmen der Mystik entwickelt wurde, sollte die dreifache Geburt Jesu verdeutlichen: die ewige Geburt durch den Vater ohne

42. a–b Anonym: Gnadenstuhl und Madonna. Doppelfigur aus Sandstein.
Münster 1430/1440. (Münster, Westfälisches Landesmuseum)

43. Schreinmadonna. um 1400. (Paris, Musée National des Thermes et de l'Hotel de Cluny)

Etwa 40 Jahre später verwandte Albrecht Dürer in seinem zum Marienzyklus gehörenden Blatt ‚Die Hl. Familie in Ägypten' (1502) ebenfalls dieses Verschränkungsmotiv von irdischer und himmlischer Trinität *(Hahn* 1984. S. 522). Noch an der Wende vom 17. zum 18. Jahrhundert war diese Darstellungsart gebräuchlich. So zeigte Albrecht Schmidt (ca. 1667–1744), der auch die oben besprochene Apfelbaumszene mit der Hl. Familie gedruckt hat, die Trinität in Verbindung mit dem das Kreuz in den Armen haltenden und auf einem Kissen ruhenden Jesuskind *(Strauss/Alexander* 1977. II. S. 480. Nr. 14).

44. Judocus Vredis (Joest Pelsers aus Vreden): Anna Selbdritt. Relief aus weißem Ton. 1. Drittel 16. Jhdt. (Münster, Westfälisches Landesmuseum)

Mutter (Gnadenstuhl), die jungfräuliche Geburt durch die Mutter ohne Vater (Madonna) und – in der Motivvariante der Schutzmantelmadonna – die mystische Geburt in den Herzen der Menschen *(Kat. Deutscher Orden.* 1990. S. 119. Kat.-Nr. II.7.39). Doch schon Johannes Gerson, der ein entsprechendes Bildwerk bei den Karmeliten sah, bemängelte die dogmatische Verfänglichkeit dieses Bildtyps, der den Eindruck erwecken könne, daß durch Maria die gesamte Trinität Fleisch angenommen habe *(Boespflug* 1987. S. 156).

Hingegen zeigt ein Altarbild von Fra Filippo Lippi (1406–1469) in der Kapelle des Palazzo Medici in Florenz (ca. 1459) *(Gemäldegalerie Berlin.* S. 293) die Verschränkung von himmlischer und irdischer Ebene dogmatisch völlig unverfänglich in einer Weihnachtsszene. Lippis Tafel, auf der neben der anbetenden Maria nicht der hl. Joseph, sondern ein Eremit abgebildet ist, thematisiert die weihnachtliche Verehrung des Jesuskindes, das noch stärker als im neuzeitlichen Wierix-Blatt den Fokus der gesamten Komposition bildet und auf das sich sowohl die himmlischen als auch die irdischen Personen – mit Ausnahme des Johannesknaben – konzentrieren.

Nicht weniger raffiniert und in der Personenkonstellation dem Hl. Wandel noch ähnlicher, kombinierte Joest Pelsers aus Vreden Anfang des 16. Jahrhunderts in einem Tonrelief den Gnadenstuhl mit einer Anna Selbdritt aus einer Sippendarstellung, wie sie sich auch sonst z.B. in kleinen Flügelaltären der Zeit findet.

Der Hl. Wandel faßte im Wierix-Stich die wichtigsten Lehren des katholischen Glaubens – die Trinitätslehre, das Verhältnis Gottes zu den Menschen, die Ontologie, das göttliche Schöpfertum, die Inkarnation und das typisch katholische Element der Heiligenverehrung in der Erweiterung der Madonnengruppe mit dem hl. Joseph – zu einem organischen Ganzen, der Hl. Familie zusammen.

Durch die Bezeichnung des Hl. Wandels als irdischer, erschaffener Trinität in Analogie zur himmlischen Trinität erfuhr die Hl. Familie als Gesamtheit eine Aufwertung, die andere Verfahren – wie z.B. die Erweiterung der Madonnen-Gruppe im Hl. Familie-Portrait – in diesem Umfange nicht hatten leisten können. Beim Hl. Wandel Wierix'scher Prägung wertete nicht so sehr die hervorragendste Person der Gruppe die anderen auf, sondern die ganze Gruppe wurde per definitionem in die höchste himmlische Sphäre gehoben, die ursprünglich Jesus und Maria vorbehalten war und die nun der Gesamtheit der Gruppe eine besondere Heiligkeit und damit auch eine besondere Verehrung zukommen ließ. ‚Nutznießer' dieses Verfahrens war die Figur des hl. Joseph.

Die besondere Leistung der frühen Neuzeit für die Idee der doppelten Trinität liegt darin, daß sie die lateinische Begrifflichkeit von *trinitas caelestis* und *terrestris* bzw. *increata* und *creata* ins Bild setzte, popularisierte und dabei durch die Umdeutung vom narrativ-szenischen Hl. Familie-Bild des Mittelalters zum typologisch-symbolischen Hl. Wandel ein neues *Kultbild* schuf. Erst durch die Kombination des Hl. Wandels mit der Idee der Trinität, durch die Dominanz der dogmatischen Aussage und einer überreichen Symbolik – z. B. in den Attributen – erhielt dieser Bildtypus seine hervorragende sakrale Dimension, die ihn von den bisher vorgestellten Darstellungen der Hl. Familie unterschied.

So ist der neuzeitliche Hl. Wandel ein Konstrukt jesuitischen Gedankenguts, das mit Rücksicht auf die Sehgewohnheiten der Gläubigen geschaffen wurde und deshalb auf seit dem Spätmittelalter bekannte Bildelemente zurückgriff.

4.2 Anwendungsbereiche

4.2.1 Der Hl. Wandel in der Katechese

Als gegenreformatorisches Konstrukt jesuitischer Innovation bedurfte der Hl. Wandel der pastoralen bzw. katechetischen Vermittlung, die vorzugsweise von den Jesuiten und etwas später auch von den Kapuzinern in die Hand genommen wurde. Seine zentrale Stellung im Rahmen der Katechese demonstriert z. B. das auffällige ikonographische Programm der Kanzel aus der Hergiswalder Loreto-Kapelle, die auf Initiative des Kapuzinerpaters Ludwig v. Wil (1594–1663), seit 1654 Leiter der Schweizer Kapuzinerprovinz[48], von der Stadt Luzern 1650/52 errichtet wurde.

Bei der Kanzel von 1650/60 wurde ein Teil der normalen Kanzelikonographie beibehalten und die doppelte Trinität um sie herum organisiert. Unter dem Schalldeckel befindet sich wie üblich die Taube, auf dem Deckel thront Gottvater, während am Kanzelkorb neben den vier Evangelisten und den vier Kirchenvätern – den Garanten und Autoritäten des rechten Glaubens – als Verkörperung und Vermittler der göttlichen Offenbarung und der christlichen Wahrheiten der Hl. Wandel zu sehen ist. Als Ganzes betrachtet läßt sich dieses Bildprogramm wie der Wierix-Stich ‚lesen'. So verdeutlicht diese m. W. einzigartige Kan-

45. Kanzel in der Loreto-Kirche von Hergiswald (Kanton Luzern) um 1650/1660.

102

zel, die noch zu Lebzeiten v. Wils errichtet wurde und deren programmatische Aussage als dem Ort der katholischen Unterweisung und Katechese von besonderem Gewicht ist, die hohe Bedeutung des Hl. Wandels für die Intensivierung der katholischen Lehre und des Kultus' in der Christenlehre.

46. Anonym: Der Hl. Wandel. Titelkupfer zu: *Georg Vogler*: Catechismus in Außerlesenen Exempeln. Würzburg 1625. (Würzburg, Julius Maximilian-Universität)

Bevor aber der Hl. Wandel seit Mitte des 17. Jahrhunderts vermehrt als Kultbild Eingang in die Kirchen fand, wurde er auf kleinen Andachtsbildern, in Katechismen und Andachtsbüchern in der Volkskatechese, d.h. hauptsächlich in der Christenlehre verbreitet.

Schon Hieronymus Wierix hatte den Hl. Wandel gleich dreimal gestochen: einmal mit zwei betenden Paaren und ein anderes Mal mit Medaillons in den Ecken bzw. mit dem kreuztragenden Jesuskind. Seine Druckplatten wurden nicht nur von verschiedenen Verlegern benutzt, sondern sowohl wörtlich als auch in der Grobstruktur kopiert. *Spamer* weist auf die weite Verbreitung Wierix'scher Blätter in ganz Europa schon in der ersten Hälfte des 17. Jahrhunderts hin (*Spamer* 1930. S. 127).

Ein Beispiel für eine strenge Kopie liegt uns in einem Stich von Christoph van Sichem von ca. 1620 vor (*Knipping* 1974. I. Abb. 115). Fünf Jahre später (1625) zierte der Hl. Wandel als Titelkupfer den Würzburger Katechismus des Jesuiten Georg Vogler[49]. Da die Wierix-Brüder in ihrem religiösen Œuvre hauptsächlich für die Jesuiten arbeiteten und der Hl. Wandel direkt zum Kupferstichzyklus für die Jesuiten gehört, überrascht es nicht, unser Blatt in jesuitischer Anwendung zu finden.

Ein Jahr zuvor (1624) hatte Vogler seinen ,*Trostbronn, Mariae und Joseph*', den er vermutlich ebenso wie den späteren Katechismus für die Würzburger Christenlehr-Bruderschaft (mit dem Patrozinium JMJ) erarbeitete, zwar schon Maria und Joseph gewidmet und beide auf dem Titelbild darstellen lassen. Das Bild des Hl. Wandels blieb jedoch unberücksichtigt, obwohl die Verbindung des Hl. Wandels mit dem Sterben – eines der Themen des ,*Trostbronn*' – theoretisch möglich und sinnvoll gewesen wäre. Überraschend ist auch, wie wenig Bezüge zur Hl. Familie in beiden Schriften zu finden sind[50]. Für die Wahl der Hl. Familie in den Titelkupfern scheint primär das Patrozinium der JMJ-Bruderschaft bestimmend gewesen zu sein, für die ,*Trostbronn*' wie ,*Katechismus*' wahrscheinlich entstanden.

Dennoch ist das Titelbild des 1625 erschienenen Katechismus, das den vollständigen Hl. Wandel in Form der doppelten Trinität abbildet, bemerkenswert, denn es faßt mit diesem Bildtyp die Heilslehre der katholischen Kirche und ist somit als ,Programm' der auftraggebenden Katechismussodalität zu verstehen. Zusätzlich zu dem Bildbestand der Wierix-Vorlage zeigt das Titelkupfer die vier Jesuitenheiligen Ignatius v. Loyola, Franz Xaver, Aloysius und Stanislaus in den Ecken. Außerdem bevölkern zahlreiche Musikanten die Szenerie. Neben vier musizierenden Engeln im Himmel umringen zehn heilige Kinder[51] den Hl. Wandel; jedes ist am Nimbus mit seinem Namen bezeichnet und trägt ein Musikinstrument in den Händen[52]. Im Hintergrund sind noch schemenhaft zwei weitere Kinderköpfe zu erkennen, so daß sich die Assoziation der zwölf Apostel aufdrängt.

Die vier Jesuiten, die – obschon mit Nimben dargestellt – als *beati* und nicht als *sancti* bezeichnet sind[53], bilden die Eckpunkte des Kupfers von 1625; sie nehmen die Position der Evangelisten ein. Es ist auffällig, daß nicht die zwei eben heiliggesprochenen Jesuiten Ignatius v. Loyola und Franz Xaver (1622), sondern Aloysius und Stanislaus der himmlischen Ebene zugeordnet wurden, deren Kanonisation erst 1726 erfolgte. Die Plazierung dieser beiden

Jesuiten, die als Patrone der Jugend galten, ist hier als Propaganda zu ihrem Heiligsprechungsprozeß zu verstehen. Ihre Zuordnung zur himmlischen Ebene betont ihre besondere Würde, die für die anderen beiden Jesuitenheiligen Ignatius und Franz Xaver drei Jahre nach ihrer Kanonisation nicht mehr besonders herausgestrichen werden mußte; sie waren von der katholischen Kirche als Heilige anerkannt[54].

Die Kombination gerade dieser Jesuiten als den vier *confessores* und Repräsentanten der vier Stufen der Priesterschaft, die die Rangordnung innerhalb der Gesellschaft Jesu wiedergeben[55], geht auf die Zeit vor dem Hl. Jahr 1600 zurück, einem Datum, zu dem sich die Jesuiten mit der Hoffnung der Heiligsprechung dieser Vier trugen. So folgt das Titelkupfer zu Voglers ‚Catechismus‘ einem bekannten, wenn auch vereinfachten[56] ikonographischen Schema zur Wiedergabe dieser vier wichtigsten Jesuiten.

Auch die Wahl der abgebildeten Kinderheiligen ist keineswegs so willkürlich, wie es auf den ersten Blick erscheint. Als Pendant zu den Adressaten der Christenlehre (auch Kinderlehre genannt), in der der vorliegende Katechismus vermittelt werden sollte, schart sich hier die dritte Generation der Hl. Sippe[57] um den Hl. Wandel, um so auf die kontinuierliche, auf direkter Genealogie basierende christliche Tradition hinzuweisen, in der nach jesuitischem Selbstverständnis sowohl die Gesellschaft Jesu – allgemein repräsentiert durch die vier Jesuitenheiligen – als auch Georg Vogler mit seinem Werk stehen. Unabhängig davon, wie wirr uns heute eine solche Legendenkonstruktion erscheint, müssen wir feststellen, daß sie im 17. Jahrhundert bekannt war und offenbar auch für würdig befunden wurde, in einem Titelkupfer eines Katechismus programmatisch vorgestellt zu werden[58].

Eine ähnliche Auffassung spiegelt das Titelbild aus dem ‚Großen Leben Christi‘ des Kapuziners Martin v. Cochem wider, das 1716 gestochen wurde. Nicht zuletzt dieses Werk beweist, daß auch den Kapuzinern die Vorstellung von der doppelten Trinität im Hl. Wandel vertraut war und durch ihre Arbeit verbreitet wurde.

Das Titelblatt zum ‚Leben Christi‘ präsentiert sich total überfrachtet und quillt geradezu an Figuren und Bewegung über. Auf einem nicht näher zu definierenden Podest steht der Hl. Wandel umgeben von zahlreichen Personen, zu denen neben dem Johannesknaben und Elisabeth auch ein Engel gehört, der zu Joseph spricht (Gottes Weisung an Joseph). Während ein Jahrhundert zuvor im Titelkupfer des Jesuiten Vogler der den Hl. Wandel umringende Personenkreis genau definiert war, erinnert das Titelblatt zu Martin v. Cochem in der Beliebigkeit der Personenwahl an die ‚klassische‘ *Sacra Conversatione*. Das Jesuskind hält – nach dem Vorbild von Antonie Wierix (*Marquoy-Hendrick* 1978. I. Taf. 63. Abb. 486.) – als Sinnbild seiner Passion und als Aufforderung zur *imitatio* (Mt. 10,38 und Mk. 8,34) das Kreuz. Vor ihm pflanzt ein Putto neben einer Harfe (König

David) einen Baum (*arbor vitae*), ihm zur Seite steht ein Lamm (*agnus dei* = Opfertod). Hier wurde das Bildmotiv auf die Passion hin erweitert und als Aufforderung an den gläubigen Christen, dem Beispiel Jesu zu folgen, interpretiert. Dies steht in Übereinstimmung mit dem Programm des Martin v. Cochem, der es sich in seiner Schrift zur Aufgabe gemacht hatte, das gesamte Leben Christi einschließlich der Leidensgeschichte mitzuteilen und als *exemplum virtutis* den Gläubigen vor Augen zu führen.

47. ? und B. Anthonius Cöatgen (?): Der Hl. Wandel. Titelkupfer zu: *Martin v. Cochem*: Das große Leben Christi. Mainz 1727. (Köln, Erzbischöfliche Diözesanbibliothek)

Ebenso reich wie die Erde ist der Himmel bevölkert: Engel und Putten tragen unter anderem die Leidenswerkzeuge und umringen Gottvater, der auf Wolken thronend die Weltkugel und das Szepter hält. Das graphisch klare Zentrum des Kupfers bildet die Taube des Hl. Geistes. Insgesamt kann man sagen, daß die heilsgeschichtlichen Verweise auffällig und offensichtlich sind. Wie der Katechismus des Jesuiten Vogler war das ‚Leben Christi‘ des Martin v. Cochem für die barocke Frömmigkeitskultur von hoher Bedeutung. Noch im 19. Jahrhundert erlebte diese Schrift eine wahre Renaissance[59].

Da beide Kupfer den Schriften als Titelbild dienten, kann man das Bemühen, möglichst umfassend die heilsbringende Botschaft der Hl. Schrift ins Bild zu setzen, verstehen; sie sollten als Programm vorangestellt sein. Dies gilt sowohl für Martin v. Cochem, der die gesamte, an Jesus gebundene Heilsgeschichte mit zahlreichen apokryphen Motiven durchsetzt erzählte, als auch für Georg Vogler, der sich eine Systematik der Lehre zur Aufgabe gestellt hatte, die aber denselben Anspruch auf Vollständigkeit der katholischen Wahrheiten hatte wie v. Cochems Schrift. So kann auch bei ihm das Titelbild nach der Wierix-Vorlage als Kulmination der katholischen Lehre angesehen werden.

Der Hl. Wandel stand somit als vorzügliches Verehrungsobjekt und Repräsentant der gesamten Heilsbotschaft im Mittelpunkt der Illustrationen und bot gleichzeitig den Gläubigen die Möglichkeit zur Identifikation, insofern die Hl. Familie als Repräsentant der Gläubigen verstanden werden konnte: als ‚Haushaltung‘ in der Minimalausprägung ‚Kernfamilie‘, in der – z.B. nach der Vorstellung von Martin v. Cochem – seine Schrift zur religiösen Unterweisung vorgelesen werden sollte (M. v. Cochem: Leben Christi. Mainz/Köln 1716. Vorrede (ohne Seitenzählung) und s. S. 39 f.).

Vergleicht man die beiden Titelkupfer, so kann man in ihnen außerdem ablesen, in welchem Maß die Popularisierung dieses Bildtyps voranschritt. Bei dem frühen Bei-
46 spiel von 1625 war es vielleicht noch notwendig, Maria und Joseph namentlich im Nimbus zu bezeichnen, um so eine eindeutige Identifizierung des Hl. Wandels zu ermöglichen,
47 während bei dem Titelbild zu v. Cochems ‚Leben Christi‘ darauf verzichtet werden konnte. Es war sogar möglich, eine Gestalt aus der Umgebung – den Engel – mit dem Hl. Wandel bzw. dem hl. Joseph in Kontakt treten zu lassen, ohne den Bildtyp zu verunklären. Die Identifizierung des Typs konnten offenbar auch die zahlreichen Überschneidungen durch andere Figuren nicht behindern.

Beide Werke besaßen einen hohen Verbreitungsgrad, so daß die Bedeutung und Wirkung dieser, wenn auch überfüllten Bilder nicht unterschätzt werden darf. Neben dem Vertrieb der kleinen Andachtsbilder nach dem Wierix-Stich konnten beide Andachtsschriften durch den Text ergänzend und vertiefend die Vorstellung von der doppelten Trinität vermitteln.

Auch eine andere wichtige Andachtsschrift, das ‚Himmlisch Palm-Gärtlein‘ des Jesuiten Wilhelm Nakatenus, berücksichtigt die Hl. Familie[60]. Zwar taucht der Hl. Wandel nicht im Titelkupfer auf, dafür erscheint er aber als Ein-

gangsbild zu den Gebeten zum Samstag, der im Mittelalter 48 der Muttergottes geweiht war, aber schon im Stundenbuch der Katharina v. Kleve (Utrecht um 1440) mit Alltagssze- VIII nen der Hl. Familie illustriert worden war (Gorissen 1973. X S. 109 f.).

48. Anonym: Der Hl. Wandel. aus: Wilhelm Nakatenus: Himmlisch Palm-Gärtlein. Köln (1722). (Münster, Universitätsbibliothek)

Die Hl. Familie ist nicht streng frontal dargestellt und impliziert so eher eine narrative Tendenz, doch weisen die Personenkonstellation wie auch die über ihr schwebende Taube eindeutig auf den Hl. Wandel hin. Der Abschnitt ist dem hl. Joseph als Tagespatron des Samstags geweiht, doch orientiert sich der Text an der Hl. Familie. In sie ist der hl. Joseph eingebunden, durch sie erklärt sich seine Heiligkeit und seine Bedeutung für die Gläubigen.

Aber nicht allein durch die genannten Schriften wurde das Bild des Hl. Wandels propagiert. Besonders die Jesuiten verteilten zur Belohnung in der Christenlehre kleine Andachtsbilder und Gebetszettel als Einblattdrucke[61], auf denen dieser Bildtyp vertreten war. Diese Praxis trug zu einer weiten Verbreitung des Hl. Wandels bei.

Als Beispiel für derlei Andachtsbilder seien – neben den schon oben genannten frühen Zeugnissen und den bei Gebhard angeführten Exemplaren – verschiedene Haussegen mit dem Hl. Wandel (Gebhard 1968. S. 61 f. Abb. 3. Spamer 1930. Tafel CLXXVI. Kat. Jesuiten 1991. S. 164. Kat.-Nr. 158b), Holzschnitte wie z.B. der des Augsburgers 49 Johann Philipp Steudner (1652–1732) und ein Röteldruck 50 aus dem 18. Jahrhundert genannt. Bei diesem Blatt ist von der göttlichen Sphäre nur die Taube des Hl. Geistes dargestellt. Außerdem ist die Parallelität des Hl. Wandels mit der darunter abgebildeten Gruppe des Emmaus-Ganges, der wie der Hl. Wandel aufgebaut ist, bemerkenswert.

49. Johann Philipp Steudner: Die Hl. Familie. grob kolorierter Holzschnitt. Augsburg vor 1690. (Nürnberg, Germanisches Nationalmuseum)

50. Anonym (verlegt bei Wiegand): IESUS. MARIA. IOSEPH. Röteldruck. (Kranenburg/Ndrh., Museum Katharinenhof)

Wir kennen auch Flugschriften mit dem Hl. Wandel, z. B. einen Druck aus dem Jahre 1701, dessen Titel die doppelte Trinität in Gestalt des Hl. Wandels zeigt und drei geistliche Lieder enthält, von denen das erste ‚*Von der Kindheit JESV Christi*‘ (*Moser* 1981. S. 172. Abb. 2) heißt. *Moser* ordnet das 21-strophige Lied, das die Demut, Dienstbarkeit und Ehrfurcht des Jesusknaben gegenüber seinen Eltern thematisiert, der jesuitischen Katechese zu (*Moser* 1981. S. 172–176). Ein anderer Gebetszettel mit dem Hl. Wandel aus Mindelheim von 1718 konzentriert sich auf die Verherrlichung der Hl. Familie und die Bitte um Beistand zur Erlangung eines christlichen Todes (*Kat. Jesuiten* 1991. S. 164 f. Kat.-Nr. 158a).

Für das 19. Jahrhundert möchte ich auf ein Exemplar verweisen, das von dem ‚Verein zur Verbreitung religiöser Bilder in Düsseldorf‘ (gegr. 1842) im Stahlstich veröffentlicht wurde und sich in einer Chromolithographie mit Golddruck über dem täglichen Gebet „*vor dem Bilde der heiligen Familie*“ als großformatiges Wandbild wiederfindet (Telgte, Heimathaus Münsterland). Der Verein rezipierte auch die narrative Variante des Hl. Wandels, so z. B. im Titelbild eines Gebetbuchs von 1895 (*Gebetbüchlein für Verehrer Mariä enthaltend die nothwendigsten Gebete eines katho-*

lischen Christen. 23. Aufl. Münster 1895.). Diese Reihe der Beispiele ließe sich beliebig fortsetzen[62].

Aber nicht nur direkt in der Christenlehre wurden derlei Schriften und Bilder durch die Jesuiten verteilt. Auch die JMJ-Bruderschaften, die häufig Gründungen der Jesuiten waren[63], verbreiteten das Bild des Hl. Wandels in ihren Bruderschaftsbriefen, Andachtsbüchern und Andachtsbildern. Dabei wurde in manchen Fällen die Graphik des Andachtsbildes auch für den Bruderschaftsbrief benutzt[64]. Dieser enthielt meist den Titel der Bruderschaft, ihren Zweck und ihre Ablässe, die Aufgaben der Mitglieder und das Bruderschaftsgebet und diente sowohl als Andachtszettel oder -heft als auch als Mitgliedsausweis. Ein Kölner Exemplar für die Christenlehr-Bruderschaft (ausgestellt 1821)[65] zeigt in einem sehr unbeholfenen Schnitt die doppelte Trinität, ähnlich einer Illustration zu Martin v. Cochems ‚*Der große Myrrhengarten*‘ (Köln 1780), die in ihrer derben Art auf die Massenproduktion solcher Schnitte hinweist. Demgegenüber weist der Brief der JMJ-Bruderschaft in Mittelpettnau von ca. 1700 eine Variante des Hl. Wandels auf. Besonders bemerkenswert ist hier die zusätzliche Orientierung zum Hl. Herzen- und Hl. Namen-Kult[66]. Die Kombination von Hl. Herzen, Hl. Namen und Hl. Wandel ist ein weiterer Hinweis auf die Einbindung des Hl. Wandels in die Tradition der katechetischen Orden.

Auch wenn in der Christenlehre, die der Einübung der wichtigsten Gebote, katholischen Lehren, Sakramente und frommen Verhaltensweisen wie Kreuzzeichen, Tischgebete, Abendgebete usw. diente, relativ wenig auf die Hl. Familie als solche eingegangen wurde, pflegten die Bruderschaften den Kult der Hl. Familie besonders in den Andachtsübungen.

So richtete man z. B. in der Andacht zu den Fünf Wunden Christi immer wieder die Fürbitte auch an Jesus, Maria und Joseph (*Offermans* 1863. S. 35–44). Noch aussagekräftiger sind die Liedtexte zur Hl. Familie, die auf bekannte Melodien gesungen wurden. Zu ihnen gehören neben den weiter unten noch zu besprechenden Liedern ,O wohl zusammengefügte Namen' (*Nakatenus*: Palm-Gärtlein. Köln 1737. S. 801 ff) und ,*Mein Testament soll sein am End*' (*Offermans* 1863. S. 57 ff) auch Texte, die speziell auf die monatliche Fünf-Wunden-Andacht der Kölner Bruderschaft zugeschnitten waren. Überhaupt ist auffällig, wie stark der Gedanke der Seelenandacht und der Bitte um einen guten Tod in diesem Bruderschaftsbuch vertreten ist[67].

Auch in Jesuitenliedern und -dramen stellte man die Hl. Familie in den Dienst der Volkskatechese. Brachten die meist volkssprachlichen Hl. Familie-Dramen den Theaterbesuchern die apokryphen Episoden der Flucht, des Aufenthaltes in Ägypten und die Rückkehr näher (*Valentin* 1983/ 1984. I. Nr. 454, 546, 628, 1174, 1737, 1803), so diente die Hl. Familie in den Liedern als Exempel (*Moser* 1981. S. 167–179). Als Beispiel sei hier das überaus populäre[68], zuerst 1640 in Innsbruck gedruckte Lied ,*Aller gueter [!] Ding seind drey*' (München, Bayr. Staatsbibliothek) behandelt, das den Gläubigen in die christliche Tugendlehre einführt, nachdem es in seinem ersten Teil die drei Personen gepriesen hat. Der gesamte Text ist durch die Zahl drei gegliedert und folgt so dem Motto seiner Titelzeile.

Nachdem die Eingangsstrophe das Motiv des in Liebe zur Hl. Familie entflammten Herzens vorgestellt hat, werden in den folgenden neun Strophen die drei heiligen Personen näher bestimmt[69] und die Heiligenhierarchie geklärt. Anschließend folgt ein dreistrophiges Verlöbnis, in dem der Gläubige sein Herz – als Sitz seiner Seele – Jesus, Maria und Joseph weiht.

Im zweiten Teil richtet der Gläubige jeweils drei Bitten um die christlichen Tugenden an die heiligen Personen. So bittet er Jesus um die Liebe Gottes, das rechte Gebet und Gehorsam, die Muttergottes um Reinigkeit, Demut und Nächstenliebe und den hl. Joseph um Meidung des Über-

flusses, Geduld und Beständigkeit. Diese Tugenden lassen sich den christlichen Haupttugenden Glaube (*fides*), Nächstenliebe (*caritas*) und Hoffnung (*spes*), der Kardinaltugend Mäßigung (*temperantia*) zuordnen. Die Demut (*humilitas*), die Tugend, aus der nach christlicher Lehre alle weiteren Tugenden erwachsen, und die höchste christliche Tugend, die Nächstenliebe (*caritas*), werden Maria zugeordnet. Dies entspricht der marianischen Tradition. Mit der Wiederholung der Eingangsstrophe schließt der Text erneut mit dem Motiv des entflammten Herzens.

Jesus, Maria und Joseph waren demnach nicht nur mehr oder minder willkürlich gewählte Patrone der Bruderschaften. Sie wurden vielmehr in das katechetische Programm integriert, sei es, um die christliche Lehre den Gläubigen näher zu bringen und im Bild des Hl. Wandels die wichtigsten Glaubensinhalte zu vermitteln, sei es, um im Exempellied christliche, sozial relevante Tugenden wie Zufriedenheit, Demut, Fleiß und – speziell für die Kinder – Gehorsam einzuüben.

Über allem stand der Hl. Wandel, der zwar als personifizierte Präsentation der katholischen Lehre gedacht war, von den Gläubigen aber wohl meist mit den viel einprägsameren Erzählungen in Zusammenhang gebracht wurde. Als *Sacra Conversatione* intendiert, wurde er häufig im Sinne des vorbildhaften Lebenswandels verstanden, wie die Bruderschaftstitel zeigen oder auch das Bruderschaftsgebet aus Mittelpettnau (B. Innsbruck) von ca. 1700 beweist, in dem ausdrücklich gebetet wird:

> [...] du [Gott] wöllest vnns deß gleichen auch dein heylwürckenden Gnad verleyhen, damit wir durch dieselbige gestärcket, dem H. Wandel und Leben, welches Maria und JEsu und Joseph geführt hat, etlicher maßen nachfolgen, in den Tugenden zunem[m]en, von allen Sünden-Last vns befreyen, [...].
> (*Hochenegg* 1984. S. 87).

Die ständige Präsenz des Hl. Wandels gewährleisteten nicht nur die Bruderschaftszettel, kleinen Andachtsbilder in den Händen der Gläubigen[70], sondern vor allem die Altarblätter, in denen seit der Mitte des 17. Jahrhunderts der Hl. Wandel als Kultbild auftrat.

4.2.2 Der Hl. Wandel als Kultbild

Wir haben bis jetzt immer wieder vom Hl. Wandel als einem Bildtyp gesprochen, der die Qualitäten eines *Kultbildes* hatte. Ich möchte diesen Begriff hauptsächlich durch formal-funktionale Kriterien geprägt sehen und nicht so sehr vom Inhaltlichen her. Dementsprechend wähle ich nicht den von Erwin *Panofsky* vertretenen Gegenbegriff des Andachtsbildes[71] für den Hl. Wandel. Mir scheint es zweckmäßiger, vom Andachtsbild im Sinne des in der Monographie von *Spamer* so ausführlich beschriebenen ,kleinen Andachtsbildes' zu sprechen und diesen Begriff

51. Der Hl. Wandel im entflammten Herzen. Bruderschaftsbrief aus der Barbara-Gemeinde in Mittelpettnau (Nordtirol) um 1700.

auf die kleinen Einlegezettel in den Gebetbüchern zu beschränken (*Spamer* 1930.).

Ein religiöses Kultbild ist nach meiner Definition eine Darstellung – Gemälde, Relief, Vollplastik – mit zentraler dogmatischer Aussage, die von der kirchlichen Autorität in den öffentlichen Kultus bzw. die Liturgie der Kirche miteinbezogen wird bzw. in deren Zentrum steht und sanktioniert ist. Von dieser Definition unberührt bleibt die Möglichkeit der privaten Verehrung, die einem Kultbild vom Individuum durchaus auch außerhalb des Kollektivs, der Gemeinde oder des Konvents und auch außerhalb von Sakralräumen entgegengebracht werden kann[72].

Mir scheint, daß diese, an äußeren Kriterien gebildeten Definitionen von ‚Andachtsbild‘ als ‚kleinem Andachtsbild‘ und ‚Kultbild‘ griffiger und praktikabler sind als die *Panofskys*. In Bezug auf die Hl. Familie zeigt sich, daß *Panofskys* Typik den Hl. Wandel nicht fassen kann. Ihm

wird die Hl. Familie – als Abwandlung der Madonna – zur Szene, zum Historienbild (*Panofsky* 1927. S. 266).

Der Hl. Wandel im Altarbild

Gemäß unserer Definition müßte ein Kultbild im Idealfall den zentralen Platz eines Sakralraumes, den Altar einnehmen. Genau dies ist beim Hl. Wandel der Fall, obwohl im Barock kein Festtag der Hl. Familie eingerichtet wurde und es dementsprechend auch kein eigenes Proprium zur Verehrung der Hl. Familie gab. Die JMJ-Bruderschaften behalfen sich meist mit Marienfesttagen und dem seit 1621 eingeführten Josephsfest. Vorzugsweise wurde unter den Marienfesten als Bruderschaftstag Mariä Heimsuchung (2. Juli)[73], Mariä Himmelfahrt (15. August)[74], Mariä Geburt (8. September)[75], Mariä Namen (12. September)[76], Mariä Empfängnis

(9. Dezember)[77] ausgewählt, zudem der 1. Sonntag nach Pfingsten, der der Hl. Dreifaltigkeit[78] geweiht war, sowie die Sonntage nach Ostern[79]. Die kirchlichen Hochfeste Weihnachten und Epiphanie, die von ihrer Thematik her auch als Bruderschaftsfesttage geeignet gewesen wären, wählte man jedoch nicht aus; vielleicht erschien die Wahl eines Hochfestes als ungebührlich oder man befürchtete, die Bedeutung dieses Tages als Titularfest für die JMJ-Bruderschaften könne in den allgemeinen Feierlichkeiten untergehen.

52. Hl. Wandel-Gruppe über dem Hauptportal der ehem. Jesuitenkirche St. Joseph in Burghausen a.d. Salzach.

Obwohl es im Barock also kein eigenes Hl. Familie-Fest gab, dem der Hl. Wandel hätte zugeordnet werden können, erlangte er durch seine intensive Verbreitung durch die Katechese in der volksfrommen Verehrung dennoch das Ansehen eines Kultbildes und konnte dementsprechend auch als Altarbild erscheinen. Man sollte meinen, daß der Hl. Wandel, dessen Ikonographie im 15. und 16. Jahrhundert von den südlichen Niederlanden seinen Ausgang nahm, als ‚jesuitisches Kultbild' gerade von diesem Orden im Bildprogramm ihrer Kirchen und speziell der Altäre übernommen worden wäre. Das ist aber kaum der Fall. Offenbar war die Hl. Familie in Gestalt des Hl. Wandels den Jesuiten als Altarbild nicht seriös genug, denn es fehlte sowohl ein wundertätiges Originalbild, das als Ausgangspunkt hätte dienen können, als auch ein eindeutiger Festtag der Hl. Familie mit Proprium.

Die Jesuiten benutzten den Hl. Wandel hauptsächlich als Vehikel zur Glaubenspropaganda, die einen entsprechenden Hinweis wohl am Eingang ihrer Kirchen[80] oder in Stuckverzierungen[81] und sonstigen Ausstattungsstücken[82], kaum aber auf dem Altar zuließ[83]. Zwar zierte ein Altarbild mit dem Hl. Wandel aus der Rubensschule einen Seitenaltar der wichtigen Antwerpener Jesuitenkirche St. Boromäus, doch setzte sich diese Initiative in anderen Jesuitenkirchen offenbar nicht fort[84]. Das Gemälde wurde – wie ein Großteil der sonstigen Ausstattung von Rubens – bei einem Brand der Jesuitenkirche in Antwerpen 1718 zerstört (*Knipping* 1974. I. S. 184 ff) und ist deshalb nur in einer Kopie von Marcantonio Garibaldi (New York, Metropolitan Museum of Art: n.R. 82–1.) und einem Kupferstich von Schelte à Bolswert[85] (*Kat. Rubens* Köln 1977. S. 56 ff. *Kat. Rubens* Rom 1977. S. 37 f. Nr. 43) überliefert.

Insgesamt gesehen erschien der Hl. Wandel selten als Altarbild, in einigen Fällen aber im Altarauszug[86] der Jesuitenkirchen, während dieser Bildtyp in den Kirchen der Kapuziner[87] und – vermutlich unter dem Einfluß der Volksmission – in kleineren Gemeindekirchen oder Kapellen häufiger vorkam.

Altäre, die den Hl. Wandel im Hauptbild zeigen, haben sich besonders in Bayern und Tirol erhalten, aber auch im Kurmainzer Gebiet finden sich entsprechende Nachweise, denen – gerade in der Diaspora – ‚Bekenntnischarakter' zugesprochen werden kann, der den hohen dogmatischen Anspruch dieses Kultbildes unterstreicht[88]. Für Nordtirol finden wir z. B. Belege in Eigenhofen (Mitte des 17. Jhdts. Kapellenaltar) (*Feldmayer* 1967. Abb. 23.) und Reith bei Kitzbühel (um 1680. Kirchenpatrozinium: St. Agidius und Silvester); für Südtirol z. B. im Weiler Holdernach bei Kappl (Mitte des 17. Jhdts. Hl. Familie-Kapelle) und in Klausen (um 1700. Kapuzinerkirche: St. Felix) (*Dehio* 1980. S. 389. *KD Südtirol*. I. S. 221 f).

Eine besondere Deutungsmöglichkeit zeigt der Altar von Reith, bei dem die Figurengruppe des Hl. Wandels durch ein Altarblatt verborgen war, das bei besonderen Festen mit einer Winde hochgezogen werden konnte und so den Blick auf den Hl. Wandel freigab (*Felmayer* 1967. S. 64 f. Abb. 37). Diese Konstruktion übernahm nicht nur die Funktion der mittelalterlichen Flügelaltäre, sondern verdeutlicht außerdem anschaulich das ,verborgene' Leben Jesu während seiner Kindheit.

Zwei Altarblätter mit dem Hl. Wandel sind mir aus Schweizer Loretokapellen (also in Verbindung mit Marienpatrozinien) bekannt: 1654 in der Wallfahrtskirche in Hergiswald (*KD Schweiz. Luzern.* I. S. 349–400) und 1705 in
53 Loreto bei Zug (*KD Schweiz. Zug.* S. 206–211).

53. Anonym: Der Hl. Wandel. Altarbild in Loretto bei Zug (Kanton Zug). Anfang 18. Jhdt.

Die Hergiswalder Wallfahrtskirche ,Unsere Liebe Frau' (Kanton Luzern) bietet für die vielfältigen Verwendungsweisen des Hl. Wandels im Bereich des Kultus ein anschauliches Beispiel. Die Wallfahrt, die im 17. Jahrhundert aufblühte, ist auf die Loreto- und Marienverehrung ausgerichtet, in die der Kult der Hl. Familie eingebettet war. 1654 wurde in dieser Kirche eine JMJ-Bruderschaft gegründet, die ihren Bruderschaftsaltar (aus der gleichen Zeit) in der
54 Loreto-Kapelle – also im Zentrum der Kirche – hatte[89]. Der Altar zeigt die doppelte Trinität mit dem Hl. Wandel. Er war in das gesamte Bild- und Kultprogramm der Wallfahrtskirche eingebunden. Die spezielle, für eine Loretokapelle typische Altaraufstellung mit einem Gitter oberhalb der Predella des Altares (Mariä Verkündigung) ermöglicht
53 – ebenso wie in Zug – den Blick in die Loretokapelle auf den Bruderschaftsaltar, der seinerseits wiederum mit

einem Gitter so transparent gestaltet ist, daß der Blick des Gläubigen zuletzt auf eine Kopie des Gnadenbildes von Loreto (Madonna) in einer Wandnische der Kapelle fällt (*KD Schweiz. Luzern.* I. S. 367–394).

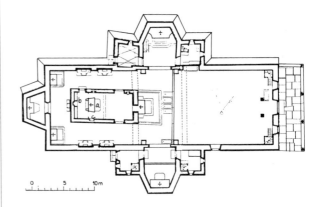

54. Grundriß der Wallfahrtskirche in Hergiswald (Kanton Luzern). a: Bruderschaftsaltar mit Hl. Wandel. b: S. Camino. c: S. Armario.

Weitere Ausstattungsstücke der Wallfahrtskirche weisen ebenfalls auf den intensiven Kult der Hl. Familie in Hergiswald hin. So zeigt die mariologisch orientierte Gruppe von 21 Glasgemälden (Mitte 17. Jhdt.) in der Kirche nicht nur die Flucht nach Ägypten, sondern auch die doppelte Trinität mit dem Hl. Wandel (ebda. S. 397 ff). Außerdem ist ein Kelch aus dem zweiten Drittel des 17. Jahrhunderts mit einem Relief der Hl. Familie geschmückt (ebda. S. 394). Das auffälligste Stück der Kirche ist aber die oben schon besprochene Kanzel, die in *45* ihrer Ikonographie nicht nur die Bedeutung des Hl. Wandels als Kultbild, sondern auch auf dessen Stellung in der Katechese hinweist und quasi den praktischen Weg seiner Verbreitung und Propagierung aufzeigt.

Alle hier angeführten Zeugnisse stammen etwa aus dem Jahrzehnt der Bruderschaftsgründung (also um 1650/60), und so ist die Stimmigkeit des gesamten Bildprogramms nicht verwunderlich. Als Initiator des Projekts muß der Kapuzinerpater Ludwig von Wil (1594–1663) angesehen werden, der 1645 Pläne für einen ,*Monte Sacro*' in Hergiswald vorgelegt hatte. Der Rat der Stadt Luzern führte in den Jahren 1650/52 allerdings nur den Neubau der Wallfahrtskirche aus, die 1662 geweiht wurde (*KD Schweiz. Luzern.* I. S. 349 ff). Dies alles läßt den Schluß zu, daß mit dem Kirchenbau eine Intensivierung des Kultes der Hl. Familie mit Hilfe des Kultbildes *Hl. Wandel* einherging.

Während die Nachweise des Hl. Wandels auf Altären in Tirol und der Schweiz hauptsächlich schon in der zweiten Hälfte des 17. Jahrhunderts liegen, fand die Verwendung dieses Bildtyps als Kultbild in Süddeutschland erst später Eingang[90].

55. Christoph Jacob: Der Hl. Wandel. Kopie nach dem Hochaltarbild aus Wertach. 1715. (Wilhams, Josephkapelle)

Eine Vorreiterrolle zur Einführung des Hl. Wandels im Altarbild übernahm wohl die Gemeinde Wertach (Lkr. Sonthofen/Schwaben, eine Habsburger Enklave), die 1685 ein Hochaltarbild mit dem Hl. Wandel in der Ausformung der doppelten Trinität erhielt (*KD Bayern. Schwaben*. VIII. S. 980). Von hier aus verbreitete sich das Hl. Wandel-Bild in der näheren Umgebung, begünstigt durch die in Wertach in den 1670er Jahren eingerichtete Josephswallfahrt[91].

Das heute verlorene, von dem kurfürstlich-bayerischen Hofmaler Kapsar Sing gemalte Altarblatt mit dem Hl. Wandel machte – neben dem Josephs-Gnadenbild in der Josephskapelle – das Zentrum des Kultes aus und stand im Ansehen noch über jenem, da es an der prominentesten Stelle der Kirche, an dem den Diözesanheiligen Ulrich und Afra geweihten Hochaltar, angebracht war[92]. Trotz dieser Differenz zwischen Altarpatrozinium und Altarblatt ist die Dominanz des Bildtyps *Hl. Wandel* im Programm der Kirche unbestritten; sogar das Kultbild der Wallfahrt, das den hl. Joseph in den Mittelpunkt stellt, orientiert sich in seiner Gesamtkomposition an den Strukturelementen des Hl. Wandels als doppelte Trinität (s. S. **??**, Anm. 45).

So war das Ausstattungsprogramm der Wertacher Wallfahrtskirche ganz auf den Kult der Hl. Familie – z.T. in Form des Hl. Wandels – ausgerichtet: sei es in der Gestalt des Hochaltarbildes, in der Befolgung seines Kompositionsmusters im Gnadenbild des hl. Joseph, sei es in

einer Prozessionsfahne[93] oder einer Monstranz aus der Gründungszeit der Wallfahrt (*KD Bayern. Schwaben*. VIII. S. 984 f)[94].

Dementsprechend wurde auch das Heiligenprogramm der Wertacher Kirche rezipiert (Karte 2): durch die Josephswallfahrt angezogen, kamen die Gläubigen aus dem Sonthofener Raum nach Wertach und brachten von dort seltener das Gnadenbild der Wallfahrt[95] als vielmehr das Hl. Wandel-Motiv des Hochaltares in ihre Pfarreien.

Der Hl. Wandel im Prozessionswesen

Das Bild des Hl. Wandels fand sich – wie wir sahen – nicht nur im katechetischen Schrifttum und auf dem Altar, sondern auch auf allen Gegenständen der katholischen Liturgie, des Wallfahrts- und Prozessionswesens. So war der Hl. Wandel sowohl an Kelchen und Glocken (in Unterthingau und Dillingen: *Glockenatlas* 1956–1985. II. Abb. 188, 228) präsent, als auch außerhalb der Kirche in den Prozessionen.

Diese besonders festlich gestalteten Umgänge, von denen der wichtigste die Fronleichnamsprozession war, wurden auf ihrem Weg von Prozessionsstation zu Prozessionsstation[96] von Prozessionsfahnen (Wertach: *KD Bayern. Schwaben*. VIII. S. 984. Walldürn[97]: *Brückner* 1958. S. 222) und Prozessionsstangen (z.B. in Klausen und Welschnofen (beide Orte in Südtirol): *Finkenstaedt* 1981. S. 306, 312)[98] begleitet. So findet sich auch der Hl. Wandel auf diesen Gegenständen, die als Zeichen einer bestimmten Gruppenzugehörigkeit (Bruderschaften, Zünfte, Dörfer usw.) fungierten[99].

Das Bruderschaftsbuch der Kölner Christenlehrbruderschaft von Leopold Offermans gibt genaue Anweisungen, welche Funktion von welchen Vorstandsmitgliedern der Bruderschaft während einer Prozession auszuüben war (*Offermans* 1863. S. 79 ff). Da der Pfarrer der Gemeinde gleichzeitig der Präfekt, d.h. der Vorsteher der Christenlehrbruderschaft war, trug er kraft seines kirchlichen Amtes das Allerheiligste durch die Straßen. Die beiden Beisitzer des Bruderschaftsvorstandes gingen ihm mit den Bruderschaftsfahnen oder -stangen zur Seite und die Konsultatoren (oder Räte) hielten ihnen voran Fackeln in den Händen. Der Prozessionszug wurde von dem Zensor (oder Ordnungs- und Zuchtmeister) organisiert[100], während die Kantoren der Bruderschaft die Oberaufsicht über den Gesang führten. Die Fraternitäten hatten also eine wichtige Position in der Organisation von Prozessionen inne[101].

Auch Wallfahrtsgänge, von denen die Gläubigen verschiedenste Devotionalien wie Andachtsblätter, Anrührbilder, kleine Figuren oder Medaillen mitbrachten, wurden von den Bruderschaften ausgerichtet. Die mitgeführten Prozessionsfahnen dienten auch hier der Repräsentation einer Gruppe aus einer bestimmten Ortschaft (o.ä.).

111

Fahne und Bild werden oft auf der Rückseite als Eigentum der die Prozession leitenden Bruderschaft kenntlich gemacht. Name, Ort oder Patron sind verzeichnet. Jeder kann sehen, woher die Pilger stammen, die unter dieser Fahne für ihre Gemeinde wallen. Sie gewinnt echten Repräsentationscharakter, der ihr im Kirchenraum sonst nicht zukommt. Sie [...] schafft mit demonstrativer Kraft Prozession. Ohne Fahne gibt es keine Wallfahrtsprozession. Geschlossene Pilgergruppen finden sich stets unter eigener Fahne zusammen [...]. Wo die Fahne aufbewahrt wird, beginnt die Prozession. [...]. Eine neue Prozession konstituiert sich erst vollends durch eine eigene Fahne. (*Brückner* 1958. S. 224 f)[102]

Anhand der Fuldaer Bruderschaft JMJ zum Trost der verstorbenen Gläubigen von 1718 läßt sich die Bedeutung der Bruderschaften in diesem Zusammenhang erfassen: sie waren Mitbesorger der Prozession zur Walldürner Wallfahrt[103].

Die Aussage auf den Prozessionsfahnen und -stangen 38 konnte ebenso komplex sein wie im Wierix-Blatt. Besonders interessant ist eine Prozessionsstange mit dem Hl. Wandel aus der Pfarrgemeinde St. Ingenuin und Albuin in Welschnofen (Südtirol) aus der ersten Hälfte des 18. Jahrhunderts (*Finkenstaedt* 1981. S. 306, 312), die die zahlreichen Bezüge der doppelten Trinität durch das Hinzufügen einer Kreuzigungsgruppe erweitert. Diese befindet sich auf der Vorderseite der Stange, während die Rückseite die doppelte Trinität mit dem Hl. Wandel zeigt. Das Programm der Stange umfaßt also sowohl die Kindheit Jesu als auch seinen Erlösungstod. Ein ähnlicher Hinweis befand sich schon auf einem Andachtsblatt von Antonie Wierix oder auch in 47 der Titelillustration zu Martin v. Cochems ,Leben Christi'; dort hielt der Jesusknabe das Kreuz.

Auch die Gemeinde in Klausen besitzt eine Prozes- 56 sionsstange mit dem Hl. Wandel, obwohl es hier wie in Welschnofen keine JMJ-Bruderschaft gab. Die Klausener Zunftstange aus der zweiten Hälfte des 17. Jahrhunderts gehörte den Holz- und Textilarbeitern, denen jeweils der Hl. Wandel bzw. die Heiligen Petrus und Paulus zugeordnet wurden.

Aus dem bayerischen Raum sind uns zwei weitere Fälle bekannt, in denen die Prozessionsstangen mit dem Hl. Wandel Zunftstangen der Zimmerleute waren. Beide stammen aus der Oberpfalz[104]. Das Patrozinium des Hl. Wandels für das Holzgewerbe verweist auf den hl. Joseph, der als Patron der Zimmerleute galt[105]. In Bezug auf die JMJ-Bruderschaften ist mir solch eine Verbindung nur im Fall der Bichlbacher Bruderschaft (B. Innsbruck) von 1690 bekannt, die sich Anfang des 18. Jahrhunderts in die Zunftbruderschaft der Maurer und Zimmerleute wandelte (*Hochenegg* 1984. S. 43).

Auffälligerweise befindet sich in Klausen – dem Ort der Zunftstange mit dem Hl. Wandel – zwar keine entsprechende Bruderschaft, dafür aber ein Kapuzinerkloster mit einer Loreto-Kapelle und einem Loretoschatz. Der Gebäudekomplex wurde auf Initiative der spanischen Königin Maria Anna (v. Pfalz-Neuburg) und ihrem in Klausen gebürtigen Beichtvater, dem Kapuziner Gabriel Pontifeser (1653–1706) gestiftet (*Theil*: Loretoschatz. 1971.) und enthält in seiner Ausstattung zahlreiche Verweise auf die Hl. Familie. So zeigt einer der Seitenaltäre die Hl. Familie mit Gottvater und dem Hl. Geist[106]. Die Loretokapelle selbst wurde bezeichnenderweise an der Stelle von Pontifesers Geburtshaus errichtet. Neben der Nachbildung des Loretoaltares mit der Madonna und einem von Königin Maria Anna und Gabriel Pontifeser gestifteten Loretoschatz gehörte zu der Ausstattung der Kapelle die Nachahmung der Kücheneinrichtung des Hauses von Loreto (*Grass* 1979. S. 183. *KD Südtirol*. I. S. 221 f. *Theil*: Loretoschatz. 1971. S. 25 ff und Abb. 17 f. s. S. 124). Es ist also davon auszugehen, daß die Zunftstange in Zusammenhang mit dieser Loreto-Stiftung zu sehen ist, die – ähnlich wie in Hergiswald – unter dem Einfluß der Kapuziner und mit königlicher Unterstützung zustande kam.

Auch die Standarte aus der Friedhofskapelle in St. Andrä bei Brixen (Ende 17. Jhdt.) nimmt das Thema der doppelten Trinität in modifizierter Form auf. Die *trinitas terrestris* wird aber nicht durch den Hl. Wandel dargestellt, sondern durch die Addition einer Madonnenstatue mit dem hl. Joseph. Über ihnen schwebt Gottvater mit der Taube, so daß sich wiederum die Figurenkonstellation der doppelten Trinität ergibt.

Im Gegensatz zu den beiden anderen Prozessionsstangen läßt sich der Kontext für das Stück aus St. Andrä zurückverfolgen. 1696 erbaute man an Stelle einer mittelalterlichen Kapelle einen oktogonalen Kuppelbau mit zwei Türmen unter dem Titel ,Mariahilf im Friedhof' (*KD Südtirol*. I. S. 319). Im folgenden Jahr wurde in dieser, im Grundriß an die Jerusalemer Grabeskirche erinnernden Kapelle eine JMJ-Bruderschaft errichtet[107], deren Bruderschaftszettel die Hl. Familie über den armen Seelen 82 im Fegefeuer zeigt. Dieser Fraternität ist neben der Standarte auch eine Schnitzgruppe mit dem Hl. Wandel, die von derselben Hand wie die Prozessionsstangen hergestellt wurde, und der Hochaltar der Kapelle zuzuordnen, der u. a. in einer Kartusche die Hl. Familie zeigt (*KD Südtirol*. I. S. 319 f). So verbindet sich im Fall der Mariahilf-Kapelle durch die JMJ-Bruderschaft die doppelte Trinität mit dem Seelengedenken unter dem integrativen Oberpatrozinium Mariens, ohne daß es zu einer Konkurrenz zwischen beiden Vorstellungen kommt.

Für Bayern sind mir nur zwei Fälle bekannt, in denen eine Prozessionsstange des Hl. Wandels einer JMJ-Bruderschaft am Ort entspricht. So ist für die Gemeinde Pilsting (Lkr. Landau) sowohl eine Prozessionsstange mit dem Hl. Wandel aus der Mitte des 18. Jahrhunderts (*Finkensta-*

edt 1968. S. 23) als auch eine JMJ-Bruderschaft – allerdings erst für das Jahr 1863 – (*Krettner* 1980. S. 88) belegt. In der Pfarrkirche Mariä Heimsuchung in Inning am Ammersee (Lkr. Starnberg) gehören eine entsprechende Prozessionsstange (*Finkenstaedt* 1968. S. 21) und der auf dem Bruderschaftsaltar dargestellte Hl. Wandel zu der um 1700 gegründeten JMJ-Gebetsbruderschaft[108]. Insgesamt lassen sich für Bayern heute noch neun Prozessionsstangen mit der Hl. Familie oder dem Hl. Wandel nachweisen, die – soweit datiert – alle aus dem 18. Jahrhundert stammen[109].

56. Anonym: Der Hl. Wandel. Zunftstange der Holzarbeiter. Klausen (Südtirol) 2. Hälfte 17. Jhdt.

Der Hl. Wandel im Votivbild

Bisher haben wir versucht, das Bildmotiv des Hl. Wandels nach seiner Anwendung im Altar als Kultbild einzuordnen. Die Frage bleibt, ob dieses Kultbild von den Gläubigen auch als solches angenommen wurde, d. h. ob es z. B. im frommen Brauch rezipiert wurde. Konnte es von den Gläubigen als Gnadenbild angenommen werden, und war es in ihrem Glauben wirksam?

Eine Antwort auf diese Frage findet sich z. B. in Votivbildern, in denen das Kultbild *Hl. Wandel* rezipiert wurde und sich so der Glaube an die Heil- und Wunderwirksamkeit des Bildes bzw. des Kultes manifestierte. Die Bedeutung solch einer im Votivbild dargestellte Heiligengruppe verweist nicht nur auf eine besondere Fürsprecherrolle dieser Heiligen vor Gott – diese Funktion kommt nach der katholischen Lehre jedem kanonisierten Heiligen zu und kann demnach auch nicht an einen bestimmten Darstellungstypus gebunden sein. Die Verwendung bestimmter Bildtypen zeigt immer auch die magische Seite des Volksglaubens, die dem *Bild an sich* Heil- und Wunderkraft zusprach. Diese Auffassung entspricht zwar nicht den Beschlüssen des Trienter Konzils, die Praxis aber, in der z. B. kleine Andachtsbilder als Medizin geschluckt oder aber als Seuchen- und Blitzabwehr in den Ställen angebracht wurden, beweist die magische Verwendung religiöser Bilder. Mit der Bindung der Wunderwirksamkeit an ein bestimmtes Gnadenbild war das ‚Heil‘ gleichzeitig an ein auch formal festgeschriebenes Bildschema, an ein Kompositionsmuster, einen Bildtyp gebunden. Im Unterschied zu den zahlreichen Loreto-Madonnen- oder Wiesheiland-Statuen, die ein mehr oder minder getreues Abbild einer originären, ersten wundertätigen Figur sind, hat der Hl. Wandel kein ‚Ursprungsgnadenbild‘ mit mirakulöser Kraft. So zeigt sich auch im Gnadenbild- und Votivwesen, daß der Hl. Wandel ein Konstrukt war, das nach erfolgreicher Propagierung von den Gläubigen angenommen und teilweise wie ein altes Gnadenbild behandelt wurde.

Der Hl. Wandel wurde sowohl alleine wie auch im Verein mit anderen Heiligen angerufen. Zwar variieren die Darstellungen, doch wurde im großen und ganzen dem Kompositionsmuster nach Wierix entsprochen[110]. Ein frühes Beispiel einer Gnadenbild-Addition von 1671, in dem die Votantin für die Hilfe bei einer Zwillingsgeburt dankt, stellt den Hl. Wandel neben den vierzehn Nothelfern dar (München, Bayerisches National-Museum. *Zglinicki* 1983. Abb. 383)[111]. Auf einem Votivbild von 1758 betet der *XIV* Votant zu insgesamt sechs Gnadenbildern, zu denen neben dem Hl. Wandel auch der Wiesheiland, die Altöttinger Madonna und die Madonna von Dorfen gehört. Möglicherweise ist das Bild der Ausfluß einer Wallfahrt, die an mehreren Gnadenstätten vorbeiführte und als Endpunkt den Wittelsbacher Gnadenort Altötting hatte[112].

Die Gnadenbild-Additionen im Votivbild scheinen mir nicht nur ein Zeichen für die Dringlichkeit der Bitte zu sein, in der sich der Votant in enzyklopädischer Manier möglichst vieler helfender Heiliger versichern wollte. Sie zeigen auch, daß der Hl. Wandel durchaus mit anderen bekannten Gnadenbildern zusammentreffen und ihnen gleichwertig zur Seite gestellt werden konnte.

Typische Anliegen, die ausschließlich vor die Hl. Familie bzw. den Hl. Wandel gebracht wurden, kann man nicht feststellen. Vielmehr scheinen die Anlässe für die Stiftung der Tafeln ziemlich beliebig gewesen zu sein, obwohl die beiden Votationen zu Geburten auffallen. Doch stehen z. B. im Votivbild mit der Zwillingsgeburt von 1671 neben dem Hl. Wandel auch die vierzehn Nothelfer der Votantin bei, so daß man den Hl. Wandel oder die Hl. Familie nicht eigentlich als typische Patrone für eine glückliche Geburt ansehen kann. Meistens wurde in Kindsnöten die Madonna angefleht, die ja auch in den meisten Wallfahrtsorten im Kultbild präsent war.

Für eine fehlende Spezialisierung des Patroziniums sprechen jene Fälle, in denen der Votant den Hl. Wandel bei der Bedrohung in Kriegszeiten durch einen Soldaten anruft[113] oder auch eine frühe Tafel von 1668, auf der der Hl. Wandel auf dem Dachfirst einer brennenden Kirche steht. Anlaß dieser Votivgabe war ein Blitzschlag in den Turm der Frauenkirche in Wasserburg am Inn am 12. August 1668 (*KD Bayern. Oberbayern.* I,1. S. 2089). Das im 19. Jahrhundert überarbeitete Stück ist mit einem Text versehen, der nicht auf den Hl. Wandel, wohl aber auf Maria eingeht[114]. Zwar konnte ich für die Pfarrei keine JMJ-Bruderschaft feststellen, doch bestand nach *Krettner* eine Bruderschaft der Unbefleckten Empfängnis (*Krettner* 1980. S. 212).

Das Votivbild aus Wasserburg gehört in jene Zeit, die im Zuge der Stabilisierung und Intensivierung nach der Gegenreformation die doppelte Trinität mit dem Hl. Wandel propagierte und dem Kult der Hl. Familie mit der ersten Phase der entsprechenden Bruderschaftsgründungen eine erhöhte Bedeutung zukommen ließ. So ist es durchaus verständlich, daß die Kirchengemeinde in Wasserburg am Inn den Hl. Wandel als Schutzpatron anrief, auch wenn er sonst nicht als Beschützer vor Feuer und Ungewitter (Blitzschlag) fungierte[115].

Der Hl. Wandel blieb bis zum Ende des 18. Jahrhunderts als typisches Gnadenbild der Hl. Familie in den Votivbildern gegenwärtig[116], während im 19. Jahrhundert überwiegend das Hl. Familie-Portrait in den Votivtafeln gewählt wurde (*Creux* 1980. S. 89 und *Theopold* 1981. S. 2). Zu allen Zeiten begegnen uns außerdem Additionen (*Sacrae Conversationes* im weitesten Sinne des Wortes) von Madonnen- und Josephsbild, die die himmlische Hierarchie und damit den Weg der Fürbitte widerspiegeln, ohne auf eine besondere persönliche Beziehung der Heiligen untereinander einzugehen (*Theopold* 1978. S. 142, 115,

167. *Theopold* 1981. S. 101, 103. *Beitl* 1973. Abb. 18. *Harvolk* 1979. Abb. 8).

Festzuhalten bleibt für die Votivgaben, daß der Hl. Wandel keine spezifische Schutzfunktion hatte. Auch die wenigen Mirakelberichte von der Hl. Familie weisen nicht auf eine ‚Spezialisierung‘ in der Heilswirkung hin. Sie zeigen keine thaumaturgische, heilende Kraft, sondern erretten den Bittenden entweder aus großer äußerer Not – z. B. aus einer Feuersbrunst oder auch aus der Wüste (*Abr. a S. Cl.*: Paradeyß-Blum Joseph. (S. XX).) – oder dokumentieren die besonders innige und fromme Verehrung der Gläubigen (ebda. (S. XVIII und XXI)). Es darf auch nicht der Eindruck entstehen, daß der Hl. Wandel im Votivbild überaus häufig vorkäme; bedeutend wichtiger war die Anrufung der Muttergottes, während sich der Hl. Wandel im Votivbild in seiner Häufigkeit mehr in die Reihe der anderen Heiligen einordnen läßt. Dennoch ist die Vielfalt der Anlässe der Votivgaben für den Hl. Wandel erstaunlich und hebt ihn von den anderen ‚Spezialheiligen‘ ab.

Es bleibt insgesamt festzuhalten: das Bild des Hl. Wandels begegnet uns nicht nur als ein von der Amtskirche sanktioniertes Altarbild (mit liturgisch-kultischer Funktion), sondern diente auch den Gläubigen als Gnaden- und Andachtsbild, dem sie ihre privaten Anliegen vortrugen und vor dem sie in der Hoffnung auf Hilfe ihre Gelübde machten.

4.2.3 Reduktionen und Übertragungen des Bildtyps *Hl. Wandel*

Wir haben bis jetzt festgestellt, daß das neuzeitliche Bild des Hl. Wandels 1. ein Konstrukt der gegenreformatorischen Bewegung war und 2. bald eine hohe Popularität genoß, obwohl es – in der komplexen Ausgestaltung des Wierix-Stiches – nicht unbedingt zum traditionellen Bildbestand der Gläubigen gehörte.

Mit der Erfindung dieses Kultbildtypus *Hl. Wandel* gingen die Möglichkeiten sowohl der Reduktion des Bildprogramms als auch der Übertragung in andere Zusammenhänge einher, ohne daß dessen Würde und ‚Wirksamkeit‘ als Kultbild litt. Dies galt, solange Reduktion und Übertragung die Grundcharakteristika des Kultbildes nicht antasteten. Aus heutiger Sicht kann man wohl sagen, daß der Hl. Wandel in seiner Komplexität der dogmatischen Aussage eher überfrachtet als übersichtlich und einprägsam war. Darum stellt sich die Frage, ob die intendierten Inhalte auch wirklich rezipiert wurden, und welche unverzichtbaren Konstituanten in den Augen der Gläubigen den Bildtyp *Hl. Wandel* ausmachten.

In der volksfrommen Rezeption scheint sich die Idee der Dreiheit in der Hl. Familie und die spezielle Anordnung der Personen als Hauptkriterium für die Zuordnung eines Bildes zum Hl. Wandel herausgebildet zu haben. Die komplexe doppelte Trinität, die von den Jesuiten und Kapuzi-

XV

nern immer wieder mit Hilfe der entsprechenden Terminologie (*trinitas caelestis* und *terrestris*) hervorgehoben worden war, ging dementsprechend häufig in den Zeugnissen der volksfrommen Kunst verloren. Zurück blieb die irdische Trinität der Hl. Familie, wie sie z. B. von Martin v. Cochem beschrieben wird, der ebenfalls auf die ausdrückliche Betonung der Parallelität von himmlischer und irdischer Trinität verzichtete:

Nach St. Annä tod waren die drey allerheiligste Personen / JEsus / Maria und Joseph in dem Häuslein allein / und waren gleichsam eine irdische Dreyfaltigkeit. Eins in dem gemüth / und drey in Personen. Eins in der liebe / und drey in den wercken. Ein hertz und drey Seelen. (*M. v. Cochem*: Leben Christi. Mainz / Köln 1716. S. 498)

Bei Martin v. Cochem klingt aber schon allein in der Wahl des Begriffs „*irdische Dreyfaltigkeit*" unwillkürlich auch ihr himmlisches Pendant an, und die Unterschrift zu einer Illustration aus seinem Andachtsbuch ,*Der große Myrrhengarten*' in der Ausgabe von 1780 (s. S. 99) zeigt, daß auch im ausgehenden 18. Jahrhundert das Wissen um die doppelte Trinität noch vorhanden war. Die *trinitas caelestis* blieb zumindest mittelbar, elliptisch in ihrer irdischen Analogie, der Hl. Familie präsent[117].

Mitunter waren nicht nur die Großstrukturen, sondern auch die Details von der Reduktion betroffen. Besonders bei den Attributen ist eine Vereinfachung zu bemerken. Hieronymus Wierix hatte Maria mit einem geöffneten Buch und Joseph mit der Lilie der Keuschheit und einem geschlossenen Buch dargestellt. In den meisten Kopien trägt Maria jedoch ein geschlossenes Buch in der Hand, während Joseph nur mit der Lilie ausgezeichnet ist. Manchmal fehlen die Attribute völlig[118] oder sie wurden durch Wanderstäbe ersetzt, die auf ein narratives Verständnis hinweisen. So hält z. B. bei einer Figurengruppe von 1695 aus einer Feldkapelle bei Schweinspoint (Lkr. Donauwörth) die männliche Person ebenso wie das Kind einen Wanderstab in der Hand (*KD Bayern. Schwaben*. III. S. 509. Abb. 495). Auf dem Sockel bezeichnen die Monogramme die Gruppe eindeutig als Jesus, Maria und Joseph. Den Hintergrund bildet eine jüngere, detailliert gemalte Landschaft, so daß in diesem Beispiel des Hl. Wandels das erzählende Moment mit der Vorstellung von einer Reise der Hl. Familie in den Vordergrund tritt. Dementsprechend fehlt die Darstellung der himmlischen Ebene mit Gottvater und dem Hl. Geist. Ähnliches ist bei der Figurengruppe über dem Eingang der Jesuitenkirche in Burghausen oder dem zu einem Josephszyklus gehörenden Fresko in Benediktbeuren (*Bauer/Rupprecht* 1976–1987. II. S. 57. Abb. k₅) zu beobachten. Ein ungewöhnliches Phänomen in der Behandlung des Hl. Wandels tritt in der Spitalkirche von Dillingen zutage. Alle Figuren der Hl. Familie von 1690, die eine ältere, um 1683/84 verkaufte JMJ-Gruppe ersetzen sollte (*KD Bayern.*

Schwaben. VI. S. 294), tragen Wanderstäbe in den Händen und sind somit als ,wandernde' Hl. Familie gekennzeichnet (ebda. S. 295. Abb. 203). Doch wurde der Hl. Wandel 1733 nachträglich durch die Schnitzgruppe, die Gottvater mit Weltkugel auf einer Wolkenbank thronend und der Taube des Hl. Geistes zeigt, ergänzt, so daß im 18. Jahrhundert der Hl. Wandel nach dem Vorbild von Wierix in der Spitalkirche präsent war. Ob die Schnitzgruppe mit der himmlischen Ebene eine ältere, ähnlich gestaltete Holzplastik ersetzte, ist nicht bekannt. Sollte dies nicht der Fall sein, so wäre dieser Hl. Wandel ein seltenes Beispiel für die Ergänzung einer narrativen Hl. Familie-Gruppe zu einer komplexen doppelten Trinität. Möglicherweise deutet der beschriebene Sachverhalt aber auch darauf hin, daß im 17. Jahrhundert die irdische Trinität in Gestalt der Hl. Familie die Assoziation der himmlischen Trinität quasi implizierte, und daß die Ergänzung des 18. Jahrhunderts als ein Hinweis auf das Schwinden dieser ehemals ,selbstverständlichen' Verbindung von himmlischer und irdischer Ebene im Hl. Wandel zu verstehen ist.

Andere Varianten folgen zwar der Personenkonstellation des Hl. Wandels – Jesus zwischen Maria und Joseph – lösen sich aber ansonsten völlig vom Vorbild. So halten z. B. auf einem Bruderschaftszettel der Walldürner ,*Seelenbruderschaft zu den drei hl. Namen JMJ*' aus dem späten 17. Jahrhundert Maria und Joseph das Kultbild der Walldürner Wallfahrt in Händen (*Brückner* 1958. Abb. 47). Zentrum des Bildes ist der Gekreuzigte, der zusammen mit den beiden anderen Figuren die Personenkonstellation des Hl. Wandels ergibt[119]. Der Bruderschaftszettel aus Walldürn verdeutlicht, daß unter bestimmten Bedingungen am Ende des 17. Jahrhunderts das Bild des Hl. Wandels relativ frei verfügbar war. Die Priorität der Walldürner Hl. Blut-Wallfahrt für die 1698 errichtete Bruderschaft ist eindeutig[120].

Ebenso verbindet ein Bruderschaftszettel der an der Friedhofskapelle von St. Andrä/Südtirol 1697 errichteten JMJ-Bruderschaft die Hl. Familie mit dem Fegefeuer. Auch bei diesem Exemplar wird die Personenkonstellation des Hl. Wandels eingehalten, allerdings in Form eines Hl. Familie-Portraits, bei dem der hl. Joseph das Jesuskind auf den Armen trägt. In noch stärkerem Maße löste sich das Gnadenbild der Josephswallfahrt in Wertach vom Wierix-Vorbild, doch wurde auch in diesem Bildzeugnis die für den Hl. Wandel so typische doppelte Trinität erkannt (*KD Bayern. Schwaben*. VIII. S. 981).

Nicht immer gelang solch eine Übertragung des ikonographischen Typus ,Hl. Wandel' auf andere Bildmotive ohne Einbußen in der Aussage. Das schon oben angeführte Oberammergauer Hinterglasbild von 1830/40 zeigt, wie der komplexe formale und inhaltliche Aufbau des Wierix-Stiches in der Rezeption auseinanderfiel: die Idee der himmlischen Trinität blieb erhalten, wurde aber statt mit dem Hl. Wandel mit einer eucharistischen Tischszene kombiniert, in der der Jesusknabe das Zentrum einer Dreiergruppe bildet.

Auf eine ganz besondere Art der Übertragung weist Torsten *Gebhard* hin, in der die Hl. Familie durch die hl. Anna, Joachim und das Marienkind ersetzt werde. Als Beispiele führt er Werke in der Annenkapelle auf dem Schwendiberg bei Escholzmatt (Kanton Luzern, 1660/70), der Ottilienkirche zu Möschenfeld (Gem. Harthausen bei München) und Werke aus Öttingen (Lkr. Nördlingen) an (*Gebhard* 1968. S. 62). Ebenso interpretiert Johanna *Felmayer* die Altäre in Mils (1642) und Längenfeld im Ötztal *59* (1670), auf denen über der irdischen Dreiergruppe die Taube und Gottvater schwebt, als ,Anna und Joachim führen die kleine Maria' (*Felmayer* 1967. S. 27, 48 und Taf. XII. Abb. 20).

Das Kompositionsprinzip ist eindeutig als das des Wierix-Stiches zu identifizieren, und Hieronymus Wierix selbst wandte es in einem umfangreichen Marienzyklus auf *57* Maria mit ihren Eltern an, die von vier Engeln begleitet werden. Um trotz der identischen Personenkonstellation die Heiligengruppe vom Hl. Wandel zu unterscheiden, bekleidete Hieronymus Wierix das Marienkind mit einem kleinen Häubchen und einer Schürze. Ansonsten differieren die Hauptpersonen weder in der Tracht noch im Detail der Komposition vom Hl. Wandel, da durch die Einord- *38* nung des Blattes in einen Marienzyklus die Identifikation der Personen eindeutig war.

58. Figurengruppe aus einem der Beichtstühle im Querschiff der Kölner Jesuitenkirche. Köln um 1630.

Sowohl optisch wie auch inhaltlich scheint dieses Blatt nicht so befriedigend gewesen zu sein wie der Hl. Wandel, denn sowohl Wierix selbst als auch seine Zeitgenossen haben m. W. diese Ausprägung in der Graphik nicht weiter rezipiert. Einzig zwei Figurengruppen von ca. 1630, die die beiden Beichtstühle in den Querarmen der Kölner *58* Jesuitenkirche St. Mariä Himmelfahrt bekrönten, nehmen die Idee von zwei gleichgestalteten Heiligengruppen, bei denen die des Marienkindes mit seinen Eltern prototypisch der Hl. Familie gegenübersteht, wieder auf. Leider ist nur

Flos amoris, ride patri,
Fons amoris, ride matri,
Incipe blanditias.

Nolo poma, nolo flores
Nolo cytharæ canores
Inter has delitias.

Hieronymus Wierx fecit et excudit. Cum Gratia et Priuilegio. Piermans.

57. Hieronymus Wierix: Das Marienkind mit seinen Eltern. 3. Blatt der Serie: *Vita Deiparae Virginis Mariae.* Antwerpen Anfang 17. Jhdt. (Wien, Albertina)

noch eine Gruppe erhalten, so daß ein Vergleich der Ikonographie nicht möglich ist. Aufgrund der ‚Tracht‘ des Kindes ist zu vermuten, daß diese frühe Heiligengruppe das Marienkind mit seinen Eltern zeigt.

Bedenkt man die Seltenheit dieses Übertragungstyps, erscheint die Vorstellung, daß eine Umsetzung des Hl. Wandels auf Maria mit ihren Eltern im Bereich der Altarbilder gelungen sein sollte und häufiger vorkam[121], umso erstaunlicher.

Felmayer interpretiert das gegürtete Gewand des Kindes offenbar als Mädchenkleid und verkennt, daß diese Darstellungsweise schon bei Wierix für den Hl. Wandel gängig war und auch in der 2. Hälfte des 17. Jahrhunderts fortgesetzt wurde. Zudem trägt der männliche Heilige die Lilie in Händen, die ihn eindeutig als hl. Joseph identifiziert, während alle Heiligen der Übertragung bei Wierix ohne Attribute auftreten. Einzig das stark gebauschte Kleid des Kindes könnte als Mädchenrock oder als Reminiszenz an die Schürze des Marienkindes bei Wierix gedeutet werden. Doch ist dergleichen nur in der Kölner Beichtstuhlgruppe und im Hl. Wandel der Dreifaltigkeitskirche von Längenfeld zu beobachten.

Auch geben weder die langen Haare des Kindes, noch das Manteltuch der Frau[122] oder der Stock des Mannes eindeutige ikonographische Hinweise, aus denen die Identität der Personen erschlossen werden könnte. Mit der unterschiedlichen Tracht der Frauengestalt braucht keine Übertragung auf eine andere Heilige – Anna oder Maria – verbunden werden. Vielmehr kann eine dogmatische Aussage intendiert sein, die ganz gezielt auf die Mutterschaft Mariens hinweist[123].

Eine Übertragung des Hl. Wandels auf Maria mit ihren Eltern ist mir – sieht man einmal von den beiden frühen Beispielen ab – in der 2. Hälfte des 17. Jahrhunderts nicht mehr bekannt. Auch tauchen weder in Predigten noch in Andachtstexten entsprechende Hinweise auf, noch werden Maria, Anna und Joachim in Parallele zur göttlichen Dreifaltigkeit gesetzt, wie dies in den m. M. fälschlich ihnen zugeschriebenen Altarblättern der Fall wäre.

Doch schauen wir uns zur Klärung des Problems das Umfeld der angesprochenen Altäre an. Im Fall des 1670 geweihten Hochaltars der Längenfelder Dreifaltigkeitskirche ist auf diese Weise eine Lösung möglich. Nicht nur das Trinitätspatrozinium der Kirche läßt die doppelte Trinität des Hl. Wandels logisch erscheinen. Im Jahr der Altarweihe wurde außerdem eine JMJ-Bruderschaft – die einzige Fraternität, die in der Gemeinde dann existierte – gegründet (*Hochenegg* 1984. S. 85). Bei dem Hochaltar handelt es sich also offenbar um den Bruderschaftsaltar. Was läge näher, als das Trinitätspatrozinium der Kirche mit dem JMJ-Patrozinium der Fraternität im Hochaltar in der doppelten Trinität des Hl. Wandels zu vereinigen[124]?

Auch in der näheren Umgebung von Längenfeld findet sich kein Anhaltspunkt für *Felmayers* These z. B. in Form

59. Kassian Götsch: Der Hl. Wandel. Hochaltar der Dreifaltigkeitskirche in Längenfeld (Nordtirol) 1670.

einer besonderen Annenverehrung. Ganz im Gegenteil: die Johannes-Nepomuk-Kapelle im nahe gelegenen Espan hat ein Hl. Familie-Bild von ca. 1720, in der Marienkapelle in Lehn aus der zweiten Hälfte des 17. Jahrhunderts wurde das Altarbild der Maria Immaculata mit den Figuren des hl. Joseph und des hl. Johannes Nepomuk ergänzt, ebenso die Kapelle in Oberried aus derselben Zeit (*Dehio* 1980. S. 462 ff).

Selbst eine Hausinschrift bezeugt nicht den Annen-Kult, sondern eine intensive Hl. Familie-Verehrung. Eine an einem Scheunentor eines Längenfelder Hofes angebrachte Holztafel trägt neben der Jahreszahl 1671 die Inschrift:

IESVS + MARIA + IOSEBH [!]

IESVS + NAZARENVS + RE[X] + IVDARVM
(*Keim* 1979. S. 155)

Diese Inschrift ordnet sich organisch in die Längenfelder JMJ-Verehrung ein. Sie zeigt außerdem, daß sich Reduktionen und Umsetzungen der Hl. Familie in den abstrakten Hl. Namen-Kult im letzten Viertel des 17. Jahrhunderts verbreiteten und festigten.

Für Längenfeld scheint mir somit hinreichend dargelegt zu sein, daß es sich bei der Hochaltargruppe um den
Hl. Wandel handelt. Ob dies auch für den frühen Altar
aus Mils gilt (1642), möchte ich nicht uneingeschränkt
behaupten, da hier der entsprechende Altar immerhin in
einer Annenkapelle steht. Andererseits ist dies allein noch
kein stichhaltiger Beweis für eine Umdeutung der Gruppe
zu Anna, Maria und Joachim, da Annen- und Hl. Familie-
Patrozinien im frühen 17. Jahrhundert gerne miteinander
kombiniert wurden, wie die beiden Beichtstühle in der
Kölner Jesuitenkirche zeigen, die in ihrem Figurenschmuck
die Personenkonstellation des Hl. Wandels auf beide Personengruppen anwenden.

Auch die von Torsten *Gebhard* angeführten Beispiele
(*Gebhard* 1968. S. 62) können die Übertragungsthese
nicht überzeugend bestätigen. So zeigt die Figurengruppe
der Annenkapelle in Öttingen (Lkr. Nördlingen) aus dem
frühen 18. Jahrhundert keineswegs Maria mit ihren Eltern,
sondern den Hl. Wandel (*KD Bayern. Schwaben.* I. S. 365.
Abb. 465). Außerdem weisen die Hl. Wandel-Darstellungen
in der Leonhardskapelle[125] und der Spitalkirche desselben
Ortes[126] auf eine recht intensive Verehrung der Hl. Familie
in Gestalt des Hl. Wandels hin.

60. Anonym: Maria mit ihren Eltern. aus: Annenleben.
Escholzmatt (Kanton Luzern)

Im Fall der Annenkapelle von Escholzmatt (Kanton
Luzern) kann man nicht von einer Hl. Wandel-Darstellung
bzw. einem diesem Typus entlehnten Bild sprechen. Es handelt sich um das achte Bild eines Annenzyklus', der narrativen Charakter hat. Das Gemälde entspricht nicht nur
in seinem Grundcharakter, sondern auch in der gesamten

Detailausstattung in keiner Weise dem Hl. Wandel-Typus.
In einer Landschaft – ohne himmlische Ebene – hält Anna
das Marienkind bei der Hand, während Joachim auf seine
Tochter weist. Die Erwachsenen sind – bezogen auf das
Kompositionsmuster des Hl. Wandels – vertauscht. Maria
erscheint weniger als Kind denn als Madonna, so daß sich
der Größenunterschied zwischen Maria und ihren Eltern
nicht auf ihr Alter und Kindsein – wie beim Hl. Wandel –, sondern auf das genealogische Verhältnis der Personen bezieht[127]. Die ganze Komposition ist nicht mit dem
Hl. Wandel vergleichbar, sondern erinnert an die von Wentzel für das Mittelalter als *Infantia*-Typus identifizierten Darstellungen (s. S. 93).

So ist zu resümieren, daß am Anfang des 17. Jahrhunderts eine Übertragung der Komposition des Hl. Wandels
auf Maria mit ihren Eltern wohl versucht wurde, sich aber
in der Folgezeit nicht durchsetzen konnte.

Eine besondere Form der Reduktion und Übertragung
des Hl. Wandels bildete sich im Rahmen der Hl. Namen-
und Hl. Herzen-Verehrung heraus. Beide Verehrungsformen basieren auf der Frömmigkeit der Mystik, die – wie
wir schon an anderen Beispielen sahen – einen bedeutenden Einfluß auf die barocke Religiosität hatte. In Litaneien
und Liedern wurden die Namen Jesu, Mariens und Josephs
gepriesen[128], in der Hoffnung, daß das Aussprechen der
Namen dieser heiligen Personen, ja sogar nur der Gedanke
daran den Gläubigen im Tode von seiner Sündenschuld
befreien könne (*Christian Brez*: Lust-Garten. 1720. S. 45).
Die Namensnennung fand in Form des Haussegens (*Spamer*
1930. Tafel CLXXVI. *Kat. Jesuiten.* 1991. S. 164. Kat.-
Nr. 158b) auch Eingang in die Wohnungen.

Der Hl. Namen-Kult war, obwohl die Vorstellung auf
einem hohen Abstraktionsniveau lag und die Möglichkeiten
der bildlichen Darstellung zumeist auf die Monogramme
der heiligen Personen in der Anordnung des Hl. Wandels
beschränkt war, sehr beliebt und weit verbreitet, zumal
die magische Komponente für diese Kultform von hoher
Bedeutung war. So zierten das Hauptportal des Passauer
Jesuitenkollegs die Monogramme der Hl. Familie in Form
des Hl. Wandels (1677) (*KD Bayern. Niederbayern.* III.
S. 220 f). 1749 wurde in einer Inschrift auf dem Deelenbalken eines Ackerbürgerhauses in Recklinghausen, das ehemals zum Erzbistum Köln gehörte, die Hl. Familie in Entsprechung der Personenkonstellation des Hl. Wandels angezeigt. Zwar ist eine JMJ-Bruderschaft für Recklinghausen
nicht bekannt, doch hatten die Jesuiten eine Residenz in
der Stadt, so daß man annehmen kann, daß diese Inschrift,
die in Westfalen häufiger vorkommt (*Schmülling* 1951.
S. 130 ff.), auf die jesuitische Katechese zurückgeht[129].

Auch die Hl. Herzen-Verehrung, die den Sitz der *anima*
thematisierte, wurde im Barock ausgiebig rezipiert, da sie
trotz ihrer Abstraktheit der ausgeprägten Bildlichkeit des
Barock entgegenkam (*Walzer* 1965. *Wirth* 1968). Das Herz
als Verehrungsobjekt fand, verbunden mit dem Hl. Namen-

61. Inschrift auf einem Deelenbalken des Ackerbürgerhauses Wiethofstr. 1. Recklinghausen 1749.

Kult, nicht nur im Gebets- und Liedtext, sondern speziell in der Emblematik weite Verbreitung.

Ein außerordentliches Beispiel bietet die 1719 dem Herzen Jesu geweihte Kollegienkirche von Ehingen a. d. Donau, die in ihrem gesamten emblematischen Programm den Hl. Herzen-Kult rezipierte (*Wirth* 1968. *KD Württemberg. Donaukreis.* I. Ehingen. S. 26–30. s. S. 142 f.). Mit dem Monogramm Jesu, Mariens und Josephs bezeichnet und mit Attributen versehen[130] gewann die eher abstrakte Herzsymbolik in einem gewissen Grade Individualität und konnte auf diese Weise spezifische Inhalte im Emblem übernehmen.

Als Liebessymbol verstanden hatte das Herz außerdem einen hohen emotionalen Stellenwert, dem die Affektbetontheit der barocken Religiösität entsprach. In der Ikonographie schlägt sich dies im Bild des in Liebe entflammten Herzens nieder, das schon im 1640 entstandenen Lied ‚*Aller guter [!] Ding seind drey*' mehrmals thematisiert wurde:

Aller gueter ding seynd drey.
    IESUS MARIA IOSEPH.
Von Hertzen lieb ich alle drey /
    Iesus Maria Ioseph.
Ihr seynd mir in dem Hertzen /
    zue innerst in dem Hertzen /
Mein Hertz brindt gantz in ewer Lieb /
    Es Brindt ohn allen schmerzen.
        Es Brindt ohn allen schmerzen.

O Jesu mein ich grüesse [!] dich /
    Auß gantzem me[i]nem Hertzen.
In deiner Gnad erhalte mich /
    Laß mich sie nie verschertzen.

Sie ist mir über Guet und Gelt /
    Sie thuet mich Hertzlich ziehren /
Ich nehm nit drumb die gantze Welt.
    Wolt lieber alls verliehren.
    Wolt lieber alls verliehren.

Ich liebe dich O Jesu mein /
    Auß gantzer meiner Seelen.
Auß allen Dingen dich allein /
    Mein Hertz thuet außerwöhlen.
Du bist mein Frewd in allem Leyd /
    Mein gröster Trost auff Erden.
Dein Frewd laß du in ewigkeit /
    Mir auch zue thail dort werden.

    [. . .].

O Jesu mein / O Junckfraw rain /
    O Joseph mein Patrone
All drey kehrt ein im Hertzen mein /
    All drey thuet drinnen wohne.
Bleibt alle drey im Hertzen mein /
    Thuets alle drey besitzen.
Machts alle drey von Sünden rain /
    Thuets mit der Lieb erhitzen.

(IESVS, MARIA, IOSEPH. Innsbruck 1640.
Str. 1 ff, 11)

Die Hl. Familie wird somit aufgefordert, in den Herzen der Gläubigen Wohnung zu nehmen, eine Vorstellung, die in dem Kupferstichzyklus ‚*Cor IESV amanti sacrum*' (Antwerpen Anfang 17. Jhdt.) von Antonie Wierix ausführlich veranschaulicht wurde (*Mauquoy-Hendricks*

51 1978. I. S. 68 ff. Tafel 55 ff. Abb. 429–446), und die der Bruderschaftsbrief der JMJ-Bruderschaft aus Mittelpettnau/Tirol (um 1674) sehr eindeutig darstellt. In dem von Putten umgebenen und in Liebe entflammten Herzen befindet sich der Hl. Wandel; das Bild ist untertitelt mit den Zeilen:

O Drey hertzliebste Namen.
Wo ihr kommet zusammen.
Da steht das Hertz in flam[m]en.

Auch diese Vorstellung, in der die Hl. Familie im Herzen der Gläubigen Wohnung nimmt, war trotz ihres ursprünglich hohen Abstraktionsgrades im Volksglauben sehr direkt ausgeprägt. So scheint die Illustration zum Bruderschaftsbrief aus Mittelpettnau von 1700 genau jenes Bild wiederzugeben, das Abraham a Sancta Clara 25 Jahre zuvor in seine Josephspredigt einarbeitete. Er berichtet, daß man nach dem Tod der Dominikanerin Margarita de Castro in ihrem Herzen „*wie in einem rothen Wachs eingetruckt die Bildnuß JESUS, MARIA, JOSEPH*" (*Abr. a S. Cl.: Paradeyß-Blum Joseph. (S. XXI)*) gefunden habe, und er wünscht sich sehr direkt, daß in die Herzen des österreichischen Herrscherpaares und ihrer Untertanen die Namen Jesus, Maria, Joseph eingeprägt seien.

In einer simplifizierenden Übertragung lag es nahe, die Hl. Familie im Bild in die irdischen Wohnungen der Gläubigen aufzunehmen, sei es in Form eines Andachtsbildes (als Haussegen) oder als Abbildung auf alltäglichen Gerätschaften. Ein uns heute etwas skurril anmutendes Beispiel zeigt der prächtig bemalte ‚Himmel' eines Bettes von Anton Perthaler (Kreis Rosenheim 1781) (Nürnberg, Germanisches Nationalmuseum. *Schlee* 1978. S. 75. Abb. 95), auf dem in Herzen eingefaßt die Monogramme der Namen Jesus, Maria und Joseph – vergleichbar den Initialen C(aspar), M(elchior), B(althasar), die zum Drei-Königsfest auf die Haustüren geschrieben werden – zu finden sind. Über den entflammten Herzen steht das Symbol der jeweiligen Person: das Kreuz für Jesus (Passion)[131], das Schwert für Maria (Weissagung Simeons Lc. 2,35) und die Lilie für die Keuschheit Josephs. Die Hl. Familie wurde in diesem Fall offensichtlich als die Schutzpatrone der Eheleute, wenn nicht sogar der ganzen Familie angesehen: sie ist buchstäblich im Himmel und beschirmt die Schlafenden.

Sicherlich ist diese Bemalung des Himmelbetts – wo geboren und gestorben wurde – ein wichtiges Zeugnis für die weitreichende Rezeption des Kultbildes *Hl. Wandel*, unter dessen Schutz sich die Besitzer dieses Bettes begaben und auf dessen Fürsprache und Segen sie hofften.

Der Hl. Wandel war für die Gläubigen allgegenwärtig. Alle in den Rahmen der Hl. Namen- und Hl. Herzen-Verehrung einzuordnenden Beispiele zeigen deutlich, wie stark der Hl. Familie-Kult in die allgemeine Frömmigkeit und in die Marienverehrung im besonderen eingebunden war.

Die Idee des Hl. Wandels als eines ganz bestimmten und genau definierten Bildtyps löste sich mit der Reduzierung des Wierix-Stiches z. T. auf, gleichzeitig wurden aber der Typus – soweit noch im Bewußtsein der Gläubigen – und seine Varianten zum Synonym für die Hl. Familie.

So entwickelte sich der Hl. Wandel zu einer der beliebtesten Arten, die Hl. Familie darzustellen, ohne daß notwenigerweise die ursprünglich daran gekoppelte Idee der doppelten Trinität tradiert werden mußte.

5 Der Loreto-Kult: Das Haus der Hl. Familie

In den Loreto-Kultorten ging der Hl. Wandel mit der Vorstellung vom Alltagsleben der Hl. Familie eine Synthese ein, die sich in dem Verständnis bzw. der Um- oder auch Rückdeutung des Hl. Wandels als hl. Lebenswandel widerspiegelt, obwohl diese Interpretation – wie wir oben sahen – nicht genuin mit dem Bildtyp *Hl. Wandel* verbunden war.

Loreto bei Ancona (Italien) (*Sauren* 1883. *Beissel* 1910. *Flögel* 1984. *Pötzl* 1984.) ist hauptsächlich als Marienwallfahrtsstätte bekannt, deren Ursprung nicht eindeutig geklärt ist. Die wohl aus dem 15. Jahrhundert stammende Loreto-Legende[1] berichtet von der Translation des Hl. Hauses von Nazareth nach Fiume in Dalmatien durch vier Engel. Dieser Legende zufolge soll sich die Übertragung kurz nach dem Fall Akkons (1291) – der letzten christlichen Festung im Hl. Land – ereignet haben, und so das Hl. Haus dem Zugriff der siegreichen Moslems entzogen worden sein. Nach mehreren weiteren Transferierungen sei es zuletzt in Loreto niedergesetzt worden, wo es bis heute – inzwischen mit einem Kirchenbau und einer Ummantelung versehen – steht.

Die religiöse Bedeutung des Hl. Hauses – auch Casa Santa genannt – liegt in der Lokalisierung mehrerer heilsgeschichtlich wichtiger Begebenheiten in dieses Gebäude, wie z. B. Geburt Mariens, Verkündigung und Empfängnis, die es zu einer der wichtigsten Marienwallfahrtsstätten werden ließen. Außerdem soll nach der Legende die Casa Santa auch die Wohnung der Hl. Familie nach ihrer Rückkehr aus Ägypten und die Heimstatt der Apostel nach der Himmelfahrt Christi gewesen sein. Bis ins späte 19. Jahrhundert waren in der Kapelle und der sie umgebenden Basilika allerdings keinerlei ikonographische Hinweise auf den Hl. Familie-Kult zu finden.

Mit der Herausbildung der Legende, die im Laufe des 16. Jh., um mehr Glaubwürdigkeit zu erhalten, durch mehr und mehr Einzelheiten und Daten präzisiert wurde, entstehen Schriften, die die Legende und den Wallfahrtsort und damit die Marienverehrung gegen die Reformation verteidigen. Kämpfte man im 15. Jh. in Loreto gegen die Bedrohung türkischer Piraten, so wurde im 16. Jh. die Reformation die geistige Bedrohung, gegen die in zahlreichen Traktaten Stellung bezogen wurde. Durch die zeitliche Festlegung des wunderbaren Geschehens konnte die Legende zu einem historischen Ereignis werden, das sich scholastischen Angriffen durch seine geschichtliche Realität entziehen konnte. Für das nicht vorstellbare Mysterium der Verkündung bot das Hl. Haus den greifbaren Hintergrund [...]. So konnte die Casa Santa für die katholische Kirche zu einem Bollwerk gegen die Reformation werden. (*Flögel* 1984. I. S. 15)

Seit dem 16. Jahrhundert war Loreto eine der bevorzugten, überregionalen Marienwallfahrtsstätten der katholischen Welt, die von hochgestellten Persönlichkeiten und Protagonisten der Gegenreformation besucht wurde, so z. B. von Kaiser Ferdinand II., der nach dem Bericht seines jesuitischen Beichtvaters und Ratgebers Guillaume Lamormaini (1570–1648) schon als Erzherzog von Innerösterreich 1598 in Loreto die Bekämpfung des Protestantismus in seinem Herrschaftsgebiet gelobte (*Matsche* 1978. S. 92 f. *Flögel* 1984. I. S. 74)[2] und auf diese Weise die Rückgewinnung und Stärkung der katholischen Hegemonie zum politischen Programm erhob[3]. Lange Zeit blieb die Marienwallfahrtsstätte Loreto der Inbegriff eines z. T. militanten Katholizismus[4], der sich als Siegeszeichen seit dem Seesieg bei Lepanto über die Türken (1571) die Muttergottes auf sein Banner geschrieben hatte. Erst im 19. Jahrhundert wurde Loreto von dem französischen Marienwallfahrtsort Lourdes an Popularität übertroffen.

Wichtigster Motor für die Verbreitung des Loreto-Kultes allgemein wie auch speziell im deutschsprachigen Gebiet wurden 1554 mit der Übertragung der Wallfahrtsseelsorge, die vorher die Karmeliter innehatten, die Jesuiten, die stärksten Propagandisten der katholischen Gegenreformation.

Petrus Canisius besuchte mehrmals Loreto, so z. B. 1556 zusammen mit dem Augsburger Bischof Otto Truchsess von Waldburg, für den dieser Ort die liebste Wallfahrtsstätte war (*Pötzl* 1979. S. 193). Beiden lag die Verbreitung der für diesen Wallfahrtsort konzipierten Lauretanischen Litanei am Herzen, die um 1553 entstanden 1558 in Dillingen in Druck erschien und von dort ihren Siegeszug über die Jesuiten-Kollegien, -Universitäten, Marianischen Kongregationen und Wallfahrtsorte nahm.

Auch die Wittelsbacher engagierten sich frühzeitig in Loreto. So machte Herzog Albert V. ca. 1555 in Loreto eine Stiftung, die Gemahlin Herzog Wilhelms V. – Renata von Lothringen – ließ seit 1575 die Lauretanische Litanei in der Frauenkirche in München singen, und ihr Gemahl unternahm 1585 eine Wallfahrt nach Loreto, desgleichen 1593 sein Nachfolger Maximilian. Dem Beispiel folgten auch Herzog Maximilian Philipp (1683) und Kurfürst Karl Albert (1737).

Der Fall Akkons 1291 hatte das Bedürfnis nach Ersatz der heiligen Stätten des Hl. Landes verstärkt geweckt und Kopien z. B. des Hl. Grabes entstehen lassen, zu denen die Gläubigen pilgern konnten, in dem festen Glauben, daß diese Nachbauten ebenso heilswirksam seien wie das Original. In gleicher Weise wurde mit dem Loreto-Heiligtum verfahren, das in zahlreichen Kopien diesseits der Alpen auch dem regionalen Wallfahrer leichter zugänglich wurde, so daß er von der Verpflichtung einer langen und gefahrvollen Pilgerreise entbunden war.

Die erste Initiative für die späteren Casa Santa-Kopien diesseits der Alpen ging von den Fuggern aus, die 1582 eine Nachbildung der Loreto-Madonna in der Kapelle des Hainhofer Schlosses aufstellten. Zwölf Jahre zuvor waren Ursula Fugger, geb. von Lichtenstein, und Hans Fugger dem Vorbild des Augsburger Bischofs gefolgt und nach Loreto gepilgert.

Die erste, durch ein Herrscherhaus initiierte Loreto-Kapelle auf deutschsprachigem Gebiet stiftete der erwähnte Habsburger Erzherzog Ferdinand II. von Tirol 1589 in Hall[5], nachdem er zwei Jahre zuvor – auf Fürsprache seiner Schwester Eleonora (verheiratet mit Herzog Wilhelm von Mantua) und des Herzogs Wilhelm V. von Bayern – zollfrei Holz für den Bau in Loreto liefern ließ (*Grass* 1979. S. 163 ff).

Dieser Gründung in Hall folgten zahlreiche weitere Loreto-Nachbauten, die häufig von adeligen Loreto-Pilgern initiiert wurden[6]. Besonders die Habsburger und Wittelsbacher begünstigten die Verpflanzung dieses Kultes in ihr Herrschaftsgebiet. Allein in Bayern zählt *Pötzl* fünfzig entsprechende Kultstätten (*Pötzl* 1979.), und für Tirol lassen sich fünfzehn Belege finden (*Grass* 1979.). *Flögel* ergänzt die Angaben mit einem Katalog für Baden-Württemberg, der zusätzlich 17 Loreto-Kopien enthält (*Flögel* 1084. II. S. 1–26).

Die Beliebtheit des Loreto-Kultes bei den politischen Protagonisten der Gegenreformation verwundert nicht, entsprach doch Loreto als Marienheiligtum der gegenreformatorischen Marienfrömmigkeit, die ganz erheblich von den Jesuiten bestimmt wurde. Außerdem wurde die Originalkultstätte seit 1554 von eben diesen Protagonisten der Gegenreformation betreut, so daß Loreto – neben Rom und Santiago – zur hervorragendsten Kultstätte des gegenreformatorischen Katholizismus wurde und durch die Eigenschaft der Casa Santa als authentischer Ort[7] heilsgeschichtlicher Schlüsselereignisse große Bedeutung gewann. Die inhaltliche Vielschichtigkeit des Kultes ist besonders bei jenen Nachbauten zu beobachten, bei denen die Verehrung weniger durch das Loreto-Kultbild als durch den Reliquiencharakter des gesamten Bauwerks – das Haus von Nazareth – geprägt wurde.

> Mit dem Heiligen Haus von Nazareth konnten die christlichen Stätten des Heiligen Landes exemplarisch und wesenhaft vergegenwärtigt und lokal aktualisiert werden, vor allem infolge der durch ihre Herkunftsgeschichte begründeten Translationseigenschaft der Casa Santa und ihrer demzufolge in den Kopien glaubhaft wirkenden identischen Verfügbarkeit. (*Matsche* 1978. S. 109)

In diesem Sinne erhielten das Gebäude in Loreto und seine Kopien den Charakter einer Großreliquie, die in gewisser Hinsicht mit den mittelalterlichen Nachbauten des Hl. Grabes vergleichbar sind. Folgerichtig mußten die Nachbauten den baulichen Gegebenheiten des Vorbildes einigermaßen entsprechen. Dies konnte in bezug auf die Abmessungen

des Gebäudes, die Marmorverkleidung der Casa Santa[8], in bezug auf die Gesamtanlage des Loreto-Heiligtums (*Matsche* 1978. ders. 1984. *Pötzl* 1984. Karte 7. *Flögel* 1984. I.) oder auch in bezug auf die Einbettung der Anlage in bestimmte, an die Gegend von Ancona erinnernde landschaftliche Fixpunkte[9] geschehen. Der Repräsentationscharakter der *Casa Santa* für alle wichtigen Stätten des Hl. Landes spiegelt sich besonders deutlich in der Konzeption der Loreto-Wallfahrt von Hergiswald (Kanton Luzern) wider, nach der ursprünglich ein *Monte Sacro* mit insgesamt fünfzehn Kapellen errichtet werden sollte[10].

5.1 Habsburger Loreto- und Hl. Familie-Verehrung

Im Zeitalter der Gegenreformation waren der Marienkult und der zu einem nicht geringen Teil von der Marienverehrung abhängige Hl. Familie-Kult für die katholischen Mächte bei ihrem Bemühen, ihre Gebiete nach außen und nach innen zusammenzuhalten, den zentrifugalen Kräften der Glaubensspaltung Einhalt zu gebieten und ihnen entgegenzuwirken, von besonderem Interesse. Beide Kulte banden den Gläubigen emotional in das katholische Weltbild, seine Normen und Regeln, und sorgten auf diese Weise für eine ideologische Festigung. So muß auch der Loreto-Kult in den österreichischen Erb- und Kronlanden in Zusammenhang mit den habsburgischen Bestrebungen der Reichssicherung gegen die alten wie die neuen Türken (d. h. die moslemischen Türken bzw. die ‚ketzerischen‘ Protestanten) nach der Seeschlacht von Lepanto 1571 und der Schlacht am Weißen Berg 1620 gesehen werden[11]. Er diente der religiösen Legitimation für dieses politische Streben und schlug sich u. a. in einer auffallenden Architekturpolitik nieder (*Matsche* 1978. ders. 1984.). Österreich und ganz besonders das ehemals aufständische Böhmen wurden von Loreto-Kultstätten und -Kopien geradezu überzogen, wobei in Böhmen besonderer Wert auf die Nachahmung der frühen Loreto-Architektur gelegt wurde, die der Gesamtanlage das Aussehen eines Castrums gab.

Diese Konzeption, in der die Loreto-Kapelle nicht innerhalb einer Basilika, sondern in einem von Arkadengängen gebildeten Kreuzgang mit Brunnen und Bäumen stand, und die ihren Ausgangspunkt in der Prager Kapelle am Hradschin nahm, ließ den Ort zu einem marianischen Sinnbild in Stein werden: die Anlage mit einem Brunnen als *fons vitae* – einem Christus- und Mariensymbol – und die Baumbepflanzung als Hinweis auf den *arbor vitae* – Christus –, der im *hortus conclusus* des geschlossenen Hofes – Zeichen der Jungfräulichkeit Mariens – wächst[12].

Neben diesem visuell-religiösen Erlebnis innerhalb des Gebäudekomplexes als verschlossener Garten mit dem marianischen Zentrum der Loreto-Kapelle bot der Anblick von außen den Eindruck eines Kastells – meist auf eine Anhöhe im Sinne eines *Monte Sacro* –, mit dem sich das himmlische Jerusalem assoziieren ließ.

Angeregt durch die erste Loreto-Gründung in Nikolsburg in Mähren 1625[13] durch Kardinal Dietrichstein ließen Wilhelm d. J. von Lobkowitz[14] und seine Gattin Benigna Katharina[15] 1626/27 auf den von ihnen erworbenen Grundstücken protestantischer Exulanten am Prager Hradschin eine Casa-Santa-Kopie (Weihe 1631) erbauen (*Pulkert* 1973. I. S. 21–25). Die Kapelle wurde in der folgenden Zeit großzügig erweitert, so z. B. 1687 durch eine Kapelle der Kapuziner, die die Prager Loreto-Kirche seelsorgerisch betreuten[16]. 1691 erfolgte auf Initiative der Gräfin Ludmilla Eva Franziska von Kolovrat[17] eine Erweiterung durch eine Josephskapelle. Gerade diese beiden Kapellen gehören zu jenen Bauteilen, die dem Loreto-Komplex ein fortifikatorisches Aussehen gaben und ihn als Vision der Stadt Gottes im geheiligten Böhmen erscheinen ließen.

Zwar hält sich die Gesamtgestaltung der Prager Casa Santa streng an das Vorbild in Loreto und weist deshalb nur wenig explizite Bezüge zur Hl. Familie auf, dennoch läßt uns die Existenz einer zum Gebäudekomplex gehörenden Josephskapelle, deren Musikalienverzeichnis mehrere Stücke zur Josephsverehrung aufweist (*Pulkert* 1973. I. S. 170. Nr. 266; S. 191. Nr. 361; S. 200. Nr. 397; S. 320. Nr. 770), aufmerken.

Von noch größerer Bedeutung ist eine an der Loreto-Kapelle 1694 zum Zwecke des Totengedenkens errichtete Bruderschaft, die der Hl. Familie geweiht war und von den Kapuzinern geleitet wurde. Diese *Löbliche Seelen-Bruderschafft zu Prag in der Laureta unter denen HH. Nahmen Jesu / Mariä / Joseph* war – wie wir noch sehen werden – von hoher Bedeutung für die Frömmigkeitskultur des Barock, und ihre Mitgliederzahl muß beträchtlich gewesen sein (s. S. 161). Selbst wenn die Angaben in den Selbstzeugnissen wahrscheinlich übertrieben sind[18], bestätigt eine relativ weite Streuung ihrer Andachtsbücher diese Vermutung[19].

In Prag tritt uns also die Kombination von Loreto-Heiligtum mit all seinen gegenreformatorischen Implikationen, der Hl. Familie und dem Todespatrozinium entgegen, ähnliches ist in Zusammenhang mit den Loreto-Kapellen in Landshut und Oberstdorf zu beobachten (s. S. 128 ff.). Die Ausstrahlungskraft des von den Kapuzinern betreuten religiösen Zentrums am Hradschin war erheblich, wie man nicht nur an der Befolgung der architektonischen Topoi beobachten kann.

Als eine Kirche des Hradschins stand die Loretokirche ausserhalb des Zentrums des Prager Geschehens und hatte einerseits den Charakter einer Kirche der Aristokratie des Hradschins und der Kleinseite, der Kirche, die die kaiserliche Familie während ihres Prager Aufenthaltes aufsuchte, und andererseits den Charakter eines beliebten Wallfahrtsortes. (*Pulkert* 1973. I. S. 25)

Auch außerhalb der Prager Loreto-Kirche wurde die Hl. Familie verehrt, wie z. B. ein Seitenaltarbild von Karel Škréta (1616–1674) in der Teynkirche auf der Prager Kleinseite beweist; es zeigt den Hl. Wandel (*Neumann* 1951. Abb. 73).

Dem Prager Vorbild folgte 1637 die Stiftung einer von den Augustinern betreuten Loreto-Kapelle an der Wiener Hofburg[20] durch Kaiserin Eleonore, deren kurz zuvor verstorbener Gatte Kaiser Ferdinand sich angeblich zu seinen Lebzeiten in Loreto in den Dienst der Gegenreformation gestellt hatte, und dessen Gelöbnisakt – als spirituellen Ausgangspunkt seines politischen Wollens – Eleonore durch die Errichtung der Loreto-Kapelle in Erinnerung rief und aktualisierte (*Hawlik van de Water* 1987. S. 61 f. *Flögel* 1984. II. S. 152 f)[21]. Ein Jahr später veröffentlichte Ferdinands ehemaliger Beichtvater, der Jesuit Guillaume Lamormaini die Lobschrift ,*Virtutes Ferdinandi II*' (Antwerpen 1638), durch der die „dynastische Mythos [der] Pietas Austriaca" (*Evans* 1986. S. 69. vgl. *Coreth* 1959. *Matsche* 1981.) geprägt wurde.

Die Habsburger Dynastie, die sich und ihr Land der Madonna und 1675 zusätzlich dem hl. Joseph geweiht hatte und somit die Hl. Familie ihre Patrone nennen konnte, verstand die Wiener Loreto-Kapelle als ihr persönliches Familien-Heiligtum. Die kaiserliche Familie besuchte die Kapelle zu allen wichtigen Anlässen, die die Dynastie und das Leben der einzelnen Familienmitglieder betrafen. Sie betete dort in Kriegsfällen wie auch bei Geburten, Vermählungen und Todesfällen um den Beistand Mariens, der Erzstrategin und „Hausmutter des Erzhauses Österreich" (*Hawlik-van de Water* 1987. S. 62. vgl. *Matsche* 1978. S. 115). Dort ließen sie seit dem Tod Ferdinands IV. (1654) zumeist die Herzen ihrer Verstorbenen beisetzen, während die Körper seit 1633 ihre letzte Ruhestätte in der Kapuzinergruft fanden. Als Platz für die Herzurnen wurde der Raum hinter dem Altar gewählt, also jener Bereich, der als innerster Wohnbezirk der Hl. Familie, als ihre Küche galt und im Kultus als Sanctuarium diente (s. S. 124).

Die Wahl des Begräbnisplatzes dokumentiert die innige Verbindung der Verstorbenen mit Maria und der Hl. Familie, indem sie ihre Herzen – Sitz der *anima* – den heiligen Personen buchstäblich zu Füßen legten[22] und auf diese Weise nicht nur ihre Devotion, sondern auch ihre Zugehörigkeit zu der heiligen Gemeinschaft und Haushaltung Jesu, Mariä und Josephs anzeigten. In gleicher Weise weihten die Wittelsbacher die Herzen ihrer Verstorbenen der Madonna in der Mariengnadenkapelle von Altötting.

Die Bedeutung der habsburgischen Loreto-Verehrung darf nicht unterschätzt werden, zumal die Muttergottes als *Maria de Victoria* in Gestalt des apokalyptischen Weibes, das die Schlange zertritt, seit der Schlacht bei Lepanto 1571 gegen die Türken mehr noch als früher als Patronin der christlich-katholischen Welt galt, und der Kult der

Hl. Familie zusammen mit dem des hl. Joseph[23] in das Umfeld dieser verstärkten Marienverehrung gehört.

Dem kaiserlichen Vorbild folgte die spanische Königin Maria Anna, eine gebürtige Prinzessin von Pfalz-Neuburg, die mit Hilfe ihres Beichtvaters Gabriel Pontifeser in dessen Geburtsort Klausen (Südtirol) eine Loreto-Kapelle mit dazugehörigem Loreto-Schatz stiftete[24]. Der Kapuzinerpater Pontifeser (ca. 1653 – 2.12.1706) (*Theil:* Loretoschatz. 1971. *Lex. Cap.* S. 652 f) stand schon vor der Heirat der Prinzessin mit dem spanischen Habsburger Karl II. als Hofprediger in pfälzischen Diensten. Er pflegte u. a. Kontakte mit Martin v. Cochem (*Festschr. M. v. Cochem* 1984. S. 18), der seinerseits im ‚Leben Christi‘ das Alltagsleben der Hl. Familie ausführlich beschrieben hatte; zudem gehörten beide dem Kapuzinerorden an. Auf die Stiftung von Klausen wirkten also mehrere Aspekte ein, zu denen – neben dem Einfluß des Kapuziners Pontifeser – die dynastische Verbindungen der Häuser Habsburg und Wittelsbach[25] zählen, in denen jeweils zum Zwecke ihrer gegenreformatorischen Politik die Marienverehrung wie auch der Kult der Hl. Familie gefördert wurden.

Im Habsburger Machtbereich fällt für alle angeführten Beispiele die Dominanz der Kapuziner auf. Sowohl in Prag wie in Klausen, Salzburg, Klagenfurt, Murau und Schwanberg[26] (und dem schweizerischen Hergiswald) spielten sie, wenn nicht bei der Stiftung, so doch bei der Pflege der Loreto-Kultstätten eine bedeutende Rolle, obwohl Loreto selbst von Jesuiten betreut wurde[27]. Die Kapuziner waren offensichtlich auch für die Propagierung des Hl. Familie-Kultes in Österreich von großer Bedeutung, zumal sie seit dem frühen 17. Jahrhundert ein besonderes Ansehen in der Habsburger Dynastie genossen[28]. Seit 1633 fanden die Habsburger ihre Grablege bei den Kapuzinern (Kapuzinergruft). Der Orden stellte während des Dreißigjährigen Krieges die Feldseelsorger, und einer der wichtigsten Berater Leopolds I. war der Kapuzinerpater Marco d’Aviano (1631–1699) (*Lex. Cap.* Sp. 1035 ff. *Kat. Abr. a S. Cl.* 1982. S. 88).

5.2 Das Haus der Hl. Familie

Für die Habsburger verband sich – wie wir sahen – der Loreto-Kult organisch mit der Hl. Familie-Verehrung, obwohl sich weder im die Casa Santa umgebenden Kirchengebäude – sieht man einmal von einer, durch deutsche Katholiken initiierten und finanzierten Kapellenausmalung des späten 19. Jahrhunderts ab –, noch an der von Bramante konzipierten Marmorverkleidung des Hauses direkte Verweise auf die Hl. Familie in unserem Sinne finden lassen.

62 Einzig der Innenraum der Casa Santa birgt, wenn auch z. T. für den Gläubigen verborgen, diesen Bezug im hinteren, durch einen Altar und durch Schranken chorähnlich abgetrennten Raumteil[29], der nicht nur als Sanctuarium diente, sondern auch als ‚Küche der Hl. Familie‘ bezeichnet wurde. Hier befindet sich sowohl das ‚Fenster der Verkündigung‘, als auch eine Nische unterhalb des Loreto-Kultbildes, die *Santo Camino* genannt wurde, und – noch vor den Altarschranken – eine kleine Rundbogennische, den *Santo Armario*, der als ‚Geschirrschrank‘ der Hl. Familie galt und schon im frühen 17. Jahrhundert mit in Gold gefaßtem Geschirr ausgestattet war (*Pötzl* 1984. Anm. 79. *Flögel* 1984. I. S. 25). Diese zwei Besonderheiten in der Innengestaltung der Loreto-Kapelle verweisen eindeutig auf den ‚Wohnungscharakter‘ des Gebäudes, sie legen geradezu die Interpretation ‚Küche der Hl. Familie‘ nahe[30]. Spätestens seit der ersten Hälfte des 17. Jahrhunderts bis weit ins 18. Jahrhundert hinein hatte man Kenntnis von dieser Innenraumgestaltung und ihrer Interpretation. So stiftete der Herzog Ranuccio Farnese – Sohn der Margherita von Medici – als Versöhnungsgeste an den Papst zwischen 1633 und 1644 u. a. Silber für die Verkleidung der Rundbogennische, den *S. Armario* mit einer Verkündigungsszene (*Pötzl* 1984. Anm. 79), und noch 1781 zeigt der Plan der Casa Santa[31] sowohl den *S. Camino* als auch den *S. Armario*[31]. Beide Bauelemente waren charakteristisch für die Casa Santa und galten als obligatorisch für alle entsprechenden Loreto-Nachbauten[32].

So folgte auch Klausen (Tirol) dem Vorbild und erhielt – inspiriert durch die jesuitische Mystik – von seiner Stifterin, der spanischen Königin Maria Anna, als Ausstattung der Loreto-Kapelle u. a. die ‚Kücheneinrichtung der Hl. Familie‘, bestehend aus Fayencen aus dem späten 17. Jahrhundert und Miniaturnachbildungen von Metallgeschirr maurischen Ursprungs in einer vergitterten Wandnische (*KD Südtirol*. I. S. 222. *Theil:* Loretoschatz 1971. Abb. 17 f. Text zu Vitrine 1).

Die Einrichtungsgegenstände begegnen uns auch in den Bildern mit der Tischszene; der große Kamin gehörte ebenso zu den unabdingbaren Charakteristika der Szene wie die anderen Küchenrequisiten (s. S. 72). Der hintere, verborgene Raum in den Loreto-Kapellen war anhand dieser Andachtsbilder für den Gläubigen mit dem Raum, in dem sich die abgebildete Tischszene abspielte, der Küche, identifizierbar[33]; das durch Altar und Schranken Verborgene wurde so anhand der Gemälde und Graphiken veranschaulicht, sichtbar und erfahrbar gemacht.

Ein deutlicher Hinweis auf die Casa Santa findet sich z. B. in dem vierteiligen Gemäldezyklus mit Alltagsszenen 63- aus dem frühen 17. Jahrhundert, in dem der große Kamin, a–d entgegen aller Logik und trotz des Wechsels des Betrachterstandpunktes, immer auf derselben Seite der Gemälde wiedergegeben wird. Offenbar war er ein Topos, der einerseits die Häuslichkeit demonstrieren sollte, andererseits muß er für den Gläubigen ein unmißverständlicher Hinweis auf die ‚Küche der Hl. Familie‘ – also das Sanctuarium der Casa Santa – gewesen sein, deren Alltagsleben sich – wie auch das Heiligtum von Loreto suggeriert – in einem ein-

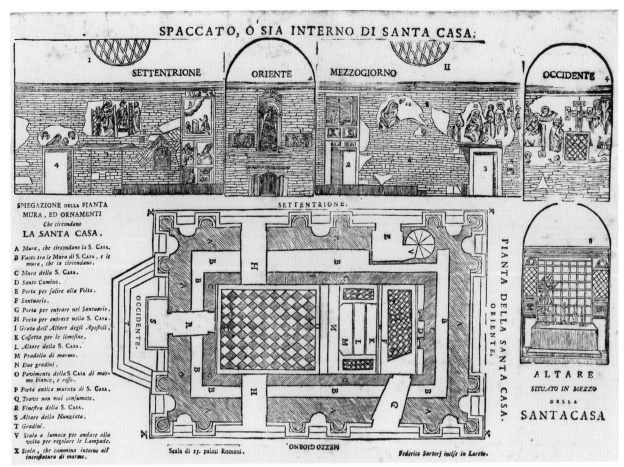

62. Frederico Sartorij: Plan des Hl. Hauses von Loreto. Holzschnitt aus: *Antonio Lucidi*: Notizie della Santa casa di Maria Vergine, venerata in Loreto … Loreto 1781. (München, Bayerische Staatsbibliothek)

zigen Raum abspielte. Auch Martin v. Cochem betonte die räumliche Enge und Düftigkeit im Alltag der Hl. Familie, um auf diese Weise dem Topos der Armut und Demut genüge zu tun (*M. v. Cochem*: Leben Christi. S. 487 ff), und noch im späten 19. Jahrhundert wurde sein Werk dementsprechend illustriert[34].

Als weiteres Beispiel kann ein Kupferstich mit einer Tischszene (1. Hälfte 18. Jhdt.) dienen, der durch Elemente aus der Sakralarchitektur – wie das Gewölbe und die den Tempel Salomonis symbolisierenden gewundenen Säulen (*Thelen* 1967.) – nicht nur auf die Heiligkeit der Personen hinweist (dies besorgt schon allein die Nimbierung), sondern die Handlung wie auch den Raum selbst als heilig charakterisiert und deren transzendente Dimension aufzeigt. Die reiche Ausstattung an Tischgerät – Teller und Löffel –, das in keiner getreuen Loreto-Kopie fehlen durfte und in dem Stich übersichtlich auf Borden präsentiert wird, verdinglicht und trivialisiert die symbolische, auf die Eucharistie verweisende Handlung und weckt für den Gläubigen die Erinnerung an die Ausstattung des *S. Armario*. Diese Identifizierung eines häufig auch als Reliquie verehrten Gegenstandes im Bild als ,Requisit der Heilsgeschichte' war seit dem Mittelalter durchaus gängig[35].

Einem ähnlichen Phänomen des Schauens und Erkennens unterliegen auch andere kleine Andachtsbilder mit der Tischszene. Die sich in den gewundenen Säulen manifestierende Bildchiffre ,Sakralraum' konnte nicht nur als ein Symbol für die Heiligkeit der Handlung und der dargestellten Personen, sondern auch als eine Reminiszenz an die weit verbreitete Vorstellung von der Casa Santa als Wohnhaus der Hl. Familie verstanden werden[36].

Folgerichtig wurde mit der Casa Santa bzw. ihren Kopien nicht nur die Tischszene, sondern auch eine andere Situation aus dem Alltagsleben der Hl. Familie – ihre Arbeit – in Verbindung gebracht[37]. So zeigte wahrscheinlich das ursprüngliche Hochaltarbild der 1623 erbauten Loreto-Kapelle bei Landshut die Hl. Familie bei der Arbeit[38]. Eine entsprechende Plastik befindet sich in

63. a–d Anonym: Vier Darstellungen aus dem Alltag der Hl. Familie.
Süddeutsch Anfang 17. Jhdt. (Köln, Wallraf-Richartz-Museum)

64. Anonym: Tischgebet der Hl. Familie. Andachtsblatt verlegt bei Johann Hendl. München 1. Hälfte 18. Jhdt. (Garmisch-Partenkirchen, Werdenfelser Heimatmuseum)

65 der Loreto-Kapelle in dem schwäbischen Ort Oberstdorf. Bemerkenswert ist, daß im frühen 18. Jahrhundert das Hochaltarbild in Landshut entfernt und durch ein anderes ersetzt wurde, das den Tod des hl. Joseph zeigt[39]. Die Oberstdorfer Loreto-Kapelle beherbergt als Pendant zu der Arbeitsszene aus derselben Zeit eine Schnitzgruppe mit dem Josephstod (*KD Bayern. Schwaben*. VIII. S. 641).

Bild und Kultort standen zuweilen in so enger Beziehung zueinander, daß man sich des Eindrucks nicht erwehren kann, in der Loreto-Kapelle und ihren Kopien manifestiere sich die jesuitische Methode der ,Zurichtung des Schauplatzes'. Auf diese Weise war das Alltagsleben der Hl. Familie, das, wie wir sahen, auch Thema der jesuitischen Exempellieder war, für die Gläubigen

65. Anonym: Die Hl. Familie bei der Arbeit. Schnitzgruppe in der südöstl. Rundbogennische der Loretokapelle von Oberstdorf (Schwaben). um 1720/1730.

nicht nur *datierbar* (Kindheit Jesu), sondern auch genau *lokalisierbar*. Die *Konkretisierung des Handlungsraumes* der Alltagsszenen[40] in der Casa Santa verstärkte die Bedeutsamkeit und Wirkung des Exempels. Der konkrete Raum im Loreto-Heiligtum erlangte Beweiskraft für die Glaubwürdigkeit der berichteten Begebenheiten aus dem Alltagsleben der Hl. Familie, die nicht in der Offenbarung, sondern in den anfechtbaren, apokryphen Berichten und ihren Nachfolgern ihren Ausgang nahmen[41].

Eine Steigerung der Breitenwirkung wurde durch die fast beliebige Vervielfältigung des hl. Raumes in Kopien erreicht, so daß sowohl der weitgereiste Pilger in Loreto als auch der regional orientierte Wallfahrer den Ort des Lebens der Hl. Familie nicht nur vor seinem geistigen Auge erstehen lassen, sondern direkt sinnlich erfassen konnte[42]. Die identische geographische Verbreitung der Alltagsszenen – speziell der Tischszenen – und der Besonderheiten in der Loreto-Ikonographie im bayerischen und österreichisch-tiroler Raum unterstützen diese Ergebnisse.

I. Flucht nach Ägypten mit Kornfeldlegende und Götzensturz. Ausschnitt aus einem Wandteppich zum Marienleben. Norddeutschland um 1500. (Halberstadt, Dommuseum)

II. Joachim Patinir: Ruhe auf der Flucht nach Ägypten. Anfang 16. Jhdt. (Berlin, Gemäldegalerie)

III. Federico Barocci: Ruhe auf der Flucht nach Ägypten (Madonna della Scodella –
Madonna mit den Kirschen). um 1570/1573. (Vatikan, Pinakothek)

IV. Federico Barocci: Madonna del Gatto. 1574/75.
(London, The National Gallery)

V. Peter Paul Rubens: Die Hl. Familie unter dem Apfelbaum. Außentafeln des Ildefonso-Altares.
Brüssel 1630/1632. (Wien, Kunsthistorisches Museum)

VI. Adam Elsheimer: Landschaft mit Flucht nach Ägypten. 1609. (München, Alte Pinakothek)

VII. Rembrandt Harmensz van Rijn: Die Hl. Familie mit dem Vorhang. 1646. (Kassel, Gemäldegalerie)

VIII. Meister des Stundenbuchs der Katharina v. Kleve: Die Hl. Familie beim Mahl. aus: Stundenbuch der Katharina v. Kleve. Samstags-Stundengebet U.L.Frau (Non). Utrecht um 1435/1440. (New York, The Pierpont Morgan Library)

IX. Gerard David: Madonna mit der Breischüssel (Suppenmadonna). Flandern um 1500.
(Brüssel, Musée Royaux des Beaux-Arts de Belgique)

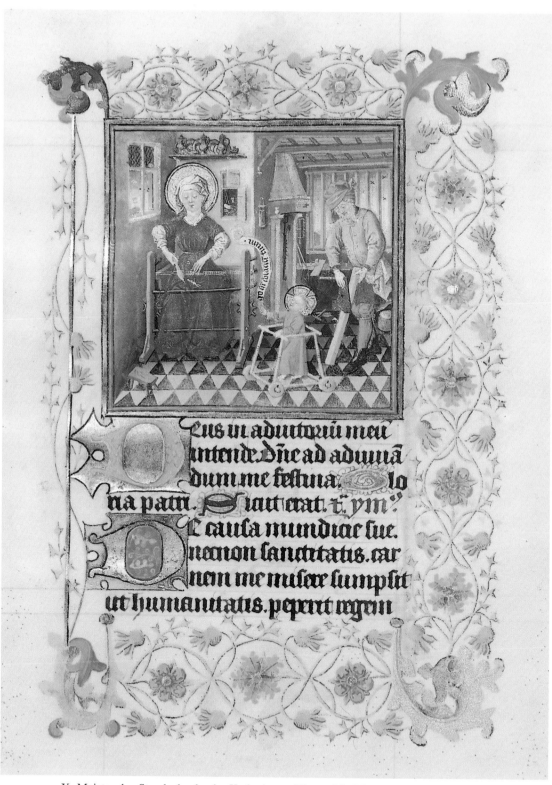

X. Meister des Stundenbuchs der Katharina v. Kleve: Die Hl. Familie bei der Arbeit.
aus: Stundenbuch der Katharina v. Kleve. Samstags-Stundengebet U.L.Frau (Sext).
Utrecht um 1435/1440. (New York, The Pierpont Morgan Library)

XII. Jean Bourdichon: Der Tischler in seiner Werkstatt. aus: Les quatre États de la société. Miniatur auf Pergament. Paris um 1500. (Paris, Bibliothèque de l'École des Beaux Arts)

XI. Georg Frehling: Der hl. Joseph mit Jesus bei der Arbeit. kolorierter Kupferstich. Augsburg 2. Hälfte 18. Jhdt. (Telgte, Museum Heimathaus Münsterland)

XIII. Michael Furter: Maria und Joseph führen Jesus an der Hand. kolorierter Holzschnitt aus: *Ludwig Moser*: Bereitung zu dem heiligen Sakrament. Basel um 1485. (Donaueschingen, Fürstlich Fürstenbergische Hofbibliothek)

XIV. Votivbild einer Mehrortswallfahrt mit Wiesheiland, Hl. Wandel und verschiedenen Gnadenmadonnen aus Wessobrunn, Altötting, Dorfen und Mariazell. Bayern 1758. (Freising, Diözesanmuseum)

Am 10ᵗ Aug. 1668 schlug der Blitz in den Frauenkirchthurm u. steckte das inere Gebölk in Brand, 4 beherzte Bürger bestiegen im Vertrauen auf den Schutz Mariens mit Lebensgefahr den Thurm, schlugen den Thurmknopf und einen Theil des Daches herunter, wodurch die Weiterverbreitung des Brandes wesentlich verhindert wurde. Als die Priesterschaft den Se-gen mit dem Allerheiligsten ertheilte, wurde durch die Fürbitte der Gnadenmutter Maria das Feuer erstickt, und die Stadt vor grossen Unglück bewahrt. Zum Andenken an diesen neuen Schutz der Himmelskönigin ließen vier Bürger diese Votivtafel errichten.

XV. Der Hl. Wandel auf dem Dachfirst einer brennenden Kirche.
Votivbild aus Wasserburg a. Inn 1668. (im 19. Jhdt. restauriert) (Wasserburg a. Inn, Heimathaus)

XVI. Christophorus. Psalterminiatur. Sachsen-Thüringen spätes 12. Jhdt.
(Donaueschingen, Fürstlich Fürstenbergische Hofbibliothek)

XVII. Maria mit Birne im Blumenkelch. Gewandstickerei auf einem Kaselstab. Niederrhein um 1500.
(Duisburg-Hamborn, Prämonstratenser-Abtei St. Johann)

XVIII. Carlo Maratta: Tod des hl. Joseph. Wien 1676. (Wien, Kunsthistorisches Museum)

XIX. Anonym: Die Ruhe auf der Flucht. Chromolithographie aus einer 43-teiligen Serie zum
Alten und Neuen Testament. Hamburg 1887. (Telgte, Museum Heimathaus Münsterland)

5.3 Die „geistliche Haushaltung"

Die meisten Nachbauten entsprachen ihrem Vorbild in Loreto und waren wie dieses Marienwallfahrtsstätten. Einige wenige aber heben das Verständnis der Casa Santa als Großreliquie aus dem Alltagsleben der Hl. Familie stärker hervor. So spricht der Titel der JMJ-Bruderschaft an der Loreto-Kapelle von Hergiswald nicht nur von sich selbst als der ‚Lauretanischen Familie', sondern 1818 auch ausdrücklich von Jesus, Maria und Joseph als den ‚Hausgenossen' (*KD Schweiz. Luzern.* I. S. 356. *Henggeler* 1955. S. 244). In Schlierberg (bei Freiburg i. Br.) bezeichnete sich eine entsprechende Bruderschaft selbst als „geistliche Haushaltung" (*Beissel* 1910. II. S. 450)[43]. Anknüpfungspunkt für diese Auffassung war eine Stelle in den Paulusbriefen, in denen von den Gläubigen als den Mitbürgern der Heiligen und Hausgenossen Gottes gesprochen wurde („*Ergo iam non estis hospites et advenae sed estis cives sanctorum et domestici Dei.*" Eph. 2,19). Die Bruderschaftsmitglieder konnten sich demnach dem Haushalt der Hl. Familie zurechnen und teilten mit ihr die Wohnung, z. B. das Kirchenschiff[44] der Schlierberger Loreto-Kapelle, dessen Südwand ein Gemälde der Hl. Familie schmückte (*Flögel* 1984. II. S. 5).

In diesem Sinne wurden auch die Baulichkeiten der Loreto-Kapelle in Weiler (bei Illertissen, B. Augsburg) verstanden. Während der Altarraum, bzw. der Raum hinter dem Altar, als Küche der Hl. Familie galt, deutete man das Kirchenschiff als Wohnraum (*KD Bayern. Illertissen.* S. 219). So konnten alle Gläubigen beim Kirchenbesuch Teilhabe am heiligen Leben ihrer Vorbilder erlangen, ja sie wurden sogar Mitglieder einer mystischen Gemeinschaft der Hl. Familie, da sie nicht nur ihren ‚Wohnraum' betraten, sondern zur ‚geistlichen Haushaltung' als der rechten christlichen, d. h. katholischen Elite gehörten. Sie gingen mit den hervorragendsten Personen des Himmels eine personale Bindung im Sinne eines Verlöbnisses ein und gehörten genuin zu deren Gemeinschaft, die durch eine besondere Art der gegenseitigen Verpflichtung in der Haushaltung (s. S. 82 f.) charakterisiert war und die einzelnen Mitglieder dieser Gruppe nicht nur vertraglich durch das Verlöbnis[45], sondern durch das christliche Familienethos[46] aneinander band.

In gleicher Weise gewann der Sozietätsgedanke in den Bruderschaftstiteln Ausdruck, die die Hl. Familie als „*Heilige Gesellschaft*"[47] oder als „*heiligste auf Erden wandelnde Gesellschaft*"[48] bezeichneten. Es ist zu vermuten, daß die beiden Fraternitäten der Diözese Freising unter dem Einfluß der Jesuiten entstanden, die sich selbst *Societas Jesu* nannten und in diesem Namen sowohl ihre Nähe zu Christus als auch ihr elitäres Selbstbewußtsein als auserwählte Streiter Gottes und Soldaten für den rechten (katholischen) Glauben zum Ausdruck brachten[49].

Die innige Verbundenheit der Hl. Familie mit dem Gläubigen wurde auch mit dem Begriff *Freundschaft*, der vor allem in den neuhochdeutschen Bibelübersetzungen im Sinne von ‚Verwandtschaft' oder ‚Geschlecht' verstanden wurde[50], gefaßt. Während auf einem Andachtsblatt (um 1700) des Augsburger ‚Briefmalers' Albrecht Schmid, das kompositorisch dem gängigen italienischen Hl. Familie-Portrait folgte, der Begriff *Freundschaft* unter genealogischen Gesichtspunkten auf die Hl. Sippe angewandt wurde[51], spricht ein jesuitisches Exempellied ausdrücklich die Bitte des Gläubigen aus, in diese *Freundschaft*, d. h. in die Sippe der Hl. Familie als Mitglied aufgenommen zu werden:

> O Ihr Freund- und Gottes-Kinder /
> Eur Vorbitt hat grosse Krafft /
> Macht würdig mich armen Sünder /
> Zu kommen in Christi Freundschafft: /
> (*Moser* 1981. S. 158. Str. 22)

Die Gruppengrenzen zwischen den Heiligen und den Gläubigen wurden also als fließend empfunden, und jeder Gläubige, der dem Weg der *imitatio christi* folgte, konnte auf diese Gemeinschaft mit den höchsten Heiligen hoffen. Neben der Vorstellung von der genealogischen Verwandtschaft der Hl. Sippe bzw. Hl. Familie trat die der *ideellen* Verwandtschaft der Gläubigen mit den von ihnen verehrten Heiligen[52].

So wie das Verhältnis des Gläubigen zu Gott ein kindliches war, so verbanden ihn mit der Hl. Familie ‚mystische Blutsbande'[53], die ihn nicht nur zum ‚Gesind', sondern zum schutzbefohlenen Kind der Hl. Familie werden ließen. Dementsprechend heben die Gebete an die Hl. Familie bzw. an Maria und Joseph auf die moralische Verpflichtung des Schutzes der Eltern (Maria und Joseph) gegenüber ihren Kindern (Gläubige) ab und bieten als ‚Gegenleistung' den kindlichen, d. h. bedingungslosen Gehorsam des Gläubigen an[54].

Dieses geradezu intime Verhältnis der Gläubigen zu der Hl. Familie war nicht nur mit deren Verpflichtung zum Schutz der Gläubigen gekoppelt, sondern verpflichtete die ‚Kinder', die auf diese Weise emotional aufs engste mit dem Kultmittelpunkt des Katholizismus verbunden worden waren, zu einem heiligmäßigen Lebenswandel, der einem Mitglied der geistlichen Haushaltung der Hl. Familie entsprach und dieser besonderen Gemeinschaft würdig war.

Mit dieser Form der Integration des Gläubigen in die katholische Kirche und deren moralische Normen durch seine mystische Gemeinschaft mit der Hl. Familie erlangte er Teilhabe an der *Sacra Conversatione* der Hl. Familie, die sich sowohl im Bild des Hl. Wandels als auch in den Alltagsszenen manifestierte.

Folgerichtig finden wir in Hergiswald, wie auch in den Loreto-Kapellen von Zug und Biberegg, die in ihrem ikonographischen Programm auch die Alltagsszenen kennen,

als dominantes Kultbild der Loreto-Wallfahrt im Gemeindealtar nicht die Loreto-Madonna, sondern den Hl. Wandel.

Als Beispiel für die Komplexität von Loreto- und
Hl. Familie-Verehrung, ihre gegenseitige Beeinflussung
und Durchdringung sei hier der schwäbische Ort Oberstdorf (Lkr. Sonthofen) angeführt, in dem die Hl. Familie-
Verehrung mit dem Loreto-Kult eine weniger direkte, aber
dennoch prägnante Verbindung einging. Man kann davon
ausgehen, daß die Verbindung ‚Loreto – Hl. Familie‘ den
Gläubigen bekannt war, obwohl in der 1657/58 erbauten
Loreto-Kapelle als einziger direkter ikonographischer Hinweis auf die Hl. Familie die beiden Schnitzgruppen ‚Die
Hl. Familie bei der Arbeit‘ und ‚Der Tod Josephs‘ vorhanden sind.

66. Albrecht Schmid: *Die allerheiligste Freundschaft JEsu.*
Familia Sacra. Holzschnitt. Augsburg um 1700. (Augsburg,
Städtische Kunstsammlungen)

Von einer Hl. Familie-Verehrung im Ort zeugen dennoch ein Kelch von 1720 aus der Oberstdorfer Pfarrkirche (Joh. d. T.), auf dessen Cuppaüberfang u. a. auch der
Hl. Wandel ausgebildet ist[55], das 1865 verbrannte Hochaltarbild derselben Kirche mit der Hl. Familie und dem
Johannesknaben von 1699, oder ein Gemälde aus der

Oberstdorfer Klausenkapelle mit einer Fluchtszene und ein
Hinterglasbild von der Wende des 18./19. Jahrhunderts, das
eine Tischszene mit der Hl. Familie und Gottvater zeigt (*KD
Bayern. Schwaben.* VIII. S. 617–628).

Auch die außergewöhnliche Gesamtkomposition des
Gebäudekomplexes um die Oberstdorfer Loreto-Kapelle[56],
von dem die spätmittelalterliche, der Muttergottes geweihte
Appachkapelle der älteste Baukörper ist, bezeugt die Inte-
gration von Loreto- und Hl. Familie-Kult, deren baulicher
Mittelpunkt der Kapellenkomplex war.

Ursprünglich sollte die mittelalterliche Appachkapelle
abgerissen und durch eine Loreto-Kapelle ersetzt werden, doch entschloß man sich 1657 zu einem südlich von
ihr gelegenen, an ihrem oktogonalen Grundriß orientierten Neubau. 1671 wurde südlich von dieser neuen Loreto-
Kapelle mit einem weiteren Neubau begonnen, der das
Hl. Grab bergen sollte. Doch entschied man sich 1683,
einen Josephsaltar in das als Hl. Grab-Kapelle konzipierte
Gebäude zu bringen, und zwei Jahre später erfolgte die
Weihe unter dem Josephspatrozinium[57].

Diese Änderung des Patroziniums verweist uns auf
eine Umorientierung von einem, wenn auch rudimentären
Monte Sacro hin zur Hl. Familie, die sich aus der Addition des Loreto-Kultbildes – Madonna mit Kind – und dem
neugewählten Patron der Josephskapelle ergab. Die Tendenz des Zusammenschlusses von Loreto- und Hl. Familie-
Verehrung verstärkte sich durch die fast gleichzeitige
Gründung einer Lauretanischen Bruderschaft (19.4.1701)
und einer Josephsbruderschaft (29.4.1701) in den jeweiligen Kapellen, die vermutlich von einem Priester betreut
wurden. Darauf deutet der Bau einer Sakristei 1707 zwischen beiden Gebäuden hin, deren Gang die Kapellen miteinander verband (*KD Bayern. Schwaben.* VIII. S. 630–
647)[58]. Zwar konzentrierte sich der Kult in der Loreto-
Kapelle auch weiterhin auf die Marienverehrung, doch wies
die nun bestehende, unübersehbare bauliche Einheit der beiden Bauwerke sowohl auf eine ikonographische wie auch
kultische Verbindung hin. Auf diese Weise wurde die Vorstellung einer Einheit der beiden Kulte sinnfällig dokumentiert.

Möglicherweise gehören auch einige der oben
angeführten Gegenstände mit der Darstellung der Hl. Familie ursprünglich zum Gebäudekomplex Loreto-Josephs-
Kapelle, der 1804 abgebrochen werden sollte. Aus
Anlaß dieses beabsichtigten Abbruchs, der aber nicht
zur Ausführung kam, wurde im selben Jahr die Loreto-
Madonna in die Pfarrkirche übertragen; sowohl der Kelch
mit dem Hl. Wandel als auch die entsprechenden heutigen Bestände der Klausenkapelle könnten auf diese Weise
ebenfalls den Loreto-Komplex verlassen haben. Andererseits zeigt schon das 1699 entstandene Hochaltarbild der
Pfarrkirche die Hl. Familie mit dem Kirchenpatron Johannes d. T.. Diese Personenzusammenstellung wiederholt sich
auf dem Kelch[59], so daß es wahrscheinlicher ist, daß beson-

ders die Stücke, die einen Bezug zu Johannes d. T. haben, ursprünglich zur Pfarrkirche gehörten.

All diese Gegenstände, welcher Kapelle oder Kirche sie auch immer zugeschrieben werden müssen, geben Zeugnis von einer intensiven Verehrung der Hl. Familie in Oberstdorf, die, angeregt durch die spezielle Orientierung des dortigen Loreto-Komplexes, den Kultus der gesamten Pfarrei bestimmte[60].

Die Verquickung von Loreto- und Hl. Familie-Kult ist seit der ersten Hälfte des 17. Jahrhunderts bis ins 19. Jahrhundert hinein zu beobachten. Zwar kann man aufgrund der vereinzelten Belege nicht direkt von einer Kontinuität dieser Tradition sprechen, doch zeigen die aufgeführten Beispiele, daß mit dem Loreto-Kult den Gläubigen der konkrete Ort des Alltagslebens der Hl. Familie präsentiert wurde.

So schließt sich der Kreis von der Beschriftung der Baseler Tischszene des späten 15. Jahrhunderts über die mystische Gemeinschaft der Hl. Familie im Hl. Wandel im Loreto-Heiligtum, das den überirdischen Kultbildgegenstand und die Vorstellung vom irdischen, historisierten Alltagsleben der Hl. Familie in sich vereinigte. Das Exempel, das auch mit Hilfe der jesuitischen Liedkatechese vermittelt wurde (*Moser* 1981. S. 131–179), fand in Loreto und den Casa-Santa-Kopien quasi seine ‚Bühne'[61]. Der Verknüpfung von Alltagsszene und Loreto kommt deshalb unterstützende Funktion in der Vermittlung des Exempels zu, dem die Präsentation des Hl. Wandels als Kultbild überzuordnen ist.

Die Kombination von Kultbild und Exempel in einem Kultraum war umso eher möglich, als der Hl. Wandel durch seine Statik und Unbestimmtheit in der Neuzeit auf keine bestimmte Begebenheit festgelegt war und somit – auf die Personengruppe konzentriert – auch für eine freie Zuordnung zu den häuslichen Szenen verfügbar war.

Auf diese Weise konnte der Hl. Wandel neben seinem überzeitlichen Charakter als Kultbild, das vor allem auf die Göttlichkeit dieser spirituellen Gemeinschaft abzielte, auch als Sinnbild für den vorbildhaften Lebenswandel der Hl. Familie, wie er sich in den Alltagsszenen manifestierte, gelten und als Mittel der sozialen und ethischen Konditionierung der Gläubigen wirken, was sich die politischen Protagonisten des Katholizismus im Sinne ihrer gegenreformatorischen Doktrin zunutze machten.

Daß der Kult der Hl. Familie die mariologische Ausrichtung des Loreto-Kultes nicht überdecken konnte, entspricht der hohen Bedeutung der Marienverehrung für den Katholizismus in der Zeit des Barock. Andererseits zeugt die teilweise Dominanz des Hl. Familie-Kultes von dessen Aussagekraft und Popularität. Das 19. Jahrhundert nahm mit seiner historisierenden Sicht die Verbindung der Hl. Familie mit dem Loreto-Heiligtum gerne wieder auf (*Sauren* 1883. S. 82)[62] und stellte sie in den Dienst ihrer konservativen Familienideologie.

6 Der hl. Joseph im Rahmen der Hl. Familie-Verehrung

In Zusammenhang mit unseren bisherigen Überlegungen haben wir festgestellt, mit welch unterschiedlichen Inhalten und differierender Gewichtung der hl. Joseph in die Vorstellungen von der Hl. Familie miteinbezogen wurde. Seine wachsende Bedeutung für die Frömmigkeitskultur des 17. und 18. Jahrhunderts ist offensichtlich. Nicht zuletzt erwählten sowohl die Habsburger als auch die Wittelsbacher den Nährvater Jesu zu ihrem Patron und setzten damit ein Signal zur weiteren Popularisierung dieses Heiligen. Schon 1654 wurde er Landespatron Böhmens, es folgten 1663 Bayern und 1675 die gesamten habsburgischen Erb- und Kronlande. Dies war kein Zufall, sondern die Manifestation einer Entwicklung, die im späten Mittelalter begonnen hatte.

6.1 Die Verehrung des hl. Joseph in Mittelalter und Früher Neuzeit

Grundlagen des mittelalterlichen Josephsbildes waren neben der Bibel, die ja kaum Informationen bot, die Apokryphen, deren Hauptinteresse darin bestand, den Heiligen als Greis darzustellen, um so die Jungfräulichkeit Mariens untermauern zu können (*Ph.* 2955 ff).

Die mittelalterlichen Geburtsszenen in der bildenden Kunst weisen ihm häufig eine passive Rolle zu: er schläft (LCI. II. Stichwort: Geburt Christi. Taf. I. Abb. 1,3 ff; Taf. II. Abb. 6)[1]. Dieser Gestus kann zwar als Verweis auf die göttlichen Weisungen, die Joseph im Traum erhielt, verstanden werden, doch ist sein direkter Anteil am Heilsgeschehen denkbar gering. Dies gilt auch für jene Darstellungen, die ihn kochend (*Schmidt* 1980. Abb. 15–18. *Plessen/Zahn* 1979. S. 57), eine Lampe oder Kerze haltend zeigen, ebenso jene Bilder, auf denen er seine Hose zerteilt, um dem Jesuskind daraus Windeln zu machen, die seit dem 14. Jahrhundert in Aachen als Reliquien verehrt wurden (*Coo* 1965.). Bei all diesen Geburtsszenen kann man kaum behaupten, daß Joseph eine heilsgeschichtlich relevante Position einnähme. Seine Figur ist vielmehr sekundär – manchmal nur Staffage – und verleiht den Bildern zuweilen einen genrehaft-idyllischen Zug.

Die Fluchtszenen vermitteln ein aktives Josephsbild, indem er die Führung der Hl. Familie ins Exil übernimmt. Doch zeigen die mittelalterlichen Zeugnisse auch bei diesem Themenkomplex keinen dominanten Joseph; er kommt zwar seinen Aufgaben als Familienoberhaupt nach und gehorcht dem göttlichen Auftrag, doch bleibt er der Beobachter, der nach seiner Ankunft in Ägypten das wunderbare Geschehen um die Geburt Jesu mitteilt (*Konr.* 2081–2101. *Ph.* 3346 f, 3530–3587). In dieser Hinsicht galt er in der apokryphen Literatur wie auch noch in dem Jesuitendrama ‚S. IOSEPHVS‘ von 1648 als der erste Bekenner der Menschwerdung Christi und der Gottessohnschaft Jesu. Zumeist wurde er als Diener Mariens verstanden, der sich in die göttlichen Weisungen gehorsam fügte[2].

Grundsätzlich ist allen mittelalterlichen Darstellungen eigen, daß Joseph – entsprechend der apokryphen Tradition – als alter Mann gezeigt wird. Noch im 15. Jahrhundert war diese Vorstellung präsent. Der hl. Vinzent Ferrer (†1419) – ein Zeitgenosse des französischen Kardinals Pierre d'Ailly – berichtet, daß ein Kaufmann aus Valencia aus Verehrung zur Hl. Familie jede Weihnachten einen Greis, eine Frau und ein Kind speiste[3]. So wurde der fromme Kaufmann – stellvertretend an den drei Armen – zum Wohltäter der Hl. Familie. Unabhängig davon, ob diese Geschichte wahr oder eine fromme Erfindung ist, zeigt sie doch, daß im 15. Jahrhundert ohne Schwierigkeiten in der Person eines Greises auf den hl. Joseph verwiesen werden konnte.

Eine andere Tendenz spiegeln die Bemühungen von Pierre d'Ailly (1350–1420) und Johannes Gerson (1363–1429)[4] um den Kult des hl. Joseph wider. Die beiden Reformkleriker der Schismazeit wandten sich von dem alten überkommenen, apokryphen Josephsbild ab und propagierten eine neue Josephsvorstellung. Während ihres Aufenthaltes auf dem Konstanzer Konzil bemühten sich beide um die Aufwertung des Heiligen[5]. Gerson, der Kontakte mit der *Devotio Moderna* pflegte und die *Meditationes Vitae Christi* ins Französische übersetzte, verfaßte in dieser Zeit einen Hymnus zu Ehren des hl. Joseph (‚*Josephina*‘. *Gerson*. IV. S. 31–100), in dem er seine Vorzüge pries, ihn als letzten Patriarchen des Alten Testaments bezeichnete (ebda. S. 97 f, 100) und als tätigen Menschen darstellte. Er brach mit dem traditionellen Josephsbild und stellte den Heiligen als jungen Mann dar (ebda. V. S. 352 ff). Die gleiche Meinung vertrat Bernhard v. Siena (*Herlihy* 1983. S. 127 f). Auch wenn die Durchsetzung dieser letztgenannten Vorstellung erst im späten 19. Jahrhundert gelang, so wurde doch in der sonstigen Charakterisierung Josephs schon in der Frühen Neuzeit immer wieder gerne auf die Schriften Gersons zurückgegriffen.

Sein Lehrer und Vorgänger im Amt des Pariser Universitäts-Kanzlers, Pierre d'Ailly, stellte in dem Traktat ‚*De duodecim honoribus s. Josephi*‘, das während des Konstanzer Konzils entstand (*Tschackert* 1877. S. 364), zwölf Ehrentitel für den hl. Joseph auf, die die ‚Acta Sanctorum‘ 1668 in ihren dritten Band aufnahmen (AASS. III. XIX Martii. S. 5 f).

Diese *honorum tituli* Josephs leiten sich aus seiner königlichen Geburt aus dem Stamme Davids ab (1), die ihn zum Blutsverwandten von Maria und Jesus macht (2). Er ist ferner der Gemahl Mariens (3) und führt mit ihr eine keusche Ehe, derentsprechend er den Titel der Jungfräulichkeit (*virginitas*) erhält (4)[6]. Er hat Maria nicht verstoßen und so verhindert, daß der Teufel vorzeitig von der jungfräuli-

chen Geburt des Gottessohnes erfuhr (5), und wurde außerdem im Traum in das Geheimnis der Menschwerdung Christi eingeweiht (6). Das Evangelium charakterisiert ihn als gerecht (7), d. h. er hat sich in Glaube, Hoffnung und Nächstenliebe – den paulinischen Tugenden (1. Kor. 13) – wie auch in allen guten Sitten und Tugenden als ehrenhaft erwiesen („[…] hoc est cum esset fide, spe & caritate & omnium bonorum morum & cunctarum virtutum honestate probatus: […]" AASS. III. XIX Martii. S. 5). Gemäß der Weisung des Engels übt er Gehorsam gegenüber Gott und gibt dem menschgewordenen Gottessohn den Namen Jesus (8). In seiner Anwesenheit werden viele Geheimnisse des Glaubens offenbart (Geburt, Anbetung der Hirten und der Weisen, Beschneidung, Jesus im Tempel), er ist also deren Zeuge (9) und gewinnt durch die alten und neuen Propheten[7] Einblick in das Heilsgeschehen mit der Passion Christi (10). Er wird für würdig befunden, die vier göttlichen Botschaften durch den Engel zu empfangen (11)[8]. Die zwölfte Ehre Josephs bezieht sich auf das alltägliche Zusammenleben der Hl. Familie, in der sowohl Maria[9] als auch der Gottessohn Jesus[10] ihm Gehorsam leisten und ihm untertan sind. Diese letzte Ehre sprengte den Rahmen aller vorhergehenden *tituli*, lief der gängigen Vorstellung der Heiligenhierarchie zuwider, und so heißt es abschließend pointiert:

„O mira & stupenda novitas! o mira & miranda humilitas! subditur servo dominus, humiliatur homini Deus" (AASS. III. XIX Martii. S. 6).

(O wunderbare und staunenswerte Neuigkeit! o wunderbare und verwunderliche Demut! Der Herr ist dem Sklaven [!] untertan, der Gott demütigt sich vor dem Menschen.)

Gerson setzte sich auf dem Konstanzer Konzil nachdrücklich für die Erhebung des hl. Joseph zum Patron der ganzen Kirche als Heilmittel gegen ihre Schäden ein. Mit diesem bisher recht ‚profillosen‘ Heiligen sollte ein neuer Anfang gemacht werden, er sollte quasi das Sinnbild, die Personifikation der reformierten Kirche des 15. Jahrhunderts werden[11]. In diesem Sinne weihte die Mystikerin Theresia v. Avila (1515–1582), die seit 1535 dem Karmelitenorden in Avila (Spanien) angehörte, nach ihrer in einer Vision erlebten geistlichen Verlobung mit Christus 1562 ihren Reformkonvent dem hl. Joseph, den sie als einen besonders wirksamen Fürsprecher vor Gott schätzte.

Die Franziskaner hatten den hl. Joseph schon 1399 in ihr Martyrologium aufgenommen (*Seitz* 1908. S. 8. zu den Serviten und Karmelitern ebda. S. 191 f) und damit die Bemühungen d'Aillys und Gersons vorbereitet. Doch erst 1479 wurde der hl. Joseph unter dem Franziskaner-Papst Sixtus IV. in das Römische Brevier aufgenommen, damit der erste Schritt auf dem Weg zu seiner Etablierung als Namenspatron getan[12] und gleichzeitig eine der Voraussetzungen zur päpstlichen Approbation des Festes der Unbefleckten Empfängnis Mariens (1483) geschaffen. Als 1568 im Zuge der Tridentiner Reformen das Römische Brevier für alle Diözesen und Orden, die nicht seit zweihundert [!] Jahren ein eigenes Brevier hatten, vorgeschrieben wurde (*Jedin* 1985. IV. S. 523), erlangte zwangsläufig mit dem *Breviarum Romanum* auch der Tag des hl. Joseph weitere Verbreitung, die 1621 in der Erhebung des Josephstages (19. März) zum kirchlichen Feiertag, 1729 in der Aufnahme Josephs in die Allerheiligenlitanei und 1870 in der Erhebung Josephs zum Patron der gesamten katholischen Welt gipfelte.

6.2 Die Josephsvorstellung im Barock

6.2.1 Die Aufwertung Josephs in der Marienallegorese

Wie konnte es zu solch einer Popularisierung des hl. Joseph, bei der der Nährvater Jesu sogar für würdig befunden wurde, Diözesan-, Landes- und Reichspatron zu werden, kommen? Wie wurde diese intensive Josephsverehrung legitimiert? Die zahlreichen Bruderschaften, die ausschließlich dem hl. Joseph geweiht waren[13], beweisen, daß sein Kult nicht nur propagiert, sondern auch von den Gläubigen rezipiert wurde. Vorbereitet wurde diese Entwicklung, in der der hl. Joseph einen eigenen Charakter ausbildete, schon im frühen 15. Jahrhundert von d'Ailly und Gerson, deren Überlegungen im 17. Jahrhundert aufgegriffen und erweitert wurden.

Der redegewandte und einflußreiche Prediger Abraham a Sancta Clara (1644–1681) (*Kat. Abr. a S. Cl.* 1982.), Mönch bei den Unbeschuhten Augustinern in Wien[14] und seit 1677 Hofprediger Kaiser Leopolds I., faßt dieses Bedürfnis nach Aufwertung Josephs in einer Predigt zur Erhebung zum Landespatron zusammen (*Abraham a S. Cl.*: Neuerwöhlte Paradeyß-Blum, [...] IOSEPH.) und veranschaulicht dabei die Methode dieser Aufwertung, die durch Parallelisierung und Ableitung von der Marienallegorie sowie durch typologische Überhöhung geprägt war.

Parallelisierung

Die Angleichung an die Marienvorstellung zielte darauf ab, Joseph auf die gleiche Verehrungsstufe wie Maria zu stellen und die Gleichwertigkeit beider zu betonen. Dies geschah u. a. auf dem Wege der Parallelisierung, die sicherlich die einfachste Methode war, insofern der hl. Joseph als männliches Pendant zu Maria bezeichnet wurde und sich auf diese Weise folgende Begriffspaare ergaben: andere Eva – anderer Adam; Frau der ganzen Welt – Herr der ganzen Welt; Mutter Christi – Vater Christi; Siegerin über die Schlange (als apokalyptisches Weib) – Sieger über die Schlange; Vorleuchterin der Welt – Vorleuchter der Welt; gebenedeit unter den Weibern – gebenedeit unter den Männern (*Abr. a S. Cl.*:

Paradeyß-Blum Joseph. (S. XI ff)). Fehlte ein entsprechendes maskulines Begriffspendant, so wurde die mariologische Begrifflichkeit (unversehrte Jungfrau, Licht der Welt, Zier des Himmels und der Erde) metaphorisch, d. h. durch Übertragung auf ihn angewandt (*Abr. a S. Cl.*: Paradeyß-Blum Joseph. (S. XII f)).

In dem Lied '*Aller gueter ding seind drey*' (Innsbruck 1640) wird z. B. eine Parallele zwischen Maria als *sedes sapientiae* und Joseph als „*der schöne gnaden Thron / Auff dem gott offt gesessen*" (IESVS, MARIA, JOSEPH. Innsbruck 1640. Str. 9. V. 3 f. ebenso *Abr. a S. Cl.*: Paradeyß-Blum Joseph. (S. V, IX)) gezogen und auf diese Weise gleichzeitig auf jene Josephsdarstellungen verwiesen, auf denen er wie die Madonna das Jesuskind auf dem Arm trägt. In dem Kapuzinerkloster in Türkheim (Schwaben) nahm man diese Parallele Ende des 17. Jhdts. bewußt auf und stellte den Jesus-tragenden Joseph direkt neben die Jesus-tragende Madonna[15]. Ähnliches ist in den Abteien Benediktbeuern (1686) (*Bauer/Rupprecht* 1976–1987. II. S. 56 ff) und St. Märgen (1725) (*KD Bayern. Baden.* VI,1. S. 322) zu beobachten, wo sich jeweils die Marien- und Josephskapellen entsprechen. In Benediktbeuern wurde der Loreto-Kapelle ein umfangreicher Josephszyklus in der Josephskapelle gegenübergestellt[16]. Das Hauptfresko der Kapelle zeigt die Glorie Josephs, die parallel zur Marienkrönung gebildet ist[17]. Diese Krönung Josephs zeigt ihn mit einem Blumenkranz als Lohn seiner Tugenden, der ihm von Engeln aufs Haupt gesetzt wird (*Bauer/Rupprecht* 1976–1987. II. S. 63. Abb. k). In der Martinskirche von Penzing (Lkr. Landsberg a. Lech) krönt ihn sogar das Jesuskind selber (ebda. I. S. 179). Ihren Textbezug fand die Josephskrönung bei Abraham a Sancta Clara, der Maria als Krone Josephs bezeichnete (*Abr. a S. Cl.*: Paradeyß-Blum Joseph. (S. IV)).

Auch das Fehlen von Knochenreliquien des hl. Joseph entspricht der Tendenz zur Parallelisierung und impliziert quasi – wie bei Christus und Maria – die leibhaftige Aufnahme des Heiligen in den Himmel, ohne daß diese Vorstellung ausdrücklich ausformuliert worden wäre.

Ableitungen

Der Charakter Josephs wurde aber nicht nur durch eine einfache Parallelisierung bestimmt. Ausgehend von der Beschützerrolle des Hausvaters gewann Abraham a Sancta Clara in seiner Predigt von 1675 durch Deduktion zahlreiche neue Bezeichnungen für den hl. Joseph, die er aus der Marienallegorie erschloß. Er leitete z. B. aus der Marienmetapher der Arche das Bild Josephs als Steuermann ab, der Himmelskönigin wird Joseph als Hofmeister zugeordnet, der Metapher des Gartens (*hortus conclusus*) entspricht der schützende Zaun und der des Rebstocks der Gärtner. So ergaben sich folgende Begriffspaarungen:

Maria	Joseph
Arche	Steuermann (Noah)
Buch[18]	Bibliothekar
Kastell	Kommandant
Garten	wohlgeordneter Zaun
Haus der Weisheit	*rector magnificus*, Oberherr, Oberhaupt des Hauses
Königin des Himmels	oberster Hofmeister
Paradies der Wollust	Cherubim als Hüter des Paradieses
Brunnen (mit dem Wasser des Lebens)	Brunnenmeister
Rebstock	Weingärtner
Schatzkammer	Schatzmeister
Tempel Gottes	Tempelherr

(*Abr. a S. Cl.*: Paradeyß-Blum Joseph. (S. XIff))

67. J. C. Reiff: Titelkupfer zu: *Christian Brez*: Virtuosius Pantheon Deo et Sanctis erectum ... Nürnberg 1723. (München, Bayerische Staatsbibliothek)

In dieser nach scholastischem Vorbild gehandhabten Konklusionstheologie[19] wird die patriarchale Dominanz des Hausvaters Joseph relativiert und entsprechend seiner heilsgeschichtlichen Relevanz eingeschränkt.

Ein Emblem in der Josephskapelle der Maria-Hilf-Kirche von Klosterlechfeld gibt unter dem Motto AMOR UNUS sehr anschaulich den Gedankengang wieder, der zur Ausprägung des Josephscharakters führte. Auf diesem Emblem fällt das Licht der Sonne (Jesus) in einen Spiegel (Maria) und wird von dort ins Wasser (Joseph) reflektiert und verdeutlicht auf diese Weise die Eintracht der Personen in der Gottesliebe[20]. Ebenso rezipiert das Titel- 67 kupfer zu einer Predigtsammlung der Minoriten Christian Brez, die den „*fürnehmsten Heil. Ordens-Stifftern [!], Patriarchen und anderen heiligen Lands-Patronen*" (*Christian Brez*: Virtuosius Pantheon. Nürnberg 1723. *Korte* 1935. S. 69–76)[21] gewidmet war, dieses Bildmotiv.

68. Hieronymus Wierix: Jesus und Joseph arbeiten an einem Kahn. 11. Blatt der Serie: *Jesu Christi Domini Salvatoris Nostri Infantia*. Antwerpen Anfang 17. Jhdt. (Wien, Albertina)

So wie sich das Licht (die Heiligkeit) Jesu auf Maria und von dort auf Joseph überträgt, wurden die meisten Inhalte der Josephsallegorie von der Marienallegorie und diese von der Christusallegorie abgeleitet. Viele der

69. Anonym: Der hl. Joseph trägt das Jesuskind auf dem Arm. Miniatur zu: (Pseudo-Bonaventura): *Meditationes Vitae Christi.* Cap. X. fol. 31ᵛ Italien 14. Jhdt. (Paris, Bibliothèque Nationale)

Begriffe, die nun auf Joseph übertragen wurden, bezogen sich ursprünglich auf Gott, Jesus oder auch die Freundin aus dem Hohen Lied. Auch Christian Brez folgte in der Allegorese zu Jesus und Maria den gängigen Vorstellungen[22], aus denen er für den hl. Joseph die Beschreibung als Schiffspatron, der das Brot (Jesus) anbietet, als Brunnenwärter (Joh. 7,17 = Jesuswort), als Ackersmann (Joh. 15,1 = Jesuswort über Gottvater), als Cherubim, als Wächter (Gen. 15,1 = Gotteswort an Abraham) über den Baum des Lebens (Jesus) und über den *hortus conclusus* (Maria und die Kirche) und als Weingärtner (Cant. 1,5 = Wort der Freundin, mit der Maria und die Kirche identifiziert werden und Joh. 15,1 = Wort Jesu über Gottvater) ableitet. Auch hier übernimmt Joseph die Funktionen des Hüters, Lenkers, Leiters, die nicht von ungefähr denen des Hausvaters entsprechen. Dies bedeutete zusätzlich eine heilsgeschichtliche Aufwertung seiner Person, die gewichtiger war als die alten Rollen Josephs in den quasi-historischen Alltagsszenen und moralisierenden Hausvater-Exempeln.

Auch die Mariensymbole, die durch die Lauretanische Litanei besonders populär geworden waren, wurden bei dieser Methode zur Aufwertung des hl. Joseph berücksichtigt[23]. So griff Christian Brez – wie auch Abraham a Sancta Clara (*Abr. a S. Cl.*: Paradeyß-Blum Joseph. (S. V)) – die marianische Blumen- und die Sternmetaphorik auf und ergänzte das Bild Mariens als Meerstern mit der Sonne Jesus und dem Stern Joseph (*Brez*: Lust-Garten. 1720. S. 63).

Desgleichen wurde die Schiffs- bzw. Archemetapher rezipiert und in einem Blatt des Infantia-Zyklus von 68 Hieronymus Wierix mit dem Arbeitsmotiv der Werkstattszene verknüpft. Joseph zimmert zusammen mit dem Jesusknaben an einem Kahn, während Maria strickt. Das Schiff kann als Symbol der christlichen Kirche verstanden werden. Doch in dem Nachstich von Cornelius Galle (1576–1650) bindet das gängige Infantia-Motto *erat subditus illis* das Blatt in die bekannten Topoi der christlichen Hauslehre ein (*Spamer* 1940. Tafel. XXVII).

Die Methoden der Parallelisierung und Ableitung führten somit zu einer Vielfalt in den Beschreibungen des hl. Joseph, indem der bekannten narrativen Deutung eine allegorische Interpretationsebene hinzugefügt wurde. Er konnte auf diese Weise in die gesamte Bibelexegese als Bedeutungsträger miteinbezogen werden.

6.2.2 Wirkungen auf die Ikonographie des hl. Joseph

Durch die genannten Entwicklungen ergaben sich mannigfache Parallelismen z. B. im Bereich der Hl. Namen- und Herzen-Verehrung[24], im Kult um die Jungfräulichkeit und Keuschheit Mariens und Josephs, in der Blumen-[25] und Brunnenmetaphorik, in der Mittlerfunktion beider Personen und in dem Bildtopos, das Kind auf dem Arm zu tragen.

70. Die Rückkehr aus Ägypten. aus: *Biblia pauperum*. Inkunabel. Holland spätes 15. Jhdt. (Leipzig, Universitäts-Bibliothek)

Die den Madonnenstatuen mit Kind entsprechenden Josephsdarstellungen waren – neben anderen Bildparallelen – besonders seit der Mitte des 17. Jahrhunderts sehr beliebt und verbreitet. Dieser schon im 14./15. Jahrhundert durchaus bekannte und gängige Bildtyp wurde zuerst

häufig im Rahmen einer Erzählung oder zusammen mit der Muttergottes angewandt[26]. Die szenische Einbindung und die enge Beziehung zwischen dem vorbildhaften Typus der Madonna mit dem Kind und einer entsprechenden Darstellungsart des hl. Joseph verdeutlichen zwei Illustrationen zu Christi Geburt aus einer italienischen Handschrift der MVC des 15. Jahrhunderts, die sowohl Maria als auch Joseph mit dem Kind auf dem Arm zeigen[27].

71. Meister Karls V.: Der hl. Joseph mit dem Jesuskind an der Hand. Miniatur aus dem Stundenbuch Karls V. Brüssel 1516/1519. (Wien, Österreichische Nationalbibliothek)

Zudem wurde der Infantia-Typus, in dem Maria ihr Kind bei der Hand führt, im Spätmittelalter auch auf den hl. Joseph übertragen, der nun – wie in den neuzeitlichen Tobiasbildern der Engel – das Kind bei der Hand hält. Auch hier finden sich szenisch-narrative Beispiele wie auch von Erzählungen gelöste Darstellungen.

Ihnen ging im 12. Jahrhundert eine parallele Darstellungsart Josephs zu dem Bild des hl. Christophorus[28] voraus. In diesen mittelalterlichen, den Fluchtszenen zuzuordnenden Bildern trägt Joseph das Jesuskind auf den Schultern (*Vogler* 1930. S. 9 ff)[29]. Der Bildtypus ging für den hl. Joseph allerdings schon bald wieder verloren. Aber auch der gängige Christophorustypus war im Hochmittelalter noch nicht fest ausgeprägt. Eine Psalterillustration des späten 12. Jahrhunderts aus Sachsen (Donaueschingen, Fürstlich Fürstenbergische Hofbibliothek) zeigt ebenso wie eine englische Miniatur vom Anfang des 13. Jahrhunderts (London, British Museum. *Homburger* 1958. Fig. 10) das Christuskind auf dem Arm des hl. Christophorus, dem es sich vertrauensvoll zuwendet. Das an zeitgleiche Madonnendarstellungen erinnernde dialogische Verhältnis zwischen Träger und Salvator-Kind ist signifikant.

Die ideelle Verwandtschaft von Madonna und Christophorus wird in besonderer Weise durch eine Verkündigung flämischer Provenienz aus der ersten Hälfte des 15. Jahrhunderts verdeutlicht. Oberhalb Mariens ist in dem Tafelbild ein Andachtsbild mit dem hl. Christusträger Christophorus angebracht. So wie die Muttergottes Jesus in ihrem Schoß trug, trug der Heilige das Kind auf seinen Schultern bzw. in ‚Madonnenmanier‘ auf seinem Arm. Mit dem ausgehenden Mittelalter verfestigte sich allerdings der uns heute noch bekannte Bildtypus des Christophorus, der das Kind auf den Schultern trägt[30].

Der Bildtyp des Christusträgers, dessen hervorragendste Protagonistin die Muttergottes war – wie die Kombination der Verkündigung mit einem Christophorus-Andachtsbildchen sinnfällig zeigt –, wurde in gleicher Weise auf Franz v. Assisi angewandt, und auch für Ignatius v. Loyola und andere Jesuitenheilige wie Aloysius und Stanislaus ist eine entsprechende Vorstellung frühzeitig bezeugt (*König-Nordhoff* 1982. S. 116. Abb. 260). Ähnlich stellte man auch den hl. Antonius v. Padua (LCI. V. Sp. 219–225. speziell. Sp. 220)[31] und den sel. Hermann Joseph von Steinfeld dar.

Hermann v. Steinfeld nannte sich, nachdem ihm in einer Vision die Muttergottes das Jesuskind gereicht hatte, als Zeichen seiner mystischen Vermählung mit Maria fortan ‚Joseph‘ (LCI. VI. Sp. 504–507). Noch im 18. Jahrhundert zog man die Parallele zwischen dem Nährvater Jesu und dem Prämonstratensermönch, wie ein Seitenaltarbild der Stiftskirche Wilten (Innsbruck) von 1768 bezeugt (*Felmayer* 1967. S. 57). Ebenso wie dem hl. Joseph wurde Antonius v. Padua und Hermann Joseph v. Steinfeld zusätzlich die Lilie als Attribut ihrer Keuschheit zuge-

ordnet. Der für Hermann Joseph v. Steinfeld beschriebene Verlöbnisakt, in dessen Verlauf der Visionär oder – in anderen Fällen die Visionärin – vor Maria den Wunsch äußerte, das Jesuskind halten zu dürfen, wird in einigen Kind-Jesu-Visionen (*Rode* 1957.) dargestellt, auf deren Einfluß sich die mittelalterlichen Bildbeispiele z. T. zurückführen lassen.

Dieser innige Liebesgestus der Jesusminne im Zusammenhang mit der mystischen Vermählung mit Christus verdeutlicht die Heiligen als Christusträger, als ‚*christophoroi*‘, als wahre Christen, Martyrer und Bekenner[32]. Das Tragen des Jesuskindes galt als Auszeichnung[33], als Zeichen der Auserwählung, der besonderen Heiligkeit und Gottgefälligkeit[34], und in diesem Sinne darf das Jesuskind attributiv verstanden werden (RDK. III. Art.: Christkind als Attribut. Sp. 608 f), so wie der Tobias-Knabe als Attribut des Erzengels Raphael galt (*Gombrich* 1986. II. S. 36–41)[35]. Doch erst im 16./17. Jahrhundert setzte sich der attributive Charakter des Jesuskindes für den hl. Joseph endgültig durch: so z. B. bei einem um 1600 von Antonie Wierix d. J. gestochenen Blatt (*Knipping* 1974. I. S. 117. Abb. 118) oder auf einem Altarblatt mit dem hl. Joseph von Rubens, das im Jahr der Einrichtung des Josephsfestes als Geschenk Erzherzogs Albert und seiner Gemahlin Isabella 1621 an den Karmeliterkonvent in Morlane bei Namur ging; der Heilige war der Patron der Karmeliterprovinz der südlichen Niederlande. 1668 wurde das Bild als Widmung für den Provinzial dieser Provinz nachgestochen.

Etwa zwanzig Jahre später übernahm das Gnadenbild der Wertacher Wallfahrt die Grundstruktur des Rubens-Entwurfs[36] und auch für das 18. Jhdt. blieb diese Komposition maßgebend, zusätzlich wurde jedoch häufig das Handwerkszeug des hl. Joseph hinzugefügt[37]. Neben den Jesuiten[38], Kapuzinern[39] und Karmelitern griffen auch die Frauenorden gern die Hl. Familie und speziell den hl. Joseph in der Ausschmückung ihrer Klöster auf. Doch bestand z. T. anfangs eine gewisse Scheu, dem Heiligen im Bildprogramm die hervorragendsten Plätze einzugestehen. So kann man am Beispiel des Zisterzienserinnenklosters Oberschönenfeld (Lkr. Augsburg) sehen, wie der hl. Joseph zuerst in die profanen Klostergebäude und anschließend im späten 18. Jahrhundert in die Sakralräume Einzug hielt[40], obwohl das Fest des hl. Josephs schon 1621 eingeführt worden war und damit seine Darstellung in der Kirche und am Altar – wie z. B. bei den Karmelitern von Namur – legitim war[41].

Die Beliebtheit der Josephsverehrung in Nonnenklöstern hatte ihren Ausgang wohl von der mittelalterlichen Mystik der Frauenkommunitäten genommen, die ihrer Jesusminne[42] direkten Ausdruck im szenischen Nacherleben der heiligen Begebenheiten – z. B. im Kindlwiegen[43] – gaben. Diese Tradition leitet zur barocken Devotion über, die sich in überschwenglicher Emphase und tränenreicher Verehrung äußerte[44]. Die rührselige, einen letzten Ausläufer

72. Meister v. Flémalle (Nachfolge): Verkündigung. Flandern 1. Hälfte 15. Jhdt.
(Brüssel, Musée Royous des Beaux Arts de Belgique)

der mittelalterlichen Mystik und Jesusminne darstellende Anteilnahme wurde für die katholischen Barockautoren geradezu zu einem Topos, der aber bei der Verehrung des hl. Joseph nicht auf die Beziehung zwischen Joseph und Jesus als Vater und Sohn abzielte, sondern den Nährvater Jesu – wie schon in den Ehrentiteln der ‚Acta Sanctorum‘ – ausdrücklich als idealen Gläubigen charakterisierte.

Durch die Adaption marienspezifischer Eigenschaften und Metaphern[45] gewann die Josephsfigur neben einer idyllischen Dimension im innigen, intimen, liebevollen Umgang des idealen Gläubigen mit seinem Gott einen erhabenen Aspekt. In der bildenden Kunst wurde das Jesuskind zusammen mit der die Keuschheit symbolisierenden Lilie zum Attribut des hl. Joseph. Da diese Attribute aber auch andere Heilige erhielten, trat das zwar spezifische, dafür aber in der Neuzeit weniger spirituelle Werkzeug-Symbol hinzu[46].

Die Attribute des hl. Joseph

Fast gleichzeitig mit der Neuorientierung der Josephsvorstellung durch Pierre d'Ailly und Johannes Gerson taucht die Lilie als Attribut Josephs auf. Sie bezieht sich auf den grünenden Stab Josephs bei der Vermählung (Prot.-Jak. 9. LCI. VIII. S. 213) als Zeichen seiner Auserwähltheit für die Ehe mit Maria und ist dem alttestamentlichen Typus des blühenden Stabes Aarons (Legitimation seiner Priesterschaft (Num. 17,1–8)) zuzuordnen. Die Lilie symbolisiert Josephs Keuschheit und setzte sich noch vor dem Zimmermannswerkzeug als Attribut durch. Sie ist das Pendant zur die Jungfräulichkeit Mariens anzeigenden Lilie auf den Bildern der Verkündigung des 14. und 15. Jahrhunderts, aber auch zur Lilie in der Hand des Verkündigungs-Engels, die die unbefleckte Empfängnis symbolisiert. Sowohl der Hl. Wandel[47] als auch die Einzeldarstellungen des hl. Joseph am Altar und im kleinen Andachtsbild (*Spamer* 1930. Taf. LXXVII, LXXV, CXVII, CLII) rezipierten die Lilie, nicht selten trat das Handwerkszeug ergänzend hinzu (ebda. Taf. CLV)[48].

73. Anonym (nach Rubens): Der hl. Joseph mit dem Jesuskind. Zeichnung nach einem Altarbild bei den Karmelitern in Morlane bei Namur 1621.

Die Korrespondenz von Lilienattribut und Gartenmetapher benutzte Abraham a Sancta Clara in seiner Festtagspredigt zur Verdeutlichung der Vorzüge Josephs. Einen Großteil seiner Predigt verwandte er darauf, anhand der Erscheinungsformen dieser Pflanze die Person Josephs als himmlisch zu charakterisieren.

So las er in den weißen Blättern der Lilie die Reinheit Josephs, die sowohl in seinem Innern (Herz, Wille und Verstand) als auch in seinem Äußern (Leib und Augen) anzutreffen sei (*Abr. a S. Cl.*: Paradeyß-Blum Joseph. (S. III)).

74. J. W. Wolcker: Der hl. Joseph. Altarbild in Deubach (Schwaben), Pfarrkirche St. Martin 1746.

Die sechs gelben Staubgefäße der Blume versinnbildlichten Josephs goldene Krone, die, ihrerseits gedeutet, Maria vorstelle (ebda. (S. Vf)). Weiter beschäftigte sich Abraham a Sancta Clara mit der herzförmigen Zwiebel der Blume, die für die Liebe Josephs und Mariens zueinander stehe (ebda. (S. VIf)), dem aufrechten und hohen Wuchs der Pflanze, der mit dem Namen des Heiligen korrespondiere und den Abraham a Sancta Clara in der Tradition Gersons mit *accrescens* übersetzte (ebda. (S. VIIIf))[49]. Weiter kam der Prediger auf den Duft und die Vase der Lilie, den ‚Busch-Krug‘, zu sprechen (ebda. (S. XIII)).

Primär dient die Deutung der Lilie bei Abraham a Sancta Clara zur Feststellung der Hoheit und Heiligkeit Josephs. Sie führt aber auch weiter zur Ehe Josephs mit Maria und der besonderen Bedeutung des Heiligen als Vater Jesu, dessen irdische Funktion und Nähe zum Jesuskind einen nicht unbedeutenden Raum in der Argumentation des Predigers um den Rang Josephs über die Engel eingenommen hatte.

Seltener wurde der hl. Joseph mit einem meist geschlossenen Buch dargestellt, das nicht auf seine Belesenheit, sondern speziell auf die göttliche Offenbarung hinweisen sollte, in die der Nährvater Jesu Einblick hatte (AASS. III. XIX Martii. S. 5)[50]. Es verwies zudem auf seine Verschwiegenheit, die verhinderte, daß die schwangere Maria geächtet und so der Teufel vorzeitig von Menschwerdung Gottes erfahren konnte (s. oben. Punkt 5 der josephinischen Ehrentitel). Diese Josephsauffassung konnte dazu führen, daß der Nährvater Jesu zusammen mit dem ein Buch haltenden hl. Nepomuk – dem Wahrer des Beichtgeheimnisses – dargestellt wurde[51]. Zuweilen erschien die eher seltene Darstellung des lesenden Joseph auch im Rahmen einer Landschaftsidylle (s. S. 57)[52].

11d

Das geöffnete Buch blieb – besonders in den Verkündigungsszenen – der Muttergottes vorbehalten[53], um auf diese Weise die Inkarnation, entsprechend der göttlichen Offenbarung und der Aussage im Credo ‚und das Wort ist Fleisch geworden‘ (Joh. 1,14), zu versinnbildlichen, und auf den Vorgang ihrer unbefleckten Empfängnis selbst, d. h. auf den Vorgang als spirituellen Akt, als Glaubensakt und mystische Erfahrung, hinzuweisen.

6.2.3   Die Aufwertung Josephs in der Typologie

Die Integration Josephs in das System der Mariologie implizierte, daß er alle anderen Heiligen, besonders aber die Patriarchen und Propheten des Alten Testaments, in Ansehen, Ehre, Würde und göttlicher Gnade ‚überrundete‘.

Abraham a Sancta Clara verglich ihn deshalb mit Abraham, Moses, Hiob, Esaias, Elias und Daniel, die bei ihm die alttestamentlichen Personifikationen der christlichen Tugenden Gehorsam, Sanftmut, ‚guter Mut‘ (wohl Zuversicht), Inbrunst und Eifer in der Liebe zu Gott und Stärke (*obedientia, mansuetudo, spes, pietas, religio* und *fortitudo*) darstellen, und erhob ihn über diese alttestamentlichen Personen[54]. So benutzte er die bekannten Vorstellungen aus dem Alten Testament, um dem hl. Joseph Charakter und Profil zu geben und ihn gleichzeitig über die Patriarchen und Propheten zu stellen. Auf diese Weise wurde einem elementaren Prinzip der Typologie entsprochen, dem Prinzip der Steigerung, und die Möglichkeit geschaffen, den Nährvater Jesu als Antitypus zu den alttestamentlichen Gestalten darzustellen. Martin v. Cochem verweist ausdrücklich auf die Methode der Typologie, wenn er schreibt:

So ist dan St. Joseph ein *end* und *beschluß* aller dieser patriarchen gewesen / welchen sie vorbedeutet haben und alle dieselben haben mehr ehr von St. Joseph / als er von ihnen empfangen. (*M. v. Cochem*: Leben Christi. Mainz/Köln 1716. S. 173. Hervorhebung H.E.)[55]

Was lag also näher, als ihn in Beziehung zu seinem Namensvetter, dem ägyptischen Joseph, zu setzen[56]? Im Rahmen dieser Josephstypologie wurde die Flucht des ägyptischen Joseph vor der Frau Potiphars (Gen. 39,12) und seine Keuschheit in dem neutestamentlichen keuschen Nährvater Joseph gespiegelt (*Abr. a S. Cl.*: Paradeyß-Blum Joseph. (S. VI)). Christian Brez geht in seinen Bemühungen um die Konstruktion einer schlüssigen Typologie noch weiter, indem er aus der Machtfülle Josephs als ägyptischem Vizekönig die Macht des hl. Joseph als mächtigen Fürsprecher ableitet[57]. Die typologische Konstruktion von alttestamentlichem und neutestamentlichem Joseph führte dazu, daß der Nährvater Jesu ebenso wie sein ägyptisches Pendant[58] als Patriarch bezeichnet (*Nakatenus*: Palm-Gärtlein. Köln 1737. S. 373 ff)[59] und so seine Hoheit und Auserwähltheit verdeutlicht wurde. Die Methode war so ergiebig, daß z. B. in den Zwickelkartuschen im Deckenfresko des Chores der Josephskirche von Starnberg die Wahl Josephs zum Nährvater Jesu anhand des Traumes des alttestamentlichen Joseph, nach dem sich Sonne, Mond, Sterne und Getreidegarben vor ihm verneigten (Gen. 37,7–9)[60] und so seine Prädestination anzeigten, demonstriert wurde (*Bauer/Rupprecht* 1976–1987. I. S. 351)[61].

Sogar das Motto vieler Josephsbilder im Bereich des Wallfahrtswesens stammte aus dem Alten Testament. Jenes ‚Gehet zu Joseph, und was er euch sagt, das tut‘ (Gen. 41,55), das Pharao den Ägyptern in der Bedrängnis der siebenjährigen Hungersnot sagt, wurde z. B. in Wertach, der bedeutenden Josephswallfahrt im Bistum Augsburg[62], direkt unter dem Gnadenbild angebracht und noch 1877 auf *75* diese Weise den Gläubigen auf einem Totenzettel der Weg ihrer Fürbitte zum „*dispensatore della grazie*" gewiesen. Auch die Josephspredigt von Christian Brez stand unter diesem Motto (*Brez*: Lust-Garten. 1720. S. 62), während Abraham a Sancta Clara – mit Rücksicht auf die dominante Blumen- und Gartenmetapher seiner Predigt und ihren besonderen Anlaß – ein umgewandeltes Esra-Zitat „*Ex omnibus floribus orbis elegit sibi Lilium – Auß allen Blumen der Welt hat er ihme die [!] erwählt die Lilien*" (4 Esra 5,24) (*Abr. a S. Cl.*: Paradeyß-Blum Joseph. (S. I))[63] wählte.

Mit dieser Form der Aufwertung Josephs gegenüber den Gestalten des Alten Testaments und gegenüber den Heiligen war noch nicht die Auffassung gerechtfertigt, daß er im Heiligenhimmel die ranghöchste Person nach Christus und Maria sei. Eine weitere Steigerung war nötig, die ihn auch über die Engel als diejenigen himmlischen Mächte stellte, die Gott dienen.

Zu diesem Zweck wurde seine soziale Stellung auf der Erde als Ehemann und Hausvater in die Allegorese und Typologie miteinbezogen und er u. a. als irdischer Schutzengel der irdischen Göttin [!] Maria (*Abr. a S. Cl.*: Paradeyß-Blum Joseph. (S. IV)) und des Jesusknaben (ebda. (S. VIII)) bezeichnet, um ihn im folgenden Schritt über alle Engel stellen zu können. Er wird Engel, Erzengel, Cherubim, Seraphim *„Englischer Potestat“* und *„Englisches Fürstemthumb“* (ebda. (S. IX)) genannt. Abraham a Sancta Clara betont aber, daß es sich hier nicht um eine Identität Josephs mit diesen Mächten, sondern um *Bilder* und *Metaphern* handelt, um die Würde und Heiligkeit Josephs zu *illustrieren*. Deshalb setzt er den hl. Joseph zwar in der Wertigkeit mit ihnen gleich, *„in der Natur“* (ebda.) aber unterscheidet er sich von ihnen in seinem Mensch-Sein, ohne daß dies abwertend wirken würde. Vielmehr leitet Abraham a Sancta Clara in raffinierter Dialektik aus der unterschiedlichen Herkunft der Würde, d. h. hier aus der Natur der Engel, dort aus der Gnadenwahl Gottes und den Verdiensten Josephs, dessen Stellung *über* den himmlischen Mächten ab und begründet sie mit der räumlichen Nähe Josephs zum Jesuskind auf Erden[64].

6.2.4 Der hl. Joseph in der Emblematik

Wie wir am Beispiel der Starnberger Josephskirche sahen, wurden die Embleme für den Nährvater Jesu häufig abgeleitet, sei es unter typologischen Aspekten (alttestamentlicher Joseph – Nährvater Jesu), sei es in Anlehnung an die Marien- oder Hl. Herzenemblematik. Mitunter finden sich aber auch selbständig gebildete Embleme, so z. B. im Zusammenhang mit dem Tod Josephs.

In der Josephskapelle von Tannenberg (1774) zeigen die Deckenfresken die Vermählung des hl. Joseph mit Maria (im Chor) und den hl. Joseph als Patron von Tannenberg (im Langhaus). Die den Darstellungen zugeordneten Embleme beziehen sich beim Chorfresko auf die Auserwählung Josephs für die Gemeinschaft mit Maria[65] – ohne jedoch auf die Starnberger Getreide-Emblematik zurückzugreifen – und die Beständigkeit seiner Tugenden[66]. Die Embleme des Langhauses, die z. T. auf das bäuerliche Publikum abgestimmt sind, knüpfen an die Josephsgeschichte des Alten Testamentes an und betonen besonders die Verwaltertätigkeit des ägyptischen Joseph, die – bezogen auf den Nährvater Jesu – dessen Bedeutung als treusorgenden Vater und Fürsprecher für die Gläubigen hervorhebt[67].

Eine starke Anbindung an die Marienikonographie und -emblematik ist bei dem recht frühen Beispiel der Andreaskirche von Babenhausen (1715/20) ablesbar, die in den Deckenfresken des Chores nicht nur die Glorie des Kirchenpatrons, sondern auch die des hl. Joseph zeigt. Das Josephsfresko ist von vier Emblemen umgeben, von denen je zwei eine Rose und je zwei eine Lilie darstellen. Die Inschriften machen deutlich, daß hier einer Blume jeweils zwei Aussagen zugeordnet werden: die Rose wird marianisch als Königin der Blumen (FLORUM REGINA) (*Kemp* 1981. S. 158) gedeutet und für Joseph auf dessen königliche Geburt aus dem Stamme David (AD CORONAS NATA) (ebda.) bezogen. Die Lilie symbolisiert die Jungfräulichkeit Mariens (VIRGINIS DECOR) (ebda.) und die Keuschheit Josephs (CASTITATIS INSIGNE) (ebda.).

75. Anonym: Der hl. Joseph. Gnadenbild der Wallfahrt von Wertach (Schwaben). spätes 17. Jhdt.

Ähnlich konventionell ist die auf Joseph bezogene Emblematik in der Dreifaltigkeitskirche von Weihenlinden. Obwohl in der Pfarrei seit 1664 eine JMJ-Bruderschaft bestand, die später meist als Josephs-Bruderschaft bezeichnet wurde, und man deshalb eine intensivere Beschäftigung der Embleme von 1736 mit den Eigenschaften des hl. Joseph erwarten könnte, thematisieren sie nur die gängigen Elemente der Josephsideologie. Hervorgehoben werden seine Beziehung zu Jesus und Maria als Nährvater und Gatte[68], sein Handwerk und seine Gerechtigkeit[69] und Keuschheit[70].

Diese zentralen Charakteristika tauchen auch in den den Tod des hl. Joseph begleitenden Emblemen in der nördlichen Seitenkapelle der Marienkirche von Klosterlechfeld auf[71]. Seine Keuschheit wird dort kontrastierend mit dem Bild der die Susanna im Bade betrachtenden Greise und den Worten PUDOR CASTI illustriert (*Kemp* 1981. S. 228), sein vorbildhaftes Sterben durch die Embleme eines Opferlammes auf dem Altar (MORS TRANQUILLA SANCTIS) und eines brennenden Weihrauchfasses (EX[S]PIRAT SUAVITER) verdeutlicht (ebda.)[72].

Das Emblem des Opferlammes auf dem Altar, das ursprünglich auf Jesus Anwendung fand, erscheint 1763 in dem Freskenprogramm der Pfarrkirche von Pfrombach leicht verändert ebenfalls in Zusammenhang mit dem Josephstod (*Kemp* 1981. S. 276). Der Josephstod wird – wie in Weihenlinden – durch ein Emblem mit dem Leben des Heiligen in der Gemeinschaft mit Jesus und Maria verbunden: aus einer Lilie erwachsen drei Blüten, über denen die Monogramme der Hl. Familie schweben (ebda.). Dreißig Jahre zuvor hatte das mit AMOR UNUS betitelte Emblem in Klosterlechfeld nicht nur auf die Gemeinschaft der drei heiligen Personen, sondern auch auf ihre mystische Beziehung hingewiesen (ebda. S. 228. s. oben).

Ein ungewöhnliches Bildprogramm, in dem die gesamte Hl. Familie in die Herzemblematik eingebunden ist, weist die 1719 geweihte Kollegienkirche im ehemals habsburgischen Ehingen a. d. Donau auf, die von den Benediktinern aus Zwiefalten betreut wurde (*KD Württemberg. Donaukreis*. I. S. 26–30. *Wirth* 1968.). Der östliche kapellenartige Annexraum des im Grundriß kreuzförmigen Zentralbaus war der Hl. Familie geweiht. Das heute verlorengegangene Bild des Seitenaltars stellte die Vermählung Mariae mit Joseph dar, am Scheitel des Tonnengewölbes befindet sich ein Gemälde mit dem Tod Josephs. Die das Gemälde flankierenden Stuckreliefs zeigen die Flucht nach Ägypten und den Traum Josephs. Ihnen sind auf den das Gewölbe begrenzenden Gurtbögen vier ovale Emblemfelder zugeordnet, die das Bildmotiv der entflammten Herzen aufnehmen[73]. Ihre recht komplizierte Ikonographie läßt eine vielschichtige Deutung zu, in der der hl. Joseph nicht nur die Position des Nährvaters Jesu, sondern auch die des Gläubigen einnimmt.

Das Stuckrelief mit dem Traum Josephs, in dem der Engel ihm die Weisung gibt, Maria zu sich zu nehmen, wird von den Emblemen IN HOC VIVIMUS ET SUMUS und NOLI TIMERE ACCIPERE begleitet. Das erste, das im Lemma die Apostelgeschichte (Apg. 17,28) zitiert, thematisiert die eheliche Gemeinschaft Josephs mit Maria durch zwei Herzen, die von einem Ring umschlossen sind; sie wird von dem Blut des über ihnen schwebenden Herzens Christi besiegelt. Gleichzeitig ist das Emblem als Aufforderung an die Gläubigen zu verstehen, sich mit Jesus, Maria und Joseph in einem Verlöbnis zu verbinden (*Wirth* 1968. S. 31 f). Das zweite Emblem zitiert die Aufforderung des

Engels an Joseph, Maria zu sich zu nehmen (Mt. 1,20). *Wirth* weist auch in diesem Fall auf eine zweifache Deutung des Emblems hin, die – auf Joseph bezogen – die nach der Lilie und Rose greifende Hand als Hinweis auf die Befolgung der himmlischen Weisung verstanden wissen will. Andererseits ist das Bild auch so zu lesen, daß die Hand die beiden Blumen in das darunter befindliche, von Rosen umkränzte und entflammte Herz setzt und somit die Aufforderung in sich birgt, die Liebe zu Maria und Joseph in das Herz der Gläubigen zu pflanzen (*Wirth* 1968. S. 32 f).

Die Embleme zum Stuckrelief mit der Flucht der Hl. Familie zitieren einen Teil aus dem Messtext zu Pfingsten DULCE REFRIGERIUM und das Hohe Lied LILIUM INTER SPINAS. Das DULCE REFRIGERIUM-Emblem ist ikonographisch wohl das komplizierteste der Reihe. Es zeigt in einem barocken Garten das Herz Josephs, aus eine Lilie erwächst. Über ihm schwebt das dornenumwundene, mit dem Kreuz gekrönte entflammte Herz Jesu und das rosenbekränzte, von einem Dolch durchstochene, ebenfalls entflammte Herz Mariens. Von der über der Gesamtkomposition stehenden Sonne (Christus) und dem Mond (Maria) fällt in schweren Tropfen die erquickende Gnade, die durch die Passion Christi und die Schmerzen seiner Mutter für die Menschheit erlangt wurde – symbolisiert in den Herzen –, auf die Lilie Joseph herab (*Wirth* 1968. S. 34 f)[74].

Das mit dem Hohe-Lied-Zitat bezeichnete Emblem zeigt die aus einem entflammten Herzen wachsende und sich dem Herzen Jesu (mit Dornen umwunden und vom Kreuz bekrönt) zuwendende Lilie, die durch das Lemma LILIUM INTER SPINAS als Symbol Mariens interpretiert werden kann[75] und als Aufforderung an die Gläubigen zu verstehen ist, sich gleichfalls dem Herzen Jesu zuzuwenden.

So zeigt sich auch im Bereich der Embleme die Abhängigkeit Josephs von der Bilderwelt der Marienallegorie.

6.2.5 Die paradiesische Gemeinschaft Josephs mit Maria und Jesus

Die Verbindung Josephs und Marias wie auch der gesamten Hl. Familie mit der Gartenmetapher, die dem Hohen Lied Salomons entstammt, war im 17. Jahrhundert sehr beliebt und wurde häufig rezipiert. So verdeutlichen die Landschaftsdarstellungen mit der Hl. Familie die Vorstellung, daß solch einer hervorragenden, idealen Personengruppe nur eine ideale, arkadische, gleichsam paradiesische Landschaft entspricht. Besonders in der flämisch-niederländischen Kunst des 17./18. Jahrhunderts wurde der *locus amoenus* der Idylle zum Paradiesgarten, in dem die Hl. Familie – und ganz besonders die Madonnen-Gruppe – als Zentrum des göttlichen Erlösungswerkes lagert. Zwar war dieser Bildtyp künstlerisch weit vom kleinen Andachts-

76. a–d Herz-Embleme in der Kollegienkirche von Ehingen (Baden-Württemberg) 1719.

bild des späten 17. und frühen 18. Jahrhunderts entfernt, dennoch transportierten beide – hochbarockes Kunstwerk wie erbauliches Andachtsbild – das Hauptthema der christlichen eschatologischen Hoffnung auf das neue Paradies.

Dieses wiedereröffnete Paradies war schon im 15. Jahrhundert mit dem ehelichen Zusammenleben Marias und Josephs verbunden worden. Ihre Gemeinschaft galt als von Gott gestiftet und hatte somit sakramentalen Charakter[76]. Die Definition des Zusammenlebens in der Hl. Familie als Ehe gestaltete sich als ein schwieriges Unterfangen, dem sich die mittelalterlichen Theologen intensiv widmeten, zumal von dieser Beschreibung die Glaubwürdigkeit der Unbefleckten Empfängnis abhing. Gerade die Idee der Nachkommenschaft[77] als eine der drei konstitutiven Elemente der christlichen Ehe seit Augustinus[78] stellte alle Theologen vor immense Probleme, die nur selten überzeugend und unter nicht geringen Schwierigkeiten gelöst werden konnten (*Hahn* 1986. S. 62 ff). Eine genaue, eindeutige und unmißverständliche Definition ihrer vollkommenen Verwirklichung in der Ehe Josephs mit Maria war aber unumgänglich, da die christliche Ehe zugleich als irdische Realisation der in der Verkündigung symbolisierten mystischen Hochzeit Christi mit der Kirche galt[79], in der die Braut Maria als Personifikation der *ecclesia*[80] ihrem Bräutigam Christus zugeführt wird.

Schon Johannes Gerson konzentrierte sich in der Argumentation zur Heiligkeit Josephs auf die Frage der ehelichen Gemeinschaft von Maria und Joseph[81], die er als vertragliche Übereinkunft nach dem Willen von Mann und Frau über die gegenseitige Verfügbarkeit definierte. Auf diese gegenseitige Verfügungsgewalt über ihren Körper verzichteten Maria und Joseph durch ihr Gelübde der Keuschheit, so daß das Element der gegenseitigen Verpflichtung, dem Gerson in der Definition der Ehe einen höheren Stellenwert einräumte als den Inhalten dieser Vereinbarung, gewährleistet war.

Die eheliche Gemeinschaft Josephs und Marias blieb auch in der Neuzeit ein wichtiges Thema in der Josephs- und Hl. Familie-Verehrung, zumal die Begründung der Unbefleckten Empfängnis und das Verhältnis Jesu zu seinem Nährvater so schwierig wie ehedem war. Wie im Spätmittelalter wurde versucht, diese Problematik durch die Hervorhebung des sakramentalen Charakters der Ehe zu kompensieren, indem man sie als vollkommenen und paradiesischen Stand darstellte.

Abraham a Sancta Clara arbeitete in seiner Predigt von 1675 mit der Paradieses- und Gartenmetapher, die ganz auf Joseph als himmlische Person, als Heiligen, abzielte, und verband sie gekonnt mit dem Themenkomplex ,Ehestand und Familie', der sein irdisches Leben beschreibt. Die himmlische, zeitlose und allgemeingültige Ebene und die irdische, historische und bedingte Ebene korrespondieren bei Abraham a Sancta Clara miteinander, indem sie sich in der Argumentation nicht nur gegenseitig ablösen, sondern indem die eine Ebene die Argumente für die Aussage der anderen Ebene liefert und umgekehrt. Immer, wenn der Augustiner-Prediger eine persönliche Beziehung zwischen den Personen der Hl. Familie oder aber auch zwischen dem hl. Joseph und den Gläubigen darstellen wollte, reichte die oben beschriebene Methode der ,Deduktion von der Mariologie' nicht aus, und Abraham a Sancta Clara mußte auf die irdische Komponente im Leben Josephs, auf die Inhalte der Alltagsszenen und speziell auf seine Funktion als Nährvater Jesu, schützender Hausherr oder als Ehegatte – d. h. als *pater familias* – im Rahmen des Themenbereichs ,Ehestand = Glückshafen' zurückgreifen, ein Themenbereich, der zur zentralen Aussage des habsburgischen Josephskultes gehörte.

Auch die 1706 von Fischer v. Erlach d. Ä. zunächst in Holz und 1732 von dessen Sohn in Marmor errichtete Josephssäule auf dem Hohen Markt in Wien, die auf ein Gelöbnis Leopolds I. zurückging, spiegelt diese Themenorientierung wider, indem sie – in beiden Fassungen – die Vermählung Mariens mit Joseph als Präfiguration des katholischen Ehesakraments zeigt (*Matsche* 1981. I. S. 187–201.).

Nach paulinischer Auffassung war die Frau dem Mann in der Ehe untergeordnet, untertan (Eph. 5,22)[82]. Wie wir bei Abraham Bach gesehen haben, wurde die Textstelle innerhalb der Hauslehre durchaus direkt auf Maria bezogen, doch widersprach diese Vorstellung der im Bild dargebotenen Heiligenhierarchie. Die Diskrepanz wird bei Abraham a Sancta Clara aufgelöst, denn nach seiner Auffassung führten Maria und Joseph eine paradiesische Ehe, die sich in einem Zustand *vor* dem Sündenfall befand, durch Gleichheit und Gleichwertigkeit der Ehegatten[83] charakterisiert war und mit dem Begriff der keuschen Josephsehe gefaßt wurde. In dieser paradiesischen Gemeinschaft stellte sich das Problem der Keuschheit bzw. Unkeuschheit nicht, da die Menschen vor dem Sündenfall weder die Ungleichheit noch die Scham kannten (Gen. 2,25).

Abraham a Sancta Clara sagt über diese Ehe, sie sei *„ja mehr ein himmlische als ein irdische Beywohnung"* und durch *„die allervollkomneste Lieb Joseph zu Mariam"* (*Abr. a S. Cl.*: Paradeyß-Blum Joseph. (S. VII). vgl. auch (S. VIII)) bestimmt gewesen. Ähnlich äußerte sich auch Martin v. Cochem, der ihre Ehe aus dem normalen irdischen Rahmen heraushob und besonders die Liebe zwischen Maria und Joseph, der er eine höhere Qualität als der ,normalen' ehelichen Liebe zusprach, betonte[84].

Abraham a Sancta Clara demonstriert an Adam und Eva vor dem Sündenfall, daß die paradiesische Ehe prinzipiell nicht durch Unterordnung, sondern durch Gleichheit bestimmt war[85]. Da die Seele Josephs sich durch ihre Keuschheit im paradiesischen Zustand der Reinheit befand[86] und er somit für die Ehe mit Maria prädestiniert war (*Abr. a S. Cl.*: Paradeyß-Blum Joseph. (S. V))[87], wundert es nicht, daß er mit Adam verglichen wurde. Zwar scheute sich Abraham a Sancta Clara, von ihm als dem ‚neuen Adam' zu sprechen, denn diese Bezeichnung stand für Christus selbst, dem im Bild des mystischen Paares Maria als die ‚neue Eva' zugeordnet wurde. So bezeichnete der Prediger den hl. Joseph mit dem Begriff des ‚anderen Adam' und, analog dazu, Maria mit dem der ‚anderen Eva' (ebda. (S. XI)). Trotz dieser Differenz der Jesus-Maria- bzw. Joseph-Maria-Typologie im Adjektiv kann man davon ausgehen, daß Abraham a Sancta Clara damit rechnete, die Hörer würden die Assoziationsbrücke zum Paar ‚neuer Adam' und ‚neue Eva' schlagen: er kalkulierte mit dem Unbewußten der Gläubigen.

Die gängigen, altbekannten Mariensymbole, die zu einem nicht geringen Teil um die Gartenmetapher, die Jungfräulichkeit Mariens im *hortus conclusus* des Hohen Liedes, kreisen, unterstützten die Paradiesvorstellung um die Hl. Familie. Maria ist das Paradies der Wollust, als dessen Cherubim und Hüter der hl. Joseph galt (*Abr. a S. Cl.*: Paradeyß-Blum Joseph. (S. XII)); sie ist der Brunnen mit dem Wasser des Lebens (Christus), dessen Brunnenmeister Joseph ist; sie der Garten, dessen wohlgeordneter Zaun durch den hl. Joseph versinnbildlicht wurde (ebda.). In all diesen Allegorien der Jungfräulichkeit Mariens übernimmt Joseph die Funktion des Schutzes, er bewahrt sie und erhält dadurch den paradiesischen Charakter ihrer besonderen gemeinsamen Ehe, er ist der Verteidiger dieses Paradieses. In diesem Interpretationszusammenhang wurde die Vorstellung vom greisen Joseph obsolet, die Diskrepanz zwischen Alter und Schutzfunktion im Sinne Gersons aufgehoben und demgemäß von Abraham a Sancta Clara auch nicht rezipiert.

Während Abraham a Sancta Clara hauptsächlich den paradiesischen Zustand dieser Ehe hervorhob, konzentrierte sich die Thematik der seit 1706 in mehreren Fassungen errichteten Josephssäule auf dem Hohen Markt in Wien auf den sakramentalen Charakter der Gemeinschaft (*Matsche* 1981. I. S. 187–201. II. Abb. 80–85).

Leopold I. hieß die Themenwahl ‚Vermählung Marias mit Joseph' für das insgesamt dreimal ausgeführte Monument ausdrücklich gut, obwohl diese Thematik, nach dem Anlaß der Säulenerrichtung zu urteilen, keineswegs zwingend war. Denn die Votation ging auf ein Gelöbnis Leopolds I. zurück, nach dem der Kaiser dem hl. Joseph eine marmorne Säule stifte, sofern sein Sohn Joseph unbeschadet von der Belagerung der Festung Landau (1702) zurückkehre, die die Franzosen besetzt hielten. Eine direkte Verbindung zwischen dem Votationsanlaß und der Ehethematik der Säule war also nicht gegeben.

Während die erste Fassung von Johann Bernhard Fischer v. Erlach d. Ä. (1656–1723) – ein Provisorium in Holz – eine eher alttestamentliche Orientierung in der Figurengruppe aufwies, die durch das Programm der *providentia divina* über der Hl. Familie wie über dem Hause Habsburg umrahmt wurde, orientierte sich die neue, 1725

in Holz und 1732 endgültig in Marmor installierte Säule an 77 der Idee der Ehe als katholischem Sakrament.

Bei dem 1706 errichteten Provisorium wird die Vermählung unter den Augen eines Hohenpriesters vollzogen, über dem Säulen-Ziborium befindet sich das mit hebräischer Schrift bezeichnete göttliche Trinitätssymbol. Die das Denkmal begleitenden Figuren sind nicht direkt auf das in der Hauptgruppe dargestellte Geschehen, sondern – als Personifikationen von Reinheit und Tugend – auf die Haupteigenschaften der Personen ausgerichtet (*Matsche* 1981. I. S. 189–193. II. Abb. 80).

Demgegenüber stellen die folgende und die endgültige Fassung von Fischer v. Erlach d. J. eine Konzentration der Aussage auf die Idee der ehelichen Gemeinschaft dar, die – nun in die Mitte des Platzes gesetzt und als Ersatz für die alten Marktbrunnen von Brunnenbecken flankiert – das gesamte Denkmal als *fons vitae* interpretiert[88]. *Matsche* beschreibt die Ikonographie wie folgt:

Auf der Kerntrommel, deren Oberseite wie beim älteren Modell eine konzentrische Stufenanlage aufweist, stehen die Figuren Josephs, Mariens und des Hohenpriesters. Rechts Joseph, in der linken Hand einen Stab mit Lilienblüten als Hinweis auf das legendäre Wunder bei der Erwählung aus der Schar der Freier um die Hand Mariens [und als Attribut seiner Keuschheit]. Seine rechte Hand streckt er Maria entgegen, die auch ihrerseits die rechte Hand zum Eheverlöbnis reicht. [...]. Hinter ihnen befindet sich auf der obersten Stufe bzw. dem kleinen Rundplateau der Hohepriester, der die Rechte zum Segnen des Ehebundes erhoben hat. Seine Linke hält er in derselben Höhe wie seine andere Hand, allerdings mit nach oben gekehrter Handfläche. Ein bislang unbeachteter großer Kupferstich bei Höller (1732) [...] läßt den ursprünglichen Sinn dieser Handhaltung erkennen. Dort hat der Hohepriester in dieser Hand ein schmales, an beiden Enden eingerolltes Band, auf das sich sein Blick, auch bei der ohne dieses Attribut erhaltenen Statue bezieht. Seine Gestik ist im Sinn der christlichen Trauungszeremonie zu deuten, das Band vielleicht als Schriftrolle, aus der er liest. [...]. Während die Kleidung des Hohenpriesters seinem üblichen Ornat nach alttestamentarischem Vorbild entspricht, trägt er auf dem Kopf eine Art päpstliche Tiara [!], sein Vorgänger auf der älteren Josephssäule dagegen trug die mitraartige Kopfbedeckung mit den „cornua" an den Seiten. Gegenüber der Gruppe des Modells von 1706 ist jetzt die „Vermählung Sti Josephi und der heiligsten Mutter Gottes als beeden [!] Oesterreichischen Schutz Patrone" (Codex Albrecht) im Sinne des Ehezeremoniells des katholischen Ritus gestaltet.

Die vier einzelnen Engel oder „Genien", die außerhalb des Ziboriums vor den vier Säulen des Baldachins ste-

77. J. A. Corvinus (nach Samuel Kleiner): Die Josephssäule von Johann Emanuel Fischer von Erlach in Wien von 1725 (2. Fassung). aus: *Samuel Kleiner*: Vera et accurata delineatio omnium templorum et coenobiorum .... Augsburg 1724–1737. (Wien, Österreichische Nationalbibliothek)

hen, „gleichsam als Paranymphi" (= Hochzeitsbegleiter) [...] halten die Symbole der christlichen Brautleute („insignia Virginalium nuptiarum"), nämlich einen Ring zum Zeichen der Verlobung bzw. Vermählung[89], Lilien, eine Rute („Virga" als Mariensymbol), Brautfackel und einen Hochzeitskranz in Händen.

[...]. Das vom Hl. Geist[90] bekrönte Ziborium läßt ikonographisch an die Lobpreisung Mariens als Tempel Gottes bzw. des Hl. Geistes denken. Vom Rand der Scheibe [auf der sich die Hl. Geist-Taube befindet] gehen in drei triangulär angeordneten Gruppen Strahlen aus. Die Intervalle zwischen den Strahlenbündeln sind mit Feuerflammen [!] gefüllt. Dieser Hinweis auf die Dreifaltigkeit war ebenfalls bei der älteren Josephssäule vorgebildet.

Die Laternen am Unterbau sollten „das stets [!] brennende Andachts Licht von sich scheinen machen" (Codex Albrecht). [...].

Das Relief am Trommelabschnitt [des Sockels] rechts von der Hauptansichtsseite zeigt die Anbetung der Könige; das links gegenüber die Anbetung der Hirten[91], das an der Rückseite die Darbringung Jesu im Tempel. Damit ist die Kindheitsgeschichte Christi miteinbezogen, um die Rolle des hl. Joseph im göttlichen Heilsplan herauszustellen, die auch die Votivinschrift erwähnt. (*Matsche* 1981. I. S. 197 ff)[92]

Die Eckpunkte der Gesamtkomposition bildeten das Brunnensymbol des *fons vitae*[93], aus dem sich das in der Josephssäule thematisierte *bonum sacramentum* – die christliche Ehe – erhebt, und die Feuersymbolik des in der Ampel brennenden ewigen Lichtes[94]. Das Sakrament der Ehe ist in seiner biblischen Realisation durch Joseph und Maria die Basis der Inkarnation und impliziert sowohl den Hinweis auf das Erlösungswerk Jesu wie auch auf die mystische Hochzeit Christi mit seiner Kirche, die vom Feuer des Hl. Geistes – in Gestalt der Ampeln und der Flammen im Dreifaltigkeitssymbol – beseelt und begeistert ist[95]. So umfaßt die Josephssäule in ihrer endgültigen Fassung mit der Vermählung den Beginn des Erlösungswerks und reicht mit dem Hinweis auf das Feuer des Hl. Geistes bis zum Pfingstwunder mit der Aussendung der Apostel und dem Missionierungsauftrag für die gesamte Kirche.

Maria und Joseph lebten in einem vollkommenen, heiligen, weil paradiesischen Ehestand. In ihnen ist die Trennung des Menschen von Gott durch den Sündenfall überwunden, durch ihre Nähe zu Gott in Jesus stehen sie über allen himmlischen Mächten, die Gott dienen: Engel, Erzengel, Cherubim und Seraphim, wie auch Patriarchen, Propheten, Martyrer, Apostel, Heilige: der ganze ‚himmlische Hofstaat' der barocken Deckenfresken im Heiligenhimmel untersteht ihnen:

> Es ist gar nicht zur zweifflen / daß nechst GOtt und Maria der Thron sey / auff deme dieser Joseph herrsche; [...]: Es ist kein grösserer und höherer Heiliger im Himmel nach Mariam als Joseph; dann alle Heylige und Seelige in jenem ewigen Freuden-Saal seynd Diener Gottes gewest; Joseph aber ein Vatter; so wird ja GOtt seine Diener nit höher setzen / als seinen Nehr-Vatter; welches auß dem gnugsamb erhellet / was die H. Jungfrau Gertrudis gesehen in einer Verzuckung / allwo sie wahrgenommen / das der gantze himmlische Hoff zu dem H. Nahmen Joseph frolockte / und alle Heilige im Himmel ihre Häupter neigten / und ihme Josepho Ehr erzeigten. Ist also in dem Himmel GOtt der höchste / nach GOtt Maria, nach Maria Joseph, GOtt hat den ersten Thron / Maria den andern / Joseph den dritten; GOtt in der Mitten / Maria auff der rechten Seyten / Joseph auff der lincken; GOtt über alle / nach ihm Maria über alle / nach ihr Joseph über alle Heilige erhöcht / [...]. (Abr. a S. Cl.: Paradeyß-Blum Joseph. (S. XVI))

6.2.6 Josephs Heiligkeit

Die Gleichheit Mariens und Josephs vor Gott, die von ihren paradiesischen, von der Erbsünde unbefleckten Seelen herrührte, machte sie nicht nur engelgleich, sondern verband beide miteinander und stellte sie als die höchsten Heiligen in der himmlischen Hierarchie direkt nach Christus. Das war nicht immer so. In einer mittelalterlichen volkssprachlichen Litanei des 12. Jahrhunderts aus Österreich wurde der hl. Johannes d. T. als derjenige, der nach Maria die größte Gnade vermitteln könne, angebetet (Ohly 1989. S. 10 f (408 f))[96]. Außerdem galt normalerweise er als letzter Angehöriger des Alten Testamentes und Vermittler zwischen Altem und Neuem Bund, eine Position, die im 15./16. Jahrhundert vom hl. Joseph übernommen wurde (Hahn 1984. S. 520). Bei Abraham a Sancta Clara heißt es:

> Es irret der jenige nicht / der Ioseph nach Gott und Maria den allerheiligsten nennet / dann gleichwie es sich gebührt hat / redet der Marianische Lehrer Ansel-

mus daß Maria ein solche Heyligkeit an ihr haben / dergleichen nach Gott und unter Gott nit gefunden werde / also hat es sich auch geziemet / daß mit gleichmässiger [!] Heyligkeit der Nehr-Vatter Ioseph glantze. (Abr. a S. Cl.: Paradeyß-Blum Joseph. (S. XIV))

Schon Bernhard von Siena (1380–1444) argumentierte, Gott habe den hl. Joseph seiner Würde und Ehre wegen zum irdischen Vater Jesu ausgewählt[97]. Umgekehrt wurde die Heiligkeit, Würde und Ehre Josephs aber auch, entsprechend seiner irdischen Funktion als Ehegatte, Ernährer und Hausvater, aus seiner personellen Umgebung – Jesus und Maria – und dem Zusammenleben mit ihnen[98], für das er durch seine Abstammung vom Hause David prädestiniert war[99], abgeleitet. Christian Brez läßt deshalb den hl. Joseph sagen:

> Mein Ehr / und Zier / mein Reichthum ist nicht Gold / nicht Geld / noch Edelgestein / sondern JEsus und Maria / hi me ornant, diese zieren und bereichen mich. (Brez: Lust-Garten. 1720. S. 66)

Diese Ehre Josephs, die gleichzeitig – infolge der asketischen Ideale der Evangelischen Räte – eine ideale christliche Weltabgewandtheit bedeutet, leitet Brez besonders aus der Demut und dem Gehorsam des Gottessohnes Jesus und der Würde, Reinheit und Heiligkeit der Gottesgebärerin Maria ab (Brez: Lust-Garten. 1720. S. 66).

Schon fünfzig Jahre früher wandte auch Abraham a Sancta Clara diese Topoi zur Begründung der Heiligkeit Josephs an (Abr. a S. Cl.: Paradeyß-Blum Joseph. (S. IX–XVII). Die heilsgeschichtliche Bedeutung der Gottesmutter und damit ihre Nähe zu Gott ‚färbte' quasi auf Joseph ab:

> Zu dem / der mit Feuer umbgehet / der wird ja erhitzt / der mit Kreiden tractiert, der wird weiß / der mit Rosen handelt / der riechet darvon / also auch der mit Heiligen umgehet / der wird heilig / cum sancto sanctus eris: weil dann Ioseph mit Christo, mit Gottes Sohn / mit dem Brunn der Heiligkeit / mit dem Allerheiligsten / so ist er zweiffels sonder nach GOtt und Maria der Allerheiligste / [...]. (Abr. a S. Cl.: Paradeyß-Blum Joseph. (S. XIV))[100]

Martin v. Cochem resümiert:

> Also ist diser H. Mann durch die beywohnung Mariä alle tag frömmer worden / und hat durch ihre süsse lehr und exemplen in allen tugenden so vil zugenommen / daß er nichts mehr gedachte / als wie er möchte zu grösserer vollkommenheit auffsteigen. Gleichwie Obededom / als er die Arck GOttes in seinem hauß hatte / von Gott sonderlich gesegnet worden: also ist der H. Joseph wegen der gegenwart Mariä / welche

die lebendige Arck Gottes ware / mit allen himmlischen segen begabt worden. [...]. Je länger er bey ihr wohnete / je heiliger er wurde: [...]. (*M. v. Cochem*: Leben Christi. Mainz/Köln 1716. S. 189)

Grundidee dieser Auffassung war die mittelalterliche Meditationslehre, aus der die Schlußfolgerung gezogen werden konnte, daß, da doch schon der vergegenwärtigende Nachvollzug der Evangelien in der Meditation den Gläubigen entsühnen und Gott näher bringen konnte, Joseph um so mehr durch die direkte Anschauung und das Miterleben der Kindheit Jesu geheiligt sein mußte[101], denn: „Das ständige Anblicken Gottes mit diesen Augen [des Herzens (*oculi cordis*)] ist Ausdruck eines heiligmäßigen Lebens: [...]." (*Schleusener-Eichholz* 1985. II. S. 1023)

Übertragen auf die Visualisierung der Gotteserfahrung in der Christusvita bedeutet diese mittelalterliche Auffassung: die dem wahren Gläubigen nur mit dem inneren Auge, dem Auge des Herzens, mögliche Gottesschau[102] war für Maria und Joseph realiter möglich und stellte sie – als gesteigerter Ausdruck ihres heiligmäßigen Lebens – über alle anderen Heiligen. Diese Vorstellung enthielt indirekt die Aufforderung an die Gläubigen, es dem hl. Joseph gleich zu tun und sich in der Meditation in die Nähe Gottes und seiner Heiligen zu begeben.

Die Idee der Infiltration der Heiligkeit durch den bloßen Umgang mit Jesus, die mit der Vorstellung von der Wunderwirksamkeit von Reliquien korrespondiert[103], läßt sich auch bei den sogenannten Josephsreliquien[104] beobachten, die in den meisten Fällen ihre besondere Bedeutung erst dadurch erlangten, daß sie in Zusammenhang mit Jesus und Maria traten, so z.B. die Josephsringe in Scheppach (*Steichele/Schröder* 1864–1939. V. S. 368 f) oder in Weihenlinden (*Kriss* 1953–1956. I. S. 204)[105], die Marias Verlobungsring darstellen sollen, oder auch die Hosen Josephs – eines der großen Heiligtümer Aachens –, die durch die Benutzung als Windeln für das Jesuskind zur Reliquie wurden und deshalb als ,Herrenreliquien' Verehrung fanden (*Coo* 1965.). Eine Ausnahme ist der in der Wiener Annenkirche als Reliquie verehrte Mantelstoff des hl. Joseph (*Gugitz* 1950. S. 125).

Das Bedürfnis nach Versicherung der Heilswirksamkeit der Hl. Familie anhand von Reliquien scheint demnach für die Gläubigen nicht allzu dringlich gewesen zu sein. Wunderberichte, die diese Heilswirksamkeit bezeugen, treten nur sehr vereinzelt auf. Auch hat der hl. Joseph trotz seiner allmählich anwachsenden Bedeutung für die Gläubigen kaum Wunder bewirkt, weder in biblischer Zeit noch posthum in späteren Jahrhunderten.

Wichtig ist in diesem Zusammenhang, daß die Wundertätigkeit eines Heiligen erst im ausgehenden 17. Jahrhundert und ganz besonders unter dem Pontifikat Benedikts XIV. ein notwendiges Zeugnis für die Heiligmäßigkeit und damit ein Beweismittel im Kanonisationsprozeß wurde (*König-Nordhoff* 1982. S. 30–33). Zur Zeit der Einrichtung

des Josephsfestes beeinträchtigte das Fehlen von Wunderberichten noch nicht die Glaubwürdigkeit eines Heiligen, es mußten also mit der Propagierung und Intensivierung eines Heiligenkultes im frühen 17. Jahrhundert nicht zwingenderweise Mirakelberichte auftreten. Somit mag die relativ frühe Einrichtung des Josephsfestes (1621) – neben den z.T. mühsamen und aus der Mariologie abgeleiteten Profilierungsversuchen für den hl. Joseph – ein Grund für die geringe Zahl der überlieferten Josephswunder (alle posthum!) sein.

Doch als 1675 Joseph zum Landespatron Österreichs ausgerufen wurde, mußten Wunder des Heiligen für Abraham a Sancta Clara ein probates Mittel zur Propagierung und Popularisierung des Josephskultes scheinen[106]. Sein ,Ruhm' als wirksamer Fürsprecher stützte sich auf Gebetserhörungen, wie sie Abraham a Sancta Clara in seiner Festtagspredigt von 1675 mitteilt. So begegnen uns – neben der Errettung des ,Josepherl' aus der Feuersbrunst[107] – einige Wunder im Zusammenhang mit der ganzen Hl. Familie, doch selbst diese sind recht spärlich. Abraham a Sancta Clara beschreibt z.B. ein Hl. Familie-Mirakel, in dem die Konfiguration der Fluchtszene eine Rolle spielt[108]. Ein zweites Wunder thematisiert eine Begebenheit um die Dominikanerin Margarita de Castro, in deren Herz nach ihrem Tod *„wie in einem rothen Wachs eingetruckt die Bildnuß JESUS, MARIA, JOSEPH"* (*Abr. a S. Cl.*: Paradeyß-Blum Joseph. (S. XXI)) gefunden worden seien. Das Herzmotiv, das mit der gleichzeitigen Hl. Herzen-Verehrung einhergeht, läßt der Barfüßermönch aber nicht einfach stehen, sondern er verbindet es mit dem Haus Österreich, obwohl es nicht der Hl. Familie, sondern ausdrücklich dem hl. Joseph geweiht wurde:

> Gedanckt sey es zu viel tausendmahl dem Allerhöchsten GOtt / das er uns nicht weniger dieses tausend sechshundert fünff und sibentzigste Jahr glückseelig gemacht hat; weil nemblich in LEOPOLDI Hertz / als in einem unüberwindlichen Schild nichts anders gemahlt ist / als Jesus, Maria, Joseph; In Claudiae Felicitatis Hertz / als in einem schönen Kleynod / nichts anders geschmeltzt ist / als Jesus, Maria, Joseph; in deß hohen versambleten Adels Hertzen / als in schönen Schreib-Tafeln / nichts anders auffgezeichnet ist / als Jesus, Maria, Joseph; in des frommen und GOtt gewidmeten Cleri Hertzen / als in einer himmlischen Müntz / nichts anders geprägt ist / als Jesus, Maria, Joseph; in allen frommen Oesterreichischen Hertzen / als in lauter angenehmen Rauchzeitlen nichts anders getruckt / als IESUS, MARIA, IOSEPH; [...]. (*Abr. a S. Cl.*: Paradeyß-Blum Joseph. (S. XXI))

Demgemäß setzte Leopold I. 1678 mit der Bitte um einen Thronfolger sein Vertrauen in den hl. Joseph; seine Schwester Eleonore Maria verlobte sich 1679 der Muttergottes, ohne jedoch in der Erfüllung ihres Gelöbnisses in Limbach den hl. Joseph zu vergessen[109].

Bis zum ausgehenden 17. Jahrhundert blieb die Vorstellung vom hl. Joseph stark an die Hl. Familie gebunden, entweder als Komplettierung der Madonnengruppe oder auch – besonders in der Frühphase der Hl. Familie- und Josephs-Verehrung – im Rahmen der narrativen Traditionen. Beispielhaft sei hier auf das Genre der Jesuitendramen eingegangen, an deren Entwicklung sich die Verlagerung der inhaltlichen Schwerpunkte ablesen läßt.

Die ältesten Jesuitendramen, die sich – der Tradition der mittelalterlichen Weihnachtsspiele folgend – generell mit der Flucht beschäftigen, stammen aus den Jahren 1601 (in Freiburg/Schweiz), 1605 (in Graz) und 1609 (in Olmütz) (*Valentin* 1983/1984. I. Nr. 454, 546, 626)[110]. Sie entstanden also noch vor der frühen Propagierungsphase des Hl. Familie-Kultes und dokumentieren – zusammen mit den späteren Theaterstücken, die sich vom rein apokryph-erzählenden Stoff lösten und von JMJ- und Josephsdramen verdrängt wurden – die Ausbildung der Josephs- und Hl. Familie-Vorstellung im Barock.

Drei Dramen zu unserem Thema aus der ersten Hälfte des 17. Jahrhunderts *(Fuga in Aegyptum.* Graz 1605. JESVS MARIA JOSEPH. München 1636. S. IOSE-PHVS. Solothurn 1648.) orientierten sich an dem apokryphen Erzählgut, während ein jüngeres aus Feldkirch (1653) (PATROCINIVM DIVI IOSEPHI. Feldkirch 1653.) nicht das Leben und die Verhaltensweisen der Hl. Familie bzw. des hl. Joseph thematisierte, sondern ein Exempel der heilbringenden und wirksamen Josephsverehrung auf die Bühne brachte, also von einer genau definierten Josephsideologie und einem etablierten Josephskult ausging. Die Bedeutung des Heiligen und seiner Stellung im Heiligenhimmel galt für den Autor des Dramas als eindeutig umrissen und bekannt.

Das Jesuitendrama aus Feldkirch, in dem der hl. Joseph hauptsächlich als hilfreicher Heiliger und väterlicher Fürsprecher im Himmel dargestellt wurde, hebt sich mit seiner eindeutig erzieherischen, ja propagandistischen Tendenz zur Verbreitung des Josephskultes grundsätzlich von dem apokryph-narrativen Charakter der älteren Beispiele ab. Diese waren noch darum bemüht, die Gläubigen mit der Heiligenvita bekannt zu machen und standen somit auf der ersten Stufe der Kultpropagierung, der sich als zweite, spätere Stufe die Beglaubigung der Heilswirksamkeit des Heiligen in Wunderbericht und Exempel anschloß.

Für Abraham a Sancta Clara war die Verehrung des hl. Joseph offenbar noch eng an die Hl. Familie gebunden. Die Inhalte seines Kultes wurden mit und durch die Hl. Familie definiert. So schloß der Barfüßer-Mönch seine Festpredigt zur Erhebung des hl. Joseph zum Landespatron Österreichs mit dem Lob der Hl. Familie, obwohl er zuvor auf zwanzig Seiten seiner im Druck erschienenen Predigt ausdrücklich die Heiligkeit Josephs thematisiert

hatte. In gleicher Weise bezog das Jesuitendrama ‚PATRO-CINIVM DIVI IOSEPHI' (Feldkirch 1653) immer wieder die Hl. Familie als *„Allerheiligste erschaffnen dreyfaltigkeit JEsu Maria vnd Joseph"* (PATROCINIVM DIVI IOSE-PHI. Akt 1,3)[111] in das Spiel mit ein, obgleich primär der hl. Joseph als väterlicher Schutzpatron herausgestrichen werden sollte.

Die Entwicklung im Jesuitendrama verdeutlicht, daß dem Fluchtmotiv – in Zusammenhang mit der gegenreformatorischen Marien- und Josephsverehrung – eine Initialfunktion zukam und der Hl. Familie-Kult im Sinne einer Differenzierung und Spezialisierung innerhalb der katholischen Frömmigkeitstraditon zu verstehen ist. Erst im Laufe des 18. Jahrhunderts löste sich der hl. Joseph endgültig aus dem ‚Schatten' der Madonnengruppe und trat vermehrt als Einzelperson in Erscheinung. Diese Entwicklung ist zuerst im Bereich der Bruderschaftstitel zu beobachten, bei denen in manchen Fällen die Bezeichnung *JMJ-Bruderschaft* auf den hl. Joseph reduziert wurde[112].

Definierte sich der hl. Joseph zuvor – einer Tradition folgend, die besonders von Johannes Gerson bestimmt worden war – durch seine Bindung an Jesus und Maria in der Hl. Familie, so ‚emanzipierte' er sich als *pater familias* im Laufe des 18. Jahrhunderts von dieser Gruppe. Im 19. Jahrhundert wandelte sich diese Emanzipation sogar zur Isolation, die durch seine Ausgliederung aus der Familie als dem in der Außenwelt arbeitenden Familienoberhaupt mit nur noch geringen innerfamiliären Funktionen und durch die einseitige Betonung als Prototyp des Arbeiters bedingt war.

6.3 Josephsverehrung und gegenreformatorische Doktrin

6.3.1 Patron der Handwerker

Joseph war in der Bibel als Zimmermann beschrieben worden. Was lag näher, als ihn zum Patron der Zimmerleute bzw. aller Holzhandwerker zu machen? Besonders im Tiroler Raum und in der Innerschweiz weitete man die ‚Zuständigkeit' Josephs in diesem Sinne und sogar allgemein auf alle Handwerker aus. Damit war der Weg zum Patron der Arbeiter im 19. Jahrhundert nicht mehr weit.

Für Tirol und die Schweiz konnte ich neun berufsständische Bruderschaften ausmachen, die entweder direkt den Namen des hl. Joseph in ihrem Titel trugen[113] oder in anderer Weise ihre Verbundenheit mit dem Heiligen demonstrierten. 1730 wurde z.B. das 1670 gegründete Bündnis der Zimmerleute von Tittmoning (ehem. Erzb. Salzburg) in *Bruderschaft vom hl. Joseph* umbenannt (*Mayer/Westermayer* 1874–1884. III. S. 407); desgleichen 1896 [!] die um 1700 entstandene *Bruderschaft der Zimmerleute und Maurer* von Sarnthein (B. Bozen-Brixen) (*Hochenegg* 1984. S. 177).

Außerdem trat der hl. Joseph nicht nur als einzelner, sondern auch im Verein mit der Hl. Sippe oder der Hl. Familie als Zunftheiliger auf[114]. In der *Annabruderschaft oder Meisterzunft* von Gersau (Kanton Schwyz) von 1730 war Joseph zusammen mit Jesus, Maria und der hl. Anna einer der Bruderschaftspatrone (*Henggeler* 1955. S. 209). Auch in Bichlbach/Tirol ist solch eine Verbindung belegt: dort ging aus der 1690 gegründeten JMJ-Bruderschaft eine Zunft der Maurer und Zimmerleute hervor, die 1710 in dem Ort eine dem hl. Joseph geweihte Zunftkirche erbaute (*Hochenegg* 1984. S. 43).

Die Nähe Josephs zu den Holzhandwerkern und deren enge Verbundenheit mit ihm dokumentiert auch die Münchner Bruderschaft der Holzgärtner – auch *Liebesbund und Versammlung zur Ehre Gottes, der jungfräulichen Gottesmutter und der hl. Mutter Anna* genannt –, die nach der Vermutung von *Mayer/Westermayer* allerdings erst nach dem Wegfall der gefährlichen Holztrift in *Josephibündnis* umbenannt wurde (*Mayer/Westermayer* 1874–1884. II. S. 407). Dennoch ist die Verbindung des Josephspatroziniums mit einer berufsständisch orientierten Gemeinschaft eindeutig, da es sich bei den Mitgliedern um jene Arbeiter aus dem kurfürstlichen Holzgarten handelte, die mit dem gefährlichen Abtransport der Stämme zu Wasser beschäftigt gewesen waren. Für die Flößer war der hl. Joseph ein Schutzheiliger, der aus Sorge um Leib und Leben angerufen wurde.

6.3.2 Idealer Christ

Die Auserwählung Josephs für das Zusammenleben mit Jesus und Maria wurde – wie wir gesehen haben – als Gnadenakt Gottes verstanden. Doch ging diese ihm von Gott entgegengebrachte Gnade einher mit Josephs Gottgefälligkeit, die u. a. dadurch zum Ausdruck kam, daß er das göttliche Mysterium respektierte und achtete (er folgte z. B. den göttlichen Weisungen). Galt der hl. Joseph im Mittelalter als mit besonderer Einsicht in die göttliche Offenbarung begabt, so wurde er seit dem frühen 17. Jahrhundert vermehrt als einfacher, ja z. T. einfältiger Mensch, als *simplex* dargestellt. Trotz der Vorstellung von Joseph als über Maria und Jesus gesetzten Hausvater, der durch seine väterliche Autorität sogar die Gewährung göttlicher Gnaden für die Gläubigen erlangen konnte, war sein Bild hauptsächlich durch seinen Gottes- und Mariendienst und die ihm zukommende Gnade determiniert (*Abr. a S. Cl.*: Paradeyß-Blum Joseph. (S. XV)).

Unter dem Einfluß der protestantischen Hauslehre verlagerte sich die Gewichtung in der Josephsvorstellung vom Weggefährten auf der Flucht in Richtung auf seine gesellschaftlich festgeschriebene Rolle als Hausvater, der zufrieden in seinem Stand verharrt. Diese Zufriedenheit[115] resultierte aus der Vorstellung von der göttlichen Vorsehung (*providentia divina*), wie uns die Starnberger Langhausfresken von 1765 demonstrieren. Das Bild der *providentia*

36-a–b

divina trug der jesuitischen Idee vom freien menschlichen Willen Rechnung, nach der der allwissende Gott zwar vorhersieht, für welchen Lebensweg sich der Mensch erwählt, dem Gläubigen selbst aber subjektiv die freie Willensentscheidung bleibt.

Der hl. Joseph entschied sich für Gott in Gestalt des Jesuskindes und orientierte sich auf Christus hin[116], der seinem Leben in Not und Verfolgung Halt gab: er führte ein gottgefälliges Leben und wurde so zum Vorbild für alle Christen. Durch seinen ‚bodenständigen‘ Beruf hatte der hl. Joseph eine besonders enge Beziehung zum Irdischen, die die Möglichkeit der Identifikation speziell für jene Menschen ergab, die – wie er – in einer berufsständisch und zünftisch orientierten Welt dem Holzhandwerk angehörten.

Im Mittelalter galt Joseph als derjenige, der die himmlischen Geheimnisse kannte und an ihnen teilhatte (*Bernhard v. Clairvaux*: Super *missus est* homiliae. *Migne PL.* CLXXXIII. S. 68), ja sogar als Prophet der Vergangenheit, Gegenwart und Zukunft[117]. Noch Christian Brez sprach vom „*Prophetischen Geist*“ (*Brez*: Lust-Garten. 1720. S. 69) Josephs. Demgegenüber deutete Martin v. Cochem an, dem hl. Joseph könnte letztendlich das Verständnis für die wunderbaren Geschehnisse um ihn herum gefehlt haben (*M. v. Cochem*: Leben Christi. Mainz/Köln 1716. S. 260)[118], während Abraham a Sancta Clara betonte, daß der Nährvater Jesu nicht fassen konnte, was nicht in Worten zu fassen sei[119]. Joseph gehörte demnach in die Gruppe der Einfältigen und *simplices*, die Jesus in der Bergpredigt als *pauperes spiritu* selig gepriesen hatte (Mt. 5,2 f.).

Die Spitze gegen scholastische wie auch rein rationalistische Versuche, metaphysische Fragen endgültig zu klären, wird offensichtlich, wenn man sich z. B. Gersons Bewertung der *litterati* und *illitterati* als Gläubige vergegenwärtigt (*Burger* 1986. S. 191 ff). Den *litterati* ist zwar die Gotteserfahrung in der mystischen Schau nicht grundsätzlich verschlossen, doch durch ihre intellektuelle Orientierung verkennen sie häufig den Erfahrungswert des frommen Affekts. Sie neigen zur Überschätzung ihres Intellekts, der Logik und Ratio und fallen so der Todsünde *superbia* (Hochmut) zum Opfer, die schon im frühen Mittelalter als Ursache allen Übels, aller Sünde galt. Dem ungebildeten und einfältigen Gläubigen bleibt hingegen in seiner ‚unkritischen‘ Haltung der Affekt als Erfahrungsinstrument und -weg zu Gott erhalten. Diese Auffassung Gersons richtete sich primär gegen die gedanklichen Spitzfindigkeiten der Scholastik.

Umgesetzt auf den hl. Joseph entspricht er den *simplices*, *idiotae* und *illiterati*. Er wird nie als weise im Sinne von ‚gebildet‘ bezeichnet, sondern immer ‚nur‘ als gerecht, also mit einer sittlich-ethischen Kategorie charakterisiert. Er ist kein *litteratus*, kein Gebildeter und – im Sinne Gersons wie auch der frühneuzeitlichen katholischen Autoren – auch kein Verbildeter, der zwar zur philosophischen Gotteserkenntnis, nicht aber zur Gotteserfahrung im Affekt der *theologiae mysticae* fähig wäre[120], sondern der einfache Handwerker.

Diese Vorstellung der Gotteserfahrung im frommen Affekt kam der Frömmigkeit der *Exerzitien* von Ignatius v. Loyola entgegen, die auf eine Erfahrungswelt in der Meditation abzielten und mit ihrer Auffassung die gesamte barocke Frömmigkeit und ihre Erscheinungsformen bestimmte. Den sinnlichen und emotionalen Gehalt der Methode zur Gotteserfahrung spiegeln auch die Schriften M. v. Cochems wider, aus denen hier ein kurzer Abschnitt zitiert sei, in dem der Autor gegen den Hochmut der echten wie auch der vermeintlichen *litterati* die ‚einfältige‘ Devotion und Frömmigkeit verteidigt:

Verachte nicht solche demüthige und kindische ding zu betrachten / dan sie entzünden die andacht / vermehren die lieb / machen einen eiffer / bewegen zum mitleyden / und reitzen zur demuth und armuth an. (*M. v. Cochem*: Leben Christi. Mainz/Köln 1716. S. 450)[121]

Der hl. Joseph war also seiner Natur nach zwar ein gottgefälliger, einfältiger Mensch, aber kein Martyrer – die ursprünglich einzigen Heiligen. Zwar wurden die Flucht und sein entbehrungsreiches Leben im Barock besonders betont und z. T. hochstilisiert, dennoch galt dies keineswegs als Martyrium, sondern als ‚normales‘, gottgefälliges Leben, das die Ideale der *vita activa* und *vita contemplativa* in sich vereinigte (*M. v. Cochem*: Leben Christi. Mainz/Köln 1716. S. 187) und damit dem Idealbild des mönchischen Lebens entsprach.

Josephs Nächstenliebe als spezifischer Weg der christlichen *vita activa* fand ihren Ausdruck in seiner Fürsorge und Liebe zu Maria und dem Jesuskind. Die der *vita contemplativa* gemäße *dilectio dei* spiegelt sich in den bei den Barockautoren immer wieder aufgegriffenen und besonders affektgeladenen Szenen der Jesusverehrung durch den hl. Joseph wider. Gegenüber der Auffassung des Mittelalters, die in der Allegorese die *vita activa* und *vita contemplativa* auf zwei Personen, z. B. Martha und Maria, bezog (*Schleusener-Eichholz* 1985. II. S. 995), integrierte in der Neuzeit die Person Josephs beide Lebensformen in sich. Er vermittelte den Laien dieses ursprünglich monastische Ideal der Ausgewogenheit von *vita activa* und *contemplativa*, indem er als Vorbild fungierte, der dieses Ideal in seinem Leben realisiert hatte.

Die Kombination von asketisch-frommen und irdischen Werten, von einem Geld, Macht und Ruhm abgewandten Leben und der gesellschaftlichen Stellung als Vater, Hausherr und Handwerker, die ihn zu sozialen und wirtschaftlichen Aktivitäten nötigte, machte den hl. Joseph zu einer Integrationsfigur von aktivem und kontemplativem Leben, zum idealen Gläubigen und Untertanen, der in jeglicher Hinsicht dem frommen Anspruch der Gegenreformation Rechnung trug.

6.3.3   Vater der Gläubigen

Josephs Einordnung in das normale Sozialgefüge auf der Erde schloß seine außergewöhnliche Stellung im Heiligenhimmel nicht aus. Auch wenn im ‚Innenraum‘ der Familie, im intimen, persönlichen Umgang schon die Berührung des Gottessohnes oder auch nur dessen Nähe Joseph heiligte, blieb seine Rolle als Ehemann und Vater nach außen und innen gewahrt.

Unter der Prämisse, daß Jesus Gottessohn und Kind sei, das wie sein Nährvater und Maria in das irdische Sozialgefüge eingebunden war, ergab sich die Möglichkeit des Exempels der Hl. Familie. Als Folge davon wurde der hl. Joseph nicht nur zum Nährvater Jesu, sondern auch zum väterlichen Heiligen der Gläubigen, die auf die besondere Wirksamkeit seiner Fürbitte bauten. So hatte die Anwendung des Begriffs *Patriarch* auf den Nährvater Jesu nicht nur eine typologische Komponente, sondern direkte Bedeutung für seine Beziehung zu den Gläubigen. Eingebunden in die patriarchalische Struktur der Familie blieb Joseph in ihren Augen immer auch der Nährvater Jesu, der mit seiner väterlichen Autorität gebieten konnte, was andere Heilige erbitten mußten:

Viel grössere Macht / und Gewalt / nicht nur über Griechen-Land / sondern über die gantze weite / und breite Welt / über Himmel und Erden / finde ich in diesem [!] erschaffenen heiligsten Drey / JEsu / Maria und Joseph. Joseph ist ein Ehe-Gemahl Mariä / also hat er Mariam in seinem Gehorsam (caput mulieris vir) [1. Kor. 11,3] wie das Haupt die übrige Gliedmassen des Leibs. Entgegen ist Maria ein Mutter JEsu / hat also zu herrschen mit [!] JEsu ihrem gebenedeyten Sohn / JEsus aber ist ein Herrscher / Himmels und der Erden: Data est mihi omnis potestas in coelo & in terra [Matth. 28,18]. Nothwendig folget dann daraus / daß JEsus / Maria und Joseph herrschen über Himmel und Erden / und alles bey ihnen zu erlangen seye / was man nur immer begehren / und verlangen kan. Quanta fiducia Joseph? quanta in eo vis impetrandi? quia dum vir uxorem, dum Pater filium orat, quasi imperium reputat [Gerson: Josephina. Oratio[122]]. Was soll man aber für ein Vertauen auf den H. Joseph setzen / dieweil er ein solche Gewalt hat / dann indem er seine liebste Gemahlin / oder einen Sohn um etwas bittet / ist eben so viel / als wenn er befehle [!] / das solle geschehen. (*Brez*: Lust-Garten. 1720. S. 47)

Auffällig ist, daß die Verpflichtung Jesu und Mariens zur Erfüllung der von Joseph weitergereichten Bitten nicht aus seinem Schutz und Beistand auf der Flucht und im Exil in Ägypten abgeleitet wird, als vielmehr seiner Autorität als Familienoberhaupt entspringt. Die in den Alltagsszenen betonte Gehorsamspflicht der Hausmutter und des Kindes begründete die Zuverlässigkeit von Josephs Fürbitte und galt geradezu als eine Garantie für ihre Wirksamkeit:

> [...] aber Joseph der allerheiligste Nehr-Vatter kan und will in allen Nöthen Hülff reichen / und da es anderen Heyligen erlaubt ist / vor GOtt niderzufallen / und bitten / ist es erlaubt dem heiligen Joseph; als einem Vatter vor Gott zu stehen und gleichsamb mehr mit ihm gebiete[n] als bitten [...]. (*Abr. a S. Cl.*: Paradeyß-Blum Joseph. (S. XXI))

> Hab also wohl befügt gnugsam Ursach zu glauben und zu sagen / daß nechst der übergebenedeyten Himmels-Königin Maria / Joseph seye der höchste Heilige / der höchste Patron / und Fürsprecher der armen Sünder bey GOtt / dieweilen / wo andre Heilige müssen bitten / er gleichsam befehlen kan / dieweil er so weit / wie auf Erden / also noch im Himmel die gröste [!] Gewalt hat / [...]. (*Brez*: Lust-Garten. 1720. S. 68)

So galt der Satz ,er war ihnen untertan' in gewisser Weise auch im Himmel. Josephs Autorität blieb trotz der Göttlichkeit Jesu erhalten und verpflichtete diesen, auf seine Bitten einzugehen, während die Fürsorge Josephs, die er dem Kind Jesus entgegengebracht hatte, nun auf die Gläubigen übertragen wurde:

> Dir / O du mein lieber Fürsprecher / mein getrewer Beschirmer / mein außerwöhlter Vatter [!] / sey alles anbefohlen. Nicht wollest mich dein Pfleg-Kind / O H. Joseph / jemahl verlassen. (*Nakatenus*: Palm-Gärtlein. Köln 1737. S. 387)[123]

Diese patriarchale Fürsorge Josephs für das ,Kind' definierte die Beziehungen in der ,*geistlichen Haushaltung*', wie sie im Kult um die Loreto-Heiligtümer zu finden ist, genauer. Das alttestamentliche Zitat ,*Ite ad Joseph*' (Gen. 41,55) wies ihn zusätzlich als Beschützer und Zuflucht der Gläubigen aus, eine Rolle, die er schon in den bekannten biblischen Fluchtszenen innehatte. Dem entspricht die Entwicklung des Josephsstoffes im Jesuitendrama. Während die frühen Stücke noch der narrativ-apokryphen Tradition folgten (IESVS MARIA JOSEPH. München 1636. S. IOSEPHVS. Solothurn 1648.), stellte das 1653 in Feldkirch aufgeführte Drama ,PATROCINIVM DIVI IOSEPHI' den Nährvater Jesu als väterlichen Beschützer der Jugend dar[124], auf dessen Fürbitte hin der von ungläubigen Kameraden verführte Parthenophilus wieder auf den rechten Weg des Glaubens gebracht wird[125].

Die Idee des Schutzes machte ihn – neben Maria – für Österreich zum hervorragendsten Heiligen gegen den Unglauben und die Häresie, die Pest – 1679 grassierte sie in Wien – und die Türkengefahr, die besonders die Südostflanke des Habsburger Reiches bedrohte[126] und deren Höhepunkt die Belagerung Wiens 1683 darstellte[127].

Sowohl die Pestepidemie als auch die Türkenbelagerung verstärkten das Gefühl der Schutzlosigkeit, zumal Leopold I. zu beiden Anlässen mit seinem Hof aus der Stadt floh und seine Untertanen ,allein' ließ[128]. Diese für die Österreicher durch Katastrophen und Verlassenheit charakterisierte Zeit forderte geradezu einen Schutzheiligen zusätzlich zu der Madonna (vom Siege!), der durch seinen menschlichen Charakter dem Katastrophenerlebnis adäquat begegnen konnte, gleichzeitig aber auch an so hervorragender Stelle in der Heiligenhierarchie stand, daß er als zuverlässiger Vermittler der Bitten an Jesus und Maria wirken konnte.

Mit der zunehmenden Profilierung des hl. Joseph wurde er zum persönlichen Schutzherrn der Herrscherfamilie, die sich in ihren Bitten besonders um das Leben ihrer Thronfolger und damit um den Erhalt ihrer Dynastie bemühte. Zum allgemeinen Wunsch nach Frieden, der sich in dem Titel ,*conservator pacis*' anläßlich der Unterschutzstellung Böhmens unter sein Patrozinium durch Ferdinand III. 1654 ausdrückte, gesellte sich die Sorge um den Erhalt der Dynastie, die die Habsburger auch in ihren individuellen Wünschen für ihre Familienmitglieder an den Heiligen band. So wurde der hl. Joseph vom distanzierten Bewahrer des Friedens in der Zeit der konfessionellen Konfrontationen zum fürsorglichen Vater des Herrscherhauses und seiner Untertanen.

6.3.4 Namens- und Schutzpatron

Parallel zu den oben beschriebenen inhaltlichen Entwicklungen läßt sich eine Intensivierung der Josephsverehrung beobachten, die sich sowohl in den Bruderschaften als auch in der Namensnennung niederschlug, initiiert durch die Aufnahme des hl. Joseph in den kirchlichen Festkreis (1621) und durch die Propaganda der Jesuiten, Kapuziner und Karmeliter.

Schon der koptische Bericht vom Josephstod, die ,*Historia Josephi, fabri lignarii*', wies die Gläubigen an, ihren Kindern den Namen Joseph zu geben:

> [...], wenn [d]er einen Sohn zeugt und seinen Namen Joseph nennt, indem er deinen Namen Ehre erweist, so sollen Hungersnot und [...] Seuche [...] nicht in jenem Hause entstehen, weil dein Name dort wahrhaft wohnt. (*Hist. Jos.* XXVII. zitiert nach *Morenz* 1951. S. 22)[129]

Zum Beweis für die Schutzkraft des hl. Joseph als Patron berichtet Abraham a Sancta Clara in seiner Festpredigt von 1675 von einem Kind mit Namen Josepherl, das durch den Beistand seines Namenspatrons in den Flammen eines brennenden Hauses unversehrt blieb (*Abr. a S. Cl.*: Paradeyß-Blum Joseph. (S. XX))[130].

Vereinzelt tauchte der Name Joseph in den Taufregistern schon vor 1621 auf, doch erst nach der Erhebung des

Josephstages zum kirchlichen Feiertag häuften sich z. B. in Tirol die Taufen auf diesen Namen (*Hochenegg* 1965.)[131], vorzugsweise bei Geburten im Josephsmonat März. Prominentester Vorläufer dieser Bewegung war der Prämonstratenser Hermann v. Steinfeld (2. Hälfte 12. Jhdt. – 1241), der sich nach einer Kind-Jesu-Vision Hermann Joseph nannte, um so seine enge Verbundenheit mit Jesus und Maria zu bekunden (s. S. 137).

Initiatoren für die allgemeine Verbreitung des Namens Joseph in der Neuzeit waren – selbst angeregt durch die kirchliche Förderung des Josephskultes in den katechetischen Orden – die verschiedenen katholischen Dynastien, die durch die Unterschutzstellung ihrer Häuser unter den hl. Joseph und die von ihnen praktizierte Namensgebung für ihre Kinder ihren Untertanen ein Vorbild gaben und somit hervorragende Propagandisten dieses Namens waren[132].

Vor allem die Habsburger und Wittelsbacher, deren Dynastien sich und ihre Untertanen schon im 17. Jahrhundert ausdrücklich unter den Schutz des Nährvaters Jesu begeben hatten, bevorzugten den Namen Joseph, wenn auch in den meisten Fällen nicht als Rufnamen, sondern als weiteren Taufnamen ihrer Kinder, wie es bei den Wittelsbachern und bei den Söhnen der Kaiser Leopold I., Joseph I. und Karl VI. (*Matsche* 1981. I. S. 187) zu beobachten ist. Die Töchter benannte man meist mit der weiblichen Variante ,Josepha'[133]. Neben den beiden Wittelsbachern Joseph Klemens (* 1671) und Joseph Ferdinand (* 1728) wurden die beiden Habsburger Kaiser Joseph I. und Joseph II. als Thronfolger unter die besondere Obhut des hl. Joseph gestellt, der nicht nur Schutzherr der Erb- und Kronlande, sondern auch persönlicher Patron der Dynastie war.

Die Namensgebung Josephs I. ist z. B. ein Zeugnis der besonderen Dankbarkeit seines Vaters Leopold I., der, nachdem er schon zwei männliche Erben verloren hatte, den hl. Joseph um den Erhalt seines dritten, 1678 geborenen Sohnes und sehnlich erwarteten Thronfolgers bat[134]. Ein Anonymus schrieb dazu in einer 1721 in Nürnberg erschienen Biographie Kaiser Karls VI.:

Warum aber alle Kinder des Kaysers Leopold, [...] deren 15 [...] an der Zahl, Desgleichen des Kaysers Josephs 3. Kinder selbst von dem heiligen Joseph zugleichen einen Namen mitgeführet, wobei noch alle Ertz = Hertzoginnen Maria haben ist die Ursache diese: Daß solches aus Andacht geschahe, welche Leopold Zeit seines lebens gegen diesen Oesterreichischen Schutz-Heiligen bezeiget; Dahero er dann bei Abgang aller männlichen Erben dieses Gelübde that, sie alle Joseph zu nennen, wenn er durch dieses Heiligen Vorbitte einen Printzen von Gott erhalten würde. (*Wunderwürdiges Leben und Groß-Thaten ihreo Jetzt-Glorwürdigste-Regierenden Kayserl. Majestät Caroli des Sechsten. ...* Nürnberg 1721. S. 199. zitiert nach *Matsche* 1981. I. S. 187)

Die Wahl des Taufnamens Joseph bzw. Josepha bei den Habsburgern und Wittelsbachern konnte auch als Zeichen der persönlichen Verbundenheit mit den Eltern und Großeltern gewertet werden. In vier Fällen erhielten z. B. die Enkelkinder Kaiser Josephs I. den Namen Joseph[135] und auf diese Weise wurde auch die dynastischen Verbindung der Häuser Habsburg und Wittelsbach und ihre ,frommen Vorlieben' hervorgehoben, die im Falle Habsburgs ihren Ausgangspunkt schon im frühen 16. Jahrhundert nahmen.

Auffälligerweise gingen der Ausrufung des hl. Joseph zum Landespatron von Böhmen (1654) die Geburten Karl Josephs (* 1649) und Eleonore Maria Josephas (* 1653) – der Initiatorin der Limbacher Wallfahrt – voraus. Maria Anna Josepha wurde im Jahr der Erhebung zum böhmischen Landespatron (1654) geboren. Sie vereinigt fast die ganze Hl. Sippe in ihren Namenspatronen[136], während ihre ältere Schwester Eleonore Maria Josepha neben dem Namen ihrer Mutter ,nur' die der Eltern Jesu trug.

Auf diese Weise propagierten alle erzherzoglichen und kurfürstlichen Namensträger die dynastisch motivierte Josephsverehrung, da damit gerechnet werden konnte, daß die Untertanen in der Benennung ihrer Kinder dem Vorbild des Herrscherhauses folgen würden, bei denen sich nachweislich – erinnert sei nur an Joseph I. – der Nährvater Jesu für das Wohl seines Schützlings eingesetzt zu haben schien[137].

Diese Propagierung war umso stärker notwendig, da der Kult des hl. Joseph als Landespatron in Konkurrenz zur Verehrung der alten Landespatrone trat. Für Tirol galten z. B. der hl. Georg und der hl. Cassian als Landespatrone[138]. In dem zur Einweihung der Münchner Michaelskirche des Jesuitenkollegs (1597) aufgeführten Drama wurde der Erzengel Michael – als Personifikation der gegen Laster, Ketzerei und Tyrannei kämpfenden (katholischen) Kirche – zum Patron und ,*archangelus Bavaricus*' (*Kat. Wittelsbach und Bayern* 1980. II,2. S. 57. Nr. 80. *Duhr* 1907–1928. I. S. 347 f. *Szarota* 1979–1987. I,1. S. 34)[139] ausgerufen. Und noch 1663, im Jahr der bayerischen Josephserhebung, wurde der hl. Leopold, Vorfahr der Habsburger, zum Landespatron Österreichs erhoben (LCI. VII. Sp. 400 ff. *Matsche* 1981. I. S. 184 f), dem man 1675 den hl. Joseph zur Seite stellte. Während der Nährvater Jesu als Schutzpatron der katholischen Welt quasi einen überregionalen Geltungsanspruch hatte, galt der hl. Leopold als ureigenster Patron Österreichs, der als ,heiliger Vorläufer' der Dynastie die Habsburger in einer von Kaiser Maximilian I. konstruierten „*Sipp- Mag- und Schwägerschaft*" (*Laschitzer* 1889.) mit dem Heiligenhimmel verband und ihren besonderen Anspruch als ,katholische' Dynastie begründete. Die österreichischen Habsburger verstanden es, beide Patrone nebeneinander zu verehren[140], wie z. B. die gleichberechtigte Stellung der 1679 errichteten Josephs- und Leopoldsbrunnen neben der Dreifaltigkeitssäule (Pestsäule) bezeugt (*Matsche* 1981. I. S. 187. vgl. außerdem die Josephs- und die Leopoldspredigt von *Abr. a. S. Cl.* In: Reimb dich. 1675 bzw. 1695).

Der genealogische Aspekt in der habsburgischen Frömmigkeit ließ auch das Geheimzeichen Kaiser Friedrichs III. ,AEIOU'[141] für die Etablierung der Josephsverehrung nutzbar erscheinen. So deutete Abraham a Sancta Clara das zur Habsburger Devise gewordene Vokalzeichen als ein schon von dem 1485 heiliggesprochenen Markgrafen Leopold III. (1075–1136) benutztes Motto: „*Austriacis Ego Incessanter Opitulabor Votis – Aller Eyffer Ist Öesterreich Voll*" (*Abr. a S. Cl.*: Astriacus Austriacus. (S. III))[142], das endlich durch die Hinwendung Österreichs zur Josephsverehrung seine wahre Bedeutung eröffne. Durch diese Vordatierung erfuhr das Zeichen eine sinnfällige Aufwertung, da es nun mit dem heiligen Gründer der Dynastie[143] in Verbindung gebracht wurde, der – wegen seiner Frömmigkeit gerühmt – zum Ausgangspunkt der *Pietas Austriaca* erklärt wurde und in dessen Tradition sich alle Habsburger wußten. Obwohl Leopold I. die wahre Herkunft des Vokalzeichens bekannt sein mußte[144], wird er keine Einwände gegen diese Verwendung der Habsburger Devise gehabt haben, zumal Abraham a Sancta Clara mit seiner Deutung in einer langen Tradition stand, die schon zu Lebzeiten Friedrichs III. aufgekommen war[145].

Wie bei der Erhebung des hl. Joseph zum Landespatron, so waren Habsburger und Wittelsbacher auch in der Namensgebung ihrer Kinder die Vorreiter, denen die anderen katholischen Fürstenhäuser nicht unbedingt folgten[146]. So wählte z. B. die katholische Pfälzer Linie zwar verspätet 1753 den hl. Joseph zum Landespatron (*Brückner* 1958. S. 120. Anm. 530), nicht aber – trotz enger Verbindungen mit den Wittelsbachern – zum Namenspatron ihrer Kinder. Nur in der Linie Sulzbach[147] erscheint mehrfach der Name Joseph.

Für die Habsburger, durch ihre enge dynastische Verbindung mit Spanien besonders gut mit der Josephsverehrung der hl. Theresa von Avila vertraut, deren Orden, die Karmeliter, den Josephskult schon frühzeitig in Wien förderten[148], war der Nährvater Jesu hingegen mehr als ,irgendein' Heiliger. Schon in dem speziell für Karl V. anläßlich seiner Krönung zum spanischen Herrscher hergestellten Stundenbuch von 1516[149], das im Auftrag des flandrischen Hofes – vielleicht sogar direkt im Auftrag seiner Tante Margarete v. Österreich – entstand, leitet eine Miniatur des hl. Joseph mit dem Jesuskind den Abschnitt der Heiligensuffragien ein (*Irblich* 1988. S. 19–23) und verdeutlicht so, daß den Habsburgern der hl. Joseph als der hervorragendste Heilige unter allen anderen galt.

In ihm und in der Marien- und Hl. Familie-Verehrung manifestierte sich ca. 150 Jahre später ihr gegenreformatorisches Programm, ihr Willen zur Stärkung der katholischen Konfession als einer Art ,Staatsreligion', an der sich einerseits die Loyalität der Gläubigen zur Dynastie ablesen ließ und die auf der anderen Seite den Macht- und Herrschaftsanspruch dieser Dynastie als dem einzig wahren, christlich-katholischen Herrscherhaus legitimierte[150]. Diese Idee wurde in der Muttergottes, der Hl. Familie und dem hl. Joseph personalisiert und personifiziert.

Auch die anderen katholischen Herrscherhäuser förderten den Josephs- und Hl. Familie-Kult oder verhielten sich wenigstens wohlwollend gegenüber diesen Verehrungsformen. Die Wittelsbacher wählten den ersten Weg, der nicht nur aus konfessionellen und dynastischen Gründen nahelag, sondern auch der engen geographischen Verflechtung des Habsburger mit dem Wittelbacher Gebiet Rechnung trug. So gab es zahlreiche österreichische Enklaven auf bayerisch-schwäbischem Territorium, zu denen z. B. auch das Gebiet um Burgau mit dem Wallfahrtsort Limbach gehörte.

Dem Habsburger Ansinnen, die Ausrufung des hl. Joseph als Landespatron der gesamten österreichischen Erb- und Kronlande 1675 auf das ganze Reich als ,*thaumaturgicus Germaniae patronus*' (*Steichele/Schröder* 1864–1939. IX. S. 523)[151] auszudehnen, brachten die anderen katholischen Gebiete weniger Interesse entgegen. Zwar konnte Leopold I. vom Mainzer Erzbischof Damian Hartrand von der Leyen eine Zusage zur Förderung der Josephsverehrung in den zur Mainzer Kirchenprovinz gehörenden Bistümer Würzburg, Speyer, Eichstätt, Augsburg, Konstanz, Hildesheim und Paderborn sowie vom Bistum Chur erlangen, doch reagierten die Fürsten selbst nicht ausdrücklich mit der Erhebung des hl. Joseph zum Landespatron ihrer Gebiete.

Trotzdem richtete Leopold I. nach der Zusage der Bistümer eine Bitte an den Papst, den hl. Joseph zum Patron aller katholischen Länder des Heiligen Römischen Reiches zu erheben, die ihm 1676 gewährt wurde (*Hochenegg* 1965. S. 37). Noch im gleichen Jahr erfolgte die Weihe der ,Kammer-Kapelle' in der Wiener Hofburg zu Ehren des hl. Joseph (*Matsche* 1981. I. S. 187).

6.3.5 Die Vision: Der Paradiesgarten Österreich

Die zentrale Metapher, um die Abraham a Sancta Clara in seiner Josephspredigt alle weiteren Überlegungen organisierte, war – wie wir gesehen haben – der schöne, schattenreiche Garten des Hohen Liedes, Sinnbild für die Kirche mit Jesus als Gärtner und den Heiligen, Propheten, Patriarchen, Aposteln, den heiligen Jungfrauen, Witwen und Eheleuten, denen jeweils Blumen und Pflanzen mit meist sprechenden Namen zugeordnet wurden. Zentrum des Gartens ist die *rosa mystica*, die Rose ohne Dornen, Maria. Die Blumen leben durch das Blut Christi als *aqua vitae* und durch die göttlichen Sonnenstrahlen (*Abr. a S. Cl.*: Paradeyß-Blum Joseph. (S. I f)). Dem Bild folgend hatte Kaiser Leopold I., entsprechend der absolutistischen Monarchenauffassung von der Unmittelbarkeit des Herrschers

71

78. Tobias Sadeler: Der hl. Joseph. Titelkupfer zu: *Abraham a S. Clara*: Paradeyß-Blum Joseph.
Wien 1675. (Wien, Stadt- und Landesbibliothek)

155

zu Gott, durch göttliche Offenbarung[152] die weiße Lilie Joseph als Schutzpatron für sein Reich auserwählt[153].

Auf diese Weise engte Abraham a Sancta Clara die Gartenmetapher scheinbar auf die österreichischen Erb- und Kronlande ein und führte sie von der Institution Kirche und dem Abstraktum der mystischen Gemeinschaft auf einen konkreten Raum zu. Zwar spricht er diese Identifikation des Gartens mit Österreich nicht explizit aus, dennoch zielt seine ganze Predigt – neben der Charakterisierung und Profilierung des hl. Joseph – auf diese Deutung ab, um so nicht nur die Erhebung Josephs zum österreichischen Landespatron zu legitimieren, sondern auch um das habsburgische Reich und seine Dynastie in außergewöhnlicher Weise aufzuwerten und als christlich-katholisches Reich par excellence darzustellen[154]. Dadurch, daß der Garten bei Abraham a Sancta Clara sowohl das Paradies als auch die Kirche ist, kann auch Leopold I. mit seinem Reich und seinen Untertanen in dieses Blumenreich der Heiligen eingeführt werden[155] und handeln[156].

So fallen das Paradies, die Gemeinschaft der Kirche und der konkrete geographische Raum des Habsburger Reiches zusammen. Die Identität der Orte verschiedener Qualität wird sowohl durch die ausdrücklich beschriebene Nähe Leopolds I. zu Gott als auch durch den heiligmäßigen Lebenswandel der Erzherzogin Margaretha verstärkt[157]. Auch sie gehört zu den Blumen des Gartens – ihr wird in Anlehnung an ihren Namen die Margarite zugeordnet –, und sie demonstriert durch ein Mirakel nach ihrem Tod, in dem die heraldischen Farben Österreichs (rot und weiß) als Zeichen ihrer Scham und Jungfräulichkeit eine Rolle spielen, daß die Habsburger nicht nur als Bienenkönige, sondern auch als Blumen zum Paradies-Garten gehören. Sie stehen in besonderer Nähe zu all den Heiligenblumen der katholischen Kirche, ja sie sind ihnen z. T. sogar gleich.

Die sakrale Dimension der Dynastie Habsburg veranlaßte Abraham a Sancta Clara, die Methode der christlichen Typologie auch auf das österreichische Herrscherhaus anzuwenden. Demnach zeigte sich die Präfiguration für die Wahl des hl. Joseph zum Landespatron Österreichs schon im Hofgarten Kaiser Karls V., dem „*Österreichischen Hercules*" (*Abr. a S. Cl.*: Paradeyß-Blum Joseph. (S. XVII))[158]. Dort sollen auf einem Stengel zwei Lilienblüten zu unterschiedlicher Zeit geblüht haben, und dies wurde – so berichtet Abraham – als Zeichen für einen Guten Tod Karls V. gedeutet.

Der Antitypus zu Karl V. ist Leopold I., der von Abraham a Sancta Clara in einer auffällig ungenauen Sprache mit dem ‚Busch-Krug' der Lilie Joseph in Zusammenhang gebracht wird (ebda. (S. XVII)). Zwar findet keine ausdrückliche Identifizierung statt, doch liegt diese Deutung nahe, wenn man das Titelblatt zu der Josephspredigt in die Interpretation miteinbezieht[159].

Das Titelkupfer, das mit der ersten Auflage der Predigt 1675 erschien, zeigt uns den ‚habsburgischen Paradies-

78

Garten mit der weißen Lilie Joseph'. In dem von einer Blumengirlande umgebenen Oval erblicken wir im Zentrum einen Brunnen, in dessen Bassin auf einem Kapitell sich eine Vase, der ‚Busch-Krug', erhebt. Aus ihr erwächst als einzige Blume die Lilie Joseph.

Die enge Verbindung von Attribut (Lilie) und Heiligennamen (Joseph = accrescens) spiegelt der Kupferstich anschaulich wider, denn aus der Blumenblüte wächst die Büste des hl. Joseph empor, ein Bildmotiv, das schon im *XVII* Spätmittelalter für die Muttergottes und andere Heilige verbreitet war. Auf dem Arm trägt Joseph in der Manier der Madonnenstatuen das Jesuskind. Beide sind sowohl einzeln als auch als Gesamtheit von einem Strahlenkranz umgeben.

Auch den hohen Wuchs der Lilie – nach Johannes Gerson und Abraham a Sancta Clara die Bedeutung des Namens Joseph – rezipiert das Bild in einem langen Blumenstengel, der in der Vase steht. Diese ist nicht nur mit dem Habsburger Wappen, sondern auch mit den Initialen des Kaiserpaares geschmückt: L für Leopold I. und C für seine Gattin Claudia Felizitas. Die Initialen sind nicht nur Schmuck, sie bezeichnen vielmehr die Vase, aus der die weiße Lilie Joseph wächst.

Das Titelbild bestätigt somit die Vermutung, daß mit dem Bild des ‚Busch-Krugs' Leopold I. bzw. das Kaiserpaar identifiziert wurde[160], die von Abraham a Sancta Clara als Träger der so segensreichen Josephsverehrung präsentiert wurden.

> Glückseelig deßwegen bist heut Allerdurchleuchtigstes Ertzhaus / also / d[a]z man gar woll von dir kan sprechen / hodie salus domui Austriacae facta est: heut ist dem Hauß Oesterreich heyl widerfahren [nach Lc. 19,9]; weil an demselbigen ist auffgestellt worden die schöne auß dem Hof-Garten [!] deß höchsten GOttes schneeweisse Lilien / so künfftiger Zeit einen unvergleichlichen Gnaden-Geruch von sich wird geben. (*Abr. a S. Cl.*: Paradeyß-Blum Joseph. (S. XXI))

Die Lilie Joseph wurde also von Gott aus dem Paradies nach Österreich versetzt, das im Titelkupfer der Predigt durch die von Putten gehaltenen Wappen der einzelnen Landesteile mit dem abgebildeten Garten identifiziert werden kann. Über der gesamten Komposition breitet der Reichsadler beschützend seine Fittiche aus, in den Fängen das Schwert und das Szepter, im Schnabel aber das Motto von Abrahams Josephspredigt, das sowohl auf Gott als auch auf Leopold I. bezogen werden konnte.

Die hohe allegorische Bedeutung, die Abraham a Sancta Clara dem österreichischen Herrscherhaus zugestand, muß sowohl unter dem Blickwinkel des habsburgischen Selbstverständnisses als katholischer Dynastie als auch unter dem Blickwinkel von Abrahams besonderem persönlichen Interesse gesehen werden. Denn diese Predigt war nicht im Auftrag des Herrscherhauses entstanden. Offensichtlich sollte die offizielle Festpredigt von einem

Prediger eines anderen Ordens als dem der Unbeschuhten Augustiner gehalten werden. Abraham a Sancta Clara aber verfaßte trotzdem seine Josephspredigt und überreichte sie dem Kaiser zur feierlichen Erhebung Josephs zum Landespatron (*Kat. Abr. a S. Cl.* 1982. S. 98).

Der Lobpreis Österreichs muß also z. T. auch auf die Intention Abrahams zurückgeführt werden, seinem weltlichen Herrscher zu gefallen und die Konkurrenz aus dem Felde zu schlagen. Die Predigt war so erfolgreich, daß sie noch im selben Jahr nachgedruckt werden mußte und auch in der 1684 erschienenen Predigtsammlung ‚*Reimb dich / oder Ich liß dich*‘ nochmals aufgelegt wurde[161]. 1677 bestellte Leopold I. Abraham a Sancta Clara zu seinem Hofprediger.

Fassen wir zusammen, so ergibt sich eine Häufung der Bedeutungsvarianten für die Gartenmetapher, die nicht nur im theologisch-exegetischen Bereich ihre Facetten zeigt, sondern auch eine politisch-katholische Dimension hat.

Das Bild des Gartens stand nicht nur für die Kirche, die Jungfräulichkeit Mariens, das Paradies, den Garten Eden, sondern diente Abraham a Sancta Clara auch als Allegorie auf die Habsburger Dynastie und ihre gesamten Erb- und Kronlande. In ihnen manifestierte sich visionär das christlich-katholische Paradies auf Erden, der wiedergefundene Garten Eden, der sich nach der Genesis ebenfalls auf der Erde befunden hatte[162].

In der Vision wurde mit der Identifikation Österreichs mit dem Paradies den habsburgischen Untertanen quasi der Weg zurück zur Genesis gewiesen. Sie konnten sich vielleicht sogar als Prädestinierte verstehen. Der Weg führte zurück zur Einheit des Menschen mit Gott, personifiziert in Leopold I.; zurück zu dem Zustand vor dem Sündenfall, der sich nach katholischer Doktrin im Protestantismus als zweitem Abfall von Gott in schlimmster Weise wiederholt hatte.

Gegenüber dieser Zerrüttung im Verhältnis von Gott und Mensch ist das Paradies die heile Welt, das Ziel, das sich auf der Erde nur in Österreich unter den Schutzheiligen Maria und Joseph und unter der Ägide Leopolds I. verwirklichen läßt. Auf diese Weise hat die Dynastie Anteil an der Heilsgeschichte. Der hl. Joseph, 1654 als *conservator pacis* zum Patron des Königreichs Böhmen gewählt, wandelte sich mit zunehmender Profilgewinnung im Laufe von etwa zwanzig Jahren zum vertrauten *pater* der österreichischen Herrscherfamilie, der Dynastie, ihres Reiches und ihrer Untertanen. Die Gartenmetapher in Abrahams Josephspredigt aber ist – angewandt auf Österreich – als Anspruch und Programm einer katholischen Dynastie zu verstehen, die nach ihrem Selbstverständnis durch ihre Frömmigkeit und ihre Genealogie direkten Anteil am Heilsgeschehen hatte.

7 Das Gut-Tod-Patrozinium der Hl. Familie

Das größte ‚Risiko‘ eines Christen war ein schlechter, d. h. ein plötzlicher, unvorbereiteter Tod ohne göttliche Gnade und göttliches Erbarmen, als dessen Folge, wenn nicht die ewige Verdammnis, so doch wenigstens langandauernde Qualen im Fegefeuer galten. Aus dieser Vorstellung heraus bemühte man sich auch, durch fromme Vorleistungen und die Fürsprache der Heiligen die zukünftige, auf jeden sündigen Menschen zukommende Sühne im Fegefeuer zu verkürzen[1].

Wie dringlich diese Fürsprache den Gläubigen schien, zeigt das Vorwort des Herausgebers Johann Volmer zu Georg Voglers ‚*Trostbronn*‘ (Würzburg 1624)[2]. Nach der Widmungsformel an die Bürgermeister von Würzburg – Julius Boxberger und Sebastian Rücklen – und den Rat der Stadt führt Volmer seine Vorrede fort:

> Wol und recht sterben / [...] / ist bey uns Christen die aller edleste Kunst / welche jedermänniglichen verwandt und bekannt seyn soll: An dieser / Kunst hangen die allerhöchste unnd ewigwerende Güter: Diese Kunst macht heylige Gottwolgefellige / Ja so unerschrockene dapffere Leut / daß / wo sich schon sehen liesse der grimmige unbarmhertzige Todt / selbsten mit seinen gifftigen Pfeilen / wan schon daher käme das schröckliche auff ihn volgende Urtheil Gottes / der entsetzliche Richterstuel / von welchem sonst kein Hülff noch Trost den Verdampten zu finden: Wann schon auff ihren Köpfen der gestrenge Richter / und under den Füssen der Höllen Schlundt sich auffsperte / alle Teuffelische Geister tobeten / sie doch in grossen Frewden und Ergetzlichkeiten verblieben. Es ist ein Kunst über alle Künsten / ein Kleinodt über alle Kleinodien: (*Vogler*: Trostbronn. Würzburg 1624. Dedikation ohne Seitenzählung (S. I f))

Nach dieser Beschreibung des Szenariums, das die Seele des Abgestorbenen erwartet und der Preisung der Vorzüge eines gottgefälligen Todes, der *ars moriendi*, folgt auf dem Fuße die Ausmalung der Schrecken eines unvorbereiteten und damit gottlosen Todes (ebda. (S. III f))[3]. Den Abschluß bildet die Aufforderung zur christlichen Ritterschaft[4] und zur Vorbereitung auf den Tod, nicht zuletzt mit Hilfe des von dem geschäftstüchtigen Volmer verlegten ‚*Trostbronn*‘ (ebda. (S. V f)).

Wie wenig – nach Meinung der Geistlichkeit – der Sterbende normalerweise mit der Gebetshilfe seiner Umgebung rechnen konnte, um durch diese zusätzliche Hilfe in die Aussicht eines Guten Todes zu gelangen, beklagte der anonyme Autor des Bruderschaftsbuches der Prager JMJ-Bruderschaft von 1694:

Wann ein reicher oder fürnehmer Herr stirbt, so heulen und weinen Weib und Kinder, und die Geistliche haben gnug zu thun, sie zu trösten. Die Freund stehen um die Leich, beklagen den betrüblichen Todfall und erzehlen, was sie von den [!] Todten gesehen und gehört haben. Die andere Haußgenossen seynd beschäfftiget die Trauerkleyder zu verschaffen und alles zur prächtigen Leichbegängnuß anzuordnen, wenige aus allen siehet man die betten, die zu der armen, in das Feuer gefallen Seelen lauffen, und sie eylends zu erretten suchen. Wann ein solcher um die Mittag stirbt, kan man auch keine H. Meß für ihn lesen, biß auf den künfftigen Morgen, sondern die arme betrübte Seel muß ohne besondere Hülff und Trost in denen grimmigen Feuer-Flammen biß über das Haupt versencket liegen und brennen. Wann aber ein Armer stirbt, so hat dieser noch weniger Hülff und Trost: dieweil wegen seiner Armuth niemand ist, der sich wegen seines Todts bekümmere, vielweniger für ihn bette, oder eine Heil. Meß lesen lasse. (*Bruderschaffts Büchlein*. Köln 1716. S. 22. *Regeln der heil. Bruderschaft*. (um 1800). S. 16)

7.1 Jesus, Maria und Joseph als Sterbepatrone

Was lag näher, als in der elementaren Gefahr des Todes die drei höchsten heiligen Personen, Jesus, Maria und Joseph, anzurufen. Bei der Anrufung dieser hervorragendsten Heiligen mußte die Bitte um Beistand und Hilfe erfolgreich sein, zumal sich die Gläubigen als ‚Kinder' der Muttergottes und des Vaters der Gläubigen, Joseph, auf einer persönlichen Ebene mit ihnen verbunden fühlten.

79 Als Vorläufer dieser Entwicklung spiegelt schon das Titelkupfer zu Voglers ‚*Trostbronn*' diese spezielle Fürbitt-Situation wider, die allerdings weniger von der familiären Fürsorge der Hl. Familie für den Sterbenden als von der Heiligenhierarchie bestimmt ist. Sie stellt das christliche Sterben in ihr Zentrum, ohne jedoch auf die Hl. Familie als Gruppe einzugehen. Vielmehr kann die Hl. Familie nur durch die Addition der Muttergottes und des hl. Joseph mit dem Gekreuzigten abstrakt konstruiert werden. Doch schon hier treten Maria und Joseph unmittelbar und gleichberechtigt nebeneinander als Fürbitter auf, die Art ihrer Fürbitte wird durch die Titelkartusche und noch mehr durch die begleitenden Heiligen und Engel genau definiert.

Das horizontal dreigeteilte Bild zeigt in der obersten Ebene die Fürbitte der Heiligen vor Gott, dargestellt als Gnadenstuhl; Gottvater mit einem quadratischen Nimbus als Zeichen der Vollkommenheit, der gekreuzigte Christus als Brunnen des Lebens, an den Tod und Teufel gekettet sind. Maria und Joseph knien Fürbitte haltend und flankiert von der hl. Barbara (ebenfalls Gut-Tod-Patronin) und dem hl. Petrus (mit den Schlüsseln zum Himmel) vor Gott. Das Tertium comparationis ist die besondere Wirksamkeit ihrer Fürbitte im Falle des Todes, so daß wir – ähnlich wie

z. B. bei den 14 Nothelfern – an eine *Sacra Conversatione* erinnert werden. Auf der mittleren Ebene stehen rechts und links der Titelkartusche Engel, der eine, Gabriel, mit der Siegespalme und Martyrerkrone, der andere, Michael, mit der Seelenwaage und dem Richtschwert begleitet von den Rufen „*subvenite sancti*" (Heilige, steht uns bei) und „*occurrite angeli*" (Engel, eilt uns entgegen). Auf der untersten Ebene entspricht dem Erzengel der Verkündigung mit der Siegespalme und der Martyrerkrone (Gabriel) das Martyrium des hl. Johannes d. T., dem Erzengel der Vertreibung aus dem Paradies mit Schwert und Seelenwaage (Michael) der Tod des hl. Franz Xaver. Motto der unteren Illustrationen ist eine Zeile aus Psalm 117: „*Non moriar sed vivam*" (Ps. 117(118),17).

79. Titelkupfer zu: *Georg Vogler* (SJ): Trostbronn, Mariae und Joseph, … Würzburg 1624. (Trier, Stadtbibliothek)

Maria und Joseph sind in diesem Bild nur Fürbitter im Himmel und übernehmen noch nicht – wie später – die ursprünglich auf den Erzengel Michael festgeschriebene

Funktion der Seelenbegleitung. Sie sind ganz auf die himmlische Ebene fixiert, während dem Gläubigen als Exempel für einen gottgefälligen Tod Johannes d. Täufer und der Jesuitenheilige Franz Xaver vor Augen geführt werden[5].

Schon ein Jahr später empfahl Georg Vogler in seinem Katechismus ausdrücklich die Anrufung der Hl. Familie in der Todesstunde und führte als Beleg das Exempel des siebenjährigen *„Michael Ayatumus geb. auf Boholana (Philippinische Insel)"* (*Vogler*: Catechismus. Würzburg 1625. S. 45) an, das er – zum Beweis für die schon früh praktizierte Übung – in das Jahr 1600 verlegte. In diesem Exempel berichtet Vogler von dem Jungen, daß er *„[...] nach dem er die letzte Oelung empfangen / in Anruffung der süssen Namen Jesus / Maria und Joseph [...]"* (ebda. S. 48) an den Folgen eines Unfalls (recht) gestorben sei.

In ähnlicher Weise wählte 70 Jahre später die Prager Seelenbruderschaft nicht wie sonst üblich den leidenden Jesus (wie in den Corpus-Christi-Fraternitäten), den Erzengel Michael (als klassischen Seelenbegleiter) oder die hl. Barbara zum Patron ihrer Gemeinschaft, sondern die Hl. Familie. In ihrem Bruderschaftsbuch bzw. in dem der von ihr abhängigen Walldürner Fraternität findet sich kein Hinweis, daß diese Wahl aus den Viten Marias oder Josephs entspränge. Dementsprechend wird auch nicht auf die Geschichte von Josephs Tod aus dem koptischen Bericht verwiesen. Doch geben diese Andachtsbücher auf die Frage nach den Gründen für diese Patroziniumswahl eine eindeutige Antwort; in dem täglichen Morgengebet zu Jesus, Maria und Joseph heißt es lapidar:

> Es ist kein Heiliger im Himmel der mir grössere Gnaden geben und erlangen kan, als eben ihr: [...]. (*Regeln der Heil. Bruderschaft*. (um 1800). S. 29)

Schon vorher war die Unmittelbarkeit der Hl. Familie zu Gott als den *„fürnehmsten Heiligen des Himmels"* (ebda. S. 14)[6] betont und gleichzeitig die Hierarchie innerhalb der Gruppe bestimmt worden:

> Dann wer wird uns bälder und sicherer von der Göttlichen Majestät die drey gewünschte Gnaden [ein gutes Leben, eine glückselige Sterbestunde und die baldige Erlösung aus dem Fegefeuer] erwerben, als der Mittler Zwischen GOtt und den Menschen, Christus JEsus: als die Mittlerin zu unserm Mittler, die Jungfrau Maria: und als der Pfleg-Vatter dieses Mittlers und der Bräutigamb dieser Mittlerin der Heil. Joseph. (*Bruderschaffts Büchlein.* Köln 1716. S. 19. *Regeln der Heil. Bruderschaft.* (um 1800). S. 14)[7]

80 So bittet z. B. ein origineller Totenzettel von 1850: „*Die letzte Gnad mein Herr und Gott – Gieb uns durch einen guten Tod.*" Unter den Hl. Herzen in der Konfiguration des Hl. Wandels ist uhrenartig das *memento-mori*-Bild mit dem Knochenmann gestaltet. Die barockem Gedankengut entstammende Komposition zeigt auf dem zeigerlosen Ziffer-

blatt den Tod des hl. Joseph unter dem Beistand Jesu und Mariens.

Aus der Vorstellung von der Hl. Familie als der hervorragendsten und deshalb wirksamsten Heiligen-Gruppe erklären sich die relativ zahlreichen Votivbilder mit der Hl. Familie, die nicht bei ‚irgendeinem' Anliegen, sondern in höchster Not, in Todesnot angerufen wurde. Auch die relativ häufigen Geburtsvotationen gehen auf diese Auffassung zurück, denn hohe Säuglingssterblichkeit und das Kindbett stellten eine große Gefahr dar[8]. Ähnliches gilt für die Votationen bei Unfällen im Bergbau oder mit Gespannen, bei schwersten Verletzungen, Unwetter auf See oder auch bei Bedrängnis in Kriegszeiten. Immer hatte der Votant den Tod vor Augen und verlobte sich der Hl. Familie, um, wenn nicht die Errettung, so doch wenigstens einen Guten Tod zu erlangen[9].

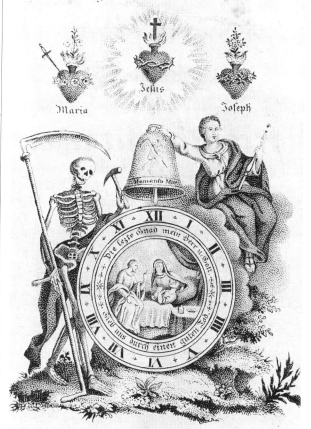

80. Totenzettel mit Hl. Herzen und Memento-Mori. Süddeutschland 1850. (Telgte, Museum Heimathaus Münsterland)

Ein Votivbild von 1838 (München, Bayerisches Nationalmuseum) (*Harvolk* 1979. S. 98. Abb. 91) demonstriert anschaulich, wie diese Unterschutzstellung in Todesnot vor sich ging. Der im Bett liegende Kranke schickt – einen Rosenkranz in den Händen – das Stoßgebet „*Jesus, Maria und Joseph euch befehl ich mich ietzt und dort ewiglich. Amen.*"[10] zur Schmerzhaften Muttergottes. Daß das Gebet an eine Pietà und nicht an das Bild der Hl. Familie gerichtet ist, verdeutlicht, wie sehr dieser Ruf als Hilfe in der Todesstunde Konvention war, so daß die im Gebet Angesprochenen nicht im Bild erscheinen mußten, um die Votation und ihren Grund zu verdeutlichen. Die Anrufung der drei Namen JMJ garantierte quasi den Guten Tod, der entweder durch lautes Aufsagen oder – wenn nicht mehr anders möglich – sogar durch stille Anrufung im Geiste erwirkt werden konnte:

O Christliche Seel! glückselig zu sterben / lehre ich dich nicht von deinem Nächsten auf dem Tods-Bett durch 3. Küß beseeliget zu werden / sondern diese 3. Gnaden-reiche Namen / wo nicht mit dem Mund / wenigstens mit dem Hertzen reumüthig auszusprechen; glückselig zu sterben / lege ich dir nicht in den Mund / güldene Müntz und Pfenning / sondern diese 3. güldene Namen JEsus, Maria und Joseph; glückselig das Zeitliche zu segnen / schreibe ich dir auf die Brust nicht das T [gemeint ist der Buchstabe Tau], sondern diese erschaffene Dreyfaltigkeit / JEsus, Maria und Joseph. (*Brez*: Lust-Garten. 1720. S. 45)[11]

Zu dieser Aufwertung der Namen JMJ, die in den Rahmen der Hl. Namen-Verehrung gehört, hatten besonders jene Lied- und Gebettexte den Weg geebnet, die immer wieder die Namen wiederholten, so z.B. das Lied ‚*Aller gueter ding seind drey*' (Innsbruck 1640)[12], ‚*O Wohl beysammen gefügte Nahmen*' von Wilhelm Nakatenus (Köln vor 1691) (*Nakatenus*: Palm-Gärtlein. Köln 1737. S. 801 ff) und ‚*Mein Testament soll sein am End*' (Würzburg 1705) (*Offermans* 1863. S. 58 f)[13], das von diesen drei Texten wohl die stärkste Ausrichtung auf den Tod aufweist. Alle drei Lieder wurden bis in unser Jahrhundert tradiert und z.T. im Gottesdienst gesungen.

Die Namensnennung der drei heiligen Personen wurde nicht allein als Anrufung in Todesnot, sondern auch als Ausruf des Erschreckens und sogar als Beschwörungsformel gebraucht. Die magische Komponente der Namensformel JMJ, die zu einem nicht geringen Teil auf der Dreizahl beruht, wird in einem Haussegen mit dem Hl. Wandel veranschaulicht, der sowohl die Zauberabwehr als auch das Todespatrozinium der Hl. Familie thematisiert (*Spamer* 1930. Taf. CLXXVI. *Gebhard* 1968. S. 61). Auch die Auffassung des Totengeleits, die ursprünglich dem Erzengel Michael als Seelenführer zukam, wurde auf niederbayerischen Totenbrettern auf den Hl. Wandel übertragen:

Das ist eine harte Reis, wenn man den rechten Weg nicht weiß. Frag die drei heiligen Leut, die zeigen dir den Weg in d'Ewigkeit. (zitiert nach *Gebhard* 1968. S. 60)

Trotz dieser Verbindung von Hl. Wandel und dem Guten Tod ist mir aber kein neuzeitliches Beispiel im deutschsprachigen Raum bekannt, das diesen Bildtyp auf einem Grabstein zeigt[14].

Die Hl. Familie wurde ansonsten im Totenbrauchtum durchaus berücksichtigt und miteinbezogen, wie ein 10-strophiges Lied aus Niederösterreich zeigt, das Jesus, Maria und Joseph mit den Blumen Tulpe, Rose und Lilie vergleicht (*Huber*: Gebet- und Liedgut. 1981. S. 283 f)[15]. Anschließend werden verschiedene Gruppen und Stände benannt und ihnen jeweils ein bestimmter Aspekt der Vorbildlichkeit der Hl. Familie vorgeführt. Neben den Jungfrauen, Kindern, Eheleuten, Witwen und Waisen kommen die Bedrängten zur Sprache, und an dieser Stelle wird auch vom Tod gesprochen; ein Zeichen, daß der Todesbezug nicht explizit in den Texten vorkommen mußte, um die Verbindung der Hl. Familie zum Guten Tod plausibel zu machen. Die achte Strophe des Liedes ‚*Aus dreyen schönen Blümelein*' lautet:

Kommet her all ihr bedrangte Leut,
ihr könnt auch eines haben,
in Schwachheit und in allem Leid,
wird es euch trefflich laben,
bevoraus in der Todes-Pein,
wann ihr anruft die Blümelein,
Jesus, Maria, Joseph.
(*Huber*: Gebet- und Liedgut. 1981. S. 284)

Leider macht *Huber* keine weiteren Angaben zu diesem – wahrscheinlich bei der Totenwache gesungenen – Lied, doch ist nach der Blumenmetaphorik[16] zu vermuten, daß es aus der zweiten Hälfte des 18. Jahrhunderts, möglicherweise sogar aus der Restauration des 19. Jahrhunderts stammt.

7.2 Gut-Tod-Fraternitäten und Seelenbruderschaften der Hl. Familie

Votationen für Tote an die Hl. Familie wurden in der Annahme getätigt, daß der Verstorbene sich bei seinem Ableben der Hl. Familie anvertraut habe. So hoffte man, daß ein stellvertretend getätigtes Verlöbnis ebenso wirksam sei wie ein vom Verstorbenen selbst gegebenes. Gleichzeitig erwarb sich der Auftraggeber Verdienste, denn die Sorge um das Seelenheil der Verstorbenen galt als Werk der *misericordia*, der Barmherzigkeit, eine der höchsten christlichen Tugenden.

Dieses System der Seelenfürsorge für sich selbst wie auch für andere wurde nicht nur der Initiative des Einzelnen überlassen, sondern in Seelenbruderschaften geradezu

‚organisiert'. Grundsätzlich wurde das Totengedenken in allen religiösen Bruderschaften gepflegt. Doch gab es einige Fraternitäten, die ihr Hauptaugenmerk auf die Sorge um einen guten, gottgefälligen Tod richteten; zu ihnen gehören z. B. die Corpus-Christi- oder Todesangst-Bruderschaften oder auch manche Barbara-Bruderschaft[17]. Für Gemeinschaften mit diesem Anliegen war das Patrozinium somit nicht eindeutig besetzt, und so konnten u. a. sowohl die Hl. Familie als auch der hl. Joseph als Fürsprecher in diesem Sinne auftreten.

Schon die älteren, von Jesuiten initiierten Hl. Wandel-Bruderschaften hatten sich „eine[n] tugendhaften Wandel [...] zur Erlangung einer glückseligen Sterbestunde" (*Duhr* 1907–1928. II,2. S. 89) zum Ziel gesetzt. Mit der Gründung einer Gut-Tod-Bruderschaft mit JMJ-Patrozinium im Bistum Augsburg 1686 (Tannern, an der Kap. U. L. Frau: *Steichele/Schröder* 1864–1939. II. S. 267) konzentrierte sich zum ersten Mal (in meinem Bearbeitungsgebiet) eine Hl. Familie-Fraternität ausschließlich auf das Seelengedenken. Acht Jahre später entstand die erste Josephs-Bruderschaft um einen Guten Tod in der Innerschweiz (in Walchwil/Kanton Zug: *Henggeler* 1955. S. 282). Es vergingen nochmals vier Jahre, bis sich eine weitere Gut-Tod-Bruderschaft der Hl. Familie etablieren konnte. Sie entstand 1698 in dem Hauptwallfahrtsort der Mainzer Erzdiözese, in Walldürn (Hl. Blut) im württembergischen Odenwald-Kreis (*Brückner* 1958. S. 119 f)[18]. Von ihr ist ein Bruderschaftsbuch überliefert, das handschriftlich mit „*Walldürn*" bezeichnet ist und in dem außerdem der Name und das Geburtsdatum des Besitzers verzeichnet sind[19]. Es ist anzunehmen, daß die Eintragung beim Eintritt in die Walldürner Bruderschaft erfolgte und das Andachtsbuch gleichzeitig als Bruderschaftsbrief fungierte.

Im über hundert Kilometer entfernten Fulda (an der Propstei St. Michael) organisierte die dort in Entsprechung zur Walldürner Fraternität errichtete JMJ-Seelenbruderschaft seit 1717 eine Wallfahrt nach Walldürn, die mit den üblichen Geräten (Bruderschaftsfahne und -stangen) als Prozession einen Tag vor Fronleichnam dort einzog (Prozessionsordnung von 1775. *Brückner* 1958. S. 271). Sowohl die Bruderschaft in Walldürn als auch diejenige in Fulda wurde von dem jeweiligen Ortsgeistlichen initiiert (ebda. S. 119 ff). Beide Bruderschaften sind als gezielte Förderungsmaßnahmen für die Walldürner Wallfahrt zu werten[20].

Daß in Walldürn ausgerechnet eine Seelenbruderschaft errichtet wurde, erklärt sich aus dem starken Bezug der Bruderschaft wie auch der Wallfahrt zur Passion, in der sie miteinander korrespondierten. Die Seelenbruderschaft verband sich durch ihr Ziel eines gottgefälligen und gnadenvollen Todes und ihrer Fürsprache für die Seelen im Fegefeuer mit der Passion[21], die Wallfahrt durch ihr Kultobjekt, das Blut Christi.

Beide Elemente vereinigt ein Andachtsbild in sich, das über den in den Flammen des Fegefeuers gequälten Seelen Maria und Joseph zeigt, die das Walldürner Kultbild zwischen sich halten: man sieht Christus am Kreuz mit seinem – nach der Wallfahrtslegende – von einem unachtsamen Priester verschütteten Blut (*Brückner* 1958. Abb. 47)[22]. Da dieses kleine Andachtsbild speziell für eine religiöse Gemeinschaft (die Bruderschaft) und einen Ort (Walldürn) komponiert ist, wundert es nicht, daß es in anderen Zusammenhängen nicht auftaucht; seine Grundkomposition entspricht aber dem Titelkupfer zum ‚*Bruderschaffts-Büchlein*' aus Prag, das als Kultbild der 1694 gegründeten Seelenbruderschaft JMJ an der Prager Loreto-Kirche angesehen werden muß[23] und von dem angenommen werden kann, daß es den Bruderschaftsaltar zierte.

Das Zentrum der JMJ-Seelenbruderschaften war Prag, wo 1694 an der Loreto-Kirche auf dem Hradschin von den Kapuzinern die Erzbruderschaft „*JEsu / Maria / Joseph / für die Seelen im Fegefeuer*' gegründet worden war[24]. Die Prager Gründung der Kapuziner konzentrierte sich auf das Seelenheil speziell der Verstorbenen und stellte – wie die meisten anderen Seelenbruderschaften auch – die Passion in das Zentrum ihrer Betrachtungen. Im Bruderschaftsbuch der Prager JMJ-Seelenbruderschaft nimmt z. B. die Andacht zu den Fünf Wunden Christi eine zentrale Stellung ein[25].

Das Hauptanliegen der Prager Bruderschaft und der ihr angegliederten Fraternitäten war, durch eine Art Gebetsverbrüderung aller Bruderschaftsmitglieder ein ewiges Gebet für die Seelen im Fegefeuer zu erlangen. Die Bruderschaft wollte ihre Mitglieder dazu bewegen, die Ablässe – durch Gebete und gute Werke gewonnen – nicht für das eigene Seelenheil, sondern für das der bereits Verstorbenen zu verwenden (*Bruderschaffts Büchlein*. Köln 1716. S. 19. *Regeln der Heil. Bruderschafft*. (um 1800). S. 13) und somit indirekt für sich selbst Ablässe zu erwirken. Hierauf konzentrieren sich auch die Bruderschaftsregeln:

Die Erste Regel.
Ein jeder Bruder und Schwester solle wochentlich an einem Tag / welcher ihm durch das Looß[26] fallen wird / den Verdienst oder Genugthuung seiner guten Wercken selbigen Tags denen abgestorbenen Seelen dieser Bruderschafft schencken und zu eignen.
Die andere Regel.
Ein jeder Bruder und Schwester soll alle Jahr ein Stund lang / welche er seines Gefallens erwöhlen kan / für die Seelen dieser Bruderschafft betten.
Die dritte Regel.
Ein jeder Bruder und Schwester soll jährlich einmahl für die Seelen dieser Bruderschafft communicieren: die Priester aber für dieselbige eine H. Meeß lesen. (*Bruderschaffts Büchlein*. Köln 1716. S. 5. *Regeln der Heil. Bruderschafft*. (um 1800). S. 5)

81

81. Anonym: Die Hl. Familie über den Seelen im Fegefeuer. Titelbild zum Bruderschaftsbuch der Prager Seelenbruderschaft an der Loretokirche. Köln 1716. (Münster,
Westfälisches Landesmuseum)

So zielte die Gemeinschaft auf die Rettung der Seelen
der Verstorbenen durch die von den Lebenden erlangten
Ablässe[27].

Um dem Einwand zu begegnen, die Bruderschaftsmitglieder würden durch diese Praxis an ihrem eigenen Heil
Schaden nehmen, erklärte das Regelbuch das Verschen-
ken des eigenen Ablasses zu einem Akt der Barmherzigkeit, der doppelt und dreifach vergolten werde. Denn
hierdurch erlange das Mitglied die Barmherzigkeit Gottes
(*Bruderschaffs-Büchlein*. Köln 1716. S. 5. *Regeln der Heil.
Bruderschafft*. (um 1800). S. 4 f) und könne auf die Fürbitte
der durch den verschenkten Ablaß erlösten Seelen rechnen. Außerdem wurde auf die Solidargemeinschaft verwiesen, die für jedes tote Mitglied – auch für die Armen, für
die aus Geldmangel keine Messe gelesen werden konnte –
unablässig bete[28].

Die Bruderschaft diente der Rückversicherung für ein
möglich kurzes Verweilen im Fegefeuer. Interessant ist die
Beschreibung, wie die guten Werke und Gebete den armen
Seelen im Fegefeuer zugute kommen. Dies geschieht nicht
in einer Art abstrakter ‚Buchführung‘ mit den Konten ‚Soll‘
und ‚Haben‘, sondern es ist für alle Beteiligten als ein
sinnlich erfahrbarer Vorgang beschrieben. Der Schutzengel der jeweiligen Seele bringt die Verdienste der Bruderschaftsmitglieder direkt zu den Leidenden. So werden die
Werke und Gebete der Bruderschaftsmitglieder im Diesseits
als Almosen den Seelen im Fegefeuer dargebracht. Immer
dann, wenn die Mitglieder den Regeln gemäß die Kommunion empfangen, wird den schmachtenden Seelen der
Verstorbenen zu essen gegeben. Dieser Dienst der Lebenden an den Toten wurde durch die Bemühungen der Innsbrucker JMJ-Bruderschaft von 1730 (an der Stadtpfarre
St. Nikolaus) abgerundet, die Armen und Unbemittelten
würdig zu begraben (*Hochenegg* 1984. S. 80).

82. Christian Friedrich a Lapide: *Maria und Joseph eühren
Sohn, bittet, das Er Uns verschohn.* Bruderschaftsbrief der
Seelenbruderschaft aus St. Andrä (Südtirol) an der Fried-
hofskapelle Mariä-Hilf. um 1800.

Der anschaulichen Vorstellung vom Dienst an den See-
len entspricht auch das Titelkupfer vom ‚*Bruderschaffts-
Büchlein*‘, das das Kultbild der Fraternität widergibt. Auf
Wolkenbänken thront in der Personenkonstellation des

Hl. Wandels[29] die Hl. Familie, während im unteren Bildbereich ein Engel zu den im Fegefeuer schmachtenden Seelen hinabsteigt. Eine ähnlich anschauliche Hilfe leistet die Hl. Familie den armen Seelen in dem Stich des Tiroler Kupferstechers Christian Friedrich a Lapide[30]. Das Bruderschaftsbild der JMJ-Fraternität aus St. Andrä (Tirol) zeigt Maria und Joseph mit dem Jesuskind oberhalb der im Fegefeuer leidenden Verstorbenen. Die Hl. Familie läßt eine Schnur – möglicherweise in Erinnerung an die Richtschnur-Metaphorik Mariens und des Zimmermanns Joseph (s. S. 77) – zu den Seelen hinab, die danach greifen.

Die 1694 als Erzbruderschaft gegründete Prager Fraternität gab den Impuls für die weitere Verbreitung der Seelenbruderschaften mit dem Patrozinium der Hl. Familie[31]. Doch nicht nur die hervorragende Stellung der Hl. Familie trug zur Ausweitung dieses Gut-Tod-Patroziniums bei. Mit zunehmender Profilierung und Popularisierung des hl. Joseph wurde er auch allein als Gut-Tod-Heiliger verehrt und angerufen. Die entsprechenden Josephsbruderschaften, die etwa gleichzeitig mit der Prager JMJ-Seelenbruderschaft auftraten (so im schweizerischen Walchwil)[32], gewannen stärkeren Einfluß und florierten besonders im 18. und 19. Jahrhundert (in Friesenried, Buchloe, Fiecht, Hitzkirch, Unterschächen, Ebersberg, Obsteig)[33] und in der Schweiz auch noch in der zweiten Hälfte des 19. Jahrhundert in Seelisburg und Schübelbach[34].

7.3 Der Josephstod

Mit der Aufnahme des hl. Joseph in den kirchlichen Festkalender (1621) wurde auch die Frage nach dem Tod Josephs akut, da die kirchlichen Feiertage zumeist an den Todestag des betreffenden Heiligen erinnern.

Schon Johannes Gerson hatte einen Abschnitt seines Lobgedichts ‚Josephina‘ dem Sterben des Nährvaters Jesu gewidmet (*Gerson*. IV. S. 95 ff) und wie der koptische Bericht von der Anwesenheit Jesu und Mariens gesprochen[35]. In den anschließenden Trostworten Jesu an seine Mutter geht die ‚Josephina‘ allerdings weit über den koptischen Bericht hinaus, wenn Christus prophezeit, Joseph werde mit ihm zusammen in Ewigkeit regieren[36].

Nach der Erhebung des 19. März zum Feiertag Josephs 1621 widmeten sich auch die Jesuiten diesem Thema. Zwar rezipierte der 1624 erschiene ‚Trostbronn‘ von dem Jesuiten Georg Vogler den Josephstod noch nicht, aber zwölf Jahre später verarbeitete ein Jesuitendrama (aufgeführt am 7. und 9. Oktober 1636 in München) diese Thematik, um im abschließenden Epilog auf die Tugenden Josephs hinzuweisen und ihn ausdrücklich dem Publikum im kurfürstlichen Jesuitengymnasium als Vorbild zu präsentieren[37].

Auch das 1648 in Solothurn aufgeführte Stück ‚S. IOSEPHVS‘ läßt den Nährvater Jesu „*vnder den händen JEsu vnd Mariae [sterben]; [er] befilcht [!] sich zuvor sei-*

nem JEsu inmühtig [!]; wird auch von jhm gesterckt zum todt; [. . .]“ (S. IOSEPHVS. Solothurn 1648. Akt 3,6). Im Anschluß wird um einen ähnlich glückseligen Tod – bedingt durch ein ähnlich tugendhaftes Leben – gebeten:

> „[. . .]; dergleichen Todt wir alle begehren sollten / vnd hoffentlich durch S. Josephs Fürbitt / da wir anderst seinem Leben ähnlich leben / erlangen werden. Amen.“ (ebda.)

Das Stück endet mit einem Chorus, in dem der Gute Tod (*euthanasia*) den Schlechten Tod – dort als *cacothanasia* bezeichnet (ebda.) – verjagt und auf diese Weise dem Publikum den Sinn eines wenn auch ärmlichen, so doch guten und tugendhaften Lebens vor Augen führt.

Doch war die Vorstellung vom Josephstod relativ uneinheitlich. Nach dem Jesuitendrama von 1648 aus Solothurn starb Joseph in einem Sessel sitzend[38], während Martin v. Cochem berichtet, der Heilige sei – in Ermangelung eines Bettes – knieend gestorben (*M. v. Cochem*: Leben Christi. Mainz/Köln 1716. S. 501)[39]. In barocker Übersteigerung nennt v. Cochem als Ursache des Todes Josephs seine übermäßige Liebe zu Jesus und Maria:

> darum lage das liebende hertz [Josephs] für lieb kranck / und zersprunge endlich aus lauter gewalt der lieb / in den händen JEsu und Mariä. O ein glückseliger tod! O ein süsser und sanffter tod! (*M. v. Cochem*: Leben Christi. Mainz/Köln 1716. S. 501)[40]

Wurden im späten 17. und frühen 18. Jahrhundert die Lebensbedingungen der Hl. Familie Mitleid erregend beschrieben – bei Martin v. Cochem flossen die aus Rührung ob der großen Armut und Dürftigkeit vergossenen Tränen in Strömen –, so wich zum Ende des 18. Jahrhunderts der tränenreiche Affekt des Barock beim Thema ‚Josephstod‘ einer distanzierten Empfindsamkeit des Betrachters, die sich im ‚Vergießen‘ *einer* Träne ausdrückte[41]. Die differenzierte Feinfühligkeit wird schnell zur Groteske, wenn der Autor Jesus und Maria *je ein* Auge des eben Verstorbenen schließen läßt, nachdem er zuvor die verschiedenen Rollen der beteiligten Personen wortreich aufgezählt hat[42]:

> „Jesus an der Seite seines sterbenden Pflegevaters! Maria an der Seite ihres sterbenden Bräutigams!! Joseph der sterbende Vater und Gatte zwischen Jesus und Maria!“ der Sohn tröstet und stärket den hinscheidenden Vater! die Braut und trauteste Ehegattinn [!] ihren hinüberschlummernden Bräutigam, Hausvater, und Ehegatte; der Sohn und die Mutter, Jesus und Maria, geben ihrem sterbenden Joseph den letzten Freundschafts=Abschieds= und Friedenskuß; und Joseph – stirbt in den Händen und Armen Jesu und Mariä! – Jesus schließt seinem im Friede verschiedenen Nährvater das eine, und Maria ihrem todtverbliche-

nen Ehegatte das andere Aug; Josephs abgeschiedene Seele steigt zu den Seelen der frommen Altväter in die Vorhölle, tröstet diese mit der Hoffnung der baldigsten Erlösung durch Jesus den Sohn Gottes, und wartet mit Sehnsucht auf die Ankunft und Umarmung ihres Jesus, um mit Diesem, als die Ersten an seiner Seite, mit Triumphe in den Himmel zu ziehen. (*Lingl*: Predigten. 1798. I. S. 261)

Neben der Kreuzigung, dem Vesperbild oder auch den Heiligen Barbara und Michael trat mit dem Josephstod – in Parallele zum Marientod – ein neues Bildmotiv in den Kreis des Totengedenkens. Schon 1676 wählte Leopold II. in der dem hl. Joseph geweihten ‚Kammerkapelle‘ der Wiener Hofburg als Altarbild den Tod des hl. Joseph unter dem *XVIII* Beistand von Jesus und Maria von Carlo Maratta (1625–1713)[43], obwohl der Schwerpunkt der offiziellen österreichischen Josephsverehrung seit 1675 auf der ehelichen Gemeinschaft des Heiligen mit Maria als Typus der idealen, christlichen und unauflöslichen, sakramental legitimierten Ehe lag (s. S. 145).

Die Wahl des Josephstodes in der ‚Kammer-Kapelle‘ läßt sich jedoch z. T. aus der Biographie des Kaisers erklären, da Leopold II. von persönlichen Schicksalsschlägen nicht verschont blieb, die für den Kaiser einer privaten und dynastischen Katastrophe gleichkommen mußten. Von den insgesamt fünf Kindern aus erster Ehe – unter ihnen zwei Söhne – hatte nur die Tochter Maria Antonia überlebt[44] und noch im Jahr der Altarerrichtung verstarb seine zweite Gattin Claudia Felizitas kinderlos.

Trug man sich im offiziellen Staatskult mit der Hoffnung auf eine neue Ehe nach dem Vorbild und unter dem Schutz der heiligen Ehegemeinschaft Josephs und Mariens, so ordnete Leopold II. sein – mit dem Tod seiner Angehörigen – sehr persönliches Anliegen um den Seelenfrieden der Verstorbenen dem mehr privaten Kapellenraum zu[45] und wählte als Altarbild den Josephstod.

Zu Beginn des 18. Jahrhunderts etablierte sich endgültig – unterstützt durch die erneute Veröffentlichung des koptischen Berichts vom Josephstod (1722) durch den Schweden Georg Wallin[46] – eine einheitliche, an den Marientod angelehnte Ikonographie des Josephstodes[47], die ihn liegend unter dem Beistand von Jesus und Maria zeigte. Trotz aller Unterschiede in den Details blieb diese einmal etablierte Ikonographie des Josephstods in der Folgezeit bestehen und wurde noch in der Andachtsgraphik des späten 19. Jahrhunderts rege rezipiert.

Wie die Entwicklung der Josephsbruderschaften, so nahm auch die Rezeption des Josephstodes besonders im 18. Jahrhundert zu[48], blieb aber immer auch mit der Hl. Familie-Verehrung verbunden. Allerdings kann ich mit *Brückners* Feststellung, das Gut-Tod-Patrozinium der Hl. Familie sei aus dem Gut-Tod-Patrozinium Josephs erwachsen (*Brückner* 1958. S. 119 f), nicht übereinstimmen.

Mir scheint die Entwicklung parallel verlaufen zu sein. So lautet z. B. die Inschrift zu einem Fresko mit dem Tod des hl. Joseph in Untermedlingen: *„Jesu, Maria et Joseph, Cor Meum Dono Vobis Et Animan Meam"* (*KD Bayern. Schwaben.* VII. S. 945). Diese Worte waren eine gängige Formel, die sich auch in volkssprachigen Gebeten wiederfindet.

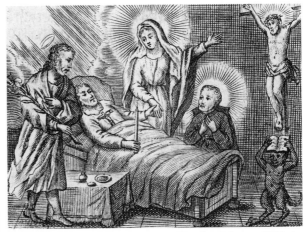

83. Tod eines gläubigen Christen. Kupferstich aus: *Wilhelm Nakatenus*: Palm-Gärtlein. Köln 1722. (Münster, Universitätsbibliothek)

Die in dem koptischen Bericht erwähnte Anwesenheit Jesu und Mariens beim Sterben des hl. Joseph[49] wurde als vorbildhaft empfunden, und der Gläubige konnte dieselbe Gemeinschaft, die ihn schon im Leben mit der Hl. Familie verband, im Sterben erlangen, indem er die Namen Jesus, Maria, Joseph bei seinem Tod im Munde bzw. in seinen Gedanken führte. So wie Jesus und Maria dem hl. Joseph beistanden, stand nun die Hl. Familie und speziell der Nährvater Jesu dem Gläubigen im Tod bei:

Ich bitt / O H. Vatter [Joseph] / daß gleichwie Jesus und Maria dir jederzeit / fürnemlich aber in deine Tods-Nöthen tröstlich seynd beygestanden; also du mir auch mit Jesu und Maria in meinen letzten Zügen wollest beystehen / und geben / daß meine letzte Wort seyen: JEsus / Maria / Joseph. (*Nakatenus*: Palm-Gärtlein. Köln 1937. S. 388)

Diese Vorstellung wurde auch ins Bild übertragen, indem *83* man die Ikonographie des Sterbens eines guten Christen der des Josephstodes nachbildete: nun lag nicht der Heilige, sondern der Gläubige auf dem Sterbebett[50] und dementsprechend formulierte der Minorit Christian Brez:

Freylich ja Glückseelig derjenige in seinem Sterbstündlein / welchem der H. Joseph beystehet / als welcher zwischen JEsu und Maria sein unbefleckte Seel aufgeben. (*Brez*: Lust-Garten. 1720. S. 69)[51]

Der Benediktiner Johann Nepomuk Lingl führte in einer Predigt von 1798 Josephs seliges Sterben, das er als ruhig, sanft, süß umschreibt, nicht nur – wie Christian Brez – auf die Anwesenheit Jesu und Mariens, sondern zusätzlich auf Josephs Gerechtigkeit, die er mit Pflichterfüllung gegenüber Gott, dem Nächsten und sich selbst gleichsetzt, zurück. Erst durch sie verdiente sich der hl. Joseph den Beistand Christi und der Muttergottes (*Lingl*: Predigten. 1798. I. S. 257 f). Emphatisch fordert er den Heiligen auf:

> [...]: dann komm du zu unserm Sterbebette, heiliger Joseph! und, wo du, o Joseph! bist; da soll alsdenn auch Maria, die Mutter der Barmherzigkeit, seyn, da soll alsdenn auch Jesus, der Trost und die Zuflucht aller Sterbenden, seyn. – Also – ihr alle Drey – Jesus! Maria! und Joseph! kommet, kommet, alsdenn zu unserm Sterbebette, kommet zu unsern letzten Zügen!! In euren heiligsten Nämen [!], an eurer heiligsten Seite, und in euren allerheiligsten Händen und Armen, da lasset uns sterben! ja! da wollen wir sterben!! O! da läßt sich gut sterben, sanft sterben, glückselig sterben!!! (*Lingl*: Predigten. 1798. I. S. 263)

Noch im 19. Jahrhundert wurde diese Vorstellung tradiert, wie z.B. ein Gebetszettel aus St. Pölten zeigt, der neben der Fluchtszene und dem Lied ‚*Mein Testament soll sein am End*‘ auch folgendes Josephsgebet abdruckt:

> O Sanckt Josef! sei gebeten.
> Helfe uns in Todesnöthen,
> Daß wir auch so sterben wie du;
> Dann Maria war zugegen,
> Jesus gab ihm seinen Segen,
> Und versprach ihm seine Ruh.
> Komm getreuer Knecht auf Erden
> Komm du sollst gekrönet werden
> Ruft man dir vom Himmel zu.
> Daß wir dann auch selig sterben
> Gottes Hilf und Gnad erwerben
> O Josef, reich uns deine Hand;
> Daß zu dir sammt allen Frommen,
> Wir auch einstens mögen kommen,
> Ins himmlische Vaterland. Amen.[52]

84 Dementsprechend bezeichnet ein französisches Spitzenbild mit Stahlstich aus der zweiten Hälfte des 19. Jahrhunderts den hl. Joseph ausdrücklich als „*Stütze in der Prüfung*", und weiter heißt es: „*Ich danke dir, guter h. Joseph, dass du mir in den Leiden beistehst.*"

Offenbar handelt es sich bei dem Gut-Tod-Patrozinium des hl. Joseph um einen ähnlichen Paradigmenwechsel wie bei Hermes, der sich vom Gott der Reisenden zum Totenbegleiter wandelte[53]. Die Hl. Familie bzw. der hl. Joseph gewährleisteten als Totenbegleitung den Guten Tod, der – bestimmt durch die christliche Ausrichtung des ganzen Lebens auf die Beendigung des irdischen Daseins und gut

vorbereitet durch die Verehrung der Hl. Familie bzw. des hl. Joseph – ohne Gefahren für die Seele zu Gott führte. Im Bild des Josephstodes und seiner Übertragung fand somit die besondere Fürsorge der Hl. Familie für den ihnen als Kind anempfohlenen Gläubigen Ausdruck, die sich nicht nur auf die besondere Fürbitte im Himmel, sondern auch auf ihre schützende Begleitung auf dem gefahr- und qualvollen Weg ins Jenseits bezog.

STÜTZE IN DER PRÜFUNG.
Ich danke dir, guter h. Joseph, dass du mir in den Leiden beistehst.

84. Andachtsbild. Spitzenbild mit Stahlstich. Paris 2. Hälfte 19. Jhdt. (Telgte, Museum Heimathaus Münsterland)

Als Beispiel für den Guten Tod als Lohn einer guten Tat führte Abraham a S. Cl. die Geschichte vom spanischen Kaufmann an, der stellvertretend für die Hl. Familie zu Weihnachten einen Greis, eine Frau und ein Kind speiste, und deutete die Episode auf die Intensivierung des Josephskultes um:

> [...]; Wie dieser nun in sein Todt-Beth geraten / seynd ihme erschienen JESUS, Maria, Joseph, und ihn also liebreich angeredt: Weil du uns alle Jahr in deine Herberg an und auffgenommen [Anklänge an das Motiv der weihnachtlichen Herbergssuche!] / so wollen wir

dich anjetzo auffnehmen in die ewige Herberg der ewigen Glory / allwo du dich unendlich zu erfrewen hast; So viel hilfft es seyn under dem Schutz deß H. gnadenreichen Vatters Joseph. (*Abr. a S. Cl.*: Paradeyß-Blum Joseph. (S. XVIII))

In der Hl. Familie- und der Josephsideologie verband sich das Exempel für einen christlichen und gottgefälligen Lebenswandel direkt – am Beispiel Josephs als *„herrlichstes Muster aller Lebenden und mächtigste[r] Schutzpatron aller Sterbenden"* (*Lingl*: Predigten. 1798. I. S. 262 f) – mit dem Lohn für diesen Lebenswandel, den Guten Tod.

Mit der Etablierung des Josephstodes kannte der Gläubige einen prominenten Heiligen, der im Himmel nicht ganz so ‚hoch' stand wie Christus und Maria[54] – quasi erdverbundener war als sie –, der die Gnade eines glückseligen Todes erlangt hatte und der durch die Beschreibung seines Charakters (fleissig, sparsam, einfältig, gerecht) und seiner Funktionen im Haushalt zur Identifikation mit ihm einlud. Diese Identifikationsmöglichkeit mit Joseph schloß bei entsprechender Frömmigkeit zumindest potentiell einen gleichermaßen glückseligen Tod mit ein[55]. Joseph wurde als Fürbitter zum Hoffnungsträger, sein Sterben zum Prototyp eines guten, glückseligen und damit gottgefälligen Todes.

Das Gut-Tod-Patrozinium ließ sich problemlos in die barocke Tradition der Marienfrömmigkeit und des Hl. Familie-Kultes einreihen, wie auch der gesamte Josephskult als Angliederung an die Marienfrömmigkeit zu verstehen ist, die sich z. T. zum Hl. Familie-Kult verfestigte. Träger der Popularisierung des Josephstodes, dessen Darstellung nicht nur den Beistand des ‚väterlichen Heiligen' Joseph, sondern auch den des Gottessohnes und Mariens versprach, waren neben den katechetischen Orden in nicht unerheblichem Maße die JMJ- und Josephsbruderschaften, die entweder den Tod Josephs o. ä. im Titel führten oder in ihren Publikationen darauf verwiesen.

„HEILIGES BETEN, HEILIGES ARBEITEN, HEILIGES LEIDEN"

Mit der Aufklärung änderten sich die Grundbedingungen des religiösen Lebens nachhaltig. Der Bruch mit den barocken Frömmigkeitstraditionen in Form, Ikonographie und Inhalt war vom aufgeklärten Denken vorbereitet worden, das nicht nur in den Liturgiereformen in den barocken Heiligenkult eingegriffen hatte. Die Aufklärung bahnte – zusammen mit dem wachsenden Empirismus – den Weg für die historisierende Deutung der Heilsgeschichte im 19. Jahrhundert, in der für das Mirakel kaum noch Platz blieb[1]. Auch die Katechese atmete fortan den Geist der Aufklärung. Das Schlüsselwort ‚Vernunft' wurde in die Argumentation der Predigten eingestreut[2], apokryphe und narrative Momente – im Barock gern eingeflochten – eliminiert und der fromme Affekt auf die Bahn der distanzierten Empfindsamkeit geführt.

Die seit dem späten 18. Jahrhundert zu beobachtende politisch-administrative Säkularisation basierte auf der ideellen Säkularisationstendenz der Aufklärung, in der sich der Monarch zwar Gott, aber nicht mehr einer bestimmten Konfession verpflichtet fühlte und wohl eine christliche, nicht aber eine konfessionelle Legitimation seines Amtes suchte.

Der Einfluß des neuen Denkens äußerte sich auch in einem neuen Selbstverständnis der Herrscher, die z. B. darauf hinwirkten, daß 1773 das päpstliche Verbot des Jesuitenordens ausgesprochen wurde, der zuvor maßgeblich an der Rekatholisierung beteiligt gewesen war, in seiner Katechese das z. T. von ihm kreierte Bild der Hl. Familie verbreitet und popularisiert hatte und sich nun z. B. in das zaristische Rußland zurückziehen mußte.

Markantes Beispiel dieser Herrschaftsauffassung ist der Habsburger Joseph II., der sich nicht scheute, eine entsprechende antiklerikale Gesetzgebung zu praktizieren (Auflösung von Klostergemeinschaften, staatliche Priesterausbildung usw.), wichtige Elemente der barocken Frömmigkeit – wie Wallfahrtsgänge – verbot, den Heiligenfestkalender beschränkte und sogar vor den Heiligtümern habsburgischer Frömmigkeit nicht Halt machte. So ließ er z. B. die Loreto-Kapelle in der Wiener Hofburg, jenem Kultort, der die Herzen – als Sitz der *anima* – seiner Vorfahren beherbergte, abreißen (1784) und negierte damit den Jahrhunderte lang gepflegten Mythos der *pietas austriaca*, auf dem nach der barocken Staatsdoktrin das Wohl der Dynastie wie des Landes basierte. Dieser Affront gegen das gängige habsburgische Selbstverständnis mußte alle noch

der barocken Frömmigkeit verhafteten Schichten treffen und als Aufgabe der eigenen katholischen Staats-Identität verstanden werden.

Die der Aufklärung folgende politische Säkularisation im Deutschen Reich, die weniger Ausfluß aufgeklärten Denkens als machtpolitischer Interessen war, schädigte nachhaltig den Besitzstand der Bruderschaften und der Orden, von denen – wie wir sahen – in der Popularisierung der Hl. Familie-Verehrung neben den Jesuiten besonders die Kapuziner[3] hervortraten. Durch den Reichsdeputationshauptschluß 1803 und der ihm folgenden Säkularisation der Kirchengüter – in Form von Enteignung – verlor die katholische Kirche im Deutschen Reich zu einem nicht unbeträchtlichen Teil ihre materielle Basis, so daß in den 20er Jahren des 19. Jahrhunderts eine Neuorganisation der Bistümer sinnvoll erschien. Mit der neuen Strukturierung der Diözesen ging eine teilweise Reorganisation der Bruderschaften einher, die sich seit der Mitte des 19. Jahrhunderts z. T. auf ihre barocken Traditionen besannen, inhaltlich aber andere – oder besser, eingeschränkte – Wege gingen.

Gleichzeitig ergab sich durch die Säkularisation und die Bestimmungen des Reichsdeputationshauptschlusses im frühen 19. Jahrhundert die endgültige Aufhebung der Identität von Staats- und Konfessionsgrenzen, ein Faktum, das immer wieder zu Konflikten zwischen dem Staat und konfessionellen Minderheiten führte, gleichzeitig aber auch eine politische Sammlung, z. B. der Katholiken im Zentrum, bewirkte. In Zusammenhang mit den Konflikten zwischen (protestantischer) Staatsführung und dem Katholizismus sei an den im Kölner Ereignis gipfelnden Streit um die Mischehenfrage erinnert und an den Kulturkampf im Kaiserreich, in dem der Staat z. B. die Aufsicht über die Schulen (1872) und über die Ausbildung der Geistlichkeit (1873/74) beanspruchte. In diese Zeit fällt auch das Unfehlbarkeitsdogma des Papstes (1870) und staatlicherseits das erneute Verbot der Jesuiten (1872).

Durch den Einzug des Bruderschaftsvermögens[4] und die zahlreichen Klosteraufhebungen wurde vielen Fraternitäten und Kongregationen, die zuvor den Kult der Hl. Familie gepflegt hatten, die materielle Grundlage zur Fortführung ihrer kultischen Aktivitäten – Prozessionen, Messen usw. – entzogen. Dies geschah in einer Zeit, in der die romantische Bewegung für sich die Frömmigkeit – allerdings nicht mit barocken, sondern mittelalterlichen

Vorzeichen – wiederentdeckte und somit der Boden für einen erneuten Aufstieg des Christentums bereitet schien. Mit ihrem Genie- und Inspirationskult stärkte die Romantik den christlichen, vor allem aber katholischen Offenbarungsglauben, wie die zahlreichen Konversionen zum Katholizismus oder die schon 1814 erfolgte Aufhebung des Jesuitenverbotes, das dem ‚Erzfeind der Vernunft‘ gegolten hatte, zeigen.

85. Heinrich Nüsser (nach Lauenstein): *Jesus, Maria, Joseph!* Stahlstich für den Verein zur Verbreitung religiöser Bilder. Düsseldorf 2. Hälfte 19. Jhdt. (Telgte, Museum Heimathaus Münsterland)

Vorerst aber war die Romantik und das von ihr beeinflußte Nazarenertum eine Enklave für der barocken Werk- und Ritualfrömmigkeit abholde und eine neue Spiritualität

in der Innigkeit des religiösen Gefühls suchende Individualisten, die in ihrer Leugnung der barocken Traditionen weniger zur ‚Volksfrömmigkeit‘ beitrugen, sondern die ‚rechte‘ Religiösität des Mittelalters und der Renaissance – der Zeit *vor* der Glaubensspaltung – suchten.

In dem Maße, in dem das Biedermeier die Religion als transzendentes Ordnungsgefüge innerhalb eines sich in Auflösung befindenden festen Bezugsrahmens wiederentdeckte und die christliche Ethik dem säkularen Sinn- und Werteverlust entgegensetzte[5] – zumal die Konfliktsituation zwischen Staat und vorzugsweise katholischer Kirche offensichtlich wurde[6] –, adaptierte und popularisierte man auch die Formen der nazarenischen Frömmigkeit. Ihre Bildkunst, die sich selbst als visuelle Vermittlung der christlichen Offenbarungsreligion verstand, fand besonders in den Rheinlanden Verbreitung, wo 1842 – fünf Jahre nach den Kölner Wirren – in Zusammenarbeit mit der von Wilhelm von Schadow geleiteten Düsseldorfer Akademie der ‚Verein zur Verbreitung religiöser Bilder‘ unter der Leitung des Erzbischofkoadjutors Johannes von Geissel[7] gegründet wurde.

Die Bestrebungen des Vereins gingen in Richtung auf eine Verdrängung der ‚schlechten, französischen‘ [!] Andachtsbilder[8], die sich auf eine barocke Zierkunst verstanden und den ästhetischen wie religiösen Ansprüchen des nazarenischen Kunstverständnisses nicht entsprachen. Die Betrachtung von Andachtsbildern sollte erbaulich sein und „*in jeder Beziehung nützlich auf Geist und Herz des Beschauenden ein[…]wirken.*" (Organ für Christliche Kunst. I. (1851). zitiert nach *Gierse* 1981. S. 23). Diese Verbreitung war durchaus im Sinne der Nazarener, die selbst die Vorlagen für die Stahlstiche des Vereins schufen. Einer der bekanntesten Maler dieser Kunstrichtung, Johann Friedrich Overbeck (1789–1869), fertigte z. B. zu seinem 1825 in Rom entstandenen Ölgemälde ‚*Maria und Elisabeth mit dem Jesus- und Johannesknaben*‘ (München, Neue Pinakothek) 1835 eine Sepiazeichnung als Vorlage für einen Kupferstich (1839) (*Kat. Nazarener*.1977. S. 123, 143. Nr. C 20), der in der Folgezeit rege rezipiert wurde. Auch Julius Schnorr von Carolsfeld (1794–1872) – der Maler des Nibelungenzyklus in der Münchner Residenz –, Franz Ittenbach (1813–1879) und Andreas Müller (1811–1890) lieferten Vorlagen mit der Hl. Familie für die Andachtsbilder des Düsseldorfer Vereins, der bis ins 20. Jahrhundert hinein tätig blieb[9].

Doch die zunehmende Abkehr von der in der Romantik dominanten Idee der Inspiration[10] und die Hinwendung zu einer historistischen Interpretation der Heilsgeschichte bedeutete gleichzeitig eine Herabwürdigung der Nazarenerkunst vom Medium der göttlichen Offenbarung zur Illustration mit dokumentarischem Wert, die sich in Stereotypen erging.

Die Hauptleistung des Barock für die Hl. Familie-Verehrung im 19. Jahrhundert liegt im Bereich der Popularisierung der Gruppe und des Begriffs ‚Hl. Familie‘,

Die heilige Familie.

86. Baumann (nach Overbeck): Die Heilige Familie. Fron-
tispiz zu: *Friedrich Adolph Sauer*: Christus, der Weg, die
Wahrheit und das Leben. Arnsberg 1841. (Telgte, Museum
Heimathaus Münsterland)

Die h. Familie.

LA S^{TE} FAMILLE.

Eigenthum des Vereins zur Verbreitung relig. Bilder in Düsseldorf.
Seul Depôt à Paris chez A.W. Schulgen, Editeur, 25, rue St Sulpice.

87. T. Bauer (nach Ittenbach): Die hl. Familie. Stahlstich
für den Verein zur Verbreitung religiöser Bilder. Düsseldorf
2. Hälfte 19. Jhdt. (Telgte, Museum Heimathaus Münsterland)

wie seine Übertragungen in den profanen, poetischen und
romantischen Bereich schon am Ende des 18. und im frühen
19. Jahrhundert zeigen[11].

So nannte sich der Münsteraner Kreis um Fürstin Gallit-
zin ‚*Sacra Familia*‘, um auf diese Weise den Freundeskreis,
den Kreis Gleichgesinnter, zu bezeichnenen und mit einem
besonderen spirituellen Anspruch zu verbinden[12]. Über die
konfessionellen Grenzen hinweg widmete sich 1828 ein
„*romantisch-religiöses Gedicht in 10 Gesängen*", aus dem
jegliche apokryphe Anklänge getilgt waren, der Hl. Familie (*Die heilige Familie*. Heidelberg 1828.). Es erschien bei
dem Heidelberger Verlagsbuchhändler Christian Friedrich
Winter (1773–1858), der Sohn eines evangelischen Pfarrers war (ADB. XLIII. S. 464). 1888 veröffentlichte der
1831 geborene Dagobert von Gerhardt unter dem Pseudo-
nym Gerhard von Amyntor einen Roman mit dem Titel
‚*Eine heilige Familie*‘.

Der geradezu inflationäre Gebrauch von ‚*heilig*‘ für
profane Erscheinungen geht auf den Pathos des Idealismus
zurück, wobei der Begriff ‚heilige Familie‘ nicht die sakrale
Weihe der Kirche, sondern die Idealität der Gruppe meint,
die in gewisser Weise einer Sakralität der Natur als Religion unterliegt. In diesem Zusammenhang verstand sich die
Freundschaft als säkularisierte Nächstenliebe.

Entsprechend formte sich die Idee von Ehe und Familie um; der Zweckverband zur gemeinschaftlichen Haushaltung wandelte sich zum Ideal der Neigungs- und Lie-
besheirat, die die Basis für eine harmonische Gemeinschaft gleichgesinnter Personen bildete. Kombiniert mit
dem Attribut ‚*heilig*‘ führte die ideologische Heiligung der

Familie zur Idealisierung der Familie als ideeller und über-
irdischer Größe mit einer hohen moralischen Verpflichtung aller Mitglieder. Die Neigung des Biedermeiers zu
Kleingruppen mit persönlich-privaten Beziehungen (*Sengle*
1971. I. S. 56–59) trug zu dieser Priorität der Gefühlsbin-
dung nicht unerheblich bei.

Schon 1798 wurde bei Johann Nepomuk Lingl die
Hl. Familie zu Josephs *„heiligste[n] Familie"* (*Lingl*: Predigten. Augsburg 1798. I. S. 254), d. h. die *ihm* heiligste
Familie. Die Objektivität des himmlischen Attributs, das
eine Aussage über die Stellung der Betreffenden in Bezug
zu Gottvater machte, wandelte sich zur subjektiven Beurteilung Josephs, die weniger eine sakrale als profane, ideale
Qualität meinte.

Die Profanation führte Lingl nur konsequent fort, wenn
er einen direkten Vergleich zu einer guten christlichen
Familie zog, einen Vergleich, den die barocke Andachtsliteratur wohl implizierte, aber nie direkt aussprach:

> O! wie freut es mich doch allemal so herzlich; meine
> Christen! wenn ich unter euch eine bedürftige, arme,
> aber doch arbeitsame, gottesfürchtige, und mit ihrem
> dürftigen Stande zufriedene, und vergnügte Familie
> sehe! da stelle ich mir allemal das Haus zu Nazareth
> recht lebhaft vor, und spreche zu mir selbst im Herzen,
> und sage. „hier wandelt aufs neue unter uns Menschen
> auf Erden die arme, und von Gott gesegnete, heilige
> Familie aus dem Hause von Nazareth – Jesus, Maria
> und Joseph!!!". (*Lingl*: Predigten. Augsburg 1798. I.
> S. 256)

Ging es im Barock darum, der Hl. Familie im Sinne einer
imitatio nachzueifern, um so das Himmelreich zu erlangen,
so suggeriert Lingl, die Hl. Familie könne von einer christlichen Familie *verkörpert* werden und in ihr quasi wie-
dererstehen, eine Auffassung, die die gesamte Hl. Familie-
Vorstellung des 19. Jahrhunderts bestimmte und in der
provokativen Aufforderung des ‚Allgemeinen Vereins der
christlichen Familien zu Ehren der Hl. Familie von Nazareth', in der diese heilige Gruppe ihre sakralen Implikationen verlor, gipfelte:

> Ach, jede *christliche* Familie sollte trachten, eine *hei-
> lige* Familie zu werden! Und warum sollte sie es
> nicht können? Was hat die *Arbeiterfamilie von Nazareth*
> vor anderen besonders voraus? (*Ztschr. Hl. Familie.* 1
> (1893). S. 108)

Diese – fast möchte es scheinen – beliebige Übertragbarkeit
der Hl. Familie auf jede andere, irdische Familie spiegelt
sich auch im Umgang mit einem für das 19. Jahrhundert
typischen Bildtyp der Hl. Familie wider, auf dem sich die
drei heiligen Personen in einem Raum oder einer Laube an
einem Tisch versammelt haben[13].

In der rückwärtigen, häufig in Rustika ausgeführten
Wand, vor der ein Tisch mit zwei Bänken steht, öffnet

88. Adrian Schleich (nach Schlothauer): Die Hl. Familie
in der Laube. Frontispiz zu: *Michael Hauber*: Vollständiges Christkatholisches Gebetbuch. München 1844. (Telgte,
Museum Heimathaus Münsterland)

sich ein Fenster oder eine Nische, vor der Joseph und Maria
am Tisch sitzen; der Jesusknabe spielt zu ihren Füßen mit
einem Lamm. Ungewöhnlich ist, daß diese Szene keine
Tischszene im uns bekannten Sinne ist. Vielmehr liest – entgegen der barocken Gepflogenheiten – der hl. Joseph in
einem Buch – wohl die Bibel –, während Maria ihre gefalteten Hände in den Schoß legt und ihm zuhört. Nie zuvor
wurde diese schon von der Hausväterliteratur geforderte
Aufgabe des Hausvaters zur geistlichen Unterrichtung der
Familienmitglieder auf solch direkte und plakative Weise
auf die Hl. Familie übertragen und mit ihr illustriert.

Der aus der Biedermeieridylle adaptierte Bildtyp diente
nicht nur zur Illustration verschiedener Gebetbücher des
‚Allgemeinen Vereins' (*Riedle*: Handbüchlein. München
1892.), sondern wurde seinerseits zur allgemein christlich-
familiären[14] Idylle unter dem Motto *„Ich und mein
Haus wollen dem Herrn dienen"* zurücktransponiert und
in dieser profanen Um- und Rückdeutung als Emblem
der pädagogisch-katechetischen Reihe ‚Unterrichts- und

89. Heinrich Commans: Die Eheleute nehmen wie Christus das Kreuz auf sich.
Holzschnitt 1879. (Köln, Diözesanmuseum)

Gebetsperlen' (Augsburg Ende 19. Jhdt. verlegt bei M. Huttler und Michael Seitz) verwandt.

Diese Übertragungspraxis findet sich auch in Zusammenhang mit dem von der katholischen Kirche propagierten christlichen Leidensethos. In einer Zeichnung des Nazareners Heinrich Commans nehmen die christlichen Eheleute, gemäß Mt. 10,38 und Mk. 8,34, das Kreuz auf sich. Ähnlich demonstriert eine christliche Familie unter der Führung des Vaters in einem Umrißstich nach Johann Friedrich Overbeck (*Metken* 1977. Abb. 4) mit leidvoller Miene die *imitatio Christi*. Das Bild erinnert an barocke Bußprozessionen, an denen die Gläubigen mit einem Kreuz auf den Schultern teilnahmen oder an einen Stich von Hieronymus Wierix, auf dem die Muttergottes diese Form der *imitatio christi* demonstriert (*Mauquoy-Hendrickx* 1978. I. S. 106. Tafel. 80. Nr. 599).

Die im Rahmen der Hauslehre anhand der Hl. Familie propagierten Werte und Normen, die Maximen der Evangelischen Räte, zu denen sich der Mensch im Rahmen der göttlichen Vorsehung mit seinem freien Willen entscheiden konnte[15], wurden durch die Pflicht zu bestimmten, kon-

kreten Verhaltensweisen, die besonders im 19. Jahrhundert beispielhaft beschrieben wurden, ersetzt.

Schon in den Ende des 18. Jahrhunderts entstandenen Predigten des Benediktiners Lingl wird die Vorstellung von der Pflicht außergewöhnlich betont. So bezeichnet er Maria in fünffacher Weise als „*Pflichterfüllerin*" (*Lingl*: Predigten. Augsburg 1799. II. S. 133 f), jedoch immer in bezug auf ihre irdische, soziale Rolle, nicht aber als wichtigste Heilige des Katholizismus. Sie erfüllt ihre ‚Pflicht' als Jungfrau (im Tempel), als Freundin (Elisabeths), als Mutter (Jesu), als Gattin (Josephs) und als Witwe.

Ebenso bezieht sich die von Lingl dargebotene Josephsvita an fünf biblisch belegbaren Lebenssituationen Josephs, in denen der Autor ebenfalls als ideales Verhalten des Heiligen sein Pflichtbewußtsein gegenüber Gott, den Mitmenschen und sich selbst hervorhebt, auf die Pflichterfüllung. Seine soziale Rolle wird auf die des Vaters und Ehegatten festgelegt, ohne – wie im Barock – diese Rollen Josephs in bezug auf die Gläubigen auszudehnen.

Ähnlich reduziert wird nun auch das Leben der Hl. Familie und speziell Josephs beschrieben: konnte er sich

z. B. bei Martin v. Cochem noch rührend an dem Jesuskind erfreuen, so besteht sein scheinbar trostloses Leben
fortan nur noch aus Arbeit und Sorgen (*Lingl*: Predigten.
Augsburg 1798. II. S. 248). Dementsprechend zeigt eine
Farblithographie mit der Ruhe auf der Flucht von 1887 aus
einer Folge zum Alten und Neuen Testament einen sor-
genvoll schauenden Joseph neben einer völlig erschöpften
XIX Maria.

Lingl wollte offenbar nicht die private und gesellschaftliche Realität der Hausgemeinschaft und Familie, sondern
in veristischer Manier die durch die Hl. Familie transportierten Inhalte und Vorstellungen der katholischen Kirche
von einer idealen, christlichen Familie vermitteln.

Unter diesen Vorzeichen lassen sich auch Korrespondenzen zwischen Familienideologie und Heiligenkult feststellen. Während der Marienkult des 19. Jahrhunderts
der romantisch-idealisierten Mütterlichkeit (*Sengle* 1971.
I. S. 59 ff) entspricht, spiegelt der Josephskult, in dem
der Heilige hauptsächlich als Arbeiterpatron fungierte, die
durch industrielle Arbeitsprozesse provozierte, reale Aus-
grenzung des Vaters aus der Familie wider.

Gleichzeitig ist zu beobachten, daß in dem Maße, wie
sich die Sozialstruktur des Klerus, vor allem des nie-
deren Klerus, vom Adel zum Bürgertum wandelte, auch
die bürgerliche ,Moral' und ihre Normen größeren Einfluß
auf die in der Katechese vermittelten Inhalte nahm und mit
der Entwicklung der konservativen Familienideologie des
19. Jahrhunderts korrespondierte, die sich realiter von dem
frühneuzeitlichen Modell des ,ganzen Hauses' im christlichen Leben entfernte und zur Vermittlerin eines restriktiven
Rollenverhaltens zum Wohle der bürgerlichen Gesellschaft
und des Staates wandelte, ohne die großzügige Vermittlung
der spezifisch christlicher Normen – wie sie früher am Beispiel der Hl. Familie geführte wurde – leisten zu können.
Die großen christlichen Ideale und Tugenden – Demut,
Liebe, Glaube, Hoffnung, Mäßigung, Gerechtigkeit, Stärke
und Klugheit – traten zugunsten einer kleinlichen Sozial-
norm zurück, die konkrete Handlungsanweisungen bot, wie
sie im Rahmen barocker Katechese kaum vermittelt worden
waren.

Seit dem Ende des 18. Jahrhunderts scheint die
Hl. Familie einerseits durch die Profanation näher an die
christlichen Familien heranzurücken, doch ist gleichzeitig
eine Distanzierung zu beobachten, in deren Rahmen der
Gläubige sich nicht mehr als ,Kind' des ,Vaters' Joseph
verstehen konnte, somit quasi eine ,Entfremdung' zwischen
Gläubigen und Heiligen konstatiert werden muß, ohne daß
ein adäquater Ersatz für die ehemals sehr persönliche Beziehung gefunden werden konnte. So ist das 19. Jahrhundert bestimmt von der Dichotomie von Säkularisierung der
Hl. Familie und Sakralisierung der christlichen Familie[16].

1 Der ,Allgemeine Verein der christlichen Familien zu Ehren der Hl. Familie von Nazareth'

Mit dem päpstlichen Breve vom 14. Juni 1892 gründete
Leo XIII. den ,Allgemeinen Verein der christlichen Familien zu Ehren der heiligen Familie von Nazareth'[1]. Dieser
Gründung war am 20. November 1890 die Einrichtung der
,Andacht zur heiligen Familie', in der die später als Vereinsgebete bezeichneten Texte schon zu finden sind[2], vor-
angegangen.

Nach dem päpstlichen Breve knüpfte der Verein
– neben der Verehrungstradition der Hl. Familie aus dem
17. und 18. Jahrhundert – an die französische Gebetsvereinigung des Jesuiten Franz Philipp Frankoz aus dem
Jahre 1861 in Lyon und ihrem Äquivalent in Bologna an.
Dieser Verein war am 5. Januar 1870 von Pius IX. bestätigt
worden. Eine ähnliche Zielsetzung hatte die 1845 in Lüttich

90. Silbermedaille der Erzbruderschaft der hl. Familie.
Lyon Mitte 18. Jhdt. (Telgte, Museum Heimathaus Münsterland)

von den Redemptoristen gegründete ,Bruderschaft von der
hl. Familie Jesus, Maria und Joseph', die 1847 zur Erzbru- *90*
derschaft erhoben wurde und parallel zum ,Allgemeinen
Verein' bestand[3]. Während aber die Zielgruppe der Erzbruderschaft hauptsächlich bei den durch die Industrialisierung

entwurzelten Arbeitern und Handwerkern zu suchen war, konzentrierte sich der ‚Allgemeine Verein' allein auf die Pflege des christlichen Familienlebens.

Zudem entstanden im 19. Jahrhundert besonders im französischsprachigen Raum vermehrt klösterliche oder klosterähnliche Gemeinschaften, die der Hl. Familie geweiht waren und nicht selten als Reaktion auf die sozialen Probleme der fortschreitenden Industrialisierung eine karitative Ausrichtung hatten[4]. Für den deutschsprachigen Raum sind vor allem drei Frauengemeinschaften von Interesse. Die aus einer Gründung eines Armenkinderhauses in Pirmasens/Pfalz[5] erwachsenen ‚Armen Franziskanerinnen von der Hl. Familie' (1857 bestätigt) konzentrierten sich nach ihrer Verlegung nach Mallersdorf/Niederbayern (1869) auf den süddeutschen Raum[6], während die ebenfalls 1857 gegründeten ‚Franziskanerinnen von der Hl. Familie' aus Eupen hauptsächlich in Belgien, Holland und dem Rheinland tätig waren[7].

Papst Leo XIII. unternahm mit der Gründung des ‚Allgemeinen Vereins' – in Fortführung der Bestrebungen seiner Vorgänger[8] – den Versuch *„über den ganzen katholischen Erdkreis hin“* (Breve Leos XIII. von 1892. *Riedle*: Handbüchlein. München 1892. S. 15 f), d. h. weltweit, eine Laienorganisation zu errichten, die sich speziell einer konservativen Familienideologie verpflichtet fühlte und die von Rom aus zentral geleitet wurde und in ihrer gesamten Organisationsstruktur bis hinunter auf Gemeindeebene Laien – außer als einfache Mitglieder – nicht zuließ. Oberste Kontrollinstanz und Hüter des Vereins gegen unliebsame Veränderungen war – als Protektor – der Kardinalvikar des Papstes, dem ein Beirat bestehend aus dem *„Sekretär der Kongregation der Riten nebst zwei anderen von ihm erwählten Prälaten sowie einem Geistlichen als Sekretär“*, zur Seite stand. Die Diözesanleitung übernahm jeweils ein vom Bischof ernannter Priester, während im Bereich der Pfarrei allein dem zuständigen Pfarrer oder seinem Stellvertreter das Recht zukam, Familien in den Verein aufzunehmen, so daß der Pfarrer auf diese Weise die gesamte regionale Kontrolle innehatte (Statuten. Abschnitte 2, 3, 4. *Riedle*: Handbüchlein. München 1892. S. 21 f). Diese Organisationsstruktur entspricht der Definition eines kirchlichen Vereins, der sich vom privaten katholischen Verein durch seinen Rechtsstatus unterscheidet[9]. So gehört der ‚Allgemeine Verein' zu den Körperschaften „mit satzungsmäßig geordneter Über- und Unterordnung“ (LThK. X. Stichwort: Vereine. Sp. 684) – im Kirchenrecht auch ‚Sodalitäten' genannt.

Um die Wirkung dieses Vereins zu erhöhen und einen einheitlichen Kultus der Gebetsgemeinschaft in allen Diözesen zu gewährleisten, wurden zahlreiche genormte Andachtsschriften, Aufnahmebücher, Gebetszettel und Zeitschriften veröffentlicht. Neben den für jede deutsche Diözese erschienen Gebets- und Andachtsbüchern des ‚Allgemeinen Vereins' fallen besonders die monat-

lich oder sogar wöchentlich erscheinenden Periodika ins Gewicht, die – bei einem kontinuierlichen Abonnement – großen Einfluß auf die Leserschaft haben konnten, zumal die Ideologie des Vereins hier in kleinen Erzählungen kurzweilig vermittelt wurde[10].

91. Titelblatt der Zeitschrift ‚Die heilige Familie'. Freising 1893. (München, Bayerische Staatsbibliothek)

Das Breve zur Errichtung des ‚Allgemeinen Vereins' bestimmte u. a. das Bild der Hl. Familie, vor dem vorzugsweise täglich gebetet werden sollte (Abschnitt 7 der Statuten. *Riedle*: Handbüchlein. München 1892. S. 24. *Beringer* 1900. S. 691)[11] und das in zahlreichen Publikationen des ‚Allgemein Vereins' veröffentlicht wurde und auf diese Weise – neben verschiedenen Reproduktionen im Stahlstich – weiten Kreisen der katholischen Leserschaft bekannt wurde. So zierte es z. B. das Titelblatt einer jeden Ausgabe der ‚Zeitschrift der Hl. Familie' aus Freising, und auch in dem Pendant dieses Blattes aus Augsburg wurde gerne auf dieses spezielle Bildmotiv zurückgegriffen. Es zeigt die Personen der Hl. Familie bei ihren spezifischen Verrichtungen: Joseph als Zimmermann, Maria als spinnende Hausfrau und das Jesuskind, das in dem Buch der Offenbarung liest.

Folgen wir dem päpstlichen Breve und den entsprechenden Erläuterungen Ignaz *Riedles*, so lassen sich folgende Prämissen in der Begründung für die Errichtung speziell dieses Vereins aufzeigen:

1. Die Familie ist die von Gott – mit den Hauptzielen der Erziehung und der Reproduktion – eingesetzte Grundlage allen gesellschaftlichen Lebens, das allein anhand der Normen und Vorstellungen des Christentums gedeihen kann.

So erläutert *Riedle* unter der Überschrift ‚Die Familie und ihr Verhältnis zur Gesellschaft im Allgemeinen':

> Unter *Familie* pflegt man die von Gott in der natürlichen Ordnung gegründete Einrichtung zu verstehen, durch welche das Menschengeschlecht auf Erden sich fortpflanzt. Der Mensch tritt ganz hilflos in das Dasein ein. Ohne *Erziehung* könnte er weder zur leiblichen noch zur geistigen Entwicklung gelangen und darum seine Bestimmung auf Erden nicht erfüllen. Als eine solche in der natürlichen Ordnung begründete und von ihr geforderte Einrichtung ist die Familie von jeher *thatsächlich* anerkannt worden. [. . .]. Das Christentum hat die Familie in die *übernatürliche* Ordnung emporgeführt, indem es die Ehe, durch welche die Familie begründet wird, zu einem heiligen Sakramente erhob. (*Riedle*: Handbüchlein. München 1892. S. 3 f)

Dieser Punkt scheint für Leo XIII. so selbstverständlich, daß er ihn längst nicht so ausführlich erläutert, sondern sofort die Verbindungslinie zwischen der Familie und der Gesellschaft darstellt.

> Jedermann weiß, daß der glückliche Bestand des öffentlichen wie des Privat-Lebens hauptsächlich von der Regelung des *häuslichen* Lebens abhängt: je tiefer die Tugend im häuslichen Leben Wurzel schlägt; je sorgfältiger die Herzen der Kinder durch Wort und Beispiel der Eltern geleitet werden, desto reichlicher werden die Früchte an der ganzen Menschengesellschaft sich zeigen. (zitiert nach *Riedle*: Handbüchlein. München 1892. S. 9)

Sein Kommentator *Riedle* wird bedeutend deutlicher; er stellt klar: es geht bei dieser Verbindung nicht um den abstrakten Begriff ‚Gesellschaft', sondern um den konkreten Staat.

> Im elterlichen Hause wachsen *die* Menschen empor, welche einmal unsere Häuser und Dörfer und Städte bewohnen und unsere Äcker bebauen werden und die in *christlicher* Zucht und Lehre sich heiligen und die Zahl der Seligen mehren sollen. Aus dem Schoß der Familie empfängt die katholische Kirche ihre *Kinder*[12], das Vaterland seine *Bürger*, der Himmel seine *Bewoh-*

ner, kurz, die Familie [die ihrerseits ihre Grundlage im Christentum findet] ist die Erhalterin der Menschheit. So galt es als christliche Anschauung zu *allen* Zeiten; [. . .]. (*Riedle*: Handbüchlein. München 1892. S. 5)

Nach dieser Definition ist die Familie ein wichtiges Element sowohl für die christliche Religion und ihre irdischen Institutionen wie auch für den Staat. Führt man diesen Gedankengang weiter – was *Riedle* zwar nicht tut, obwohl man davon ausgehen kann, daß er diese Folgerungen im Sinn hatte –, so versteht sich der Katholizismus – neben seinem transzendentalen Aspekt – als ein gesellschaftlich und politisch äußerst relevanter Faktor, der die Basis des Staates – die Familie – begründet, schützt und sichert. Die Religion legitimiert nicht nur ihre Existenz und kulturelle und soziale Bedeutung, sondern weist indirekt darauf hin, daß ihr Wohlergehen ganz im Interesse des Staates liegt, der in seiner ganzen Existenz ja auf dem religiös fundierten Sozialgebilde ‚Familie' basiert.

2. Darauf aufbauend konstatiert die zweite Prämisse eine Gottlosigkeit und allgemeine Verderbnis der Sitten – ein Vorwurf, der schon immer von kirchlicher Seite laut wurde –, die sich gezielt auf die Familie richtet und somit die gesamte Gesellschaft angreift.

So erläutert *Riedle* schon am Anfang seiner Einführung:

> [. . .]; erst in *neuerer* Zeit hat sich eine Theorie ausgebildet, welche die Familie als solcher den Krieg ankündigt und sie in ihrem Bestande zu untergraben sucht: es ist die von Tag zu Tag immermehr um sich greifende Zeitrichtung der Gottlosigkeit, in deren Bahnen bereits viele Tausende eingelenkt sind. Diese Gottlosigkeit greift die Familie in ihrer *Wurzel* an und steht in beständigem Kampf gegen sie – und würde sie ihr Ziel erreichen, so müßte ein entsetzliches Verderbnis über die Menschheit hereinbrechen. (*Riedle*: Handbüchlein. München 1892. S. 5 f)[13]

Das päpstliche Breve kommt hingegen erst im Schlußteil auf diese Mißstände zu sprechen, ohne auf eine Interessensidentität von Staat und Kirche hinzuweisen:

> [. . .] kennen sie [die Bischöfe] ja doch und beklagen mit uns die Veränderungen und das Verderbnis im Bereich der christlichen Sitten, das Erlöschen der Liebe zu Religion und Frömmigkeit in den Familien und die über alles Maß entfesselte Begierde nach irdischem Besitz, und hegen sicherlich selbst den sehnlichsten Wunsch nach geeigneten Heilmitteln[14] gegen so viele und so große Übelstände. (*Riedle*: Handbüchlein. München 1892. S. 18)

Diese z. T. unterschiedliche Gewichtung in der Darstellung der Situation und der Abhängigkeiten lassen sich von *Riedles* Seite als das Bemühen deuten, nach den Erfahrungen des Kulturkampfes sowohl die Treue der katholischen Seite gegenüber dem Staat als auch dessen moralische Verpflichtung gegenüber der Religion und ihren Institutionen festzustellen.

Als Therapie bietet Leo XIII. mit dem ‚Allgemein Verein' keine Veränderung der sozialen und wirtschaftlichen Zustände an, die offensichtlich nicht ursächlich mit der konstatierten ‚Gottlosigkeit' und der materialistischen Denkweise in Zusammenhang gebracht werden, sondern – als Defensive gegen die „*Theorie, [...], welche der Familie als solcher den Krieg angekündigt*" (*Riedle*: Handbüchlein. München 1892. S. 5) – die Festigung konservativer Normen, die angeblich von der Hl. Familie als Idealfamilie repräsentiert und vorgelebt wurden.

Das Vorbild der Hl. Familie, dem nachzueifern die Pflicht der christlichen Familie ist, stellt also das Gegenmittel dar. Unter ihrem Schutz, ihr geweiht (*Riedle*: Handbüchlein. München 1892. S. 14) „*zur Heiligung des christlichen Familienlebens*" (ebda. S. 7) sollen die christlichen Familien den Tugenden des Ideals der Hl. Familie mit Hilfe des Vereins und durch gemeinsame, allabendliche Gebete vor dem Bild der Hl. Familie[15] folgen (s. oben).

> Jesus, Maria und Joseph, in ihnen angerufen, werden innerhalb der häuslichen Mauern mit ihrer Gnadenhilfe weilen, werden die Liebe nähren, den Wandel [!] leiten, in ihrer Nachahmung die Tugend hervorlocken und die Bedrängnisse welche die Menschen von allen Seiten umgeben, mildern und erträglich machen. (*Riedle*: Handbüchlein. München 1892. S. 19)

Hier drückt sich eindeutig das Bestreben nach Immunisierung der Menschen gegen wirtschaftliche und soziale Mißstände aus. Doch versteht sich der Verein weder als eine nur für eine bestimmte Gruppe der Gesellschaft konzipierte Gemeinschaft, noch strebt er eine Aufhebung aller sozialen Schranken an; er weitet vielmehr im Einklang mit der christlichen Religion seinen Gültigkeitsbereich auf die gesamte Gesellschaft aus und erkennt so die vorhandene Sozialstruktur voll an. Mit diesem Schritt war der Verein auf eine – im wörtlichen Sinne – konservative und konservierende Richtung festgelegt; er konnte nicht problemlos Anwalt einer bestimmten sozialen Gruppe sein – mußte es aber auch nicht.

Durch diese Vermeidungsstrategie erhielt die Gemeinschaft ein hohes moralisches Ethos und gleichzeitig eine ideologische Konfliktfreiheit innerhalb der eigenen Reihen[16]. So ordnet das Breve vom 14. Juni 1892 den verschiedenen Personen- und Gesellschaftsgruppen die jeweiligen Charakteristika und Tugenden der Hl. Familie zu:

> In der That haben die *Hausväter* in Joseph ein leuchtendes Vorbild väterlicher Wachsamkeit und Fürsorge; die *Hausmütter* in der allerseligsten Jungfrau und Gottesgebärerin ein herrliches Muster von Liebe, Züchtigkeit,

Gehorsam und vollkomenen Glauben, die *Kinder des Hauses* aber haben in Jesus, *der ihnen unterthänig war*, das *göttliche* Beispiel des Gehorsams, das sie bewundern, verehren und nachahmen sollen, die *Vornehmen* sollen von der Familie aus königlichem Geschlechte lernen, teils wie sie in glücklichen Verhältnissen Maß halten, teils wie sie in Trübsalen ihre Würde bewahren können; die *Wohlhabenden* sollen lernen, das irdischer Besitz weit hinter die Tugend zu stehen kommt; die *Arbeiter* aber und alle jene, welche unter dem Druck und den Bedrängnissen der Gegenwart so schwer zu leiden haben, wenn sie auf die Glieder jener heiligen Hausgenossenschaft hinblicken, werden Veranlassung finden, mit der Lage, in der sie sich befinden, sich weiter zufrieden zu geben und sie weniger zu beklagen; mit der *heiligen* Familie nämlich haben sie gemeinsam die Arbeit wie die täglichen Sorgen des Lebens; auch Joseph mußte von seinem Verdienste für die Bedürfnisses des Lebens Sorge tragen – ja, die *göttliche* Hand selbst hat in den Verrichtungen des Handwerks sich geübt, und es darf nicht Wunder nehmen, wenn einsichtsvolle Männer, unter Hintansetzung ihrer Güter in Gemeinschaft mit Jesus, Maria und Joseph ein *armes* Leben sich erwählt haben. (*Riedle*: Handbüchlein. München 1892. S. 11 f)

Schon in dieser Stelle finden wir die Schlüsselbegriffe – in direkter oder indirekter Form –, die sich durch alle Publikationen des Vereins – seien es Gebets- und Andachtsbücher, Zeitschriften oder Predigttexte – ziehen: Tugend, Glaube, Arbeit, Gehorsam, Genügsamkeit, Armut. Hierauf basierend entwickelte sich eine christliche Familienideologie, die gerade die Infragestellung der von Gott eingesetzten Institution ‚Familie' unmöglich machte und zu Stabilisierung der gesellschaftlichen Struktur und ihrer Normen beitrug.

Der ‚Allgemeine Verein' von der Hl. Familie bildete dabei im Endeffekt ein Kontrollinstrument über die katholischen und religiös ansprechbaren Familien, das die Ideologie der christlichen Familie diesen Kreisen vermittelte und in ihnen festigte, denn es ist anzunehmen, daß trotz der Anordnung des Breve, sich gerade um die Arbeiterfamilien zu bemühen[17], nur jene von dieser Gebetsvereinigung erreicht werden konnten, die sowieso für den jeweiligen Pfarrer erreichbar waren.

Man kann kaum davon ausgehen, daß ein Verein, der seinen Mitgliedern hauptsächlich das Gebet als Aufgabe auferlegte (Statuten. Abschnitt 6. *Riedle*: Handbüchlein. München 1892. S. 23)[18] und auf jede karitative Tätigkeit verzichtete, Personen außerhalb der Kirche bzw. ohne oder nur mit geringem religiösem Interesse ansprechen konnte. Sie hätten aber – nach den Klagen über die Verrohung der Sitten, dem zunehmenden Materialismus und der Gottlosigkeit – gerade die Zielgruppe des Vereins sein müssen.

So erweckt der Verein den Eindruck, daß er defensiv

die ihm verbleibenden Familien vor den modernen Zeitströmungen schützen und immunisieren wollte und sich als eine geschlossene Gruppierung gegen die ideologische Infiltration von Außen abzugrenzen suchte. Dies deutet auf eine gewisse Rat- und Hilflosigkeit der Initiatoren – der katholischen Kirche – gegenüber der Gesellschafts- und Wirtschaftsentwicklung des ausgehenden 19. Jahrhunderts hin.

So sind auch die Mittel des Vereins hauptsächlich auf diesen Zweck ausgerichtet. Zur Festigung der familiären Gemeinschaft soll das tägliche, gemeinsame Abendgebet vor dem Bilde der Hl. Familie dienen (*Riedle*: Handbüchlein. München 1892. S. 21, 23), zu dessen Einhaltung der Hausvorstand verpflichtet ist. Gleichzeitig unterliegt es der – hier nicht explizit genannten – väterlichen Autorität *„dafür Sorge zu tragen, daß alle Glieder des Hauses ihren Lebenswandel nach dem gegebenen Vorbilde richten; eines Sinnes miteinander im Glauben, einer Willensrichtung in der Liebe zu Gott und den Mitmenschen."* (*Riedle*: Handbüchlein. München 1892. S. 14).

Fördert das private Gebet auf diese Weise die Einheit der Familie, so sind die Ablässe ganz auf die Einheit des Vereins ausgerichtet. Sie sichern den Kirchenbesuch der Mitglieder an den Vereinsfesten[19], als auch die Vereinsversammlungen[20] und die Mitgliederwerbung (*Riedle*: Handbüchlein. München 1892. S. 29 f).

So dienten die Ablässe in Hinblick auf den Verein an sich als Disziplinierungsmittel, während eine Art seelsorgerische Tätigkeit zum Nutzen des Vereins und seiner Zwecke den Einzelmitgliedern auferlegt wurde – allerdings gegen den nur sehr geringen Ablaß von sechzig Tagen:

> Einen Ablaß von *sechzig* Tagen können Mitglieder gewinnen, so oft sie: 1. in der Pfarrkirche, in welcher der Verein seinen Sitz hat, dem hl. Meßopfer und anderen gottesdienstlichen Verrichtungen (z. B. Vesper) beiwohnen [Disziplinierung der Mitglieder im Sinne der Vereinseinheit]; oder 2. fünf Vaterunser und Ave Maria für die † Mitglieder [verstorbenen Mitglieder] beten; oder 3. Zwistigkeiten in Familien schlichten oder schlichten helfen; oder 4. sich bemühen, Familien, die vom Wege der Gerechtigkeit abgekommen waren, wieder auf den Weg des Heiles zurückzuführen[21]; oder 5. Knaben und Mädchen fleißig in den christlichen Wahrheiten unterrichten[22]; oder 6. irgend ein frommes Werk vollbringen, das zum Wohl des Vereines [!] ausschlägt. (*Riedle*: Handbüchlein. München 1892. S. 29 f)

Da sich der Verein hauptsächlich als Gebetsvereinigung verstand, galt dem Beten die besondere Aufmerksamkeit dieser Organisation, die sich in dem Weihegebet, dem täglichen Vereinsgebet – vor dem Bild der Hl. Familie zu verrichten – und den Ablaßgebeten niederschlug[23].

Das Weihegebet und das Tagesgebet haben etwa den gleichen Inhalt und stammen – nach den Aussagen des

päpstlichen Breve vom 14. Juni – von dem Verein der Hl. Familie aus Bologna (1870). Sie sind jeweils dreigeteilt und rufen in ihren Abschnitten die einzelnen Mitglieder der Hl. Familie an. Es finden sich in den beiden Gebeten folgende Grundaussagen:

1. Jesus ist das Vorbild der Christen.
2. Er hat durch sein ‚verborgenes' Leben in Nazareth die Familie geheiligt.
3. Diese Familie ist Vorbild aller christlichen Familien.
4. Weihe der eigenen Familie an Jesus.
5. Bitte um Schutz – zur Verfolgung des Ideals der Hl. Familie – und Aufnahme in den Himmel nach dem Tode.
6. Maria ist Schutz und Fürsprecherin der christlichen Familie bei Jesus.
7a. Joseph ist Schutz der christlichen Familie (im Weihegebet. *Riedle*: Handbüchlein. München 1892. S. 32 f).
7b. Joseph ist Schutz und Fürsprecher der christlichen Familie bei Maria, die ihrerseits Fürsprecherin bei Jesus ist (im täglichen Gebet. ebda. S. 35 f).

Der Schwerpunkt in diesen Gebeten liegt in der Anrede an Jesus, der die Hl. Familie durch sein Dasein heiligt, diese Heiligkeit also hauptsächlich nicht auf Maria und Joseph oder ihren Lebenswandel an sich zurückzuführen ist. Durch den Gottessohn werden sie als Ehepaar hervorgehoben und durch ihn wird diese Familie zur Einheit und zum Vorbild, während Maria und Joseph als Einzelpersonen und Fürsprecher fungieren können.

In allen Anrufungen und Gebeten auch des späten 19. Jahrhunderts blieb diese Reihenfolge erhalten, so daß sich hier die alte Heiligenhierarchie wiederfindet, wie sie uns z. B. aus dem Votivwesen schon bekannt ist. Auf diese Tradition weist auch die Wortwahl des Tagesgebetes hin; *Riedle* spricht dort vom Verlöbnis, einem Begriff, der im Zusammenhang mit Votivgaben gängig war. Im lateinischen Original des Tagesgebetes heißt es: *„Memento tuam esse hanc domum; quoniam Tibi se peculiari cultu sacravit ac devovit."* (*Riedle*: Handbüchlein. München 1892. S. 36) und *Riedle* übersetzt: *„Sei eingedenk, daß dieses Haus Dir [Gott] gehört, indem es sich Dir durch besondere Verehrung geweiht und verlobt hat."* (ebda. S. 35. *Conrad*: Andacht hl. Familie. Würzburg 1893. S. 22)[24]. So bleibt die Grundidee der Votivgabe von Weihe und göttlicher Gegenleistung in diesen Gebeten noch bewahrt, denn im Anschluß an den Hinweis auf die Weihe und das Verlöbnis folgt die Bitte:

> Schütze gnädigst dasselbe, bewahre es [das Haus, mit dem die Hausgemeinschaft, die Familie gemeint ist] vor Gefahren, stehe ihm in Nöten bei und verleihe ihm Kraft, in der Nachahmung Deiner heiligen Familie immer auszuharren, [...]. (*Riedle*: Handbüchlein. München 1892. S. 35)

Noch deutlicher formuliert Leo XIII. in seinem Breve:

> [...], oder vielmehr sie derselben ganz zu weihen in der Absicht, daß Jesus, Maria und Joseph die ihnen geweihten Familien wie ihr Eigenthum schützen und hegen. (zitiert nach *Riedle*: Handbüchlein. München 1892. S. 14)

Wie wir noch sehen werden, findet sich in den weiteren Publikationen des Vereins aber immer stärker der Trend zu einer einseitigen Verpflichtung, die hauptsächlich von den Gläubigen forderte, dem heiligen Vorbild zu folgen, bei gleichzeitiger Verlagerung der Funktionen Marias und Josephs von der Fürsprecherrolle zu einer ganz bestimmten sozialen Rolle innerhalb des Familiengefüges. Diese Diskrepanz erklärt sich z. T. aus der Tatsache, daß die offiziellen Vereinsgebete ursprünglich gut zwanzig Jahre vor der allgemeinen Vereinsgründung von 1892 von dem Verein aus Bologna formuliert wurden[25].

Um Konkurrenzunternehmen auszuschließen und die Einheitlichkeit der gesamten Vereinsorganisation zu gewährleisten, wurden alle anderen Gemeinschaften mit dem Patrozinium der Hl. Familie – ausgenommen die Orden – dem Verein angeschlossen[26]. Diese Bestimmung traf also auch die Bruderschaften – mit Ausnahme der Lütticher *Erzbruderschaft von der hl. Familie Jesus, Maria und Joseph*[27] –, deren Mitglieder ohne jegliche Formalitäten übernommen wurden[28].

Zusammenfassend ist festzustellen, daß der ,Allgemeine Verein' hauptsächlich als Sammelbecken aller christlich-katholischen Familien gegen die säkularisierten Ideen des Industriezeitalters gedacht war. Dem Bereich der Seelsorge und Caritas außerhalb dieser Adressatengruppe wurde nur geringe Bedeutung beigemessen, so daß der Verein eher als Verteidigungswerk denn als Angriffsmittel gegen die beklagten Zeitströmungen zu verstehen ist.

2 Katholische Familienideologie im Spiegel der Publikationen des ,Allgemeinen Vereins der christlichen Familien zu Ehren der Hl. Familie von Nazareth'

2.1 Die Hl. Familie: Fürsprecher und Vorbild

Mit der Einführung des ,Allgemeinen Vereins' konzentrierte sich die Hl. Familie-Verehrung – neben der schon früher geübten Anbetung als Fürsprecher – auf die Ebene des Exempels, das – wie wir sahen – schon im Barock ein wesentlicher Aspekt des Hl. Familie-Kultes war. Im 19. Jahrhundert wurde die Vorbildfunktion der Hl. Familie allerdings nicht nur in Hinsicht auf eine allgemein christliche Lebensführung nach der Maxime der Evangelischen Räte, wie sie im Bild des Hl. Wandels und in den Alltagsszenen vermittelt worden war, verstanden, sondern in bezug auf ganz bestimmte soziale Rollen, die die Aufgaben und Zuständigkeiten einer jeden Person im familiären und gesellschaftlichen Gefüge beschrieben.

Sollte der Vorbildcharakter für die christlich-katholische Familie hervorgehoben werden, so finden sich Alltagsbeschreibungen, die alle jene Eigenschaften an der Hl. Familie betonen, die die ideale christliche Familie besitzen soll. So wird besonders auffällig das Kindliche an Jesus beschrieben, und die gesellschaftliche Bedeutung der Personen bildet sich in der Hierarchie Joseph, Maria, Jesus ab. Demgegenüber stellt die Betonung des Fürsprechercharakters der Hl. Familie Jesus – jetzt als Heiland, Gottessohn und Erlöser – in den Vordergrund, dem Maria und Joseph – wenn auch als die wichtigsten Fürsprecher der Menschen vor Gott – in weitem Abstand als anbetungswürdige Heilige folgen. Entsprechend der Betonung des Göttlichen findet sich in diesem Fall die gängige Heiligenhierarchie Jesus, Maria, Joseph wieder, so daß es scheint, als ob der ,Allgemeine Verein' den barocken Traditionen folge. Dies geschah aber nur in Einzelelementen, die Gewichtung des Kultes hatte sich gravierend vom christlichen Kultbild mit all seinen dogmatischen, exemplarischen und ethischen Implikationen hin zum eindimensionalen Vorbild für konservative Verhaltensnormen entwickelt, das – funktionalisiert für eine restriktive Sozialideologie – weit von der Vielschichtigkeit und Ambivalenz seines Vorgängers entfernt war. Aus heutiger Sicht muß man diese Funktionalisierung der Hl. Familie im Rahmen der katholischen Familienideologie des späten 19. Jahrhunderts als Verarmung gegenüber dem Reichtum der barocken Hl. Familie-Vorstellung verstehen, die – so disperat und ambivalent sie auch war – im Hl. Wandel in ihrer Vielfalt gefaßt und vereinigt wurde.

2.1.1 Maria

Mit der Ausrufung des Dogmas von der Unbefleckten Empfängis am 8. Dezember 1854 durch Pius IX. wurde der Marienverehrung im 19. Jahrhundert ein Impuls von immenser Kraft gegeben, der sich in einer Intensivierung der Marienverehrung niederschlug und z. B. in der sprunghaften Zunahme der Maiandachten als Marienandachten ihren Ausdruck fand (*Küppers* 1987.). Die beiden wichtigsten Vorstellungen von Maria – Maria, die Himmelskönigin[1] und Mutter – wurden von der alten Mariologie übernommen und gepflegt.

So lassen sich auch in den typischen Publikationen des ‚Allgemeinen Vereins' Hinweise sowohl auf die Himmelskönigin Maria[2] als auch auf die Gottesmutter finden, um z. B. die Heiligkeit Mariens zu beschreiben. Außerdem wurde das König-Motiv durch die Lauretanische Litanei, die meist obligatorisch in den Vereinsandachten erscheint, rezipiert[3].

Diese Königin-Vorstellung konnte aber nicht das Zentrum der neuen, in das Familienbild eingebundenen Marienverehrung sein, die den Muttertypus in den Mittelpunkt stellte. Interessanterweise wurde im Zusammenhang mit der Vorstellung Mariens als Fürsprecherin im 19. Jahrhundert auf eine Argumentation zurückgegriffen, die im Barock auf den hl. Joseph angewandt worden war. Danach liegt die besondere Bedeutung und Wirkung Mariens als Fürsprecherin vor Gott in ihrer irdischen Autorität als Mutter innerhalb der Hl. Familie und ihrer Liebe zu ihrem Kind begründet.

> Mächtig ist Maria, die Mutter der hl. Familie. Was vermag nicht das Herz einer Mutter über das Herz eines Sohnes? Maria aber ist die Mutter Jesu Christi, des Sohnes Gottes, sie ist die Mutter Gottes. Welch eine Machtfülle ist in der Würde der Mutter Gottes enthalten! (*Ztschr. Hl. Familie.* 3 (1895). S. 4)

Zwar wird an dieser Stelle nicht mehr so direkt auf das Abhängigkeitsverhältnis des Kindes gegenüber seinen Eltern abgehoben, wie in der älteren vergleichbaren Argumentation für Joseph, dennoch ist die Parallele nicht zu bestreiten, die sich von der Autorität des Vaters auf die Liebe der Mutter übertragen hat.

Wie stellt sich nun in der Vereinspresse die *Mutter Gottes* dar?

In den Weihegebeten erscheint sie als „*allerliebste Mutter Jesu Christi und unsere Mutter*" (*Riedle*: Handbüchlein. München 1892. S. 33) oder im täglichen Gebet vor dem Bild der Hl. Familie als „*süßeste Mutter*" (ebda. S. 36). Doch diese Begriffe fassen keineswegs die spezifischen Qualitäten Marias für den Verein, ebensowenig wie Umschreibungen der gebenedeiten, jungfräulichen Mutter. Sie repräsentiert in der Vereinspropaganda vielmehr eine bestimmte soziale Rolle der Frau in der Familie mit den entsprechenden Verhaltensnormen, sie wird zum Ideal aller christlichen Familien, der alle Hausfrauen und Mütter nachzustreben haben.

Ihre Charakteristika sind Fleiß, Zärtlichkeit, Duldsamkeit, Aufopferungsbereitschaft, Untertänigkeit, Sittsamkeit, Keuschheit, Zucht und Sitte, Treue, Demut und vollkommener Glaube (Breve Leos XIII. vom 14. Juni 1892. abgedruckt bei *Riedle*: Handbüchlein. München 1892. ebda. S. 11). So wird sie uns als arbeitsame, völlig unauffällige und bescheidene Frau dargestellt, die durch die Betonung des Attributs der Schmerzhaften Mutter einerseits die Verbindung zur Heilsgeschichte impliziert, andererseits aber die ‚heilige' Verpflichtung zur völligen Selbstaufgabe und unendlichen Leidensfähigkeit und zum unendlichen Leidenswillen der Frau repräsentiert.

Zur Illustration sei aus dem Artikel ‚*Gedanken vor einem Bilde der heil. Familie*' aus der Zeitschrift ‚*Die hl. Familie*' zitiert, der sich eingehend mit der Beschreibung Mariens beschäftigt, ohne jedoch direkt auf die begleitende Abbildung einzugehen:

> Und doch sind es nicht die Freuden, welche die Liebe einer Mutter zu ihrem Kinde die rechte Weihe [!] geben. Erst die Sorgen und Schmerzen, die eine Mutter um ihres Kindes willen zu ertragen hat, veredeln [!] ihre Liebe, machen sie groß [!] und erhaben [!]. [...]. Von der Geburt des Jesuskindes an hatte sie neben ihren Mutterfreuden auch ein reichliches Maß an Muttersorgen und -schmerzen, ja diese Leiden überstiegen unendlich die Schmerzen anderer Mütter.[4] Die großen Beschwerden bei der Reise nach Bethlehem, bei der Flucht nach Ägypten, beim Aufenthalten unter dem dortigen heidnischen Volke und endlich bei der Rückkehr ins Vaterland bis zur Niederlassung in Nazareth – alle diese gewiß sehr großen Mühseligkeiten, welche Maria um ihres göttlichen Kindes willen zu erdulden hatte, seien hier blos kurz erwähnt. Aber ihrem innersten Leiden, ihrer Herzenstrauer als Mutter desjenigen, der einst unter Henkershänden verbluten sollte, wollen wir ein wenig unsere mitleidsvolle [!] Aufmerksamkeit schenken.
> [...]. Der Gedanke an das traurige Schicksal ihres heißgeliebten Kindes bohrte sich tief in ihr Herz ein und bereitete dort eine schmerzliche Wunde, die sich nicht mehr schließen sollte! [...]. Was sie in solchen bangen Stunden tröstete, das war: Der Wille Gottes und die Erlösung der Welt. Gott wollte es so und deshalb sprach sie ergebungsvoll: „Siehe, die Magd des Herrn!" (*Ztschr. Hl. Familie.* 1 (1893). S. 91 f)

So erscheint Maria als „*das beste Vorbild häuslicher Zucht und Sitte, als das vollkommenste Muster einer treuen Gattin, als das herrliche Beispiel einer guten Mutter und Erzieherin*" (ebda. 4 (1896). S. 76) – der Prototyp einer christlichen Mutter –, die sich – trotz der zahlreichen und verschiedensten Umschreibungen – hauptsächlich durch ihre unerschöpfliche Leidensfähigkeit, Opferbereitschaft und totale Ergebenheit auszeichnet. In dieser positiven Bewertung des Leidens[5], die übertragen auf die christlichen Familien in dieser radikalen Ausprägung hauptsächlich die Frau trifft, läßt sich sogar der Glaube wiederfinden, der es Maria – und mit ihr den ihr nacheifernden christlichen Hausfrauen – ermöglicht, die Befolgung der ihr zugeschriebenen Rolle im Familienleben als Gottesdienst zu verstehen und ihr Los und das ihrer Angehörigen als Willen Gottes ergeben zu tragen.

2.1.2 Joseph: Vorbildlicher Vater und Arbeiter

Als Gegenbewegung zu den Aktivitäten der politischen Arbeitervereine entwickelte die katholische Kirche in der zweiten Hälfte des 19. Jahrhunderts das Bild vom heiligen Arbeiter Joseph (*Korff* 1973.). So wurde der Nährvater Jesu seit den 70er Jahren zum ‚Sozialheiligen‘ par excellence ernannt, und ebenso vom Mainzer Bischof Ketteler wie auch von den Gesellenvereinen Adolf Kolpings[6] als Schutzpatron der Arbeiter und Handwerker (dem idealen Arbeiter der konservativen Ideologie) empfohlen.

Korff sieht die Bedeutung dieses Josephskultes für die katholische Sozialpolitik in den vier Punkten der „friedlichen Lösung der Arbeiterfrage“, dem „Familiarismus“, der „Verklärung der Arbeit als gottgewolltes und deshalb ehr- und achtungswürdiges Prinzip“ und der „Verkürzung der sozialen Frage zu einem moralischen Problem“ (*Korff* 1973. S. 104 ff), das durch die *caritas* gelöst werden könne.

Korrespondierend zu diesen Vorstellungen stellt sich auch die Beschreibung des hl. Joseph in den Publikationen des ‚Allgemeinen Vereins‘ dar, der als einer der vielen diese Ideologie vertretenden und unterstützenden Gruppen zu verstehen ist und damit einem von der katholischen Kirche eingeschlagenen Weg folgte.

Entsprechend den oben genannten Topoi fällt die Beschreibung Josephs fast ganz in den Berufsbereich, während seine innerfamiliäre Funktion nur vage thematisiert wird und sich durch ein äußerst distanziertes Verhältnis zum Kind, das keine vertrauliche oder gar zärtliche Beziehung – wie etwa in der Barockzeit – zuläßt, auszeichnet. So erscheint vor uns ein recht introvertierter[7] Mensch, der seinen ganzen Lebensinhalt in der Arbeit und äußeren Fürsorge, im Dienst für den ihm anvertrauten Gottessohn sieht. Dieser Aspekt der Dienerschaft taucht bei Joseph ebenso ausdrücklich auf wie bei Maria, die sich ja selbst als ‚Magd des Herrn‘ (Lc. 1,38) bezeichnet hatte.

Der Dienst ist – wie im Barock – die Gegenleistung für die hohe Erwählung durch Gott, denn an der menschlichen Familienstruktur orientiert ist er als Nähr- und Pflegevater Jesu das Haupt der Hl. Familie, d.h. in diesem Sozialgebilde der Stellvertreter Gottes, dem als solcher Ehre und Gehorsam gebührt (*Ztschr. Hl. Familie*. 1 (1893).

S. 11 f). Diese hervorragende Stellung ist als ein durch Delegation erlangtes Amt zu verstehen, das ihn in besonderer Weise verehrungswürdig und seine Bitte so erfolgreich macht[8], ein göttlicher Akt der Gnade, der nicht der menschlichen Machtvollkommenheit Josephs entspringen konnte. Erst Gott macht ihn zu dem, was er ist. Daraus folgt die demütige Haltung, die das gesamte, gottgefällig geführte Leben dieser Familie und speziell das der Eltern unter das Motto stellt: Dein Wille geschehe!

Neben dieser Demut und Gottergebenheit, die auf eine ausgeprägte Frömmigkeit hindeutet, zeichnet Joseph aber noch eine Qualität aus, die ihn gerade für die katholische Sozialpropaganda so hervorragend geeignet machte: die Arbeitsamkeit, eine schon in barocken Arbeitsszenen detailliert beschriebene Eigenschaft des Heiligen: der fleißige, ja emsige, mit heiligem Ernst schaffende, arbeitende Joseph, der mit seinem einfachen Zimmermannshandwerk die Hl. Familie unterhält. Wie wir sahen, konnte dieses Bild im Mittelalter allegorisch im Sinne des an den Seelen der Gläubigen arbeitenden spirituellen Handwerkers verstanden werden, eine Bedeutung, die schon im Barock verloren ging. Statt dessen wird – in Anlehnung an die katholische Haushaltslehre des 17. und 18. Jahrhunderts – besonders der niedrigen und schweren Arbeit auf Grund ihrer Funktion als Mittel des Lebensunterhaltes eine neue Qualität zugesprochen, die nahe im Bereich ‚Arbeit heiligt‘ liegt. Entschädigung bieten Zufriedenheit, *„wunderbarer Seelenfriede, wahres Glück, reichster Segen des Himmels"* (*Ztschr. Hl. Familie*. 1 (1893). S. 107). Ja es scheint so, als würde gerade das beschwerliche, einfache Leben, das keineswegs – als Entschuldigung – die Fürsorge des Hausvaters ausschließt, sondern wohl eher für seine erhöhte Verantwortlichkeit für das Wohl der Familienmitglieder spricht[9], verherrlicht, wenn es heißt:

> Als treuer Hausvater sorgt er aufs Beste für das Wohlergehen seiner Lieben. Freilich ist im Hause kein Prunk zu sehen. Einfach und schlicht ist Alles: die Hauseinrichtung, Kleidung, Speise und Trank. Aber über all dieser Einfachheit ruht himmlischer Friede, unter dem schlichten Gewande schlagen glückliche Herzen, das bescheidene Mahl wird von einem genügsamen Sinne gewürzt. (*Ztschr. Hl. Familie*. 1 (1893). S. 108)

Von echtem Mangel und Not ist bezeichnenderweise nicht ausdrücklich die Rede. Fordernd heißt es weiter:

> Welch herrliches Beispiel für unsere unzufriedene genußsüchtige [!] Zeit, für unsere Arbeiterfamilien! Ach, jede *christliche* Familie sollte trachten, eine *heilige* Familie zu werden! Und warum sollte sie es nicht können? Was hat die *Arbeiterfamilie von Nazareth* vor anderen besonders voraus? (ebda.)

So wie die Hl. Familie Vorbild für alle christlichen Familien ist, stellt Joseph das ideale Beispiel aller Hausväter dar, und wir erinnern uns unweigerlich an die Zeilen des Augsburger Holzschnitts von Abraham Bach d. J. aus dem *17c* späten 17. Jahrhundert: „*Dergleichen ein Hauß Vatter soll / Sein Gsind mit Speiß versehen wol*".

Doch besteht durchaus ein Unterschied. War der Hausvater nicht nur für das leibliche, sondern auch für das seelische Wohl und für die Einhaltung gesellschaftlicher und religiöser Normen verantwortlich, so wird uns Joseph zum Ende des 19. Jahrhunderts hauptsächlich als Einzelpersönlichkeit und im Außenbereich der Familie – bei der Arbeit – gezeigt. Zwar wird ausdrücklich auf die Fürsorge Josephs für Jesus – seinen Gott – und Maria hingewiesen, doch fehlt eine genauere Differenzierung. Als zentraler Begriff bleibt der des Dienstes erhalten; seine Bedeutung für die Persönlichkeit Josephs wird folgendermaßen beschrieben:

> Aber der hl. Joseph setzte auch einen gewissen berechtigten Stolz darin, für den Unterhalt des Jesusknaben und seiner jungfräulichen Gattin sorgen zu dürfen. Er fühlte sich glücklich, wenn seine Angehörigen ohne Sorgen leben konnten, hätte er auch selbst dabei darben müssen. Der Gedanke, daß der liebe Gott ihn zum Beschützer und Ernährer der zwei heiligsten Personen bestellt habe, dieser Gedanke machte ihm die Arbeit, die schwere Zimmermannsarbeit, süß und leicht. Und reichlich wurde seine Mühe und Fürsorge belohnt durch die Liebe, welche ihm Jesus und Maria entgegenbrachten. Wenn er sein Tagewerk vollendet hatte und von der Arbeit ausruhte, dann genoß er im häuslichen Kreise [biedermeierliche Idylle !] selige Freuden, die er um keine Vergnügungen und Lustbarkeiten der Welt vertauscht hätte. (*Ztschr. Hl. Familie*. 1 (1893). S. 155)

Weniger seine Autorität innerhalb der Familie wird betont als seine Autorität als Repräsentant der Familie nach außen. Gradmesser seiner Bedeutung ist dabei primär nicht der Status seiner Arbeit und seines Berufes, sondern seine Arbeitsamkeit.

Sein ‚Beruf' ist – in seinem Stand als Zimmermann – der des *Dieners Gottes*, der sich durch Demut und Bescheidenheit[10], Frömmigkeit und Gottesfurcht als ‚gerechter' Mann in bescheidenen Verhältnissen und trotz seiner königlichen Herkunft ganz dem Willen dieser höchsten Autorität ergibt.

Erst wenn die Vereinspublikationen auf die Beschreibung des idealen christlichen Hausvaters zu sprechen kommen und an das Vorbild des hl. Joseph erinnern, gewinnt seine Figur durch die Übertragung an Konturen. Grundsätzlich sind keine neuen Charakteristika Josephs im Verhältnis z. B. zur Josephslitanei, die bezeichnenderweise 1909 unter Pius X. endgültig approbiert wurde, zu erkennen, doch veränderte sich im 19. Jahrhundert die *Gewich-*

tung dieser Eigenschaften Josephs hin zum Patron der Arbeiter. Daneben wurde die alte Tradition des Sterbepatrons zwar weitergeführt, doch verlor sie ihre Bedeutung für den Josephskult zugunsten der Arbeitsideologie[11].

2.1.3   Jesus: Heiland, Erlöser und untergebenes Kind

Äußerst karg und undifferenziert in bezug auf eine bestimmte Rolle in der Familie fällt die Beschreibung des Jesuskindes aus. Neben den Begriffen Demut und Arbeitsamkeit steht wie früher an erster Stelle der untertänige Gehorsam des Mensch gewordenen Gottessohnes gegenüber seinen irdischen Eltern:

> Jesus, der, obwohl der Ewige Sohn Gottes, doch auch in Wahrheit ein Menschenkind geworden, und, obgleich der Herr Himmels und der Erde, doch Maria und Joseph als seinen Eltern unterthänig war und so allen Kindern, allen Untergebenen das leuchtendste Beispiel kindlicher Tugenden und das herrlichste Vorbild des Gehorsams und der Erfüllung des 4. Gebotes gegeben hat. (*Ztschr. Hl.Familie*. 4 (1896). S. 76)

Dieser Gehorsam richtet sich aber nicht nur auf die Eltern – begründet in der Autorität des Vaters Joseph (ebda. S. 12) –, sondern auf jeden Erwachsenen (Artikel: *Jesus zu Nazareth, dein Vorbild im Gehorsam*. ebda. 1 (1893). S. 131 ff). Die Untertänigkeit und Demut Jesu wird noch dadurch betont, daß er, der doch eigentlich die Macht hätte, sofort öffentlich zu wirken, bis zum dreißigsten Lebensjahr ein ‚verborgenes' Leben – d. h. auch: ein ganz und gar menschliches – Leben führte. Dieses verborgene Leben war erfüllt mit *heiliger Arbeit*.

> In Nazareth hat der Sohn Gottes *gearbeitet* als eines armen Zimmermanns Pflegesohn. O Arbeit, so klein und niedrig an sich und doch so wunderbar groß, und heiliger, als alles mitsammen, was alle Engel und Heiligen und Gerechten jemals Gutes und Heiliges gethan haben und in alle Ewigkeit thun werden und thun können! Es ist ja jene, auch die geringste Arbeit Jesu ein göttliches Werk gewesen; ein unendlich heiliges Werk. Alle Arbeit Jesu geschah ferner nur aus der Absicht unendlicher heiliger Liebe zum ewigen Vater und zugleich im demütigsten Gehorsam gegen Joseph und Maria. (*Ztschr. Hl. Familie*. 1 (1893). S. 4)

Diese Eigenschaft erhält dadurch eine überhöhte Bedeutung, daß sie nicht nur auf das Kind Jesus zutrifft, sondern ganz allgemein zu einer Norm wird, die für jedes Alter gilt:

> *Wie lange ist er gehorsam?* Er ist gehorsam dreißig Jahre hindurch. Jesus leistet diesen Gehorsam nicht nur als kleines Kind, wo der Gehorsam zu gleicher Zeit Pflicht [!] und eine Notwenigkeit [!] für den Menschen ist, sondern ebenso als heranwachsender Jüngling und als erwachsener Mann, in jenem reiferen Alter, das

doch nach den gewöhnlichen Gesetzen der Natur und der Gesellschaft einem jeglichen die Fähigkeit und das Recht erteilt, sich selbst zu regieren. (ebda. S. 132)

Die Schwierigkeiten in der Beschreibung des Jesuskindes rühren aus seinem Doppelcharakter als Mensch und Gott her, und so bemühen sich besonders die Periodika des Vereins um eine Vermittlung dieser beiden Komponenten:

Jesus ist ja nicht blos Mensch, sondern auch Gott, ewiger, allmächtiger, unendlicher weiser Gott. (ebda. S. 44)

Daraus erklärt sich natürlich die Leichtigkeit, mit der Jesus der Idealvorstellung von einem christlichen Kind folgen kann. Er war *„überaus brav und eingezogen"*, zeichnete sich durch *„große Sittsamkeit"* und *„Demut, Bescheidenheit, Gehorsam, Liebe zur Armut [!], Arbeit und Entsagung und alle jene herrlichen Blümlein von Tugenden, die so gern in der Verborgenheit und ferne vom Geräusche der Welt blühen und duften"* (ebda. S. 44 f) aus[12].

All diese Komponenten im Jesusbild waren schon vorher propagiert worden. Doch mit der für das 19. Jahrhundert so typischen übermäßigen Betonung der historischen Betrachtungsweise der Bibel verloren sich zahlreiche symbolische Bezüge, die in der Interpretation nach der alten Auffassung vom vierfachen Schriftsinn transportiert worden waren und die besonders für die Christusvorstellung von höchster Bedeutung waren. Zurück blieb der kleine Jesusknabe in Nazareth, der – quasi seiner Göttlichkeit entkleidet und in den Publikationen des ‚Allgemeinen Vereins' vor allem als historische Person dargestellt[13] – zum normalen, in seinem sozialen Verhalten idealen Kind gemacht wurde: der Wunschtraum eines jeden Elternpaares, der – als Erwachsener – den idealen Bürger repräsentieren sollte. Aus der Sicht der Gläubigen gab Jesus durch diese Herabwürdigung Gottes zum Menschen jenen die Chance, sich mit den Mitteln der obengenannten Tugenden in einer auf soziale Normen zurechtgestutzten *imitatio christi* selbst zu heiligen.

2.1.4 Die Familienstruktur

Wie gestaltete sich nun das Zusammenleben dieser drei heiligen Personen, von denen Maria und Joseph – nach alter Tradition – hauptsächlich durch ihr Zusammenleben mit dem Gottessohn geheiligt wurden?

Grundsätzlich kann man sagen, daß es von zwei Maximen bestimmt war; sie lauten: ‚Bete und arbeite' und ‚Familienleben in gegenseitigem Dienst, gegenseitiger Achtung und Aufopferung' (s. unten 2.3 Gesellschaftlich relevante Verhaltensnormen), wobei das familiäre Verhältnis besonders durch diese letzte Maxime geprägt war.

Die Familienstruktur ist hierarchisch und patriarchalisch ausgerichtet. Joseph als ‚Haupt der Familie' bestimmt das Leben, dem Maria und Jesus gehorsam folgen, denn die

Anweisungen und Befehle des Hausvaters sind von Milde und Liebe geprägt.

Maria übte mit ihrem göttlichen Kinde den demütigsten Gehorsam gegen ihren heiligen Bräutigam Joseph in allen ihren Arbeiten. *Joseph* aber ordnete alles an in der größten Milde und Liebe und stets im Gefühle vollster Unwürdigkeit, das Haupt der Familie zu sein, in welcher Gott zum Kinde werden wollte, um die menschliche Familie und damit ihre ganze menschliche Gesellschaft zu erlösen und zu heiligen. (*Ztschr. Hl. Familie*. 1 (1893). S. 5)

Die Gemeinschaft von Joseph und Maria wird von *„Liebe und Eintracht"* (ebda. 7 (1899). S. 230) bestimmt. Entsprechend sind die christlichen Eheleute aufgefordert,

stets das Beispiel von Maria und Joseph vor Augen zu halten, ihre gegenseitige Liebe, Opferwilligkeit und Geduld nachzuahmen und eines dem andern den Weg zum Himmel zu weisen. Auf diese Weise [haben] sie schon den halben Himmel auf Erden. (ebda.)

Diese gegenseitige Liebe – auch *„die reinste und lauterste, auch vollkommen gottgefällige Liebe"* (ebda.) genannt – ist geprägt von der Keuschheit, die sowohl Maria als auch Joseph nach den apokryphen Erzählungen gelobt hatten.

Joseph und Maria – sie waren jungfräuliche Seelen und wollten es auch bleiben. Darum schmückt die Lilie die Hand des hl. Joseph, und heißt Maria „die Lilie unter den Dornen". St. Joseph war gegen seine reine Braut voll der zärtlichsten Fürsorge. Unendlich glücklich schätzte er sich, bei ihr bleiben und ihr dienen zu dürfen, nachdem er durch Gottes Engel von der wunderbaren Mutterschaft Mariens in Kenntnis gesetzt war. Haus für Haus suchte er mehr für sie als für sich Nachtherberge zu erhalten und mit schmerzzerrissener Seele führt er sie endlich in Ermangelung einer besseren Unterkunftsstätte in einen Stall außerhalb der Stadt. Christliche Familienväter! Diese liebevolle Fürsorge des hl. Joseph gegen seine angetraute Gattin soll euch zum Beispiel dienen. (ebda.)

So gehen fast alle Familienbeschreibungen von ihrem Oberhaupt, dem hl. Joseph, aus. Seine Autorität verpflichtet ihn zu Schutz, Wachsamkeit und Fürsorge gegenüber den ihm völlig untergebenen Familienmitgliedern, die bis zur Selbstaufopferung geht[14]. Das gemeinsame Band Josephs und Mariens ist die Fürsorge für den Gottessohn[15], die gemeinsame, familiäre Erfahrung des Leidens, das im menschlichen Bereich durch ihre Armut, im theologisch-religiösen Bereich jedoch in der Passion Christi und dem Vorwissen aller Beteiligten von dieser Passion bestimmt ist.

Zusätzlich vereint die Maxime ‚Bete und arbeite!' die elterliche Fürsorge für das Kind, die als ‚Gottesdienst' aufgefaßt wird.

Stellen wir uns also die heilige Familie von Nazareth vor, wie sie in ihrem ärmlichen Häuschen in Gebet und Arbeit ein heiliges Leben führt. Joseph beschäftigt sich mit Zimmermannsarbeit, Maria besorgt die Hausarbeit und Jesus ist ihnen untertänig und bei der Arbeit behilflich. Während sie aber die Hand bei der Arbeit haben, ist ihr Herz bei Gott und redet mit ihm in stillem Gebet. (*Ztschr. Hl. Familie.* 3 (1895). S. 2)

Eine Gemeinschaft im Arbeitsbereich innerhalb der Familie gibt es – trotz aller romantischen Vorstellungen – nicht. Jedem Mitglied ist ein spezieller Tätigkeitsbereich zugewiesen, und nur das ideelle Band des Gebetes vereinigt im Geist alle Personen. Dem entgegen steht die – besonders in bezug auf die christliche Familie – gern gebrauchte Terminologie des ganzen Hauses (Hausvater usw.), die diesen Bruch nur äußerst mangelhaft zu überdecken vermag.

2.2 Das Ideal der christlichen Familie

Wie schon im letzten Abschnitt anklang, gebrauchen die Publikationen des ‚Allgemeinen Vereins‘ jene alte Terminologie, die nicht die heute übliche Zwei-Generationenfamilie – also Eltern und Kinder – bezeichnet, sondern auch jene Personen mit aufnimmt, die ohne obligatorisch verwandtschaftliche Beziehung zu der engeren Gemeinschaft – zur Haushaltung – gehörten. Demgemäß werden der Hausvater, die Hausmutter, die Kinder und die Dienstboten angesprochen. Interessanterweise wird aber in der Praxis meist eine Familie mit nicht mehr als zwei verwandtschaftlich miteinander verbundenen Generationen beschrieben. Diese Tatsache zeigt, wie eng sich die Vereinsideologie an das Vorbild der Hl. Familie hielt, das eine entsprechende Erweiterung nur auf der Grundlage der Hl. Sippe zugelassen hätte.

Die Beschreibung der Stellung und die Funktionen der Personen innerhalb der Familie orientieren sich an den Darstellungen der Personen von der Hl. Familie, die ja das Vorbild aller christlich-katholischen Familien sein soll. Diese idealen Charaktereigenschaften lassen sich schnell als Stereotype erkennen, die in der gesamten Masse der Vereinspublikationen immer wieder recht monoton auftauchen.

2.2.1 Die Stellung des Mannes

Erinnern wir uns noch einmal an die Josephsbeschreibung, so zeichnete er sich als absolute Autorität innerhalb der Familie durch Frömmigkeit, Arbeitsamkeit, Demut und Fürsorge aus. In der Übertragung auf den christlichen Hausvater und in Anlehnung an die christliche Hauslehre des Barock wird das Beispiel des hl. Joseph – so allgemein es auch gehalten war – herangezogen und anhand von Gebeten, belehrenden Texten, wie auch Erzählungen mit ‚erhobenem Zeigefinger‘ spezifiziert.

Hausvater! blicke hin auf den Nährvater Jesu! Weihe dich ihm und lerne von ihm Gerechtigkeit, eheliche Treue und Keuschheit, Fleiß und Zufriedenheit! Lerne von ihm Anhänglichkeit an die Familie und den häuslichen Herd und nimm dir vor, niemals im Wirtshaus, am Spieltisch oder an noch schlimmeren Orten [!] dein Glück suchen zu wollen! (*Ztschr. Hl. Familie.* 2 (1894). S. 5 f)

Woher aber leitet sich – nach Ansicht des ‚Allgemeinen Vereins‘ – die hohe Bedeutung des Mannes für die Familie ab?

1. wurde Adam *vor* Eva und Eva *aus* Adam erschaffen.
2. Der Mann ist *naturgegeben* geistig und körperlich stärker und entschlußkräftiger als die Frau.
3. „*Der Mann ist unendlich geadelt durch die wunderbare Vereinigung der menschlichen Natur mit dem Worte Gottes; [...].*“ (ebda. 1 (1893). S. 133)

Kombiniert mit dem Axiom, daß jede Gesellschaft von sich aus hierarchisch strukturiert sei (ebda.), erscheint die hervorragende Stellung in der Familie des hierfür offensichtlich prädestinierten Mannes nicht nur einleuchtend, sondern sogar selbstverständlich und zwingend. Zusätzlich legitimiert die alte Vorstellung, daß er – ähnlich wie Joseph bei dem Jesuskind – der Stellvertreter und Haushalter Gottes in der Familie sei, seine Position und entzieht den Hausvater so jeglicher Kritik von Seiten der anderen ihm unterstellten Familienmitglieder. Seine unumschränkte Autorität wird allein durch seinen Gerechtigkeitssinn und seine Milde begrenzt[16].

Dieser familiäre ‚Absolutismus‘ einer total patriarchalischen Weltanschauung, in der der Vater nur Gott allein verantwortlich ist[17], wird durch ‚naturgesetzliche Pflichten‘[18] ergänzt, die aber nicht der Aufsicht der einzelnen Familienmitglieder, sondern allein der Sozialkontrolle einer christlich-bürgerlichen Gesellschaft unterliegen.

Entsprechend seinem hohen Rang in der Familie fallen dem Vater die wichtigsten – damit aber auch die allgemeinsten – Verantwortlichkeiten zu. Er gibt die ideologische Richtung an; d. h. ob die Feinde der Gesellschaft und der Kirche wie Materialismus, Sozialismus, ‚Freimaurerei‘ oder die christliche Religion das Leben in der Familie bestimmen[19]. Ist der Vater der Kirche verloren, so bedeutet dies die Verderbnis der gesamten Familie, der die Ehefrau nur durch das innige Gebet entgegenwirken kann.

Wem gegenüber ist der Hausvater aber nach göttlicher Weisung zu verantwortungsvollem Handeln verpflichtet? Knapp gesagt: seinen Untergebenen. Dies sind die Ehefrau, die Kinder und „*in gewissem Sinne auch die Dienstboten oder sonstigen Untergebenen*“ (*Ztschr. Hl. Familie.* 2 (1894). S. 8). Entsprechend werden dem Familienvater unterschiedliche Verhaltensweisen nahegelegt. Seiner Frau soll der Mann, dem sie untergeben ist, mit Liebe begegnen, seine Kinder „*in Zucht und Zurechtweisung des Herrn*“

(ebda.) erziehen, „*d.h. der Vater soll gegen die Kinder nicht mit allzu großer Strenge und liebloser Härte verfahren*" (ebda.) und gegenüber seinen Dienstboten ein ähnliches Verhalten zeigen wie gegenüber seinen Kindern. Sein ganzes Handeln soll geleitet sein von einer „*vollkommenen Gottes- und Nächstenliebe*" (ebda.), die das Wesen des Christentums ist.

> Diese Liebe nun, welche keine irdisch-sinnliche, sondern eine heilige und himmlische sein muß, bildet das Gold, womit gleichsam jedes christliche Haus in seinem Innern aufs reichlichste geschmückt sein soll, wie einst der herrliche Tempel Salomons. Und von dieser christlichen Liebe muß demnach auch das Oberhaupt eines christlichen Hauses, der Familienvater, voll und ganz durchdrungen sein. (ebda.)

So stellt sich der Vater als liebender, mildreicher und gerechter Patriarch dar, der das Leben *aller Familienangehörigen* aufgrund seiner Verantwortung lenkt und bestimmt. Seine ganze erzieherische Bedeutung liegt in seiner Beispielhaftigkeit (*Ztschr. Hl. Familie.* 1 (1893). S. 6. ebda. 5 (1897). S. 56), und die Hauptpflichten des Hausvaters werden in der rein rhetorischen Frage angedeutet:

> Ist es denn so schwer für einen Familienvater, gleich dem hl. Joseph mit gottergebenem Sinne seinen Berufspflichten pünktlich nachzukommen und getreu für das Wohl der Angehörigen zu sorgen? (*Ztschr. Hl. Familie.* 1 (1893). S. 108)

Das Wohl der Familie ist demnach direkt mit der Arbeit des Mannes und der Gewissenhaftigkeit, mit der er ihr nachgeht, gekoppelt; die Arbeit scheint so der Sold für Gottes Wohlgefälligkeit zu sein[20]. Aufgrund seiner gesamten Verantwortung ist das Familienoberhaupt an die ihm unterstehende familiäre Gemeinschaft gebunden; als Haus‚herr' wird er sich aber auch in seinem geordneten Hauswesen wohlfühlen.

Diese patriarchalische Familienstruktur bindet *alle* Familienmitglieder einschließlich des Vaters in den Innenraum einer familiären Idylle der Häuslichkeit ein, die letzterer nur zur Abwicklung seiner Geschäfte und Arbeiten verläßt, um danach ‚in den Schoß der Familie' zurückzukehren[21].

Eine mögliche Politisierung und Indoktrination des Vaters, der die Zentralfigur der weltanschaulichen Ausrichtung aller anderen Familienmitglieder ist, durch andere, womöglich ‚gottlose' Gruppen ist bei der Befolgung dieser Ratschläge so gut wie ausgeschlossen.

2.2.2 Die Stellung der Frau

Nachdem sich die Vereinspublikation – gemäß katholischer Doktrin – eindeutig für die Vorherrschaft des Mannes ausgesprochen hat, kann der Frau nur eine untergeordnete Rolle zukommen, die kontrastierend zu den Charaktereigenschaften des Mannes beschrieben wird und beschwichtigend mit der Formel beginnt:

> Mann und Frau sind in allen wesentlichen Dingen zweifellos gleichberechtigt; beide sind nach dem Bilde und Gleichnis Gottes geschaffen, beide sind reich an Verstand und Liebe; sie sind Kinder des Herrn, erlöst durch Jesus Christus, berufen zur ewigen Krone des himmlischen Paradieses. Der Mann ist unendlich geadelt durch die wunderbare Vereinigung der menschlichen Natur mit dem Worte Gottes; desgleichen die Frau durch die wahrhaft himmlische Erscheinung der jungfräulichen Gottesmutter Maria. (*Ztschr. Hl. Familie.* 1 (1893). S. 133)

Nach dieser Zuordnung – Mann: theologisches Prinzip, Frau: Phänomen – erfolgt, trotz aller ‚Gleichberechtigung' der Geschlechter, die Differenzierung:

> Nach dem Ratschluß [daß jede Gesellschaft hierarchisch aufgebaut sein müsse] schuf Gott den Mann seinem Körper, Geist und Wissen nach stärker als das Weib, gab aber dafür dem Weibe einen gewissen Überfluß von Gefühl sowie einen zarten Körperbau, ein Umstand, der sie zur Untergebenen macht und naturgemäß [!], wenn anders sie gut ist, auf den Gedanken bringen muß, daß der Mann als ihr Gebieter sie leite und führe. (ebda. S. 134)[22]

Die Frau wird fast ausschließlich kontrastierend zum Mann dargestellt, der Aktivität repräsentiert und dem bei der Frau die Passivität des weiblichen Charakters entspricht. Dabei ist diese Passivität keineswegs als Erniedrigung zu verstehen; gerade die Unterwerfung unter den Mann adelt die Frau und führt sie zu erhöhter sittlicher Reife. Sie äußert sich in speziellen Eigenschaften, wie Gehorsam, Demut, Leidensfähigkeit[23], Geduld und steht unter der Maxime: „*Ich will mich jetzt von Dir leiten lassen; du bist so viel besser und edler.*" (*Ztschr. Hl. Familie.* 7 (1899). S. 277), so daß sich die christliche Ehefrau besonders durch ihre Unauffälligkeit[24] auszeichnet; eine christliche Ehefrau klagt nie!

Dementsprechend ist ihr – wiederum im Gegensatz zum Mann – der Innenraum des Hauses mit all seinen Verrichtungen und daran gekoppelten Verantwortungen zugeordnet. Sie soll auf der vom Mann geschaffenen materiellen wie ideologischen Basis „*mit wachsamem Auge und rühriger Hand im Hause* [...] *walten und im Verein mit dem Hausvater* [und unter seiner Oberaufsicht] *die zeitliche und ewige Wohlfahrt der Kinder und Untergebenen* [...] *fördern*" (*Ztschr. Hl. Familie.* 1 (1893). S. 108), um so der Rolle der christlichen Gattin, Hausfrau und Mutter (ebda. 2 (1894). S. 6) zu entsprechen, wobei die Rolle der Mutter ihr im großen und ganzen die gesamte Last der Kindererziehung aufbürdet.

In diesem Gottesgarten der christlichen Familie ist die meiste Arbeit und die schwierigste Aufgabe, die Kindererziehung, hauptsächlich der Mutter anvertraut. Denn wie durch Eva das Verderben und die Sünde in die Welt gekommen[25], *und durch die allerseligste Jungfrau das Heil der Welt gegeben ist*[26], so ist auch jeder irdischen Mutter die Pflicht [!] auferlegt oder das heilige Vorrecht gegeben, das Heil in jede Kinderseele einzupflanzen. (*Ztschr. Hl. Familie.* 1 (1893). S. 157)

Doch ist dies nicht nur ein Vorrecht der Mutter, sondern auch eine immense Verantwortung für die gesamte spätere Entwicklung des Menschen, denn:

[...]; was im späteren Leben im Kinde sich entwickelt, dazu ist von der Hand der Mutter der Grund gelegt in den ersten Jahren; [...]. (ebda.)

Entwickelt es sich etwa nicht entsprechend den katholischen Normen, so liegt die Schuld hierfür prinzipiell bei ihr, und die Kontrolle darüber wird dadurch möglich, daß die katholische Kirche eine wichtige institutionalisierte Stellung in dem weiteren Leben des Kindes einnimmt[27]. Die Erziehungsbemühungen der Mutter bilden also nur die Grundlage für den weiteren – unter der Aufsicht der Kirche geführten – katholischen Unterricht, den die Mutter durch das Gebet flankierend unterstützt.

Zwar wird immer wieder betont, daß dies ein schweres Amt sei, da sich aber die christliche Mutter sowieso durch Demut, Geduld und eine übergroße Leidensfähigkeit – entsprechend der Schmerzhaften Mutter Maria – auszeichnen soll, kann dies sogar als eine Prüfung ihrer Qualitäten verstanden werden. Zu dergleichen polemischen und zynischen Aussagen läßt sich zwar keine der Publikationen des ‚Allgemeinen Vereins‘ hinreißen, möglich ist dieser Gedankengang auf der ideologischen Basis des Vereins aber durchaus.

So ist die Frau die wirkliche Hüterin der Religion und der Sitten in der Familie, und die Erfüllung dieses Amtes ist nur um den Preis der völligen Aufopferung des eigenen Ichs[28] möglich, durch die sie völlig in der Familie und *allein* in ihr aufgeht. Quelle und Motor hierfür ist die christliche Liebe:

Die christliche Liebe verleiht vor allem Seelenkräfte, verleiht sie auch der Frau, die ja von Natur aus schwach ist, besonders in ihren Gefühlen. Und wenn die heil. Schrift von einer Ehefrau redet, die so recht eine nach dem Herzen Gottes ist, so nennt sie dieselbe mit Vorliebe eine starke Frau. Die Stärke wurzelt in der That in der Liebe; und zwar in der Liebe zum Manne und zu den Kindern, die selbst geheiligt ist durch die Liebe Gottes. Und diese Stärke macht die Frau nicht nur gefeit gegen alle Versuchungen zum Bösen, sondern läßt sie auch zum wahren Schatze für die Familie werden. (*Ztschr. Hl. Familie.* 1 (1893). S. 79)

2.2.3 Das christliche Eheleben

Bei der Beschreibung der christlichen Ehe lehnte sich der ‚Allgemeine Verein‘ der christlichen Tradition folgend eng an die Briefe des Apostels Paulus an die Epheser an; dort heißt es:

Einer ordne sich dem andern unter in der gemeinsamen Ehrfurcht vor Christus. Ihr Frauen, ordnet euch euren Männern unter wie dem Herrn (Christus); denn der Mann ist das Haupt der Frau, wie auch Christus das Haupt der Kirche ist; er hat sie gerettet, denn sie ist sein Leib. Wie aber die Kirche sich Christus unterordnet, sollen sich die Frauen in allem den Männern unterordnen. Ihr Männer, liebt eure Frauen, wie Christus die Kirche geliebt und sich für die hingegeben hat, um sie im Wasser und durch das Wort rein und heilig zu machen. [...]. Darum sind die Männer verpflichtet, ihre Frauen so zu lieben wie ihren eigenen Leib. Wer seine Frau liebt, liebt sich selbst. Keiner hat je seinen eigenen Leib gehaßt, sondern er nährt und pflegt ihn, wie auch Christus die Kirche. [...]. Was euch angeht, so liebe jeder von euch seine Frau wie sich selbst, die Frau aber ehre den Mann. (Eph. 5,21–33)

Die Konsequenz dieses – in der Vereinszeitschrift häufig zitierten – Vergleichs des Verhältnisses Christi und der Kirche mit dem Verhältnis der Ehegatten zueinander ist – neben der eindeutigen Unterordnung der Frau[29] – erstens die Heiligkeit der Ehe als Sakrament und zweitens die Pflicht der unverbrüchlichen Treue, die im Idealfall – allerdings nur in bezug auf die Ehefrau – sogar noch über den Tod hinausgeht. Diese Idee ist schon bei Paulus zu finden[30] und wird noch am Ende des 19. Jahrhundert – wohl auch als Gegengewicht zu der staatlich-rechtlichen Möglichkeit der Scheidung und der Vorstellung von der reinen Zivilehe, die erstmals im französischen Code Civil auftauchte – bereitwillig aufgenommen und propagiert[31], nicht als Zeichen der ehelichen Liebe, sondern als *„mächtiges Pflichtgefühl"* (*Ztschr. Hl. Familie.* 1 (1893). S. 77), das zum Wesen der christlichen Ehe gehöre und auf Gegenseitigkeit beruhe.

[Dieses Pflichtgefühl] hält unentwegt aufrecht in Versuchungen, Gefahren, Widerwärtigkeiten, bei Beleidigungen, in Not, Schmerz, Armut: kurz in jeder Lebenslage. (ebda.)

Da die eheliche Treue so zum Garanten der Dauerhaftigkeit einer Ehe wird, die ihrerseits ein geheiligtes Sakrament ist und – als Basiseinheit der Familie[32] – die Grundlage jeglicher Gesellschaft bildet[33], ist die eheliche Untreue *„ein gottloses, schandvolles ungeheures Verbrechen"* und *„der Hölle würdig"* (ebda. S. 78).

Bei der genaueren Bewertung macht die Zeitschrift jedoch feine Unterschiede bei der Untreue des Mannes oder der Frau. Zwar verurteilt sie die Vorstellung von der

Untreue des Mannes und deutet an, daß diese Untreue gleichermaßen und unabhängig davon, wer sie verübt, verwerflich sei. Doch weisen einige Wendungen darauf hin, daß – wenn schon nicht unter religiösen und theologischen Gesichtspunkten – die Untreue der Frau ethisch noch weniger zu rechtfertigen ist als die des Mannes:

> Und obschon der Ehebruch seitens der Frau üblere Folgen nach sich zieht [z. B. eine Schwangerschaft] und schandbarer [!] ist, so sind doch die Rechte von Mann und Frau in dieser Beziehung absolut gleich. (ebda.)

Hier deutet sich die Erblast Evas an, die allen Frauen mit ihrer Sündhaftigkeit angelastet wurde und – zusätzlich zu ihrer Schwachheit – die Führerschaft des Mannes rechtfertigte. So muß der Ehemann ein gutes Beispiel geben und darf sie nicht durch Untreue selber zum Ehebruch verleiten, denn der Ehebruch des Einen rechtfertigt nicht dasselbe Handeln des Anderen.

> Es ist wahr, der Treuebruch des Mannes rechtfertigt und entschuldigt auf keine Weise den der christlichen Gattin; [...]. (ebda.)

Als einzige Handhabe bleibt der Frau das Gebet, und so fährt der Autor fort:

> [...]; und es gibt grausam verratene Frauen, die aus ihrem katholischen Glauben wahre Schätze von Festigkeit und Tugend zu schöpfen wissen und die daher nicht nur allen Versuchungen zum Bösen widerstehen, sondern auch durch ihre wahrhaft wunderbare Tugend, Güte und Liebe, ihre Männer wieder auf den Weg des Glaubens und des Guten zurückführen. (ebda.)

So ist der Ehebruch ein Sakrileg, eine Entweihung eines heiligen Sakramentes und gegenüber der Frau „die ärgste[...] und wildeste[...] Ungerechtigkeit[...]" (ebda.), die es gibt, denn gerade und einzig das Christentum verpflichtet nach der Familienideologie des Vereins zur dauerhaften, ‚ewigen' Monogamie und wertet so angeblich die Frau auf. Mißachtung dieses christlichen Sakramentes, entsprungen aus „wahnsinnigem Hochmut und grausamem Egoismus" (ebda.) – als Gegensatz zu den christlichen Tugenden Demut und Nächstenliebe – ist demnach als „Wiederaufleben des Heidentums" (ebda.) zu verstehen, und genau diese Charakterisierung scheint dem Autor für die Beschreibung seiner Gegenwart passend zu sein[34]; er konstatiert also den Ehebruch als typisches Verfallszeichen seiner Zeit.

Neben der Verpflichtung zur ehelichen Treue bindet die Liebe – als christliche Nächstenliebe verstanden – die Eheleute aneinander, wobei der Mann die führende Stellung in der Gemeinschaft einnimmt, während die Frau – entsprechend dem Epheserbrief – ihm untertan ist[35].

Diese Gattenliebe hat aber nichts mit Sexualität zu tun; man erinnere sich an das immer wieder auftauchende Gebot der Keuschheit. Sie ist vielmehr reine Nächstenliebe, die in dem Sakrament der Ehe durch Gott geheiligt wird (*Ztschr. Hl. Familie.* 1 (1893). S. 23).

> Wie die Nächstenliebe, so ist auch diese Liebe zwischen Mann und Weib weder innerlich gut, noch von langer Dauer, noch auch übernatürlich verdienstlich, wenn sie nicht ihren Ursprung in der Liebe zu Gott, wenn sie nicht von der Liebe zu Gott Leben und Nahrung empfängt. Aber nicht genug. Die eheliche Liebe, welche mit der Familienliebe eines ist, muß mehr als jede andere echte gute Liebe [...] von der Liebe zu Gott ausgehen und gleichsam in ihr leben. (ebda.)

So wird sie zu einer „*Himmelsgabe*" und zu einer „*übernatürliche[n] Gnade [...]*" (ebda.) und – in Anlehnung an den paulinischen Vergleich der christlichen Ehe mit der Verbindung Christi und seiner Kirche (als Braut) – mit den Attributen rein, schön, lieblich, glückselig, keusch und heilig (ebda. S. 24) ausgezeichnet.

Diese Liebe zeigt sich in gegenseitiger Achtung und Anteilnahme, wobei speziell die Ehemänner aufgefordert sind, ihren fehlerhaften Frauen gegenüber Nachsicht zu üben:

> Das allseitige Wohl und Wehe der Gattin muß euch täglich und stündlich am Herzen liegen! Ihr Schmerz sei auch euer Schmerz, ihre Freude auch die eurige: Die innere Zufriedenheit und das äußere Wohlergehen eurer Lebensgefährtin muß in gleicher Weise Gegenstand eurer Teilnahme sein! Und sollte die Gattin größere oder geringere Fehler an sich haben, so habt ihr in diesem Fall erst vollends nach des Apostels Wort euch zu richten: „Einer trage des anderen Last." (*Ztschr. Hl. Familie.* 2 (1894). S. 10)

Eine der erbaulichen Erzählungen aus der Zeitschrift ‚*Die heilige Familie*' beschreibt an einem Negativ-Beispiel die Bedeutung dieser Idee der Duldsamkeit. Die Geschichte sei hier kurz erzählt: Ein kranker Mann klagt im Krankenhaus der Schwester sein Leid über seine unglückliche Ehe. Seine junge Ehefrau sei durch den Umgang mit ihren hochmütigen Tanten „*verzogen, stolz und eigenwillig*" (*Ztschr. Hl. Familie.* 7 (1899). S. 275) – also genau das Gegenteil einer christlichen Ehefrau – geworden und nicht gewillt, mit ihrer gutmütigen Schwiegermutter unter einem Dach zu leben. Trotz seiner Enttäuschung meint er nachsichtig:

> Ich hätte früher nicht geglaubt, wie leicht ein unvernünftiges, eigensinniges Weib durch fortgesetzte Zwistigkeiten einen Mann zur Verzweiflung bringen kann, und doch ist Hedwig nicht bösartig. Jung und unerfahren, sie zählt erst 21 Jahre, hat sie sich von

dem schlimmen Einfluß ihrer hochmütigen Verwandten beherrschen lassen und glaubt in ihrem Recht zu sein. (ebda. S. 274)[36]

Durch Gebete zur Hl. Familie und einer Aussprache des Vaters mit seiner Tochter wird sie zur Vernunft gebracht und bekennt reumütig: „[...] ich will mich jetzt von Dir leiten lassen; du bist so viel besser und edler.“ (ebda. S. 277) Die Frau unterwirft sich also der Autorität des Mannes und erkennt so seine erzieherische Aufgabe ihr gegenüber an[37].

In einer anderen Erzählung übernimmt die Frau die Rolle des Bekehrers: ihr Mann, der gern im Wirtshaus ist – also die Häuslichkeit meidet –, wird durch ein Erlebnis, das zu einer Krankheit führt, letztendlich aber durch das Gebet seiner Gattin zur Hl. Familie zur Religion zurückgeführt.

Hat also der Mann direkte erzieherische Gewalt über seine Frau, die damit zur Unmündigkeit degradiert und in die Nähe der Kinder und Dienstboten gerückt wird, so bleibt der Ehefrau allein die Flucht in das Gebet für den vom rechten Weg abgekommenen Gatten.

Vorbild für die intakte Ehe, die das Wohlwollen Gottes verdient, ist das gemeinsame Leben von Joseph und Maria, die aber bei den speziellen Schilderungen nicht als Beispiel herangezogen werden. So ermahnt die Zeitschrift die Eheleute nur allgemein, in Eintracht und Liebe zu leben und

„stets das Beispiel von Maria und Joseph vor Augen zu halten, ihre gegenseitige Liebe, Opferwilligkeit und Geduld nachzuahmen und eines dem andern den Weg zum Himmel zu weisen. Auf diese Weise hätten sie schon den halben Himmel auf Erden.“ (Ztschr. Hl. Familie. 7 (1899). S. 230)

2.2.4 Die christliche Kindererziehung

Die Beschreibung des idealen christlichen Kindes fällt – ähnlich wie die des Jesusknaben – in den Publikationen des ‚Allgemeinen Vereins‘ recht knapp und undifferenziert aus: das Kind ist seinen Eltern gegenüber unterwürfig und gehorsam, so wie Jesus seinen irdischen Eltern und Gott gegenüber gehorsam war[38]. Durch diesen Gehorsam sind alle Idealeigenschaften christlicher Eltern – Frömmigkeit, Arbeitsamkeit, Keuschheit, Geduld, Demut etc. – übertragbar.

Welches Instrumentarium wird aber den Eltern empfohlen, um dieses Ziel bei ihrem Kind zu erreichen? Wie sieht die christliche Kindererziehung aus? Welche Stellung nimmt das Kind in der Familienhierarchie ein?

In der Stufenfolge der Familienstruktur steht das Kind unter der Mutter, die seine wichtigste Bezugsperson und damit auch die bedeutendste Erzieherin für das Kleinkind ist (Artikel: Die christliche Familie, ein Gottesgarten auf Erden. Ztschr. Hl. Familie. 1 (1893). S. 157 ff). Über beiden steht der Vater als absolute Autorität innerhalb der Fami-

lie. Die Unterordnung des Kindes im Autoritätsgefälle der Familie wird dadurch kompensiert, daß es im Endeffekt den wichtigsten Lebensinhalt seiner Eltern darstellt[39], denn die primäre gesellschaftliche Aufgabe der Familie ist die Reproduktion.

Die Kindererziehung, die als ‚heilige‘ Pflicht der Eltern verstanden wird[40] – in diesem Bereich ist eine wahre Inflation des Begriffs ‚heilig‘ zu beobachten –, ist deshalb von Nöten, weil „die Anlagen des Kindes [...] ja zum Bösen geneigt sind“ (ebda. S. 158). Die Verpflichtung der Eltern resultiert aus der Vorstellung, daß die Kinder Pfänder Gottes an die Erwachsenen sind[41]. Auf der anderen Seite verbindet die aus Gott stammende natürliche Liebe die Eltern mit ihren Kindern und begründet die elterliche Autorität[42]. Aufgrund ihres ursächlichen Zusammenhanges mit Gott betrifft diese Liebe der Eltern zu ihren Kindern nicht nur das leibliche, sondern auch das seelische Wohl des Kindes.

[...]; sie [die elterliche Liebe] weiß auch, daß es außer dem sinnlichen Leben im Kinde auch noch ein geistiges Leben der Gedanken, Wünsche und Neigungen gibt, und außer diesem Leben noch ein übernatürliches des Glaubens, der Sitte und Tugend. Kommt nun diese Erkenntnis zur Kindesliebe des Vaters, der Mutter hinzu, so wird man gebührend Rücksicht nehmen auf das dreifache Leben, man wird wünschen, daß der absolute, vollkommenste, ewig unveränderliche und heiligste Gott, schützend über ihm stehe, es in Einklang bringe und zur Einheit führe. Das ist die christliche Kindesliebe. (Ztschr. Hl. Familie. 1 (1893). S. 79)

Beide Elternteile sind für die Kindererziehung verantwortlich, doch liegt der Großteil der praktischen Erziehung in der Hand der Mutter, die ihrerseits unter der Aufsicht des Vaters steht, dessen Erziehungsmittel aus den Elementen Ermahnung, Beispiel, Aufsicht und Züchtigung (Lautenschlager: Die hl. Familie. Augsburg (1900). S. 353–356), die ausschließlich dem Vater zukommt, bestehen.

Und Du, christlicher Hausvater, mußt auch das Deinige beitragen – durch Wort und Beispiel, daß sie zu Jesus kommen und bei ihm bleiben, d. h. daß sie ihn frühzeitig und innig lieb gewinnen und demgemäß die Sünde als das größte Übel verabscheuen lernen. – [...]. Haltet darum eure Kinder fleißig an zur fruchtbaren Teilnahme am Religionsunterricht und am kirchlichen Gottesdienst! Hütet euch dann besonders, eueren Kindern ein schlimmes Beispiel zu geben durch Trunksucht, Fluchen u. s. w. [...]. Sorget aber auch dafür, daß eure Kinder Liebe [!] zur Arbeit gewinnen, haltet sie ab vom Müßiggang, von schlechter Gesellschaft und Kameradschaft! Traget aber auch – wie der hl. Joseph – nach Kräften Sorge für das leibliche und zeitliche Wohl eurer Kinder! Strafet sie, wenn es nötig ist, aber nicht in unmenschlicher Weise. [...]. Pfleget sie mit Opferwilligkeit, wenn sie erkrankt sind![43] Unterstützet sie kräftigst bei ihrer Berufswahl! (*Ztschr. Hl. Familie*. 2 (1894). S. 11)

Bei den Erziehungsmitteln der Mutter – zur Veredelung des Kindes[44] – fehlt die Züchtigung völlig. Ihre Einflußmöglichkeiten liegen ganz im Bereich der persönlichen Ausstrahlung und – wie bei ihrem Ehemann (s. oben) – in ihrem Gebet für das Kind; es wird sogar als ihre Hauptverpflichtung angesehen:

> Wie aber ein Gärtner weiß, daß ohne den Zutritt von Sonne und Thau[45] ein solcher Reis nimmer wächst, so ist es eine Hauptverpflichtung der Mutter, für das Kind zu beten und die Gnade des Himmels auf dasselbe herabzuflehen; sonst sind alle Mühen umsonst. (*Ztschr. Hl. Familie*. 1 (1893). S. 158)

Geprägt durch das Idealbild der opferbereiten, geduldigen Mutter wird ihr der Rat gegeben, das Kind durch ihr freundliches Wesen zum Gehorsam und zum Guten zu beeinflussen[46]:

> Es labt sich gern am heiteren, frohen, liebenswarmen Auge der Mutter und folgt mit Freuden ihren Lehren; aber es schreckt zurück vor ihrem düster umwölkten Auge und fühlt dann keine Lust zu folgen. Darum soll die Mutter ihren Schützlingen stets einen heiteren, frohen Mut zeigen und sie lehren, sich kindlich-frohen Sinnes ihres Lebens zu freuen. (ebda.),

ohne dabei dem Kind seinen freien Willen zu lassen und es zu verwöhnen, denn:

> Die Kinder zu lieben, als ob sie blos einen Leib hätten, sie in der Weise zu lieben, daß man ihnen immer ihren Willen läßt, das ist krankhafte Zärtlichkeit, keine Liebe, wie sie christlichen, christlich starken Seelen eigen ist. (ebda. S. 79)

So wird der Mutter die Hauptverantwortung für die Kinder aufgebürdet, da sie ja – als Personifikation der Häuslichkeit – in engstem Kontakt zu ihnen steht bzw. stehen soll. Erst wenn das Kleinkindalter überschritten ist, nimmt sich die Kirche des Kindes in der religiösen Erziehung an, die von den Eltern vorbereitet und unterstützt werden soll[47].

Durch die Erziehung zur Frömmigkeit soll ein christliches Leben in Gottergebenheit und Geduld (ebda. S. 6) und die Einhaltung der christlichen Tugenden gewährleistet sein; sie bedient sich des Vorbildes der gläubigen Eltern[48] und des Unterrichts in der Religion durch das Leben der Heiligen.

Bezogen auf das zentrale Ideal der Keuschheit empfiehlt die Zeitschrift dementsprechend:

> Nehmet auch gerne die Gelegenheit wahr, eure Kinder die Schönheit der Herzensreinigkeit erkennen zu lassen, wie sie gewöhnlich in Verbindung mit Frömmigkeit,

Güte, Eingezogenheit, fester Entschiedenheit in verschiedenen biblischen Erzählungen und in dem Leben der Heiligen, sowie in deren bildlichen Darstellungen uns anschaulich entgegentritt. Vor allem sind es dann auch die allerseligste Jungfrau, die Mutter der Keuschheit, die Jugend-Patrone und Vorbilder, der hl. Aloysius[49], die hl. Agnes, die Namenspatrone, welchen eure Kinder, wenn ihr sie darauf hinweiset, gerne eine besondere Verehrung widmen werden, um nach ihrem Beispiel und mit Hilfe ihrer Fürbitte einen gottgefälligen, tugendhaften Lebenswandel zu führen. Auch ihr selbst werdet um so weniger unterlassen, auf euere Kinder den himmlischen Schutz herabzuflehen, wenn ihr bedenket, welche Verwüstungen das entgegengesetzte Laster anrichtet. (*Ztschr. Hl. Familie*. 1 (1893). S. 199)

Die elementare Bedeutung der Keuschheit – als Synonyme für diesen Begriff werden Ehrbarkeit, Lauterkeit, Reinigkeit, Schamhaftigkeit, Sittlichkeit gesetzt[50] – liegt darin, daß sie „*einerseits die Frucht, andererseits die Behüterin der Religiösität*" und ebenso wie diese „*ein notwendiges Erfordernis zum Glücke euerer Kinder*" (ebda. S. 198) ist.

Anleitungen zur Erziehung der Kinder zur Keuschheit gibt die Schrift ‚*Ein väterliches Mahnwort an Eltern. Hütet die Unschuld eurer Kinder!*', die zwar nicht direkt zu den Publikationen des ‚Allgemeinen Vereins' gehört, aber genau dessen Tendenz trifft. Zwar erkennt der anonyme Autor, daß Kinder an sich nicht asexuell sind[51], aber ein *gutes* Kind ist asexuell, so wie jeder ‚gute' christliche Mensch mit der Sünde der Unkeuschheit – d. h. mit der Sexualität – nichts zu tun haben soll; dies sei aber von der Erziehung abhängig. Hauptübel sind sexuellen Phantasien und Masturbation[52].

Und so werden genaue Erziehungs- und Verhaltensmaßregeln für die Eltern formuliert: Die Kinder sollen immer angezogen sein und nicht zu kurze Kleider tragen (*Mahnwort*. Augsburg o. J. S. 5 f), kleine Kinder sollen ihren Geschwistern nicht nackt gezeigt werden oder unbekleidet herumkrabbeln (ebda. S. 6). Auch soll die Mutter ihr Kind allein und ohne Beisein anderer stillen und in Anwesenheit von Kindern das Gespräch über Geburt o. ä. vermeiden (ebda. S. 11). Die Maßregelungen zum Zwecke der Erhaltung der Keuschheit enthalten außerdem die Anweisungen, daß Geschwister verschiedenen Geschlechts nicht in einem Bett (ebda. S. 8) und ab dem vierten Lebensjahr auch nicht mehr bei den Eltern in einem Zimmer schlafen sollen (ebda. S. 10). Um Masturbation bei den Kindern zu verhindern, wird den Eltern zusätzlich geraten, unerwartet nach ihnen zu sehen und sie so zu überwachen (ebda. S. 9).

Eine [weitere] große Gefahr für das rechte Schamgefühl der Kinder sind unanständige Bilder[53]. Das Anschauen nackter oder halbnackter Figuren und sinnlicher Darstellungen, wie man sie oft auf Seifenschachteln, Cigarrenkistchen, in den Buden der Jahrmärkte, in Büchern und Zeitschriften, auf Photographien u. s. w. findet, muß das heilige [!] Schamgefühl allmählich abstumpfen und lüsterne Begierden erwecken. (*Mahnwort*. Augsburg o. J. S. 8)[54]

Aber nicht nur in ihren eigenen vier Wänden sind die Eltern aufgefordert, unsittliche Bilder zu verbannen. Im Schlußwort der Schrift ergeht an sie der Aufruf, auch in der Öffentlichkeit darauf zu dringen, unkeusche Abbildungen zu entfernen[55].

So wird der Mensch ‚entsinnlicht‘, trieblos und vergeistigt, kurz: geheiligt. Mit dieser Idee korrespondiert die des Leidens, das für einen geistig und jenseitig orientierten Menschen als Wille Gottes ertragbar wird.

Werden diese Maßregeln, zu denen besonders das beispielhafte Leben der Eltern gehört, befolgt, so geht der Wunsch der christlichen Eltern nach guten Kindern in Erfüllung. Sie ernten nicht nur Lohn im Himmel, sondern auch die Dankbarkeit und Verpflichtung ihrer Kinder auf Erden mit der plausiblen Erklärung von Leistung und Gegenleistung, die sich nicht nur auf die schuldige Dankbarkeit des Kindes seinen Eltern gegenüber erstreckt, sondern im Endeffekt auch das Verhältnis der Eheleute untereinander betrifft[56].

Die Dankbarkeit und Schuldigkeit der Kinder ist zeitlich und altersmäßig nicht beschränkt, vielmehr sollen sie als Erwachsene durch Hilfe diese Dankbarkeit bezeugen, und die Wechselbeziehung zwischen den Mitgliedern der Familie gerät bei der Forderung des Weiterbestehens dieser Beziehung „*selbst noch über das Grab hinaus*"[57] ins Transzendentale. Die Verpflichtung der Eltern – wir erinnern uns an den Begriff ‚heilige Pflicht‘ – ließ sie „*auf ihre Kinder acht haben, [. . .] sie schützen und nähren, solange sie [die Kinder] noch hülfsbedürftig und klein sind; die Kinder aber sollen später nach Kräften Stab und Stütze ihrer Eltern werden.*" (*Ztschr. Hl. Familie*. 1 (1893). S. 248).

Dieses Verhalten der Kinder ist aber nur bei einer frommen, christlichen Erziehung gewährleistet[58], und so gibt es nur *eine wahre* und richtige Erziehung, die christliche, deren gefordertes Resultat folgenderweise beschrieben wird:

Das Verhältnis zwischen Eltern und Kindern muß durchaus vertraulicher Natur sein. Die Eltern leben in ihren Kindern wieder neu auf, und die Kinder verdanken ihr Leben nächst Gott Vater und Mutter. Kann es nun wohl etwas geben, was eine innigere Wechselbeziehung zu begründen im stande wäre? Dieses Verhältnis muß beiderseits eine tiefe und starke Liebe zur Grundlage haben. [. . .].
Die Herzen einer Familie müssen alle einträchtig sein und alle sollen nur *eine* Gesinnung, *einen* Willen haben[59]. Alle sollen am gegenseitigen Glücke arbeiten und einander helfen und unterstützen. (*Ztschr. Hl. Familie*. 7 (1899). S. 248)[60]

2.2.5   Die Stellung der Dienstboten und Untergebenen

Ähnlich dem der Kinder ist das Verhältnis der Dienstboten zum Familienoberhaupt. Nach den Vorstellungen des ‚Allgemeinen Vereins‘ sind sie in die Familie eingebunden und stehen in dieser Hierarchie auf der Ebene der unmündigen Kinder.

Dementsprechend gestaltet sich auch die Verantwortung des Hausvaters[61] gegenüber den Dienstboten und Untergebenen ähnlich wie gegenüber seinen Kindern und betrifft sowohl das leibliche wie auch das seelische Wohl.

Der christliche Familienvater hat dann endlich noch ein besonderes Augenmerk auf seine Dienstboten und sonstigen Untergebenen zu richten. Er soll sie in christlicher Liebe gewissermaßen [!] als Familienmitglieder betrachten und behandeln: Vom Bösen ab- und zu allem Guten anhalten. (*Ztschr. Hl. Familie*. 2 (1894). S. 11)

In der Formulierung „*gewissermaßen als Familienmitglieder betrachten*" zeigt sich jedoch auch die Distanz des Dienstpersonals zum Familienverband[62]. Es gehört naturgegeben nicht zu ihm, der sich als eine durch Blutsverwandtschaft bestimmte Kleinfamilie versteht. Dennoch unterstehen die Dienstboten in ihrem Dienstverhältnis der ganzen patriarchalischen Autorität des Hausherrn[63], die seine Sorge um ihr körperliches und seelisches Wohl einschließt:

Dieselbe besteht vornehmlich darin, daß die Hausväter ihnen Gelegenheit geben zum Gebet, zur Anhörung der hl. Messe, Predigt und Christenlehre, zum öfteren Empfang der hl. Sakramente[64]. Aber auch für das zeitliche Wohl seiner Dienstboten in entsprechender Weise zu sorgen, ist heilige Pflicht des christlichen Familienvaters[65]; es soll ihnen nicht fehlen an genügendem Lohne, ausreichender Nahrung, gesunder Wohnung und nicht an Wart und Pflege, wenn sie krank sind. (*Ztschr. Hl. Familie*. 2 (1894). S. 11)

So wird in der katholischen Arbeits- und Sozialpolitik die Arbeits- und Sozialgesetzgebung des Staates durch die christliche *caritas* ersetzt[66].

Im Moralischen ist der Familienvater auch für das Dienstpersonal die oberste Instanz; er soll über Sitte, Rede, Kleidung, Bekanntschaften wachen und denjenigen, der seinen sittlich-moralischen Vorstellungen nicht entspricht, als Nestbeschmutzer aus dem Haus schicken:

Gleichfalls halte er keinen, welcher verbotenen Spielen ergeben ist, zumal es dabei ohne Gotteslästerung, Betrug und andere böse Dinge nicht abgeht; ebenso keinen welcher einer *Umsturzpartei* als Mitglied angehört. (*Reger*: Gebet- und Regelbüchlein. Straubing 1893. S. 226)

denn: „*Ihr dürft nicht Unrechtes in eurem Hause dulden.*" (*Lautenschlager*: Die hl. Familie. Augsburg o. J. S. 371)

Die empfohlene Überwachungspraxis der Dienstboten wie der Kinder macht dabei vor der Privatsphäre des Einzelnen nicht halt; zu groß ist die Verantwortung des Hausvaters.

> Sehet auch zur Nachtzeit, wenigstens bisweilen ganz unvermutet nach, wie es in den Kammern, in der Küche, in den Ställen zugeht! hört, was für Reden geführt werden! (ebda.)

Nach diesem zweiseitigen Regelkatalog zur Überwachung der Dienstboten[67] schließt der Artikel überraschend und für unsere Ohren fast zynisch:

> Seid gegen eure Dienstboten nicht zu argwöhnisch oder mißtrauisch; dadurch werden sie oft zur Untreue verleitet. Zeiget ihnen vielmehr, daß ihr auf sie großes Vertrauen setzt! (ebda. S. 372)

Um all diesen Anforderungen an den Hausherrn gerecht zu werden und den Mißbrauch seiner Machtfülle zu verhindern, ist das ‚Gebet einer Herrschaft‘ von Nöten, in dem um eine gewissenhafte Erfüllung der herrschaftlichen Pflichten in leiblichen wie in seelischen Dingen gebetet und die zulässigen Mittel des Hausherrn zur Disziplinierung seiner Untergebenen genannt werden: Wort, Beispiel und Strafe, die mit *„Ernst und Liebe“* (*Nazareth und Bethlehem*. München 1899. S. 490 f) durchgeführt werden soll[68].

Die Position des Dienstboten wird dementsprechend vom dienenden Gehorsam gegenüber seinen Herrschaften geprägt; so lautet das ‚Gebet eines Dienstboten‘:

> O Gott! Du willst, ich soll durch das Dienen mich heiligen. Ich bin mit dem Stande, zu dem Du mich berufen hast, ganz zufrieden. Nahm doch selbst dein Sohn Knechtsgestalt an und kam in die Welt, nicht um bedient zu werden, sondern um Andern zu dienen. Du, o Herr, hast mir meine Vorgesetzten gegeben; ich will sie ehren und ihre Befehle gewissenhaft befolgen. Dich aber laß mich um Alles lieben und fürchten, und eher die Liebe meiner Herrschaft, als die deinige verlieren. Amen. (*Nazareth und Bethlehem*. München 1899. S. 491)[69]

Als spezielle Verhaltensweisen werden ihnen empfohlen: Arbeitsamkeit, Treue, Redlichkeit, Ehrlichkeit, Wahrheitsliebe, Schweigsamkeit, Willigkeit bei der Arbeit, Höflichkeit, Freundlichkeit gegenüber den Mitdienstboten, Bescheidenheit und Sparsamkeit (*Lautenschlager*: Die hl. Familie. Augsburg o. J. S. 372 ff).

Über die Auflösung eines Dienstverhältnisses heißt es:

> Es ist eine große Sünde, wenn du ohne wichtige Ursache gegen den Willen deiner Herrschaft den Dienst verlässest, ehe die bedungene Zeit aus ist. Daraus entsteht meistens Verdruß und oft der größte Schaden in den Haushaltungen. (ebda. S. 373)

Zulässig ist das Verlassen des Dienstes nur unter folgenden Bedingungen:

> Wenn du nicht ohne Sünde oder ohne nächste Gefahr, zu sündigen in dem Hause oder Dienste bleiben kannst, so zeige es dem Hausvater oder der Hausmutter an! Wird dir nicht geholfen [d. h. kommen sie nicht ihrer ‚heiligen‘ Pflicht nach], so begehre deinen Lohn und gehe; denn du mußt auch die nächste Gefahr zur Sünde meiden! (ebda. S. 374)

In gewisser Hinsicht ist also auch das Dienstpersonal für das eigene Seelenheil verantwortlich, auch wenn ihm aus der Sicht des Hausvaters die Mündigkeit, ähnlich wie bei den Kindern und bei der Hausfrau, abgesprochen wird.

Der Anteil der Artikel über die Dienstboten ist im übrigen in den Vereinspublikationen recht gering. Diese Tatsache ist wohl nur so zu deuten, daß trotz des allgemeinen Anspruchs des Vereins, alle Stände anzusprechen, die wichtigste Zielgruppe im bürgerlichen und besonders im kleinbürgerlichen bis proletarischen Bereich lag.

2.3 Gesellschaftlich relevante Verhaltensnormen

2.3.1 *„Heiliges Beten, heiliges Arbeiten, heiliges Leiden“*

> Geheiligtes Familienleben.
> Gott hat in der hl. Familie von Nazareth einer jeden christlichen Familie das heiligste und erhabenste Vorbild aufgestellt, wie sie leben muß, um wahrhaft sich zu heiligen. Aus dem Hause von Nazareth leuchtet allen Christgläubigen hervor das *heiligste Gebet, die heiligste Arbeit, das heiligste Leiden*. Der Hauptzweck des allgemeinen Vereins der hl. Familie besteht darin, die Familien zur Nachahmung dieses dreifachen heiligsten Beispieles zu führen. [...].
> *Heiliges Beten, heiliges Arbeiten, heiliges Leiden*, o christliche Familie, sind die drei starken Bande, welche dich mit der heiligen Familie innig verbinden für Zeit und Ewigkeit; sie sind deine drei kostbaren Schätze, unendlich kostbarer, als alle Reichtümer der Welt. (*Ztschr. Hl. Familie*. 1 (1893). S. 4, 6)

Diese Maximen ‚*Heiliges Beten, heiliges Arbeiten, heiliges Leiden*‘ prägen alle von der Vereinsideologie propagierten systemkonformen Verhaltensmuster, sind aber nicht jeweils einer Norm zuzuordnen. Vielmehr finden sie sich als Komplex in allen gesamtgesellschaftlich relevanten Normen wieder und legitimieren sie.

Gebet: Frömmigkeit als systemkonformes Mittel zur Bekämpfung der Mißstände der Zeit

Wie wir in der vorangegangenen Beschreibung des christlichen Familienideals gesehen haben, wurde dem Gebet – als einem der wichtigsten Ausdrucksformen der Frömmigkeit – besonders in der Kindererziehung breiten Raum zugewiesen. Ernsthaften Gebetsübungen und Gebetserhörungen schrieb man einen ursächlichen Zusammenhang zu, so z. B. in Erzählungen oder in den Rubriken ‚Gebetserhörung‘[70] und ‚Gebetsempfehlungen‘[71] der Augsburger Zeitschrift ‚Die katholische Familie‘.

Einerseits rückten so die Leser dieser Zeitschrift scheinbar zusammen und empfanden ein Gemeinschaftsgefühl, das die Anonymität innerhalb des Abonnentenkreises aufhob, gleichzeitig wurde so ein Instrument angewandt, das schon seit Jahrhunderten gebräuchlich war – man erinnere sich nur an die Bedeutung der Votivtafeln in diesem Rahmen – und die direkte Verbindung zu älteren Formen der Volksfrömmigkeit schuf, die durch die Versuche der aufklärerischen Liturgiereform beeinträchtigt worden waren.

Wie anhand der Bruderschaftsbücher – vor allem an dem der Prager Seelenbruderschaft des späten 17. Jahrhunderts – ersichtlich ist, war es vor der Liturgiereform des späten 18. und frühen 19. Jahrhunderts üblich, daß der Gläubige während der gesamten Messe für sich betete und an der Eucharistiefeier kaum direkten Anteil nahm. Besonders bei der Wandlung und der Kommunion, die als ‚geistliche Kommunion‘ gehalten wurde (*Regeln der Heil. Bruderschafft.* (um 1800). S. 42–52) – der Meßbesucher empfing dabei nicht real die Hostie[72] –, waren diese Gebetsübungen üblich. Im Übrigen nahm der Gläubige mehr an Andachten, in denen ein mechanistisches Beten geübt wurde, als an Meßfeiern teil.

> Die Aufklärung empfand den Zwiespalt zwischen Liturgie und Volk durchaus und versuchte, ihn zu überbrücken einerseits durch ein Zurückschneiden der Eigenwege der Volksfrömmigkeit, andererseits durch eine Verbindung der Gläubigen mit dem liturgischen Geschehen. Dabei ist das Bestreben, die Predigt wieder in die Messe hereinzunehmen, beachtlich, ebenso die Bemühung, die Kommunion mit der Messe zu verbinden. [...]. Daß man etwas anderes neben dem Geschehen der Messe her bete, wie z. B. den üblichen Rosenkranz, wurde sehr verpönt. Auch wurden Nebenmessen abgeschafft, die bisher während der Hauptmesse herliefen. Am liebsten sah man überhaupt nur einen Altar in der Kirche. (*Jedin* 1985. V. S. 604 f)

Der Gottesdienst sollte erbaulich sein, um so die Seelsorge des Pfarrers zu unterstützen. Die Abkehr vom Mechanismus des Gebetes[73] wurde auch in den Schulen propagiert. In dem an die Lehrer gerichteten Vorwort eines Gebetbuches für Kinder an katholischen Schulen aus dem Jahre 1833 heißt es entsprechend der pädagogischen Absicht:

> 1. Sollten die Kinder mit Andacht beten, so müssen sie von den nöthigen Eigenschaften der hohen Würde, dem Endzweck und Nutzen des Gebetes vorher unterrichtet seyn. [...].
> 3. Durch ein zu langes Gebet ermüdet selbst bei Erwachsenen die Andacht, wie vielmehr bei Kindern. Die Schulgebete sollen daher kurz seyn, auch dürfen niemals zu viele auf Einmal gesprochen werden[74].
> 4. So bald die Kinder ein Gebet auswendig wissen, wird die Andacht dabei abnehmen; man lasse sie daher, ausser dem *Gebet des Herrn* [das Vaterunser], keines auswendig lernen, und also die Gebete ablesen.
> 5. Dazu ist Mannigfaltigkeit nothwendig. [...].
> 6. Kein Gebet muß in der Schule gebraucht werden, das nicht für die Kinder faßlich und deutlich ist; man suche ihnen also jedes Gebet, das man in der Schule sprechen läßt, vorher verständlich zu machen, und gehe es mit ihnen in kurzen Fragen durch. [...].
> 8. *Das Gebet des Herrn* wird, wenn es zu oft gebraucht wird, bei vielen ein gedankenloses Lippenwerk, und ohne Aufmerksamkeit und Theilnehmung daher gesagt. Vor solchem Mißbrauche die Kinder zu bewahren dürfte es gut seyn, statt der blossen Worte dieses Gebet manchmal eine kurze, für die Kinder abgefaßte, deutliche Erklärung oder Umschreibung desselben oder anderer Gebete, sprechen zu lassen.
> (*Gebete für Kinder.* Augsburg 1833. S. X–XIV)

Die Folgen dieser Tendenz zeichnen sich in der Klage eines Mainzer Seelsorgers aus dem Jahre 1850 ab, der feststellt, daß die Praxis der Gebetsübungen so stark zurückgegangen sei, daß selbst die gängigsten katholischen Gebete in Vergessenheit geraten wären.

> [...] ja, daß Alles, Alles bete, nur wir Menschen sollten als gebetslose Creaturen umherlaufen, es sei denn, wie man auch wirklich lehrte, daß die romantischen Sehnsüchteleien à la Stunden der Andacht ein Gott wohlgefälliges Opfer auf dem Altar des Herzens seien, jenes Herzens, das mit derselben romantischen Sentimentalität viel geneigter war, anderen Götzen auf demselben Altare Weihrauch zu opfern. Das nächste beste alte Weib, das noch zu den Kapuzinern in die Schule gegangen, konnte hunderte von geistlichen und weltlichen Erziehern beschämen, wenn sie aus ihrem Vorrathe für jede Lebenslage ein kräftiges Gebet [Gebete mit direkter Nutzanwendung] hervorlangte. Alle körnigen Gebetsformulare verwarf man; wie ist man nicht mit dem uralten Rosenkranz umgegangen? Und wo man sich noch recht eifrig zeigen wollte, hat man statt zum Gebete zum Gesange gegriffen. [...]. Wo in der ganzen katholischen Welt ist man je auf den närrischen Einfall gekommen, statt eines kräftigen Morgengebetes eine Singstunde zu halten. Das practiciren nur halbverrückte Pietisten. (zitiert nach *Brückner* 1982. S. 78 f)[75]

Diesem Mißstand, den der Autor als Verfall der religiösen Sitte – „‚Sitte‘ als gesellschaftliche Norm" (ebda. S. 79) – wertet, stellt er das Gebet als Akt der religiösen Gewohnheit entgegen, eine Vorstellung, die in der zweiten Hälfte des 19. Jahrhunderts vermehrt aufgegriffen und propagiert wurde. Auch der ‚Allgemeine Verein‘ nahm sich dieser Idee an, verstand er sich doch hauptsächlich als Gebetsvereinigung. Das durch die Statuten zur Pflicht gemachte *‚Tägliche Gebet vor dem Bilde der heiligen Familie‘* sollte vorzugsweise abends unter dem Beisein *aller* Familienmitglieder und vom Familienvater kontrolliert *gemeinsam* gebetet werden. Dies führte zu einem Gewöhnungseffekt, der aber nicht als unangenehm und die Andacht störend empfungen wurde, sondern ganz im Gegenteil beabsichtigt war[76]. So sollte das Gebet des gläubigen Katholiken nach dem von der Hl. Familie gegebenen Beispiel sowohl von der Quantität als auch von einer besonderen Qualität bestimmt sein[77]. Daraus entsprang die Aufforderung, viel zu beten, ja sein ganzes Leben als Gebet zu verstehen, denn:

Wahrhaft fromme, gottergebene Seelen hören nie zu lieben und zu beten auf; sie beten allezeit. Hat auch der Mund aufgehört zu beten, so betet noch das Herz. (*Aich*: Die hl. Familie von Nazareth. Regensburg 1896. S. 215)

Als Ziel, auf das viele der Vereinsgebetbücher abgestimmt waren, galt, die Morgen-, Abend- und Tischgebete erneut in der christlichen Familie zu kultivieren.

Doch nicht allein durch den Gebetseifer erlangt der Mensch Gottes Beistand. Erst die Andacht – verbunden mit Demut, Beharrlichkeit und Ergebenheit (ebda. S. 216 f) – und das Vertrauen in die Wirkung des Gebetes machen es zum ‚rechten‘ und ‚guten‘ Gebet.

Alle Gnaden deren er [der Betende] zum Heile seiner Seele bedarf, werden ihm reichlich gespendet, und was zum zeitlichen Auskommen gehört, wird ihm gewährt werden. (*Toussaint*: Die hl. Familie. Regensburg 1899. S. 166)

Diese Wirkung muß aber nicht sogleich und im Sinne des Betenden eintreten; der Zeitpunkt und die Art der Erhörung liegen ganz im Ermessen Gottes. Scheint auf diese Weise das Auskommen des Frommen bei *Toussant* garantiert, so deutet *Aich* das menschliche Schicksal als gottgewollte Fügung:

Ja, davon sei überzeugt, dein Gebet wird allzeit jenen Erfolg haben, welcher für dich nach der Erkenntnis und Weisheit Gottes der beste ist. (*Aich*: Die hl. Familie von Nazareth. Regensburg 1896. S. 220)

In den Vereinsgebetbüchern wird ein Großteil des täglichen Lebens vom Gebet begleitet, so z. B. das Aufstehen und Ankleiden, dem ein umfangreiches Morgengebet folgt oder auch das der gemeinsamen, in der Familie abgehaltenen Abendandacht folgende Auskleiden. Trotz der Versuche

Leos XIII., die Verbindung von hl. Messe und Kommunion wieder zu verbreiten, fand sogar die alte Idee der ‚geistlichen Kommunion‘ erneut weite Verbreitung (*Jedin* 1985. VI,2. S. 275).

Welche Bedeutung hatte nun das Gebet für die Familie als Gesamtheit wie auch für die einzelnen Familienmitglieder?

Als gemeinsames Gebet war es eindeutig als Verbindungs- und Festigungsmittel der Familie und ihrer Struktur gedacht, wobei dem Vater – entsprechend seiner Autorität – eine besondere Rolle zukam. Er war meistens der Vorbeter[78] und besaß in dieser Funktion die Kontrolle über den Gebetseifer der Familienmitglieder[79]. Besondere Bedeutung hatte das Gebet in der Erziehung, und zwar sowohl als Erziehungs*mittel* – besonders der Mutter – wie auch – als Zeichen der Frömmigkeit[80] – als Erziehungs*ziel*, und in der Sterbestunde, in der – in der Tradition des barokken Gut-Tod-Patroziniums – besonders der hl. Joseph angerufen werden sollte.

Außerdem entwickelte sich eine Tendenz der Gebetserhörung, die naiv wie die älteren Votivbilder sagte: Der hl. N. N. (die Hl. Familie) hat geholfen. Auch die Zeitschrift ‚Die hl. Familie‘ bringt mehrere Exempel mit diesem Tenor; sei es, daß ein Gottloser zurück zur Religion geführt, ein Kind vor einem Unfall gerettet wurde oder einfach die Schulleistungen eines Kindes sich besserten. In allen diesen Fällen hat das Gebet zur Hl. Familie vor deren Bild geholfen (*Ztschr. Hl. Familie*. 1 (1893). S. 211). Die Hilfe durch das Gebet ist aber nicht nur durch die Anrufung eines Fürsprechers gewährleistet, sondern auch durch den Akt der Verehrung in ihm (ebda. 3 (1895). S. 2–6).

Neben diesen speziellen Zielen aus dem engen Erlebnisbereich des Gläubigen[81] sollen die Gebetsübungen der Hl. Familie auch zur Abwendung der allgemeinen Mißstände der Zeit dienen. Die Personifikation dieser Mißstände sind die ‚Umsturzpartei‘ der Sozialdemokratie und die Freimaurer. Ihnen werden die ‚*gegenwärtigen Zeitverhältnisse*‘ zur Last gelegt, die schon der Papst in seinem Einrichtungsbreve angeprangert hatte und die von der katholischen Kirche folgenderweise dargestellt wurden:

Die gegenwärtigen Zeitverhältnisse fordern eindringlich dazu auf. Allüberall schwindet der Glaube, der doch die notwendige Grundlage des christlichen Lebens und die Wurzel der Tugenden ist; die Liebe erkaltet; eine glaubens- und sittenlose Jugend wächst vielerorts heran. Mit List und Gewalt wird die Kirche Jesu Christi von allen Seiten angefeindet und bedrängt, der heilige Stuhl auf das Heftigste bekämpft, die Religion selbst auf das Übermütigste und Schamloseste verhöhnt und angegriffen. Die Pforten der Hölle sind weit geöffnet und ihre Streiter zählen nach Legionen. Was die Welt an Macht und Einfluß bietet, steht in ihrem Dienste. (*Ztschr. Hl. Familie*. 5 (1897). S. 50)

Zielgruppe dieser Angreifer ist natürlich die Familie – die Stütze und Basis der Gesellschaft, zu deren Festigung der Verein errichtet wurde.

> Oder, sage selbst, lieber Leser, wann sind ärgere Stürme gegen das Schifflein der Familie losgebrochen, als in unserer Zeit? wann waren der Familie drohendere und zahlreichere Gefahren bereitet, als in unseren Tagen? wann erblickten wir mehr Zerfahrenheit, Lockerungen der Familienbande[82], mehr Uneinigkeit, Zwietracht und Spaltung unter den Familien als jetzt? wann ist das Amt der Erziehung jemals so schwer geworden, als gerade jetzt, wann war die Verderbnis und Verführung der Jugend größer als jetzt? wann wurden die Kinder früher und schneller auf alle mögliche Weise der Familie und ihrem Einfluß entzogen, als jetzt? wann war die Jugend selbst und zumal die heranwachsende frühreifer, leichtsinniger, ungehorsamer und eingezogener als vielfach in unseren Tagen? wann haben alle nur möglichen Vereine so sehr überhand genommen, als in dieser Zeit, die fast alle Sonntage mit ihren Lastern belegen und durch Trunk und Spiel und Tanz den Tag des Herrn entheiligen und das Geld, das sauerverdiente, so unverantwortlich durch die Kehle jagen? (*Ztschr. Hl. Familie*. 4 (1896). S. 75 f)

Gegen dies alles sollte das Gebet zur Hl. Familie das hilfreichste Mittel sein.

> Der allgemeine Jammer und das vielfältige Elend, worunter gegenwärtig die menschliche Gesellschaft seufzt, ist unstreitig zum guten Teil verschuldet durch den Mangel des Gebetes. Wo kein Gebetseifer vorhanden ist, dort fehlt auch Gottes Segen. [...]. Die Waffen der Kirche sind Thränen und Gebet. Mögen die Christen diese Waffen eifrig benützen, um die herrschenden Übelstände zu beseitigen und ihrer zahlreichen Feinde sich zu erwehren! (*Aich*: Die hl. Familie von Nazareth. Regensburg 1896. S. 211)

Durch die Verteufelung der Sozialdemokratie, kombiniert mit dem Hinweis, daß schon ein Gebet die Hilfe Gottes herbeiführen könne, wurden die Mitglieder des ‚Allgemeinen Vereins‘ in eine passive Rolle gedrängt, die keinerlei Aktivität in der progressiven Sozial- und Arbeiterpolitik zuließ. Gleichzeitig ignorierte man die gesellschaftlichen Folgen der Industrialisierung als Ursache der beklagten Mißstände völlig.

Alle anschließenden Punkte folgen diesem Ziel mit dem immer wieder auftauchenden Hinweis auf die Wirksamkeit des Gebetes, dessen moralische Bedeutung noch erhöht wurde, indem *Touissant* z. B. von der „*Tugend des Gebetes*" (*Touissant*: Die hl. Familie. Regensburg 1899. S. 168) sprach.

Arbeit: Kirche und Arbeitsethos

Die Wiederentdeckung des alten benediktinischen Wortes ‚*ora et labora*'[83] für die Laienwelt führte – neben der Konzentration auf das Gebet – zur Betonung der Arbeit, die auf einem zeitgemäßen Arbeitsethos und einer völlig patriarchalischen Autoritätstruktur basierte. Illustriert sei dies anhand eines Abschnittes aus dem Artikel, dem unsere Kapitelüberschrift entnommen ist.

> In Nazareth hat der Sohn Gottes *gearbeitet* als eines armen Zimmermanns Pflegesohn. O Arbeit, so klein und niedrig an sich und doch so wunderbar groß, und heiliger, als alles mitsammen, was alle Engel und Heiligen und Gerechten jemals Gutes und Heiliges gethan haben und in alle Ewigkeit thun werden und thun können! Es ist ja jede, auch die geringste Arbeit Jesu ein göttliches Werk gewesen; ein unendlich heiliges Werk. Alle Arbeit Jesu geschah ferner nur aus der Absicht unendlicher heiliger Liebe zum ewigen Vater und zugleich im demütigsten Gehorsam gegen Joseph und Maria. Diese aber arbeiteten auch mit Jesus, und während sie arbeiteten, beteten sie ihn an. Sie teilten mit ihm seine Liebe zum Vater und die Absicht seines göttlichen Herzens, den Vater zu verherrlichen, und opferten in Einheit mit Jesus all ihr Thun, jeden Schritt, jedes Wort, jeden Gedanken Ihm auf. [...]. – Christliche Eltern, heiliget euere Arbeit durch heilige Liebe zu Gott und heilige Absicht, Ihm zu gefallen. Arbeitet mit Jesus, mit der Meinung, alles zu thun, in jenen hochheiligen Absichten, mit welchen das göttliche Herz Jesu sein ganzes Leben und Wirken auf Erden aufgeopfert hat und im göttlichen Sakramente noch aufopfert. (*Ztschr. Hl. Familie*. 1 (1893). S. 4 f)

Arbeit adelt nicht nur, sie heiligt sogar, und diese Heiligung ist ja gerade das Ziel des ‚Allgemeinen Vereins‘. So bekommt die Arbeit eine moralische Qualität, in der sie nicht nur als Mittel zur Erlangung eines bestimmten Lebensstandards verstanden wird[84], sondern als Gottesdienst. Sie wird zum Gebot Gottes[85], auf dessen Mildtätigkeit und Güte der Gläubige nicht spekulieren darf, und die Folgen der Arbeit – der materielle Wohlstand – sind in gewissen engen Grenzen ein Zeichen der Frömmigkeit[86]. Arbeit aus Gewinnsucht aber – besonders wenn sie das Sonn- und Feiertagsgebot mißachtet – wird von Gott durch Unglück bestraft (*Ztschr. Hl. Familie*. 1 (1893). S. 9 ff, 183).

Diese sakrale Legitimation eines Arbeitsethos‘, das speziell auf niedrige Tätigkeiten abgestimmt war, wurde durch das vorbildhafte und besonders arbeitsame Leben der Hl. Familie veranschaulicht und bekräftigt. Besondere Bedeutung nahm – wie schon im Barock – das Beispiel des hl. Joseph ein, der trotz seiner königlichen Abstammung vom Hause Davids geringste Arbeiten verrichtete und für das industrielle Zeitalter den idealen Arbeiterpatron darstellte.

Die Übertragung des patriarchalischen Prinzips der Familie auf die Organisation der Wirtschaftseinheiten war die konsequente Fortführung des hierarchischen Gedankens, nach dem die gesamte Gesellschaft strukturiert sein sollte. Die so übertragene Machtvollkommenheit vom Vater auf den Arbeitgeber – als deren Übergangsform das Verhältnis von Hausherr und Dienstboten angesehen werden kann – fand ihr Maß in Bezug auf die Anforderungen an die Arbeiter, wie auch auf den Lohn[87] und die Arbeitszeit allein im Verantwortungsgefühl des Arbeitgebers, dem auch die soziale Sicherung des Arbeiters oblag.

Diese patriarchalisch organisierten Arbeitsstrukturen fordern entsprechend der väterlichen Position des Arbeitgebers[88] vom Arbeitnehmer ,kindliche' Verhaltensformen, also Demut, Dankbarkeit, Ehrlichkeit, Fleiß, Zufriedenheit und vor allem Gehorsam.

Entsprechend diesem Analogieschluß ging die Ideologie des ,Allgemeinen Vereins' von starren Gesellschaftsstrukturen aus, die keine Änderung zulassen. In diesem Sinne sind auch die vielen Gebete zu verstehen, in denen der Arbeiter um Zufriedenheit in seinem Stand bittet – ein barocker Josephs-Topos[89] –, der als *„von der göttlichen Vorsehung zugewiesen [. . .]"* (Toussaint: Die hl. Familie. Regensburg 1899. S. 71) verstanden wird und die Mobilität der Arbeiter ausschließt.

Alle diese Überlegungen des Vereins gehen von verhältnismäßig kleinen Wirtschaftseinheiten aus, in denen noch ein persönliches Verhältnis zwischen Arbeitergeber und -nehmer – ähnlich wie im alten Handwerk – bestehen konnte. Entsprechend wird die soziale Verantwortung der Gesellschaft auf die Familie abgeschoben, wenn es heißt: *„Auch die Arbeiterfrage* [die man also, in welchem Umfang auch immer, erkannt hatte] *ist niemand mehr geeignet zu lösen als die christliche Familie."* (Lautenschlager: Die hl. Familie. Augsburg (1900). S. 375)

Kein Staat, keine Partei und auch nicht die Kirche sind aufgerufen, sondern die Familien, denen die Kirche – z.B. im ,Allgemeinen Verein' – das nötige Rüstzeug mitgibt; so in dem ,Gebet für Arbeiter', das auch anderen Gruppen anempfohlen wurde. Die Bedeutung der Familie in dieser kirchlichen Sozialpolitik deutet Korff als anvisiertes „übergreifendes Strukturprinzip":

> Intendiert wird also einmal eine Orientierungsverschiebung des Arbeiterbewußtseins vom Arbeitsprozeß und aus dem gesellschaftlich-politischen Bereich hin zur sozial isolierten häuslichen Sphäre. (*Korff* 1973. S. 105)

Dem entspricht, daß die Vereinsideologie fast ausschließlich von einer kleinen Wirtschaftseinheit – ideal dargestellt im Handwerk – ausgeht. Diese anachronistische Deutung verkennt dabei die Arbeitsstrukturen des ausgehenden 19. Jahrhunderts und abstrahiert und transzendiert sie – wie auch die Arbeit selbst – zu gottgewollten und von Gott gebotenen Größen.

> Die Arbeit im industriellen Produktionsprozeß wird nicht in ihrer konkreten ökonomischen Form begriffen, sondern als ungeschichtliches Erlebnismodell, das den Widerspruch von Lohnarbeit und Kapital vernebeln will. Das Bild vom autonom und frei schaffenden [Zimmermann] Joseph steht mit der Wirklichkeit des Mehrwert schaffenden Arbeiters in krassem Widerspruch, und verhindert solcherart die realitätsgerechte Interpretation seiner Stellung im Produktionsprozeß. Vermittelt wird das Klischee von der Arbeitszufriedenheit und damit [wird] ein Kriterium zur Bewertung der sozialen Lage entschärft. (ebda. S. 106 f)

Welch hohe Bedeutung dabei der Vermittlung eines entsprechenden Arbeitsethos' in der Kindererziehung für die Zukunft des sozialen Friedens haben mußte, ist abzusehen. *Korff* formuliert so provokativ als Ziel der kirchlichen Sozialpolitik:

> Zersplitterung der Arbeiterschaft und Verhinderung ihrer Solidaritätsbestrebungen [Gewerkschaften] durch institutionalisierte religiöse Maßnahmen [gemeint ist hier die Trierer Rock-Wallfahrt, die im 19. Jhdt. erneut einen Aufschwung erlebte] – auch mit Mitteln des katholischen Kultes – das war das Ziel kirchlicher Sozialpolitik. (ebda. S. 102 f)[90]

Leiden: Die Negierung der sozialen Frage

Neben den Geboten des Betens und Arbeitens spielt das Leiden und die Leidensbereitschaft in der Vereinsideologie eine wichtige Rolle. Es wird darauf zwar explizit nicht hingewiesen, doch ist dieses Gebot permanent vorhanden und tritt ganz besonders häufig in Bezug auf die Rollendefinition der Frau und der Dienstboten innerhalb der Sozialordnung auf. Bezugspunkte sind die Passion Christi und das Bild der Schmerzhaften Muttergottes.

> *Jesus* ist gekommen als *Erlöser* durch Leiden und Tod. Deshalb ist in Seinem Leben kein Augenblick ohne Leiden[91] .... [. . .]; Sein ganzes Leben zwischen jenem Offertorium im Tempel und dieser blutigen Wandlung am Kreuz war ununterbrochenes Opfer der Armut, der Verfolgung, des bitteren Schmerzes ob der Ihm stets in Kraft Seiner göttlichen Allwissenheit vor Augen stehenden Greul aller Sünden der Menschen. Mit Jesus litt *Maria*; [. . .]. Ein vollgerütteltes Maß der Leiden war auch St. Josephs Anteil [. . .]. Mit Jesus und in Einheit mit Ihm leiden war aber für Maria und Joseph auch die Quelle süßesten Trostes im Leiden. – In keiner christlichen Familie fehlt das Kreuz[92]. Es ist Gottes Wille, daß wir alle auf dem Kreuzwege dem Lamme Gottes nachfolgen und nicht ohne Mühe, Entsagung,

Opfer und Leiden uns die himmlische Seligkeit verdienen, welche Christus uns mit seinem Blute erkauft hat. Aber auch uns ist es gegeben mit Jesus zu Leiden [Leiden als Auszeichnung!]. Wer in Glaube und Liebe sich in seinem Leiden dem gekreuzigten Heilande hingibt, wird auch von Ihm Trost und Kraft erhalten. Christlicher Vater, trage das Kreuz deiner Mühen und Sorgen, wie der hl. Joseph, in demütiger Anbetung des heiligsten Willens Gottes und in Hinblick auf das göttliche Opferlamm, welches für uns das schwere Kreuz getragen hat. Christliche Mutter. Das Leiden Jesu ist in Folge ihrer unaussprechlichen großen und heiligen Liebe zu ihm ihr eigenes Leiden; ihre Schmerzen sind nur ihr Anteil an Jesu Qualen. [. . .]. Mach aus allen deinen täglichen Kreuzen ein Liebesopfer, das du Jesu darbringest, und zweifle nicht, Er wird dich segnen, und in deiner Geduld werden auch deine Kinder gesegnet. Christliche Eltern! seid eueren Kindern ein Beispiel der Geduld und der Ergebung in den heiligen Willen Gottes. [. . .]. Lehret sie von Jugend an das Joch des Herrn, das Kreuz in Liebe zu Jesus tragen, und für ihr ganzes Leben werden sie Jesus angehören. (*Ztschr. Hl. Familie.* 1 (1893). S. 5 f)

Indem nur die Familie in dieser Leidensideologie angesprochen wird, reduziert sich die „*sogenannte [. . .] soziale [. . .] Frage [. . .]*" (ebda. S. 200) auf das Einzelschicksal der in Armut lebenden Familien. Das gesamtgesellschaftliche Phänomen ‚Soziale Frage' wird also nur als individuelles anerkannt und als wirtschaftliches und gesellschaftliches Problem durch die Leidensideologie, die mit der Jenseitsvertröstung verbunden ist, negiert. Duldung[93] ist für den Leidenden, der nur durch die Nächstenliebe und Fürsorge Anderer aus dieser Situation befreit werden kann[94] und für den in einigen Andachtsbüchern des Vereins extra Gebete für ‚Freunde und Wohltäter' aufgenommen wurden (*Lautenschlager*: Die hl. Familie. Augsburg (1900). S. 302 f), das oberste Gebot.

So wurde die Soziale Frage nicht nur aus der gesamtgesellschaftlichen Verantwortung herausgenommen, sondern „zu einem moralischen Problem" (*Korff* 1973. S. 106) verkürzt:

Gemeint ist [. . .] die ums Ökonomische und Politische verkürzte Interpretation der Arbeiterfrage als Problem der Armut [nach deren Ursachen, entsprechend dem Argumentationssteroetyp ‚göttlicher Wille', nicht mehr gefragt wurde und auch nicht mehr gefragt werden mußte] und damit lösbar durch Fürsorge und Karitas. Der Appell an die Nächstenliebe als Prinzip kirchlicher Sozialaktivität findet sich dann auch als durchgängiges Merkmal in den Heiligenexempeln. (ebda.)

Dem Leiden ist nicht mit Klagen zu begegnen, denn es ist gottgewollt und oft als Buße gedacht. Es verpflichtet zur Zufriedenheit auch in bedrückenden Situationen. Und auch hierbei dient die Hl. Familie als Vorbild, die zeigt, „*wie man auch im Stande der Dürftigkeit und Armut heiter [!] und zufrieden sein kann.*" (*Aich*: Die hl. Familie von Nazareth. Regensburg 1896. S. 181).

So wird der Einzelne an eine starre Gesellschaftsordnung, die eher an die ständisch-organisierte Welt des Mittelalters als an das Zeitalter der Industrialisierung denken läßt, durch den – als Legitimation immer brauchbaren – Willen Gottes gebunden. Die Sozialstruktur der Gesellschaft wird als ‚Vorsehung Gottes' dargestellt,

welche unsere Geschichte bis in das kleinste leitet, [und] es teils gefügt, teils zugelassen [hat], daß so viele Menschen ihr Brot im Dienste der Reichen und der Herren zu verdienen und zu essen haben. So werden die Arbeiter eigentlich Diener Gottes, und während sie für diese Welt vielleicht ein armseliges Leben fristen, sammeln sie sich unermeßliche Reichtümer für den Himmel. (*Lautenschlager*: Die hl. Familie. Augsburg (1900). S. 375)

Dementsprechend sind jene, die ihre „*Standesgenossen zur Unzufriedenheit auf[. . .]stacheln*" (*Aich*: Die hl. Familie von Nazareth. Regensburg 1896. S. 223), dem Arbeiter also seine Lage bewußt machen und ihn politisieren, unchristlich und bringen die Menschen nicht nur vom rechten Weg der Tugend, sondern auch vom Seelenheil ab.

Um diesen Versuchungen widerstehen zu können, gibt es das entsprechende Gebet „*um Genügsamkeit und um Zufriedenheit in seinem Stande*"; darin heißt es:

[. . .]: o lehre auch uns, wir bitten Dich [Jesus], die Ehren und Reichtümer dieser Welt gering schätzen und gieb uns eine wahre Zufriedenheit mit den Verhältnissen unseres Standes. Mögen wir niemals andere wegen ihres trügerischen irdischen Wohlstandes beneiden, sondern vielmehr es als eine Ehre ansehen, in Gemeinschaft mit Dir, durch Mühe und Arbeit uns unseren Unterhalt zu erwerben und dadurch in unserem häuslichen Leben Dir ähnlich zu werden. Amen. (*Andacht hl. Familie*. Köln 1893. S. 28)[95]

Ziel ist aber nicht nur eine individuelle Zufriedenheit, sondern auch die Harmonie der Gesellschaft, da sich die Konsequenzen dieser Leidensideologie sowohl im Bereich der Familie als auch im Staatswesen niederschlagen:

Wenn diese Gesinnung und Überzeugung alle Familienmitglieder durchdringt, so herrscht Friede und Freude und Segen in der Familie, und viele solche Familien bilden eine gute, christliche Gemeinde, und viele solche Gemeinden bilden eine gute, christliche und glückliche [!] Gesellschaft. (*Aich*: Die hl. Familie von Nazareth. Regensburg 1896. S. 182)

2.3.2 Gehorsam: Autoritätshörigkeit als Herrschaft und Sozialstrukturen stabilisierendes Element

Die Prämisse für das Gehorsamsideal der Vereinsideologie ist die traditionsreiche Vorstellung von der gottgegebnen, hierarchischen Ordnung der Welt:

> Das ganze Weltall ist in hierarchischer Ordnung aufgebaut oder mit anderen Worten, es beruht auf dem Gesetze der Überordnung und der Unterordnung. [...]. Der Mensch aber bildet aufmerksam betrachtet für sich selbst wieder eine hierarchische Ordnung, denn die Seele hat in ihm die Herrschaft über den Leib; in der Seele selbst aber sind die einzelnen Fähigkeiten alle hierarchisch geordnet und stehen unter der Herrschaft des freien Willens. Das Grundgesetz der Autorität unter den Menschen selbst aber und daher aller äußeren Autorität ruht hauptsächlich in der Familie. (*Ztschr. Hl. Familie*. 1 (1893). S. 133)

In ihr hat der Vater als Familienoberhaupt die absolute Herrschergewalt inne und ist in seinen Entscheidungen unantastbar. Das gleiche gilt für das Arbeitsverhältnis, auf das dieses patriarchalisch-autoritäre Prinzip ohne Abstriche übertragen wird. Sowohl der Familie wie auch dem Arbeitsverhältnis ist gemeinsam, daß in beiden Strukturen dem Untergebenen die Mündigkeit ganz – beim Kind – oder doch wenigstens zum Teil abgesprochen wird.

In Analogie dazu wird dem Staatsoberhaupt als weltlicher Autorität dieselbe Machtvollkommenheit und dieselben Qualitäten zugesprochen wie dem Vater innerhalb der Familie[96]. Wie er, so hat auch das Staatsoberhaupt ein von Gott delegiertes Amt inne und ist ihm als oberste Instanz Rechenschaft schuldig. Seine Verantwortung liegt im Bereich des Wohls der Untertanen, das sich darin ausdrückt, daß sie in „*Ruhe und Glück, Wohlstand und häuslicher Zufriedenheit [leben] und jedermann froh und ungestört [!] seinen Berufspflichten nachzukommen vermag*" (*Lautenschlager*: Die hl. Familie. Augsburg (1900) S. 295).

Vorbedingung sind aber gehorsame Untertanen, um die ein Gebet für den Landesherrn bittet. In einem anderen Gebet desselben Buches heißt es:

> Gib uns den Geist des Gehorsams, damit wir seine väterlichen Anordnungen getreu befolgen und dadurch das Gesamtwohl unsers Vaterlandes wie auch das unsrige bestens mitbefördern helfen, [...]. (ebda. S. 296)[97]

Dieses ‚*unsrige*' sind – neben dem Gehorsam nicht nur dem Landesherrn, sondern auch seinen Beamten gegenüber – Achtung und Liebe, Treue und Bereitschaft zum Kriegsdienst und die Erfüllung der Steuerpflicht.

Der rechtmäßigen Obrigkeit gegenüber – niemand definiert hier, was ‚rechtmäßig' bedeutet – wird vollkommene Loyalität vom Untertan erwartet, und nur ein Befehl, der Unrechtes fordert, darf durch passiven Widerstand beantwortet werden, obwohl die Duldung – gemäß der oben beschriebenen Leidensideologie und in Anlehnung an die ältere Hausväterliteratur – vorzuziehen ist. Aktiver Widerstand wird hingegen völlig abgelehnt, und hier zeigt sich wiederum die Verbindung von Thron und Altar, die die Loyalität der katholischen Kirche zur bestehenden Ordnung bezeugen soll[98]:

> Über alle Revolutionen haben also Gott und die Kirche den Stab gebrochen. Wie groß ist daher der Irrtum jener Gottlosen, welche Empörung und Rebellion für etwas Erlaubtes halten, den blutdürstigen Urhebern früherer Revolutionen[99] Beifall zollen, auf künftige Erhebungen sich freuen, sich darauf vorbereiten und ihre Mitbürger dazu anreizen! (*Toussaint*: Die hl. Familie. Regensburg 1899. S. 44)

Die Stoßrichtung dieser Aussage ist klar:

> Die systematische Verketzerung der Sozialdemokratie wie die integrative Lösung der Arbeiterfrage überhaupt [besonders durch die christliche Karitas] konnte von ihren Urhebern denn auch folgerichtig als Bezeugung der Staatsloyalität zur Zeit des Kulturkampfes [und auch später] interpretiert werden. (*Korff* 1973. S. 107)

Als letzte und höchste Autorität verdient Gott unbegrenzten Gehorsam. Aber nicht nur ihm, sondern auch seinen Stellvertretern – Papst, Bischöfe und Priester – gebührt die volle Hochachtung der Gläubigen.

Die besondere Sorge *Toussaints* richtet sich dabei auf die Stellung der Priester in der Gesellschaft. Aufgrund ihres seelsorgerischen Amtes, durch das sie dem ewigen Wohl des Gläubigen dienen, steht ihnen die Liebe und das Wohlwollen der Menschen zu. Es geht ihm hier auch um die ‚Berufsehre' des Priesters, wenn er klagt:

> Und du, Christ, du sündhafter Mensch, wagst es, den Priester, eben weil er Priester ist, in deinem Herzen zu verachten, in deinen Reden zu verhöhnen, ihm den Gruß zu versagen und absichtlich ihn zu kränken! (*Toussaint*: Die hl. Familie. Regensburg 1899. S. 41)

und zielt damit auf jene Polemik, als deren Hauptvertreter und Anführer Otto von Corvin mit seinem unendlich oft aufgelegten ‚Pfaffenspiegel' zu gelten hat[100]. Daß den oberen Rängen der geistlichen Obrigkeit höchster Gehorsam zu zollen ist, versteht sich bei *Toussaint* von selbst, und auch in den sonstigen Vereinspublikationen finden sich keine Erläuterungen zu diesem Punkt, sieht man einmal von einigen Gebeten für Papst und Bischof ab. Zusammenfassend meint *Toussaint*:

> Zahlreich und wichtig sind also die Pflichten, welche uns der geistlichen und weltlichen Obrigkeit obliegen. Gottes Wille und Gesetz haben sie uns auferlegt, des-

halb steht es uns nicht frei, uns über dieselben verwegen hinwegzusetzen. Wir würden dadurch sündigen [!] und Gottes zeitliche und ewige Strafen uns zuziehen. Seien wir gehorsame Kinder der Kirche und pflichttreue Untertanen des Staates und verdienen wir uns dadurch das unendlich wertvolle Anrecht, eines Tages unter die glückseligen Bürger des Himmelreichs[101] Aufnahme zu finden. (ebda. S. 45)

Gehorsam wird so als Gebot Gottes zu einer moralischen Größe und zum *„Grundpfeiler der* [autoritären] *Gesellschaft“* (*Aich*: Die hl. Familie von Nazareth. Regensburg 1896. S. 180). Als Folge ist *„jeder Widerspenstige und Unbotmäßige nicht bloß sein eigener Feind, sondern ein Feind der ganzen menschlichen Gesellschaft“* (ebda. S. 179).

Die durch die Tugend des Gehorsams abgesicherte Obrigkeit – besonders die im weltlichen Bereich – wird so theologisch legitimiert und sanktioniert. Der Gleichklang der katholischen Kirche und des bürgerlich hierarchischen, autoritär und patriarchalisch orientierten Weltbildes führt zur politischen Entmündigung des Bürgers im Staat und zur wirtschaftlichen Entmündigung der Arbeiters im Betrieb – gleich dem Kind in der Familie. Ziel dieser Verhinderung von Eigenverantwortlichkeit ist die Stabilisierung der kirchlichen, sozialen und staatlichen Ordnung[102].

2.3.3 Häuslichkeit: Privatisierung des Lebens

Häuslichkeit als Tugend, in der der hl. Joseph vorbildhaft war, wurde besonders von dem Familienoberhaupt gefordert, da er – durch seine Autorität und sein Beispiel nach der Ideologie des ‚Allgemeinen Vereins‘ – die Verhaltensweisen aller anderen Familienmitglieder bestimmte und kontrollierte.

Das vordergründige Ziel dieser Tugend – Häuslichkeit ist ebenso wie Gehorsam, Arbeit und Leiden eine moralische Größe – bildet das wahre, familiäre Glück, das der Vater nur im Kreise seiner Lieben genießen kann.

Er [Joseph] warnt sie [die Arbeiter und Familienväter] das Glück dort zu suchen, wo es nicht zu finden ist; im Trinken, Spielen, außerhalb des Familienkreises. Am häuslichen Herd, an der Seite seiner braven Gattin, umgeben von wohlerzogenen Kindern – da erblühen dem Familienvater, dem christlichen Arbeiter Freuden und Genüsse, die er anderswo vergebens sucht; der Himmel segnet und beschützt eine solche Familie sichtlich und ein gewisser Wohlstand wird nicht ausbleiben. (*Ztschr. Hl. Familie.* 1 (1893). S. 156)

Die wahre Intention dieser Aussage deutet sich aber darin an, daß hier nicht nur allgemein von den Familienvätern, sondern im speziellen von den Arbeitern gesprochen wird. So weist auch das folgende, im Original besonders hervor-

gehobene Zitat aus der Vereinszeitschrift in dieselbe Richtung:

Wo die Bande des innigen Zusammenlebens gelöst sind, da ist das wahre Glück gewichen für Familie und Staat. (ebda.)

Der Hirtenbrief des Osnabrücker Bischofs Bernard Höting deckt die Zielrichtung solcher Ideologie – die Verhinderung politischer Aktivitäten besonders der Arbeiter durch Privatisierung des Lebens in der Häuslichkeit – völlig auf. Nach der Anprangerung der allgemeinen Zeitumstände und der Deutung der Ursachen weist er als das wirksamste Gegenmittel auf die Pflege des christlichen Familienlebens hin.

Sodann aber mag es, [...], bisher wohl keinen Zeitabschnitt gegeben haben, in welchem die Menschheit allgemeiner von Unruhe und Friedlosigkeit beherrscht war, als in unseren Tagen, wo man so vielfach die Wahrnehmung machen kann, wie Reich und Arm, Vornehm und Gering, Stadt und Land von einer bald laut ausgesprochenen, bald dumpf empfundenen Unzufriedenheit ergriffen sind, die insbesondere auch dem gewöhnlichen häuslichen Verkehr entfremdet, Unterhaltung und Wohlsein an öffentlichen Vergnügungsorten, in Wirtslokalen und in der Verfolgung von allerlei dunklen [!] Zukunftsplänen suchen läßt. (zitiert nach *Ztschr. Hl. Familie.* 1 (1893). S. 159)

So wird eine Linie von ‚Unterhaltung‘ über ‚Vergnügungsorten‘ und ‚Wirtslokalen‘ direkt zu ‚allerlei dunklen Zukunftsplänen‘ – gemeint ist hier, wie in allen Polemiken des ‚Allgemeinen Vereins‘, der Sozialismus – gezogen. Von diesem Gedankengang her wird klar, warum in der Zeitschrift ‚*Die hl. Familie*‘ so ausgiebig gegen das Wirtshaus, dem idealen Versammlungsort, und das mit ihm verbundene Laster der Trunksucht gewettert wird[103].

Als Gründe für die Lasterhaftigkeit wird allerdings nicht primär die Möglichkeit der Versammlung, sondern Unmäßigkeit, Verschwendungssucht, Unkeuschheit[104], Lieblosigkeit, Verantwortungslosigkeit und Gleichgültigkeit gegenüber der Familie und besonders den Kindern[105] genannt. Man scheut sich nicht, die Unkeuschheit – verbunden mit fehlender Religiösität – als *Ursache* für die *„sogenannte* [...] *soziale* [...] *Frage“* anzugeben[106].

Genauso kurzsichtig prangert das Vereinsblatt das Einflößen von Alkoholika, Narkotika und Drogen bei Kleinkindern an[107], ohne die wirtschaftliche Not hinter dieser Maßnahme der Eltern zu sehen, die sich um ein schlafendes Kind nicht zu kümmern brauchten und so ihrer Arbeit nachgehen konnten.

Das Idealbild des christlichen Familienlebens, in dem jeder in der Häuslichkeit sein ‚wahres‘ Glück sucht und findet, bietet natürlich die Hl. Familie, die sich durch Liebe, Eintracht, Zurückgezogenheit und Bescheidenheit auszeichnet.

Zur Verbreitung dieses Bildes wurde neben den schon erwähnten Berichten, Exempeln und Belehrungen besonders gerne auf das Loreto-Heiligtum zurückgegriffen[108], dessen traditionsreiche Verehrung nicht nur durch die vielen alten Kopien der Casa Santa verbreitet war, sondern zum Ausgang des 19. Jahrhunderts verstärkt angefacht werden sollte, indem die deutschen Katholiken eine Sammlung veranstalteten, um die Ausmalung der deutschen Kapelle der Loreto-Basilika (in der die Casa Santa steht) mit Bildmotiven aus dem Leben der Hl. Familie zu finanzieren[109]. So fand das Tugendbeispiel der Hl. Familie in diesem Haus in Loreto einen Verehrungsgegenstand, der vom ‚Allgemeinen Verein‘ zur Verbreitung seiner Ideologie bereitwillig aufgenommen wurde[110].

Doch auch in diesem Zusammenhang verzichtete die katholische Vereinspropaganda nicht darauf, dem Staat ihre Loyalität zu bekunden und auf die Interessensgemeinschaft von Kirche und Staat hinzuweisen, wobei der ‚Allgemeine Verein‘ seine besondere Bedeutung in diesem Punkt heraushob.

> Möchte man doch jetzt, wo es hohe Zeit ist, durch ein wahrhaft christliches Familienleben dem Verderben, das über Staat und Kirche hereinzubrechen droht, einen wirksamen Damm entgegensetzen! Wenn dies erreicht wird, dann hat der Verein der christlichen Familien seine schönste That vollbracht zur Ehre Gottes, zum Ruhme der Kirche und zum Besten der Familien. (*Ztschr. Hl. Familie.* 1 (1893). S. 156. Text im Original hervorgehoben)

Häuslichkeit – vordergründig als Mittel zur Rettung der christlichen Sitten und des himmlischen wie des irdischen Glückes dargestellt[111] – entpuppt sich so als wichtiger Punkt eines konservativen Programms, das besonders den Arbeiter nicht nur gegen die Agitation der Sozialdemokratie zu schützen suchte, sondern jegliche Möglichkeit zur Versammlung und somit zur Solidarisierung unterbinden wollte. Dadurch, daß alle vom ‚Allgemeinen Verein‘ propagierten Normen gottgewollt waren, erhielten sie eine so hohe moralische Qualität, daß sie 1. nicht hinterfragt werden brauchten bzw. durften und 2. eine Verteufelung der Sozialdemokratie explizit gar nicht von Nöten war. Verbot man die mit ihr wirklich und angeblich in Zusammenhang stehenden Phänomene, so konnte auf die Verurteilung dieser Partei verzichtet werden, da bei Einhaltung der christlichen Normen der Mensch fast gar nicht oder wenn, dann nur mittelbar mit ihr in Berührung kam. Welch hohe Bedeutung der Häuslichkeit, die der gesamten Privatisierungstendenz der Vereinsideologie entspricht[112], zukam, steht somit außer Frage.

SCHLUSS

Wir haben gesehen, daß der Frömmigkeit, die der Hl. Familie entgegengebracht wurde, eine äußerst komplexe Struktur eigen ist. Diese Vielschichtigkeit und Interdependenz von Formen, Inhalten und Bedeutungen der Hl. Familie im religiösen Leben des Barock widersetzen sich im Grunde einer Betrachtungsweise, die versucht, Einzelbeobachtungen in rein additiver Weise zu einem Gesamtbild zusammenzufassen.

Grundlegend für den Kult und die Ideologie der Hl. Familie ist, daß sie untrennbar in den Kontext der gegenreformatorischen Mariologie und Marienverehrung eingebunden war und in diesem Umfeld als Instrument vertiefter Rekatholisierung seit dem 17. Jahrhundert verstanden werden muß. In diesem Prozeß der Etablierung der Hl. Familie spielte – neben dem allgemeinen Marienkult – zum einen der Loreto-Kult und zum anderen der gesteigerte Josephskult eine bedeutende Rolle. Alle drei Verehrungsformen – Marienkult im allgemeinen, wie auch Loreto- und Josephskult im besonderen – fanden ihre Förderer in den katholischen Reichsständen, vornehmlich bei den Wittelsbachern und Habsburgern.

Die Eckdaten für den Kult der Hl. Familie im deutschsprachigen Raum bilden die Jahre 1621, als der hl. Joseph in den römischen Festtagskalender aufgenommen wurde, die Jahre 1654, 1663 und 1675, in denen jeweils Böhmen, Bayern und Österreich den hl. Joseph zum Landespatron ausriefen.

Die gesamte Entwicklung um den Josephskult wurde von dem Bestreben geleitet, diesen bisher ‚profillosen‘ Heiligen aufzuwerten, indem man durch Parallelisierung, Deduktion und mit Hilfe der Typologie einen eigenen Josephscharakter konstruierte, der nur in seinem geringsten Teil biblisch belegt war. Diese Verfahrensweise ist symptomatisch für die Bestrebungen, den Nährvater Jesu aufzuwerten und zu profilieren. Auf diese Weise wurde das blasse Josephsbild belebt und der Heilige dem Vorstellungsvermögen der Gläubigen nähergebracht. So wurde er neben Maria zu einem der beliebtesten Heiligen der Barockzeit hochstilisiert. Man stellte ihn der Madonna – dem gegenreformatorischen Siegeszeichen – zur Seite und betonte, um diese hervorragende Position zu rechtfertigen, seine besondere Bedeutung als Nährvater Jesu. Der Augustiner Abraham a Sancta Clara arbeitete z.B. in seiner Festtagspredigt von 1675 nicht nur die Heiligkeit Josephs, sein Attribut und seine besondere Bedeutung für Österreich heraus, er beschrieb in ebenso eindringlicher Weise den Heiligen als ‚Ehr- und Nehr-Vatter‘ und ‚Gespons‘ der Muttergottes.

So ist die Hl. Familie als gegenreformatorisches Konstrukt zu verstehen, das einerseits durch das Zusammenfügen von Madonna und hl. Joseph entstand, andererseits die hervorragende Stellung des hl. Joseph erst begründete, die er vorher nicht innehatte.

Zwar waren auch vor dieser Zeit sowohl die Hl. Familie als Heiligengruppe als auch der hl. Joseph bekannt, doch fanden sie kaum breiteren Eingang in die allgemeine Frömmigkeitspraxis. Schon die spätmittelalterlichen Reformer Pierre d'Ailly und Johannes Gerson hatten auf den hl. Joseph hingewiesen. Sogar das Bild des Hl. Wandels basiert auf spätmittelalterlichem und frühneuzeitlichem Material. Doch diese frühen Belege sind dadurch charakterisiert, daß sie meist unmittelbar in einem Erzählkontext stehen, der dem Bildmotiv Sinn, Bedeutung und Bedeutsamkeit gibt. Dieser Kontext ist die Heilsgeschichte, die in Text und Bild vollständig[1] oder doch in einem wichtigen Teil (*Bruder Philipp*: Marienleben.) dargeboten wurde.

Unter dem Vorzeichen der protestantischen Hauslehre bediente sich auch die neuzeitliche Exempelliteratur jener mittelalterlichen narrativen Tradition, die sich um die alltägliche ‚Normalität‘ der Hl. Familie bemühte, und stellte die Hl. Familie als Tugendvorbild aller katholischen Haushalte, die nach den Idealen der Evangelischen Räte (Armut, Keuschheit, Gehorsam) leben sollten, dar. Ziel war – neben der Vermittlung der Evangelischen Räte und der Profilierung des hl. Joseph – entsprechend dem gegenreformatorischen Decorum-Gebot eine möglichst ‚naturgetreue‘ und ‚wahre‘ Beschreibung der Lebensumstände der Hl. Familie, die sich innerhalb der irdischen Normalität bewegte und innerhalb dieser Rahmenbedingungen als Exempel für ein gottgefälliges Leben diente. Anschauungsort für diese Lebensführung und Garant für die Wahrheit der Berichte war die Casa Santa in Loreto, die durch die Verquickung der Ebenen (Erzählung, Exempel (Tischszene), Kultraum und Kultobjekt) das Exempel und das Kultbild der Hl. Familie in sich vereinigte und somit irdische Sphäre und Göttlichkeit zu einer Synthese führte, die in anderen Bereichen der JMJ-Verehrung nur mühsam gelang.

Diente die Hl. Familie im Exempel als verkürztes Bild[2] für die damalige, z.T. komplexe Hausgemeinschaft, so verkörperte sie im Hl. Wandel, der im Laufe der Zeit für die Gläubigen die Bedeutung eines Kultbildes erlangte, die

Grundlagen der katholischen Heilslehre; er verwies auf ihre Dogmen und das Mysterium der Inkarnation. Das Exempel in Gestalt der Hl. Familie als Kernfamilie begünstigte die gefühlsmäßige Nähe zu den drei heiligen Personen, den frommen Affekt. Der Hl. Wandel hob die sakrale und eschatologische Dimension der Hl. Familie hervor.

Ihre Nähe zu den Gläubigen im Exempel und ihr hohes Ansehen als Fürsprecher vor Gott führten dazu, daß mit ihr erzieherische Anliegen transportiert wurden, indem man dem Gläubigen suggerierte, er könne im alltäglichen Leben Jesus, Maria und Joseph innerhalb seiner jeweiligen familiären Rolle wenn nicht gleich, so doch wenigstens ähnlich werden und auf diese Weise Gottes Gnade im Dies- wie im Jenseits erlangen. Diese Tendenz drückte sich besonders anschaulich in dem Bedürfnis aus, der Hl. Familie nicht nur spirituell, sondern auch physisch nahe zu sein. Erinnert sei hier an einige, speziell auf die Verehrung der Hl. Familie ausgerichtete Loreto-Heiligtümer (Hergiswald, Klausen), denen man sich durch eine Wallfahrt direkt nähern konnte, oder die Bedeutung der kleinen Andachtsbilder, die – z. T. im Herrgottswinkel plaziert – nicht nur als Abbildung von Heiligen verstanden wurden, sondern auch ‚heilsam‘ – z. B. im Sinne eines Amuletts – sein konnten und entsprechend als Heiltümer Verwendung fanden (*Gugitz* 1950. S. 77–90). Auch andere Beispiele spiegeln diesen Wunsch der Gläubigen nach Nähe zur Hl. Familie wider. Zu denken ist an Türinschriften oder Abbildungen der Hl. Familie auf alltäglichen Gebrauchsgegenständen wie Betten, Schränken, Blasebälgen oder Ofenplatten und an die privaten Hauskapellen[3], die sicherlich auch einem religiösen Repräsentationsbedürfnis entsprangen[4].

Die Hl. Familie betreute das ganze Leben des Gläubigen, von der Geburt bis zum Tod, begleitete ihn in seinem normalen, alltäglichen Dasein, bot ihm christliche Handlungsnormen und göttlichen Beistand. Ihre verborgene Göttlichkeit und Heiligkeit im alltäglichen, menschlichen Gewand sprach den frommen Affekt an, bot Identifikationsmöglichkeiten und erregte das Mitleid des Gläubigen. Die Hl. Familie vergegenwärtigte ihm, daß ein heiligmäßiges Leben in der Normalität des Alltags ein gottgefälliges Leben war, das zu einem seligen, guten Tod führte, wie ihn der hl. Joseph ‚vorgelebt‘ hatte. Letzteres war die Konsequenz aus ersterem, denn unter der Bedingung eines gottgefälligen Lebens nach dem Vorbild der Hl. Familie konnte der Gläubige durch die Fürsprache dieser höchstrangigen Personen in der himmlischen Hierarchie auf einen guten, gottseligen Tod ohne Schrecken und langes Verweilen im Fegefeuer hoffen.

Diese Vielschichtigkeit der Inhalte, die das gesamte Leben der Gläubigen – Leben und Tod – umfaßten, ist das typische Merkmal der Hl. Familie in der barocken katholischen Frömmigkeit.

Der mehr oder weniger narrativen Ausfassung der Hl. Familie stand die doppelte Trinität im Bild des Hl. Wan-

dels von Wierix mit seinem komplexen Inhaltsgefüge diametral gegenüber. Die manierierte und überfrachtete Gestaltung des Blattes spiegelt den umfassenden Anspruch wider, die gesamte Heilslehre in ihren Grundelementen in einem Bild zu fassen.

Hieronymus Wierix setzte im Auftrag der Jesuiten die Vorstellung von der doppelten Trinität graphisch um, veranschaulichte sie und schuf auf diese Weise einen Bildtypus, der am Ausgang des 17. Jahrhunderts die Bedeutung eines Kultbildes erlangt hatte. Mit dieser Umsetzung und ihrer Propagierung tauchte auch die Begrifflichkeit der doppelten Trinität in Inschriften und Predigten wieder auf, ohne jedoch von der sogenannten Volkskunst – als Ausdruck der Empfänger der katechetischen Botschaft – nachhaltig rezipiert zu werden. Das oben mehrfach angesprochene Hinterglasbild von 1830/40 ist dafür ein treffendes Beispiel. Es bezeugt – bei aller Kreativität in der Kombination von Tischszene und Trinität[5] – das Unverständnis für die Brillanz der Hl. Wandel-Konstruktion. Obwohl zur Konzeption des neuzeitlichen Bildtyps nach Wierix auch die Darstellung der himmlischen Ebene gehörte, wurde sie in der Volkskunst häufig nicht rezipiert. Vermutlich verstand man die ‚Raffinesse‘ der doppelten Trinität in ihrer horizontalen und vertikalen Lesart nicht, die deshalb nicht dem Vorbild entsprechend wiedergegeben werden konnte. Auch die besondere Begrifflichkeit (*trinitas caelestis* und *trinitas terrestris*) scheint bei der Deutung des Hl. Wandels nicht immer hilfreich gewesen zu sein. Die formale Fixiertheit wie inhaltliche Überfrachtung des Wierix-Bildes trug sicherlich ihr übriges dazu bei.

In der Fortführung mancher narrativer Traditionen kam es sogar soweit, daß – aus dem oben beschriebenen Unverständnis gegenüber der Dichotomie des Hl. Wandels – das Bild wieder in einen Handlungsablauf eingebunden und in die narrative Tradition zurückgeführt wurde[6]. Zu diesem Zweck ließ man die himmlische Sphäre und die Attribute der Personen weg, ersetzte die Attribute bisweilen sogar durch Wanderstäbe und brach das Prinzip der streng frontalen Abbildung auf. Eine solche Rückführung finden wir z. B. bei einer Figurengruppe in Schweinspoint (bei Donauwörth) (*KD Bayern. Schwaben*. III. S. 509. Abb. 495) oder in einem Fresko in der Josephskapelle der Klosterkirche Benediktbeuren (*Bauer/Rupprecht* 1976–1987. II. S. 57)[7]. Besonders im letzten Fall verdeutlicht die Einbindung des variierten Hl. Wandels in die Josephsvita unmißverständlich den narrativen Charakter sowohl des gesamten Bildprogramms als auch der Einzeldarstellung *Hl. Wandel*.

Während die Abbildung des Hl. Wandels z. B. als Gravur auf einem Richtschwert von ca. 1750 (Museum des oberbergischen Landes auf Schloß Homburg. *Gebhard* 1986. S. 33) den Zeichen- und Chiffrencharakter des Bildtyps betonte, entsprach seine Einbindung in den Erzählkontext des Freskenprogramms von Benediktbeuren der narrativen Auffassung der Inkunabeln[8]. Martin v. Cochem scheint diese Hl. Wandel-Variante zu kommentieren, wenn er schreibt:

> Mich gedunckt / als sähe ich das arme kind mit einem stäblein in der hand daher gehen: bald von Maria / bald von Josephs / bald von beyden zugleich bey der hand geführt werden / [...]. (*M. v. Cochem*: Leben Christi. Mainz/Köln 1716. S. 445)

Trotz dieser besonderen Erscheinungsweisen des Hl. Wandels blieb seine Funktion als Kultbild dominant, das sich von dem, ebenfalls als Kultbild dienenden Bildtyp ‚Die Hl. Familie unter dem Baum‘ darin unterschied, daß der Hl. Wandel auf eine konkrete Landschaftsszene verzichtete und paritätisch alle Personen der Hl. Familie miteinbezog, während ihre Einbettung in die Natur eine dominante mariologische Ausrichtung hatte.

Die Darstellungen ‚Die Hl. Familie unter dem Baum‘ präsentierten den *locus amoenus christianus*, das Paradies, das – parallel zur antiken Bukolik, die das goldene Zeitalter beschrieb – der Menschheit durch das Erlösungswerk Christi erschlossen wird. Typisch für die nachtridentinische Gestaltung dieses Bildmotivs ist die Einbeziehung sowohl des hl. Joseph als auch anderer Heiliger in den Erlösungsakt, der im Reichen einer Frucht typologisch verdeutlicht wird und als Umkehrung des Sündenfalls[9] verstanden werden muß.

Mit der Erweiterung des die Menschheit erlösenden mystischen Paares aus der mittelalterlichen Tradition (Maria und Christus) wurde unmißverständlich auf die hohe Bedeutung der Heiligen im Erlösungsprozeß hingewiesen und auf diese Weise eine typisch katholische und vom Protestantismus sich abhebende Beurteilung der Heiligen vertreten, die nicht nur als Exempel bei den Gläubigen Beachtung finden sollten, sondern aktiv ins Heilsgeschehen miteinbezogen wurden.

Dennoch waren die Hl. Familie-Portraits hauptsächlich mariologisch orientiert und entsprechend betitelt. Der mariologische Charakter schlug sich auch in der Austauschbarkeit des hl. Joseph in der Gruppe nieder und relativiert somit die Bewertung dieses Bildtyps als reines Hl. Familie-Bild. Hier wurde offenbar eine ideelle Heiligengemeinschaft gezeigt, zu der zwar vermehrt, aber nicht zwingend der hl. Joseph herangezogen wurde.

Dieses Phänomen verdeutlicht, daß mit dem Hl. Familie-Portrait nicht primär in naturalistischer Manier eine bestimmte, real existierende Personengruppe dokumentiert werden sollte, sondern zunächst eine ideelle Gemeinschaft, die mit dem Begriff der *Sacra Conversatione* zu fassen ist und eine ideale sittliche und spirituelle Gruppe meint.

Erst im Bildtyp des Hl. Wandels mit der Veranschaulichung der doppelten Trinität (der himmlischen und irdischen) wurde diese spirituelle Gemeinschaft zwingend auf die drei Personen der Hl. Familie festgeschrieben und mit dem Hl. Wandel ein typisches Bild der Hl. Familie etabliert, das für würdig befunden wurde, auch im Kultus die Gemeinschaft von Jesus, Maria und Joseph eindeutig zu repräsentieren. Nichtsdestoweniger lassen sich sowohl im Bildtypus *Hl. Wandel* als auch im Hl. Familie-Portrait Elemente des narrativ Historischen wie des erbaulich Exemplarischen nachweisen.

So vielfältig wie die Inhalte waren auch die Bildtypen, Erscheinungs- und Verwendungsweisen der Hl. Familie. Die Starrheit im Bild- und Erzählbestand, die uns die offiziellen Vereinspublikationen vom Ende des 19. Jahrhunderts suggerieren wollen, waren der barocken Frömmigkeitsentfaltung fremd. Andere, etablierte Kultformen, wie die Hl. Namen- und Herzen-Verehrung, wurden z. B. zum Zwecke der Propagierung des Hl. Familie-Kultes z. T. assimiliert und in seinen Dienst gestellt. Eine der gängigsten Formulierungen dieser Art faßt die drei Elemente Hl. Namen-, Hl. Herzen- und Hl. Familie-Verehrung bündig zusammen:

> O Drey herzliebste Namen.
> Wo ihr kommet zu sammen,
> Da steht das Herz in flam[m]en.[10]

Das früheste Dokument, das die Metaphorik des in Liebe für die Hl. Familie entflammten Herzens[11] einbringt, ist der seit 1640 überlieferte Text ‚*Aller gueter ding seynd drey*‘ (*Bäumker* 1886–1911. III. S. 232 f. Nr. 127)[12]. Einen weiteren wichtigen Impuls für die Einbeziehung der gesamten Hl. Familie in den Hl. Namen-Kult hat das von dem Jesuiten Wilhelm Nakatenus in seinem Andachtsbuch ‚*Himmlisches Palm-Gärtlein*‘ (Köln vor 1691) veröffentlichte Gebet ‚*O wohl beysammen gefügte Nahmen*‘ gegeben (*Nakatenus*: Palm-Gärtlein. Köln 1737. S. 801 ff)[13].

Die Kombination der verschiedensten Leistungen und Charakteristika ist für den barocken Kult der Hl. Familie typisch, dessen gezielte Einführung und Verbreitung in die Phase der Rekatholisierung im 17. Jahrhundert eingebettet war. All die von uns einzeln herausgearbeiteten Aspekte sind die Facetten der barocken Ideologie von der Hl. Familie in einem breiten Spektrum von Anwendungsbereichen. Ihre Einzelaspekte konnten auch von anderen Heiligen besetzt und vertreten werden, von denen sich die Hl. Familie aber dadurch abhob, daß ihre ‚Zuständigkeiten‘ und Inhalte nicht in Richtung auf eine Spezialisierung liefen, wie dies bei vielen Einzelheiligen der Fall war, sondern daß sich die Hl. Familie durch ihre Universalität im spirituellen Sinne auszeichnete.

Als gegenreformatorisches Konstrukt geplant, gewann die Hl. Familie seit dem ausgehenden 17. Jahrhundert an Bedeutung, propagiert von den Jesuiten und Kapuzinern, die speziell bei den Wittelsbachern und Habsburgern Unterstützung fanden. Diese Dynastien förderten den

Hl. Familie-Kult und stellten ihn in den Dienst ihrer Konfessionspolitik und Herrschaftsideologie.

Während die Jesuiten ihre Schwerpunkte in der Verbreitung des Kultbildes *Hl. Wandel*[14] und des Exempels im Sinne der Hauslehre setzten, konzentrierten sich die Kapuziner mehr auf die narrativen und – in gereinigter Form – apokryphen Traditionen, die ihnen das Mittelalter vorgab. Zwar kann man nicht von einer absoluten Beliebigkeit in der Behandlung der Hl. Familie sprechen, doch wurde sie offenbar den jeweiligen Intentionen und Adressaten entsprechend gebraucht.

Die Darstellung auf den Altarblättern waren meist auf den Hl. Wandel oder auch das Hl. Familie-Portrait festgelegt, die Kirchenfresken zeigen hingegen eine reichere Thematik und eine höhere Variabilität, ebenso der gesamte Bereich der Andachtsgraphik. Die Beispiele aus dem Bereich des Exempels demonstrieren, wie flexibel auch relativ kontinuierlich überlieferte Bildtypen in der Neuzeit zum Zwecke der religiösen und sittlichen Erziehung in der Katechese gehandhabt werden konnten und wurden. Dem entspricht die Andachtsliteratur, die sich zwischen relativ strengen Beschreibungen der Hl. Familie als Exempel und Kultobjekt und der bunten Vielfalt eines Autors wie Martin v. Cochem bewegt. Das volksfromme Liedgut war schon allein durch seine spezielle Traditionsform, der mündlichen Überlieferung, dem Phänomen des Zersingens und der Kontamination ausgesetzt und somit sehr variantenreich. Die Vielfalt in der Frömmigkeitspraxis in Bild und Kult entspricht den heterogenen Bedeutungsebenen, die der Hl. Familie gegeben wurden und ihrer Universalität in der Aussage. Erinnert sei an die formale wie inhaltliche Komplexität des Hl. Wandels, der die Qualität eines Kultbildes erlangte.

Zeichnete sich im Barock die Hl. Familie durch Vielschichtigkeit und Ambivalenz der Symbolik aus, die sich z. B. im Hl. Wandel, der einen Großteil der katholischen Lehre und die christliche Alltagsethik der Evangelischen Räte in sich vereinigte, manifestierte, so fixierte sich das Ende des 19. Jahrhunderts von dem ‚Allgemeinen Verein‘ zur Verehrung favorisierte Hl. Familie-Bild auf eine historisierte Sicht des Alltags- und Arbeitslebens der Hl. Familie. Diese Verflachung im Zeichensystem des Hl. Familie-Kultes, die bis zur Eindimensionalität in der katholischen Familienideologie führte, kündigte sich schon im späten 18. Jahrhundert an. Als Folge entwickelte sich aus der ehemals als christlich-dogmatisches Symbol verstandenen Hl. Familie eine zur platten Eindeutigkeit reduzierte und profanisierte, ideale kleinbürgerliche Familiengemeinschaft.

So verlor die Hl. Familie unter dem Einfluß der katholischen konservativen Familienideologie immer mehr ihren spirituellen, mystischen und numinosen Charakter und wurde als Vorbild und Exempel für bestimmte Verhaltensnormen innerhalb einer eng umschriebenen sozialen Gruppe in der bürgerlichen Gesellschaft funktionalisiert. Daß in diese Auffassung der Hl. Familie die Idee der doppelten Trinität nicht mehr paßte, versteht sich fast von selbst; gleiches gilt für die Paradieses-Allegorie des 17. Jahrhunderts. In dem Maße, in dem die barocke Heterogenität im 19. Jahrhundert aufgegeben wurde und sich der Kult der Hl. Familie auf eine vorbildliche Lebensweise im Alltag nach konservativen Werten konzentrierte, gewannen sowohl seine Inhalte als auch seine Funktionen an Einheitlichkeit, die ihren Niederschlag letztendlich in normierten Verehrungsformen im Rahmen einer – wenigstens dem Anspruch nach – weltumfassenden ‚Kultorganisation‘, dem ‚Allgemeinen Verein‘, und ihren Abschluß in der Einführung des Festes der Hl. Familie 1921 fand.

ANMERKUNGEN

Einleitung

1. *Spangenberg*, Peter: Maria ist immer und überall. Die Alltagswelten des spätmittelalterlichen Mirakels. Frankfurt a.M. 1987.

2. die im kanadischen Montréal stattfinden und deren Ergebnisse in der Reihe *Cahiers de Joséphologie* publiziert werden.

3. *Seitz* betont entgegen der mittelalterlichen und barocken Auffassung, daß der hl. Joseph ein junger Mann gewesen sein müsse, da ein Greis kaum für den Lebensunterhalt einer Frau und eines Kindes hätte aufkommen können (*Seitz* 1908. S. 14).

4. Ich möchte den Begriff 'Ideologie' in unserem Zusammenhang nicht pejorativ besetzt sehen, sondern wertneutral im Sinne der Wissenssoziologie „als politisch-soziale Kollektivvorstellung, als Kombination von Lehren und Wertangaben, die zur Orientierung in der gegenwärtigen [d. h. zeitgenössischen] Realität und zur Definition und Legitimation der Handlungsziele dienen" (*Dierse* 1982. S. 161) verstanden wissen. An anderer Stelle beschreibt *Dierse* die Funktion der Ideologie nach der Ideologietheorie der Soziologie und Sozialpsychologie als „Antriebs- und Steuerungssystem der menschlichen Gesellschaft und als Medium und Instrument der Sozialisation für den einzelnen" (S. 167). vgl. auch ders.: in: *Hist. Wörterbuch d. Philosophie*. IV. Stichwort: Ideologie. Sp. 158–185. bes. Sp. 174–178).

5. Dieser Wohnungscharakter war besonders augenfällig in den Loreto-Heiligtümern, die u. a. als Wohnhaus der Hl. Familie gedeutet wurden.

6. Die Titel der Fraternitäten sprechen – neben der reinen Namensreihung Jesus, Maria, Joseph – in Zusammenhang mit der Hl. Familie von der hl. Haushaltung oder der hl. Gesellschaft, eine Begrifflichkeit, die sich im Namen des Jesuitenordens, der sich als *Societas Jesu* verstand, wiederfindet.

Das Patrozinium der Hl. Familie

1. Kirchen-, Kapellen- und Altarpatrozinien

1. So bei einer Kapelle in Huissen von 1335 (B. Utrecht), mit der möglicherweise eine heute zerstörte Seitenkapelle der 1335 geweihten Marienkirche gemeint ist (*Schematismus Münster* 1946. II. S. 330. *Nederlandse Monumenten*. III/1,2. S. 289). Ähnliches gilt für die Gemeindekirche von Aldekerk bei Kempen (Erzb. Köln), die 1467 die Hl. Familie als Nebenpatron erhalten haben soll (*Schematismus Münster* 1946. II. S. 301), eine Behauptung, die in dem entsprechenden Band der Kunstdenkmäler keine Bestätigung findet.

Die den Heiligen Peter und Paul geweihte, 1499 im Kleve-Bergischen Krieg zerstörte Kirche erhielt zwar 1462 einen Marienaltar, weist aber sonst keine weiteren Indizien für ein frühes Hl. Familie-Patrozinium auf (*KD Rheinprovinz. Geldern*. S. 145 ff).

2. Die Bruderschaft wurde 1678 errichtet und bestand bis 1848 (*Steichele/Schröder* 1864–1939. VII. S. 546). Auch im späten 17. Jahrhundert kamen solche Kombinationen von Kapellen und Bruderschaften, die sich in ihren Patrozinien entsprachen und in kurzen zeitlichen Abständen der Hl. Familie geweiht wurden, häufiger vor.

3. nordwestl. von Brixen. Im 19. Jhdt. erhielt der Ort den Namen Franzensfeste.

4. Schon im 16. Jhdt. war die Kirche dem hl. Ulrich geweiht worden.

5. Dort befindet sich auch ein Votivbild mit der Hl. Familie (Ende 18. Jhdt.).

6. Bis 1802 bestand in Füssen die *Seelenbruderschaft unter dem Namen der heil. Familie Christi*. Sie wurde mit dem Kloster Füssen in der Säkularisation aufgehoben (*Steichele/Schröder* 1864–1939. IV. S. 441).

7. in Oberstaufen, Börlas, Niedersonthofen, Immenstadt, Gunzesried, Bolsterlang, Hinterstein, Hindelang, Unterjoch und Kranzegg (vgl. die jeweilgen Artikel zu diesen Orten in: *KD Bayern. Schwaben*. VIII).

8. Heute heißt die Kapelle 'St. Joseph auf der Wies'.

9. Die ebenfalls der Hl. Familie geweihte Glocke von 1697 trägt an der Flanke das Wappen und den Namen des Füssener Abtes. Die Schlaginschrift verweist auf die Hl. Familie als irdisches Pendant zur himmlischen Trinität (*Glockenatlas* 1956–1985. II. S. 220. Nr. [467]).

10. sodaß von diesem Zeitpunkt an dort auch die Messe gelesen werden durfte.

11. Häufig treten die uns interessierenden Altäre als Bruderschaftsaltäre in Erscheinung.

12. Mit der kontinuierlichen Entwicklung des Hl. Familie-Patroziniums ging eine auffallend dichte Verbreitung des Josephspatroziniums einher.

13. So der aus dem frühen 18. Jhdt. stammende JMJ-Altar der ehemaligen Kollegiatsstiftskirche St. Zeno in Isen (seit 1660 bestand in Isen eine JMJ-Br.), dessen Hauptbild die Flucht nach Ägypten zeigt, sowie zwei in der 2. Hälfte des 18. Jhdts. geweihte Altäre, von denen sich einer in Bild bei Landeck (Tirol) und der andere im niederbayerischen Obertundigen befindet. Dort ist die Hl. Familie mit der Kirchenpatronin St. Katharina dargestellt, sodaß es sich bei dem Altarbild vermutlich um ein Hl. Familie-Portrait handelt (s. Kap. Das Hl. Familie-Portrait). Außerdem fertigte 1766/69 Ignaz Günther für die Starnberger Josephskirche, auf die wir

später noch eingehender zu sprechen kommen (s. S. 88 f.), ein Altarbild, das die Hl. Familie mit den Heiligen Nepomuk und Franz Xaver zeigt. Diese Heiligenkombination entspricht der der Kölner Christenlehrbruderschaften (s. S. 21).

14. Denkbar wäre z. B. auch ein Marienpatrozinium, das relativ häufig im Altarbild mit einem Hl. Familie-Portrait begleitet wurde.

15. Vermutlich muß mit einer weit höheren Zahl gerechnet werden, die sich aber nicht direkt belegen läßt, da die Schematismen der Bistümer aus der Jahrhundertwende und entsprechende Bände des Kunstdenkmäler für die zweite Hälfte des 19. Jhdts. meist nur unzureichende Angaben über Datierung und Patrozinien machen.

16. Entsprechende Beispiele finden sich z. B. in Pirmasens, Bonn-Süd: St. Martin, Immenrath, Rosbach und Bad Honnef: St. Joh. Bapt..

17. z. B. in Aachen im Kloster der Schwestern vom guten Hirten, in Essen im Kloster Haus Nazareth oder in Düsseldorf-Heerdt: St. Benedikt.

2. Bruderschaftspatrozinien

1. Vgl. z. B. die Beziehungen in den Orten Inning, Isen, Dorfen.

2. Prägnante Beispiele bieten die Bereiche *vasa sacra*, Prozessionsstangen, Glocken und Figurenschmuck der Kirchen.

3. Denkbar wäre vielleicht ein Bezug zur Hl. Familie in Hinblick auf die Botenfunktion, nach der Jesus, Maria und Joseph ‚Boten Gottes‘ auf Erden sind.

4. Im Falle der 1690 gegründeten Bichlbacher Jesus, Maria, Joseph-Bruderschaft (B. Innsbruck) entspricht das Patrozinium in etwa dem Berufsstand der Bruderschaftsmitglieder, die sich Anfang des 18. Jahrhunderts als Zunft der Maurer- und Zimmerleute formierten. Sie erbauten 1710 eine Zunftkirche, die nicht mehr der Hl. Familie, sondern einzig dem hl. Joseph geweiht war (*Hochenegg* 1984. S. 43).

5. Der Originaltitel der jüngeren Bruderschaft lautete: ‚*Löbliche Bruderschafft deß heiligen Wandels Jesus, Mariä und Josephs*‘ (*Mayer/Westermayer* 1874–1884. II. S. 334).

6. Im selben Jahr wurde unter dem Pontifikat Alexanders VII. in Rom eine Erzbruderschaft des hl. Josephs errichtet, bei der sich die ebenfalls 1663 im Bürgersaal in München (Pfarrei U. L. Frau) durch Kurfürstin Maria Anna gegründete *Bruderschaft vom hl. Vater Joseph* einschrieb (*Mayer/Westermayer* 1874–1884. S. 230).

7. Zwei in der Schweiz: 1654 Hergiswald und 1660 Steinhausen, beide im Kanton Luzern (Bistum Konstanz) gelegen, sowie die erste Tiroler JMJ-Br. von 1655 in Absam (B. Brixen) und die Isener Br. von 1660 (B. Freising).

8. Die 1664 in Beromünster (Kanton Luzern) err. JMJ-Br. ist als Ausläufer der ersten Schweizer Gründungsphase anzusehen. Zu den bayerischen Fraternitäten des Bistums Freising gehören (mit Ausnahme vom eichstättischen Rögling und Au) die Gründungen in Weihenlinden (1664), Aufkirch a. d. Maisach (1667), Unterhaching (1669), im schwäbischen Rögling (1673), im niederbayerischen Au (1673) sowie im oberbayerischen Möschenfeld (1674). Die Tiroler Bruderschaften dieser Zeit entstanden (zumeist im Bistum Brixen) in Erl (1665), Serfaus (1667), Laatsch (1669), Längenfeld (1670) und Mittelpettnau (Nachweis von 1674).

9. Die ersten schwäbischen Gründungen einer Jesus-Maria-Joseph-Bruderschaft finden sich 1673 in dem zum Bistum Eichstätt gehörenden Rögling (heute: Lkr. Donauwörth), außerdem in Stäzling (1676) und Dillingen (1677). Im bayerischen Kernland entstanden in Münsing (1675), München (1676) und im niederbayerischen Weichenried (1678) weitere Hl. Familie-Fraternitäten.

10. Tirol: in Fortezza/Südtirol (1683), in Reith (vermutlich um 1680, 1784 aufgehoben), Am Lueg (1684), in Passeier (1684), Patsch (1690), Bichlbach (1690), Strengen (1691), Untergsies (1692) und in St. Andrä bei Brixen (1697). Schwaben: in Prittriching und im zur Gemeinde Prittriching gehörenden Winkel (1686), in Tandern (1686), Geisenried (Ende 17. Jhdt.) und Scheppach (1694); außerdem im kurmainzischen Wallfahrtsort Walldürn (1698).

11. *Schrems* hat eine solche Kampagne für das Bistum Regensburg in der 2. Hälfte des 18. Jhdts. beschrieben (*Schrems* 1929. S. 255–287).

12. Scouville entstammt dem Ort Champlon bei Marche in Belgien. 24jährig trat er in den Jesuitenorden ein und übernahm ab 1662 bis zu seinem Tode die Volksmission in den Bistümern Trier und Köln. 1667 veröffentlichte er die Statuten der von ihm in den einzelnen Pfarreien eingerichteten Christenlehrbruderschaft unter dem Titel: *Bericht von der heiligen und hochlöblichen Bruderschaft Jesu und Mariä um selig zu leben und selig zu sterben durch Beförderung der christlichen Lehre unter dem Schutz und Schirm des hl. Francisci Xaverii*. Trier: Christoph Wilhelm Reulandt 1667. (*Birsens* 1991. S. 353–356)

13. *Hochenegg* zeigt, daß auch bei der Durchsetzung des hl. Joseph als Landespatron der habsburgischen Lande der hl. Cassian als ‚Konkurrenz‘-patron populär blieb. Der hl. Cassian war der Bistumsheilige von Brixen (1704 Übertragung eines Armreliquiars in den Brixener Dom. LCI. VII. Sp. 285 ff). Vgl. *Hochenegg* 1984. S. 174, wo ein Beleg von 1890 zitiert wird: „*[Die Jesus, Maria und Joseph-Bruderschaft] Ist die Christenlehrbruderschaft! In früheren Zeiten hieß sie an manchen [!] Orten so.*“ Für die Schweiz *Henggeler* 1955. S. 11.

14. Vgl. den von dem Jesuiten Georg Vogler (1585–1635) schon 1625 für die Würzburger Christenlehrbruderschaft verfaßten Katechismus, dessen Titelbild den Hl. Wandel zeigt (Abb. 46. *Metzger* 1982. S. 56–68), sowie die Belege des 18. und 19. Jhdts. aus den Bistümern Hildesheim und Regensburg (zu Regensburg: *Schrems* 1929. S. 150. Anm. 14).

15. Nach den Gründungsdaten zu schließen, wurden die Br.en phasenweise in den einzelnen Dekanaten eingerichtet, so z. B. um die Wende zum 18. Jhdt. verstärkt im Dekanat Hersel, in den ersten Jahrzehnten des Jhdts. in den Dekanaten Eifel und Siegburg. Ansonsten gibt es vage Datierungen, da die meisten Fraternitäten aus den Visitationsprotokollen bekannt sind, in denen jeweils der Zustand der Pfarreien eines Dekanats in einem oder in zwei Jahren erfaßt ist. Die Protokolle beschreiben für die Jahre 1740 ff das Dekanat Jülich, 1743 ff das Ahrdekanat, 1744 f Bergheim, Zülpich, Eifel und nochmals Jülich, 1752 wiederum das Dekanat Eifel, 1753 f die Dekanate Bergheim, Brühl und Zülpich und 1755 das Deutzer Dekanat.

16. In den Visitationsprotokollen des 18. Jhdts. lautet die entsprechende, meist summarisch beantwortete Frage nach der Durchführung der Christenlehre und nach den Bruderschaften der Pfarrei: „*An, & quae sint Confraternitates in Ecclesia & signater [!] an habeatur illa doctrinae Christianae?*"

17. Offermans, in Effgen bei Neuss geboren, trat 1685 dem Jesuitenorden bei und legte 1699 die Profeß ab. Seine theologische Ausbildung erhielt er im Kolleg in Paderborn (1690–1695) und Köln (1695–1699). In den Jahren 1705/1706 übernahm er das Rektorat in Jülich, wo er 1706 verstarb. Offermans verfaßte nicht nur das Bruderschaftsbuch für die Christenlehrbruderschaften des Kölner Erzbistums, das in mehreren Auflagen bis ins 19. Jhdt. hinein gültig war (mir lag von der um 1700 verfaßten Schrift eine Ausgabe von 1863 vor), er ist auch Autor eines religiösen Dramas, das 1693 in Paderborn aufgeführt wurde (*Adolescentia Salomonis seu connubium Reginae Sapientiae cum Salomone adolescente, Hierosolymorum rege: S. Francisco Xaverio, Amoris divini sponso, Indiarum et Japoniae apostolo, nostri aevi thaumaturgo, in choris parallelis consecratum. Valentin* 1983/1984. I. Nr. 3083. II. S. 1091).

18. *Beringer* schreibt dieser ersten Christenlehrfraternität schon das Patrozinium der Hl. Familie zu (*Beringer* 1900. II. S. 730 f), ich konnte dafür aber keinen weiteren Nachweis finden. Die bei ihm angegebene Belegstelle erwähnt dergleichen nicht (*Keller* 1893. S. 76 ff).

19. Zur Reichskirchenpolitik des Hauses Wittelsbach *Weitlauff* 1985. Zur Geschichte des Erzbistums Köln im späten 17. und 18. Jahrhunderts bis zur Säkularisation *Hegel* 1979. Bd. IV.

20. Bis 1800 sind es 225 Belege einer entsprechenden Br. im Erzbistum Köln, zu denen noch 40 undatierte Br.en dieses Typs addiert werden können. Für das 19. Jhdt. treten nur noch 25 Fraternitäten hinzu.

21. Ähnliches ist für die Christenlehrfraternitäten von Miel, Odendorf, Dahlem, Altenrath bekannt.

22. „Die Mitglieder verpflichteten sich, die Jugend [!] und andere Unwissende, besonders Dienstboten und Lehrlinge, im heiligen Glauben zu unterrichten und selbst auch den sonntäglichen Christenlehren beizuwohnen." (*Schrems* 1929. S. 150. Anm. 14).

23. Der Titel der Br. von Münsing (1675) spricht ausdrücklich von der Hl. Familie als der „*heiligste[n] auf Erden wandelnde[n] Gesellschaft*" (*Mayer/Westermayer* 1874–1884. III. S. 641).

24. Die Bruderschaft von Sterzing (1772) führte neben ihrem Titel ‚*Bruderschaft vom hl. Wandel*' auch den der ‚*Bruderschaft Jesus, Maria, Joseph um ein glückseliges End der Sterbenden*' (*Hochenegg* 1984. S. 178).

25. Nach *Duhr* wurde diese Bruderschaft in den Münchner Spitälern eingerichtet (*Duhr* 1907–1926. II,2. S. 89. Anm. 3).

26. Sicherlich gab es bedeutend mehr Fraternitäten mit diesem Titel. Wie vor allem der ikonographische Befund in dem hier beschriebenen Gebiet belegt (s. Kap. Der Hl. Wandel), waren der Begriff *Hl. Wandel* und der zu ihm gehörende Bildtyp sehr weit verbreitet. Die mir für die Aufnahme der Patrozinien zur Verfügung stehende Erhebungsgrundlage benennt die Br.en jedoch in vielen Fällen nur mit der allgemeinen Bezeichnung *Jesus, Maria, Joseph-Br.* o. ä. und macht leider nur sehr selten genauere Angaben zu den Br.titeln.

27. 1686. Tandern: Br. JMJ um ein seliges Ende (1707 als Hl. Wandel-Br. approbiert) (*Steichele/Schröder* 1864–1939. II. S. 267). Der Br.-brief zeigt 1848 als Illustration den Tod des hl. Joseph; es soll sich – nach der Unterschrift – hierbei um ein Gnadenbild handeln (*Krausen* 1980. S. 152. Nr. 33); Ende 17. Jhdt. Geisenried: Br. zum Trost der armen Seelen (*sub patrocinio Jesu, Mariae et Joseph*); 1749. Irsee: Br. unter dem Titel Jesus, Maria und Joseph um eine selige Sterbestunde (*Steichele/Schröder* 1864–1939. VI. S. 245); 1769. Täferdingen: Br. JMJ zur Erlangung einer glückseligen Sterbestunde (ebda. III. S. 94); vor 1802. Füssen: Seelenbr. unter dem Namen der heil. Familie Christi (ebda. IV. S. 441); 1855. Abens: Br. vom guten Tode (*In honor. Jesu Mariae et Joseph um Erlangung einer glücklichen Sterbestunde*) (*Mayer/Westermayer* 1874–1884. I. S. 5. *Krettner* 1980. S. 91).

28. 1702. Friesenried: Br. vom guten Tod zu Ehren des hl. Joseph (= Kirchenpatron) (*Steichele/Schröder* 1864–1939. VII. S. 170); 1735. Buchloe: St. Josephs-Br. vom guten Tod (1803 aufgehoben) (ebda. S. 140). Außerdem bestand an der Friedhofskap. der Pfarrei Ebersberg (Erzb. München-Freising, Dekanat Steinhörnig) seit 1833 eine Josephsbr. (*Mayer/Westermayer* 1874–1884. III. S. 232). Die Wahl dieses Patroziniums an einer Friedhofskap. ist wohl nur so zu deuten, daß auch diese Fraternität eine Gut-Tod-Br. war.

29. Nachweis 1723. Tirol, Vöran: JMJ-Br. vom guten Tod (*Hochenegg* 1984. S. 185); 1772. Tirol, Sterzing: Br. von hl. Wandel (Br. JMJ um ein glückseliges End der Sterbenden) (ebda. S. 178). Eine besondere karitative Variante in der Zielsetzung zeigt die *JMJ-Br. um Unbemittelten ein würdiges Begräbnis zu verschaffen*' in der Stadtpfarrkirche St. Nikolaus von Innsbruck (gegr. 1730) (ebda. S. 80).

30. 1736. B. Innsbruck, Fiecht: Br. zum hl. Joseph (mit zwei Einblattdrucken „*Neu eröffnete Himmelspforte denen Sterbenden, das ist die Bruderschaft unter dem Schutz des hl. Joseph am St. Georgenberg*" (1759) und „*Die zum Troste der Sterbenden neu eröffnete Himmelspforte, das ist die Bruderschaft unter dem Schutze des hl. Joseph am St. Georgenberg*" (um 1750) (*Hochenegg* 1984. S. 46 f); 1736. B. Innsbruck; Obsteig: Br. zum hl. Joseph (= Kirchenpatron) zur Erlangung einer glückseligen Sterbestunde (ebda. S. 92). Zur Bedeutung des hl. Joseph für das Gut-Tod-Patrozinium s. Kap. Der Josephstod.

31. So in einem Kupferstich des Br.-briefes (von 1774) von der Weerberger Br. vom guten Tod (B. Innsbruck) und einer weiteren Illustration von ca. 1840, die ebenfalls einen Br.-brief (von der Imster Br. vom Guten Tod (B. Innsbruck)) ziert (*Hochenegg* 1984. S. 117, 60 f). Beide Graphiken zeigen den Tod des hl. Joseph unter dem Beistand von Jesus und Maria.

32. So z. B. bei einem Einblattdruck (von ca. 1870) der Seelenbr. unter dem Schutz der Heiligen Georgius, Vitus und Laurentius zu Rum (B. Innsbruck), auf dem die Hl. Familie abgebildet ist (*Hochenegg* 1984. S. 96).

33. ca. 1703. Niderehe: Br. „*in honorem Jesu, Mariae et Josephi pro solatio defunctorum*" (*Erzb. Archiv Köln*. Dec. Eifl. Visit.-Prot. C (1744/45) und D (1753/54)); 1724. Ormont: Br. von den Armen Seelen unter Anrufung von JMJ (mit Br.-

buch von 1724) (*Dumont* 1893. IV. Nr. XIV. S. 578); 1755 (1867 erneuert). Udenbreth: Br. JMJ, *zur Erhaltung eines glückseligen Todes unterm Schutz des h. Francisci Xaverii* (ebda. IV. Nr. XVIII. S. 638 f. Der genaue Titel ist dem Br.-buch von 1756 entnommen.). Franz Xaver konnte auch allein Gut-Tod-Patron sein (*Hochenegg* 1984. S. 12), im Kölner Erzbistum ist er zusammen mit der Hl. Familie Patron der Christenlehrbr.en.

34. Drei von ihnen entstanden im 17./18. Jhdt., (1694. Kanton Zug, Walchwil: St. Josephsbr. (Zweck: Erlangung einer glücklichen Sterbestunde) (*Henggeler* 1955. S. 282); Nachweis 1744. Kanton Luzern, Hitzkirch: St. Joseph- oder Gut-todbr. (ebda. S. 246); 1789. Kanton Uri, Unterschächen: Br. zum sterbenden hl. Joseph (ebda. S. 204).), die anderen in der zweiten Hälfte des 19. Jahrhunderts. Auffallend ist, daß von den insgesamt sieben Gut-Tod-Bruderschaften nur die älteste nicht das Josephspatrozinium trug. Sie wurde 1569 gegründet und war der hl. Anna und dem hl. Jakob geweiht (1569. Kanton Luzern, Weggis: St. Anna- und Jakobsbr. (Zweck: Erlangung einer glückseligen Sterbestunde und zum Trost der Armenseelen) ebda. S. 273).

35. Ich konnte nur 15 dieser Bruderschaften belegen. Wahrscheinlich gehörte aber eine nicht geringe Zahl der Fraternitäten, deren Titel nicht original erfaßt werden konnten, diesem Typ an. Das gleiche gilt für die Hl. Wandel-Br.en.

36. ohne Zählung der nach der Säkularisation wiedererrichteten Br.en.

Die Grundlagen des Kultes der Hl. Familie in der religiösen Literatur von Spätantike und Mittelalter

1. Die Bibel

1. Zu den beiden Evangelien von Lukas und Matthäus vgl. Walter *Schmithals*: Einleitung in die drei ersten Evangelien. Berlin/New York 1985. (= De-Gruyter-Lehrbuch.). In den Bibelzitaten beziehe ich mich auf die Einheitsübersetzung der Heiligen Schrift. Hrsg. im Auftr. der Bischöfe Deutschlands. Stuttgart/Klosterneuburg [5]1983.

2. Matthäus hingegen berichtet, daß Joseph aus Angst Nazareth und nicht Bethlehem als Heimatort gewählt habe (Mt. 2,22 f).

3. 1. Traum Josephs: Mt. 1,20–24; 2. Traum Josephs: Mt. 2,13 f; 3. Traum Josephs: Mt. 2,19–21.

4. Matthäus setzt diese Genealogie an den Anfang seines Berichts (Mt. 1,1–17), während Lukas sie in das Kapitel der Vorbereitung auf Jesus durch Johannes einbindet (Lc. 3,23–38). Im Mittelalter verlor dieser Stammbaum z. T. an Bedeutung, statt dessen wurde entsprechend einer verstärkt mariologischen Orientierung die Genealogie Mariens betont.

2. Die apokryphen Kindheits-Evangelien

1. Als anstößig galten besonders die Hebammengeschichte, die den Beweis der Jungfräulichkeit Mariens auch nach der Geburt Jesu erbringen sollte, und die erste Ehe Josephs. Diese Episoden treten schon bei der frühesten apokryphen Schrift, dem Protevangelium des Jakobus, auf und finden sich auch in den Nachfolgeschriften immer wieder. Auch das vermeintliche Dekret des Gelasius aus dem

5. Jhdt. vermochte der apokryphen Tradition nicht Einhalt zu gebieten. In der Folgezeit wurde mit dem Pseudo-Matthäus-Evangelium eine Sammlung genehmer apokrypher Schriften zusammengestellt, in der die unerwünschten Episoden unerwähnt blieben (*Hennecke/Schneemelcher* 1968. I. S. 276 ff, 303).

2. Zur Bedeutungsgeschichte des Wortes ‚apokryphos‘ vgl. *Masser* 1969. S. 21.

3. Für unseren Bereich ist dies hauptsächlich die Gattung der Evangelien.

4. Vgl. das Dekret, angeblich von Papst Gelasius, aus dem 5. Jhdt. (*Hennecke/Schneemelcher* 1968. I. S. 275).

5. Erst mit dem Tridentinum fand diese Phase auch für das AT ihren Abschluß.

6. Wegen der ‚Vorgeschichte‘ zur Geburt Jesu – dem Marienleben – wird diese apokryphe Schrift seit der Renaissance als Protevangelium, also als Evangelium, dessen Inhalt *vor* dem der kanonischen Evangelien liegt, bezeichnet (*Hennecke/Schneemelcher* 1968. I. S. 278). Die Texte sind, sofern nicht anders angegeben, bei *Hennecke/Schneemelcher* auszugsweise in Übersetzung abgedruckt.

7. Die Erwähnung der Krippe geschieht in Anlehnung an Lukas (Lc. 2,7), sie wird aber umgedeutet und dient als Versteck für das Jesuskind vor den Mördern des Herodes (Prot.-Jak. 22,2).

8. Diese um Johannes und seine Familie kreisenden Kapitel (Prot.-Jak. 22,3–24) gehören höchstwahrscheinlich nicht zum ältesten Teil des Prot.-Jak., das sich hauptsächlich mit der Geburt und Kindheit Marias und der Geburt Jesu beschäftigte. Sie dürften später – in Analogie zu der Verknüpfung des Lebens Jesu mit dem Leben des Johannes in den ersten Kapiteln des Lukas-Evangeliums (Lc. 1,5–25; Lc. 1,39–80; Lc. 3,1–20) – hinzugefügt worden sein (*Hennecke/Schneemelcher* 1968. I. S. 279).

9. *Hennecke/Schneemelcher* kennen griechische, syrische, armenische, georgische, äthiopische, sahidische und altslawische Versionen. Die älteste Fassung liegt uns in dem Papyrus Bodmer V. aus dem 3. Jhdt. vor. Der Anspruch auf Authentizität wurde mit der Autorenschaft des ‚Herrenbruders‘ Jakobus begründet. Er soll – nach dieser Quelle – ein Sohn des verwitweten Joseph aus erster Ehe sein und gilt somit als erster Bruder Jesu.

10. Auch der Autor des Prot.-Jak. war keinesfalls Jude (*Hennecke/Schneemelcher* 1968. I. S. 278).

11. Mit der Geschichte ‚Jesus im Tempel‘ sollte bei Thomas wohl ein Anschluß an das kanonisierte Lukasevangelium versucht werden, um auf diese Weise, wenn nicht in Konkurrenz, so doch ergänzend zu diesem treten zu können. Diese Vermutung liegt umso näher, als das Thomasevangelium in seinem Grundbestand der ersten Phase der Kanonisierung entstammt.

12. Durch Ziehen verlängert der Jesusknabe ein zu kurz geratenes Brett (Th. 13).

13. Der Autor siedelte sie zwischen dem 5. und 12. Lebensjahr Jesu an und nimmt damit das mittelalterliche Bestreben, das Leben Jesu durch eine gesicherte biographische Chronologie zu strukturieren (z. B. bei Frau Ava. *Masser* 1969. S. 37–46), vorweg.

14. Alle diese Mirakel sollen eine Vorwegnahme der späteren Wunder Jesu sein (Text und genauere Angaben zu weiteren Editionen *Hennecke/Schneemelcher* 1968. I. S. 295–299).

15. „Je grobsinnlicher und verblüffender ein Wunder ist, desto größeren Gefallen findet der Sammler an ihm, ohne den geringsten Anstoß an ihrer [!] Fragwürdigkeit zu nehmen. Ein gewaltiger Abstand trennt in dieser Hinsicht das Thomasevangelium auch von dem Protev. des Jakobus." (*Hennecke/Schneemelcher* 1968. I. S. 293). Ca. 400 n. Chr. entstand in der ‚*Historia Josephi fabri lignarii*‘ eine Art ‚Gegenapokryphe‘, in der die Demut des Jesuskindes gegenüber seinem Nährvater Joseph thematisiert wurde (*Morenz* 1951.).

16. Zwei Handschriften des jüngeren arabischen Kindheits-Evangeliums und des Thomasevangeliums (beide aus dem 15./16. Jhdt.), von denen *Hennecke/Schneemelcher* vermuten, daß sie dem Urtyp des Thomasevangeliums näher kommen als eine ältere griechische Quelle, teilen uns die Episode ‚Jesus und der Färber‘ mit. Eine lateinische Thomas-Fassung enthält außerdem Geschichten von der Flucht nach Ägypten und deckt sich so teilweise mit anderen Kindheits-Apokryphen (*Hennecke/Schneemelcher* 1968. I. S. 299).

17. Dennoch kommen *Hennecke/Schneemelcher* zu dem Schluß: „Trotz des Mangels an gutem Geschmack, an Maß und Diskretion muß dem Sammler dieser Legenden, der das Thomasevangelium geschaffen hat, zugestanden werden, daß er über ein naiv-anschauliches Erzähltalent verfügt, besonders, wenn er Szenen aus dem kindlichen Alltag bringt." (*Hennecke/Schneemelcher* 1968. I. S. 293).

18. Dies gilt besonders für die geschmacklosen und dogmatisch anstößigen Legenden.

19. Er wird derjenige sein, der rechts von Jesus gekreuzigt werden wird und mit ihm ins Paradies gelangt (arab. KE. 23). In diesem Kapitel wird auch der später bei Pseudo-Matthäus ausführlich geschilderte Götzensturz angedeutet, im arab. KE verwandeln sich die Götzenstatuen allerdings in Sandhügel.

20. Der hl. Irenäus – Bischof von Lyon (†202) – äußerte sich in der ersten Phase der Kanonbildung in einem seiner Briefe über die Göttlichkeit Jesu und die vier Evangelien als göttliche Offenbarung folgendermaßen: „Man hat weder mehr noch auch weniger als vier Evangelien. [...]. Eitel und ungelehrt und überdies verwegen sind demnach alle, welche die Ausgestaltung des Evangeliums bemängeln, indem sie behaupten, entweder mehr oder weniger Personen hätten ein Evangelium geschrieben als jene vier." (*Migne PG*. VII,1. Sp. 890. Contra haer. III,11. in der Übersetzung bei *Beissel* 1909. S. 4 f). Hiermit richtet sich Irenäus nicht nur gegen die ergänzenden Apokryphen, sondern auch gegen die Anfechtungen, denen das Johannesevangelium ausgesetzt war.

21. der ja auch das kanonische Kindheits-Evangelium schrieb.

22. Ihr Todestag wurde in der Vita auf den 15. Februar datiert.

23. Lat. Fassung bei *Fabricius*: Codicis Pseudepigraphi Veteris Testamenti Volumen alterum, accedit Josephi veteris christiani scriptoris Hypomnesticon. Hamburg 1723. Die dt. Übersetzung und Untersuchung dieses Berichts bei *Morenz* 1951.

24. *Morenz* vermutet eine griechische Urfassung, so daß uns in den erhaltenen Handschriften Übersetzungen und damit auch Redaktionen des ursprünglichen Textes gegenüberste-

hen dürften. Vgl. dazu, wie auch zum Entstehungsort, dem kulturellen Umfeld und der Datierung die entsprechenden Kapitel bei *Morenz* 1951.

25. Die Engel der Vertreibung aus dem Paradies und der Verkündigung. Zur Wahl dieser Engel als Signum des Sündenfalls und der Erlösung in den Marienviten *Guldan* 1966. S. 15.

26. Allerdings wird der Aufenthalt in Ägypten nicht ausführlich thematisiert. Nicht nur das Protevangelium, sondern auch das Thomasevangelium scheint dem Autor bekannt gewesen zu sein (vgl. die Heilung von einem Schlagenbiß (Th. 16) und ‚Joseph zupft Jesus wegen seiner Untaten am Ohr‘ (Th. 5,1) mit *Hist. Jos.* 17,10–14).

27. Vgl. den Sprecherwechsel im Prot.-Jak. beim Stillstand der Natur während der Geburt Jesu (s. oben).

28. Dies ist fast das Alter des alttestamentlichen Joseph (Gen. 50,26), und auch sonst finden sich in den Details viele Rückbezüge auf das AT (*Morenz* 1951. Kap.: Erläuterungen).

29. Das Datum entspricht dem der beginnenden Nilschwelle in Unterägypten, so daß *Morenz* den propagierten Josephskult als Ablösung für den Osiriskult – sichtbar in den bis zum 4. nachchristl. Jhdt. existierenden Nilfesten – interpretieren kann (*Morenz* 1951. S. 29–34). „Ein christliches Fest, das man auf diesen Tag [des Osirisfestes] gelegt hat, steht in dem dringenden Verdachte, das Nilfest abzulösen, das Konstantin nach dem Zeugnis seines Biographen verbot. Es mußte dann eine Beziehung zwischen dem neuen Festheiligen und dem schwellenden Nile bestehen. Diese Beziehung läßt sich wahrscheinlich machen, wenn man den schwellenden Nil, in gut ägyptischer Weise, als Osiris versteht. Joseph muß Osiris ablösen, d. h. ihm verwandt sein. Das ist er im ganzen und in vielen Einzelzügen der JG [Josephs-Geschichte]." (ebda. S. 34). Außerdem sei daran erinnert, daß die Flucht der Hl. Familie eine Wanderung, ein Kommen und Gehen nach und von *Ägypten* war, so daß schon rein geographisch eine Beziehung bestand, die einer Josephsverehrung gerade dort ihre Berechtigung gab.

30. „wobei wir von seiner Hände Arbeit lebten" (*Hist. Jos.* 9,2).

31. Das familiäre Verhältnis von Jesus und Joseph wird nicht als das des Nährvaters zu seinem Ziehsohn, sondern mit der Umschreibung „Vater [...] in Leiblichkeit" wiedergegeben (*Hist. Jos.* 0; 3,6).

32. Die Vereinigung der Begriffe *Weisheit* und *Handwerk* in *Hist. Jos.* 2,2 weist auf die rabbinische Arbeitsauffassung hin, die das Manuelle mit dem Geistigen verband. *Morenz* folgert daraus: „Wenn bei Joseph diese Doppelheit ebenfalls betont wird, so soll er damit in der gleichen Linie und Höhe wie jene Autoritäten erscheinen. Handwerk bzw. Technik und Weisheit werden aber auch in Altägypten als Begriffe verbunden: [...]." (*Morenz* 1951. S. 36).

33. Dennoch gehört es nicht zu den Hauptaussagen der Schrift. Außerdem liegt es entstehungsgeschichtlich später als der Bericht über das Sterben Josephs, der der älteste Teil ist. *Morenz* ordnet die Kindheitsgeschichte einer späteren Überarbeitung zu.

34. Dies sind der Weheruf des sterbenden Joseph (*Hist. Jos.* 16,1–13), ein Gebet an Jesus (ebda. 17,3–17), in das noch einmal ein Rückgriff auf die Kindheit Jesu und die

jungfräuliche Geburt eingeschoben wird, und ein Gebet um die Hilfe der Engel (ebda. 22,1 f).

35. Zu der Ablösungsfunktion des Josephsfestes *Morenz* 1951. S. 34. s. oben. Anm. 29.

36. „Und ich [Jesus] legte meine Hand auf seinen [toten] Leib [...], indem ich sprach: ‚Der Gestank des Todes soll nicht Herr über dich werden, noch [...] soll der Eiter jemals aus deinem Leibe [...] fließen, noch [...] soll dein Begräbnis(zeug) in der Erde vergehen noch [...] dein Fleisch [...], das ich auf dich gelegt habe, sondern [...] es soll an deinem Körper fest bleiben bis zum Tage des Mahls [...] der tausend Jahre; das Haar deines Hauptes soll nicht altern, [...], und das Gute wird dir zuteil werden.‘“ (*Hist. Jos.* 26,1 zitiert nach *Morenz* 1951. S. 22). Schon vorher wurde mehrmals betont, daß Joseph trotz seines hohen Alters körperlich äußerst rüstig war, was bei 111 Jahren an ein Wunder grenzt. Genau dieser Eindruck sollte wohl auch erweckt werden. „Und nach dieser langen Zeit wurde sein Leib [...] nicht kraftlos, seine Augen nicht blind, kein einziger Zahn zerstört in seinem Munde; er wurde nicht unwissend in Bezug auf Weisheit [...] in dieser ganzen Zeit, sondern [...] war wie ein Jüngling.“ (*Hist. Jos.* 10).

37. Der Leib Josephs wird in *Hist. Jos.* 15,3 mit dem zweitedelsten Metall in Ägypten, dem Gold, verglichen; das edelste – Silber – steht für seine Weisheit (*Morenz* 1951. S. 50 f). Für den neuzeitlichen Josephskult sind keine Knochenreliquien bekannt (s. S. 133, 148).

38. Weil gerade diese Textstelle die Methoden der Kultausbreitung ausführlich behandelt, möchte ich sie hier vollständig zitieren. Um der Einsetzung des Kultes noch mehr Autorität zu geben, ist der Sprecher bezeichnenderweise Jesus: „2. Wer für ein Opfer [...] sorgen und es zu deiner Stätte [...] bringen wird am Tage deines Gedenkens, um den 26. des Monats Epep, den werde ich selbst mit dem himmlischen [...] Opfer [...], das in den Himmeln ist, segnen. 3. Und wiederum. Wer einem Armen in deinem [Josephs] Namen Brot in die Hand geben wird, den werde ich nicht Mangel leiden lassen an irgendeinem Gute [...] dieser Welt [...] in allen Tagen seines Lebens. 4. Die einem Fremdling oder einer Witwe [...] oder Waise [...] am Tage deines Gedenkens einen Becher Wein in die Hand geben werden, die werde ich dir schenken [...], daß du sie zum Mahl [...] der tausend Jahre holen läßt. 5. Die das Buch dieses Aus-dem-Leibe-[...]-Gehens [gemeint ist die Josephsgeschichte selbst, in dieser Text steht] und alle Worte, die heute aus meinem Munde kamen, (auf)schreiben werden, die werde ich, bei deinem Heil, o [...] mein geliebter Vater Joseph, dir in dieser Welt [...] schenken [...], und wiederum, wenn sie aus dem Leibe [...] gehen, werde ich den Schuldschein [...] ihrer Sünden zerreißen, und sie werden keine Qual [...] empfangen außer die Notwendigkeit des Todes und dem Feuerstrom, der vor meinem Vater daliegt (und) der jede Seele [...] reinigt [...]. 6. Und wenn ein Armer da ist, der das nicht tun kann, was ich gesagt habe, wenn (d)er einen Sohn zeugt und seinen Namen Joseph nennt, indem er deinem Namen Ehre erweist, so sollen Hungersnot und [...] Seuche [...] nicht in jenem Hause entstehen, weil dein Name dort wahrhaft wohnt.“ (*Hist. Jos.* 26,2–6 nach *Morenz* 1951. S. 22). Zum Kult sollten also die Opferung zum Gedenk-

tag an der Kultstätte, die Speisung Armer, die Verbreitung der Josephsgeschichte und damit die Verbreitung des Kultes selber und die Namensgebung gehören.

39. Vgl. besonders die doketischen Tendenzen im Thomasevangelium (*Hennecke/Schneemelcher* 1968. I. S. 293).

40. Sike starb 1712. Der Erscheinungsort des ‚*Evangelium infantiae*‘ ist unbekannt. Eine zweite Ausgabe des Buches wurde schon 1699 in Bremen herausgegeben (*The National Union Catalog*. Pre-1956 Imprints. Bd. 56. S. 676).

41. Der hauptsächlich als Philologe bedeutsame Fabricius gab die Quellenreihen ‚*Bibliotheca latina*‘ bzw. ‚*graeca*‘ heraus. In Hamburg tätig, veröffentlichte er zusammen mit Richey Brockes von 1724–26 die moralische Wochenschrift ‚*Der Patriot*‘ zur Hebung der bürgerlichen Kultur (ADB. VI. S. 518–521. NDB. IV. S. 732 f).

42. Zur gleichen Zeit entstand eine englische Übersetzung apokrypher Literatur durch Jeremiah Jones, der im Dienste der Polemik gegen die deistischen Angriffe auf die Autorität der Schriften des NT stand (*Hennecke/Schneemelcher* 1968. I. S. 36).

43. Der Protestant Wallin studierte in Uppsala Theologie, setzte seit 1720 seine Studien in Paris fort und ging anschließend nach Wittenberg (*Michaud* 1854. XLIV. S. 282).

44. „Die außerordentliche Bedeutung des Werkes besteht darin, daß in dieser Form die Legenden aus den älteren Kindheitsevangelien nun wirklich Gemeingut des Volkes wurden und einen ungeheuren Einfluß auf Literatur und Kunst ausüben konnten.“ (*Hennecke/Schneemelcher* 1968. I. S. 303 f).

3. Die Rezeption der Kindheits-Apokryphen in der lateinischen und mittelhochdeutschen religiösen Literatur

1. Zitiert nach der Ausgabe von Heinrich *Rückert*. Die VR nennt – nach einem Analogieschluß von dem öffentlichen Leben Jesu zu seinem verborgenen – die Schriften, die die so schmerzlich empfundenen Lücken in der Biographie Jesu ergänzen (VR 1492–1513). Ich orientiere mich bei der VR an der 1888 herausgegebene Edition von A. *Vögtlin*. Auch das bei *Masser* 1969 (S. 26) abgedruckte Glossenzitat zur VR bestätigt diese Zeilen.

2. So beklagt Bruder Philipp nicht nur die fehlende biblische Texttradition, er vermißt auch konkrete Angaben zu diesem Abschnitt aus dem Leben Jesu, die sein historisches Interesse befriedigen könnten.

3. Nach dem Jesuswort: Wenn ihr nicht werdet wie die Kinder ... (Mt. 18,3).

4. „Adite virginalem thalamum, ingredimini, si potestis, pudicum sororis vestrae cubiculum. Ecce enim Deus mittit a[d] Virginem, ecce affatur angelus Mariam. Apponite aurem parieti, auscultate quid nuntiet ei, si forte audiatis unde consolemini.“ (*Bernhard v. Clairvaux*: De laudibus virginis Matris. Super *missus est* Homiliae. Migne PL. CLXXXIII. Sp. 62. *Hahn* 1986. S. 54. *Guldan* 1966. S. 57).

5. Zum Topos des Auf-den-Arm-Nehmen s. S. 136 f.

6. Hier wird die Erzählung der Ereignisse fortgesetzt, und der vorher so stark integrierte Leser fällt aus den Geschehnissen heraus.

7. Zur Visualisierung in der Meditation und zur Bedeutung des inneren Auges als *oculus animi* in der *visio dei* vgl. Schleusener-Eichholz 1985. S. 931–1059.

8. Vgl. die Exerzitien des Ignatius v. Loyola, die sich der gleichen Methode bedienten und für die Bildersprache des Barock bestimmend waren.

9. Bernhard v. Clairvaux forderte bei der Vergegenwärtigung der Verkündigung die Gläubigen sogar auf, an der Wand zum Brautgemach Mariens zu lauschen (s. oben). Das Bedürfnis nach einem direkten sinnlichen Nachvollzug des Lebens Jesu und seiner Passion spiegelt sich auch in den Jerusalemsreisen des Mittelalters wider, die auch nach dem Fall Akkons (1291) nicht abbrachen.

10. *Masser* führt dementsprechend die verschiedenen Inhalte im Rahmen der mittelalterlichen Kindheitserzählungen jeweils auf die unterschiedlichen Quellen zurück (*Masser* 1969. S. 113–118). So resümiert er: „Gewiß ist das Ausmaß der Berücksichtigung nicht-kanonischen, apokryph-legendären Gutes im Einzelfall sehr unterschiedlich gewesen. Doch das ist kein Gradmesser für die ‚Ernsthaftigkeit‘ des Verfassers, ist kein Kriterium für seine geübte oder umgekehrt mangelnde Zurückhaltung zweifelhaften Geschichten gegenüber. Die nachweisbare oder fehlende Verwertung von Apokryphen und Legenden ist vielmehr in der Konzeption des jeweiligen Werkes, in den persönlichen Intentionen des Dichters und der daraus resultierenden Auswahl wie Verarbeitung des Quellenstoffes begründet, die beispielsweise bei einem Dichter, dem es vorwiegend auf die Vermittlung des Evangeliums ankam, anders ausfallen mußte als bei einem, der in erster Linie ‚erzählen‘ wollte.“ (ebda. S. 302).

11. Es sind dies: der ‚Heliand‘, die Evangelienharmonie von Otfried von Weißenburg, Hrotsvitha von Gandersheim: ‚Maria‘, Frau Ava, Priester Wernher: ‚Maria‘, Konrad v. Fussesbrunnen: ‚Kindheit Jesu‘, die ‚Vita beate virginis Marie et Salvatoris rhythmica‘ (VR), Bruder Philipp: ‚Marienleben‘, Walter v. Rheinau, der Schweizer Wernher, das ‚Passional‘ und die ‚Erlösung‘.

12. Ps.-Mt. schließt je nach den Handschriften-Varianten auch Inhalte z. B. aus dem Thomasevangelium oder von den arabischen bzw. armenischen Kindheits-Apokryphen mit ein.

13. Durch die VR wurden sehr viele Inhalte der ‚Infantia‘ vermittelt.

14. Diese Feststellung ist im Zusammenhang mit der mittelalterlichen Leben-Jesu-Frömmigkeit wichtig.

15. Dennoch kann man nicht behaupten, sie enthielte alle apokryphen Motive aus der Kindheit Jesu. Man findet bei ihr z. B. weder einen bei Konrad v. Fussesbrunnen überlieferten Teil der Räuberepisode noch die Kornfeldlegende.

16. *Masser* datiert die VR „um oder vor 1250“ (S. 47).

17. Ob diese Beschreibung nur auf die mittelalterliche religiöse Literatur seit der VR oder nicht auch schon auf das Thomasevangelium oder den Ps.-Mt. zutrifft, erscheint mir recht fraglich.

18. Entgegen *Massers* Meinung, daß Philipp allein von der VR abhängig sei, zeigt ein Motivvergleich, daß er wohl auch eine Handschrift aus der Ps.-Mt.-Familie benutzt haben muß. Eine eingehendere Untersuchung, ähnlich der, die *Masser* mit der VR und Konrad v. Fussesbrunnen gemacht hat (*Masser* 1969. S. 80–87), könnte dies erhärten. Die Möglichkeit, daß Bruder Philipp die VR nicht als einzige Vorlage, sondern mit ihr eine gemeinsame Quelle aus der Familie des Ps.-Mt. hatte, muß einstweilen als Hypothese stehen bleiben. Da *Masser* als Entstehungszeit der VR „um oder vor 1250“ (S. 47) festlegt, ist – seiner Argumentation folgend – Philipps ‚Marienleben‘ frühestens in der 2. Hälfte des 13. Jhdts. entstanden. *Fromm/Grubmüller* geben für die VR „nach 1220“ an (*Fromm/Grubmüller* 1973. S. 37).

19. So z. B. den Götzensturz (s. S. 40 f.).

20. Diese Qualität bezüglich der Hl. Familie spricht *Masser* auch dem ‚Heliand‘ zu (*Masser* 1969. S. 121).

21. Er läßt die Begebenheiten des Marienlebens außer acht und konzentriert sich auf die Kindheit Jesu. Die Entscheidung, mit der er im Gegensatz zur VR und zu *Ph.* steht, begründet er mit folgenden Worten: „wie ez sît dar zuo quam, / daz si [Maria] Jôsêben genam, / daz verswîge ich hie durch einen list, / want ez vor mir getihtet ist.“ (*Konr.* 127) Dieser Hinweis auf frühere Christus- und Marienviten berechtigt Konrad nicht nur, die Kindheit Mariens, sondern sogar ihre Verlobung mit Joseph zu ignorieren und erst mit der Heimführung Mariens einzusetzen. Zwar berichtet er weiter kontinuierlich von der Verkündigung über die Geburt (inkl. der Hebammengeschichte !) bis zum Besuch der Magier, dem bethlehemitischen Kindermord und der Flucht, doch bleibt er insgesamt seinem selektiven Prinzip treu.

22. Zu der im Mittelalter recht ernst genommenen Frage nach der Chronologie im Leben Jesu *Masser* 1969. S. 37–41. und 2. Abschnitt. Kap. II.

23. Konsequenterweise spricht das Kind bei Konrad auch schon auf der Flucht nach Ägypten und gebietet dem Baum, sich zu neigen (*Konr.* 1450–1454, 1462–1465).

24. *Konr.*: nach 1197 bis in die 20er Jahre des 13. Jhdts. (*Fromm/Grubmüller* 1973. S. 2). VR: nach 1220 (ebda. S. 3) bis vor oder um 1250 (*Masser* 1969. S. 47). Schon aufgrund dieser vagen Datierung steht eine Beweisführung um die Abhängigkeit Konrads von der VR auf tönernen Füßen.

25. So kommt *Masser* zu dem Zwischenergebnis: „Weder hat Konrad von Fußesbrunnen die Vita rhythmica noch der Verfasser der Vita rhythmica die Kindheit Jesu Konrads noch haben beide den Pseudo-Matthäus [nach Tischendorfs Ausgabe] benutzt. Vielmehr waren der in der Vita rhythmica verwertete ‚Liber de infantia salvatoris‘ und die von Konrad bearbeitete Quelle zwei Abkömmlinge aus der großen Familie des Pseudo-Matthäus, untereinander wie mit Pseudo-Matthäus [...] engstens verwandt, doch nicht identisch.“ (*Masser* 1969. S. 81).

26. *Fromm/Grubmüller* haben die von M. R. *James* 1927 edierte Arundel-Handschrift in ihrer Ausgabe von Konrads ‚Kindheit Jesu‘ auszugsweise abgedruckt (*Fromm/Grubmüller* 1973. S. 5–9).

27. *Baier* datiert die VC zwischen 1348 und 1368 (*Baier* 1977. I. S. 137). Die Biographie Ludolphs läßt sich auf folgende Daten festlegen: um 1300 im norddt. Raum geboren, um 1315 Eintritt in den Dominikanerorden, um 1339 Kartäuser in Straßburg, 1340 Profeß in Straßburg, 1343–1348 Prior in der Koblenzer Kartause, anschließend Eintritt in die Mainzer Kartause (wo wahrscheinl. ein Großteil der VC entstand) und Rückkehr nach Straßburg, 10.4.1378 Tod in Straßburg (ebda. S. 85). Die ausführliche Untersuchung zu diesen Daten ebda.

208

Kap. 1.2. S. 35–87. Die für uns interessanten Teile der VC sind die Kapitel XIII bis XVI des ersten Buches.

28. Gegenüber *Baiers* detaillierten quellenkritischen Untersuchungen zur VC konzentriert sich *Conway* hauptsächlich auf eine werkimmanente Analyse des Inkarnationsgedankens bei Ludolph.

29. Mit dem Hinweis auf den Schächer am Kreuz, aber ohne Namensangabe.

30. Ohne Wunder, sondern nur als Zeichen des Dienstes, Gehorsams und der Demut.

31. Der Bericht vom Schulbesuch, der diesen Abschnitt hätte ersetzen können, fehlt logischerweise.

32. Vgl. auch *Ph.* 3828–3843 und später in der Neuzeit *M. v. Cochem*: Leben Christi. Mainz/Köln 1716. S. 420 f.

33. Ich folge dieser englischen Übersetzung eines reich bebilderten, italienischen Manuskripts (Bibliothèque National, Paris. MS. ital. 115.) (Lat. Ausgaben: 1761 und Paris 1868.).

34. Mögliche Anklänge an apokryphe Wunder treten nur sporadisch auf, wie z. B. die Erwähung eines Brunnens, an dem Jesus Wasser schöpfte (MVC. XIII. S. 82). Dies könnte ein schwacher Reflex von Erzählungen nach Thomas sein.

35. „Cum ergo virgo beata a tertio anno aetatis suae usque ad quartum decimum annum in templo cum aliis virginibus exstitisset et votum de servanda castitate emisisset, nisi Deus aliter disponeret, eam Joseph desponsavit domino revelante, et Joseph virga frondente, sicut in hystoria de nativitate beatae Mariae plenius continetur, et in Bethlehem, unde oriundus erat, necessaria nuptiis provisurus ivit, ipsa vero in Nasareth in domum parentum rediit. Nasareth interpretatur flos." (LA. LI. S. 217).

36. *Williams/Williams-Krapp* datieren die elsässische Fassung der LA auf die 1. Hälfte des 14. Jhdts. und legen als Entstehungsort Straßburg fest. Sie haben für die Edition 34 Textzeugnisse in Manuskripten des 14.–16. Jhdts. und 13 Druckausgaben zwischen 1481/82–1521 herangezogen. Eine Karte im Vorwort zeigt deren Verbreitung an (LA els. I. S. XVIII–XXV und den Kommentar zu dieser Karte S. XIV). Die angesprochene Flexibilität beschreibt *Kunze* in Bd. II, der sich mit dem Sondergut der LA els. beschäftigt: „Was den Zuwachs an Sondergut angeht, umfaßt das Spektrum der Formen hier Vers und Prosa, Legenden, Liturgieerklärungen und Predigten, Abbreviationen und Amplifikationen, freie wie ‚sklavische‘ Neuübersetzungen unterschiedlichster Qualität, gelehrt-relatinisierte und populär-entlatinisierte Fassungen, Kopien volkssprachlicher Vorlagen und Kompilationen verschiedenster Art. Die Anlässe für den Sondergutzuwachs reichen, [...], von der Ergänzung einer fragmentarischen Vorlage über die schlichte Verwechslung gleichnamiger Heiliger bis zur programmatischen Bemühung um ein „redelich Passional"; von der Befürchtung, daß der Text zur klösterlichen Tischlesung zu kurz sei, über den Horror vor apokryphen Traditionen bis zur Überbietung alttestamentlicher Typen durch Antitypen der christlichen Ära; die literarische Situation spielt mit Import und Kontamination konkurrierender deutscher Legendare und dem Nebeneinander von lateinischer und deutscher Überlieferung desselben Werkes ebenso eine Rolle wie die außerliterarische Situation mit örtlichen und regionalen kultischen Interessen, mit populären

sowie ordens- und klosterspezifischen Anliegen." (ebda. II. S. XII).

37. Über 1000 erhaltene Handschriften und 97 Inkunabelauflagen der lateinischen Fassung, Übersetzungen in zahlreiche Sprachen (LA els. I. S. XIII).

38. Ich zitiere nach dem venetianischen Druck von 1502 des Westfälischen Landesmuseums Münster.

39. Zur Flucht nach Ägypten nennt er u. a. neben dem Ps.-Mt. auch die ‚Historia Scholastica‘ des Petrus Comestor und die ‚Infantia‘ (CS. II,51. fol. 27) und zum Josephsfest zusätzlich die ‚Historia de Nativitate Mariae‘ (ebda. III,209. fol. 66).

40. wobei er – ähnlich wie die ausführlichen mittelalterlichen Dichtungen – begründet, warum die Hl. Familie den beschwerlichen Landweg nimmt und nicht übers Meer flüchtet.

41. Hierbei tritt ein Engel auf und verweist uns somit auf die Quellentradition der VR, wenn auch nicht auf die dortige Palmbaumepisode, sondern auf den folgenden Abschnitt (VR 2218–2221). Dort ist Jesus auf der Flucht noch ein Kleinkind und zeigt somit nur eine beschränkte Aktivität.

42. Das NT bot im übrigen selbst die Anregung zu dieser typologischen Betrachtungsweise, die weniger kausal als symbolisch gehandhabt wurde (Beispiele des NT *Berve* 1969. S. 11).

43. *Berve* führt aus: „Bei den meisten Typen, wie sie uns in der Armenbibel vorgestellt werden, fehlt nicht nur der Bezug auf die ewigen, himmlischen Dinge, [...], sondern auch eine neutestamentliche Aussage über das Vorbild als eine von Gott vorausgewirkte Repräsentation oder Personifizierung. Oft liegt den beigebrachten Analogien über die äußere Ähnlichkeit hinaus überhaupt kein positives oder antithetisches Entsprechungsverhältnis zugrunde, sodaß wir nicht viel mehr als optische Gleichbilder vor uns haben." (*Berve* 1969. S. 14).

44. Die Ursache der Beschränkung auf nur ein apokryphes Motiv im Rahmen der Fluchthematik ist eine andere als bei der MVC, bei Ludolph v. Sachen oder auch bei Johannes Gerson. Deren Distanzierung von den Apokryphen ist eine Entscheidung theologischer Natur. Die BP hatte hingegen den Anspruch, nur die heilsgeschichtlich wichtigsten Punkte von AT und NT typologisch darzustellen (*Berve* 1969. S. 7–25).

45. Leider hat der Autor die uns interessierende Einheit der Flucht weder abgebildet noch ausdrücklich bearbeitet.

46. Diese Zuordnung von Typus zu Antitypus war offenbar festgelegt, denn auch *Schmidt*, der eine bedeutend breitere Materialbasis bearbeitet, teilt sie so mit. Bei ihm wird auch deutlich, daß, trotz der Möglichkeit wechselnder Kombinationen der Gruppen bei anderen Motiveinheiten, die Gruppenfolge in der Einheit ‚Flucht‘ konstant blieb (*Schmidt* 1959. S. 126).

47. Von diesen Volksbüchern sind zwei überliefert: einmal das Buch ‚*Von der Kindheit und dem Leiden unseres Herrn Jesu Christ*‘, das in Augsburg in den Jahren zwischen 1474 und 1502 sieben Auflagen erlebte (*Reinsch* 1879. S. 119) und das in Auszügen durch Joseph *Görres* 1807 edierte ‚*Unsers Herrn Jesu Christi Kinderbuch; oder merkwürdige, historische Beschreibung von Joachim und Anna, deren Geschlecht, aus welchem sie geboren. Item von ihrer Tochter der Jungfrau Maria, und von der Geburt Christi und Auferziehung Christi: wie auch von der Flucht Christi, und was sich sowohl auf*

ihrer Reise nach Aegypten, als auch bei ihrem siebenjähri-
gen Aufenthalt daselbst, nicht weniger bei der Rückreise und
hernach zu Jerusalem für große Wunderwerke zugetragen
haben. Ganz frisch aus dem italiänischen in's Teutsche über-
setzt. Köln/Altona/Nürnberg o.J.' (*Görres* 1803–1808. III.
S. 271 ff). Dort findet sich das Palmbaum- und Quellwunder
sowie das Wunder mit den Lehmspatzen.

48. Vgl. Johannes Gerson, der versuchte, die Kindheitsgeschichte ‚sinnvoll‘ zu gestalten. Gerson argumentierte dabei
besonders gegen das hohe Alter Josephs, das ihm nicht
zweckmäßig erschien, da doch Joseph die Jungfrau Maria
und das schwache Kind beschützen sollte.

49. „Die Maler sind zu tadeln [...] wenn sie das Jesuskind mit
einer Fibel malen, obwohl es nie von Menschen gelernt hat."
zitiert nach *Baxandall* 1987. S. 61 f (Original bei C. *Gil-
bert*: The Archbishop on the painters of Florence, 1450. In:
Art Bulletin. XLI (1959). S. 75–87. aus *S. Antonio*: Summa
Theologica. III. viii. S. 4).

„Cum Maria et Joseph pueri Jesu convictus atque conver-
satio"

1. Für das Haus Habsburg, für dessen Erblande die Normaljahr-
Regelung nicht galt, wurde die Verquickung von Konfession
und dynastischem Selbstverständnis hervorragend erarbeitet
von *Coreth* 1959. *Matsche* 1981. *Pokorny* 1987.

2. z.B. im Bilderkult und Kirchengesang. Vgl. die Liedtexte
des Jesuiten Friedrich Spee v. Langenfeld (1591–1635) in
der Sammlung ‚*Trutznachtigall*‘ (posthum in Köln 1649
ersch.) oder in den 5 Bänden der ‚*Heiligen Seelenlust*‘ von
Angelus Silesius (Johannes Scheffler 1624–1677).

3. Vgl. die Jesuitendramen (*Wimmer* 1982. *Valentin* 1983/
1984.) und jesuitischen und franziskanischen Lieder (*Moser*
1981.).

4. So wurde die franziskanische Meditationspraxis wieder aufgenommen. Ihr Einfluß spiegelt sich in den für die barocke
Frömmigkeit maßgeblichen Exerzitien des hl. Ignatius v.
Loyola wider. Seit Ludolph v. Sachsen bemühte man sich
z.B. bei der Beschreibung der Flucht das Mitleid des Gläubigen zu erregen. Ignatius v. Loyola forderte in seinen ‚*Exerzitien*‘ – wie seine mittelalterlichen Vorläufer – die Menschen
auf, diesen Affekt mit der Vergegenwärtigung der biblischen
Situation zu verbinden. Auch M. v. Cochem versuchte das
Mitleid des Lesers anzusprechen, wenn er auf die Flucht, das
Exil, die Rückreise und die Lebensverhältnisse der Hl. Familie in Nazareth zu sprechen kam. So beschrieb er z.B. bei
der Flucht ausgiebig die widrige Witterung in der Wüste,
die Müdigkeit, den Hunger und Durst der Flüchtenden (*M.
v. Cochem*: Leben Christi. Mainz/Köln 1716. S. 417–421).
Ihr Haus hat zwar für jeden Bewohner eine Kammer, damit
er zurückgezogen beten kann (ebda. S. 488), ansonsten ist
es aber so dürftig ausgestattet, daß seine Bewohner auf der
Erde schlafen müssen (ebda. S. 432).

5. Zur Kanonisierung von Ignatius und die Bedeutung der Bildwerke in diesem Prozeß vgl. die aufschlußreiche Studie von
König-Nordhoff 1982.

6. Zur Zeit der Türkenbekämpfung und der Gegenreformation
wurde Maria im Bild der Madonna vom Siege zur Schutzheiligen der katholischen Welt. 1683 wurde zur Erinnerung

an die Aufhebung der Belagerung der Türken vor Wien das
Fest des Hl. Namens Mariä (12. September) eingerichtet.
Auch an anderen Marienfesten, die z.T. regional schon im
Mittelalter bestanden, lassen sich die bevorzugten Tendenzen
der barocken Marienverehrung ablesen. 1696 wurde das Fest
Mariä Gedächtnis (24. September) auf die gesamte Kirche
ausgedehnt, 1708 das Fest Mariä Empfängnis (9. Dezember)
und 1716 das Rosenkranzfest (7. Oktober), das zur Erinnerung an den Seesieg bei Lepanto entstanden war, für die
gesamte Kirche vorgeschrieben. In den zwanziger Jahren des
18. Jhdts. wurde der Freitag nach dem 1. Passionssonntag
dem Gedächtnis der Sieben Schmerzen Mariens gewidmet
(LThK. VII. Stichwort: Marienfeste. Sp. 66–69).

7. Zur Herzenverehrung LThK. V. Stichwort: Herz Jesu.
Sp. 289–300. und Herz Mariä. Sp. 300–303. und das Sam-
melwerk: *Das Herz*. Bd. II. Das Herz im Umkreis des Glaubens. Biberach a.d. Riss 1968. dort die Aufsätze von Erich
Meyer-Heisig, Albert *Walzer* und Karl-August *Wirth*.

8. So wird z.B. die Andacht zu den Fünf Wunden Christi,
die im Barock im Rahmen der Passionsfrömmigkeit einen
außerordentlichen Aufschwung erlebte, der hl. Brigitta von
Schweden zugeschrieben.

9. So heißt es in den Beschlüssen der 25. Sitzung des Konzils von Trient 1563 bezüglich der Bilder in Kultus und
Katechese: „Die Bilder Christi, der Gottesmutter und Jungfrau und der anderen Heiligen sollen in den Kirchen, wo sie
jetzt sind, beibehalten werden und die gebührende Ehre und
Verehrung (honorem et venerationem) empfangen. Aber das
geschehe nicht deswegen, weil man in ihnen eine göttliche
Eigenschaft oder Kraft (divinitas vel virtus) sieht, deretwe-
gen sie verehrt werden. Auch soll man in sie selber kein
Vertrauen setzen, wie einst bei den Heiden, die ihre Zuversicht auf Idole richteten. Es geschehe vielmehr deshalb, weil
die Ehre, die man ihnen (den Bildern) erweist, auf die Proto-
typen übertragen wird, die jene repräsentieren. So geschieht
es, daß wir durch Bilder, die wir küssen, vor denen wir
das Haupt entblößen oder das Knie beugen, Christus selbst
anbeten (adoremus) und jene Heiligen verehren (veneremur),
deren [Ab-]Bild (similitudinem) sie mit sich führen. [...].
Die Bischöfe mögen mit Eifer lehren, daß das Volk durch
Erzählungen (historias) der Mysterien unseres Glaubens, in
Gestalt von Malereien oder Bildern anderer Art, in der Erinnerung an die Glaubensartikel und in ihrer Verehrung belehrt
und gestärkt werde. So wird aus allen hl. Bildern eine reiche Frucht erwachsen. Sie können das Volk an die Wohlta-
ten und Geschenke mahnen, die ihm von Christus gewährt
wurden, und den Gläubigen die Wunder Gottes und die heilbringenden Beispiele vor Augen führen, die in den Heiligen
wirksam wurden, so daß sie Gott für jene danken und ihr
Leben und ihre Sitten auf die Nachahmung der Heiligen richten. Schließlich sollen (die Gläubigen durch die Bilder) zur
Anbetung und Liebe Gottes angeleitet und in der Frömmigkeit unterwiesen werden." (Beschlüsse und Glaubensregeln
des hochheiligen allgemeinen Concils zu Trient unter den
Päpsten Paul III., Julius III. und Pius IV. Regensburg 1903.
S. 278 f.) Zur Problematik von Bild und Dogma *Boespflug*
1987.

10. der ebenfalls seinen Ursprung im 13. Jhdt. hatte.

11. Die Fronleichnams-Prozessionen waren schon im 13. Jhdt. im Reich verbreitet (so z. B. in Köln) und wurden in den Jahren 1600 und 1614 einheitlichen liturgischen Regeln unterworfen (LThK. IV. Stichwort: Fronleichnam. Sp. 405 ff).

12. Wie z. B. die Hauptwallfahrt des Mainzer Erzbistums Walldürn, wo ein Tuch mit verschüttetem Meßwein, dem Blut Christi, verehrt wurde.

13. Das im 14. Jhdt. durch Papst Johannes XXII. eingerichtete Fest wurde am 1. Sonntag nach Pfingsten gefeiert (LThK. III. Stichwort: Dreifaltigkeit. Sp. 562).

1. Narrative Traditionen in der Neuzeit

1. Vgl. z. B. eine Illustration von ca. 1440/50 aus einem Stundenbuch aus Lothringen (*Kat. Andachtsbücher* 1987. Nr. 33. S. 134).

2. Anfang unseres Jahrhunderts aufgenommen. *Wentzel* kennt entsprechende Belege im Lied- bzw. Erzählgut aus Dänemark, Schweden, Österreich, England und Frankreich (*Wentzel* 1957. S. 187) und teilt uns ein dänisches Volkslied zu diesem Thema mit (*Wentzel* 1965. S. 142).

3. z. B. drei Zeilen aus dem Ambrosianischen Gesang (Te deum laudamus ... Sanctus Deus Sabaoth ... Pleni sunt coeli et terra ....) und den Gebetsschluß: Gloria Patri et filio et Spiritui sancto, sicut erat in principio et nunc et semper et in saecula saeculorum. Amen.

4. Eine Variante des Liedes findet sich bei *Pinck* 1926–1939. V. S. 12 f. Auch sie ist gestört und weist inhaltliche Brüche auf. Fragmentarisch läßt sich die Legende auch in einem Eifeler Marienlied nachweisen, dessen Hauptthema ‚Maria und der Schiffmann' bzw. ‚Maria vor dem Gotteshaus' ist (*Moser* 1972. S. 307). Vgl. auch die Tradition des Luciaweizens aus dem Burgenland, die sich auf die Kornfeldlegende bezieht. Am Heiligen Abend wurde in den auf einem Teller zum Keimen gebrachte Weizen eine Kerze gestellt und dazu die Kornfeldlegende vorgetragen, die im 19. Jhdt. noch in verschiedenen Fassungen in Süd- und Mitteleuropa anzutreffen war (*Schmidt* 1963. S. 260 f).

5. In Pommern wurde z. B. das Lied ‚Do Jhesus Christ geboren ward' als Spinnstubenlied zur Unterhaltung gesungen (*Moser* 1972. S. 279).

6. Das Lied war im Westen wie im Osten verbreitet: in den Niederlanden, im Rheinland, in Hessen, Lothringen und Bayern, sowie in Pommern, Thüringen, der Slowakei, Schlesien, Galizien, Mähren, Oberösterreich, dem Burgenland und der Steiermark (*Moser* 1972. S. 279). *Moser* gibt für diesen Liedtyp 28 Belege an: 6 Handschriften aus dem 15. bis frühen 17. Jhdt.; 4 Flugblattdrucke von 1555 bis ca. 1710 aus Marburg, Innsbruck, Krems und Steyr; 18 Aufzeichnungen von der mündlichen Überlieferung aus dem 19./20. Jhdt. für die Regionen Lothringen, Rheinland, Hessen, Thüringen, Pommern, Niederschlesien, Schönhengst, Mähren, Kuhländchen, Galizien, Zips, Burgenland, Oberösterreich und die Steiermark (ebda. S. 275–281). Mit Ausnahme Pommerns wurde das Lied in katholischen Gebieten oder katholischen Enklaven gesungen. Der thüringische Beleg stammt aus der Nähe von Erfurt, das zum Mainzer Bistum gehörte, und der hessische Nachweis stammt aus der Gegend um Fulda.

7. Die vorreformatorischen Nachweise stammen aus dem 15. Jhdt. (Niederlande) und den Jahren um 1500 und vor 1519/21 (*Moser* 1972. S. 275 f). *Moser* resümiert: „Man muß davon ausgehen, daß die Grundlagen des Liedkomplexes nicht wesentlich jünger sind als die Dichtungen Konrad v. Fussesbrunnen – bzw. der Text der [...] Arundel-Handschrift – bei der am Beginn des 13. Jahrhunderts die Voraussetzungen für die Umgestaltung der Räuberepisode zu dieser Form [des Liedtyps ‚Do Jhesus Christ geboren ward'] und ihrer Weiterentwicklung zur Herbergssuche vorliegen." (ebda. S. 303 f).

8. Zum Einfluß der mittelalterlichen und frühneuzeitlichen Andachtsliteratur auf M. v. Cochem vgl. *Stahl* 1909.

9. Die verschiedenen Fassungen des ‚Leben Christi' in den Jahren 1676/77 bis in die 2. Hälfte des 18. Jhdts. erschienen in 77 Auflagen. Die Verlagsorte waren Mainz, Frankfurt, Solothurn, Luzern, München, Baden, Einsiedeln, Linz, Mindelheim und Steyr (*Festschr. M. v. Cochem* 1984. S. 51). Schon im 17. Jhdt. gab es in Böhmen eine tschechische Übersetzung (*Evans* 1986. S. 272). Die Auflagenstärke war relativ hoch und lag wohl in der Regel über 1 000 Exemplaren. *Stahl* nennt für die Erstausgabe des Jahres 1676/77 eine Auflagenstärke von 1500. Im Jahre 1710 gab es gleich zwei Auflagen mit 1 200 bzw. 1 300 Stück (*Stahl* 1909. S. 40, 42. Anm. 3). Im 19. Jhdt. und Anfang unseres Jhdts. wurde das in Aufklärungskreisen verpönte und persiflierte ‚Leben Christi' in 86 Auflagen verbreitet, und wir können sicher sein, daß die Auflagenstärken höher waren als die des 17. und 18. Jhdts.. Verlagsorte des 19. Jhdts. waren Augsburg, Landshut, Aachen, Frankfurt, Regensburg, Baltimore (USA), Münster, Zülpen, Mainz, Freiburg, Einsiedeln, Elberfeld, Kassel, Dresden, Remagen, Osnabrück, München, Köln. Die Ausgabe München/Köln von 1912 hatte eine Auflagenstärke von 25 000 Exemplaren (*Festschr. M. v. Cochem* 1984. S. 51).

10. In dieser Anweisung spiegeln sich die Pflichten des Hausvaters in der christlichen Hauslehre wider, die ihn u. a. auch ermahnen, die religiöse Erziehung aller Haushaltsmitglieder zu pflegen.

11. Der Stecher war Jean-Baptiste Barbé. Zu Marten de Vos vgl. *Zweite* 1980.

12. Hauptthema sind 6 Motive aus dem Marienleben (heute Dommuseum Halberstadt) (*Kurth* 1926. I. S. 277).

13. Vgl. z. B. ein Fresko in der Friedhofskapelle von Lenggries (Lkr. Bad Tölz-Wolfratshausen) (*Bauer/Rupprecht* 1976–1987. II. S. 215).

14. die schon im Mittelalter zwingend zum Bildbestand der auf die wichtigsten heilsgeschichtlichen Inhalte konzentrierten ‚Biblia pauperum' gehörte (Abb. 1. s. S. 35).

15. Ein Vorläufer dieser Geschichte ist im 23. Kap. des arab. KE zu finden, wo kurz nach der Räuberepisode erwähnt wird, daß, als sich die Hl. Familie der Stadt der Götzen genähert habe, diese in Sandhügel verwandelt wurden (arab. KE. 23).

16. Vgl. die ‚Vita Rhythmica', Konrad v. Fussesbrunnen: ‚Kindheit Jesu', Bruder Philipp: ‚Marienleben', die ‚Legenda Aurea', die ‚Meditationes' (Pseudo-Bonaventura) und Ludolph v. Sachsen: ‚Vita Christi'.

17. Vgl. auch das Lied ‚Do Jhesus Christ geboren ward'. Str. 16 ff (*Pailler* 1881/1883. I. S. 339).

18. Sie sind belebt und klagen ihr Leid: „Sît der wâre got ist chomen, / nû hât ende genomen / unser valschiü gotheit." (*Konr.* 1985 ff. *Ph.* 3300–3311).

19. Ein oberösterreichisches Weihnachtslied thematisiert – wenn auch ungewollt – die Problematik dieser Unterscheidung zwischen schwarzer und weißer Magie, indem es die Ägypter glauben läßt, der Götzensturz sei Zauberei, also schwarze Magie, sodaß sie aus Furcht die Hl. Familie vertreiben (*Pailler* 1881/1883. I. S. 339. Str. 16 ff). Zum Okkultismus im Barock vgl. *Evans* 1986. S. 271–293.

20. Der Begriff ‚Zwibel' soll wohl eine Verballhornung sein und ist gegen die ‚ungläubigen' Orientalen als stinkende Knoblauch- und Zwiebelesser gerichtet (s. auch Türkenbedrohung!). In einem 12 Jahre jüngeren Jesuitendrama heißen die ägyptischen Götter Zibelen (Cybele), Knobloch, Isis und Aff (S. JOSEPHVS. Solothurn 1648. Akt I,2).

21. Auch der religiöse Volksgesang kennt relativ wenig Zeugnisse, die sich mit dem Götzensturz beschäftigen. Er bevorzugt die mitleiderregende Herbergssuche und die ereignisreiche Flucht nach Ägypten. Z. B. thematisiert das alte, aus dem 15. Jhdt. stammende Lied ‚Do Jhesus Christ geboren ward' zwar ausgiebig die Räuberepisode bzw. die Herbergssuche, den spektakulären Götzensturz bei der Ankunft der Hl. Familie in Ägypten finden wir jedoch nicht (*Moser* 1972.).

22. Bruder Philipp betont besonders, daß dieses Wasser eine Art ‚Berührungsreliquie' sei und demgemäß wirke: „und wurden heil und wol bereit, / daz kam von Jêsû heiligkeit." (*Ph.* 3052 f).

23. So z. B. die Wiederholung des dienenden Baumes, die möglicherweise von der Geschichte um den Baum Persides inspiriert war, aber inhaltlich auch sehr stark an das Palmbaumwunder erinnert (*Pailler* 1881/1883. I. Nr. 14. Str. 15,19–24). Die Str. 15 – die Verehrung durch den Baum – bezieht sich eindeutig auf den Persidesbaum. Doch ab Str. 19 kommen immer wieder Bäume vor, die ihre Früchte anbieten, innerhalb einer Nacht nachwachsen, Maria und Jesus Schutz bieten (vgl. auch *M. v. Cochem*: Leben Christi. Mainz/Köln 1716. S. 425 ff). In Str. 23 f kommt es sogar zu einem Quellwunder, das eigentlich in den Kontext von Str. 19 gehört. Hier wurde es von dem Fluchtweg weg dem Aufenthalt in Ägypten zugeordnet. Aufgrund dieses Befundes kommt *Moser* zu dem Schluß, daß „es sich hier um eine Nachdichtung des älteren Episodenkomplexes [handelt]. [...] In mündlicher Tradition lebendig war nur die ältere Form, die in allen Varianten Spuren eines fortgeschrittenen Umsingeprozesses aufweist." (*Moser* 1972. S. 275). Wir haben hier also ein Beispiel für die freie Verfügbarkeit der apokryphen Episoden, die nicht nur umgesetzt, sondern auch vervielfacht wurden, sodaß es zu inhaltlichen Wiederholungen kommen konnte.

24. Ob es sich bei diesem Kultbild um eine Darstellung des Hl. Wandels gehandelt hat, ist nicht bekannt.

25. Vgl. auch ein Tafelbild mit der breikochenden Maria aus Wasserburg (Abb. 33).

2. Das Hl. Familie-Portrait

1. Vgl. die Druckgraphik aus dem Kreis um Hendrik Goltzius (1558–1617): *Bartsch.* III,1. Nr. 23 (18). ebda. IV. Nr. 1 (133).

2. Diese Auffassung war durch die Mystik vorbereitet worden, unter deren Einfluß die Marien- und Kind-Jesu-Frömmigkeit wie auch das Weihnachtsfest an Bedeutung gewann, ablesbar an den zahlreichen Kind-Jesu-Visionen seit dem 13. Jhdt. und den besonderen frommen Praktiken in den Nonnenklöstern, wie das Kindlwiegen oder die Sitte eine Jesuskindfigur zu baden, zu füttern und anzukleiden. Zur Kind-Jesu-Frömmigkeit und den entsprechenden Visionen vgl. *Zenetti* 1987. *Rode* 1957.

3. *Wedewer* definiert die Charakteristika der Idylle: „Die Zeit wird hier gleichsam ausgeblendet und folglich jedwede Andeutung von Geschichtlichkeit. Dieser raumzeitliche Stillstand kennzeichnet allgemein die Idylle, unabhängig von der Vielfalt und auch Unterschiedlichkeit ihrer Erscheinungsformen. Damit ist eine Idealisierung gegeben, die weder mit der Gegenwart jeweils Berührung hat, noch auch in irgendeiner Weise mit der Tatsächlichkeit der Vergangenheit. Die Idylle ist stets und notwendig ein retrospektiver Entwurf, der Traum vom verlorenen Paradies des ursprünglichen, des einfachen Lebens. Das Wissen um die Tatsächlichkeit der Gegenwart provoziert geradezu den idyllischen Traum von einstiger Geborgenheit, zumal damit die Hoffnung vielfach verbunden ist, das Verlorene auf irgendeine Weise in der Zukunft wiederzugewinnen. Erinnerung und Hoffnung fließen so in der Idylle in eins." (*Wedewer/Jensen* 1986. S. 21).

4. In seiner 4. Ekloge heißt es: „nun kehrt wieder die Jungfrau, kehrt wieder saturnische Herrschaft, / nun wird neu ein Sproß entsandt aus himmlischen Höhen. / Sei der Geburt nur des Knaben, mit dem die eiserne Weltzeit / gleich sich endet und rings in der Welt eine goldene aufsteigt, / sei nur, Lucina, du reine, ihm hold; schon herrscht dein Apollo." (*Vergilius*: Bucolica. 4,6–10). Auch in der Beschreibung des Goldenen Zeitalters ist die Korrespondenz zur Paradiesesdarstellung der Bibel unverkennbar. Bei Jesaias 11,6–9 heißt es: „Beim Lamm wird verweilen der Wolf, der Leopard lagert beim Böcklein. Kalb und Löwe mästen sich gemeinsam, ein kleiner Knabe kann sie hüten. Kuh und Bärin freunden sich an, ihre Jungen lagern beisammen; der Löwe frißt Stroh wie das Rind. Der Säugling spielt am Schlupfloch der Otter, nach dem Jungen der Viper greift das Kind mit der Hand. Nirgends handelt man bös und verderbt auf meinem ganzen heiligen Berg; [...]." Und bei Vergil: „Freiwillig tragen die Ziegen nach Haus milchstrotzende Euter, / und die Rinder fürchten sich nicht vor mächtigen Löwen, / üppig umblüht deine Wiege dich rings mit lieblichen Blumen. Dann stirbt aus die Schlange, und trügerisch-giftiges Krautwerk / stirbt dann aus und überall wächst assyrischer Balsam." (*Vergilius*: Bucolica. 4,21–25).

5. Diese christliche Umdeutung Arkadiens ist schon im vierten nachchristlichen Jahrhundert, z. B. bei Prudentius, zu beobachten (*Schmid* 1953/1975. S. 57 ff). Demgegenüber wurde die Vorstellung vom Seelenhirten als Christusallegorie – dem *pastor bonus* – nicht in die frühchristliche Adaption der römischen Idylle übernommen, obwohl die frühchristliche Bukolik ansonsten die Charakteristika dieser Gattung durchaus rezipierte, um z. B. im Rahmen von Heiligenlegenden der Dichtung einen idyllischen Zug zu geben bzw. um Wun-

dererzählungen ins Ländliche zu transponieren, und zwar als Versuch „in einer Welt, der die traditionelle profane Bukolik mittlerweile aus religiösen Gründen fragwürdig erscheint, die aber für die Reize dieser Literaturgattung noch immer empfänglich ist, eine – vom Christentum her gesehen – legitime Bukolik zu schaffen." (ebda. S. 97). Erst in der Neuzeit wurde die Hirtenidylle der antiken Bukolik im Sinne einer christozentrischen Hirtenallegorie durch „das Hineinnehmen der transzendenten Symbole in die natürliche Landschaft" (ebda. S. 111) verwandt.

6. „Alle die in der weltlichen Bukolik ausgebildeten Formelemente kehren sodann auch in der Sekundärbildung der geistlichen Bukolik wieder, die vor allem im katholischen Europa reichlich bezeugt ist. Sie hat im Rückgriff auf die biblische Pastoralmotivik insbesondere im geistlichen Hirtenspiel gelegentlich auch eigene Themen und Darbietungsformen ausgeprägt, stellt jedoch im übrigen eine Kontrafaktur zur weltlichen und vornehmlich zur erotischen Pastoralpoesie dar." (*Garber* 1976. S. XI).

7. Die Vermischung antiker Terminologie mit christlichen Ideen gehörte zur gängigen barocken Bildsprache, in der z.B. *fortuna* der – jesuitischem Gedankengut angehörenden – göttlichen Vorsehung (*Divina Providentia*) dient (Abb. 36.a-b: Deckenfresko in der Josephskirche von Starnberg).

8. den man umgekehrt als säkularisiertes Paradies interpretieren kann.

9. Vgl. Hl. Familie in Blumen- und Fruchtgirlande. Alte Pinakothek, München (die Girlande wurde von Jan Brueghel d. Ä. gemalt), einem Gemälde, bei dem die friedvolle und überaus harmonische Atmosphäre durch die Girlande gesteigert wird, die gleichzeitig in ihrer Funktion als Rahmen das geschaute Idyll vom Betrachter und seiner Realität abrückt und traumhaft, visionär, paradiesisch erscheinen läßt (*Hubala* 1984. Abb. 135. S. 176).

10. Wie z.B. die als *paradiesus claustrum* zu verstehende Anlage des Prager Loreto-Klosters zeigt (s. S. 122 und *Matsche* 1984.).

11. Vgl. entsprechende vorreformatorische Darstellungen deutscher Meister.

12. In manchen Fällen wird die als Topos der Arkadiendarstellungen fungierende freie Landschaft durch die Unbestimmtheit des Horizonts gemildert.

13. Vgl. Bildunterschrift zu Wierix in den Werkstattszenen (Abb. 28, 29) und das Insistieren Martin v. Cochems auf diese Demutsformel für das gesamte ,verborgene' Leben Jesu (s. S. 78).

14. Diese Darstellung fand besonders in Polen Verbreitung (*Mâle* 1951. S. 311 f. *Kat. Luther* 1983. S. 247. Kat.-Nr. 122. *Gebhard* 1956. S. 59. Anm. 10).

15. die in Köln hinter den Gemälden durch ihre Reliquien sogar direkt präsent waren

16. Vgl. Goltzius: Ruhe auf der Flucht unter einem Kirschbaum. 1589 (*Bartsch*. III,1. S. 32. Nr. 24 (18)) oder dessen Stiefsohn Matham: Ruhe auf der Flucht. nach Goltzius. (ebda. IV. S. 235. Nr. 258 (196)).

17. in der schon der einen Apfel reichende Joseph gezeigt wird (*Foster* 1978. S. 219).

18. Der Heilige konnte sich jedoch dem *hortus conclusus* nähern, indem er z.B. bei Patinir mit einem Topf in der Hand sich in seine Richtung begibt (Farbtafel II.).

19. Quemadmodum desiderat cervus ad fontem aquarum ita desiderat anima mea ad te Deus. (Wie der Hirsch (die Hinde) lechzt nach frischem Wasser, so lechzt meine Seele, Gott, nach dir.).

20. Während *Muthmann* für Correggio noch den Einfluß der apokryphen Episode vom Palmbaum- und Quellwunder geltend macht, muß ein entsprechender direkter Bezug für Barocci verneint werden, da weder Gestik noch die Art der dargebotenen Frucht oder die Gestaltung des Baumes auf die Dramatik eines Wunders hinweisen, wie es sich in der Dynamik des Correggio-Gemäldes wiederfinden läßt.

21. Barocci arbeitet z.B. für die Jesuiten in Il Gésu.

22. So z.B. das Bild ,Il reposo nella fuga in Egitto' (Farbtafel III.), das er selbst mehrfach ausführte und das in Kopien und zahlreichen Stichen anderer Künstler weitere Verbreitung fand.

23. Wie z.B. bei Martin Schongauer (um 1450–1491) durch Engel (*Bartsch*. VIII. S. 220. Nr. 7 (123)) und einer späten Buchmalerei nach Schongauer (2. Viertel. 16. Jhdt.) (*Achten* 1988. Taf. 24) – ebenso bei Hans Baldung, gen. Grien (1484/85–1545) (*Seitz* 1908. Bild 72) – oder bei Baldassare Peruzzi (1481–1536) (ebda. Bild 45), Antonio Allegri, gen. Corregio (1489/94–1534) (ebda. Bild 57. *Muthmann* 1975. Taf. 46,2) und Hans Memling (1435–1494) (*Baldass* 1942. Abb. 76) durch eine unnatürlich gebogene Palme.

24. Eine Fassung wurde zwischen 1570 und 1573 für die Kirche Santo Stefano in Piobbico gemalt, eine andere für die Vatikanische Pinakothek (*Olsen* 1962. S. 154 ff).

25. indem Maria das lebendige und lebenspendende Wasser (Christus) schöpft (*Muthmann* 1975. Kap. XI).

26. *Olsen* führt 3 Fassungen und 7 Kopien auf. Fernerhin ist mir eine freie Kopie von Cornelis Cornelisz van Haarlem (1562–1638) – einem Freund von Hendrik Goltzius – bekannt (*Kat. Gods, Saints & Heros* 1980. S. 80 f. Außerdem kennen wir Stiche von Raffaello Schiaminossi (*Olsen* 1962. Abb. 122b) und Cornelis Cort (*Hollstein*. V. Nr. 43).

27. *Reznicek* kennt zwei Zeichnungen von Goltzius, die sich auf das Gemälde Baroccis beziehen (*Reznicek* 1961. I. S. 108 f, 246 f).

28. Es ist zwar weder ein entsprechender Stich noch eine Zeichnung von Goltzius bekannt, doch weist Matham – Goltzius' Stiefsohn – die Urheberschaft des Entwurfs seinem Stiefvater zu (*Bartsch*. IV. S. 97. Nr. 107 (160)).

29. Die Wahl des Ortes in Baroccis Fresko war nur konsequent, da hier der Anbringungsort im Casino des Papstes Pius IV. der Abbildung der *Casa Sanctae Familiae* entspricht, ein ikonologischer Kontext, von dessen Fesseln sich Matham in seinem Stich befreien konnte.

30. ein Motiv, das sich bei dem Bildthema ,Rast auf der Flucht' geradezu anbot und das im Goltzius-Kreis, dem Matham entstammte, gut bekannt war und gerne rezipiert wurde. Vgl. die Graphiken von Goltzius (*Strauss* 1977. I. S. 281. Nr. 103), Matham (*Bartsch*. IV. S. 9. Nr. 1 (133). ebda. S. 234. Nr. 257 (195) nach einer Zeichnung von Goltzius (nach Barocci) *Reznicek* 1961. II. S. 108. K 27) oder einem anonymen Stecher nach Goltzius (*Bartsch*. III,1. S. 285. Nr. 2 (95)).

31. Vgl. die Werke von Bartholomäus Spranger, die allerdings nur in Stichen von Goltzius und in Kopien nach diesen Stichen überliefert sind (*Bartsch*. III,1. S. 241. Nr. 274 (84). ebda. S. 242. Nr. 275 (84). *Strauss* 1977. I. Nr. 281. ebda. II. S. 494 f). Zu Spranger vgl. *Henning* 1987.

32. Vgl. als Parallele zum Velum dasjenige Evas auf den Bronzetüren zu Hildesheim (*Guldan* 1966. Abb. 4. *Aurenhammer* 1967. I. S. 49 f).

33. Allerdings zeigt eine von Matham selbst entworfene Graphik, in der in apokrypher Manier Engel die Kirschen reichen, daß Matham die Symbolik der Barocci-Komposition nicht übernehmen wollte. Auf diese Weise ging ein Großteil der Paradieses- und Eva-Maria-Symbolik verloren (*Bartsch*. IV. S. 9. Nr. 1 (133)).

34. Der Gestus wird von Goltzius/Matham übernommen.

35. In verwandter Weise führt die hl. Elisabeth ihren Sohn der Madonna in einem von Barocci für die Kapelle des Papstes Clemens VIII. angefertigten Bild zu (heute nur in Kopie erhalten. *Emiliani* 1985. II. S. 284). Dieses Aufeinanderzuführen der beiden Familiengruppen bewirkt – bei Matham noch stärker als bei Barocci – eine Drängung der Personen und damit eine Verunklärung der Komposition. Sie kann auch nicht durch den senkrecht aufgerichtete Kreuzesstab von Johannes d. T. – als Trennlinie für die beiden Gruppen – behoben werden, da sich im Unterschied zu Barocci im Matham-Stich eine Überschneidung von Kreuz und Arm der Madonna ergibt.

36. Bei Barocci entsprechen sich nur die beiden Mütter mit ihren Kindern direkt. Andeutungen für ein Velum gab es möglicherweise auch bei ihm schon, obwohl eine eindeutige Aussage nicht gemacht werden kann, da das Fresko stark beschädigt und überarbeitet ist, sodaß sowohl der Putto mit dem Tuch, wie auch das Vorhangteil rechts oben nachträglich eingefügt sein können. In Baroccis Skizze zum Fresko sind beide Elemente nicht vorhanden (*Emiliani* 1985. I. Abb. 277). In dem nur in Kopien überlieferten Bild ‚Madonna della Gatta' für Clemens VIII. hebt der hl. Joseph allerdings einen Vorhang hoch und eröffnet so der heraneilenden Elisabeth mit dem Johannesknaben den Blick auf die Madonna mit dem schlafenden Jesuskind (ebda. II. S. 284–290).

37. *Pope-Hennessy* weist in der Einzelgestaltung der Gruppen auf Einflüsse Raphaels hin (*Pope-Hennessy* 1971. S. 242–244. Abb. 233).

38. Einzig eine kleine ovale Goltzius-Graphik von ca. 1583, zu der es auch eine verwandte Zeichnung von Goltzius gibt, zeigt dieses Bildmotiv (*Strauss* 1977. I. S. 281. Nr. 163. *Reznicek* 1961. II. S. 322. K 28).

39. s. unten. Exkurs. Vgl. auch die Übertragung auf eine – wenn auch in alttestamentlicher Zeit angesiedelte – Familie in Zusammenhang mit der Versöhnung Labans mit Jakob (Gen. 31,44–53) oder Jakobs mit Esau (eigentlich Jakobs Gebet vor der Versöhnung, vgl. Gen. 32,10–13), eine Motiv-Kombination, die besonders der Rembrandt-Schüler Jan Victors (1619 – nach 1676) gebrauchte (*Sumowski* 1983. IV. Nr. 1754, 1774, 1775). So deutet, besonders bei den beiden Exemplaren mit der Laban-Jakob-Versöhnung aus der Spätzeit Victors (ebda. Nr. 1774 f), die in der Mitte der Kompositionen plazierte Familiengruppe das Hauptthema der Bil-der nicht nur als Versöhnung, sondern auch als Präfiguration des AT zur Erlösung durch Christus und damit zur Versöhnung Gottes mit den Menschen. In dem 1652 entstandenen Bild ‚Jakob erwartet Esaus Verzeihung' (ebda. Nr. 1754) steht diese Gruppe zwar nicht in der Mitte des Gemäldes, ist aber sowohl durch den Lichteinfall, die Reminiszenzen an die Madonnen-Gruppe, die Konzentration der Figuren im linken Bildteil und dem direkt aus dem Bild auf den Betrachter fallenden Blick der mit entblößter Brust das Kind (das nach dem dargebotenen Apfel greift) haltenden Frau von außergewöhnlicher Dominanz, die einem reinen Genre-Motiv im Rahmen einer alttestamentlichen Darstellung nicht zukäme.

40. So z. B. in einer Illustration von Marten de Vos (1532–1603), gestochen von Jean Baptiste Barbé (1578–1649) in der von Adrian Collaert (um 1560–1618) nach 1603 herausgegebenen ‚Vita, Passio et Resurrectio Christi' (*König-Nordhoff* 1982. Abb. 424).

41. Vgl. das Darreichen der Früchte durch Joachim oder die hl. Dorothea (Abb. 4), deren Beispiele zeigen, daß im 16. und 17. Jhdt. diese Handlung keineswegs für Joseph reserviert war. Ganz anders in der Andachtsbildkunst des 18. Jhdts., die den hl. Joseph unter der Prämisse des *pater familias* den symbolischen Akt in ausdrücklicher Übereinstimmung mit seiner sozialen Rolle vollziehen läßt.

42. Wie z. B. durch die geöffnete Tür in der Gartenmauer auf dem linken Flügel des Mérode-Altars (*Hahn* 1986. S. 65).

43. Ludovico Carracci (1555–1619), Vetter von Annibale Carracci (1560–1609) (*Thieme/Beker*. VI. S. 60 f). Freundl. Hinweis von Herrn Prof. Dollinger.

44. *Wedewer* spricht von einem ‚raumzeitlichen Stillstand' (*Wedewer/Jensen* 1986. S. 21).

45. *Wedewer* spricht von der „Sehnsuchtsdimension" dieser Bilder (*Wedewer/Jensen* 1986. S. 21), während *Stierle* im literarischen Bereich die utopische von der sentimentalen Idylle unterscheidet (*Stierle* 1979. S. 546).

46. Sie vereinigten in sich – wie wir gesehen haben – das Paradies und das Erlösungswerk durch Christus, die Hl. Familie und die anderen Heiligen.

47. So datiert die Staats- und Stadtbibliothek Augsburg in einer freundl. Mitteilung Steudners Blatt. Da Albrecht Schmid 1694 in Augsburg Meister wurde, ist für sein Bild eine ähnliche Datierung anzunehmen (*Strauss/Alexander* 1977. II. S. 469). Dafür sprechen auch die gleiche Bildthematik und die Bezüge auf das Hohe Lied im Text.

48. Das Blatt ‚Familia Sacra' ist – an der sonstigen Bildsprache der Hl. Familie-Portraits orientiert – konventionell gehalten und längst nicht so aussagekräftig wie das Bild ‚Joseph und Maria unter einem Apffelbaum / mit dem lieben JEsulein', das hier vorgestellt werden soll.

49. Das Jesuskind sammelt in vielen Fällen Späne auf, die bei Josephs Arbeit abfallen (s. S. 79. Zur Handarbeit Mariens s. S. 77 f).

50. Vgl. Cant. 2,3.

51. Vgl. Cant. 5,1.

52. Vgl. Cant. 4,13.

53. Die lesbaren Reste lauten: „[. . .] es auf gar gern, / [. . .] mit zu verehren, / [. . .] müd allein, / [. . .] Kindelein, / [. . .] mit Fleiß, / [. . .]r Weiß, / [. . .] / [. . .]ohn."

54. *Catholische Mayntzische Bibel*. Frankfurt a. M. 1740. Luther übersetzte *amicus* statt ‚Geliebter‘ mit ‚Freund‘, ein Begriff, der für die katholische Bibelübersetzung eher unüblich war.

55. Ein Beispiel dieser Hohe-Lied-Frömmigkeit im Mittelalter ist das ‚*Speculum Virginum*‘, für das *Greenhill* nachweist, daß es in dieser Tradition steht und dessen Inhalte die Autorin ausführlich darlegt (*Greenhill* 1962.).

56. Vgl. auch die zahlreichen Darstellungen mit dem Früchtepflückenden Joseph im Rahmen der Ruhe auf der Flucht; z. B. bei Hendrik Goltzius (1558–1617) (Abb. 5) und Jacob Matham (1571–1631) (*Bartsch*. IV. S. 235. Nr. 258 (196)). Vgl. auch *Muthmann* 1975.

57. Der Text entspricht genau der Darstellung, sodaß sich eine weitere Bildbeschreibung erübrigt (Originalgröße des grob kolorierten Blattes: 36,5x26 cm. Freundl. Hinweis der Staats- und Stadtbibliothek Augsburg, Frau Stübler).

58. Der Baum als *arbor vitae* und Kreuzessymbol hat in der christlichen Ikonographie eine besonders herausragende Stellung inne (LCI. I. Sp. 258–268).

59. Text: Freundl. Mitteilung der Staats- und Stadtbibliothek Augsburg, Frau Stübler.

60. Noch im frühen 19. Jahrhundert folgte der Tiroler Landschaftsmaler Josef Anton Koch (1768–1839) dieser Tradition, indem er neben einer Jagdszene auch die Flucht der Hl. Familie in dem mit ‚*Rocca di mezzo, vicino a Civitella*‘ betitelten Blatt zeigte (*Hochenegg* 1963. Taf. XXIII).

61. eine Tageszeit, die für Idyllen im klassischen Sinne unmöglich ist, da ihnen der helle Tag gehört.

62. Die Hl. Familie erscheint zwar relativ klein, aber als Zentrum des Bildes. Elsheimer nutzte die Landschaft nicht zu topographischen Studien, sondern stellte sie in den Dienst der Darstellung der Nacht, die die Flüchtenden im besten Sinne des Wortes ‚umfängt‘. Auf diese Weise verdeutlicht Elsheimer nicht nur die Trostlosigkeit der Fluchtsituation, sondern im übertragenen Sinne die vor dem Erlösungswerk Christi im Dunkeln des Unglaubens lebende Menschheit. Die Komposition war so bemerkenswert, daß sein Freund Peter Paul Rubens sie 1613 in einem Gemälde verarbeitete (*Corpus Rubenianum*. XVIII,1. Abb. 42), das seinerseits rege rezipiert wurde. So folgt ein Gemälde von Bernard Fuckerad (†1662) im Langhaus der Kölner Jesuitenkirche Mariä Himmelfahrt dem Vorbild von Rubens.

63. „Die Natur selbst wird zum Bedeutungsträger und vermittelt in ihrer Gestaltung ein Stimmungsmoment, das sonst dem figuralen Thema vorbehalten blieb.“ (*Maisak* 1982. S. 144).

64. Vgl. auch Adriaen van der Kabel: Flucht nach Ägypten (*Bartsch*. S. 217. Nr. 6 (230)); und Anthonie Waterloo (1610 Lille – 1690 Utrecht): Familie bei der Rast (ebda. II. S. 79. Nr. 88 (93)).

65. Schon in der römischen Antike kannte man die Kombination von Baum und Quelle mit einer bukolisch gestalteten Sakrallandschaft, wie z. B. die Wandmalereien von Pompeji zeigen (*Muthmann* 1975. S. 27–34).

66. Vgl. das Palmbaumwunder, zu dessen Verdeutlichung in vorreformatorischen Darstellungen häufig Engel als Chiffre für den mirakulösen Charakter des Geschehens in den Zweigen des Baumes hängen; s. Martin Schongauer (*Bartsch*. VIII. S. 220. Nr. 7 (123) oder Hans Baldung, gen. Grien: Flucht nach Ägypten (*Seitz* 1908. Taf. 11. Bild 72).

67. *Snell* beschreibt den Charakter der Idylle als „die [. . .] drei Merkmale[.] der Seele, die hier [d. h. bei Vergil] neu hervortreten, das Dichterisch-Träumende, das Umfassend-Liebende, das Empfindend-Leidende, [die] weit in die Zukunft [weisen], und es hängt nicht nur an der Weissagung der 4. Ekloge, daß Vergil dem Mittelalter als Wegbereiter des Christentums galt. Sein Arkadien ist nicht nur ein Zwischenland zwischen Mythos und Wirklichkeit, sondern auch ein Zwischenland zwischen den Zeiten, ein jenseitiges Diesseits, das Land der Seele, die sich nach ihrer fernen Heimat zurücksehnt.“ (*Snell* 1955. S. 35 f).

68. Diese Sichtweise konnte sich auch in lokalen Wallfahrtsstätten ausdrücken, die z. B. angeblich den Ort der Ruhe auf der Flucht bezeichneten (Sesselstein bei Tittling. *Kriss* 1953–1956. II. S. 144 f) oder aber die Quelle, an der Maria das Jesuskind gebadet haben soll (Lohn bei Schönbach in Niederösterreich. *Gugitz* 1955–1958. II. S. 82 f. s. S. 42), und die dadurch Heilkraft erlangt habe (vgl. das bei *Ph.* und *Konr.* mitgeteilte Badewasserwunder).

69. Spranger war von 1580–1610 am Hof Rudolfs II. in Prag tätig (zu Sprangers Tafelbildern: *Henning* 1987.).

70. Dieser Linie folgte auch Hendrik Goltzius (1558–1617), nachdem ihn Carel van Mander auf Spranger aufmerksam gemacht hatte. Goltzius und sein Kreis, zu dem sein Stiefsohn Jacob Matham (1571–1631), Jan Saenredam (ca. 1565–1607) und Jan Müller (1571–1628) gehörten, rezipierten den repräsentativen Stil Sprangers, indem sie die Personengruppe frontal dem Betrachter gegenüber stellten. (vgl. die Arbeiten von Matham. *Bartsch*. IV. S. 98. Nr. 108 (160); S. 233. Nr. 256 (195); S. 234. Nr. 257 (195); S. 235. Nr. 258 (196) und Jan Müller. ebda. S. 466. Nr. 26. (274)) oder die Figurengruppe – wie der von Italien beeinflußte Spranger – monumentalisierten (vgl. zu Goltzius. *Bartsch*. IV. S. 241. Nr. 274 (84); S. 264. Nr. 297 (90) und zu Jan Müller. ebda. S. 499. Nr. 66 (284)).

71. Vgl. auch das schon im Mittelalter beliebte Bild des Götzensturzes, bei dem die Anwesenheit Jesu die Götzen, als Zeichen ihres Unterganges, zerbrechen läßt.

72. Schon bei Barocci ist die Wiege in der familiären Idylle zu finden. Vgl. das Hauptfresko im Casino von Papst Pius IV. (Abb. 7) oder auch die heute im Original nicht mehr erhaltene, nur noch in einer anonymen Kopie überlieferte ‚Madonna della Gatta‘ (*Emiliani* 1985. II. S. 284).

73. Daß Elisabeth nicht ihrem Sohn Johannes zugeordnet, sondern ihm gegenübergestellt ist, weicht von üblichen Hl. Familie-Darstellungen mit Elisabeth und Johannes ab und verdeutlicht, wie wenig hier ein gängiges Hl. Familie-Bild intendiert war.

74. „Die Malerei tritt dem Leben mit dem Anspruch gegenüber, ein eigentümliches Medium der Erkenntnis und der Erfahrung zu sein.“ (*Warncke* 1977. S. 8) Besonders im Spätwerk nach 1615 beobachtet *Warncke* eine Zurücknahme der „bildexternen Wirkungsziele und -absichten“ (S. 71) und „abgeschirmte, oft idyllische Binnenbereiche, in die Fremde, Außenstehende hineingeführt oder verwiesen werden.“ (S. 169) So kommt der Autor zu dem, durchaus auch für das oben besprochene Hl. Familie-Bildnis geltende Urteil: „Nach 1615 entwickelte Rubens in seinen Bildern in sich geschlossene Bedingungszusammenhänge,

die einsehbar, doch nicht mehr ergänzbar sind. Die Figuren sind in der Bildwelt voll beansprucht, ihre Haltungen und Gesten in das Geschehen integriert, so daß sie keine Energien für die Außenbeziehungen mehr frei haben." (S. 80) Und: „Es ist wichtig festzustellen, daß Rubens die Bildwirklichkeit gegenüber der Betrachterwirklichkeit auf allen Ebenen als eine in sich geschlossene Eigensphäre verselbständigte; [...]." (S. 100).

75. z. B. durch Joseph, in der hier vorgestellten Komposition, oder auch durch die hl. Anna, die in einem Gemälde von ca. 1630/35 ihren Arm beschützend um ihre Tochter Maria hält (*Kat. Rubens* 1977. S. 208 f. Nr. 89).

76. *Warncke* führt weiter aus: „Denn diese verlangte dokumentarische Sachtreue nach bestem Wissensstand, um die Wahrheit des vorgestellten Geschehens unbezweifelbar zu zeigen. So zwang die Erfüllung einer ganz außerkünstlerischen, nämlich ideologischen Doktrin zur Anwendung eines [antiken] Vorbildes als Muster [z. B. für die Gewänder der heiligen Personen]." (*Warncke* 1987. S. 81). Die durch die protestantische Bewegung in Beweisnot gelangte römische Kirche argumentierte im Rahmen dieses Decorum-Gebotes also nicht mit dem Offenbarungscharakter der Hl. Schrift, sondern konzentrierte sich auf eine fast rationalistische Beweisführung der Historizität des biblischen Geschehens.

77. *Guldan* spricht vom religiösen Genre und dessen „Aufwertung der unscheinbaren Dinge in den Bildern der großen Themen" (*Guldan* 1966. S. 69).

78. die sich nicht notwendigerweise im ‚heroischen' Rahmen der Passion bewegen mußte.

79. Vgl. z. B. Jacob Matham: Flucht nach Ägypten. Kupferstich nach B. Spranger. 1610. (*Bartsch*. IV. S. 187. Nr. 202 (183)). *Kat.Prag* 1988. bezeichnet den Stich fälschlicherweise als Rückkehr (*Kat. Prag* 1988. S. 424. Nr. 318). Ein berühmter Vorläufer dieser Substitution ist ein Tafelbild des Meisters von Flémalle (Madonna mit dem Ofenschirm), auf dem ein Ofenschirm den Nimbus der Madonna ersetzt (*Pächt* 1989. Taf. 1).

80. Zur Diskussion der Begriffe ‚Andachtsbild' und ‚Kultbild' s. S. 107.

81. und die Fähigkeit Mariens zur menschlichen Anteilnahme (*caritas*) zeichenhaft im Bild ihrer mütterlichen Zuneigung zum Jesuskind (mehr oder minder deutlich) zeige.

82. Auch Ignatius v. Loyola soll ein Hl. Familie-Portrait besessen haben (*König-Nordhoff* 1982. Anm. 32).

83. z. B.: Kopie der ‚Madonna di Loreto' von dem Niederländer Vincent Sellaer (16. Jhdt.), die zur Sammlung Wallraf-Richartz (Köln, Inv.-Nr. 1871) gehört (*Klesse* 1973. S. 117 ff). Eine qualitätvollere Kopie befindet sich im Louvre (*Oppé* 1970. Abb. 212), die aber von dem Exemplar der J. Paul Getty-Sammlung (Malibu/Calif.) noch übertroffen wird. Bei der Wiederentdekung dieses Bildes 1938 ging man sogar so weit, von der Auffindung des Originals zu sprechen. Trotz der kontroversen Diskussion dieser These ist es anerkanntermaßen das beste Exemplar (*J. P. Getty Museum* 1975. S. 86 f.).

84. Bezeichnenderweise befand sich im selben Straßenzug wie das Kloster der Barmherzigen Brüder die Josephskirche der Karmeliter.

85. So soll sowohl der Maler des Kultbildes als auch ein schwerverletztes Kind geheilt worden sein (*Gugitz* 1955–1958. I. S. 49 f).

86. Nach *Missong* besitzen alle vom Wiener Konvent abstammenden Ordensniederlassungen Österreichs eine Kopie dieses Gnadenbildes (*Missong* 1970. S. 110).

87. Van Dyck war von 1617 bis ca. 1621 freier Mitarbeiter der Rubenswerkstatt.

88. Auch befand sich in der Sakristeikapelle der Stiftskirche Wettenhausen ein Altarblatt mit der Hl. Familie in Form des Hl. Wandels von ca. 1670 (Freundl. Hinweis von Herrn Dr. Kraft, Bayerisches Landesamt für Denkmalpflege, München).

89. Er stiftete nach der Geburt seines Sohnes 1679 zwei Brunnen: den Josephsbrunnen als Dank für die Erfüllung der Bitte und einen Brunnen für den habsburgischen ‚Stammheiligen' Leopold in Erinnerung an die *dynastische* Bedeutung der Geburt des Thronfolgers (*Matsche* 1981. I. S. 186 f).

90. Von 1684 bis 1690 fanden allein 2 013 Messen, 114 Hochämter, 100 Predigten und 100 Wallfahrtsgänge statt (*Schulz* 1980. S. 22). Auch die Vielzahl von Votivgaben, die trotz der durch aufklärerisches Gedankengut motivierten ‚Aufräumaktion' des Benefiziaten Johann Leonhard Ritter noch 1784, drei Jahre vor der Aufhebung der Wallfahrt, vorhanden waren, zeugen von der Popularität der Wallfahrt (ebda. S. 29 f).

91. Die Gläubigen kamen am Festtag des hl. Jakobus d. Ä. aus Oberstotzingen und Günzburg, zu St. Markus aus Burgau, Limbach und Rettenbach, Freitag vor Pfingsten aus Jettingen. In der Woche von Christi Himmelfahrt besuchten die Gläubigen aus Reisensburg, Ober- und Unterknöringen, Leinheim (oder Leipheim?), Limbach, Röfingen, Roßhaupten und Haldenwang die Wallfahrt, zum Fest Johannes d. Täufers Scheppach, das selbst eine Allerheiligen-Wallfahrt hatte, und Bubesheim. Offingen, Gundremmingen, Hochwang und Oxenbronn kamen zu Mariä Heimsuchung, Rettenbach, Remshart, Harthausen und Riedheim zu Mariä Geburt und Deffingen zusammen mit Günzburg zum Fest des hl. Matthäus (Stand 1740) (*Schulz* 1980. S. 35 f).

92. Nach *Steichele/Schröder* sollte die Scheppacher Br. dazu dienen, die unattraktiv gewordene Allerheiligen-Wallfahrt wieder zum Aufschwung zu führen.

93. 1694 wurde im Prager Kapuzinerkloster die erste Seelenbr. der Hl. Familie gegründet (s. S. 123, 161). Daß die Scheppacher Fraternität zum gleichen Typus gehörte, ist sehr wahrscheinlich, doch ist die Titelangabe zu Scheppach bei *Steichele/Schröder* (V. S. 748) zu unklar, um definitiv eine Aussage zum Titel machen zu können.

94. Freundl. Hinweis von Herrn Dr. Kraft, Bayerisches Landesamt für Denkmalpflege, München. Auch lassen sich Einflüsse des Limbacher Kultes wohl kaum in einer ehemals fünffigurigen Gruppe der Loreto-Kapelle in Burgau feststellen, die als ein durch Joachim und Anna erweiterter Hl. Wandel interpretierbar ist und von der nur noch das Jesuskind erhalten ist. Da Hl. Wandel-Darstellungen auch zum Umfeld von Loreto-Heiligtümern gehören (s. S. 110 und S. 129), ist die Zuordnung der Burgauer Gruppe zur Limbacher Königin-Bild-Verehrung grundsätzlich fraglich, zumal auch in Wettenhausen ein Altarbild mit dem Hl. Wandel existiert.

95. Im Bereich der Altäre z.B.: Ende 17. Jhdt. Landau a. d. Isar, kath. Wallfahrtskirche Mariä Heimsuchung: li. SA (im Antependium) (*KD Bayern. Niederbayern.* XIII. S. 99); 1699. Fischen, Frauenkap.: nördl. SA (ebda. *Schwaben.* VIII. S. 271); frühes 18. Jhdt. Unterframmering, GK St. Michael: südl. SA (ebda. *Niederbayern.* XIII. S. 176); Mitte 18. Jhdt. Stein, GK Mauritius, Marienkap.: Gemälde im Auszug des Marienaltars (ebda. *Schwaben.* VIII. S. 865); 1765. Greit bei Pfunds, Kap. Hl. Familie (*Dehio* 1980. S. 611); 18. Jhdt. Gaisalpe (Gemeinde Schöllang), Wegkap. (*KD Bayern. Schwaben.* VIII. S. 284); frühes 19. Jhdt. Immenstadt, Kalvarienbergkap. (ebda. S. 438). Im Bereich der Ölgemälde: Im Konventgebäude des Klosters Oberschönenfeld (Lkr. Augsburg) befinden sich z.B. allein im Erdgeschoß fünf Ölgemälde dieses Typs (*KD Bayern. Lkr. Augsburg.* S. 237 f). Weitere Hl. Familie-Portraits hängen im nordwestl. Treppenhaus, im westl. Treppenhaus und im 2. Obergeschoß des Ost- bzw. Westflügels (ebda. S. 240 f). Die Entstehungszeit der Bilder bewegt sich im Bereich des frühen 17. bis mittleren 18. Jhdts.. Ölgemälde dieser Art fanden auch im Kirchenraum Platz, wie ein Beispiel im Langhaus der Kirche von Niederhöcking von 1698 beweist (*KD Bayern. Niederbayern.* XIII. S. 133). Im Bereich der Deckenfresken: um 1728. Geisenried (B. Augsburg) (*Steichele/Schröder* 1864–1939. VII. S. 176).

96. Eine frühere, aus dem Wallis stammende Tafel von 1812 zeigt ebenfalls die Portrait-Gruppe (*Creux* 1980. S. 87).

97. Hier sei an Kaiser Maximilian I. erinnert, der seine heilige „Sipp-, Mag- und Schwägerschaft" in einer Holzschnittserie von Hans Burgkmair drucken ließ (*Laschitzer* 1889.).

98. Vgl. der hl. Leopold, Markgraf v. Österreich (1077–1136), als Gründer der Dynastie und Stifter von Klosterneuburg (LCI. VII. Sp. 400 ff).

99. Dies ist erst im Bildtyp des Hl. Wandels der Fall.

3. Die Alltagsszenen der Hl. Familie

1. So handelt die VR das normale Alltagsleben der Hl. Familie in nur acht Zeilen ab, die sich hauptsächlich mit der Arbeit beschäftigen: „Septem annis in Egypto cum puero manserunt / Joseph et Maria mater, et se sustentaverunt / De labore manuum, nam Joseph exercebat / Artem carpentariam, Mariaque texebat / Byssum atque purpuram; in hoc fuit perita, / Se Jesumque puerum nutriverunt ita. / Sed Joseph conductitium agrum comparavit, / Quem cum bubus geminis colens seminavit." (VR 2478–2485). Diese Arbeitsszene blieb für die Darstellung des Alltags der Hl. Familie in der Neuzeit eine der wichtigsten Begebenheiten, während die Wundererzählungen zurücktraten. Demgegenüber benutzte die VR diese allgemeine Beschreibung nur als Einleitung zu den breit ausgeführten Wundern des Jesusknaben.

2. Dies wird besonders in den Texten deutlich, die die entsprechenden Darstellungen – besonders in der Druckgraphik – begleiten.

3. Manchmal bildeten sie einen genrehaften Zug aus, der die Attraktivität dieser Szenen für den Betrachter steigerte.

4. *Bringéus* ordnet das zweite Blatt aus dem Zyklus (Der Mittag) dem Augsburger Albrecht Schmidt zu (*Bringéus* 1982. S. 62). *Brückner* verzichtet auf eine genauere Zuschreibung

(*Brückner* 1969. Abb. 7). *Kat. Luther* 1983. schreibt die Blätter – wie *Strauss/Alexander* – dem Augsburger Abraham Bach zu (*Kat. Luther* 1983. S. 248. Kat.-Nr. 123. *Strauss/Alexander* 1977. I. S. 71 f. Nr. 37–40). Die Originale liegen im Germanischen Nationalmuseum, Nürnberg unter den Signaturen HB, 18406–18409. Ich werde im folgenden von Bachs Zyklus als den ‚Tageszeiten' sprechen.

5. Abraham Bach d. J. war zwischen 1648 und 1702 als ‚Briefmaler' in Augsburg tätig. 1653 wegen Bankrotts aus seiner Gilde ausgeschlossen, konnte er dennoch 1668, nachdem er seine Schulden bezahlt hatte, die wichtige Position des Sprechers der protestantischen Fraktion in der Gilde einnehmen. Er richtete seine Bilder nach den Bedürfnissen beider Konfessionen aus und hat so möglicherweise mit seiner protestantischen Sichtweise auch Einfluß auf die von offenbar katholischen Auftraggebern bestellten Blätter nehmen können. Von seinen insgesamt vierzig überlieferten Blättern nimmt ein Großteil religiöse Themen auf, sodaß der Zyklus ‚Die Tageszeiten' keinesfalls ein Sonderfall in seiner Produktion ist (*Strauss/Alexander* 1977. I. S. 29).

6. *Ronig* 1974. und *Appuhn* 1974.

7. Dieses Bildmotiv war besonders in der 2. Hälfte des 15. und in der 1. Hälfte des 16. Jhdts. verbreitet (*Schmidt* 1980.). Zu Maria im Kindbett vgl. *Schewe* 1958.

8. Meist wird er schlafend dargestellt – ein Hinweis auf die göttlichen Weisungen, die er im Traum erhielt.

9. Die Andachtsliteratur wurde nicht müde, diese Tugend der Hl. Familie selbst unter ärmlichsten Lebensbedingungen immer wieder hervorzuheben.

10. David war auch als Handschriftenillustrator tätig. *Miegroet* hebt bei dem Bild ‚Maria mit der Breischüssel' besonders die Verbindung von Madonnenbildnis, Alltagsszene, Stilleben und Landschaftsbild hervor (*Miegroet* 1989. S. 241). Von der ‚Suppenmadonna' sind insgesamt 5 Gemäldekopien bekannt (ebda. S. 300).

11. Alle Personen sind mehr oder weniger in sich versunken und nehmen keinen Kontakt zum Betrachter auf.

12. Der Holzschnitt gehört zu einer Reihe, die u.a. die Szenen ‚Der Engel rät Joseph zur Flucht', ‚Flucht', ‚Der 12-jährige Jesusknabe im Tempel', ‚Jesus hilft Joseph beim Zimmern', ‚Hl. Familie bei der Mahlzeit' und ‚Jesus lehrt seine Mutter [!]' umfaßt (Teil III des Itinerariums. *Schramm* 1940. XXII. Taf. 35. Abb. 215–220).

13. Dies ist möglicherweise ein Verweis auf das An-die-Brust-Schlagen beim *mea culpa* des Stufengebetes und bei der Wandlung (vgl. z.B. die Anweisungen zur Verfolgung der Messe in: *Regeln der Heil. Bruderschafft.* (um 1800). S. 42 f).

14. Das ‚Tafel'-Lehrbuch für Maximilian I. wurde geschrieben und gezeichnet von dem kaiserlichen Kanzlisten Wolfgang Spitzweg, illuminiert durch den ‚Lehrbüchermeister'. Die Illustration zu fol. 11^r zeigt Maximilian mit einem Priester, der die Mahlzeit segnet, bei Tisch, davor stehend ein Diener, der die Speisen reicht. Vgl. Initialminiatur zu dem Tischgebet ‚Benedicite' (fol. 12^v.): Maximilian I. bei Tisch von zwei Personen (einer davon Mönch) flankiert (Abb. *Fichtenau* 1961. Taf. 9).

15. LCI. I. Art.: Dreifaltigkeit. speziell. Sp. 532. LThk. III. Stichwort: Dreifaltigkeit. Sp. 543–564. Taf. Dreifaltigkeit I.

Abb. 1. mit einer der ältesten christlichen Darstellung der alttestamentlichen Szene in S. Maria Maggiore, Rom (Mosaik).

16. Vgl. eine Miniatur aus dem Stundenbuch der Katharina v. Kleve zum Donnerstags-Stundengebet zum Hl. Altarsakrament (Vesper) (Guennol-Teil. fol. 139) (*Plummer* 1966. Tafel 75).

17. Im ersten Blatt des Zyklus trägt nur der Text die Hauptaussage, die vom Bild in der Weise illustriert wird, daß die handelnden Personen in ihren irdischen Grundfunktionen dargestellt werden: Joseph als Handwerker, Maria und Jesus als Mutter und Kind.

18. Möglicherweise sogar eine Verkündigungsmadonna. Freundlicher Hinweis von Thomas Stangier. Vgl. *Baxandall*, der für die florentinische Malerei des 15. Jhdts. eine genau umrissene Rhetorik der Verkündigungsszenen feststellt. So unterschied der Prediger Fra Roberto Caracciolo da Lecce in seinen in Neapel 1489 erschienenen *Sermones de laudibus sanctorum* fünf verschiedene Gefühlszustände Mariens, die sich in der Malerei wiederfinden: *conturbatio* (Aufregung), *cogitatio* (Überlegung), *interrogatio* (Nachfrage), *humiliatio* (Unterwerfung) und *meritatio* (Verdienst), wobei diese letzte Phase der gängigen Ikonographie der *Annunciata* entspricht (*Baxandall* 1987. S. 66–72).

19. Nach Martin v. Cochem könnte es auch die hl. Anna sein (*M. v. Cochem*: Leben Christi. Mainz/Köln 1716. S. 495).

20. Anscheinend sind alle Altersklassen vertreten und somit das Idealbild des ‚ganzen Hauses‘ wiedergegeben.

21. Vgl. den Einblattdruck ‚Ein Tisch-zucht‘ (1534) von Georg Pencz, in dem das Tischgebet den Kindern, die Bedienung der Tischgesellschaft aber den im Bedeutungsmaßstab verkleinert dargestellten Dienstboten zugeordnet wird (*Raupp* 1991. Abb. 6).

22. *Bringéus* erläutert dazu: „In der römisch-katholischen Kirche wurde die Gebetstradition dadurch gefestigt, daß die Tischgebete in das Brevier eingefügt wurden, das die zu dem liturgischen Stundengebet gehörenden Choräle, Hymnen und Lesetexte enthält. Die Gebete des Breviers wurden von Luther in der Muttersprache in den kleinen Katechismus übernommen. Vom Lateinischen blieben nur die Einleitungsworte zu den Gebeten übrig, die gleichzeitig als Bezeichnung für die Gebete vor und nach den Mahlzeiten dienten: „Benedicite" beziehungsweise „Gratias". (*Bringéus* 1982. S. 58). In der katholischen Kirche waren sie spätestens seit dem Ende des 16. Jhdts. als Tischgebete in den Familien üblich (*Schrems* 1929. S. 82).

23. So zeigt Abraham Bachs Illustration aus einem anderen Zyklus zum vierten Gebot ebenfalls eine Tischszene, in der den am Tisch sitzenden Eltern ein Junge und ein Mädchen gegenüberstehen (*Strauss/Alexander* 1977. I. S. 33. Nr. 4). Der bei *Gebhard* aufgestellte Katalog der Tischszenen mit der Hl. Familie umfaßt insgesamt 13 Exponate, hauptsächlich aus dem oberbayerischen und Tiroler Raum (*Gebhard* 1956. S. 58 f).

24. Die Reduktion bezieht sich also auf die begleitende Person, ohne die Hl. Familie zu betreffen und somit die Aussage des Bildes entscheidend einzuschränken. Sie dient vielmehr der Konzentration und Pointierung, die sich besonders auf Maria bezieht, da ihr Nimbus stärker ausgeprägt ist, als der des hl. Joseph und sogar des Jesuskindes. Vgl. auch eine in

Grisaillemalerei ausgeführte Tischszene im Chor der Michaelspfarrkirche von Seehausen (Lkr. Garmisch-Partenkirchen) von 1790 (*Bauer/Rupprecht* 1976–1987. II. S. 425. Abb. B_4).

25. Links und rechts von dem runden, gedeckten Tisch sitzen Maria und Joseph mit gefalteten Händen, der Jesusknabe aber steht in der Bildmitte betend vor dem Tisch. Alle Personen sind mehr oder weniger stark dem Betrachter zugewandt, dem der Jesusknabe auffordernd zublickt. So wird der Kontakt zum Gläubigen hergestellt und der exemplarische und appellative Charakter des Bildes offensichtlich.

26. Die gewundenen Säulen weisen meist auf den Salomonstempel hin (Freundl. Hinweis von Herrn Prof. H. Dollinger) und gehören zur wichtigsten christlichen Altararchitektur des Abendlandes, zum Hauptaltar der Peterskirche in Rom (*Thelen* 1967.).

27. Die entsprechenden Zeilen bei Bach lauten: „Deswegen sie nach guten Sitten / Umb seinen reichen Seegen bitten“ (Der Mittag. Str. 3,11).

28. „Jesus aber trat auf die andere Seite, faßte das kürzere Holzstück an, streckte es und machte es dem anderen gleich.“ (zitiert nach *Hennecke/Schneemelcher* 1968. I. S. 296).

29. In dieser Ausprägung finden wir das Wunder der Holzlängung sowohl in der VR (Kap.: *Quod Jesus trahendo prolongavit ligna*. VR 2764–2779) als auch in dem von ihr abhängigen Werk Konrads von Fussesbrunnen (*Konr.* 2563–2611) und bei Bruder Philipp (*Ph.* 4268–4333).

30. „Jêsus muoter kom dar zuo, / dô daz kint diu hölzer zô. / sî sprach ‚was tuostu, liebez kint?‘ / Jêsus sprach ‚diu hölzer sint / ze kurz, diu sul wir lenger machen.‘ / dô begunds tougen lachen.“ (*Ph.* 4328–4332). Die Steigerung in der Anzahl der zu verlängernden Hölzer ist sowohl bei Konrad v. Fussesbrunnen (2) als auch bei Bruder Philipp (4) zu beobachten. Sie berührt den Grundbestand der Wundererzählung aber nicht.

31. Die Illustration von 1502 ist im Vergleich zu dem bei *Seitz* abgebildeten Druck (*Seitz* 1908. Taf. 11. Bild 10) in der Ausstattung reicher (z. B. durch zwei Fenster) und in der Komposition seitenverkehrt. Dafür fehlt ihr die rankenähnliche Einfassung. *Seitz* gibt leider nicht an, welcher Ausgabe des CS er seine Abbildung entnommen hat.

32. *Wyss* führt für dieses Bildmotiv mehrere Beispiele an. Dabei nimmt ein dem Meister des Paradiesgärtleins zugeschriebenes Straßburger Tafelbild von ca. 1420 (Musée de l'oeuvre Notre-Dame, Straßburg. *Wyss* 1983. S. 169. Abb. 37) eine besondere Stellung ein. Maria sitzt nähend im linken Bildteil, während rechts im Raum Joseph an der Hobelbank steht. Er arbeitet nicht, sondern wendet sich im Gehen von Maria ab; ein Engel über seinem Kopf führt ihm die göttliche Weisung zu, die schwangere Maria nicht zu verlassen. Da sich die Begebenheit vor der Geburt Jesu abspielt, gehört das Kind nicht zu dieser Szene.

33. Aus diesem frühen Wiegendruck stammt auch die oben schon vorgestellte eucharistische Tischszene, die der Werkstattszene dort unmittelbar folgt. Neben der ersten lateinischen Ausgabe gab es auch einen deutschsprachigen Druck (Inkunabel der Kunsthalle Bremen. *Schramm* 1940. XXII,2. Taf. 35. Abb. 218).

34. Der Druckstock des Hauptbildes ist in die Mitte des 16. Jhdts. zu datieren, das Neujahrsblatt selbst stammt von

ca. 1600. (*Kat. Wort und Bild.* Kat.-Nr. 64. S. 206). Zur Richtschnurmetapher s. S. 77.

35. Die Wierix-Stiche dieser Reihe, waren sehr beliebt, wie einige Kopien zeigen, die z.T. noch zu Lebzeiten von H. Wierix gedruckt wurden (*Spamer* 1930. Taf. XXXV,1 und 3; Taf. XXXVI,2).

36. Das Blatt wurde vermutlich im Karmeliterinnenkloster U. L. Frau zum Trost in Vilvorde bei Brüssel gedruckt (*Spamer* 1930. S. 22) und noch im 16. Jahrhundert rezipiert (*Hollstein.* IV. Nr. 30).

37. Eine Verquickung von Innen und Außen mit einer entsprechenden Zuordnung der Personen zum jeweiligen Raum zeigt ein Emporenfresko der Tannenberger Josephskapelle (B. Augsburg) von 1744 (*Bauer/Rupprecht* 1976–1987. I. S. 547).

38. Kopie (hrsg. von Jean Messager) bei *Spamer* 1930. Taf. XXXV,1. Möglicherweise hat Wierix einen Teil der Ikonographie von Dürer übernommen, dessen Graphiken er in seiner Lehrzeit kopiert hatte.

39. Dies wird besonders im Untertitel deutlich: „Ferro trabes vult secare / Puer, terras coelum, mare / qui pugillo continet."

40. Der vollständige Text lautet: „Animose finde Pater, / Animosa perge Mater / Fila trahens linea. / Est laborum consolator / Mundi puer fabricator / Frusta legens linea."

41. Der Kirchenvater Ambrosius (339–397) verstand im Rahmen dieser Terminologie den *faber* Joseph innerhalb der irdischen Trinität als Pendant zu Gottvater, dem *fabricator omnium* oder *caeli*. Er stellte die Berufswahl für Joseph als gottgewollt dar, um auf diese Weise den Menschen ein unmißverständliches Zeichen von Josephs irdischer Stellung als Vater Christi und seiner typologischen Beziehung zu Gottvater zu geben (*Ambrosius v. Milan*: Expositio Evangelii secundum Lucam. Lib. III. 3,23 (CCSL. XIV. S. 76). *Hahn* 1986. S. 58). In dieser ambrosianischen Typologie, die schnell zum festen Bestand der Lukas- und Matthäus-Exegese wurde (ebda. Anm. 19 f), fällt dem hl. Joseph die Aufgabe zu, die Seelen – wie eine Pflanze oder einen Baum – mit Hilfe seines Zimmermannsgerätes zu beschneiden, das Gute zu fördern, die Starrheit und Härte der Seelen zu mildern und so die Menschheit für die verschiedenen geistlichen Ämter zu formen, (*Ambrosius v. Milan*: Expositio Evangelii secundum Lucam. Lib. III. 3,23 (CCSL. XIV. S. 76)), eine Aufgabe, die mit Joh. 15,1 f korrespondiert. Dort heißt es in der Rede vom Weinstock: „Ich bin der wahre Weinstock und mein Vater ist der Winzer (*et Pater meus agricola est*). Jede Rebe an mir, die keine Frucht bringt, schneidet er ab, und jede Rebe, die Frucht bringt, reinigt er (*purgabit*), damit sie mehr Frucht bringt." (zitiert nach der Neuen Jerusalemer Bibel. Freiburg/Basel/Wien 1985.). Axt, Säge und Maßstab dienen bei der Übertragung dieser Aufgabe auf Joseph als Werkzeuge des himmlischen Handwerkers zum Beschneiden der sündigen Seele, als Werkzeuge der Erlösung (*Hahn* 1986. S. 59 f). In diesem Sinne bereitet der hl. Joseph als „bonus animae faber" (*Ambrosius v. Milan*: Expositio Evangelii secundum Lucam. Lib. III. 3,23 (CCSL. XIV. S. 76)) die Seelen auf die göttliche Offenbarung vor und – um in der Zimmermanns- und Gärtnermetapher zu bleiben – kultiviert und vervollkommnet sie, wobei er selbst Vorbild für diese Vollkommenheit ist. Diese Tradition scheint

auch Wierix bekannt gewesen zu sein, denn er zeigt im elften Bild seiner Kupferstichserie den hl. Joseph beim Herrichten und Umzäunen eines Gartens (*Mauquoy-Hendricks* 1978. Abb. 417). Vgl. auch die Vorzüge Josephs bei Pierre d'Ailly. s. S. 132.

42. die, wie *Hahn* für den Mérode-Altar nachweist und wie wir weiter unten noch ausführen werden, ursprünglich keineswegs am Hl. Wandel-Typ gebunden war.

43. wenn auch eingebunden in einer häuslichen Idylle, in der die symbolischen Bezüge aber durchaus noch wesentlich sind. Maria ist z. B. nicht mit textiler Handarbeit, sondern – wie in den Verkündigungsszenen – mit dem Lesen der Offenbarung beschäftigt.

44. Vgl. die berühmte Miniatur aus der ‚*Bible moralisée*' (um 1270) (Wien, Österreichische National-Bibliothek: Cod. 2554. fol. 1), auf der Gott als Architekt der Welt den Kosmos mit dem Zirkel vermißt (LCI. II. S. 166).

45. Auffällig ist, daß im Begleittext dieses Bildes Joseph keine Erwähnung findet; Wierix bzw. sein Auftraggeber erachteten – trotz seiner Einbeziehung ins Bild – Josephs heilsgeschichtliche Bedeutung und damit seinen Aussagewert offenbar für zu gering.

46. Dies war keineswegs eine ungewöhnliche Methode, wie die Analogiebildung von *virgo-virga* als marianische Metapher zeigt. Die erste Zeile zum 10. Kupferstich von Wierix lautet dementsprechend: „O Maria sicut linum, [...]". (*Mauquoy-Hendricks* 1978. Abb. 416).

47. Vgl. die Vorstellungen der spinnenden Aphrodite und den spinnenden Parzen (*McMurray Gibson* 1972. S. 12 f. Abb. bei *Ragusa/Green* 1961. S. 73, 75).

48. Schon bei Ludolph v. Sachsen hieß es: „Filius enim hominis, ut ipse ait, non venit ministrari, sed ministrare." (VC. Primae Partis. Cap. XVI,8. S. 163).

49. Wie hoch der Grad der Allegorisierung in Werkstattszenen sein konnte, zeigt *Hahn* in ihrer Interpretation der Dürer-Graphik ‚Hl. Familie in Ägypten', in der sie nicht nur den direkten Bezug Dürers zum Kirchenvater Ambrosius nachweist, sondern auch die Vielschichtigkeit der Bildaussage aufdeckt, in der die Person Josephs eine zentrale Rolle einnimmt (*Hahn* 1984.).

50. Dieses Bildmotiv war im 15. Jhdt. offenbar sehr beliebt. Schon die Einordnung dieser Illustration zu den Texten der ‚kleinen Offizien', d. h. den Gebetstexten zu den Samstagsmessen (als eine alternative Anwendungsmöglichkeit dieser Miniatur wäre die Zuordnung in den großen Teil der Votivgebete möglich gewesen), bürgt für die Seriösität des Bildmotivs, das sich sogar auf Altären wiederfindet. Vgl. eine Tafel des Marienaltars in der Breslauer Elisabeth-Kirche, auf der die Himmelskönigin [!] Maria am Spinnrocken sitzt, während das Jesuskind an einem Laufgestell mit der Hilfe von drei Engeln laufen lernt (Abb. bei *Dobrzeniecki* 1972.). Noch an der Wende zum 18. Jhdt. zeigt ein Blatt mit dem Titel „Exempel des Knaben JEsu Christi wie Er sich in seinem Beruff sonderlich deß Feld-Baws so fleißig sich erzeigt ..." in seinem ersten Bildfeld das Jesuskind im Laufstall (Abb. bei *Strauss/Alexander* 1977. II. S. 601. Nr. 3).

51. Die Szene ist mit Matth. 1,16 überschrieben: „Von Maria ist geboren IHS CHS [Jesus Christus]".

219

52. Die Erwähnung des Wasser-Schöpfens kann nicht nur als ein Detail aus dem Alltagsleben der Hl. Familie, sondern auch als ein Nachklang des apokryphen Thomasevangeliums (Th. 11) gewertet werden.

53. Da die Werkstattszenen in den Aufenthalt der Hl. Familie in Ägypten eingeordnet sind, der seinerseits in den Exempelliedern meist mit der Rückkehr der Hl. Familie endet, ist auch in den Liedern auf eine Chronologie der Tätigkeiten zu schließen, so z.B. in dem Lied ‚Ihr Eltern kommt herbei‘ Str. 3 und 10 oder auch in ‚Meine Zung thue dich erschwingen‘ von 1701 in Str. 3 und 18 (*Moser* 1981. S. 167 ff, 173 ff).

54. Ein anderes jesuitisches Exempellied läßt den Jesusknaben sogar Marias Handarbeiten zu dem Auftraggeber tragen und den Lohn nach Hause bringen (*Moser* 1981. S. 174. Str. 11 f. ebenso: *M. v. Cochem*: Leben Christi. S. 449 f). Diese Vorstellung gründet auf mittelalterliche Berichte, wie sie z.B. von Bruder Philipp im ‚Marienleben‘ überliefert worden sind (*Ph.* 3610–3617).

55. Hier schwingt sicherlich auch die Vorstellung mit, daß der Sohn den Beruf des Vaters übernimmt.

56. Auch das 1701 gedruckte Exempellied ‚Meine Zung thue dich erschwingen‘, das in Struktur und Inhalt viele Parallelen zum hier zitierten Lied aufweist, geht von der Trennung von Handwerksbetrieb und Haushalt aus und entspricht so der lange tradierten Vorstellung Xenophons. Bach und seine Vorläufer wie auch Nachfolger wollten jedoch auf einem Bild darstellen, daß alle Haushaltsmitglieder durch Arbeit zum Unterhalt der Familie beitragen. Da diese Bilder eine komprimierte Form sind, in denen die Aussage einerseits verkürzt wurde, andererseits aber auch an Prägnanz gewinnen konnte, fielen in diesen Darstellungen die Werkstatt und das Haus zusammen. Bach bemühte sich durch die Andeutung einer Mauer, beide Bereiche voneinander zu scheiden. Zur Trennung der beiden Bereiche vgl. auch *M. v. Cochem: Leben Christi*. S. 459. Der ältere süddeutsche Gemälde-Zyklus legte hingegen größeren Wert darauf, die Hl. Familie nur in einem einzigen Arbeits- und Wohlraum darzustellen. In allen vier Gemälden ist – unabhängig von der dargestellten Szene – Josephs Werkzeug unübersehbar präsent (Abb. 63.a–d).

57. Vgl. auch *M. v. Cochem: Leben Christi*. S. 490. Franz Philipp Florinus – ein Autor der Hausväterliteratur – vermittelt in seinem 1702 erschienen Buch ‚Oeconomus Prudens et Legalis‘ ein ähnliches Bild: „[...] ob sie sich denn nicht auch ihres Heylandes deßwegen, weil er ein Zimmermann hiesse, und das Zimmer-Handwerck gantz vermutlich biß an sein dreyßigsten Jahr, da sein Predigt-Amt angieng, triebe, schämeten.“ (zitiert nach *Hoffmann* 1959. S. 161 f).

58. Titelbild (MAUQUOY-HENDRICKS 1978. Abb. 407); Madonna unter Engeln (408); Maria mit dem Wiegenkind (409); Hl. Sippe in der Werkstatt, Jesus hebt Späne auf (410); Arbeit im Freien, Jesus hebt Späne auf (411); Jesus im Haushalt, fegend (412) Arbeit im Freien, Handlangerdienste Jesu (413); dto., Jesus als Zimmermannsgeselle beim Hausbau (414–416); Jesus und Joseph bei Herrichten eines Gartens (417); Jesus und Joseph bauen ein Schiff (418).

59. Als Idealtypus galt der selbstversorgende Landwirt, wie er sich z.B. in Adam nach dem Sündenfall wiederfindet.

60. Vgl. das Monatsbild des Februar aus dem ‚Brevarium Grimani‘ von Simon Bening, um 1514–1516 (Venedig, Bibliotheca Marciana. lat. XI. 67. fol. 2ᵛ) (Abb. bei *Raupp* 1991. Abb. 10).

61. Die Idee einer solchen Verweisfunktion des hl. Joseph, seines Berufes und seiner Handlungen auf die Passion war im Denken barocker Frömmigkeit keineswegs abwegig. So reicht Joseph dem Jesusknaben in der Graphik von J. Callot den Kelch (Abb. 3). Eine spätere Barockpredigt von 1720 ist noch beziehungsreicher und stellt die bei den Arbeitsszenen vorkommenden Zimmermannsgeräte in einem fiktiven Testament Josephs in den Zusammenhang mit der Passion: „Mein Hausgerath [!] / dessen ich dich meinen Sohn einen völligen Erben einsetze / seynd Nägel / Holtz / Zoll und Maßstab / Schwam und Chordel / welche in rothe Farb eingedunckt / die rechte Linie zeigt. Das seynd meine tägliche Instrumenten und Werckzeug gewesen / aus welchen ich dir vorsage durch Prophetischen Geist / daß diese Instrumenten zum Werckzeug deines künfftigen Leydens sehr dienlich seyn werden / unter welchen du den bittern Kelch des Todts trincken wirst. Das Holtz wird dir zum Creutz dienen. Das Eisen wird zu den Nägeln / Bohrer / Lantzen und Hammer gar dienstlich seyn. Der Maßstab wird dir zeigen die allerungerechteste Maß / durch welche deine unendliche Weißheit / als ein Thorheit wird abgemessen werden. Der Schwamm stellet vor den mit Gall und Essig getränckten Schwam / welcher dir in dem höchsten Durst wird dargereicht werden. Die Chordel bildet vor die Strick und Bänck [Bank] mit welchen du hart wirst gebunden werden. Die rothe Farb endlich dein rosenfarbes Blut / welches zu reichlich / ja biß auf den letzten Tropffen wirst dargeben / zur Erlösung des menschlichen Geschlechts.“ (*Brez*: Lust-Garten. 1720. S. 69).

62. Er ist einer von vier Stichen, die das Werk *Trophaea Bavarica Sancto Michaeli Archangelo.* der Jesuiten Jakob Gretser und Matthaeus Rader schmücken (München, Staatliche Graphische Sammlung: Inv.-Nr. 101 128. *Kat. Wittelsbach und Bayern* 1980. S. 55. Kat. Nr. 77. *Kat. Jesuiten*. 1991. S. 178 ff. Kat.-Nr. 164).

63. Eine weitere Adaption des hl. Joseph an der Werkbank nach Sadeler zusammen mit dem fegenden Jesuskind zeigt ein Stich von Johann Berwinckel (um 1600) (*Hollstein*. II. S. 36).

64. Vgl. auch das Wandfresko in der Martinskapelle von Adelhausen (Gemeinde Weil, B. Augsburg) von 1795 (ohne Maria) oder ein ähnliches Bild in der Kirnberg-Kapelle von Antdorf (B. Augsburg) von ca. 1780 (*Bauer/Rupprecht* 1976–1987. I. S. 21, 374). In anderen Abbildungen – wie z.B. bei Wierix oder Bach – fegt das Kind die Werkstatt. Dementsprechend heißt es in einem jesuitischen Exempellied: „Kört [kehrt] daß [das] Hauß als wie ein Knechte / kein Arbeith war jhm zu schlechte“ (*Moser* 1981. S. 174. Str. 6).

65. mit graduellen Unterschieden bei den einzelnen Personen (*Hoffmann* 1959. S. 87–91). In diesem Sinne spricht *Frühsorge* von der „Einheit der von der Rechts- und Sozialgemeinschaft des Hauses ausgehenden Sittenlehre mit der Produktionslehre [...].“ (*Frühsorge* 1978. S. 112 f).

66. Der *status ecclesiasticus*, *status politicus* und *status oeconomicus*. *Frühsorge* bewertet die Leistung dieser neuen Stan-

desidee für die Hauslehre als „Heiligung des Haus- und Ehestandes als einer neben den anderen Ständen gleichwertigen Stiftung der Ordnung Gottes" und als Grundlage „zur Ausformung der deutschen Hausbuchtradition [...] insofern, [daß] sie ein grundsätzlich spirituelles Verständnis der Vaterrolle, der Rechtfertigung der von hieraus ausgehenden Herrschaft in der Hierarchie des Hauses in Kraft gesetzt hat." (*Frühsorge* 1978. S. 115).

67. „Nach Luther waren alle beruflichen Werke, mochten sie nun von den Menschen hoch oder niedrig geschätzt werden, vor Gott von gleichem Wert, wenn sie in Glauben und Liebe getan wurden." (*Hoffmann* 1959. S. 36. vgl. auch *Frühsorge* 1978. S. 114 f.).

68. „Das eigentlich Neue in der Zwecksetzung des häuslichen Lebens, das diese Werke und darüber hinaus diese ganze frühneuzeitliche Hauslehre gegenüber der von Aristoteles aufweisen, ist – [...] – der geistliche Zweck, den der Christ mit der in Gehorsam gegen Gott und in der Liebe zum Nächsten ausgeübten, auf die innerweltlichen Zwecke gerichteten häuslichen Tätigkeiten verfolgt." (*Hoffmann* 1959. S. 91). Dies führt aber im protestantischen Sinne nicht zu einer Minderung der Zielsetzung im irdischen Bereich oder gar zu einer streng asketischen Ausrichtung, sondern begünstigt eher die Prosperität, auch der Nachkommen (z. B. im Erbe).

69. „In dieser Analogie liegt die eigentliche, weil in der Transzendenz verweisende Begründung für die Rechtsstellung des Hausvaters [wie auch des gesamten häuslichen Systems] und für die Geltung seiner Herrschaft über die Hausgenossen im Denken der alten Ökonomieliteratur. Aus diesem Anspruch, das Ethos der Welt-Ökonomie unmittelbar aus dem im Heilsgeschehen tatsächlich bestätigten Plan der göttlichen Ökonomie abzuleiten, hat diese literarische Tradition bis in ihre politischen Intentionen als funktionales und inhaltliches Schema bezogen [Gottvater – Landesvater – Hausvater]." (*Frühsorge* 1978. S. 116 f.).

70. Diese Ausgangsposition läßt aber zu, daß trotz der räumlichen Trennung im Arbeitsprozeß (z. B. auf dem Feld) der Haushalt immer wieder zusammenkommt (z. B. zur Mahlzeit) (vgl. Abraham Bachs Blatt ‚Der Mittag').

71. „Was ihre äusserliche übung belanget / ist wohl zu glauben / daß St. Joseph morgens / wann er sein gebet verrichtet hatte / zur arbeit gangen / und vielmal den gantzen tag außgeblieben seye." (*M. v. Cochem*: Leben Christi. Mainz/Köln 1716. S. 188).

72. Das Gesinde findet nur in der Anwendung des Exempels der Hl. Familie auf den Haushalt Erwähnung. Dies scheint auch der einzige Grund dafür zu sein, daß in der entsprechenden Illustration zu ‚Der Mittag' eine Magd erscheint; die Darstellung der Hl. Familie mit anonymem Begleitpersonal ist ansonsten eher unüblich (Abb. 63.a–d).

73. „Gebet und Arbeit, die beiden Tätigkeiten, die zusammen das häusliche Leben ausfüllen sollen, laufen schließlich auf dasselbe hinaus. Sie tragen sowohl zu dem geistlichen Zweck des häuslichen Lebens [dem Heil im Jenseits] als auch zu dem Haushaltszweck [der wirtschaftlichen Erhaltung des Haushaltes im Diesseits] bei. Und nicht zuletzt deshalb wird dem Verhalten des Hausvaters gegen Gott in der Hausväterliteratur, die doch den Hausvater in seiner Haushaltung

fördern will, ein so großer Wert beigemessen." (*Hoffmann* 1959. S. 100. *Raupp* 1991.).

74. Als Exempel der idealen Eheleute wurden weit häufiger Marias Eltern, der hl. Joachim und die hl. Anna, gewählt. Der Auffassung der beiden Heiligen als idealer Eheleute trug z. B. die jesuitische Liedkatechese Rechnung (*Moser* 1981. S. 150–160).

75. Sie liegt – im Text – sozusagen auf dem blinden Fleck, und man kann annehmen, daß u. a. auch die protestantische Gesinnung Bachs dazu beigetragen hat, daß Maria entgegen ihrer heilsgeschichtlichen Bedeutung und der katholischen Auffassung (M. v. Cochem) fast ignoriert wurde und uns nur ein blasses Bild von ihr gegeben wird. Dennoch ist ihre Anwesenheit im Bild allein schon durch die Wahl eines Madonnentypus', der Kultbildcharakter hat, dominant, da sich ihr Bild nicht in die Gesamtkomposition integriert, sondern in ihrer Einzigartigkeit bestehen bleibt. Sie wurde in diesem Bildtyp für Katholiken wie für Protestanten als Inbegriff der Jungfräulichkeit, Reinheit und Keuschheit verstanden.

76. „Maria auch gleicher massen / Ihr liebes Kind nicht ruhen lassen / War zur Arbeit gantz underthon / Deßgleichen ihr hertzliebster Sohn." (Der Morgen. Str. 4.) An anderer Stelle heißt es: „Man thut Mariam die Junckfrawen / Nit feyrend allhie auch anschawen" (Der Abendt. Str. 4,1 f.).

77. Von hieraus wird klar, daß Bach – wollte er die Hl. Familie als Prototyp des christlichen Haushaltes darstellen, auf die Erwähnung des Gesindes – trotz möglicher apokrypher Reminiszenzen (in der VR begleitet z. B. eine Dienerschaft die Hl. Familie ins ägyptische Exil) nicht verzichten konnte.

78. Der Barfüßermönch, der diese Predigt 1675 anläßlich der Erhebung des hl. Joseph zum Landespatron Österreichs verfaßte, flocht an dieser Stelle zusätzlich einen besonderen Bezug zum Habsburger Reich ein. Vgl. auch *M. v. Cochem*: Leben Christi. Mainz/Köln 1716. S. 448.

79. Auf der Basis dieser Vorstellung von einer ideellen oder besser noch spirituellen Vaterschaft konnte der hl. Joseph im späten 17. Jhdt. zum ‚Vater der Gläubigen' avancieren (s. S. 151 f.).

80. Die Bedeutungsebene der spinnenden Maria mit ihren typologischen und allegorischen Komponenten, die im Bereich der katholischen Andachtsbildkunst hauptsächlich zur Wahl dieses Bildmotivs in den Arbeitsszenen der Hl. Familie führte, blieb von der Hauslehre nahezu unberührt.

81. Eine Grundposition in der mittelalterlichen, wie auch neuzeitlichen Marienallegorie (s. oben).

82. Dies ließe sich mit der Entstehungszeit des Blattes (1499) und der entsprechenden Frömmigkeit und Heiligenverehrung erklären.

83. Die Zeilen sind wirkungsvoll in direkter Rede von Jesus an die Zuhörer gerichtet.

84. „Sie lebten so friedlich mit einander / daß niemal eins dem andern ein saures angesicht / vielweniger ein hartes wort gegeben: und hatten einander so werth / daß keins wuste / wie es dem andern gnug dienen könte." (*M. v. Cochem*: Leben Christi. Mainz/Köln 1716. S. 189). Bei Martin v. Cochem zeigt sich so die Vorbildhaftigkeit der Heiligen im alltäglichen Leben, der alle Eheleute nachstreben sollten. Auch wenn dies nicht ausdrücklich an dieser Stelle

betont wurde, ist die Übertragbarkeit der Lebenssituation der Hl. Familie auf die der Gläubigen offensichtlich.

85. So z. B. die Josephsbr. in Hötting (B. Innsbruck) von ca. 1760/70 (*Hochenegg* 1984. S. 77) oder der 1752 im Erzb. Salzburg, Gemeinde Kössen gegr. „*Geistl. Bund unter dem Schutz von Jesus, Maria und Joseph für die Verheirateten und der Unbefleckten [Jungfrau Maria] für die Ledigen*" (ebda. S. 130).

86. Ähnliches ist auch für die Ikonographie des Marianischen Liebesbundes aus Ingolstadt zu beobachten. Hier beten – auf den zwei Prozessionsfahnen der Gemeinschaft – die Männer die Hl. Familie an, während die Frauen die Eltern Mariens verehren (*Kat. Jesuiten.* 1991. S. 158 f. Nr. 151).

87. An anderer Stelle definiert *Moser* den Begriff folgendermaßen: „So werden die religiösen Gegenstände, soweit es nur irgend geht, materialisiert, indem man die Erinnerung, d. h. die eigene Lebenserfahrung, zum Maßstab der Bewertung erhebt und auf das vorgegebene Glaubensgut projiziert. ‚Zurichtung des Schauplatzes' bedeutet, das eigene Milieu, die eigene Lebens- und Erfahrungswelt, auf die Heilsgeschichte zu übertragen. [...]. Dieses Verfahren der Konkretisierung des Abstrakten gewinnt unter dem Einfluß der Jesuiten eine für die Zeit des ‚Barock' epochale Bedeutung." (*Moser* 1981. S. 86 f.)

88. Die Predigten für den christlichen Hausstand waren eher für die meist agrarische Unter- und Mittelschicht geschrieben, während die Hausväterliteratur teilweise auch an die Oberschicht gerichtet war. Doch gerade an dem Punkt der Bewertung niedriger Arbeiten weicht z. B. der Autor des ‚*Oeconomus Prudens et Legalis*', Franz Philipp Florinus (1702), von dem Schema des Agrarbetriebs ab und führt beispielhaft Jesus als Zimmermann an (*Hoffmann* 1959. S. 161 f.).

89. In dem 1701 gedruckten jesuitischen Exempellied heißt es entsprechend in Bezug auf die Hl. Familie: „Pflegten auch zu andern Zeiten / Löbliche sitlich Arbeithen / Müssig sie kein Zeit verbracht." (*Moser* 1981. S. 173. Str. 4). Vgl. auch die Betonung des Fleißes in den Emblemen der Starnberger Josephskirche. s. unten.

90. Diese prinzipielle Bedeutung des Fleißes für die gesamte gottgeschaffene Natur wird von *Hoffmann* nicht behandelt.

91. So heißt es bei Abraham Bach in dem Blatt Der Mittag: „[...] / Von wegen auch der Arbeit schwer / Der Magen jetzo worden leer / So muß man den Leib wider laben / Mit Speiß so gut man die kan haben." und im Blatt Die Nacht: „[...] / In der Nacht die krafftlose Glider / Sich zuerquicken legen nider / Und in der Rhu thut schlaffen ein / Biß wider kombt deß Tagesschein. // Weil nichts Langwirigs dauren kan / So nit auch seine Ruh thut han / So hat uns GOtt zur Ruh gemacht / Auß weisem Rath die finster Nacht // [...] // So schlafft auch nach der Arbeit sein / Der fromme Joseph sänfftlich ein / Die Menschen also und das Vich / Zu Nacht erquicken wider sich."

92. An anderer Stelle erhebt v. Cochem die Armut sogar zu einem Hauptprinzip des Lebens der Hl. Familie. Die Betonung liegt auf der Freiwilligkeit dieser Armut, die so zur Tugend stilisiert wird, „wodurch der mensch von den Sorgen dieser Welt befreyet desto leichter sein gemüt zu GOtt erheben / und in der begierd der himmlischen Güter zunehmen kan." (*M. v. Cochem*: Leben Christi. Mainz/Köln 1716.

S. 187). Vgl. auch die Beschreibung der ärmlichen Lebensumstände der Hl. Familie in Ägypten (ebda. S. 432 f.).

93. Das Werkstattbild weicht insofern von den bekannten Vorbildern ab, als mit der Figur des Jesusknaben nicht auf Lc. 2,51 (er war ihnen untertan) abgehoben, sondern auf die Inkarnation verwiesen wird. Außerdem sind die beiden Ebenen als himmlische bzw. irdische Trinität bezeichnet.

94. Putto mit Fernrohr (*Bauer/Rupprecht* 1976–1987. I. S. 350. A₂) (vgl. d' Ailly's Josephs Ehrentitel – nach AASS: Punkt 6 und 9. s. S. 132 f.); Putto mit Waage (*Bauer/Rupprecht* 1976–1987. S. 351. B₂) (nach AASS Punkt 7); Putto mit Lilie (dem klassischen Josephsattribut) (ebda. B₁) (nach AASS Punkt 4); Putto mit Lamm (ebda. B₃); Putto mit Töpferscheibe und Gefäßen (ebda. S. 350. A₁) und Putto mit Winkelmaß (Zimmermannsgerät!) (ebda. S. 351. B₄); Putto mit Geldsäcken (ebda. S. 350. A₃).

95. „Joseph und die Hl. Familie werden auf diese Weise den ländlichen Kirchenbesuchern nahegebracht. Die realistische Alltagsschilderung dient der lebensnahen Vergegenwärtigung, die Arbeit Josephs als erbauliches Vorbild." (*Bauer/Rupprecht* 1976–1987. S. 350).

96. Im protestantischen Bereich fehlt dieser Hinweis auf den Gnadenakt Gottes (TRE. I. Stichwort: Consilia Evangelica. S. 192–196).

4. Der Hl. Wandel

1. So stellte z. B. der Minorit Christian Brez in einer großen rhetorischen Geste den hl. Joseph nicht nur über die alttestamentlichen Gestalten Samson, Saul und Abisai, sondern auch über Croesus, Alexander, Polycrates usw. (*Brez*: Lust-Garten. 1720. S. 65 ff).

2. Vgl. zu der Terminologie des Numinosen und seine Charakteristika *Otto* 1923.

3. Das geöffnete Buch ist in den Verkündigungsszenen ein wichtiger Hinweis auf den Glauben und die Erkenntnis Mariens in die göttliche Offenbarung. Es stellt aber nicht nur den lesenden Nachvollzug dessen dar, was mit der Inkarnation an Maria geschieht, sondern ist auch Metapher für sie selbst, in der der *logos* (Gott) – wie beim Niederschreiben der Gedanken – seinen realen Niederschlag erhält. „Das tertium comparationis [zw. Buch und Inkarnation] bildete die Tatsache, daß sich sowohl im Vorgang des Schreibens als auch in der Menschwerdung des Logos Geistiges konkretisiert. In der Menschwerdung nimmt Gott Leibsgestalt an, in der Schrift werden Zeichen gesetzt, die Gedachtes und Gesprochenes sinnenhaft vergegenwärtigen." (*Schreiner* 1970. S. 651. Auf diesen Aufsatz bin ich freundlicherweise durch Thomas Stangier hingewiesen worden). Gleichzeitig existierte in den mittelalterlichen Verkündigungsszenen die an die Apokryphen angelehnte Darstellungsweise der spinnenden Maria (*McMurray Gibson* 1972.).

4. Das geschlossene Buch in der Hand Josephs könnte auf seine beschränkte Einsicht in die göttliche Offenbarung, die ja auch die göttlichen Weisungen in Josephs Träumen nötig machte, hindeuten. In dieselbe Richtung weisen Darstellungen, die ihn in den Geburtsszenen schlafend zeigen. Sein Ausschluß aus dem *hortus conclusus* ist hingegen ein Zeichen für Marias Jungfräulichkeit und damit indirekt auch für

Josephs Keuschheit, mit der sein Lilienattribut korrespondiert.

5. Häufig wird auch angegeben, diese Bilderfolge gehöre zu dem Kupferstichzyklus „*Jesu Christi Dei Domini Salvatoris nostri infantia*', der bei dieser Zählung auf 64 Blätter anwachsen würde (*Spamer* 1930. S. 126 f. Taf. XXXV. *Gebhard* 1968. S. 57). Allerdings ist schon bei *Nagler* das Hl. Wandel-Blatt von dem Infantia-Zyklus getrennt aufgeführt (*Nagler* 1835–1852. XXIV. S. 286. Nr. 209 f. S. 289. Nr. 250).

6. *Réau* meint: „Le thème ne s'épanouit que dans l'art de la Contre-Réforme qui favorise le culte de la Trias *humana* Jésus, Marie, Joseph: c'est ce qu'on apelle la *Trinité Jésuitique*."

7. „Das Christkind, ach so artig, niedergeschlagene Augen, Maria lieblich mit Rührlöffel, der Ziehvater rüstig hämmernd, Engel mit Handreichungen behilflich." (*Mielke* 1975. S. 68).

8. dessen Sohn auch Wierix-Blätter reproduzierte, so z. B. das letzte Blatt aus der Infantia-Serie (Abb. 68) (*Spamer* 1940. Taf. XXVII).

9. Vgl. z. B. ein etwa zeitgleiches Andachtsbild nach Rubens (Abb. 41. *Pohlen* 1985. S. 258 f. und Abb. 38. *Gebhard* 1968. Abb. 1). Ein anderes Kompositionsschema entwickelte sich als Parallele zum Bildtyp ‚Flucht nach Ägypten' und zeigt die Hl. Familie auf einem Reittier. Durch die jeweilige Bewegungsrichtung der Figuren wird deutlich, ob es sich um eine Flucht- oder Rückkehrszene handelt (*Moser* 1972. S. 263). Die beiden Bilder gleichen Typs wurden besonders gerne in Armenbibeln verwandt, die aufgrund ihres typologischen Programms in der Komposition ähnliche Bilder gebrauchten. *Wentzel* bildet in seinem ersten Aufsatz von 1942 ein Beispiel aus dem Jahre 1518 ab (*Wentzel* 1942. Abb. 37). *Camesina* zeigt ein Manuskript einer Armenbibel aus dem 14. Jhdt., bei der diese Parallelität ebenfalls zu beobachten ist (*Camesina* 1863. Taf. V, VIII). Das gleiche gilt für die Salzburger Armenbibel aus St. Peter (Cod. a. IX 12) in Bild 5 und 7 mit der aufeinanderbezogenen Darstellungsweise (*Forstner* 1969).

10. Das Siegel mit der Reduktion des Bildbestandes auf zwei Personen gehört in den Rechtsbereich. Es war Beglaubigungsinstrument mit allgemein christlichem Bekenntnischarakter. Im 13./14. Jhdt. wurden zuweilen nicht nur Kultbilder (z. B. Kruzifixe und Madonnen), sondern auch Szenen aus der Kindheit Jesu auf Siegeln abgebildet. So benutzte der Deutsche Orden u. a. Siegel mit der Fluchtszene (*Kat. Deutscher Orden* 1990. Kat.-Nrn. VI.3.12, VI.3.21, VI.3.22).

11. Der Wiegendruck war ehemals in päpstlichem Besitz (*Musper* 1961. *Debes* 1988. S. 182 f).

12. Hl. Wandel. frühes 16. Jhdt. Steinepitaph in der Krypta des Bremer Domes (Abb. 43. *Wentzel* 1960. S. 135 f. Abb. 16); Hl. Wandel. um 1520. Eichenholzrelief. Höhe 37 cm (Haarlem, Bischöfl. Museum. Inv.-Nr.: BM 1418). Außerdem führt *Wentzel* einen Hl. Wandel (Holzgruppe, etwas unterlebensgroß) in Kesselheim auf, der in einer Nische des Aachener Zehnthofs steht (ebda. Abb. bei *KD Rheinprovinz. Koblenz*. S. 190. Abb. 204). Von dieser Gruppe stammt nur die Marienfigur aus dem 16. Jhdt. Das Jesuskind und der hl. Joseph wurden wahrscheinlich Ende des 17. Jhdts. (s.

die Datierung 1699 im Türsturz des Gebäudes) hinzugefügt, sodaß sich der Hl. Wandel ergab. Diese Methode, ein Pasticcio aus verschiedenen Figuren oder -gruppen zusammenzufügen, war sehr verbreitet. So ist eine Hl. Wandel-Gruppe in der Kölner Jesuitenkirche St. Mariä Himmelfahrt vermutlich eine Zusammenstellung des 19. Jhdts. (Freundl. Hinweis v. Herrn Dr. Seitler, Erzbischöfliches Generalvikariat Köln).

13. Für die Herkunft des Infantia-Typs wie auch des Vorläufers des Hl. Wandels aus der volkssprachlichen Tradition von der Art des ‚Marienlebens' o. ä. spricht auch, daß *Wentzel* hauptsächlich Beispiele aus dem deutschsprachigen Raum kennt und diese Tatsache in seinen ersten vier Aufsätzen auch ausdrücklich betont (*Wentzel* 1959. S. 255). Erst in seinem letzten Aufsatz von 1960 stellt er fest, daß der Schwerpunkt der Verbreitung nicht allein im deutschsprachigen Raum liege – dies würde für Bruder Philipp sprechen. Hier hebt er auf eine Verbreitung des Bildmotivs auch in Italien, Frankreich und England ab. Diese Belege sind aber nicht nur jünger, sondern auch seltener.

14. nachdem Maria und Joseph den Jesusknaben im Tempel unter den Gelehrten gefunden hatten.

15. Das Blatt kommt der Vorstellung von dem neuzeitlichen Hl. Wandel schon sehr nahe, doch entsteht die personelle Einheit in der Komposition nicht ausschließlich durch das Motiv des An-den-Händen-Fassens. Zwar führt der hl. Joseph, der mit Nimbus versehen und in einer Hand einen Zweig (Verweis auf den blühenden Stab seiner Auserwählung) trägt, den Jesusknaben bei der Hand, doch wurde die Verbindung Jesus-Maria in anderer Weise gestaltet. Der Jesusknabe reicht seiner Mutter eine Blume – vermutlich ist eine Lilie oder eine Rose gemeint –, die die Keuschheit symbolisiert, sodaß in diesem Akt Jesu die unbefleckte Empfängis und jungfräuliche Geburt unzweifelhaft dokumentiert wird oder aber auf das Marienattribut der Rose ohne Dornen und ‚rosa mystica' hingewiesen werden soll: er reicht seiner Mutter ihr ureigenstes Attribut. Vgl. auch Infantia-Darstellungen, in denen das Jesuskind einen Korb mit Blumen (Rosen?) trägt. In der Zusammenfassung zu *Kotrba* wird dieses Motiv als typisch böhmisch bezeichnet.

16. *Wentzel* 1960. S. 135 f. Abb. 16. Heute befindet sich das Epitaph nicht in der Westkrypta, sondern auf der rechten Seite unterhalb der Lettnerempore. Die Inschrift des Reliefs und das Wappen sind nicht zu deuten. Da die Hände abgeschlagen sind, ist nicht zu sagen, ob sich die Figuren bei den Händen faßten oder ob Jesus – wie in der Inkunabel aus Gouda – Maria eine Blume reichte. Doch läßt die frapierende Ähnlichkeit des Steinreliefs mit dem Titelholzschnitt der Josephsgeschichte aus Gouda dies sehr wahrscheinlich erscheinen. Das Epitaph und die Titelillustration haben offenbar das gleiche Vorbild gehabt. Die scheinbar tanzende Bewegung des Jesuskindes ist eine Reminiszenz auf die apokryphe Episode, in der das Jesuskind laufen lernt (RDK. III. Stichwort: Christuskind. speziell Sp. 606 f. vgl. auch die Illustration ‚Die Hl. Familie bei der Arbeit' aus dem Stundenbuch der Katharina v. Kleve (um 1435/45), die das Jesuskind im Laufställchen zeigt. Farbtafel X.).

17. So z. B. durch das Ersetzen der Lilie bei Joseph durch einen Wanderstab. Mit dieser Uminterpretation korrespondiert die

223

mehr rudimentäre Rezeption des Wierix-Stiches, in der die himmlische Ebene meist verloren ging (s. S. 115).

18. Leider gibt *Gebhard* weder zeitliche noch genauere geographische Hinweise oder eine Belegstelle an.

19. Wir sind leider nur in wenigen Fällen von den Originaltiteln dieser Gemeinschaften unterrichtet. Die Titel wechseln im Laufe der Zeit, sodaß der Begriff *Hl. Wandel* für ein und dieselbe Br. in dem einen Br.brief erscheint, in dem anderen aber nicht. In den von *Hochenegg* bearbeiteten österreichischen Gebieten taucht der Name in den Jahren 1655 (Absam), 1664 (Erl), 1669 (Laatsch), 1674 (Mittelpettnau), 1701 (Angath), 1743 (Bozen: Dom), 1772 (Sterzing) und 1845 (Brixlegg) auf. Im Bistum Augsburg begegnet uns der Titel in Stäzling (*Steichele/Schröder* 1864–1939. IV. S. 241) und 1786 in Winkel (ebda. II. S. 558), in München in dem zur Pfarrei St. Peter gehörenden Josephsspital im Jahre 1676 (*Mayer/Westermayer* 1874–1884. II. S. 334. *Duhr* 1907–1928. II,2. S. 89. *Brückner* 1958. S. 120). In demselben Spital hatte 1663 – in Anlehnung an die Erzbruderschaft in Rom – Kurfürstin Maria Anna eine Josephsbruderschaft aus Anlaß der Unterschutzstellung Bayerns unter diesen Heiligen errichtet (*Mayer/Westermayer* 1874–1884. II. S. 230).

20. Vgl. auch den Titel der Br. in Absam (B. Innsbruck) aus dem Jahre 1655: *Br. zur Nachahmung des hl. Wandels Jesu, Mariä und Josefs* (*Hochenegg* 1984. S. 39).

21. „Allmächtiger ewiger GOtt, der du vns, durch dein grosse Barmhertzigkeit, die vilwerthiste Jungfraw Maria zu einer Fürsprecherin, vnd zu einem Vorbild deß Gottseligsten Wandels verlyhen hast: Wir bitten dich mit demüthigen Hertzen, du wöllest vnns deß gleichen auch dein heylwürckenden Gnad verleyhen, damit wir durch dieselbige gestärcket, dem H. Wandel vnd Leben, welches Maria mit JEsu und Joseph geführt hat, etlicher maßen nachfolgen, in den Tugenden zunem[m]en, von allen Sünden-Last vns befreyen, mit einem seeligen End das Leben beschliessen, vnd nach einem so kurtzen als gnädigen Fegfewr, zu der himmlischen aller Heiligen Gemeinschafft gelangen mögen. Durch JEsum Christum unsern Herrn, Amen." (*Hochenegg* 1984. S. 87).

22. Zuweilen findet sich – wie oben schon bemerkt – die Vorstellung, mit dem Hl. Wandel sei die Rückkehr der Hl. Familie vom Jerusalemer Tempel dargestellt, schon für die vorreformatorische Graphik (vgl. *Schramm* 1940. XXII. S. 8 zu Abb. 441).

23. Andere Bedeutungsvarianten des Begriffs *Wandel* sind bezeichnenderweise nicht so eng an die Vulgata-Übersetzung gebunden. „die bedeutung knüpft an das lat. conversatio an, das sich in der späteren sprache in gleicher richtung entwickelt. NOTKERS libwandil [...] nähert sich schon unserm lebenswandel. ausgeprägt ist wandel ,art der lebensführung' (schon früher in diesem sinne wandelungen [...] bei K. v. MEGENBERG: dann setzt die alte bibelübersetzung wandel für conversatio in diesem sinne [...] ein, doch steht an einigen stellen dafür auch wandelung und auch wanderung [!]. ebenso kennen es die mystiker (ECKHART, SEUSE) und im 15. Jahrh. tritt es auch in der dichtung auf. LUTHER hat das wandel der älteren bibeln nicht nur durchweg beibehalten, sondern hat dem wort noch eine weitere ausdehnung gegeben. entsprechend dem biblischen wandeln ,durch leben schreiten' [...] tritt bei ihm aber noch in höherem grade die auffassung ,gang durchs leben' hervor. durch LUTHERS bibel hat das wort allgemeine verbreitung gewonnen. aus der bibelsprache stammt es auch besonders, dasz wandel ganz vorwiegend später als bekundung des sittlichen wesens durch handlungen genommen wird, während die beziehung des wortes auf die äuszere lebenshaltung, die im älteren nhd. auch nicht selten ist, sich in der späteren sprache nur wenig fortsetzt." (*Grimm*. XIII. Sp. 1532 f)

24. verdeutlicht z. B. durch eine Stadt im Hintergrund. Vgl. auch die Titelkupfer zu Georg Voglers Katechismus Würzburg 1625. (Abb. 46) und zu M. v. Cochem: Leben Christi. Köln/Mainz 1716. (Abb. 47).

25. das nur im AT und in den Apostelbriefen, nicht aber in den vier Evangelien vorkommt und somit für eine Verwendung für die Hl. Familie unter typologischen Vorzeichen noch frei verfügbar war.

26. Das Grimm'sche Wörterbuch stellt eine enge Beziehung zwischen *conversatio* und *Wandel* fest, die sich bis in die Entwicklung beider Worte erstrecke und z. T. auf den parallelen Gebrauch der Begriffe in der Bibel zurückzuführen sei (*Grimm*. XIII. Sp. 1525).

27. In den Glossarien und Vokabularien des 15. und 16. Jhdts. wurden die Begriffe folgenderweise bestimmt:

    convictus: leben (*Glossarium Latino-Germanicum*. 1854/1867. Ausg. 1854. S. 149).

    convivium: (im Neuhochdt.) goume, wirt-, wrt-, wurt-, gesellschafft, schafft. (im Niederdt.) wert-, werscop, scap; ein volleben, hoffaten, malzyt, zerung (ebda. S. 148).

    conversarii: mit wandlen (ebda. Ausg. 1867. S. 112).

    conversatio: (im Neuhochdt.) ein gesellich, geistlich leben. (im Niederdt.) ein ghezellich, geystlick levent; bekerunge, gut rede oder geselczschafft; by-, mit-wonung; wandelungen; gaistlich wandlung (ebda. Ausg. 1854. S. 148).

28. dem wir in ähnlicher Weise die Qualität einer *conversatio* zuschreiben konnten.

29. der offenbar literarisch kaum belegbar ist (*Grimm*. XIII. Stichwort: wandlung. Sp. 1721–1725).

30. In einer von Petrus Damianus überlieferten Vision (zwischen 1063 und 1072) erscheint einem Priester eine ,heilige Versammlung', deren Beschreibung mit dem Bildtyp *Sacra Conversatione* stark korrespondiert, im Text allerdings als *sanctus conventus* bezeichnet wird. Der Ort des Geschehens ist die Basilika Sancta Cäcilia, deren Patronin in der Versammlung der Heiligen um die Muttergottes ebenfalls erscheint: „Und er [der Gevatter] führte ihn [den Priester] zur Basilika Santa Cäcilia, wo sie im Vorraum die heilige Agnes, die heilige Agathe und die heilige Cäcilie selbst und einen Chor strahlender heiliger Jungfrauen sahen. Sie richteten einen wunderbaren Thron her, der höher als die Throne war, die ihn umgaben. Die heilige Jungfrau [Maria] erschien mit Petrus, Paulus und David in Begleitung einer von Märtyrern und Heiligen leuchtenden Schar und nahm auf dem für sie bereiteten Thron Platz. Während in dieser heiligen Versammlung Stille herrschte und alle vor Ehrerbietung stehengeblieben waren (*Porro autem dum in illo tam sancto conventu silentium fieret, omnesque reverenter astarent, [...]*), warf sich eine arme, jedoch mit einem Pelzmantel bekleidete Frau der unbefleckten Jungfrau zu Füßen und flehte sie an, (...)." (*Petrus Damiani*: De variis apparitionibus et

miraculis. Cap. IV. In: Migne. PL. 145. Sp. 587 f. Deutsche Übersetzung zitiert nach *LeGoff* 1984. S. 218).

31. einem älteren Bruder Tizians. Von Francesco, der u. a. Schüler bei Gentile und Giovanni Bellini war, sind auch *Sacra Conversatione*-Bilder mit der Madonna als Zentrum bekannt (*Thieme/Becker*. XXXIV. S. 157 f.).

32. Zu San Marcuola vgl. *Franzoi*, Umberto / di *Stephano*, Dina: Le chiese di Venezia. 1976. S. 117 ff.

33. bei Maria auch ein Thron oder Stufenpodest (*Kaspar* 1954. Kap. IV. S. 81–119).

34. 1687. Ortenauskreis, Gamshurst, Pfarrkirche St. Nikolaus: *Jesus Maria Joseph secunda Trinitas sit nostra salus et aeterna foelicitas* (Glockenatlas. IV. Nr. [1513] heute verloren); 1696. Kreis Marktoberdorf, Unterthingau, Pfarrkirche St. Nikolaus: S. TRINITATI CREATAE IESU MARIAE ET JOSEPHO CAMPANA EST CONSECRATA (ebda. II. Nr. 1054 und Abb. des Hl. Wandels auf der Glocke Abb. 188); 1697. Kreis Füssen, Wies (Weissensee), Kapelle St. Joseph: IESVS MARIA IOSEPH [...] IN HONOREM S^{MAE} TRINITATIS CREATAE IESU MARIAE JOSEPH(I) ET S. MAGNI FIERI CVRAVIT GERARDVS ABBAS IN FVESEN (ebda. Nr. 467); 1724. Kreis Dillingen, Dillingen, Stadtpfarrkirche St. Peter: INIT S. EVANG. Z^{DVM} LVCAM IN HONOREM CRVXIFIXI D. N. IESV CHRISTI IEVSQVE VIRGINEAE MATRIS, AC PATRIS NVTRITY IN NOMINE EIVSDEM S. ET CREATAE TRINITATIS CVI HONOR ET GLORIA IN SAECVLA SAECVLORVM AMEN. (ebda. Nr. 131).

35. z. B. in der Klosterkirche von Rohr bei Kehlheim (*Gebhard* 1968. S. 59. Anm. 13. und *KD Bayern. Niederbayern*. XXII. S. 218–224) oder in der Starnberger Josephskirche (*Bauer/ Rupprecht* 1976–1987. I. S. 347 ff.).

36. Offenbar waren diese Predigten und Appelle so wirksam, daß im bayerischen Volksmund die Namensnennung Jesus, Maria, Joseph als Ausruf der Verwunderung oder des Entsetzens gebraucht wurde.

37. „Cuperem mihi verba suppeterent ad explicandum tam altum et absconditum a saeculis mysterium, tam admirandam venerandamque trinitatem Jesu, Joseph et Mariae." (*Gerson*. V. S. 358). Außerdem spricht er in einem Brief vom 7. September 1416 an Dominique Petit, dem Kantor von Chartres, von der Hl. Familie als „venderissima et divinissima trinitate Jesu, Joseph et Mariae" (ebda. II. S. 169).

38. In der Vision gebietet er ihnen: „[...] vade ad domum, in qua frates praedicatores [Dominikaner] habitant, ibique invenies stabulum poenitentiae et praesepe continentiae et pabulum doctrinae, asinum simplicitatis cum bove discretionis, Mariam illuminantem et Josephum perficientem et puerum Jesum te salvantem." (LA. CXVIII. De Sancto Dominico. S. 482 f.). Die von C. *Hahn* angeführte Stelle (*Hahn* 1986. S. 64) bezieht sich in der LA jedoch nicht auf eine Alltagsszene, sondern auf die weihnachtliche Bildsprache.

39. der mit Hilfe seines Zimmermannwerkzeuges die Seelen wie einen jungen Baum beschneidet und trimmt *(Hahn* 1986).

40. da sie als Person wie auch als Personifikation der Kirche im Besitz der göttlichen Weisheit ist.

41. Vgl. auch die Funktion der ‚Predigt' Josephs bei Bruder Philipp (Ph. 3446–3587).

42. In diesem Sinne bezeichnet z. B. Christian Brez die Mutter Gottes als Gnaden-Brunnen, Acker, verschlossenen Garten und Weingarten, aus dem der Baum des Lebens und der wahre Weinstock Jesus erwuchs (*Brez*: Lust-Garten. 1720. S. 48 f.).

43. Suarez arbeitete mit dem Gegensatzpaar *increata – creata* als elementare Begriffe seiner Philosophie (*Lundberg* 1966. S. 83–86).

44. da das besondere Charakteristikum des Wierix-Blattes – die sichtbare Zusammenführung beider Ebenen in dem ‚Brennpunkt' Jesus – mit dieser speziellen Trinitätsterminologie nicht explizit transportiert wurde.

45. „Nach den Wallfahrtsbeschreibungen stellt das [Gnaden-] Bild die erschaffene und unerschaffene hl. Dreifaltigkeit dar: Unten die hl. Familie, oben Gottvater und Heiliggeisttaube, verbunden durch das dritte göttliche Person, das in der Mitte vom hl. Joseph gehaltene Jesuskind." (*KD Bayern. Schwaben*. VIII. S. 981). Eine weitere Adaption des Gedankens von der doppelten Trinität nach dem Vorbild des Hl. Wandels vgl. das kleine Andachtsbild von Walldürn (*Brückner* 1958. Abb. 47).

46. Freundl. Hinweis v. Herrn Prof. Dollinger.

47. Eine Schreinmadonna im französischen Morlaix ist als *Maria lactans* ausgebildet und zeigt auf den Innenflügeln des Schreins 6 (Marien?-)Szenen (*Boespflug* 1987. S. 154 f. Abb. 1 f), während die Schreinmadonnen des Deutschen Ordens das Motiv der Schutzmantelmadonna in sich integrierten. Diese Exponate zeigen auf den Innenflügeln Personen der verschiedensten Stände, die den Gnadenstuhl anbeten und über die Maria beschützend ihre Hände ausbreitet (*Kat. Deutscher Orden* 1990. Kat.-Nr. II.7.39, II.7.40, II.7.41, II.7.42 und die dazugehörenden Abb.).

48. Nach seinem Studium bei den Jesuiten in Luzern, 1613 Eintritt in den Kapuzinerorden in Freiburg i. Br., wo er als Lehrer in den Fächern Philosophie und Theologie tätig ist; ebenso in Solothurn und Luzern. In seiner Zeit als Leiter der Schweizer Kapuzinerprovinz (1654–1657) fällt die Errichtung der Hergiswalder Wallfahrt, die maßgeblich auf seine Initiative zurückgeht und für die er aus Rom Reliquien des hl. Felix mitbrachte. Von v. Wil sind 7 Andachtsbücher überliefert, die um den Loreto-Kult und speziell die Hergiswalder Wallfahrt sowie die Felixverehrung kreisen (*Lex. Cap*. Sp. 998. *Helvetia Sacra*. V. 2,1. S. 65 f.).

49. Zur Biographie Voglers vgl. *Metzger* 1982. S. 56–68.

50. Im ‚Trostbronn' erscheint nur einmal ein kurzes Kapitel mit Gebeten zu Maria und Joseph (S. 887–890) und auch der Katechismus nutzt die Gelegenheit, in seinen zahlreichen Exempeln verschiedene Episoden der Hl. Familie darzulegen, kaum (*Metzger* 1982. S. 127. Exempel I, 3 und S. 221 f. Exempel IV, 526).

51. Sie sind durch ihre Haartracht und das Fehlen von Bärten als Kinder kenntlich gemacht.

52. So wie die irdische Trinität im Hl. Wandel der himmlischen Trinität entspricht, entsprechen die musizierenden Kinder den musizierenden Engeln im Himmel. Beide Gruppe verdeutlichen die besondere göttliche Harmonie, in die auch die vier Jesuitenheiligen auf beiden Ebenen miteinbezogen sind.

53. Möglicherweise entstand der Entwurf zu der Illustration noch vor der ersten Jesuiten-Heiligsprechung.

54. Zu den verschiedenen Heiligen vgl. LCI. V. Sp. 100 f. VI. Sp. 324 ff. Sp. 568 ff. und VIII. Sp. 389 f. Zur jesuitischen Strategie während der von ihnen angestrengten Kanonisationsprozesse vgl. die sehr interessante Studie von Ursula *König-Nordhoff* zur Ikonographie und Heiligsprechung von Ignatius v. Loyola.

55. Ignatius als Priester, Franz Xaver als Missionar, Aloysius als Scholar und Stanislaus als Novize (*König-Nordhoff* 1982. S. 96–100).

56. Stanislaus und Aloysius tragen die gleiche Tracht, außerdem sind sie in ihrer Gestik den Heiligen Ignatius und Franz Xaver angeglichen; bei Franz Xaver hatte eine spezielle Handhaltung schon früh attributiven Charakter. Dementsprechend wurde in dem Titelkupfer für Ignatius der Gestus des Profilportraits des Heiligen gewählt, ein Gestus, der sich eigentlich auf die Anbetung des Kreuzes bezieht und in der Charakterisierung des Ordensgründers nicht solch einen hohen Stellenwert hatte wie etwa der für Franz Xaver (*König-Nordhoff* 1982. S. 75 und 69–72).

57. Zum Kreis der Kinder aus der Hl. Sippe gehören nach der Trinubium-Legende als Enkel der hl. Anna: Jacobus Minor, Joseph Justus, Judas Thaddäus, Simon Zelotes, Jacobus Maior, Johannes Evangelista und als Enkel bzw. Urenkel der hl. Esmeria (Schwester der hl. Anna): Johannes Baptista und der hl. Servatius (Bischof von Maastricht) (*Esser* 1986. S. 163). Eine Variante der Trinubium-Legende fügt dieser Gruppe noch den (ebenfalls im Titelkupfer erscheinenden) hl. Marcialis alias Maternus (Bischof der Bistümer Köln, Trier und Tongern) hinzu und identifiziert ihn gleichzeitig mit dem vom Tode auferweckten Jüngling von Naim (Lc. 7, 11–17). In der Genealogie der Hl. Sippe wäre er als Enkel der hl. Esmeria und als Onkel des hl. Servatius einzuordnen (ebda. S. 26 f). Möglicherweise ist mit dem im Titelkupfer als hl. Clemens bezeichneten heiligen Kind der Bischof Clemens von Metz (3. Jhdt.) gemeint (LCI. VII. S. 323). Trotz der Erweiterung der Gruppe um den hl. Clemens läßt sich eindeutig feststellen, daß in diesem, ausdrücklich durch die Jesuitenheiligen als jesuitisches Bildprogramm charakterisierten Titelkupfer die Kindergeneration der Hl. Sippe dargestellt werden sollte.

58. Es ist erstaunlich, mit welcher Unbekümmertheit die Jesuiten verschiedene Motive aus alten Bildtypen herausbrachen und ganz nach Bedarf neu kombinierten. Die Problemlosigkeit dieses Verfahrens bestätigt nochmals, daß der Bildtyp des Hl. Wandels ein Konstrukt war, dem unbeschadet weitere ‚Konstruktionen‘ angegliedert werden konnten.

59. Im 19. Jhdt. gab es allein 29 Ausgaben. Neben diesen zahlreichen Neuauflagen beweist eine handschriftliche Eintragung von 1864 in dem Exemplar aus dem Erzbischöflichen Archiv in Köln, daß die aus der Mitte des 18. Jhdts. stammende Ausgabe noch gut hundert Jahre später in Gebrauch war. Von Voglers Katechismus kennt *Schrems* allein 6 Auflagen aus der 1. Hälfte des 17. Jhdts. (1625, 1628, 1630, 1638, 1652) (*Schrems* 1979. S. 122. Anm. 1).

60. Das Lied ‚*O wohl beysammen gefügte Nahmen / Jesus / Maria / Joseph*‘ wurde dort in dem Kapitel der Krankengebete (*Nakatenus*: Palm-Gärtlein. Köln 1737. S. 801 ff) abgedruckt. Das Gebetbuch, das zuerst 1660 in Köln erschien, gibt dem Gläubigen Gebete und Lieder an die Hand, nach

denen er jeden Tag der Woche unterschiedlich begehen und außerdem religiösen Beistand in der Not und Erklärungen zu den wichtigsten katholischen Sakramenten erhalten kann. Lit. zu Nakatenus vgl. *Küppers* 1981.

61. Zu diesen Belohnungen vgl. das wahrscheinlich von Jesuiten verfaßte ‚*Speculum catechismi*‘ (Innsbruck 1588), eine Schrift zur Methodik der Christenlehre (*Schrems* 1979. S. 14).

62. Auch *Gebhard* führt ein Beispiel aus dem 19. Jahrhundert an (*Gebhard* 1968. S. 61). Vgl. außerdem Hl. Wandel-Darstellungen in der Ztschr. Hl. Familie. 11 (1903). H. 1.

63. Vgl. z. B. die Christenlehr-Br.en im Erzb. Köln, s. S. 20.

64. Vgl. z. B. das Schrifttum der Bruderschaft zu Jesu, Maria und Joseph in Gries am Brenner/Tirol von 1684. Das entsprechende Andachtsbild stammt aus dem Jahre 1750, der Br.brief von ca. 1770 (*Hochenegg* 1984. S. 51).

65. Da die Br.en ihre Druckplatten sehr lange benutzten (*Krausen* 1980. S. 141), ist anzunehmen, daß auch dieses Bild aus der Mitte des 18. Jhdts. stammt. Über die Geschichte, Verbreitung, Organisation, Regeln, Aufgaben, Ablässe und Andachtsübungen dieser Fraternität gibt das ‚*Bruderschafts-Büchlein der christlichen Lehre oder Gesellschaft Jesus, Maria, Joseph, unter dem Schutze des H. Francisci Xaverii zu mehrerer Beförderung der christlichen Lehre . . .*‘ von 1700 (1768 und 1863 neu aufgelegt) des Jesuiten Leopold Offermans Auskunft.

66. Der Hl. Wandel ist von einem entflammten Herzen umgeben, die Unterschrift des Bildes lautet: „O Drey herzliebste Namen. / Wo ihr kommet zu sammen. / Da steht das Herz in Flam[m]en.“ Dieser Text kommentiert die Graphik, in der in den Nimben der drei hl. Personen die Namen eingetragen sind, obwohl man davon ausgehen kann, daß der Bildtyp *Hl. Wandel* für die Gläubigen um 1700 an sich eindeutig war. Zum Motiv des entflammten Herzens s. S. 118.

67. Neben der Beschreibung der sonntäglichen Christenlehre (*Offermans* 1863. S. 24–34), der Litanei vom Namen Jesu, der Lauretanischen Litanei und der Litanei vom hl. Joseph (S. 46–54) und einigen Katechismusfragen (S. 60 ff) fällt außer den oben genannten wichtigen Liedern eine Andacht unter dem Titel ‚*Christliches Mitleiden mit den armen Seelen im Fegefeuer*‘ auf, die für die Verstorbenen der Bruderschaft abgehalten wurde, ohne allerdings speziell auf die Hl. Familie einzugehen (S. 70–77).

68. Vgl. z. B. ein entsprechendes Zitat der Titelzeile als Unterschrift zu einem Andachtsbild mit dem Hl. Wandel in Hinterstein (Lkr. Sonthofen) (*KD Bayern. Schwaben*. VIII. S. 388. Freundl. Hinweis von Herrn Dr. Kraft, Bayr. Landesamt f. Denkmalpflege, München.). Auf diesem an der nordöstlichen Chorwand befindlichen, dem Maler Johann Herz aus Fischen zugeschriebenen Gemälde vom Ende des 17. Jhdts. heißt es: „[aller] gueten ding Seind drey / Jesus Maria Joseph. / [steh] unß in letsten nothen bey / Jesus Maria Joseph. / Mein Sele und Leib soll eüwer [sein] / Jesus Maria Joseph. / Bewahrt Sie uor der Höllen p[ein] / Jesus Maria Joseph.“ In dieser Variante zum Originaltext wird der Gut-Tod-Gedanke besonders herausgestrichen.

69. Jesus als Erlöser, Maria mit der Hohe-Lied-Metapher als Rosengarten und Blume, als Mutter Gottes, als Mutter der Barmherzigkeit, Mutter aller Gnaden und als Schutz der Hil-

fesuchenden. Joseph wird als Gnadenvermittler, als Gnadenthron, der Jesus getragen hat, als Vermittler der Bitten an Maria und Jesus und als Bräutigam Mariens charakterisiert.

70. So heißt es in den Br.regeln bei Offermans: „Sollen alle Einverleibte einen gesegneten Bruderschafts-Pfenning, oder ein anderes Bildniß bei sich haben zur steten Erinnerung der drei heil. Namen Jesus, Maria und Joseph." (*Offermans* 1863. S. 21).

71. *Panofsky* grenzt das neuzeitliche [!] Andachtsbild einerseits gegen das szenische Historienbild, andererseits gegen das hieratische, kultische Repräsentationsbild ab und definiert es „durch die Tendenz, dem betrachtenden Einzelbewußtsein die Möglichkeit zu einer kontemplativen Versenkung in den betrachtenden Inhalt zu geben, d. h. das Subjekt mit dem Objekt seelisch gleichsam verschmelzen zu lassen." (*Panofsky* 1927. S. 264). Dieses Charakteristikum spricht er den anderen beiden Bildtypen ab: „Das kann (und will) weder das szenische Historienbild, das seine Darstellungselemente zu einer mehr oder weniger momentanen, jedenfalls aber auf eine bestimmte Zeitspanne eingeschränkten Handlung verbindet, noch auch das Repräsentationsbild, das umgekehrt die Darstellungselemente in einem zeitlosen und seelisch gleichsam undurchdringlichen Dasein vor uns hinstellt: dort sind die Elemente so völlig aufeinander bezogen, daß der Betrachter nur als Zuschauer geduldet und gleichsam durch einen unüberbrückbaren Abstand vom Inhalt des Kunstwerks ferngehalten wird, – hier sind sie der zeitgebundenen Form des subjektiven Erlebens so völlig enthoben, daß sich der Betrachter in die Stellung eines bloß Verehrenden [!] gedrängt und wie durch einen unausgleichbaren Niveauunterschied vom Gegenstande getrennt sieht." (ebda.)

72. *Panofsky* unterscheidet das Andachts- vom Kultbild anhand des von ihm konstatierten unterschiedlichen Gefühlserlebnisses des Gläubigen bei der frommen Betrachtung. Er differenziert zwischen emotionalem Nachvollzug im frommen Historienbild und kontemplativer Versenkung im repräsentativen Kultbild (*Panofsky* 1927.). Demgegenüber leugnet *Legner* die Aufsplitterung des frommen Erlebnisses in verschiedene emotionale Rezeptionsweisen, die nach *Panofsky* durch unterschiedlichen Bildtypen hervorgerufen werden. *Legner* vertritt vielmehr die Ansicht, daß anhand der „Frömmigkeitssphäre des Andachtsbildes kein Unterschied der Bildfunktion [im Sinne von Andachts- und Kultbild] auszumachen [ist]." (*Legner* 1985. S. 453).

73. Vgl. die 1676 im Münchner Josephsspital gegr. JMJ-Br. (*Mayer/Westermayer* 1874–1884. II. S. 334).

74. Vgl. die 1669 in Unterhaching gegr. JMJ-Br. (*Mayer/Westermayer* 1874–1884. S. 641. *Gebhard* 1986.) und die 1769 in Täfertingen gegr. Br. (*Steichele/Schröder* 1864–1939. II. S. 94).

75. Vgl. die 1660 gegr. JMJ-Br. von Isen (*Mayer/Westermayer* 1874–1884. III. S. 112).

76. Vgl. die 1592 gegr. JMJ-Br. in München (*Mayer/Westermayer* 1874–1884. II. S. 421) und die 1686 gegr. JMJ-Br. in Tannern (*Steichele/Schröder* 1864–1939. II. S. 267). Das Fest wurde von Papst Innozenz XI. als Erinnerung an den 1683 errungenen Sieg in Wien über die Türken eingerichtet.

77. Vgl. die 1686 in Tannern gegr. JMJ-Br. (*Steichele/Schröder* 1864–1939. II. S. 267).

78. Vgl. die im Münchner Josephsspital 1676 gegr. JMJ-Br., die außerdem zwei Besonderheiten in ihrem Festtagskalender aufweist. So feierte sie den 1. Sonntag im Januar als das „hohe Fest Jesu" (*Mayer/Westermayer* 1874–1884. II. S. 335) und kommt mit dieser Wahl dem endgültigen Hl. Familie-Festtag von 1921, dem 1. Sonntag nach Weihnachten, sehr nahe. Zusätzlich wählte sie einen Sonntag im September – 1773 z. B. den 19. September (*Münchnerische Andachts-Ordnung*. 1773.) – ausdrücklich zu ihrem JMJ-Titularfest (*Mayer/Westermayer* 1874–1884. II. S. 334–337. Dort auch genauere Angaben zum Ablauf der Messfeiern).

79. Die 1592 in München (B. Freising) gegr. JMJ-Br. feierte als ihr Titularfest den 3. Sonntag nach Ostern (*Mayer/Westermayer* 1874–1884. II. S. 421), ebenso die 1750 in Lenggries (B. Freising) err. Br. (ebda. I. S. 445). Unter Umständen wurde auch das Patronatsfest der Pfarrkirche in die Festreihe der Bruderschaft aufgenommen, so z. B. in Weichenried, wo die an der Annenkirche 1678 gegr. JMJ-Br. neben dem Josephsfest auch den Tag der hl. Anna als ihr Bruderschaftsfest feierte (*Steichele/Schröder* 1864–1939. IV. S. 992). In der von den Jesuiten aus Landsberg a. Lech betreuten Pfarrei in Winkel feierte die 1686 gegr. JMJ-Br., der ein Seitenaltar der Pfarrkirche als Br.altar zugeordnet war, den Josephs- und den Michaelstag (ebda. II. S. 558), und erinnert damit an die Erhebung des Erzengels Michael zum ‚*Archangelus Bavaricus*' 1597 anläßlich der Einweihung der Jesuitenkirche St. Michael in München (*Kat. Wittelsbach und Bayern* 1980. II,2. S. 57. Nr. 80. *Szarota* 1979–1987. I,1. S. 34. *Kat. Jesuiten* 1991. S. 178 ff. Kat.-Nr. 164).

80. In ähnlicher Weise zieren die Monogramme der Hl. Familie das Hauptportal des Passauer Kolleggebäudes der Jesuiten und verweisen somit auf die Einbindung der Hl. Familie in die Hl. Namen-Verehrung (*KD Bayern. Niederbayern*. III. S. 220 f).

81. Vgl. Stukkaturen in den Fensterlaibungen der Paderborner Jesuitenkirche von 1692, die jeweils in einem Kranz die Monogramme der Namen Jesus, Maria und Joseph zeigen, als auch die von Ignatius v. Loyola und Franz Xaver, jener Jesuiten, die als erste Ordensmitglieder 1622 heiliggesprochen worden waren (*Richter* 1892. S. 43).

82. So z. B. in der Jesuitenkirche St. Mariä Himmelfahrt in Köln neben der Ignatiuskapelle (*Grosche* 1978. Abb. 9) oder als Bekrönung eines Beichtstuhls im Querschiff der Kirche (*KD Rheinprovinz. Köln*. Fig. 111). Außerdem erscheint die Hl. Familie in den Gemälden des Chores als auch in den die Beichtstühle begleitenden Bildern (*Schulten* 1982. S. 248–268).

83. Die Studienkirche in Dillingen ist z. B. ganz der Muttergottes und den Werken der Jesuitenheiligen in der Mission und Bildung gewidmet. Einzig unter der Westempore befindet sich ein Gemälde von ca. 1660, das die Hl. Familie auf der Flucht darstellt. Selbst der hl. Joseph wurde recht spät in das Ausstattungsprogramm der Kirche miteinbezogen, indem ihm ein Altar im Langhaus geweiht wurde, dessen Altarblatt den Tod des hl. Joseph zeigt (1761) (*KD Bayern. Schwaben*. VI. S. 214, 225). Das Fehlen der Hl. Familie an hervorragender Stelle im Programm der Studienkirche ist umso auffallender, da es seit 1677 im Hofspital der Stadt eine ‚*Bruderschaft unter dem Titel des hl. Lebens und Wandels Jesu,*

Maria und Joseph' (auch Josephs-Bruderschaft genannt) gab, die der Hl. Geist-Spitalkirche um 1690 eine Figurengruppe des Hl. Wandels stiftete. Außerdem ist das in geometrische Felder aufgeteilte Tonnengewölbe des Langhauses mit den Monogrammen von Maria, Jesus und Joseph in Blattkartuschen mit Blüten geschmückt (ebda. S. 293 f). Etwa zur Gründungszeit der Br. entstand auch der Seitenaltar im östl. Langhausjoch der Stadtpfarrkirche St. Peter, der sicherlich als Bruderschaftsaltar angesehen werden muß. Sein Altarblatt zeigte die Hl. Familie bei der Arbeit. Noch früher (um 1630/40) datiert ein Gemälde in der Kirche, daß den Hl. Wandel zeigt (ebda. S. 150 ff. Abb. 57). Außerdem war eine Glocke der Kirche der Hl. Familie geweiht. Ihre Schulterinschrift spricht von der irdischen Dreifaltigkeit (CREATAE TRINITATIS), die Schlaginschrift lautet: CVM ESSET DESPONSATA MATER + IESVS + MARIA + IOSEPH ANNO 1724. (ebda. S. 172. *Glockenatlas 1956–1985.* II. S. 160. Nr. (131)). Zudem hängt im Refektorium des Franziskanerinnenklosters von Dillingen ein Gemälde mit der Hl. Familie bei Tisch, darüber Gottvater und die Taube des Hl. Geistes (Anfang des 18. Jhdt.) (*KD Bayern. Schwaben.* VI. S. 264), und die Glocke von 1753 im Mittelturm hat auf der Flanke eine Abb. des Hl. Wandels (*Glockenatlas 1956–1985.* II. S. 163. Nr. (145)). All diese Belege zeigen, daß die Verehrung der Hl. Familie in Dillingen schon recht früh Fuß gefaßt hatte, und es ist sehr wahrscheinlich, daß dieser Kult der jesuitischen Katechese entsprang, wie das frühe Erscheinen des Hl. Wandels in der Form der doppelten Trinität (s. das Gemälde in der Stadtpfarrkirche) hinlänglich zeigt.

84. Nach einem Hinweis von Herrn Prof. Torsten Gebhard zeigt das Altarbild der Jesuitenkirchen im französischen Épinal (Vogesen) ebenfalls den Hl. Wandel.

85. Bolswert gehörte bis 1619 zu der Stecherwerkstatt von P. P. Rubens, arbeitete aber noch bis ca. 1645 nach Rubensvorlagen. Aus dieser Zeit stammt die hier abgebildete Graphik.

86. So z. B. auf einem Seitenaltar (um 1677) der Jesuitenkirche von Passau (*KD Bayern. Niederbayern.* III. S. 193).

87. Ein recht frühes westfälisches Zeugnis für den Hl. Wandel am Altar befand sich in der Kapuzinerinnenkirche von Paderborn, wo dieser Bildtyp den Auszug eines Altares zierte (1628/1629) (*Stiegemann* 1989. Abb. 254).

88. *Döry* stellt die drei Hl. Wandel-Altäre von Steinbach, Burgholzhausen und Oberursel-Bommersheim vor, die in ihrem Aufbau einem Entwurf (ca. 1712) von Paul Decker entsprechen und deren Figurenschmuck von Martin Volk geschaffen wurde. Zu vermutlichen Initiatoren dieser Patroziniumswahl in den Altären und ihre Bedeutung innerhalb der Diaspora: *Döry* 1978. S. 10 (Freundl. Hinweis von Thomas Stangier).

89. Auf die Verknüpfung von Hl. Familie-Kult und Loreto-Heiligtümern werde ich weiter unten noch eingehen.

90. Es ist schwierig eine definitive Aussage über die Häufigkeit des Hl. Wandels in Bayern zu machen, da besonders die alten Bände der *KD Bayern Oberbayern* viele barocke Altäre als ,unbedeutend' abtun und auch keine weiteren Angaben über deren Ikonographie machen.

91. die – wie oben schon beschrieben – den Ort zum religiösen Zentrum des Sonthofener Raumes machte und als eine der ältesten und bedeutendsten Josephswallfahrten im Bistum Augsburg galt (*KD Bayern. Schwaben.* VIII. S. 974).

92. Die Seitenaltäre trugen ab 1696 die Patrozinien des hl. Joseph und der Muttergottes (*KD Bayern. Schwaben.* VIII. S. 980).

93. M. E. gehört diese Fahne aus der 1. Hälfte des 18. Jhdts. der Rosenkranzbr. der Gemeinde, die schon 1661 – also noch vor der Josephsbr. von 1677 – gegründet worden war (*KD Bayern. Schwaben.* VIII. S. 975) oder aber sie wurde für beide Fraternitäten angefertigt.

94. Sie ist neben der Hl. Familie den Heiligen Anastasia, Katharina, Benedikt und Ulrich geweiht. Der Stifter ist unbekannt. Ein aus dem späten 18. Jhdt. stammender Kelch verbindet in seinen Emailmedaillons den Hl. Wandel mit den Armen Seelen und dem hl. Georg (*KD Bayern. Schwaben.* VIII. S. 986).

95. Ein Beispiel findet sich in der Jesuitenkirche von Mindelheim (Freundl. Hinweis von Herrn Dr. Kraft, Bayr. Landesamt f. Denkmalpflege, München).

96. z. B. in Großrinderfeld mit der Hl. Familie. Dieser Bildstock lag auf dem Weg der Heidingsfelder Prozession nach Walldürn (*Brückner* 1958. S. 216).

97. Dort die Fahne der Eichsfelder zur Walldürner Wallfahrt.

98. Zur Typik der Prozessionsstangen vgl. *Finkenstaedt* 1968. S. 14–17.

99. „[...]; sie sind Symbole nach innen und außen für wirtschaftliche und rechtliche Ordnung, aber auch für die Bindung der Zünfte [und Bruderschaften] an die Ewigkeit." (*Finkenstaedt* 1981. S. 299).

100. „Sein Amt ist, die Prozessionen ordentlich anzustellen, und die Jugend an ihre Stelle zu weisen und abzusondern. Bei dieser seiner Amtsverrichtung so[ll] ihm pünktlich Gehorsam geleistet werden." (*Offermans* 1863. S. 80).

101. Zu den Katechismusprozessionen in Würzburg vgl. *Metzger* 1982. S. 61–68.

102. Entsprechende JMJ-Br.en gab es in der Wallfahrtsorten Scheppach und Weihenlinden (die Br.en stammen dort jeweils aus dem Jahr 1664) und in Walldürn (1669) (*Steichele/Schröder* 1864–1939. V. S. 769. *Mayer/Westermayer* 1874–1884. I. S. 61 f. *Brückner* 1958. S. 120 und 224 ff).

103. In der 2. Hälfte des 18. Jhdts. kamen die Fuldaer Wallfahrer zusammen mit den Eichsfeldern, von denen eine Br.fahne mit dem Bild der Hl. Familie aus dem 19. Jhdt. erhalten ist (*Brückner* 1958. S. 222), am Tag vor Fronleichnam mit 200 Pilgern nach Walldürn (ebda. S. 271 f.).

104. undatiert. Lkr. Burglengenfeld, Kallmünz: Zunftstange der Maurer und Zimmerleute; Ende 18. Jhdt. Lkr. Vohenstrauß, Leuchtenberg: Zunftstange der Schreiner und Zimmerleute (*Finkenstaedt* 1968. S. 25 f. Register).

105. Vgl. die entsprechenden Br.en: Mitte 16. Jhdt., 1755 erneuert. Kanton Luzern, Luzern, Peterskapelle: St. Josephsbr. oder Zunft der Tischmacher und Schreiner (*Henggeler* 1955. S. 253); 1670. Erzb München-Freising. Titmoning: Bündnis der Zimmerleute, ab 1730 Br. vom hl. Joseph (*Mayer/Westermayer* 1874–1884. III. S. 403); um 1700. B. Bozen-Brixen, Sarnthein: Br. der Zimmerleute und Maurer, ab 1896 Br. zum hl. Joseph (*Hochenegg* 1984. S. 177); 1750. Kanton Schwyz, Schwyz: St. Joseph- und Eligius-Br. oder Hammer- und Schreinerzunft (*Henggeler* 1955. S. 217);

1754. Kanton Schwyz, Küßnacht: Josephsbr. oder Meisterzunft (der Schneider, Hutmacher, Schreiner, Schlosser, Steinhauer, Glaser und Küfer) (ebda. S. 211); undatiert. B. Innsbruck, Hall, St. Nikolaus: St. Joseph-Br. der Zimmerleute (*Hochenegg* 1984. S. 57) und den Neujahrsgruß der Zimmermannsgilde in Haarlem von can 1600 (*Kat. Wort und Bild*. Kat.-Nr. 64. S. 206).

106. Nach *Weingärtners* Beschreibung ist zu vermuten, daß es sich um ein Bild der doppelten Trinität handelt. Es wurde von der Schwester Maria Annas, der Großherzogin Dorothea von Parma, gestiftet (vgl. *KD Südtirol*. I. S. 221).

107. Sie blieb in der folgenden Zeit die einzige Bruderschaft der Kapelle (*Hochenegg* 1984. S. 172).

108. Br.briefe sind noch heute im Pfarramt vorhanden. Freundl. Hinweis von Herrn Dr. Kraft. Bayr. Landesamt für Denkmalpflege, München.

109. *Reg.-Bez. Oberbayern*: Ingolstadt, Spitalkirche (undatiert); Lkr. Landsberg, Eresing (Anfang 18. Jhdt.); Lkr. Landsberg, Schöffelding (ca. 1730); Lkr. Miesbach, Niklasreuth (18. Jhdt.); Lkr. Starnberg, Inning (Anfang 18. Jhdt.). *Reg.Bez. Niederbayern*: Lkr. Landau, Pilsting (Mitte 18. Jhdt. mit Br.). *Reg.-Bez. Oberpfalz*: Amberg (undatiert); Lkr. Burglengenfeld, Kallmütz (undatiert); Lkr. Vohenstrauß, Leuchtenberg (Ende 18. Jhdt.) (*Finkenstaedt* 1968.).

110. Zum einen kennen wir Votivbilder, die den Wierix-Stich in der Personenkonstellation und der Aussage der doppelten Trinität genau kopieren (vgl. 1671. Zwillingsgeburt. Bayr. Nat.-Mus., München. Abb. bei *Zglinicki* 1983. Abb. 383. und 1752. Traunstein. Verunglückter Bierfahrer. Heimathaus Traunstein. Abb. bei *Harvolk* 1979. Abb. 78). In anderen Exemplaren wurde der Wierix-Stich auf die Gruppe des Hl. Wandels – also auf die irdische Ebene – reduziert (vgl. 1668. Wasserburg a. Inn (im 19. Jhdt. überbeitet). Kirchenbrand. Heimatmuseum Wasserburg (Farbtafel XV.) und 1729 Luzern. Anlaß unbekannt. Heimatmuseum Beromünster. Abb. bei *Creux* 1980. S. 59. und 1790 Wallis. Bedrohung des Votanten durch einen Soldaten. Thel/Leuk im Wallis. Abb. ebda. S. 36. und 1821. Wiegenkind. Bayr. Nat.-Mus., München. Abb. bei *Theopold* 1981. S. 157. und 1823 Thel/Leuk im Wallis. Anlaß unbekannt. Abb. bei *Creux* 1980. S. 58. Als dritte Gruppe sind jene Tafeln anzusehen, in denen die Personen spiegelbildlich vertauscht wurden, Joseph und Maria also ihre Plätze gewechselt haben (vgl. 1671. Zwillingsgeburt. Bayr. Nat.-Mus., München. Abb. bei *Zglinicki* 1983. Abb. 383. und 1823 Thel/Leuk im Wallis. Anlaß unbekannt. Abb. bei *Creux* 1980. S. 58.). Diese Vorbilder gehen sicherlich auf Drucke zurück, bei denen sich der Stecher nicht die Mühe gemacht hat, die Druckplatte spiegelbildlich zur Vorlage auszuführen.

111. Vgl. auch ein sehr primitives Votivbild von 1729 aus dem Heimatmuseum Beromünster (Luzern), bei dem über dem Hl. Wandel anstelle von Gottvater und der Taube eine Anna-Selbdritt in den Wolken schwebt. Dies ist wohl als eine Fehldeutung von der Idee der doppelten Trinität zu verstehen, in der nur noch die Parallelität der Dreiheit übriggeblieben ist (*Creux* 1980. S. 59). Außerdem vgl. die Kombination von Hl. Wandel und der Muttergottes von Rudlfing (1801) bei einem Schiffsunglück (*Harvolk* 1979. Abb. 150).

112. Dorfen liegt auf dem Weg zwischen München und Altötting, ebenso der Ort Isen, in dem seit 1660 eine JMJ-Br. bestand. Sechs Jahre später erhielt die Dorfener Wallfahrtskirche als nördlichen Anbau am Chor eine Jesus-Maria-Joseph-Kapelle, die von der dortigen Rosenkranzbr. errichtet wurde. Da schon für das Jahr 1576 jährliche Wallfahrtsgänge der Pfarrei Dorfen nach Isen nachweisbar sind, ist zu vermuten, daß die JMJ-Kapelle in Dorfen unter dem Einfluß der JMJ-Br. aus Isen gebaut und auf diese Br. ausgerichtet war. In diesem Zusammenhang erscheint der Hl. Wandel auf dem Votivbild ein Hinweis auf die Isener JMJ-Br. zu sein (*Gribl* 1981. S. 47, 116 ff, 163 und Anm. 839, 1068. *Gribl* 1984. S. 193–202). Auffällig ist die Anordnung des Hl. Wandels zusammen mit dem Wiesheiland in der obersten Reihe. Möglicherweise beruht diese Komposition aber auch nur auf formalen Überlegungen.

113. 1790. Thel bei Leuk/Wallis (*Creux* 1980. S. 36). Dieses Bildmotiv kam in Zeiten des Krieges öfter vor; vgl. auch eine Votivtafel mit der Hl. Familie von 1800 aus dem Heimatmuseum Bad Aibling (*Theopold* 1981. S. 101) oder eine Votivtafel in der der Hl. Familie geweihten Schneiderkapelle in Surberg/Oberbayern, auf der es heißt: „1800, als die Franzosen in unser Vaterland kamen ist durch die Fürbitte der hl. Familie Andreas Böck, Riederbauer von Großrückstetten, von den feindlichen Kugeln der Franzosen errettet worden. Dies Denkmal hat seine noch lebende Tochter 1855 errichten lassen." (*Kriss* 1953–1956. I. S. 261).

114. Es ist nach meinen Beobachtungen davon auszugehen, daß der Hl. Wandel auf dem Dachfirst zum ursprünglichen Bestand des Votivbildes gehört, während der Text wahrscheinlich eine Bearbeitung des 19. Jhdts. darstellt. Aus Wasserburg stammt auch die Tafel mit der breikochenden Maria (17. Jhdt.) (Abb. 33).

115. Auf Glockeninschriften wird meist nur Jesus als Beschützer vor Unwetter angerufen, so z. B. in Stadtbergen (Kreis Augsburg): „a fulgure et tempestate libera nos Domine Jesu christe" (*Glockenatlas* 1956–1985. II. S. 158. Nr. 101).

116. Vgl. auch ein Votivbild für einen Verunglückten aus dem Jahr 1752 (*Harvolk* 1979. Abb. 48) oder ein Exemplar von 1807, das einen variierten Hl. Wandel bei einem Grubenunglück zeigt (ebda. S. 75).

117. Zu bedenken bleibt, daß der Schriftsteller durch die Wortwahl viel leichter auf die versteckten Korrespondenzen zwischen Himmel und Erde anspielen konnte, als der Maler oder Zeichner, der bei einer Reduktion des Hl. Wandels auf das Wissen des Betrachters um die doppelte Trinität bauen mußte.

118. Weitere Belege: 1696. Glocke in Unterthingau (*Glockenatlas* 1956–1985. II. Abb. 188); 1701. Flugschriftenliederdruck (*Moser* 1981. S. 172 und Abb. 2); um 1750. Br.brief und kl. Andachtsbild aus Gries am Brenner (*Hochenegg* 1984. S. 51). In den Votivbildern findet sich grundsätzlich die Reduzierung der Attribute, und sogar bei einigen Altarbildern ist dies zu beobachten.

119. Ähnliches finden wir bei zwei Votivbildern, bei denen die drei Personen auf Wolkenbänken thronen. Das Merkmal des An-die-Hände-Fassens ist völlig aufgegeben (vgl. 1801. Rudlfing. Floßunglück. *Harvolk* 1979. Abb. 150, 1807. Grubenunglück. ebda. Abb. 75). Ebenso bei zwei Br.briefen

(*Hochenegg* 1984. S. 40, 122). Dennoch führen die beiden Br.en im Titel den Begriff *Hl. Wandel*.

120. Andere Stücke dieser Walldürner JMJ-Br. konzentrieren sich stärker auf den Hl. Familie-Kult. So zeigt die Fahne der Fraternität sowohl den Hl. Wandel als auch das Kultbild der Wallfahrt. Ein anderes Andachtsbild auf gelber Seide folgt – nach *Brückners* Beschreibung – ganz dem Kompositionsprinzip des Wierix-Stiches (*Brückner* 1958. S. 120. Anm. 531).

121. *Felmayer* und *Gebhard* benennen für Tirol, die Schweiz und Bayern immerhin fünf Fälle.

122. Das Manteltuch war sowohl bei der Darstellung Annas (als Matrone) als auch bei Maria gebräuchlich. Joseph *Braun* führt drei Beipiele an, in denen Marienfiguren aus dem 13. Jhdt. in späterer Zeit zu Annenfiguren umgearbeitet wurden und das typische Manteltuch über dem Kopf zeigen (*Braun* 1943. S. 78).

123. Das Brüderpaar Joseph Sebastian und Johann Baptist Klauber wählte je nachdem, ob die Jungfräulichkeit Mariens oder ihre Mutterschaft hervorgehoben werden sollte, in seiner Kupferstichfolge zur Lauretanischen Litanei von 1763 eine Darstellungsweise Mariens als Jungfrau, d. h. ohne Kopfbedeckung, oder als Matrone mit Manteltuch (vgl. *Lauretanische Litaney so zu Lob, und Ehr der Ohne Mackel [!] empfangenen, von aller Sünd befreyten, Unbefleckten Jungfrauen, und Glorwürdigsten Himmels-Königin Mariae*. Augsburg 1763. Die Stiche sind bei *Groër* 1987. wiedergegeben).

124. Ähnliches trifft möglicherweise auch auf den linken Seitenaltar der Wallfahrtskirche Maria Waldrast in Matrei (1666) zu (*Felmayer* 1967. S. 60).

125. Hl. Wandel-Gruppe im Auszug des Leonhard-Altares, (letztes Viertel 17. Jhdt. *KD Bayern. Schwaben*. I. S. 368 f. Abb. 469).

126. Deckenbild Hl. Familie (1. Drittel 18. Jhdt.) und nördl. Seitenaltar mit Hl. Wandel (um 1770/80) (*KD Bayern. Schwaben*. I. S. 369. Abb. 474).

127. Vgl. die ähnlichen Größenverhältnisse bei den Darstellungen der Annaselbdritt.

128. Vgl. die Lieder ‚*Aller gueter ding seind drey*‘ (Innsbruck 1640), ‚*O wohl beysammen gefügte Nahmen*‘ von dem Jesuiten Wilhelm Nakatenus (Köln vor 1691) und ‚*Mein Testament soll sein am End*‘ (Würzburg 1705) (s. S. 160).

129. Eine nicht mehr vollständige Hl. Wandel-Gruppe aus dem westfälischen Raum (heute Vestisches Museum, Recklinghausen. Inv.-Nr. C I 37 und 38.) zeigt, daß dieser Bildtyp auch im kurkölnischen Gebiet durchaus populär war. Zu einer ähnlichen Figurengruppe höherer Qualität aus der Benediktinerinnen-Abtei Frauenchiemsee vgl. *Zohner* 1987.

130. So wurde das Herz Jesu mit einem Dornenkranz und mit dem Kreuz bezeichnet, das Herz Mariens war mit einem Kranz aus Rosen (dem ‚klassischen‘ Mariensymbol) umwunden. Aus dem Herzen Josephs wuchs zumeist eine Lilie.

131. Das Herz ist außerdem von einer Dornenkrone umwunden, während die beiden anderen Herzen mit Rosen bekränzt sind.

5. Der Loreto-Kult: Das Haus der Hl. Familie

1. Die Translationslegende wurde erstmals von dem Propst Loretos, Pietro Giorgio Tolonei (†1473) schriftlich niedergelegt und schon 1507 in einer päpstlichen Bulle erwähnt. Sie fand schnell Verbreitung und erschien bis zum Ende des 15. Jhdts. sogar mehrmals im Druck, sodaß eine relativ hohe Popularität schon recht früh gewährleistet war. Auch in der Folgezeit wurde sie immer weiter tradiert und konkretisiert (*Flögel* 1984. I. *Pötzl* 1984.).

2. 10 Jahre zuvor hatte Erzherzog Ferdinand II. von Tirol zusammen mit seiner Gemahlin Anna Katharina (von Gonzaga) in Hall (bei Innsbruck) – einem schon von Kaiser Maximilian I. protegierten Wallfahrtsort – eine Loreto-Kapelle gestiftet.

3. bzw. von Lamormaini für Ferdinand II. posthum erhoben wurde.

4. *Evans* spricht von einem ‚unbarmherzigen Weg‘ Ferdinands, um den Protestantismus aus Innerösterreich zu verdrängen (*Evans* 1986. S. 51).

5. Zur Verbreitung der Loreto-Kapellen in Österreich, Tirol, Böhmen, Bayern und Baden-Württemberg und den Initiativen der Habsburger in der Loreto-Verehrung vgl. *Matsche* 1978. ders. 1981. ders. 1984. *Pötzl* 1979. ders. 1984. *Grass* 1979. *Flögel* 1984. I.

6. Nach *Pötzls* Urteil war in Bayern der Adel bei der Verbreitung des Loreto-Kultes die treibende Kraft, während die Geistlichkeit und das Bürgertum sich weit weniger stark engagierten (*Pötzl* 1984. S. 178. *Flögel* 1984. I. S. 79 f).

7. So wurde häufig die Translationslegende als Beweis auf dem Tonnengewölbe der Kopien abgebildet.

8. Dies gilt fast ausschließlich für Böhmen.

9. In Bühl inspirierte z. B. die Ähnlichkeit der Landschaft mit der von Loreto den Stifter Graf Leopold Wilhelm v. Königsegg-Rothenfels, dort 1666 eine Loreto-Kapelle zu errichten (*KD Bayern. Schwaben*. VIII. S. 193).

10. Der Rat der Stadt Luzern wies dieses Ansinnen des Kapuzinerpaters Ludwig von Wil ab und baute 1651/52 nur die Loreto-Kapelle (*KD Schweiz. Luzern*. I. S. 349 f. Anm. 9.). Ebenso gegenwärtig blieb des Wissen um den Ursprungsort und den idealen geographischen Zusammenhang der Casa Santa mit dem Hl. Land. Dies bezeugt u. a. auch die Bestellung der Karmeliter und seit der Mitte des 16. Jhdts. der Jesuiten zur geistlichen Betreuung des Wallfahrtsortes. Beide Orden orientierten sich am Hl. Land, aus dem die Karmeliter vertrieben worden waren, während Ignatius v. Loyola die ursprüngliche Aufgabe seiner Soziätät in einem ‚Kreuzzug‘ ins Hl. Land sah; er wollte seine Gesellschaft sogar auf dem Berg Karmel ansiedeln. Dies wurde ihm aber vom Papst ausdrücklich verboten.

11. „Auch der Marienwallfahrtsort Loreto stellte mit seiner gegen türkische Übergriffe befestigten Kirche, in deren Mauern das aus dem Hl. Land vor den Osmanen geflohene Haus Mariens verehrt wurde, ein deutliches Zeichen der wehrhaften Kirche dar. Die Tatsache, daß das Haus Mariens aus dem Hl. Land in den Schutz der Kirche bzw. in den Schutz der im katholischen Glauben regierten Länder geflohen war, konnte nicht nur als Auftrag zur Verteidigung des kleinen Marienheiligtums, sondern darüber hinaus als Auftrag zur Verteidigung der in Maria personifizierten Ecclesia gedeutet werden. Ihre Gegner waren jetzt nicht mehr nur die Anhänger des Islams, sondern auch die Anhänger der neuen Glaubenslehren der Reformation, die nicht nur für die Kirche eine große

12. *Matsche* unterscheidet im Rahmen dieser typisch böhmisch-mährischen Loreto-Konzeption zwischen einem Zentraltypus (s. Prag), einem achsialen Olmütztypus und einem Annextypus (*Matsche* 1984.).

13. Ein Jahr zuvor hatte Kaiserin Eleonore zur Feststellung des realen Baubestandes der Casa Santa drei Architekten nach Loreto geschickt. Durch deren Bauaufnahme waren nun Pläne des Gebäudes vorhanden, die eine getreue Kopie garantierten (*Flögel* 1984. I. S. 31).

14. einer bedeutenden böhmischen Familie. Wilhelm d. J. von Lobkowitz war u. a. königlicher Statthalter in Böhmen. Ein anderer Sproß der Familie, Zdeněk Vojtěch (Adalbert) Lobkowitz (1568–1628) war 1624 von Ferdinand II. in den Fürstenstand erhoben worden. Er hatte das Amt des böhmischen Kanzlers inne. Sein Sohn Václav (Wenzel) Eusebius (1609–1677) war Präsident des Hofkriegsrates und oberster Minister Leopolds I. (*Evans* 1986. S. 157 f.).

15. Die Gründung geht auf ein Gelübde von Benigna Katharina zurück. Die Prager Loreto-Kirche stand bis ins 20. Jhdt. unter dem Patronat der Familie Lobkowitz.

16. 1664 war der Kreuzgang fertiggestellt.

17. Sie stiftete die berühmte Diamantenmonstranz und hinterließ 1695 ihr gesamtes bewegliches Vermögen der Loreto-Kirche (*Pulkert* 1973. I. S. 22).

18. Das Bruderschaftsbuch von 1716 beziffert die Mitgliederzahl auf 499 541, während jenes von der Wende zum 19. Jhdt. von über einer Million spricht (*Bruderschaffts Büchlein*. 1716. S. 23. *Regeln der Hl. Bruderschafft*. (um 1800). S. 27).

19. In Münster konnte ich zwei Exemplare finden. Das des Westf. Landesmuseums stammt aus dem Jahre 1716. Dasjenige der UB Münster ist ohne Titelblatt und mit „Walldürn" handschriftlich bezeichnet. Es ist ein fast wortgetreuer Nachdruck des älteren Exemplars aus der Wende zum 19. Jhdt.. Auf die Verbindung dieser Bruderschaft mit Walldürn werden wir noch eingehen (s. S. 161 f.).

20. Die Gestaltung des 1784 unter Joseph II. abgerissenen Gebäudes war wie die Prager Kapelle stark am Original in Loreto orientiert (*Flögel* 1984. II. S. 152 f.). Höchstwahrscheinlich fehlten auch ihr direkte ikonographische Anklänge an die Hl. Familie. Ebensowenig lassen sich in der Grablege der Habsburger, der Kapuzinergruft, Anklänge an den Tod des hl. Joseph finden (*Hawlik van de Water* 1987.).

21. Zumal die Kaiserin selbst schon über ihre Großmutter Eleonore eine besondere, familiär gebundene Beziehung zu Loreto pflegte. Eleonore v. Mantua (eine gebürtige Habsburgerin) hatte sich für die erste Loreto-Kapelle in Tirol (Hall, 1589) eingesetzt.

22. Die Herzgruft befand sich vor dem *S. Camino* unter dem Plattenboden: „Das grüfftl alwo die herz deren Kaysern und gesambten Von hauss Oesterreich stehen, ist in der Loreto-Capellen unter unser lieben frauen Vor dem Camin, unter dem Pflaster befindet sich eine Platten, [...] worunter von Stein das grüfftl, [...]." (*Wolfsgruber*, Cölestin: Geschichte der Loretokapelle bei St. Augustin in Wien. Zitiert nach *Hawlik-van de Water* 1987. S. 62).

23. Die Protestanten im Böhmischen Aufstand richteten schon vor der ‚offiziellen' Intensivierung der Josephsverehrung im ausgehenden 17. Jhdt. ihren Spott nicht nur gegen die katholische Marienverehrung, sondern bezogen in ihren Bildersturm auch den Nährvater Jesu mit ein. So wurden auf der spätgotischen Geburtsszene aus Strakonitz (Südböhmen) dem hl. Joseph die Augen ausgestochen. Während des Dreißigjährigen Krieges verhöhnte 1631 ein protestantischer Oberst die Habsburger Dynastie und ihr marianisches Siegeszeichen, indem er auf dem Altstätter Ring in Prag einen *Zimmermannsgesellen* – in Anspielung an den hl. Joseph – hängen ließ und ihm gegenüber das geraubte Altbunzlauer Marien-Gnadenbild aufstellte (*Matsche* 1978. S. 115).

24. Die Kapelle wurde sogar an der Stelle des Geburtshauses Pontifesers errichtet und so dem ‚berühmten' Sohn Klausens ein Denkmal gesetzt, das in Anspielung auf eine gewisse Analogie seinem Elternhaus rückwirkend eine besondere Weihe gab. Fortan konnten die Gläubigen nicht nur zur Casa Santa, sondern auch zur Geburtsstätte Pontifesers pilgern, die durch das Loreto-Heiligtum neu interpretierbar wurde. Zur Entstehung der Loreto-Stätte in Klausen *KD Schweiz. Luzern*. I. S. 281. *Theil*: Loretoschatz. 1971.

25. Die Stifterin entstammte dem katholischen Haus Wittelsbach (Linie Pfalz-Neuburg)

26. Außerhalb des Habsburger Machtbereichs betreuten Kapuziner die Loreto-Kapellen in Freiburg, Stühlingen, Ried und Landshut (*Flögel* 1984. II).

27. Die Jesuiten betreuten das österreichische Linz und Kapfenberg (*Flögel* 1984. II.).

28. Sie waren seit Ende des 16. Jhdts. auf Bitten des Tiroler Landesfürsten in Österreich, das bis 1668 zusammen mit der Schweiz eine Ordensprovinz bildete (*Helvetia Sacra*. V. 2,1. S. 291). Deshalb prägten die Kapuziner in ähnlicher Weise wie in Österreich die Rekatholisierung der Schweiz, wo ihr Orden 1581 – noch vor den Jesuiten – zugelassen wurde. Seit 1747 bestand eine eigene Nordtiroler Provinz für Österreich (ebda. S. 24. *Evans* 1986. S. 103–106).

29. Der Gemeindealtar mit den beiden Türen an seinen Seiten übernahm die Funktion eines Lettners, der üblicherweise den Gemeinderaum vom Chor – als Ort des Mysteriums von der Menschwerdung und dem Erlösungstod Christi – trennte.

30. Auch die Kirche in Nazareth, die – nach der Legende – ehemals die Casa Santa barg, hatte eine ‚Küche'; gemeint ist ein Teil einer Höhle, der die Casa Santa quasi als Vorbau gedient haben soll und die – da sie sich im gewachsenen Fels befindet – nicht mit nach Loreto überführt werden konnte (*Beissel* 1910. S. 456).

31. Dieser Plan stützt sich wahrscheinlich auf ein Vorbild des frühen 17. Jhdts.. Derlei Grundrisse müssen nach dem Urteil Wilhelm von Gumppenbergs in seinem *‚Atlas Marianus'* (1672) auch außerhalb Italiens sehr verbreitet gewesen sein (*Pötzl* 1984. S. 376 f.).

32. Zur Idealausstattung von Loreto-Kapellen *Flögel* 1984. I. S. 39 f. Der *S. Armario* wie auch der *S. Camino* findet sich – meist in Andeutung – in vielen Loreto-Kopien. *Baden-Württemberg*: Egesheim, Konstanz, Schliengen, Villingen; in *Bayern*: Aldersbach, Angerbach, Holzen, Pfreimd, Scheppacher Wald/Döpfhofen, Stätzling, Thyrnau, Unterlind; in *Österreich/Tirol*: Kufstein, Ried; *Oberösterreich*:

Lambach, Pfarrkirchen St. Jakob am Thurn; *Kärnten*: Mandorf, Maria Loreto/Klagenfurt, St. Andrä (Lavantal), St. Veit a. d. Glan, Straßburg; *Niederösterreich*: Göllersdorf, Strass, Walpersdorf, Wien/Jedlesee, Zwentendorf; *Steiermark*: Murau, St. Johann bei Herberstein, Schwanberg, Trofaichach; *Burgenland*: Loretto (ebda. II.).

33. z. B. in der Loreto-Kapelle bei Zug (*KD Schweiz. Zug.* S. 208). und in Biberegg (*KD Schweiz. Schwyz.* II. S. 154).

34. Die Vorlage stammt von dem nazarenischen Maler Joseph Führich (1800–1876), der sich in Rom Johann Friedrich Overbeck anschloß (*Kat. Religiöse Graphik.* 1981. S. 57).

35. Renate *Kroos* belegt diesen Vorgang schon für das Mittelalter. Die Autorin rekonstruiert als Ausgangspunkt dieser Praxis die besonders im Spätmittelalter aber auch noch in der Neuzeit zahlreichen Heiltumsweisungen, in denen entsprechende, uns heute kurios und skurril anmutende Reliquien mit großem Gepränge öffentlich gezeigt wurden (*Kroos* 1985. S. 27–30).

36. *Flögel* argumentiert in ähnlicher Weise in Bezug auf die Casa Santa als Ort der Verkündigung: „Das Unvorstellbare wurde für die Gläubigen durch seine räumliche Realität [in der Casa Santa] leichter faßbar." (*Flögel* 1984. I. S. 15).

37. obwohl in Nazareth eine Josephskirche bekannt ist, die mit der Werkstatt des Heiligen identifiziert wird. Da sie aber nicht durch eine Translation in den abendländischen Kulturkreis verfügbar war, vereinigte man diese verschiedenen Orte im Rahmen der Casa Santa-Verehrung.

38. von Gerard Seghers. Um diese Loreto-Kapelle entstand ein Kapuzinerkloster, das im 18. Jhdt. von Franziskanern übernommen und mehrmals umgebaut wurde (*KD Bayern. Niederbayern.* XVI. S. 166–170).

39. *Beissel* berichtet, daß die Höhle in der Kirche von Nazareth, die der Legende zufolge ehemals die Casa Santa barg, auch das Grab des hl. Joseph beherbergte (*Beissel* 1910. S. 458). Sowohl der Tod Josephs als auch die Werkstatt- und Küchenszene wurden in Loreto jedoch auf den einen vorhandenen Raum bezogen und somit eine Konzentration in der Casa Santa erreicht, die ihre kultische Bedeutung nur erhöhen konnte.

40. die sich ja auch im Falle der Werkstattszenen in der Vorstellung von der Josephskirche in Nazareth als originale Werkstatt des hl. Joseph niederschlägt.

41. wie auch die Konkretisierung der Translationslegende im 16. Jhdt. diesem Zweck gedient hatte (*Flögel* 1984. I. S. 15).

42. Für den einfachen Gläubigen wird es keinen Unterschied gemacht haben, ob nun das Hl. Haus von Nazareth im Hl. Land, in Italien oder in seiner heimatlichen Umgebung stand. Am Beispiel vom Sesselstein (bei Tittling) zeigt sich, daß für die fromme Vorstellung heilsgeschichtliche Ereignisse ebenso transferierbar waren wie Örtlichkeiten der Heilsgeschichte. Sesselstein wird regional als einer der Orte verehrt, an denen sich die Hl. Familie zur Rast auf ihrer Flucht nach Ägypten niedergelassen haben soll. Als Beweis wird auf drei Vertiefungen in einem Felsen hingewiesen, die die Stelle der Rast bezeichnen sollen (*Kriss* 1953–1956. II. S. 144 f. s. S. 42).

43. Die Kapelle, an der diese Br. bestand, wurde 1657 zum Dank für den Sieg der Bayern über die Franzosen gestiftet und von Kapuzinern betreut (*Flögel* 1984. II. S. 5).

44. Die Kirche als ‚Wohnung‘ der Heiligen war ein gängiger Topos.

45. Wilhelm Nakatenus bietet in seinem Andachtsbuch ‚Palm-Gärtlein‘ ein Beispiel für ein vertragsmäßig geregeltes Verhältnis des Gläubigen zu seinem Heiligen. Der Titel des entsprechenden Textes lautet bezeichnenderweise: „Gottseliger Vertrag mit S. Joseph / Darin seine Hulff und Beystand begehret / und ihm hingegen sonderbahre Lieb / Ehr und Dienst (jedoch ohne Gelübd) wird anerbotten." (*Nakatenus*: Palm-Gärtlein. Köln 1737. S. 390 ff).

46. Vgl. auch das 4. Gebot. Vorbilder für diese Gruppenbildung der Menschen mit dem menschgewordenen Gottessohn waren die Apostel und Jünger, die ebenso wie die ‚geistliche Haushaltung‘ im engeren Umgang mit Jesus eine Elite bildeten und die Casa Santa wie die Gemeindemitglieder ‚bewohnt‘ und – aus Verehrung zur Gottesmutter – zur Kirche geweiht haben sollen (*Flögel* 1984. I. S. 9).

47. Vgl. die 1664 in Weihenlinden gegründete JMJ-Br.

48. Vgl. die 1675 in Münsing gegründete JMJ-Br.

49. Freundl. Hinweis von Herrn Prof. Dr. H. Dollinger.

50. *Grimm.* III. Sp 167 f. Das feminine Pendant zu *freundschaft* ist die *mog-* oder *magdschaft* (Jungfrau), die auch in der heiligen ‚Sipp-, Mag- und Schwägerschaft‘ der Habsburger als eine genealogische Beziehung verstanden wurde (*Laschitzer* 1889. S. 71. Anm. 4).

51. Das Blatt ist betitelt: „*Die allerheiligste Freundschafft JEsu.*" und trägt unter dem Bild der Hl. Familie den Text: „Die höchste Freundschafft wird hie dir / Bey JEsu klar gestellet für, / Sanct Joseph und Elisabeth / Mit Sanct Johannem allhier steht, / Maria keusch als Mutter rein, / Mit ihrem lieben JEsulein, / Betracht sie wohl in dieser Zeit, / Bis du sie schauest dort in Freud."

52. Diese Auffassung einer nicht-genealogischen, sondern spirituellen Beziehung der ‚Familienmitglieder‘ entsprach im übrigen auch eher der katholischen Lehre von Unbefleckter Empfängnis und Inkarnation.

53. nicht zuletzt durch die Passion Christi.

54. Vgl. auch den Titel des Josephsgebetes bei Nakatenus, s. oben. Anm. 45.

55. Einen ähnlichen Kelch mit der Hl. Familie aus dem 2. Drittel des 17. Jhdts. besitzt die Loreto-Wallfahrt Hergiswald (*KD Schweiz. Luzern.* I. S. 394). Auch in Hall (Tirol) – der ersten Loreto-Kopie im deutschen Sprachraum – lassen sich ähnliche Preziosen finden. So führt das Inventar des Kirchenschatzes der Loreto-Kapelle in Hall von 1688 auf: „ain Tafele, darinn UL Frau mit dem Jesuskind u. dem Hl. Josef von Silber" und ein „Goldstuck, warinnen die Pildnis Jesus, Maria und Joseph gemahlen und mit guldenen Ziraden geziert, so die erzfürstl. Prinzessin Claudia Felicitas [die 2. Gemahlin Kaiser Leopolds I., in dessen Regentschaft der hl. Joseph zum Landespatron Österreichs ausgerufen wurde] alhero verehrt." (zitiert nach *Grass* 1979. S. 175).

56. die in dieser Ausprägung, nicht aber von der Grundidee der Kombination verschiedener Kapellen her, singulär ist. (*KD Bayern. Schwaben.* VIII. S. 633. Abb. 543)

57. In der Planung sollten also zwei Großreliquien aus dem Hl. Land in Kopien nebeneinander gestellt werden (s. auch die ursprüngliche Konzeption von Bühl und Hergiswald. s.

oben. Anm. 9, 10). Der für eine Loreto-Kapelle völlig untypische oktogonale Grundriß, der in der Tradition der alten Appachkapelle steht, läßt vermuten, daß die Kapelle die Idee der Casa Santa und der Grabeskirche – also Anfang und Ende des Lebens Jesu auf Erden – in sich vereinigen sollte. In dieses Programm würden auch die beiden kleinen Plastiken in Rundbogennischen (Varianten des *S. Armario*?) – Werkstattszene und Tod Josephs – passen, und nicht zuletzt könnte dieser, an die Grabeskirche erinnernde oktogonale Grundriß der Loreto-Kapelle von Oberstdorf der Grund sein, daß das zweite Gebäude nicht eine Hl. Grab-, sondern eine Josephskapelle wurde. Auf diese Weise wurde zwar der Grundtenor – das Ende des irdischen Lebens und der Gute Tod – beibehalten, eine Verdoppelung der direkten Verweise auf den Tod Christi aber vermieden. Zu dem Gut-Tod-Patrozinium der Hl. Familie und des hl. Joseph s. unten. Das Gut-Tod-Patrozinium der Hl. Familie.

58. Weitere Kombinationen aus dem Bereich der Loreto-Kapellen, die in ihren Patrozinien als Heiligenaddition die Hl. Familie oder die Hl. Sippe ergeben vgl. *Baden-Württemberg*: Ellwangen (+ Joachim, Anna), Hüfingen (+ Joseph), Jestetten (+ Joseph), Konstanz (+ Anna); *Bayern*: Altdorf (+ Anna), Bühl a. Alpsee (+ Anna), Reutberg/Sachsenkam (+ Anna); *Kärnten*: Straßburg (+ Anna) (*Flögel* 1984. II.).

59. Er zeigt: Joh. d. T., Hl. Wandel, hl. Agnes. Die hl. Agnes ist außerdem im Auszug des Hochaltares der Oberstdorfer Pfarrkirche zu sehen (*KD Bayern. Schwaben*. VIII. S. 617).

60. Eine ähnliche Beeinflussung einer Pfarrei durch eine Loreto-Kultstätte haben wir auch in Klausen beobachten können, wo die Pfarrkirche die Prozessionsstange der Holz- und Textilarbeiter mit dem Hl. Wandel verwahrt (s. S. 112. *Finckenstaedt* 1981. S. 306).

61. Vgl. auch die Bezeichnung ‚Teatro istorico' in dem 1732–1735 in Rom erschienenen, dreibändigen Werk über Loreto von P. Valerio Martorelli, der im 2. Bd. einen detaillierten Grund- und Aufriß der Casa Santa wiedergibt (*Flögel* 1984. I. S. 17. Abb. 8). Zur Bedeutung der Theatermetapher in der Weltanschauung des Barock und in seiner Rethorik vgl. *Barner* 1970. S. 86–131.

62. Vgl. auch das Kirchenlied ‚Das Haus von Nazareth' von 1898 (*Bäumker* 1886–1911. IV. S. 571) und das aus dem gleichen Jahr stammende Lied ‚Das heilige Haus zu Nazareth' (*Aufnahmebüchlein*. Neumarkt i. d. Oberpfalz 1898. S. 24).

6. Der hl. Joseph im Rahmen der Hl. Familie-Verehrung

1. Vgl. außerdem Geburtsszene vom Meister des Altars von Schloß Tirol (1370–1372). Landesmuseum Ferdinandeum, Innsbruck (*Kühnel* 1980. Abb. 9).

2. Vgl. z. B. die noch im späten 17. Jhdt. bei M. v. Cochem zitierte hl. Birgitta von Schweden (1302/03–1373) (*M. v. Cochem*: Leben Christi. Mainz/Köln 1716. S. 500), die in einer Vision aufgefordert wurde, sich mit Gott in einer mystischen Vermählung zu verbinden. Zwei Jahre nach dieser Vision gründete sie 1346 den Birgittenorden, der der Augustinerregel folgte (LThK. II. Sp. 486. LCI. V. Sp. 400–403).

3. Diese Episode wurde bis ins frühe 18. Jhdt. als Exempel in der Predigt verwandt (*Abr. a S. Cl*: Paradeyß-Blum Joseph.

ohne Seitenzählung (S. XVIII). *Brez*: Lust-Garten. 1720. S. 46).

4. Vgl. zu d'Ailly *Tschackert* 1877. Der protestantisch orientierte Autor beschreibt den Kardinal als maßgeblichen Vertreter der römischen Kurie auf dem Konzil von Konstanz (1414–1418), der nicht nur an der Behebung des Schismas beteiligt, sondern auch der Leiter derjenigen Kommission war, die Jan Hus verurteilte. Zur jüngeren Gerson-Literatur gehört die 1986 veröffentlichte Habilitation von Christoph *Burger*, der Johannes Gerson als Theologen, innerkirchlichen Reformator und Gegner der Kanonisten beschreibt.

5. Kardinal d'Aillys Interesse für den hl. Joseph – hauptsächlich angeregt durch Johannes Gerson – ist in Zusammenhang mit seiner ausgeprägten Marienfrömmigkeit zu sehen. Schon 1387 hatte er – damals noch Bischof von Cambrai – einen Streit um die Unbefleckte Empfängnis Mariens mit dem Dominikaner Johann von Motson ausgefochten. Motson hatte – in Anlehnung an Thomas v. Aquin – die Möglichkeit der Unbefleckten Empfängnis bestritten und so besonders die französische Marienfrömmigkeit verletzt. Pierre d'Ailly konnte vor dem Papst in Avignon und 1389 auch vor dem jungen französischen König Karl IV. gegen die dominikanische Auffassung angehen und hatte damit vor dem König so großen Erfolg, daß dieser seinen Beichtvater – einen Dominikaner – entließ und d'Ailly auf diesen Posten stellte. Daß der Kardinal die Marienfrömmigkeit als seine persönliche Sache ansah, bezeugt eine Reliquienschenkung an seine Metropolitankirche, der er in einem kostbaren Schrein ‚die Milch von der hl. Jungfrau' stiftete (*Tschackert* 1877. S. 70–77, 113 f. *Beissel* 1890/1892. S. 137). Ihm lag offensichtlich viel an der Verteidigung der Jungfräulichkeit Mariens, für die der hl. Joseph seit alters her ein wichtiger Kronzeuge war. So widmete sich d'Ailly dem hl. Joseph eigens in einem Traktat. Johannes Gerson, der weniger Kirchenpolitiker – wie d'Ailly – als Reformtheologe war, verstand Joseph als Vertreter der von ihm hoch geschätzten Gruppe der *simplices*, *idiotae* und *illitterati*, denen die Gotteserfahrung im frommen Affekt eher möglich sei als den ‚verbildeten' *litterati*, die – nach Gerson – zur weniger wertvollen Gotteserkenntnis strebten.

6. Aus einer inneren Logik über die Jungfräulichkeit Mariens heraus schien es offenbar sinnvoll, auch für Joseph vollkommene Keuschheit während seines gesamten Lebens anzunehmen und die Gewähr für Marias Unversehrtheit nicht nur durch sein hohes Alter gesichert zu sehen.

7. Als neuer Prophet gilt z. B. Simeon, der bei der Darbringung Jesu im Tempel die sieben Schmerzen Mariens vorhersagte (Lc. 2,35).

8. Diese Botschaften betreffen die Verstoßung Marias (Mt. 1,20–23), die Aufforderung zur Flucht (Mt. 2,13), die Aufforderung zur Heimkehr (Mt. 2, 19 f) und die Heimkehr nach Galiläa (Mt. 2,22 f).

9. die Königin des Himmels und Herrin der Engel (,,Caelorum Regina ac Domina Angelorum". AASS. III. XIX Martii. S. 5 f).

10. der König der Könige, vor dem sich alle Knie im Himmel, auf der Erde und in der Hölle beugen (,,Rex Regum, cui omne genu flectitur caelestium, terrestrium & infernorum". AASS. III. XIX Martii. S. 6).

11. Vgl. Gersons Predigt vom 8. September 1416 vor dem Konstanzer Konzil: *Sermo de Nativitate gloriosae V. M. et commendatione virginei sponsi eius Ioseph* (*Gerson.* V. S. 344–362. *Seitz* 1908. S. 205 ff).

12. Die Heiligen, die im Römischen Brevier aufgeführt waren, wurden den Gläubigen als besonders geeignete Namenspatrone empfohlen.

13. Diese Entwicklung, die zeitlich der der JMJ-Br.en entspricht, ist durch ein sprunghaftes Anwachsen der Josephsbr.en charakterisiert. Die Nachweise für Josephsbr.en übersteigen sogar die der JMJ-Br.en. Dies gilt besonders für das bayerische Gebiet, obwohl die Verbreitung der Hl. Familie-Br.en seit den 60er Jahren des 17. Jhdts. so enorm wie nie wieder zunahm. So konnte ich für die Bistümer München-Freising und Augsburg (nach *Mayer/Westermayer* 1874–1884. bzw. *Steichele/Schröder* 1864–1939.) 24 JMJ-Br.en feststellen, denen 29 Josephs-Br.en gegenüberstanden. *Krettner*, der ohne Rücksicht auf die alten Bistumsgrenzen recherchierte, stellt für Bayern zwischen JMJ- und Josephs-Br.en ein Verhältnis von 68 : 50 fest.

14. Sie betreuten auch die Loreto-Kapelle, in der die Habsburger die Herzen ihrer Verstorbenen beisetzen ließen.

15. Es handelt sich um zwei Gemälde in der Klosterkirche. Das Kloster, 1686 von Herzog Maximilian Philipp v. Bayern gegründet, betreute die dort von dem Herzog errichtete Loreto-Kapelle (*KD Bayern. Mindelheim.* S. 455 ff. *Pötzl* 1979. S. 216). Vgl. auch zwei Gemälde in Diemantstein (Schwaben), die ebenfalls sich entsprechende Darstellungen von Maria und Joseph zeigen (*KD Bayern. Schwaben.* VII. S. 206).

16. Er thematisiert den 1. Traum Josephs, die Geburt Jesu, Beschneidung, Flucht nach Ägypten (mit Götzensturz), Rückkehr aus Ägypten (modifizierter Hl. Wandel mit Wanderstab), Jesus im Tempel und den Tod Josephs.

17. Zur Josephskrönung LCI. VII. S. 220.

18. Zur Buchmetapher s. S. 140.

19. Diese Methode der Schlußfolgerung aus ‚wahren' Prämissen orientierte sich am aristotelischen Wissensbegriff und führte nach Überzeugung der Scholastiker (Anselm v. Canterbury, Thomas v. Aquin) zu theologischem ‚Beweiswissen' (LThK. VI. Sp. 453 f).

20. *Kemp* 1981. S. 228. Abb. 15. Die Inschrift AMOR UNUS verweist auf die uneingeschränkte gemeinschaftliche Liebe, die die drei Personen in der Hl. Familie verband.

21. *Korte* führt die Motivik auf den hl. Bonaventura zurück und interpretiert das Titelkupfer von J. C. Reiff folgenderweise: „Unser Blick fällt in einen prächtigen, antik anmutenden Rundraum, dessen Wand durch leicht hervortretende breite Pfeiler symmetrisch unterbrochen wird. Jedes Feld zwischen den Pfeilern belebt eine in einer Nische stehende Heiligengestalt – Märtyrer und Bekenner – mit faltenreicher Gewandung, Palme, Schwert etc. als Siegessymbol in der Hand haltend. Die Mitte des Bildraumes beherrscht symbolhaft ein fein entworfener Brunnen – der Taufbrunnen – als Fundament und Urquell alles christlichen Lebens und Tugendstrebens. Aus ihm erhebt sich elastisch ein wohlgegliederter Aufbau, dessen leichtverjüngter Spitze in zierlichem Bogen sechs Wasserstrahlen entströmen als Versinnlichung der sechs übrigen Sakramente. Von der Decke her erstrahlt aus schwarzen Wolkenbildungen das Sonnenantlitz als Sinnbild Jesu Christi, umglänzt von reichem Lichtmeer. Der stärkste Lichtstrahl flutet hernieder zur Erde und wird aufgefangen von einem in Höhe der Heiligengestalten leicht an eine Säule gelehnten Spiegel. In diesem Spiegel leuchtet matt auf das Bild des Mondes, das Symbol der Kirche. Der Mond, die Kirche, leitet die Lichtgarben, die er von der Sonne, Christus, empfangen, weiter auf den Wasserspiegel des Taufbrunnens. Hinter dem Spiegel ragt in majestätischer Haltung mit vollem Ornat, Tiara und Papstkreuz eine Papstfigur auf, den Blick vertrauensvoll hingewandt zum Sonnenantlitz Jesu Christi. Auf niedrigem Podium hocken in der linken Bildecke drei Putten, von denen die eine ein Spruchband trägt mit der Aufschrift: Noruntque suum sua sidera solem: Die Gestirne, die Heiligen, kennen ihre Sonne, Christus. In der Gnadenkraft der sieben Sakramente spiegeln sie durch die Luna, die Kirche, den Urquell des Gnadenlichtes wider, die Sonne, Christus; leuchtet auch in ihren Seelen etwas auf von dem Widerschein des Göttlichen aus der heiligsten Dreifaltigkeit." (*Korte* 1935. S. 70)

22. Er identifiziert Jesus mit dem Brot des Lebens, dem lebendigen und lebendigmachenden Wasser, dem Weizen „auf dem Feld der Kirchen" (*Brez*: Lust-Garten. 1720. S. 48), dem Baum des Lebens und dem wahren Weinstock; Maria mit einem Schiff, einem Gnadenbrunnen, einem Acker, dem *hortus conclusus* und einem Weingarten.

23. Maria ist in dieser dem Marienwallfahrtsort Loreto zuzuordnenden und unter jesuitischem Einfluß verfaßten Litanei nicht nur Jungfrau, Mutter und Königin, sondern auch Spiegel der Gerechtigkeit, Sitz der Weisheit, geistliches Gefäß, geistliche Rose, Turm Davids, elfenbeinerner Turm, goldenes Haus, Arche des Bundes, Pforte des Himmels, Morgenstern, Heil der Kranken, Zuflucht der Sünder, Trösterin der Betrübten und – als ‚Schutzheilige der Gegenreformation' – Helferin der Christen. Obwohl diese Attribute sozusagen von Haus aus nichts mit dem ‚Beschützer Joseph' zu tun hatten, wurden auch aus ihnen die Beschützer- und Helferfunktionen Josephs erschlossen.

24. Bei der Bildung der Josephslitanei, die man zum Namenskult rechnen muß, kann man allerdings nur formal von einer Parallele zur Marienlitanei sprechen. Denn während die Lauretanische Litanei die Mariensymbole in ihre Rufe integriert und ihnen sogar einen nicht geringen Teil einräumt, finden sich in der Josephslitanei keine entsprechenden Metaphern. Vielmehr wird hauptsächlich auf seine irdische Rolle Bezug genommen. Ebenso wie bei den Litaneien wurde auch eine Parallele Josephs zu den Sieben Freuden und Sieben Schmerzen Mariens konstruiert (*Nakatenus*: Palm-Gärtlein. Köln 1737. S. 388 f).

25. Maria als Rose ohne Dornen, Joseph als weiße Lilie.

26. Vgl. z. B. ein gotisches Flügelaltärchen aus Elfenbein (Paris, Louvre) oder ein spätmittelalterliches Predellenbild (Verbleib unbekannt) (*Seitz* 1908. Tafel 5. Bild 32. und Tafel 12. Bild 75).

27. Noch im ausgehenden 17. Jhdt. beschreibt Martin v. Cochem das Darreichen des Jesuskindes im Zusammenhang mit der Weihnachtsgeschichte: „Als er [Joseph] nun eine gute weil in solcher süssigkeit gesessen ware / sprach die Jungfrau zu ihm: Nim hin / mein Joseph / das liebe Kindlein /

und gib ihn [!] zum willkomm einen freundlichen Kuß. Da nahme er mit höchster reverentz seinen Erschaffer auff seine H. armen / truckte ihn an seine wangen / und gabe ihm einen süssen kuß. Von welchem sein liebes hertz mit solcher süssigkeit erfüllet ward / daß diselbe durch bein und marck tränge. Er konte für lauter freuden kein wort reden / sonder thäte nichts mehr als süsse thränen wainen." (M. v. Cochem: Leben Christi. Mainz/Köln 1716. S. 320 f).

28. Freundl. Hinweis von Herrn Prof. Dollinger.

29. In den Umkreis dieser frühen Beispiele gehört wohl auch der hl. Joseph in der Apostelpforte in Lausanne aus der 1. Hälfte des 13. Jhdts., der das Jesuskind auf dem Arm trägt. Der Jesusknabe hat hier, wie in den Christophorusbildern, einen Kreuzesnimbus (Schewe 1958. S. 90).

30. Die Ausbildung dieses Bildtyps zeigt aber auch die Differenzen zwischen Christophorus und dem ‚christo-phoros' Joseph, denn mit dem Nährvater Christi verband sich nicht – sieht man einmal von einer Ausnahme ab, in der der hl. Joseph dem Jesuskind in einer Tischszene den Leidenskelch reicht (vgl. den Kupferstich von Callot Abb. 3) – der eucharistische Gedanke, der den hl. Christophorus zum Todespatron machte. Christophorus konnte diese Stellung einnehmen, weil er Christus, der in manchen frühen Darstellungen eine Hostie in der Hand hält, das Heil der Welt, das eucharistische Lamm, den Gläubigen zeigt, dessen bloßer Anblick im Glauben des Spätmittelalters vor einem unvorbereiteten Tod schützte (vgl. auch die Bedeutung der geistlichen Kommunion, nach der der Anblick der Hostie ebenso heilswirksam war wie die echte Kommunion). Josephs Tragen des Jesuskindes besitzt nicht explizit diese eucharistische Qualität, ihr haftet vielmehr in den meisten Fällen ein idyllisch-fürsorglicher Zug an, so daß für Joseph genaugenommen die Bezeichnung ‚Jesusträger' passender ist als ‚Christusträger' (vgl. Mayer 1938. S. 258.).

31. Aus dieser Bildparallele heraus läßt sich für den verloren gegangenen Josephsaltar in der Krypta der Längenfelder Katharinakirche (Nordtirol) der Schluß ziehen, daß die Josephsfigur ebenso wie die erhaltene Antonius-Statue das Kind auf dem Arm trug (Felmayer 1967. S. 90).

32. Vgl. LCI. V. Sp. 496. Art.: Christophoren. von G. Kaster, der auf das Bildprogramm des Altars der Antwerpener Schützengilde von Rubens (1611) hinweist, der die Christusträgerschaft thematisiert.

33. Abr. a S. Cl. drückt in seiner Josephspredigt von 1675 den Gedanken der Auszeichnung besonders plastisch aus: „[...] wie offt und aber offt fiele dieses Göttliche Kind dem Joseph umb den Halß / daß er also wie ein Ritter deß guldenen Fluß [Vlies, urspr. burgundischer, später habsburgischer Ritterorden] daß wahre Lamb Gottes am Halß getragen?" (Abr. a S. Cl.: Paradeyß-Blum Joseph. (S. XIV)).

34. Im Falle des Gründers der Gesellschaft Jesu wurde dieses Zeichen u. a. als Beweis seiner Heiligkeit und zur Forcierung des Kanonisationsprozesses verwandt (König-Nordhoff 1982. S. 166).

35. Schon Mâle hatte diesen im 18. Jhdt. als Schutzengelbild verstandenen Typ als Innovation des 17. Jhdts. erkannt (Mâle 1951. S. 305–309). Dieser Typus ‚Raphael mit Tobias' konnte, wie ein Tafelbild des späten 17. Jahrhunderts aus Kaisheim (Kreis Donauwörth) (KD Bayern. Schwaben. III.

S. 358, 377. Abb. 344) zeigt, auch auf den hl. Joseph mit dem Jesusknaben angewandt werden.

36. Joseph als Mittelpunkt des Bildes, richtet wie bei Rubens den Blick zum Himmel auf Gottvater. Die Lilie – bei Rubens von einem Engel oder Kind gepflückt – wird ihm von dem Jesuskind, das er auf dem Arm trägt, gereicht. Wie bei Rubens ist der linke untere Bildteil von Figuren gefüllt (bei Rubens von zwei Engeln, in Wertach von Maria). Unabhängig von dem künstlerischen Gefälle, das zwischen den beiden Beispielen besteht, unterscheidet sich das Wertacher Exemplar hauptsächlich durch eine verstärkte devotionale Haltung (Joseph kniet), die in diesem Gnadenbild – entsprechend seiner Funktion – explizit den Gläubigen vor Augen geführt werden sollte.

37. Für die Beliebtheit des hl. Joseph im Bereich des privaten Andachtsbildes zeugen verschiedene Beispiele, wie z. B. die bei Spamer aufgeführten kleinen Andachtsbilder (Spamer 1930. Taf. LXXV, CLII, CLV) oder eine Hl. Familie-Darstellung von Christian Friedrich a Lapide, auf der nicht Maria, sondern der hl. Joseph das Kind auf den Armen trägt (Abb. 82). Weitere Belege: kl. Andachtsbild aus dem 2. Viertel 18. Jhdt. (Schlee 1978. Abb. 38) oder ein Bruderschaftszettel (ca. 1760/70) aus der Gemeinde Hötting (bei Innsbruck) (Hochenegg 1984. S. 77).

38. z. B. li. Sandsteinstatuette am Seitenaltar in der Innsbrucker Jesuitenkirche (1660–1692) (Felmayer 1967. S. 59).

39. z. B. das oben schon erwähnte, parallel zu einem Marienbild gestaltete Gemälde in der Klosterkirche der Kapuziner in Türkheim (bei Mindelheim/Schwaben); Ende 17. Jhdt. (KD Bayern. Mindelheim. S. 458).

40. 1. Hälfte 17. Jhdt. Gemälde mit thronendem Joseph im nordwestl. Treppenhaus des Zisterzienserinnenklosters Oberschönenfeld (Lkr. Augsburg) (KD Bayern. Lkr. Augsburg. S. 240); um 1680. Holzfigur im Konventbau des Klosters (ebda. S. 238); 18./19. Jhdt. Holzfigur im Nonnenchor des Klosters (ebda. S. 235). Um 1710/20 entstand ein im Refektorium des Klosters aufgehängtes Gemälde, das den Tod Josephs zeigt (ebda. S. 239). Auch bei den Ursulinen von Landsberg am Lech (B. Augsburg) erscheint der hl. Joseph erst 1766 in einem Deckenfresko im Chor der Klosterkirche (Bauer/Rupprecht 1976–1987. I. S. 145, 149).

41. Wie andere, nicht-klösterliche Beispiele zeigen, wurde von dieser Möglichkeit auch durchaus Gebrauch gemacht. Vgl. z. B.: ca. 1699. Bild im Auszug des re. Seitenaltars in der GK von Pankrazberg (bei Füssen) (Felmayer 1967. S. 70); Anfang 18. Jhdt. Figur im Altarschrein der GK von Barwies (Tirol) (ebda. S. 46); 1775. Zwickelfresko in der Schloßkapelle von Greifenberg (Lkr. Landsberg a. Lech) (ebda. S. 82 ff); 1779/80. Chorfresko der ehem. Pfarrkirche von Beuerberg, die heute als Friedhofskirche dient (Bauer/Rupprecht 1976–1987. II. S. 141 f). In der ehem. Augustiner-Chorherrenstiftskirche des Ortes läßt sich hingegen kein entsprechender Beleg finden.

42. die sich nicht zuletzt in den meist von Nonnen erlebten Kind-Jesu-Visionen niederschlug.

43. Noch heute sind einige der kostbar gearbeiteten Wiegen dieses liturgischen Spiels erhalten, z. B. ein Exemplar im Schnütgen-Museum, Köln aus der Mitte des 14. Jhdts. (Schnütgen-Museum 1989. S. 301–305). Einige der beim

klösterlichen Kindlwiegen gebrauchten Christkind-Figuren wurden in späterer Zeit vom Volk verehrt (*Zenetti* 1987.). Sie dienten aber auch der privaten Andacht. Vgl. das Titelblatt einer Kindheitsgeschichte Jesu von 1488, auf dem *Justitia* und *Veritas* das Jesuskind wiegen (*Jaspers* 1988. S. 254. Abb. 123. und S. 241 f).

44. So läßt Martin v. Cochem den hl. Joseph quasi als Stellvertreter für die Gläubigen eine ganze Gefühlsskala vom Trost bis zu Tränen der Liebe beim Anblick des Jesuskindes durchleben. Als ‚menschlichster‘ Teil der Hl. Familie lud er die Gläubigen zur Identifikation ein, in der sie in ihrer Phantasie Gleiches erleben konnten. „Von disen gedancken ward ihm sein hertz so gar entzündet / daß ihm seine augen gleichwie zwei milchbächlein überflüssiglich ausflossen / und wie zwey quell-äderlein der süssigkeit herfür sprützten. Gleich wie die seligste Jungfrau mit ihren zähren vilmal das liebe kindlein gantz benetzt: also vergosse dieser fromme Mann manchmal so vile zähren der liebe / daß dieselbe aus seinen augen über das haupt und angesichtlein des Jesuleins häuffig herab fliessend das kindlein aller naß machten.“ (*M. v. Cochem*: Leben Christi. Mainz/Köln 1716. S. 448).

45. z. B. durch die Übertragung der Marienmetapher *sedes sapientiae* im Bild des Jesus-tragenden Joseph.

46. So z. B. in einem kleinen Andachtsbild aus Pergament um 1760 (*Spamer* 1930. Taf. CLV) oder in dem Langhausfresko der Starnberger Josephskirche, das den hl. Joseph in seiner Werkstatt zeigt (Abb. 36.a–b). Auf die in der Neuzeit schwindende Bedeutung der *faber-fabricator*-Typologie im Bild des hl. Joseph haben wir schon hingewiesen (s. S. 77).

47. Vgl. die Hl. Wandel-Darstellungen seit Wierix (Abb. 38), die fast ausnahmslos die Lilie zeigen, während die Vorläufer zum Hl. Wandel aus dem 15. Jhdt. das Attribut kaum kennen. So bildet z. B. eine entsprechende Darstellung aus Mosers ‚Bereitung zu dem heiligen Sakrament‘ von ca. 1485 (Farbtafel XIII.) Joseph mit einem Wanderstab ab.

48. Als Attribut seiner irdischen Existenz und seines Berufes (Mt. 13,55) konnte es nicht den gleichen Stellenwert haben wie die himmlische Lilie. Dennoch hat es die Josephsvorstellung nachhaltig geprägt, da es in weit höherem Maße als das geistliche Symbol seiner Keuschheit, die weiße Lilie, für die Gläubigen anschaulich war. Vgl. z. B. das Deckenbild der Josephskapelle von Benediktbeuern, um 1730 (*Bauer/Rupprecht* 1976–1987. II. S. 73).

49. Bei Gerson: „Tu Joseph accrescens dictus, [. . .].“ (*Gerson*. IV. S. 98).

50. Martin v. Cochem deutet hingegen an, dem hl. Joseph habe es an Verständnis für das Mysterium der unbefleckten Empfängnis gefehlt, und er sei erst durch die Offenbarung des Engels zur Einsicht gelangt (*M. v. Cochem*: Leben Christi. Main/Köln 1716. S. 260 f).

51. Vgl. die Fresken in der Kapelle von Schloß Clemenswerth.

52. Vgl. z. B. Annibale Carracci (1560–1609): Hl. Familie (Ende 16. Jhdt.) (*Bartsch*. XXXIX. S. 397. Nr. 11-I (187)). Freundl. Hinweis von Herrn Prof. Dollinger. Ludovico (1555–1619) und Annibale Carracci waren Vettern und führten in Bologna zusammen eine Werkstatt (*Thieme/Becker*. VI. S. 55–61). Vgl. auch den 4teiligen Landschaftszyklus von Swanevelt (Abb. 11.a–d).

53. so auch in dem Wierix-Blatt (Abb. 38).

54. Die gleiche Methode wird von Abr. a S. Cl. angewandt, um die Ehe Mariens mit Joseph zu bewerten. Sie wird als Steigerung der Ehen von Abraham und Sarah, Zacharias und Elisabeth, Isaac und Rebecca, der Heiligen Patricius und Monika, Valerianus und Caecilia u. a. verstanden. Der Prediger scheut sich bei seinem Vergleich auch nicht, Seneca und Paulina als vorbildliches Ehepaar vorzustellen und so den rein christlichen Rahmen seiner Exempel zu sprengen (*Abr. a S. Cl.*: Paradeyß-Blum Joseph. (S. VI)).

55. Vgl. auch *Brez*: Lust-Garten. 1720. S. 68.

56. Obwohl die Verknüpfung des ägyptischen Joseph mit dem Nährvater Jesu nach der mittelalterlichen Idee von Typus und Antitypus im strengen Sinne nicht glücklich war, da in ihr die alttestamentliche Figur (Typus) als Präfiguration für Christus (Antitypus) galt, konnte – nach der ‚Zurichtung‘ seines Charakters – der hl. Joseph mit ihm in Verbindung gebracht werden und zum Zwecke der Profilierung vom Bild des alttestamentlichen Joseph profitieren. Andere Parallelen in den Namen – wie z. B. die mit Joseph von Arimathea (Joh. 19,38) – haben in der Predigt- und Andachtsliteratur der Zeit keinen Niederschlag gefunden, obwohl durch eine solche Parallelisierung der Bogen von der Geburt bis zur Passion Christi hätte gespannt werden können.

57. „[. . .] ja gleichwie Pharao dem keuschen Joseph allen [!] Gewalt gegeben hat über Egypten / also JEsus dem Joseph über die ganze Welt / [. . .].“ (*Brez*: Lust-Garten. 1720. S. 68).

58. der ja auch – in Entsprechung zur Nährvaterschaft Josephs – für die Ernährung des Volkes in schlechter Zeit vorsorgte.

59. *Matsche* bemerkt, daß dieser Begriff im Bereich der Jesuitendramen ausschließlich auf den hl. Joseph angewandt wurde (*Matsche* 1981. II. S. 494. Anm. 694). Doch zeigt die Untersuchung von *Wimmer*, daß diese Beurteilung nicht richtig ist. Anläßlich der Krönung Ferdinands zum König von Böhmen wurde in Graz 1617 das Drama „*Josephus Patriarcha*‘ aufgeführt, das den ägyptischen Joseph in seinen Mittelpunkt stellt (*Wimmer* 1982. S. 300). Doch schon im 15. Jhdt. galt der hl. Joseph als der letzte Patriarch des AT, der den Alten Bund zum NT überführt (*Hahn* 1984. S. 520). Besonders häufig gebrauchte Johannes Gerson diesen Begriff in der ‚Josephina‘ (*Gerson*. IV. S. 97 f, 100).

60. Dieser typologische Vergleich des Nährvaters Jesu mit dem alttestamentlichen Joseph findet sich in einem Andachtsbild der Gebrüder Klauber (Augsburg) wieder, in dem ebenfalls die Auserwählung der beiden Personen thematisiert wird. Nach *Kemp* zeigt dieses Andachtsblatt die „Büste des hl. Joseph über einem Getreidefeld, in dem sich elf im Kreis angeordnete Getreidegarben einer mittleren zuneigen.“ (*Kemp* 1981. S. 297). Die Gebrüder Klauber (Joseph Sebastian (1700–1768) und Johann Baptist (1712–nach 1787)) waren in ihrer Zeit bedeutende Kupferstecher, die u. a. eine umfangreiche Serie von Andachtsblättern zur Lauretanischen Litanei anfertigten (*Goër* 1987. *Spamer* 1930. S. 229 ff).

61. Vgl. auch die Josephskapelle von Tannenberg (Lkr. Weilheim-Schongau) von 1774 (*Bauer/Rupprecht* 1976–1987. I. S. 545 ff).

62. Die Wallfahrt, die auf Habsburger Territorium lag, muß als direkte Folge der Erhebung Josephs zum Landespatron Österreichs gewertet werden. Die gleiche Inschrift findet sich

am unteren Rand des Altarblattes (Vermählung Mariä) der Innsbrucker Servitenkirche (*Felmayer* 1967. S. 24). Die Aufforderung ,Ite ad . . . ' war im späten 18. Jhdt. auch allgemein zur Übertragung auf andere Heilige verfügbar, wie ein Dekkenfresko (1797) der Elisabeth-Kapelle von Moosham (Lkr. Bad Tölz-Wolfratshausen) demonstriert, wo ein Emblem (Hand aus Wolke weist auf verschlossenen Getreidespeicher, Strahlenkranz) mit dem Titel ,GEHET ZU ELISABETH. GEN. 41, V,55' bezeichnet ist (*Kemp* 1981. S. 251).

63. Abr. a S. Cl. hat in diesem Zitat, das in die neuere Vulgata-Fassung nicht mehr aufgenommen wurde, das Wort *tibi* durch *sibi* ersetzt und so die Textstelle auf sein Thema – den Lobpreis Josephs und des Hauses Österreich – hin verändert.

64. „So war dann Joseph ein Engel / ein Engel nit in der Natur / sondern in dem Wandel und Heiligkeit / noch mehr als ein Engel / weil diesem sein Reinigkeit anerschaffen / Josephi aber Reinigkeit mit Verdiensten; Er war ein Ertz-Engel nit in der Natur / sondern in der Würdigkeit / weilen er zugesellt war der Königin der Engeln / mehr als ein Ertz-Engel / weil dieser nur ein Abgesandter und Bottschafter Gottes ist auff Erden; Joseph aber ein Vatter und Pfleg-Vatter Gottes Sohns; er war ein Cherubin / nit in der Natur / sondern in der Gnad und Privilegien / weil er nemblich vieler Lehrer muthmassen nach auff Erden hat gesehen zum öfftern die Göttheit / mehr als ein Cherubin / weil dieser GOtt nur sihet / und anschauet / Joseph aber auch getragen [!] / geküßt / und umbfangen, Er war ein Seraphin / nit in der Natur / sondern in der flammenden Lieb / weil er Christum seinen Pfleg-Sohn dermassen starck geliebt / daß wofern er nicht wäre durch sonderbäre Göttliche Fürsichtigkeit erhalten worden / er sonst vor lauter Liebs-Hitz zu disem süssesten Sohn zerschmolzen; Mehr als ein Seraphin / weil dieser nur eine flammende Lieb trägt in dem Geist / Joseph aber in dem Geist und Fleisch; Er war ein Englischer Potestat und Macht / nit in der Natur / sondern in dem [!] Gewalt / weil er zu herrschen hatte über Mariam und Christum, noch mehr als ein Potestat, weil diesem nur die Geschöpf / jenem aber gar der Erschöpffer gehorsamet; Er war ein Englisches Fürstenthumb / nit in der Natur / sondern in der Ehr und Hochheit / dann er erhöchst war über alle Patriachen und Propheten / und was diese nit gewürdiget seynd worden zu sehen / daß hat er nicht allein gesehen / sondern gar under seiner Gewalt gehabt / mehr als ein Fürstenthumb / weil dieser nur über die Erden jener aber über der Erden Herren herrschte? Er war ein Thron / nit in der Natur / sondern in der Gnad / weil so offt und vielfältig auff seinen Armben / als auff einem lebendigen Thron der jenige geruhet / der aller Ding Ruhe und Bewögung ist. Mehr als ein Thron / weil dieser nur nechst bey Gott / er aber bey GOtt und mit GOtt / und ein Vatter gar über GOttes Sohn." (*Abr. a S. Cl.*: Paradeyß-Blum Joseph. (S. IX)).

65. Blumen (u. a. auch Rosen = Mariensymbol) in Vase. Begleitender Text: *Sola mihi redolet.* und *Aus dem schönen blumenflor die rosen ich ziehe vor.* (*Bauer/Rupprecht* 1976–1987. I. S. 547. Abb. B₁. *Kemp* 1981. S. 301).

66. Palme an Wasser und Wolke. Begleitender Text: *Ubi similis* und: *kein wolckh weder sonenschein, kan der tugent schädlich sein.* (*Bauer/Rupprecht* 1976–1987. I. S. 547. Abb. B₂. *Kemp* 1981. S. 301).

67. Die das Langhausfresko in den Ecken umgebenden Embleme zeigen: 1. ein Füllhorn mit Früchten und Münzen. Begleitender Text: *Latet abundantius* und: *im überfluss ich theile mit, was nur verlanget deine bitt*; 2. ein verschlossener Getreidekasten auf freiem Platz, zu den Seiten wird hinter Gesträuch ein Kornfeld sichtbar. Begleitender Text: *Clausa recludo* und: *in armuth, undt auch hungersnoth, verschaf ich dir das täglich brodt.* 3. ein Apothekerschrank ist unter einem Baum lagerndem Vieh gegenübergestellt. Begleitender Text: *Causas mille salutis habet.* und: *hier findet man der mittl vil, artznei, wie man es haben will.* (*Bauer/Rupprecht* 1976–1987. I. S. 546. Abb. A₃) Das vierte Emblem zeigt mit dem Phönix ein gängiges Auferstehungs- und Erlösungssymbol (ebda. Abb. A₄. zu Tannenberg ebda. S. 545 ff. *Kemp* 1981. S. 301 f).

68. Dieses Emblem weist auf die Verehrung des Namens Joseph hin: sein Monogramm ist von den Begriffen PARENS, SPONSUS, VIRGO umgeben und mit JUNGFRÄULICHER GESPONS MARIAE bezeichnet. Das Emblem hat im gegenüber liegenden Emblem Mariens sein Pendant (*Kemp* 1981. S. 314).

69. Putto als Zimmermann. Begleitende Inschrift: IOSEPHUS IUSTUS / JOSEPH DER GERECHTE. (*Kemp* 1981. S. 314).

70. Lilie in Garten, auf die eine Hand weist. Begleitender Text: CASTUS JOSEPHUS / JOSEPH DER KHAISCHE [Keusche] *Kemp* 1981. S. 314).

71. Die Fresken von Johann Georg Lederer entstanden 1733/34 (*Kemp* 1981. S. 227).

72. Interessanterweise sind die Embleme so angeordnet, daß die zwei das irdische Leben Josephs betreffenden Fresken sich gegenüberliegen, ebenso die zwei das Sterben des hl. Joseph illustrierenden. So ergibt sich beim ,Lesen' der Embleme über der Darstellung des Josephstodes ein Kreuz. Das Emblem des Lammes auf dem Altar entstammt der Vorlage von Jacobus *Boschius*: Symbolographia sive de arte symbolica sermones septem. Augsburg 1701 (*Kemp* 1981. S. 228).

73. Dem Gemälde mit dem Josephstod ist kein Emblem zugeordnet.

74. *Wirth* stellt außerdem die Verbindung zu dem Stuckrelief her, indem er auf die Erquickung auf der Rast der Hl. Familie (Palmbaum- und Quellwunder) während ihrer Flucht hinweist. vgl. auch die Spiegelallegorie s. S. 234.

75. Auch bei diesem Emblem stellt *Wirth* die Verbindung zum Stuckrelief (Flucht nach Ägypten) her und verweist auf das apokryphe Palmbaumwunder, bei dem die Dattelpalme wie die Lilie im Emblem sich Jesus zugeneigt habe.

76. *Hahn* weist eine entsprechende Verbindung für das ikonographische Programm des Mérode-Altars nach und spricht von ihm als „vision of a sacral quality of marriage and the family" (*Hahn* 1986. S. 55). Vgl. auch die parallele Ikonographie bei Giovanni di Paolo (um 1440/50) (ebda. S. 65. *Guldan* 1966. S. 67. Abb. 57), ebenso auf einem Teppich (mit Verkündigung, Joseph in der Werkstatt und Paradies) aus einem Marienzyklus in der Kathedrale zu Reims (vor 1530) (ebda. S. 65. Abb. 69).

77. Hier tritt die Problematik der ,Herrenbrüder', die die Apokryphen über den Umweg des Witwerstandes des hl. Josephs versucht hatten zu erklären, in den Blickwinkel. In

dem Maße, in dem dem hl. Joseph selbst das Attribut der Jungfräulichkeit zugeordnet wurde, war die Vorstellung von den Geschwistern Jesu aber immer weniger tragbar. Die Paradoxie konnte nicht gelöst, sondern nur durch Ignorieren der entsprechenden Bibelstelle (Mk. 3,21; 6,3; Joh. 7,3ff) überdeckt werden. Zu Jesu Verwandtschaft vgl. *Hennecke/Schneemelcher* 1968. S. 312–321).

78. Die anderen Elemente sind die gegenseitige Treue und der sakramentale Charakter der Ehe als einer von Gott gestifteten Gemeinschaft.

79. Vgl. das Hohe Lied und das Gleichnis von den klugen und törichten Jungfrauen.

80. die, indem sie die Hl. Schrift liest, die göttliche Wahrheit erkennt.

81. Vgl. seine Predigt zum Fest Mariä Geburt vor dem Konstanzer Konzil (*Gerson.* V. S. 344–362, bes. S. 356f). Zur Gültigkeit der Ehe zwischen Maria und Joseph ,*Considérations sur Saint Joseph*' (ebda. VII. S. 63–94, bes. S. 80ff).

82. Abr. a S. Cl. spricht ausdrücklich von dieser Hierarchie, nach der die Frau den Leib, der Mann aber das Haupt eines Körpers darstelle (*Abr. a S. Cl.*: Paradeyß-Blum Joseph. (S. IV)). Diese Aussage relativiert er allerdings später, indem er Maria als die Krone Josephs bezeichnet (ebda. (S. VI)).

83. Auf dieser Idee der Gleichwertigkeit der heiligen Personen in der Ehe begründete sich letztendlich auch die Aufwertung Josephs.

84. „Die lieb Mariä gegen dem Joseph ist mit keinen worten auszusprechen: dieweil in der gantzen welt niemal ein ehemann von seinem weib also geliebt worden ist / als Joseph von Maria. Dan obschon eine fromme gottselige ehefrau grosse lieb gegen ihrem mann traget / so ist doch diese lieb gemeiniglich mit einer natürlichen und fleischlichen lieb vermischt: Die lieb Mariä aber gegen Joseph ware gantz heilig / keusch / christlich / GÖttlich und vollkommen / Wie vil nun die Göttliche lieb besser ist / als die natürliche / um so vil bessere und grössere lieb hat Maria gegen Joseph getragen / als andere weiber gegen ihren männern. Derwegen ist nicht zu zweiffeln / die Jungfrau habe ihm den gantzen schatz ihres hertzens mitgetheilt / so vil er bequem gewesen solchen zu begreiffen [!]. Hingegen ist auch die lieb des H. Josephs gegen Maria weit grösser gewesen / als anderer männern gegen ihren weibern. Dan wie wolt es möglich seyn / das er die jenige nicht solte von gantzem hertzen lieben / von welcher er so hertzlich gelibt ward / und so vile geistliche gutthaten empfienge." (*M. v. Cochem*: Leben Christi. Mainz/Köln 1716. S. 189).

85. So schuf Gott in Eva ein Wesen, das Adam glich, und zwar aus der Rippe Adams, die durch ihre bogenähnliche Form den Buchstaben C – für *caritas* – assoziieren ließ. Der Autor verweist auch auf den Bogen des heidnischen Amor. Adam selbst wurde aus roter Erde – der Farbe der Liebe – geschaffen, und so leitet Abraham a S. Cl. – die Genesis und die Anatomie des Menschen in Allegorie und Symbol deutend – den besonderen Gehalt der Josephsehe ab (*Abr. a S. Cl.*: Paradeyß-Blum Joseph. (S. VIf)).

86. Nach Gerson ist er – wie Maria – ohne Erbsünde (*Seitz* 1908. S. 255).

87. Aufgrund dieser hohen Würde Josephs kann Abr. a S. Cl. auf den Hinweis auf Josephs königliche Abstammung von David ganz verzichten.

88. Zum Brunnen als Paradieses-Zeichen vgl. *Muthmann* 1975. Kap. X und XI.

89. Vgl. die Josephs-Ringreliquien in Perugia (*M. v. Cochem*: Leben Christi. Mainz/Köln 1716. S. 184. *Seitz* 1908. S. 210) in Scheppach (*Steichele/Schröder* 1864–1939. V. S. 368f) und in Weihenlinden (*Kriss* 1953–1956. I. S. 204).

90. der in Gestalt der Taube auf die Inkarnation verweist.

91. Beachtenswert die Dominanz des Verehrungsgestus.

92. Die Votivinschrift lautet: „DIVO . JOSEPHO . E . DAVIDICA . STIRPE . / DEIPARAE . VIRGINIS . VIRO . / CHRISTI . SERVATORIS . NUTRITIO . / PRAESENTISSIMO . AUSTRIAE . PATRONO / NUNCUPATUM . A . LEOPOLDO . & JOSEPHO . AUGG. / VOTUM . / CAROLUS . VI. ROM . IMP . ET . HISTPAN . REX . / A . PATRE . AC FRATRE . ADUMBRATUM . OPUS . AERE . AC . MARMORE . DE . INTEGRO . EXTRUXIT . / M. L. S.". Die Inschrift der ersten Säule sprach nur von „SS. JOSEPHO ET MARIAE [!] SPONSIS" (*Matsche* 1981. I. S. 197ff).

93. Der Brunnen, der den alten Marktbrunnen ersetzte, hatte nicht nur symbolische Funktion im Rahmen des Säulenkonzepts, sondern diente real der Wasserversorgung der Anwohner, die – in der Verschränkung von Symbol und Realität – ihr Wasser am Brunnen des Lebens, d.h. in der spirituellen Übertragung ihr Heil bei Christus als dem göttlichen Gnadenquell und Maria und Joseph suchten und fanden. Wie eine zeitgenössische Quelle mitteilt, sollte das Plätschern des Wassers fernerhin zur Verehrung der hl. Paares einladen (*Matsche* 1981. I. S. 200).

94. Vgl. auch *Matsche* 1981. II. Abb. 82.

95. Schon Johannes Gerson hatte im 5. Abschnitt der ,*Josephina*' die Gemeinschaft Josephs mit Maria als Präfiguration der mystischen Hochzeit Christi mit *ecclesia* gedeutet: „Sed quaeres si conjugium Joseph atque Mariae / Sit sacramentum magnum te, Christe, figurans / Ecclesiae sponsum, quia copula non fuit ulla / Carnalis, sed carne Deus conformis habetur / Ecclesiae membris, an forsan carnea proles / Hoc in conjugio signum suffecerit esse. / Unde fuit nexus nisi morte solubilis unquam / In quali nexu fit virgo puerpera; natos / Sic parit Ecclesia nec virgo desinit esse." (*Gerson.* IV. S. 66).

96. Ähnliche Hinweise finden sich auch noch im 15./16. Jhdt., so z.B. auf Glockeninschriften im Erzb. Köln in Rohr und Grevenbroich („Jesus, Maria, Johannes heischen [!] ich, In der Ehre der Dreifaltigkeit leuden ich, Heinrich von Collen gouß mich anno 1592". Erzb. Köln, Grevenbroich: Peter und Paul) (*Dumont*. XII. S. 141).

97. „Tantae fuerit dignitatis et gloriae iste sanctus quod aeternus Pater eius primatus similitudini sibi liberalissime super incarnatum Filium condonaverit." (zitiert nach *Hahn* 1986. S. 64. Anm. 79).

98. das Hauptthema von Gersons ,*Considérations*' (*Gerson*. VI. S. 63–94).

99. Vgl. das bei Nakatenus veröffentlichte Josephslied: *Joseph Davids Sohn gebohren* (*Nakatenus*: Palmgärtlein. Köln 1737. S. 374. *Küppers* 1981. S. 218–285). Die enge verwandtschaftliche Beziehung zu Maria und Jesus gab aber auch

immer wieder Anlaß, über die historische Gestalt Joseph und sein genealogisches Verhältnis zu Jesus und Maria zu spekulieren.

100. An anderer Stelle illustriert Abr. a S. Cl. diese ‚Infiltration der Heiligkeit‘ durch Josephs Umgang mit Jesus und Maria, durch seinen Anteil an deren alltäglichem Leben und durch ihren Gehorsam gegenüber seiner sozialen Stellung als Hausvater und Vater mit Hilfe einer Dismas-Episode, in der die Räuber am Kreuz allein schon dadurch zur Gotteserkenntnis und zum rechten Glauben gelangte, daß auf ihn der Schatten vom Arm Jesu fiel (*Abr. a S. Cl.:* Paradeyß-Blum Joseph. (S. XIIIf)). Abraham wählte dabei das beziehungsreiche Überschattungsmotiv, das sich auch in der Verkündigungsszene (Lc. 1,35) findet.

101. Diese Idee in der Josephsauffassung ging auf franziskanisches Gedankengut aus dem 13. Jhdt. zurück und wurde auch von Bernard von Siena rezipiert (*Hahn 1986. S. 59*).

102. Diese innere *visio dei* zeichnete besonders die Heiligen aus.

103. So soll das Unterkleid Jesu – in Trier seit der Präsentation auf dem Tierer Reichstag 1512 durch Kaiser Maximilian I. wieder verehrt – durch die bloße Berührung Jesu seine Wunderwirksamkeit erhalten haben. Abr. a S. Cl. berichtet, dieses Kleid habe sogar Pontius Pilatus, der zur Ergänzung des politischen Feindbildes als *„ein gebohrner Frantzos von Lion [Lyon]"* (*Abr. a S. Cl.:* Paradeyß-Blum Joseph. (S. XV)) bezeichnet wird, vor dem Zorn des Kaisers Tiberius geschützt.

104. Nach einer niederländischen Josephslegende des späten 15. Jhdts. wurden sie von Jesus und Maria eigenhändig dem am Geburtsort Jesu gelegenen Grab Josephs beigegeben. Nach der in Gouda gedruckten Quelle handelte es sich um die Josephshosen, Windeln Jesu und etwas Heu (wahrscheinlich aus der Krippe Jesu, eine Reliquienart, die sich in zahlreichen Heiltumschätzen des späten Mittelalters wiederfindet) (*Foster 1978. S. 256 f*).

105. Ein ähnlicher Ring befindet sich in Perugia (Italien), wie schon M. v. Cochem zu berichten weiß (*M. v. Cochem:* Leben Christi. Mainz/Köln 1716. S. 184. *Seitz 1908. S. 210*). Vgl. auch den Titel eines Br.briefes (1743) der Hl. Wandel-Br. an der Dompfarre von Bozen: *„Gnadenreiches Joseph-Ringlein für die Jesus-, Maria- und Joseph-Bruderschaft in der Pfarrkirchen zu Bozen"* (*Hochenegg 1984. S. 145*) und das häufige Motiv der mystischen Vermählung.

106. ohne jedoch auf das apokryphe Wunder der Holzlängung zurückzugreifen, das im Barock bezeichnenderweise nicht wieder aufgenommen wurde.

107. Der Heilige errettet ein Kind, das seinen Namen trägt (Wirkung des Namenspatrons!), aus einer Feuersbrunst (*Abr. a S. Cl.:* Paradeyß-Blum Joseph. (S. XX)).

108. Einem Geistlichen, der sich in einer Wüste verirrt hat und von wilden Tieren und Räubern bedroht wird (ein Reflex auf die apokryphen Fluchtepisoden), erscheint nach der Anrufung des hl. Joseph „ein alter [!] schneeweisser Mann mit einem Esel / darauff ein Frau sitzend mit einem Kind" (*Abr. a S. Cl.:* Paradeyß-Blum Joseph. (S. XX f)) und weist ihm den Weg.

109. der zusammen mit der Madonna auf dem 1680 gestifteten Kultbild dargestellt ist (s. S. 62).

110. Insgesamt gehören zu unserem Themenkomplex 22 Jesuitendramen, die sich mit der Hl. Familie, dem Kind Jesus, der Flucht nach Ägypten und dem hl. Joseph beschäftigen.

111. An anderer Stelle heißt es in der Perioche: „Drey / mit Lieb gegen JESV Maria vnd Joseph gantz entzinde [!] Knaben brechen herführ in das Lob diser allerheiligsten erschaffnen Dreyfaltigkeit." (PATROCINIVM DIVI IOSEPHI. Akt 3,3).

112. Dieses Phänomen ist ausschließlich in Bayern zu beobachten, das sich den hl. Joseph 1663 zum Landespatron erwählte. So z. B. bei der JMJ-Br. von Weihenlinden, die 1664 gegründet worden war (*Mayer/Westermayer 1874–1884. I. S. 61 f*). Entsprechendes in Dillingen (*Steichele/Schröder 1864–1939. III. S. 114*) und Münsing (*Mayer/Westermayer 1874–1884. III. S. 641*).

113. Mitte 16. Jhdt. Kanton Luzern, Luzern. St. Peterskapelle: St. Josephsbr. der Zunft der Tischmacher und Schreiner (1755 erneuert) (*Henggeler 1955. S. 253*); 1676. Kanton Unterwalden, Nidwalden: St. Josephsbr. Zunft der Meister und Künstler (ebda. S. 230); 1750. Kanton Schwyz, Schwyz: St. Joseph- und Eligius-Br. oder Hammer- und Schreinerzunft (umfaßte alle jene Handwerker, die nicht in der St. Crispin- und Crispinian-Br. für Schneider und Schuster organisiert waren) (ebda. S. 217); 1754. Kanton Schwyz, Küßnacht am Rigi: St. Josephsbr. oder Meisterzunft (umfaßte Schneider, Hutmacher, Schreiner, Schlosser, Steinhauer, Glaser und Küfer. In deren 1754 errichteten Zunft wurde die schon früher bestehende Josephsbr. des Ortes integriert) (ebda. S. 211); 1821. Kanton Schwyz, Menzingen: Brüderlicher Verein der ehrsamen Meister verschiedener Künste und Handwerke in Menzingen errichtet unter dem Schutz ihres Patrons des heiligen Nährvaters Joseph (ebda. S. 278); undatiert. B. Innsbruck, Hall/Tirol: St. Josephs-Br. der Zimmerleute (mit eigenem Zunftaltar) (*Hochenegg 1984. S. 57 f*).

114. Vgl. auch die Zunftstangen (s. S. 112).

115. ein Konglomerat aus den christlichen Tugenden Langmut (*clementia*), Geduld (*patientia*), Stetigkeit (*constantia*), geduldiges Ausharren (*tolerantia*) und Beharrlichkeit (*perseverantia*), die zu einem Großteil der christlichen Haupttugend Stärke (*fortitudo*) angehören.

116. Dies deutet auch Steudners Blatt (Abb. 10) in dem Bild des sich am Baum, dem *arbor vitae*, festhaltenden Joseph an (Str. 1,6 f). Steudner hatte diese Orientierung Josephs auf Christus hin sinnfällig wiedergegeben, indem er auch in seinem Text darauf verwies, daß Joseph sich am Apfelbaum festhält, der im Hohen Lied mit dem Geliebten, also Christus, identifiziert wird (vgl. Cant. 2,3).

117. „In hoc itaque somno et in aliis postmodum, Joseph accepit spiritum prophetiae pro omni differentia temporis, praeteriti, praesentis et futuri." (*Gerson*. VIII. S. 57). Auch diese Gabe legitimierte sich – nach Gerson – aus Josephs Nähe zu Jesus und Maria (*Considérations sur Saint Joseph*. ebda. VII. S. 91). Außerdem verweist Gerson in den Erläuterungen zum von ihm propagierten Josephsfest und den entsprechenden Meßtexten auf die Träume Josephs, in denen er in das Geheimnis der Inkarnation eingeweiht wurde.

118. So teilt sich Maria ihrem Ehegatten auch nur so weit mit „so vil er bequem gewesen solchen zu begreiffen." (*M. v. Cochem*: Leben Christi. Mainz/Köln 1716. S. 189).

119. Quasi in einer *tabula-rasa*-Vorstellung, die gleichzeitig Josephs Unschuld widerspiegelt, heißt es bei Abr. a S. Cl.: „[. . .] weiß und rein ware er inwendig in dem Verstand / weil er so gar nicht recht wuste / was nicht zu wissen ist mit einem Wort / [. . .]." (*Abr. a S. Cl.*: Paradeyß-Blum Joseph. (S. V)). Zur Farbe weiß vgl. *Meier* 1977. S. 165.

120. Die Auffassung der *theologia mystica* geht auf die *Devotio Moderna* zurück, mit der Gerson Kontakte pflegte.

121. Das Zitat, in dem sich v. Cochem an den MVC orientiert (*Ragusa/Green* 1961. S. 71 f), verteidigt besonders die Betrachtung der Kindheit Jesu, in der die Beschreibung des hl. Joseph einen nicht unbeträchtlichen Raum einnimmt. Auch hier ist Joseph kein Gelehrter, kein *litteratus* und entspricht damit sowohl Gersons als auch v. Cochems Vorstellung von einem gläubigen Christen bzw. Katholiken.

122. „[. . .] Quid modo gloria dat, quanta o fiducia, quanta est / Vis impetrandi quia dum vir, dum pater orat / Uxorem et natum velut imperium reputatur." (*Gerson*. IV. S. 98).

123. Vgl. auch *Abr. a S. Cl.*: Paradeyß-Blum Joseph. (S. XX). Für Tirol spricht Abr. a S. Cl. von Joseph als einem väterlichen Schutzherrn.

124. wie schon der weiterführende Titel der Perioche sagt: „[. . .] Das ist. Vätterliche Vorsorg deß Junckfräwlichen Gesponß Vnser Lieben Frawen. Uber seine / jhme mit Andacht zugethane Kinder [. . .]."

125. Der Vater des Jungen hatte den Heiligen angerufen (PATROCINIVM DIVI IOSEPHI. Akt 4,2; 5,1).

126. s. besonders die Unterschutzstellung Ungarns, Kroatiens und Dalmatiens (*Abr. a S. Cl.*: Paradeyß-Blum Joseph. (S. XVIIIf)).

127. „Es rede die Christliche Welt / in der Christlichen Welt Oesterreich / in Oesterreich die Stadt Wien / ob nicht dieser eintzige H. Zimmermann der H. Joseph [als Anti-Krieger] / zum öfftern die Hörner des wütenden Türckischen Blut-Hunds abgestutzt / unzahlbare Victorien wider denselbigen in die Hand gespielt / ja nicht allein die Hörner des feindlichen Hochmuths gestützt / abgehauen / sondern der werthen Christenheit die Pforten eröffnet / zu den herrlichsten Siegen wider dieselbige." (*Brez*: Lust-Garten. 1720. S. 70).

128. *Evans* bemerkt, daß dies einigen Unwillen hervorgerufen habe (*Evans* 1986. S. 85).

129. Die lateinische Übersetzung nach Fabricius lautet: „Nimirum, si nascitur ipsi filius, vocabit nomen ejus Josephum. Sic locum non habebit in illa domo vel penuria, vel repentia aliqua mors in sempiterum, [. . .]." (*Fabricius*: Hist. Jos. S. 331).

130. Möglicherweise eine Motivanleihe an die drei Jünglinge im Feuerofen.

131. Der Tiroler Raum hatte in Bezug auf die Josephs- wie auch die Hl. Familie-Verehrung in gewisser Weise eine Vorreiterrolle inne.

132. „Der Heiligenkult beginnt bei der Namensgebung der Kinder, die bei den Habsburgern seit Friedrich III. mit ausgesprochen programmatischer Intention aufgrund der Bedeutung der gewählten Namenspatrone hinsichtlich dynastischer und politischer Vorstellungen getroffen wurde. Damit war eine Thematisierung der dynastisch-politischen Heiligenverehrung der Habsburger angeschlagen, die im Barock vor allem bei Kaiser Leopold I. und seinen beiden Söhnen Joseph I. und Karl VI. eine wichtige Rolle spielte und sich deutlich auch auf Bauten und Denkmäler auswirkte." (*Matsche* 1981. I. S. 184)

133. Eleonore Maria Josepha (31.5.1653–17.12.1697) und Maria Anna Josepha (30.12.1654–14.4.1689), beide Töchter Ferdinands III.; Maria Anna Josepha (7.9.1683–14.8.1754) und Maria Josepha (6.3.1687–14.4.1703), Töchter Leopolds I.; Maria Josepha (8.12.1699–17.11.1757), Tochter Josephs I.; Maria Josepha (19.3.1751–15.10.1767), Tochter Franz I..

134. Die Angst des Vaters um den Sohn war auch in der Folgezeit so groß, daß er zum Dank für die gesunde und siegreiche Rückkehr Josephs I. 1702 von der Belagerung der von den Franzosen besetzten Festung Landau die Errichtung einer Josephssäule auf dem Wiener Graben versprach, ein Gelöbnis, das erst von Joseph I. (1706) selbst und von Karl VI. (1732) erfüllt werden konnte (*Matsche* 1981. I. S. 186–201), und zu dessen Einlösung – entgegen dem römischen Festkalender, der seit 1621 den 19. März als Josephstag festlegte – am 18. April das Fest *Patrocinium S. Josephi* gefeiert wurde (ebda. II. S. 496. Anm. 743).

135. Bei den Kindern des bayerischen Kurfürsten Karl Albert, der die Tochter des Kaisers Joseph I. heiratete: Maximilian (I.) Joseph (28.3.1727–30.12.1777), Joseph Ludwig (25.8.1728–2.12. 1733), Maria Anna Josepha Auguste (7.8.1734–7.5.1776) und Maria Josepha Antonie (30.3.1739–28.5.1767). In der lothringischen Linie von Österreich vererbte sich der Name seit 1776 über vier Generationen von den Vätern auf die Söhne.

136. Etwa 30 Jahre später erhielt die Tochter Leopolds I. nochmals diese Namenskombination (* 1683).

137. wie auch Abr. a S. Cl. in seiner Festtagspredigt den besonderen Schutz Josephs für die Träger seines Namens hervorhob. (*Abr. a S. Cl.*: Paradeyß-Blum Joseph. (S. XX)).

138. Vgl. die Ausführungen bei *Hochenegg* 1965. Der Autor beschreibt die Schwierigkeiten bei der Verbreitung des Josephskultes in diesem österreichischen Landesteil.

139. *Szarota* zitiert die Feierlichkeiten als „Triumph unnd Frewdenfest / zu Ehren dem Heiligen Ertzengel Michael". Vor dem Einsturz des Turmes der Jesuitenkirche (10.5.1590) wurde die Bedeutung der Hl. Familie für die Münchner Jesuitenniederlassung in einem Kupferstich von Johann Sadeler d. Ä. (1550 Brüssel – ca. 1601 Venedig) festgehalten. Die Wiege Jesu ist als Hinweis auf das Jesuitenkolleg als Wiege des rechten Glaubens zu verstehen, und das neuerrichtete Bauwerk wurde in Relation zu der mit dem hl. Joseph verbundenen Bau- und Handwerksmetapher gesetzt wurde (*Kat. Wittelsbach. und Bayern* 1980. II,2. S. 55 f. Nr. 77).

140. In Spanien scheiterte der Versuch, den hl. Joseph 1679 zum Landespatron zu erheben, an der ‚Anhänglichkeit' der Gläubigen an den in Santiago de Compostela verehrten hl. Jakobus. Deshalb wurde schon 1680 die von Rom genehmigte Unterschutzstellung Spaniens unter das Patrozinium des hl. Joseph rückgängig gemacht (*Herzogenberg* 1973. S. 27).

141. *Lhotsky* deutet die Vokaldevise als ein persönliches, okkulten Lehren entsprungenes Zeichen Friedrichs III., das – noch vor seiner Regentschaft 1437 entworfen – als Eigentumszeichen, Unterschrift- und Monogrammzusatz, Authentik und Symbol für Friedrichs geistige Urheberschaft diente. „Die

fünf Vokale sind für Friedrich eine vielleicht abergläubische, schwerlich aber politisch verstandene Eigentums- und Urhebermarke gewesen und nicht mehr. [...] Es ist sehr wahrscheinlich, daß er die mit den Vokalen gezeichneten Gegenstände mit seiner eigenen Person in magische Beziehung setzen, sie vielleicht auch gegen Zerstörung schützen wollte." (*Lhotsky* 1952. S. 175).

142. Die deutsche Version bringt er aber auch schon in der früheren Josephs-Predigt. (*Abr. a S. Cl.:* Paradeyß-Blum Joseph. (S. XXII)).

143. Leopold wurde 1485 kanonisiert und 1663 – im gleichen Jahr, in dem sich Bayern unter den Schutz des hl. Joseph stellte – zum Patron Österreichs erhoben.

144. Das Notizbuch Friedrichs III., in dem sich dieser selbst auf fol. 1* der Handschrift als Urheber der Vokalkombination bezeichnete, war spätestens seit 1665 in Leopolds Besitz. Der Kaiser zeigte es am 14. Juli des Jahres den Grafen Maximilian Martinitz, Franz Waldstein und Paul Sixtus Trautson (*Lhotsky* 1952. S. 165). In dem Notizbuch sind zwei Deutungen der Vokalkombination gegeben: das von dem dem Hof nahe stehenden Notar Nicolaus Petschacher verfaßte und von Friedrich III. eigenhändig eingetragene Distichon „En, amor ellectis [!], iniustis ordinor ultor. / Sic Fridericus ego rengna [!] mea rego" (fol. 2ʳ) und von anderer Hand die Zeilen: „Al[le]s erdreich ist österreich underthan, Austrie est imperare orbi universo" (ebda. S. 166f).

145. *Lhotsky* zählt allein 86 Deutungsvarianten auf (*Lhotsky* 1952. S. 161–164).

146. z. B. ist bei den Herrscherhäusern der Herzogtümer Parma und Toskana, die bis in die 30er Jahre des 18. Jhdts. von den Familien Farnese und Medici regiert wurden, eine entsprechende Vorliebe für den Taufnamen Joseph nicht zu beobachten.

147. Joseph Karl Emanuel August (2.11.1694–18.7.1729), Johann Christian Joseph (23.1.1700–20.7.1733), Joseph (* und † 7.5.1719), Franz Ludwig Joseph (28.–29.6.1761).

148. Der hl. Joseph galt beispielsweise als der Patron der südniederländischen Karmeliterprovinz, und Kaiserin Eleonore, Gemahlin Ferdinands II., gründete das erste Karmeliterinnen-Kloster in Österreich, das dem hl. Joseph geweiht war (*Matsche* 1981. I. S. 186).

149. 37 Jahre zuvor war der hl. Joseph ins Römische Brevier aufgenommen worden (s. S. 132).

150. Zum Selbstverständnis der Habsburger und der Festigung ihrer Dynastie und ihres Reiches im Laufe der Gegenreformation vgl. *Evans* 1986. Zur habsburgischen Frömmigkeit vgl. *Coreth* 1959. *Matsche* 1981. Teil. II.

151. Titel der 1675 gegründeten Josephsbr. von Zaisertshofen (B. Augsburg), der für das Jahr 1683 belegt ist. Die Kirche, an der die Br. eingerichtet war, war dem hl. Papst Silvester geweiht.

152. „Frew[denrei]che neue Zeitung ihr gesambte Reich und Erb Länder / auß allen diesen schönsten [Blu]men hat LEOPOLDUS den zwölften Tag des Blumen Monaths May Anno tausend sechshundert fünf und sibentzig durch Eingebung Gottes / mit Gutheißung deß Himmels / mit Gratulirung aller Engel / mit Frolockung deß Volcks / mit größtem HertzenTrost / eine schneeweisse Lilien / als nemblich den H. Joseph / den Ehr und Nehr-Vatter Christi erwöhlt / und

gestellt für einen allgemeinen Schutz über euch allesambt." (*Abr. a S. Cl.:* Paradeyß-Blum Joseph. (S. III)).

153. „[...]; weswegen dann billich diese schöne schne[e]weisse Josephinische Lilien / über alle Vorzüge der Patriarchen / [...] / über alle Blumen der Heyligen gesetzt / gestellt / erwöhlt in der Glory; allwo sie in einem schönen scheinenden güldenen mit Edelgesteinen versetzten Busch-Krug auff ewig stehet / und den Geruch seiner Gnadenreichen Hülff der gantzen Welt außbreittet; beforderst LEOPOLDO unserm Allergnädigsten Käyser: Ex omnibus floribus orbis elegit sibi Lilium Josephum: Allermassen er auß allen Blumen ihme diese Josephinische Lilien für sein hochflammendes Ertz-Hauß und dessen zugehörigen Erb-Ländern erwöhlt." (*Abr. a S. Cl.:* Paradeyß-Blum Joseph. (S. XVIf)).

154. Vgl. auch die entsprechende Tendenz der Loreto-Verehrung in Böhmen, die das Königreich zur *terra sacra* machte (s. S. 122 f. *Coreth* 1959. *Matsche* 1981.).

155. Er ist der Bienenkönig, dem die ihm untertänigen Bienen folgen (*Abr. a S. Cl.:* Paradeyß-Blum Joseph. (S. III, XVII)).

156. Er wählt als Bienenkönig die weiße Lilie für seine Bienen aus (*Abr. a S. Cl.:* Paradeyß-Blum Joseph. (S. III, XVII)). In dem Prolog der Predigt vergleicht Abr. a S. Cl. zudem Christus mit einer Biene, die den Nektar aus der Rose Maria sammelt (ebda. (S. II)), und auch der Kapuziner Prokop v. Templin benutzt diese Metapher für Christus (*Prokop v. Templin*: Adventuale. München 1666. S. 564 ff). Abr. a S. Cl. wendet somit die sonst für Christus reservierte Bienenmetapher auf den Habsburger Kaiser an und setzt ihn so christusgleich über sein Volk. Zum Bienen- und Honigbild vgl. LCI. II. Sp. 299 ff (dort besonders das Fleißmotiv, das mit dem Motto AEIOU und der Betonung des Habsburger Eifers in der Josephsverehrung korrespondiert) und den Aufsatz von *Stackelberg* 1956. *Stackelberg* analysiert das Bienengleichnis im Rahmen der humanistischen *Imitatio*-Theorie der antiken Autoren. Ziel ist im Bienengleichnis die Veredelung des aufgenommenen Materials. In Anm. 6 seines Aufsatzes geht er auch auf die christliche Tradition dieses Bildes ein, die über Ambrosius, Gregor d. Gr. bis zu Bernhard v. Clairvaux reicht.

157. die in Hall/Tirol Nonne war (*Abr. a S. Cl.:* Paradeyß-Blum Joseph. (S. V)). Möglicherweise ist eine Tochter des Erzherzogs Ferdinand I. von Tirol gemeint.

158. Zum Herkules-Kult der Habsburger als Ideal des tugendhaften Herrschers besonders bei Karl VI. vgl. *Matsche* 1981. I. S. 343–371.

159. Ein weiteres Kupfer, das zur Erhebung des hl. Joseph zum Landespatron gedruckt wurde, ist bei *Hochenegg*: Heiligenverehrung. 1965. publiziert.

160. Die Vorstellung vom ‚geistlichen Gefäß‘ gehört der Marienallegorie an.

161. Die Predigtsammlung hatte ebenfalls mehrere Auflagen. Ich zitiere aus einer Ausgabe, verlegt in Luzern, aus dem Jahre 1688.

162. Vgl. auch die Vorstellung von Böhmen als ‚terra sacra‘.

7. Das Gut-Tod-Patrozinium der Hl. Familie

1. Zum Fegefeuer, seiner Entwicklung und den mit ihm ver-

bundenen Vorstellungen der Buße und Sühne vgl. *LeGoff* 1984.

2. Nach dem Titel mit der Nennung Marias und Josephs zu schließen, ist diese Schrift wahrscheinlich als Andachtsbuch der Würzburger Katechismussodalität JMJ gedacht, für die Vogler auch seinen Katechismus verfaßte (*Metzger* 1982. S. 74. Zur Biographie Voglers ebda. S. 56–68. s. S. 103).

3. Auch das Br.buch der Prager JMJ-Seelenbr. sparte nicht mit abschreckenden Beschreibungen des Fegefeuers (*Bruderschaffts Büchlein*. Köln 1716. S. 24–29).

4. Ein in der Gegenreformation im Zeichen der konfessionellen Kämpfe und der andauernden Türkengefahr beliebtes Bild des wahren Christen und der kämpfenden Kirche, das schon in der Zeit der Kreuzzüge populär war.

5. Joh. d. T. als Exempel für das blutige Martyrium, Franz Xaver als Patron einer guten Sterbestunde in der Fremde.

6. Schon 1648 wurde diese Vorstellung von der Hl. Familie als den „drey heyligsten Persohnen" in den Jesuiten-Drama ‚S. JOSEPHVS' verbreitet (Akt I).

7. Die Idee Marias als Mittlerin wurde besonders in den von Jesuiten geführten Marianischen Kongregationen gepflegt: *per Mariam ad Jesum*. Im Falle der Hl. Familie-Verehrung wurde dieses Motto – ebenso wie andere Marien-Topoi – auf Joseph übertragen.

8. Hingegen wurde die Hl. Familie nicht als ‚Spezialpatrone' z. B. für Unterleibserkrankungen angerufen.

9. Dies gilt auch für ein Votivbild aus Wasserburg a. Inn von 1668 (Farbtafel XV.) auf dem ein Kirchenbrand mit dem Hl. Wandel zu sehen ist, denn der Text erläutert, daß vier Männer, nachdem sie sich unter den Schutz Marias gestellt hätten, unter Lebensgefahr den brennenden Kirchturm gekappt hätten.

10. 1807 stiftete Papst Pius VII. einen 300-tägigen Ablaß für die ‚Stoßgebete zur Erlangung eines guten Todes' an JMJ: „JMJ! euch schenke ich mein Herz und meine Seele! JMJ! stehet mir bei im letzten Todeskampfe! JMJ! möge meine Seele mit euch in Frieden scheiden." (*Beringer* 1900. I. S. 121).

11. Dieser Abschnitt ist zugleich ein Zeugnis für die Bemühungen der katholischen Kirche, dem Aberglauben und verschiedenen magischen Praktiken entgegenzuwirken. Zu diesem Konflikt innerhalb und außerhalb der katholischen Kirche im Habsburger Machtbereich und seine Bedeutung für die gegenreformatorischen Bemühungen vgl. *Evans* 1986. S. 271–293.

12. in der einprägsamen 1. Str., die in der 12. und 23. Str. (als Angelpunkte des Textes) in variierter Form wieder aufgenommen wurde (IESVS, MARIA, IOSEPH. Innsbruck 1640.).

13. Dieses Lied stammt ebenso wie der Katechismus und Voglers ‚Trostbronn' aus Würzburg. Die Vermutung liegt nahe, daß das Würzburger Gesangbuch, das das Lied enthält, ebenfalls für die Würzburger JMJ-Katechismussodalität entstand (*Bäumker* 1886–1911. III. S. 233 f. Nr. 129).

14. *Gebhard* kennt ein Exemplar aus Manila (*Gebhard* 1968. S. 61).

15. *Hubers* Untersuchungen zum Totenbrauchtum in Niederösterreich stützen sich auf die Angaben im Atlas der dt. Volkskunde von 1959–1964 und eigenen Feldforschungen des Jahres 1973. In seiner Dissertation beschreibt er

u. a. auch die Totenwache, in deren Verlauf Gebete, Lieder und Gespräche einander abwechseln. Zu dem Liedgut der Totenwache gehören auch allgemein religiöse Lieder, sodaß es nicht verwunderlich ist, ein für einen Sterbefall relativ unspezifisches Lied wie ‚Aus dreyen schönen Blümelein' dort anzutreffen. Der Autor teilt außerdem einen Liedtext mit, der ebenfalls die Hl. Familie anruft, ebenso den ‚Seufzer einem Sterbenden zuzuruffen' (*Huber*: Totenbrauchtum. 1981. S. 26, 88).

16. Zur Blumenmetaphorik in Zusammenhang mit der Hl. Familie s. S. 139, 154 ff.

17. Zu der Bedeutung dieser Vorstellung vom Guten Tod in Zusammenhang mit den Skapulierbr.en vgl. *Ariès* 1980. S. 391–394.

18. *Brückner* nennt sie: Seelenbr. zu den drei heiligen Namen Jesus-Maria-Joseph. 1768 lautete der Titel „[Confraternitas] sub titulo Jesu et Maria ac Sancti Josephi prosuffragio animarum purgatorii".

19. Vgl. das Exemplar der Univ.-Bibl. Münster. Der Titel lautet vollständig: ‚Regeln der Heil. Bruderschafft JEsu / Maria / Joseph / für die Seelen im Fegfeuer'. Das Titelblatt fehlt leider, und so ist weder Erscheinungsort noch -jahr feststellbar. Der Katalog der Univ.-Bibl. Münster datiert es auf „um 1800". Die handschriftliche Eintragung auf der letzten Seite des Buches, die anscheinend zu dieser Datierung geführt hat, lautet: „Walldürn den 9 Hornung [Februar] / 1766 geborn / Marx [Markus] Anton Schneider".

20. Daß manche Br.en einen bedeutenden Einfluß auf die Popularität bestimmter Wallfahrten haben konnten, belegt der Fall der Wallfahrt von Scheppach (B. Augsburg), zu der *Steichele/Schröder* bemerken, daß die 1694 gegründete Br. zu Ehren der Hl. Familie maßgeblich zur Wiedereinführung der Wallfahrt beigetragen habe, nachdem sie im Schwedenkrieg sehr gelitten hätte. Die Bedeutung dieser Br. für Scheppach spiegelt sich auch im Programm der Kirchenfresken wider (*Steichele/Schröder* 1864–1939. V. S. 748).

21. z. B. in der Verehrung der Wunden Jesu (*Regeln der Heil. Bruderschafft*. (um 1800). S. 100–115).

22. Vgl. auch eine Abb. im Br.buch (1844) der JMJ-Br. von Hopfgarten (Erzb. Salzburg) (gegr. 1704), die ebenfalls die Hl. Familie über dem Fegfeuer zeigt (*Hochenegg* 1984. S. 127). Wir haben oben schon darauf hingewiesen, daß diese Personenkonstellation genau der des Hl. Wandels entspricht, sich hier also nicht nur der Bezug zum Zweck der Bruderschaft (Fürsprache für die Seelen im Fegfeuer und den eigenen, Guten Tod) und zum Kultobjekt der Wallfahrt (Hl. Blut), sondern auch der zu den Patronen der Fraternität (Hl. Familie) widerspiegelt.

23. Die Unterzeile lautet: „Die wahre abbildung der Löblichen brutterschafft IESVS MARIA IOSEPH für die abgestorbene Zu Prag bey MARIA Laureta" (*Bruderschaffts-Büchlein*. Köln 1716.).

24. Zur Verbindung von Hl. Familie-Kult und Loreto-Kapelle s. oben. Kap. Der Loreto-Kult.

25. Auch Georg Voglers ‚Trostbronn' von 1624 konzentrierte sich zu einem großen Teil auf die Passion.

26. Das genannte Los, das den Tag des Ablasses für die Verstorbenen festlegte, wurde am Tag der Aufnahme in die Br. gezogen und im Zentralregister der Erzbr. in Prag verzeich-

net. Jedes Kapuzinerkloster und jeder Priester, der im Besitz der entsprechenden Formulare (Br.buch und Aufnahmezettel) war, konnte Mitglieder beiderlei Geschlechts und jeden Standes aufnehmen (*Bruderschaffts-Büchlein.* Köln 1716. S. 32 ff. *Regeln der Heil. Bruderschafft.* (um 1800). S. 18).

27. *Beringer* definiert: „Der Ablaß ist eine außerhalb des Bußsakramentes von der Kirche erteilte Nachlassung der zeitlichen Strafen, welche wir nach Vergebung der Sünde entweder hier oder im Fegfeuer noch abbüßen sollten." (*Beringer* 1900. S. 2). Die Idee des Ablasses geht davon aus, daß der sündige und in Schuld verstrickte Mensch durch dieses Instrument einen Teil seiner Schuld schon im Leben vergelten und so die Zeit im Fegfeuer nach seinem Tode verkürzen kann. Diesen Ablaß – Bedingung zur Erlangung ist natürlich die wahre Frömmigkeit – kann er aber nicht nur für sich, sondern auch für die schon im Fegfeuer Gepeinigten verwenden, d. h. er kann ihre Schuld verringern und so ihre Zeit im Fegfeuer verkürzen. Nach *LeGoff* war diese Praxis seit der großen Ablaßverkündigung im Jubeljahr 1300 gängig (*LeGoff* 1984. S. 301).

28. Die Zielsetzungen und ‚Leistungen' dieser Br. lassen sich in dem ausführlichen Kapitel ‚*Von dieser Nutzbarkeit Seelen Bruderschafft*' des Br.-buches ablesen (*Bruderschaffts-Büchlein.* Köln 1716. S. 19–24. *Regeln der Heil. Bruderschaft.* (um 1800). S. 13–17).

29. mit einem jugendlichen Jesus

30. Lapide ist in den Jahren 1683 bis 1714 nachweisbar (*Hochenegg* 1963. S. 53 f).

31. 1723. Vöran/Tirol: JMJ-Br. vom guten Tod (*Hochenegg* 1984. S. 185); 1730. Innsbruck, St. Nikolaus: JMJ-Br., um Unbemittelten ein würdiges Begräbnis zu verschaffen (ebda. S. 80); 1772. Sterzing/Tirol: Br. JMJ um ein glückseliges End der Sterbenden (auch Br. vom Hl. Wandel) (ebda. S. 178).

32. 1694. Kanton Zug, Walchwil: St. Josephsbr. (Zweck: Erlangung einer glücklichen Sterbestunde) (*Henggeler* 1955. S. 282).

33. 1702. B. Augsburg, Friesenried (St. Joseph): Br. vom guten Tod zu Ehren des hl. Joseph (*Steichele/Schöder* 1864–1939. VII. S. 170); 1735. B. Augsburg, Buchloe: St. Josephs-Br. vom guten Tod (ebda. VIII. S. 140); 1736. B. Brixen, Fiecht (St. Joseph): Br. zum hl. Joseph (*Hochenegg* 1984. S. 46); (1744) Kanton Luzern, Hitzkirch: St. Josef- und Guttodbr. (*Henggeler* 1955. S. 246); 1789. Kanton Ur, Unterschächen: Br. zum sterbenden hl. Josef (ebda. S. 204); 1833. Erzb. München-Freising, Ebersberg (Friedhofskap.): Br. vom hl. Joseph (*Mayer/Westermayer* 1874–1884. III. S. 232); 1860. B. Innsbruck, Obsteig (St. Joseph): Br. zum hl. Josef zur Erlangung einer glückseligen Sterbestunde (*Hochenegg* 1984. S. 92).

34. 1863. Kanton Uri, Seelisburg: St. Josefsbr. vom guten Tode (*Henggeler* 1955. S. 203); 1882. Kanton Schwyz, Schübelbach: Guttodbr. zu Ehren des hl. Josef (ebda. S. 216).

35. „Venerat illa dies quae vitam morte pararet / Perpetuam tibi, juste Joseph, David inclyta [incluta] proles / Christus adest cum matre pia, quibus officiose / Servieras; [. . .]." (*Gerson.* IV. S. 95).

36. „Scandet et ipse Joseph ut mecum regnet in aevum [. . .]." (*Gerson.* IV. S. 97). Diese Formulierung wäre ohne die

gedankliche Nähe von Joseph und Gottvater – vorbereitet in der *faber-fabricator*-Typologie – nicht möglich gewesen.

37. In der Perioche des Stückes heißt es zur letzten Szene: „Morienti Iosepho assistunt atque valedicunt IESVS & MARIA. Als derohalben Joseph Mariam sein vielgeliebte Gemahlin dem Kindlein JEsu trewmütig befohlen / und auch von jhme den letsten [!] Segen begert [!] / vnd empfangen / vbergibt jhne der Todt den Englen mit lieblicher süsser Music / sanfft vnd rühigklich [!] zuentschläffen [!]. Dann köstlich ist vor den Augen Gottes der Schlaff oder Todt seiner Heyligen." Zum Epilog des Stückes heißt es weiter: „Der Schutzengel bringt herfür / eröffnet vnd verlißt [!] das Testament [!] deß heiligen Josephi / in welchem er den sterblichen Leichnamb der Erden / die vnsterbliche Seel Abrahams Schoß / die beylebenszeit geübte Tugendten den Spectatoribus vermacht. [. . .]." (IESVS MARIA JOSEPH. München 1636. Akt 3,10). Der Hinweis auf Abrahams Schoß bezieht sich auf die Geschichte vom armen Lazarus und dem reichen Prasser (Lc. 16,19–26). Nach der gängigen Vorstellung war dies der Ort der Erfrischung, das *refrigerium*, an dem – vor dem Abstieg Christi in die Vorhölle – die Gerechten auf das Jüngste Gericht warteten (*LeGoff* 1984.).

38. Ein frühes niederrheinisches Tafelbild hatte den Josephstod in einem großbürgerlichen Interieur mit Ärzten dargestellt (*Schmitz-Cliever* 1967. S. 242. Kat.-Nr. 40).

39. Diese Art des Sterbens galt nicht als ein Kuriosum, sondern als der beste Weg, um einen Guten Tod zu erlangen, wie ihn der gegenreformatorische Theologe Bellarmin (1542–1621) empfohlen hatte (*Ariès* 1980. S. 398). Dementsprechend stellte schon das späte 15. und das 16. Jhdt. Maria in ihrer Sterbestunde kniend dar. Vgl. Veit Stoß: Marienaltar, Mittelschrein (1477–1489); Hans Holbein d. Ä.: Altarflügel vom ehem. Afra-Altar (1490); Martin Schaffner: Außenflügel des Wettenhausener Altars (1523/24) (*Schiller* 1966. IV,2. Abb. 704 f, 699, 698).

40. Außerdem kommt bei M. v. Cochem ein heute befremdlich anmutender, aus der franziskanischen Bettelordenmentalität herrührender utilitaristischer Zug in die Erzählung, derzufolge dem hl. Joseph nicht nur die Passion Christi erspart bleiben sollte, sondern auch seine Funktion obsolet war: Jesus benötigte seinen Nährvater nicht mehr, da er seinen eigenen Unterhalt durch Almosen bestreiten konnte.

41. „[. . .]; und hier, meine Christen! bricht mir das Herz, und eine Thräne entfällt meinem Auge, [. . .]." (*Lingl*: Predigten. 1798. I. S. 260).

42. Darauf hatte der Barock beim Josephstod verzichtet.

43. *Matsche* 1981. I. S. 187. II. S. 495. Anm. 706. Martino Altomonte (1657–1745), selbst Wiener Hofmaler, orientierte sich an Maratta und fertigte zahlreiche, auf den hl. Joseph konzentrierte Werke (*Aurenhammer* 1965. Abb. 24, 39 ff, 40, 42 (Tod des hl. Joseph), 50).

44. Zwei Mädchen waren tot geboren, die Söhne starben als Säuglinge.

45. Möglicherweise folgte man in dieser Kapelle dem römischen Festtagskalender und feierte – im Gegensatz zum offiziellen österreichischen Josephstag (18. April) – den 19. März, d. h. den Todestag des Heiligen.

46. Die Ausgabe von *Wallin* erschien in der Originalsprache (arabisch) und einer lateinischen Übersetzung (*Georg Wal-*

lin: Historia Josephi fabri lignarii, arabice et latine. Leipzig 1722.), die ihrerseits von *Johann Albert Fabricius* ein Jahr später noch einmal veröffentlicht wurde (*Johann Albert Fabricius*: Codicis Pseudepigraphi Veteris Testamenti. II. Hamburg 1723.). Schon in der ersten Hälfte des 14. Jhdts. gelangte dieser Bericht in einer lateinischen Fassung in den Westen und wurde – wenn auch nur sporadisch – rezipiert (*Foster* 1978. S. 255 ff).

47. Die Gleichartigkeit in Marien- und Josephstod wurde keineswegs unbewußt gestaltet, sondern ausdrücklich als Parallelerscheinung dargestellt; vgl. z. B. die parallele Freskengestaltung der Zwickel in der Gnadenkapelle Mariä Himmelfahrt von Hohenpeissenberg (Lkr. Weilheim-Schongau) von 1748 (*Bauer/Rupprecht* 1976–1987. S. 410 ff).

48. Für die Kirchenfresken und Altäre reichen die Belege von der Mitte des 17. Jhdts. – einem vereinzelt dastehenden frühen Zeugnis – über die Wende vom 17. zum 18. Jhdt. kontinuierlich bis spät ins 18. Jhdt. hinein: Mitte 17. Jhdt. Thyrnau, GK Franz Xaver, Hochaltar: Tod Franz Xavers, südl. SA (*KD Bayern. Schwaben.* VII. S. 804); spätes 17. Jhdt. Türkheim, Dominikanerkloster, ehem. Kap. St. Leonhard: Gemälde (*KD Bayern. Mindelheim.* S. 459); ca. 1686. Benediktbeuren, Josephskap.: Fresko aus dem Zyklus ‚Leben Josephs‘ (*Bauer/Rupprecht* 1976–1987. II. S. 56 f, 62); um 1690. Hall/Tirol, Josephskap. im NO des ehem. Friedhofs: Altar (*Dehio* 1980. S. 308); um 1700. Kammern, aus der Seelenkap.: Altar (*KD Bayern. Niederbayern.* XIII. S. 936); Anfang 18. Jhdt. Landshut, Franziskanerkloster Loreto (urspr. Kapuzinerkloster), Psallierchor, Altar: Engel führt Josephs Puls und hält das Stundenglas (ebda. XVI. S. 166 f); um 1710/20. Oberschönenfeld, Zisterzienserinnenkloster, Refektorium: Gemälde (*KD Bayern. Lkr. Augsburg.* S. 239); 1736. Unterliezheim, GK (ehem. Kloster- und Wallfahrtskirche St. Leonhard): nördl. SA (*KD Bayern. Schwaben.* VII. S. 936); um 1740. Oberau/Südtirol, GK (Hl. Familie, seit 1683 dort JMJ-Br.): Hochaltar (*KD Südtirol.* I. S. 287); 1748. Hohenpeissenberg, Gnadenkap. Mariä Himmelfahrt: Fresko im NO der Langhausdecke (*Bauer/Rupprecht* 1976–1987. I. S. 411 f); 1750. Obermedlingen, GK (ehem. Dominikanerkl.), südl. SA (Hl. Familie): Altarblatt (*KD Bayern. Schwaben.* VII. S. 804); 1754. Kloster Andechs, Josephskap., Fresko: Tod Josephs mit Joh. d. Ev. und Maria (*Bauer/Rupprecht* 1976–1987. I. S. 303); 1756. Landsberg a. Lech, ehem. Kollegienkirche der Jesuiten: Fresko im NO der Langhausdecke (ebda. I. S. 132–140); um 1760. Diemantstein, GK: linker SA (*KD Bayern. Schwaben.* VII. S. 206); ca. 1774. Tannenberg, Josephskap.: Altarantependium (*Bauer/Rupprecht.* I. S. 547); um 1788. Untermedlingen, GK: Deckenbild im Chor (*KD Bayern. Schwaben.* VII. S. 945); um 1796. Serfaus/Tirol, GK (seit 1667 dort JMJ-Br.): linker SA (*Dehio* 1980. S. 727); 18. Jhdt. Eichendorff, GK: Gemälde (*KD Bayern. Niederbayern.* XIII. S. 33). In der Andachtsbildkunst findet sich der Josephstod auf Br.zetteln, so z. B. 1774. Zettel der Br. vom guten Tod in Weerberg/Tirol oder auch – ein spätes Beispiel – um 1840. Zettel einer entsprechenden Br. in Imst/Tirol (*Hochenegg* 1984. S. 117, 61). Auffallend ist, daß dieses Bildmotiv am Ende des 19. und zu Anfang des 20. Jhdts. recht verbreitet war (vgl. Sammlung L. Gierse), obwohl entsprechende

Bruderschaften oder auch Vereine vom Guten Tod in dieser späten Zeit kaum populär waren.

49. Nach der *Hist. Jos.* hatten sich sogar seine Kinder aus erster Ehe von ihm verabschiedet (*Hist. Jos.* XX,4 f. bei *Morenz* 1951. S. 15).

50. Vgl. auch das Deckenfresko im Chor der Pfarrkirche von Hausen (bei Geltendorf, B. Augsburg), entstanden um 1754 (*Bauer/Rupprecht* 1976–1987. I. S. 89) oder auch einen Br.zettel aus Fiecht/Tirol, auf dem Joseph, der Br.patron, im Himmel mit dem Jesuskind erscheint (um 1750) (*Hochenegg* 1984. S. 47). Desgleichen konnte auch der Tod der hl. Anna nach diesem Schema gestaltet werden. Vgl. eine Szene aus dem Marienzyklus in dere Elbacher Andreaskirche von ca. 1722 (*Bauer/Rupprecht* 1976–1987. II. S. 468. Abb. i).

51. Vgl. auch Br.brief der 1758 gegr. Todesangstbr. in Weerberg/Tirol (*Hochenegg* 1984. S. 117).

52. *Die Flucht nach Egypten.* Kolorierter Gebetszettel. St. Pölten (Österreich). verlegt bei J. Nowohradsky. 1. Hälfte 19. Jhdt. (Privatbesitz). Das Gebet konnte ich vor dem 19. Jhdt. nicht nachweisen.

53. bei Joseph entsprechend vom Reisebegleiter auf der Flucht zum Todespatron. Außerdem fällt auf, daß der Mann, der Jesus vom Kreuz abnehmen ließ, ebenfalls Joseph (v. Arimathea) hieß (Mt. 27,57 ff; Mc. 15,42 ff; Lc. 23,50 ff; Joh. 19,38 ff) und somit der Name Joseph das ganze irdische Leben Christi von der Geburt bis zum Tod quasi umklammert; am Anfang steht Joseph der Nährvater, am Ende der reiche Joseph von Arimathea (Freundl. Hinweise von Herrn Prof. Dollinger). Mir ist allerdings kein Beleg in der Josephsverehrung bekannt, der diese Parallele zieht.

54. Im Bild spiegeln diese Heiligenhierarchie die Votivbilder wider, so z. B.: 1705. Bauer wird vom Stier verletzt (*Theopold* 1978. S. 142); 1712. Joseph vor Loreto-Madonna auf Gnadenstätte (möglicherweise Hergiswald?) weisend (*Harvolk* 1979. Abb. 8); 1769. Schiffsunglück (*Beitl* 1973. Abb. 18); 1800. Franzosenüberfall (*Theopold* 1981. S. 101); 1816. Hl. Familie (ebda. S. 157).

55. Bei Lingl heißt es entsprechend: „[...]! man stirbt nicht heilig, wenn man nicht heilig gelebt hat; [...].“ (*Lingl*: Predigten. 1798. I. S. 262).

„Heiliges Beten, heiliges Arbeiten, heiliges Leiden“

1. In der Romantik hingegen erschienen Visionen als Erweiterung der Erkenntnis in andere Dimensionen, als Offenbarung durchaus als legitim und glaubwürdig, wie z. B. die Faszination der Anna Katharina v. Emmerick auf Clemens von Brentano beweist (*Emmerick und Brentano* 1983.).

2. So z. B. in der Predigt des Benediktiners Johann Nepomuk Lingl von 1799 zum Fest der Unbefleckten Empfängnis (*Lingl*: Predigten. Augsburg 1799. II.).

3. Die bayerischen Kapuziner unterlagen durch eine Instruktion von 1802 einer dezidiert ausgeführten Anweisung, die u. a. bestimmte, daß ihre Klöster – ebenso wie die der Franziskaner – nur noch bis zum ‚Aussterben‘ ihrer priesterlichen Angehörigen geduldet werden sollten, während die Laienbrüder – sofern nicht für den Klosterbetrieb unabdingbar – aus dem klösterlichen Leben in die profane Alltagswelt entlassen werden sollten. Bei zu starker Schrump-

fung des Konvents sollten mehrere Klostergemeinschaften zusammengelegt und die freiwerdenden Klostergebäude und weiteres anfallendes Klostervermögen – abzüglich der Kosten zum Unterhalt der verbliebenen Mönche – dem allgemeinen Schulfond zugeschlagen werden. Speziell zu den Franziskanern und Kapuzinern bemerkt die Instruktion abschließend: „Auf solche Art ist bis zur gänzlichen Erlöschung sämmtlicher Communitäten dieser zwei Orden fortzufahren." (*Säkularisation*. S. 31 ff. Zitat S. 32).

4. *Mayer/Westermayer* dokumentieren sehr anschaulich, in welch hohem Maße das Vermögen der bayerischen Fraternitäten angetastet wurde und wie mühsam es z. T. für die Bruderschaften gewesen sein muß, einen bescheidenen Ersatz zu schaffen, mit dessen Hilfe vor allem den kultischen Aufgaben entsprochen werden sollte.

5. *Sengle* weist im ersten Teil seiner umfassenden literarhistorischen Studie zur Biedermeierzeit auf den Weltschmerz als Grundstimmung der Restaurationszeit hin, dem ein vorzugsweise die kleine Form favorisierender Ordnungsbegriff entgegengesetzt wurde. Der Hinwendung zum Empirismus dieser neuen Zeit ist es zuzuschreiben, daß – entgegen dem Inspirationsgedanken – die historische Perspektive in der Behandlung der Heilsgeschichte an Bedeutung gewinnt (*Sengle* 1971. I. S. 1–82).

6. Augenfälligstes Symptom war der Streit um die Mischehen-Frage, an der sich der Konflikt zwischen der katholischen Kirche und Preußen in den Kölner Wirren entzündete; ähnliches gilt für die Problematik der kirchlichen Schulaufsicht.

7. Der 1837 in Haft gesetzte Kölner Erzbischof Clemens August Droste zu Vischering durfte sein Amt nicht wieder ausüben, sodaß ein Koadjutor, der für Preußen akzeptabel war, seine Position übernehmen mußte.

8. Noch im späten 19. Jahrhundert warnte der ‚Allgemeine Verein christlicher Familien' vor schlechten und billigen Bildern von der Hl. Familie und schärfte seinen Mitgliedern ein, daß nur die vom Verein empfohlenen Bilder gut und als Kultbilder für die gesamte Familie geeignet seien (*Ztschr. Hl. Familie*. 1 (1893). S. 16).

9. Der Verein publizierte von 1842–1896 etwa 573 unterschiedliche Bildmotive in Stahlstich (hauptsächlich im kleinen Format) mit religiösem Sujet. Mit dem Verlust seiner gesamten Druckplatten und Vorzeichnungen durch einen Bombenangriff im Jahre 1943 wurde der Verein aufgelöst (*Gierse* 1981.).

10. Es ist ein Verdienst *Sengles*, die Traditionen und die Bedeutung der verschiedenen Geistesströmungen – Aufklärung, Empfindsamkeit, Romantik usw. – für die Biedermeierzeit verdeutlicht zu haben (*Sengle* 1971. I. Kap. 3.). Er spricht deshalb in diesem Zusammenhang von der „ein ganzes Jahrhundert fundierenden Spannung zwischen Enthusiasmus und Empirismus" (ebda. S. 240).

11. Ganz abgesehen von dem volksfrommen Sprachgebrauch der Zeit, der besonders über die Vermittlung der Hl. Namen-Verehrung allgemeine Verbreitung gefunden hatte.

12. Vgl. *Hoffmann-Axthelm*, die sich besonders mit dem Schlegelkreis beschäftigt. Die Autorin faßt zusammen: „Im Selbstverständnis des Kreises entwickelt sich aus persönlichen Freundschaften und dem durch Generationskonflikte verstärkten Gefühl von Geistesverwandtschaft das Bild

von der „Geisterfamilie", das, [...], das Bewußtsein, eine existente Gruppe in „prästabilierter Harmonie" darzustellen, von vornherein suggeriert." (*Hoffmann-Axthelm* 1973. S. 206).

13. Vgl. auch die Titelillustration zu *Dechêne*: Die Hl. Familie. Essen 1897. in einer Variante, in der Maria das Jesuskind auf dem Schoß hält und Joseph mit der Zimmermannsschütze bekleidet ist.

14. s. das Kreuz an der Wand.

15. ein Zeichen für die Auserwählung der Gläubigen durch Gott.

16. Diese Dichotomie von Säkularisation und gleichzeitiger Sakralisierung stellt *Liebenwein-Krämer* als allgemeines Phänomen der Kunst des 19. Jahrhunderts heraus (*Liebenwein-Krämer* 1977.).

1. Der ‚Allgemeine Verein der christlichen Familien zu Ehren der Hl. Familie von Nazareth'

1. Die Statuten folgten in dem Breve vom 20. Juni 1892. Im folgenden beziehe ich mich hauptsächlich auf *Riedle*: Handbüchlein München 1892, das als einziges unter allen von mir bearbeiteten Gebets- und Andachtsbüchern dieses Vereins sowohl das Breve Leos XIII. wie auch die Statuten, Privilegien und Ablässe vollständig abdruckt. Für das gesamte Kapitel ist zu bemerken, daß es kaum Sekundärliteratur speziell zu diesem katholischen Verein gibt, sodaß ich mich im großen und ganzen auf die Aussagen der Vereinspublikationen und damit auf die Selbstdarstellung dieser Organisation stützen muß. Vgl. auch *Beringer* 1900. S. 689–695.

2. So das ‚Weihegebet', das ‚Tägliche Gebet vor dem Bilde der hl. Familie' (hier zeigt sich die direkte Verbindung zu der 1861 in Lyon gegründeten Gebetsvereinigung) und das ‚Ablaßgebet' (*Andacht Hl. Familie*. München 1891.).

3. Die Bruderschaft entsprang einer 1844 geschaffenen Vereinigung „für arme Jünglinge und Männer aus dem Arbeiter- und Handwerkerstande", ist also als Reaktion auf die Industrialisierung und ihre wirtschaftlichen Veränderungen zu verstehen. Die Erzbruderschaft, die hauptsächlich in England, Frankreich und den Beneluxländern, aber auch in Deutschland verbreitet war, umfaßte 1900 ca. 500 000 Mitglieder in 1475 Br.en (*Beringer* 1900. S. 695 f).

4. So die 1806 wiedererrichtete Kongregation der ‚Schwestern von der Hl. Familie' in Paris, die ihre Ursprünge in der 1636 gegründeten Gemeinschaft der ‚Töchter der hl. Genovefa' (Paris) hatten (*Heimbucher* 1933/1934. II. S. 492). In gleicher Weise widmete sich die 1816 in Villefranche errichtete Gemeinschaft der ‚Sœurs de Ste. Famille' (ebda. S. 516) und die 1820 in Bordeaux gegründete ‚Genossenschaft der hl. Familie' karitativen Zielen, wie Krankenpflege, Kinder- und Mädchenerziehung (RGG. II. Sp. 825 f). Die auf Initiative des Bischofs Alexander Raymund Devie von Belly gegründete Gemeinschaft ‚Brüder von der hl. Familie' (1827 in Belly/Frankreich) engagierte sich besonders in der Jugenderziehung (ebda. Sp. 825). Außerdem entstand 1895 der Orden der ‚Missionare von der hl. Familie', die sich hauptsächlich in der Mission in Übersee engagierten. Die aus Frankreich 1895 nach Grave verlegten Missionare

besaßen auch im deutschsprachigen Gebiet Niederlassungen (*Heimbucher* 1933/1934. II. S. 432).

5. 1855 grassierte dort der Hungertyphus, so daß der Stadtpfarrer Dr. Paul Joseph Nardini (1855–1890) ein Armenkinderhaus zur Linderung des „infolge Hungertyphus hereingebrochene Elend der dortigen Arbeiterbevölkerung" gründete, aus dem die Kongregation hervorging (*Heimbucher* 1933/1934. S. 29 f).

6. Die Gemeinschaft engagierte sich in der Versorgung Kriegsverletzter, in Krankenhäusern, Armenhäuser, Altersheimen und im Bereich der Mädchenerziehung. Nach dem Stand von 1934 bestanden in Süddeutschland 369 Niederlassungen der Mallersdorfer Franziskanerinnen, außerdem 19 Filialen in Siebenbürgen (*Heimbucher* 1933/1934. S. 30).

7. Sie wurden von Josephine Koch aus Aachen (†1899) zur Pflege von Kranken und der Erziehung verwahrloster Kinder gegründet. Infolge des Kulturkampfes wurde das Mutterhaus 1875 nach Löwen/Belgien verlegt (*Heimbucher* 1933/1934. S. 26).

8. Vor Pius IX. hatte schon Pius VII. am 28. April 1807 ein Ablaßgebet erlassen, das ebenfalls in den Andachtsübungen des Vereins Eingang fand (*Riedle*: Handbüchlein. München 1892. S. 23. *Beringer* 1900. S. 690).

9. „Während die vorstehend genannten V. [die privaten katholischen Vereine] kirchlicherseits nur empfohlen, gefördert sind, sind die kirchl. V. im strengen Sinn kirchenamtlich entw. formell errichtet od. wenigstens ausdrückl. gutgeheißen (Approbation). Diese kirchl. V. sind gesetzl. vom CIC cc. 684–725 normiert. Errichtung (erectio) od. Gutheißung (approbatio) steht dem Hl. Stuhl, dem Ortsoberhirten od. – auf Grund apost. Privilegs – höheren Ordensoberen zu (zumeist allerdings mit Zustimmung des Ortsoberhirten). Durch ein förmliches Dekret errichtete V. sind rechtsfähig (Juristische Personen), nur gutgeheißene V. sind nicht rechtsfähig. [. . .]. [Hier zeigt sich der Unterschied und die Bedeutung des ‚Vereins von der Hl. Familie' zu den vorangegangenen Gründungen in Lyon und Bologna.] Der kirchl. V. ist immer dadurch charakterisiert, daß er Statuten hat, die entw. vom Hl. Stuhl od. vom Ortsoberhirten gutgeheißen sind. Der Ortsoberhirte hat über alle V., ausgenommen einige päpstlicherseits bes. privilegierte, Oberleitung und Aufsicht. Mitglied des kirchl. V. kann jeder Katholik werden, der im Vollbesitz der kirchl. Ehre ist; [. . .]. V. haben ein Mitgliederverzeichnis zu führen; in rechtsfähigen V.n ist die Eintragung in dieses Verzeichnis zur Gültigkeit der Mitgliedschaft gefordert." (LThK. X. Stichwort: Vereine. Sp. 684). Die Laien treten also nur als Mitglieder einer stark hierarchisch und autoritär gegliederten Gemeinschaft in Erscheinung und können satzungsmäßig keinerlei Mitsprache- und Kontrollfunktionen übernehmen.

10. In Essen erschien von 1887–1910 wöchentlich ‚Die christliche Familie' (Redaktion: Hugo Koenen), in Freising und (ab dem 7. Jg.) München monatlich unter wechselnden geistlichen Herausgebern die wohl populärste Zeitschrift des Vereins ‚Die heilige Familie' (1893–1909), in Augsburg seit 1894 unter der Redaktion von G. P. Lautenschlager die Wochenschrift ‚Die katholische Familie', die 1906 ihr Erscheinen einstellte. Außerdem wurde in Heiligenstadt bei F. W. Cordier, der auch viele Andachtsbücher des Ver-

eins verlegte, ‚Das Haus der heiligen Familie' veröffentlicht (monatlich von 1893–1915) und in Straßburg die ‚Grüsse aus Nazareth' (monatlich hrsg. v. Gratian v. Linden, 1893–96). Das ‚Jahrbuch für die christliche Familie' konnte nur in einem Jahrgang in Freising erscheinen (1894), da im gleichen Verlag (Franz Paul Datterer) auch die überaus populäre Zeitschrift ‚Die heilige Familie' herauskam.

11. Das Gebet lautet: „O liebreichster Jesus, der du mit deinen unaussprechlichen Tugenden und mit den Beispielen deines verborgenen Lebens die von dir hier auf Erden auserwählte Familie geheiligt hast, blicke gütigst auf diese unsere Familie herab, welche, vor dir niedergeworfen, dich um deine Huld anfleht. Gedenke, daß sie deine Familie ist, weil sie sich dir besonders geweiht und aufgeopfert hat. Beschütze du sie gnädig, befreie sie von Gefahren, eile ihr zu Hilfe in allen Nöten und gib ihr die Gnade, beharrlich zu bleiben in der Nachahmung deiner heiligen Familie, damit sie, dir treu dienend und dich liebend auf Erden, dich dann ewig im Himmel lobpreisen könne.
O Maria, mildeste Mutter, wir flehen dich um deinen Schutz an, fest überzeugt, daß dein göttlicher Sohn deine Bitten erhören wird.
Und auch du, glorreicher Patriarch, hl. Joseph, komme uns durch deine mächtige Vermittlung zu Hilfe und bringe Jesu durch die Hände Mariä unsere Bitten dar." (*Beringer* 1900. S. 694. Anm. 2).

12. Man beachte diesen Hinweis auf die Autoritätsstruktur im Selbstverständnis der katholischen Kirche.

13. Dies impliziert auch, daß sowohl der Staat als auch die Kirche in ihrer Basiseinheit ‚Familie' angegriffen werden.

14. Die neue, areligiöse Geistesrichtung ist also ein Krankheit.

15. „Der Zweck des Vereins besteht darin, die christlichen Familien der heiligen Familie zu Nazareth zu weihen und dieselbe als Gegenstand beständiger Verehrung und Nachahmung vor Augen zu haben, indem man vor einem Bilde derselben ein *tägliches* Gebet verrichtet und den herrlichen Tugenden nachstrebt, in welchen sie allen, zumal aber dem Handwerkerstande [!], als Beispiel vorangeht." (Statuten. Abschnitt 1. *Riedle*: Handbüchlein. München 1892. S. 21).

16. die außerdem dadurch garantiert wurde, daß sowohl in dem Einrichtungsbreve Leos XIII. wie auch in den Statuten durch die direkte hierarchische Bindung an Rom jede Veränderung unmöglich gemacht wurde mit dem Ziel, „daß der Verein weder seinem *Zwecke* entfremdet wird noch in seinem *Geiste* eine Änderung erfährt: [. . .]." (zitiert nach *Riedle*: Handbüchlein. München 1892. S. 19).

17. „[. . .]; sie sollen daher Sorge tragen, *daß so viele Familien als möglich, besonders aus dem Arbeiterstande*, der einer größeren Gefahr der Verführung ausgestzt ist, in diesen frommen Verein sich aufnehmen lassen." (zitiert nach *Riedle*: Handbüchlein. München 1892. S. 19). Es ist aber in den Statuten nur allgemein von der Verbreitung unter den Gläubigen die Rede (ebda. S. 22).

18. Die Aufgaben der Mitglieder lagen also in der Weihe, Nachahmung und Anbetung der Hl. Familie.

19. wobei der Schwerpunkt auf den Marienfesten liegt (*Riedle*: Handbüchlein. München 1892. S. 26 ff).

20. bei den unvollkommenen, d. h. zeitlich begrenzten Ablässen (*Riedle*: Handbüchlein. München 1892. S. 28 f.)

21. Dies ist die einzige Stelle des Breve und der Statuten, in der direkt von einer Bemühung um die vom Christentum abgedriffteten Familien gesprochen wird.

22. Funktion der Christenlehrbruderschaften.

23. Auch bei diesen Texten gehe ich von *Riedles* ‚Handbüchlein‘ aus, da er außer den deutschen Texten auch die lateinischen Orginalfassungen liefert und so andere Andachtsbücher des Vereins an Vollständigkeit übertrifft. Ähnlich ausgestattet wie *Riedle* sind: *Andacht hl. Familie*. München 1891. *Andacht hl. Familie*. Paderborn 1893. *Faustmann*: Handbüchlein. Würzburg 1893.).

24. Andere Übersetzungen übernehmen nicht direkt die Terminologie der Votive, sondern gebrauchen Ausdrücke wie ‚hingeben‘ (*Andacht hl. Familie*. München 1891. S. 10), ‚schenken‘ (*Andacht hl. Familie*. Köln 1893. S. 27; *Aufnahmebüchlein*. Neumarkt i. d. Ober-Pfalz (1898). S. 12; *Baute*: Nazareth. Münster 1899. S. 4; *Gebet-Büchlein*. Neumarkt i. d. Ober-Pfalz 1893. S. 14), ‚angeloben‘ (*Aufnahme-Büchlein*. Augsburg 1893. S. 10; *Lautenschlager*: Die hl. Familie. Augsburg (1900) S. 145; *Nazareth und Bethlehem*. München 1899. S. 10), ‚opfern‘ (*Reger*: Gebet- und Regelbüchlein. Straubing 1893. S. 27).

25. Ähnliches gilt für das 1807 von Papst Pius VII. approbierte Ablaßgebet, das ganz auf das Totengeleit der Hl. Familie ausgerichtet war. Es scheint wegen seines hohen Bekanntheitsgrades übernommen worden zu sein, obwohl seine Tendenz am Ende des 19. Jhdts. in dieser Form nicht mehr relevant war. Entsprechend allgemein ist das von Leo XIII. erlassene Ablaßgebet formuliert: „Jesus, Maria und Joseph, erleuchtet uns; kommt uns zu Hilfe und rettet uns!“

26. „Es ist dagegen Unser Wille und Unser Befehl, daß *alle* gegenwärtig unter dem Titel der Heiligen Familie bestehenden Vereinigungen *in einen einzigen allgemeinen Verein* sich verschmelzen.“ (*Riedle*: Handbüchlein. München 1892. S. 16)

27. Der Erzbruderschaft wurde aber zur Bedingung gemacht, daß sie ihrem ursprünglichen Auftrag auch weiterhin folgt, nur Einzelpersonen und keine Familien aufnimmt und sich niemals als ‚Verein‘ bezeichnet (*Beringer* 1900. S. 695–698).

28. „[…] indes ist es nicht notwendig, daß Familien, welche bereits einer bestehenden Vereinigung angehören, behufs Erlangung der Ablässe und der anderen geistlichen Gnaden neuerdings zur Aufnahme sich melden, vorausgesetzt, daß sie den Vorschriften sich unterwerfen, welche in den gegenwärtigen Statuten gegeben sind.“ (*Riedle*: Handbüchlein. München 1892. S. 17).

2. Katholische Familienideologie im Spiegel der Publikationen des ‚Allgemeinen Vereins der christlichen Familien zu Ehren der Hl. Familie von Nazareth‘

1. Die Vorstellung von Maria als Herrscherin stützt sich auf die Apokalypse (Apk. 12,1). Vgl. z. B. auch das stark mariologisch orientierte, 1856 erstmals erschienene und 1899 durch die Vereinsstatuten, -gebete und -ablässe ergänzte Andachtsbuch *Nazareth und Bethlehem* (München), das mit seinem Titel auch auf die historisch-biographische Tendenz in den Jesusviten dieser Zeit hinweist. Der erste Teil des Gebetbuchs ist besonders deutlich dem Leben Mariens und ihrer Eltern, der Geburt Christi und seiner Passion gewidmet, wobei in der Passionsbeschreibung besonders der Schmerzhaften Mutter Gottes gedacht wird. Dieser erste, aus 70 Betrachtungen bestehende Teil endet mit Marias Tod und ihrer leibhaftigen Himmelfahrt (die erst 1950 zum Dogma erhoben wurde).

2. z. B. in einem Gedicht auf die unbefleckte Empfängnis. Hier finden sich neben der einmaligen Nennung ‚Mutter‘ Anreden wie ‚himmlische Königin‘, ‚Gottesbraut‘, ‚Herrscherin‘; alles traditionelle Motive in der Marienverehrung (*Ztschr. Hl. Familie*. 1 (1893). S. 215).

3. „Du Königin der Engel, Du Königin der Patriarchen, Du Königin der Propheten, Du Königin der Apostel, Du Königin der Martyrer, Du Königin der Bekenner, Du Königin der Jungfrauen, Du Königin aller Heiligen, Du Königin, ohne Erbsünde empfangen, Du Königin des hl. Rosenkranzes.“ Die Lauretanische Litanei entstand um 1531 und wurde schon 1589 von Sixtus V. approbiert (*Jedin* 1985. Bd. IV. S. 593.).

4. Polemisch überspitzt ausgedrückt heißt das: Was beschwert ihr euch also und klagt? Seht euch die Duldsamkeit Mariens an und nehmt sie euch zum Vorbild.

5. Vgl. oben im Zitat die Begriffe „rechte Weihe“, „veredeln“, „groß und erhaben machen“ (*Ztschr. Hl. Familie*. 1 (1893). S. 91 f), die so eindeutig auf die Leidensfähigkeit Mariens, als die sie hauptsächlich erhebende Qualität, hinweisen.

6. Diese Gesellenvereine empfahl Papst Leo XIII. 1884 als Vorbild für die Einrichtung katholischer Arbeitervereine.

7. „Nach dem Ausdruck seines Gesichtes bewegen ernste Gedanken sein Inneres, doch schafft er rüstig voran.“ (*Ztschr. Hl. Familie*. 1 (1893). S. 43).

8. „Es scheint, Gott habe anderen Heiligen die Gnade erteilt, daß sie denen, welche sie um ihre Fürbitte anrufen, in einer besonderen Not zu Hilfe kommen, aber von diesem glorwürdigen Heiligen habe ich die Erfahrung gemacht, daß er in aller Not beisteht.“ (*Ztschr. Hl. Familie*. 1 (1893). S. 12 f). Mit Hilfe dieses Zitats der hl. Theresia v. Avila wird versucht, auf der Basis alter Verehrungstraditionen einen neuen Kult mit neuer Gewichtung zu errichten.

9. Denn dies ist seine ‚heilige Pflicht‘ (*Ztschr. Hl. Familie*. 1 (1893). S. 155).

10. Im vollen Bewußtsein der ihm zukommenden Ehre und Verantwortung.

11. Inwieweit dies mit der Bedeutung des Todes für die industrialisierte Gesellschaft zusammenhängt, müßte eine eigene Studie klären.

12. Diese Charakterisierung ist nicht erst in den Vereinspublikationen des späten 19. Jhdts. zu finden. 1872 wurde z. B. der Charakter Jesu in einem Andachtsbuch – als Vorbild aller christlichen Kinder – mit den Tugenden der Sittsamkeit, Sanftmut, christlichen Liebe, Wahrheitsliebe, der kindlichen Liebe gegenüber seiner Mutter Maria und der Verehrung seines irdischen Vaters dem hl. Joseph beschrieben (*Jesus, das göttliche Kind*. Regensburg 1872.).

13. So verzichtete man völlig auf die noch im Barock so gerne tradierten apokryphen Wunderberichte, die zwar z. T. skuril anmuten, aber immer auch die Funktion hatten, die Göttlich-

keit Jesu selbst in der Gestalt eines kleinen Kindes zu vergegenwärtigen.

14. „Tag und Nach erfüllt ihn [Joseph] nur das eine Streben, für Jesus, seinen göttlichen Pflegesohn, keine Mühe, keine Arbeit, keine Sorge zu scheuen." (*Ztschr. Hl. Familie.* 7 (1899). S. 230).

15. An einer Stelle werden Maria und Joseph auch als Erzieher gekennzeichnet, was verwundert, wenn man die Beschreibung des ‚vollkommenen‘ Kindes Jesus berücksichtigt. Hier deutet sich die Methode an, weniger die christliche Familie nach der Hl. Familie zu formen, als ein Idealbild der bürgerlich-christlichen Familie in der Hl. Familie zu schaffen, sie also entsprechend den ideologischen Bedürfnissen der katholischen Sozial- und Familienpolitik zu gestalten.

16. „Der christliche Mann aber walte im Hause voll Milde und Liebe gegen Mutter und Kinder aus reiner Liebe zu Gott, – bestrebt, wohl zu thun nach seinen Kräften –, eingedenk seiner Verantwortung vor Gott und im Gefühle seiner Unwürdigkeit, Stellvertreter Gottes im Hause zu sein." (*Ztschr. Hl. Familie.* 1 (1893). S. 5).

17. „Die christliche Familie steht in einer so innigen Wechselbeziehung zum Himmel, daß der himmlische Vater dem Haupte jeder Familie den Befehl [!] gegeben hat, seinen Namen, den Namen „Vater" zu tragen [beachtenswerte Verkehrung der kultur- und religionshistorischen Positionen, die aus einer kulturbedingt patriarchalisch orientierten Religion eine Legitimation für die patriarchalische Organisation der Gesellschaft macht], damit er nimmer vergesse, wessen Haushälter, wessen Stellvertreter er ist, damit er wisse, wem er einst Rechenschaft zu geben habe, und daß derjenige, der ihn Vater nennt, bewußt bleibt, wem er Ehrfurcht erweist in der Person des Vaters." (*Ztschr. Hl. Familie.* 1 (1893). S. 157).

18. „Er muß für das gesamte, geistige und leibliche, zeitliche und himmlische Wohl seiner Familie Sorge tragen." (*Ztschr. Hl. Familie.* 2 (1894). S. 8).

19. Der Protestantismus wird als Feind explizit nicht genannt, doch weisen einige mehr oder weniger versteckte Indizien darauf hin, daß der ‚Allgemeine Verein‘ keinerlei ökumenische Ambitionen hatte. So wird z. B. schon im ersten Jahrgang der Zeitschrift ‚Die hl. Familie‘ berichtet, „daß ein Bilderhändler in einer großen Stadt, ein Protestant [!] in letzterer Zeit seinen Vorrat an Bildern der Hl. Familie [die für die vorgeschriebene Verehrungsform von außerordentlicher Wichtigkeit waren] reißend schnell absetzte und nicht genug solche Bilder haben konnte. Es waren aber lauter schlechte und darum billige Bilder, die er verkaufte." (*Ztschr. Hl. Familie.* 1 (1893). S. 16).

20. Die *Ztschr. Hl. Familie* weist darauf hin, daß Joseph – als Vorbild – „nicht in vermessentlicher Weise auf Gottes Hilfe vertraut, sondern redlich das Seinige gethan und im Schweiße seines Angesichtes für sich und seine Familie gesorgt [hat]." (ebda. 1 (1893). S. 155).

21. „So ist der hl. Joseph ein herrliches Vorbild für alle Arbeiter und Familienväter. Er zeigt ihnen, wie sie durch redliche in christlichem Geist verrichtete Arbeit und durch treue Fürsorge für ihre Angehörigen sich ein glückliches, zufriedenes Leben verschaffen können. Er warnt sie, das Glück dort zu suchen, wo es nicht zu finden ist, im Trinken, Spielen, außerhalb des Familienkreises. Am häuslichen Herd, an

der Seite einer braven Gattin, umgeben von wohlerzogenen Kindern – da erblühen dem Familienvater, dem christlichen Arbeiter Freuden und Genüsse, die er anderswo vergebens sucht; der Himmel segnet und beschützt eine solche Familie sichtlich und ein gewisser Wohlstand wird nicht ausbleiben [!]." (*Ztschr. Hl. Familie.* 1 (1893). S. 156).

22. Im Übrigen ist gegenüber dem Heidentum die Würde der Frau gerade durch das Christentum angehoben worden, da es die Polygamie und die Ehescheidung verbot. So die Argumentation der Zeitschrift (*Ztschr. Hl. Familie* 1 (1893). S. 7). Diese Untertänigkeits-Vorstellungen basieren auf einigen Stellen aus den Paulusbriefen und wurden im Christentum grundsätzlich als Legitimation für die Vorherrschaft des Mannes in der Familie benutzt.

23. Hier tritt besonders häufig der Vergleich mit der Schmerzhaften Mutter Maria auf (*Ztschr. Hl. Familie.* 1 (1893). S. 6).

24. „Weihe Dich innig der Gottesmutter Maria und ahme nach ihre Züchtigkeit, Frömmigkeit, Zurückgezogenheit [!], Häuslichkeit, Einfachheit und Arbeitsamkeit! Lerne von ihr, *der Schmerzensmutter,* auch Geduld und Starkmut in der Stunde des Leidens!" (*Ztschr. Hl. Familie.* 2 (1894). S. 6).

25. Hier liegt in den Augen der Kirche die größte Hypothek der Frau.

26. Dies kann die Erblast von Evas Sünde jedoch *nicht* aufheben.

27. So z. B. in den von der Kirche getragenen konfessionellen Schulen und in den konfessionell geleiteten Kinderbewahranstalten (*Krieg* 1987.). Den Weg eines katholisch erzogenen und in einer katholischen Familie aufgewachsenen Kindes beschreibt die *Ztschr. Hl. Familie* und spricht dabei die für die katholische Kirche so typischen und wichtigen Sakramente von Beichte, Kommunion und Firmung im Glaubensleben der Kinder an: „In dem Gottesgarten der christlichen Familie wird das Kind im ersten Alter von der Mutter unterrichtet; schreitet es aber voran zu dem Alter, wo der Unterricht die Erziehung unterstützen muß, so ruft die Kirche, gleich unserm lieben Heiland, die Kleinen heran und lehrt sie durch die Priester den Weg der Gebote Gottes, führt sie ein in die Wahrheiten des Heils, prägt ihrem Gedächtnisse die Worte des Lebens ein, führt sie zum Tische des Herrn, nährt sie mit dem Brote des Lebens, und durch die Hand des Bischofs werden sie ausgerüstet mit den Gaben des heiligen Geistes und empfangen in der Firmung den Ritterschlag der Kämpfer der streitenden Kirche." (*Ztschr. Hl. Familie.* 1 (1893). S. 158).

28. s. die marianische Zurückgezogenheit und Opferbereitschaft der Frau.

29. Diese Position wurde dadurch gemildert, daß – nach Meinung der christlichen Familienideologie – die christliche Liebesehe als Monogamie die Würde der Frau hob.

30. „Eine Frau ist gebunden, solange ihr Mann lebt; wenn aber der Mann gestorben ist, ist sie frei zu heiraten, wen sie will; nur geschehe es im Herrn. Glücklicher aber ist sie zu preisen, wenn sie nach meinem Rat unverheiratet bleibt – und ich denke, daß auch ich den Geist Gottes habe [und also auch mit einer höheren Autorität zu der Gemeinde sprechen kann]." (1. Kor. 7,39 f)

31. So berichtet ein christlicher Ehemann in einer Erzählung: „Die Ehe meiner Eltern war eine überaus glückliche gewe-

sen; meine Mutter besaß das volle Vertrauen meines Vaters. Er war überzeugt, daß sie nie zu einer zweiten Ehe schreiten würde und stets nur mein Wohl im Auge haben werde." (*Ztschr. Hl. Familie.* 7 (1899). S. 249).

32. „Der christliche Mann und die christliche Frau, welche im hl. Sakramente der Ehe durch den Priester, den Diener Christi, zur unzertrennlichen Lebensgemeinschaft verbunden sind, bilden für sich allein schon eine Familie; [...]." (*Ztschr. Hl. Familie.* 7 (1899). S. 22).

33. Zusätzlich wies die Vereinsideologie den Verdacht, die katholische Kirche schätze die Ehe gegenüber einem asketischen Klosterleben geringer ein, weit von sich und betonte – wie auch schon Leo XIII. in dem Einrichtungsbreve – die hohe Bedeutung der Ehe und Familie für die Kirche und die Gesellschaft (*Ztschr. Hl. Familie.* 2 (1894). S. 12 f).

34. „[...] und erinnert fast an ein Wiederaufleben des Heidentums, da ja heutzutage die bürgerliche Gesellschaft in Verwirrung und Verderben stürzt." (*Ztschr. Hl. Familie.* 1 (1893). S. 78).

35. „Es thäte so not, daß Mann und Frau das Gesagte richtig verstehen. Es würden die Männer einsehen, daß sie, wenn sie befehlen, nicht Ungerechtes und Hartes verlangen dürfen; die Frauen würden erkennen, daß ihre Unterwerfung unter die Männer sich herleitet von einer heiligen, reinen und verehrungswürdigen Liebe, durch diese Unterwerfung wird die christliche Frau sittlich größer als durch alle die schimpflichen und verführerischen Lehren von weiblicher Unabhängigkeit [d. h. zur Vervollkommnung der Frau gibt es zur Ehe keine Alternative]. Wehe also den Männern, welche die Herrschaft, die sie nur in Liebe ausüben sollten, in Thyrannei verwandeln! Und wehe den Frauen, die durch ihre Unbotmäßigkeit den Männern gegenüber zu Sklavinnen des Hochmutes werden und dann leider gar oft der Sünde und dem Laster anheimfallen!" (*Ztschr. Hl. Familie.* 1 (1893). S. 134).

36. Hier kommt Eva – die von der Schlange Verführte – zum Vorschein. An einer anderen Stelle der Erzählung wird beschrieben „wie traurig es jetzt im Ehestande auf der Welt aussehe, wie viele im Unfrieden dahinlebten, sich gegenseitig das Leben verbitterten und sich so schon auf Erden eine Art Hölle bereiteten. Wie schwer sich solche Leute versündigten und wie Gottes Segen niemals mit ihnen sein könne ..." (*Ztschr. Hl. Familie.* 7 (1899). S. 230).

37. Die Krankenschwester hatte dem Ehemann vorgeworfen: „Sie hätten ihrer Gemahlin gegenüber energischer auftreten müssen. Sie sind zu gut, zu nachsichtig gewesen." (*Ztschr. Hl. Familie.* 7 (1899). S. 273). Er hatte also nicht seine Autorität walten lassen.

38. So heißt es im 1. Jahrgang der Zeitschrift ‚*Die hl. Familie*' von 1893: „Zeiget euren Kindern das liebe Jesuskind und lehret sie Ihm nachzufolgen in Seinem demütigen Gehorsame." (S. 5) Das Kind wird aufgefordert: „[...] bitte Gott um die Gnade, vom Jesuskinde die Tugend des Gehorsams gegen deine Eltern und Vorgesetzten praktisch lernen zu können." (S. 131) Zu diesem Zweck ist die Erziehung zur Frömmigkeit und zum Gebet von außerordentlicher Bedeutung.

39. „Ihr fühlt euch glücklich in der Freude über eure Kinder, wenn diese sich gut und untadelig führen, wenn sie durch ihre Haltung sich selbst Achtung verdienen und ihrer Familie zur Ehre gereichen. Wahrlich, glücklicher seid ihr dann, auch selbst in ärmlichen Verhältnissen, als jene, die, reich an Geld und Gut, Macht und Ansehen, nur Kinder haben, die mißraten sind, ihnen Kummer und Verdruß, Unehre und Schande machen." (*Ztschr. Hl. Familie.* 1 (1893). S. 160).

40. „Haben nicht die christlichen Familien die hl. Pflicht, das verantwortungsvolle Werk der Kindererziehung gewissenhaft in die Hand zu nehmen?" (*Ztschr. Hl. Familie.* 1 (1893). S. 52).

41. „Wie der hl. Joseph für Jesus, so dürft, ja so müßt ihr auch für eure Kinder sorgen! Es sind Geschenke oder besser anvertraute Pfänder der göttlichen Liebe. [...]. Die Kinder gehören zu Jesus!" (*Ztschr. Hl. Familie.* 2 (1894). S. 10 f). Und die Konsequenz: „Und wie ihr mit euren Kindern hier im Leben aufs engste verbunden seid, so werdet ihr mit ihnen einstens auch vor Gottes Richterstuhl treten müssen, und es wird die Fülle eures Glückes sein, wenn ihr sie dann für Gott gerettet und durch dessen ewige Huld begnadigt sehen werdet, wie ihr dann andererseits euch auch nichts Schrecklicheres denken könnet, als wenn sie auf immer geschieden von Gott, in ewiger Unseligkeit leben müßten." (ebda. 1 (1893). S. 161).

42. Die elterliche Autorität beruht auf der Prämisse, daß das Kind – wenngleich es seinem Wesen nach mit den Eltern auf einer Stufe steht – schwach ist und deshalb Hilfe, Leitung und Führung benötigt. „Wenn die Autorität der Eltern größer ist als die des Mannes, so kommt dies daher, daß auch die Bedürfnisse der Kinder größer sind. [...]; deshalb muß sie auch gerecht, sanft, geduldig, kurz eine Herrschaft der Liebe sein." (*Ztschr. Hl. Familie.* 1 (1893). S. 135).

43. Taucht sonst nicht auf. Diese Aufgabe fällt eher in den Bereich der fürsorglichen und dienenden Mutter.

44. Es wird hier ganz bewußt das Bild des pflegenden Gärtners gebraucht, der die ‚Tugenden aufpfropft' (*Ztschr. Hl. Familie.* 1 (1893). S. 158).

45. Die außerhalb des Einflußbereichs des Gärtners – sprich der Mutter – liegen.

46. Oder kraß gesagt: zu locken und zu ködern.

47. Vgl. den Hirtenbrief des Osnabrücker Bischofs Bernard Höting: „So wecket und pfleget denn in Heilighaltung der göttlichen Offenbarungslehre und im Anschluß an die Kirche in euren Kindern den religiösen Sinn, wie dies einsichtsvolle Väter und sorgsame, treue Mütter sich angelegen sein lassen. Diese erachten es als eine ihrer wichtigsten Pflichten, ihre Kinder an jene täglichen Gebetsverrichtungen, wie sie die Hausordnung [!] jeder katholischen Familie [und auch die Statuten des ‚Allgemeinen Vereins'] fordert, von früh an zu gewöhnen, sie zur regelmäßigen und andächtigen Beiwohnung der öffentlichen Gottesdienste anzuhalten, auf die gewissenhafte Befolgung der kirchlichen Vorschriften über die Feier der Sonn- und Festtage zu achten, sowie den Empfang der heil. Sakramente zu überwachen [!] und namentlich sich nichts entgehen zu lassen, was zur Gefährdung der Religiösität ihrer Kinder führen könnte." (*Ztschr. Hl. Familie.* 1 (1893). S. 162).

48. Man denke an das wichtige Gebet der Ehefrau und Mutter.

49. Der 1726 kanonisierte, jesuitische Heilige galt schon im frühen 17. Jhdt. als Patron der Jugend (vgl. das Titelbild zu Voglers Katechismus. Abb. 46).

50. d. h. keusch = gut (*Mahnwort*. Augsburg o. J. S. 3).

51. denn Kinder haben ja – polemisch ausgedrückt – von Natur aus böse Neigungen.

52. „Leider sind solche unglückliche, unkeusche Kinder keine Seltenheit; die Erfahrung lehrt, daß manche Knaben und Mädchen schon in frühesten Jahren von diesem abscheulichen Laster angesteckt sind und so wüste Dinge thun, daß man erschrecken muß." (*Mahnwort*. Augsburg o. J. S. 4 f).

53. Vgl. *Ztschr. Hl. Familie*. 1 (1893). S. 87. Wie viel besser ist da ein Bild der Hl. Familie!

54. Eine ähnliche Scham ist schon am Anfang des Jahrhunderts bei einem Teil der Nazarener zu finden, die sich weigerten nach Aktmodellen zu malen.

55. „Es wäre heilige Pflicht der Eltern, im Interesse ihrer Kinder, wenn an Kaufläden und Bilderhandlungen eines Ortes Statuen, Bilder ec. ausgestellt sind, welche für die Augen der Jugend gefährlich werden können, gemeinsam zur Abstellung Schritte zu thun, oder wenigstens durch die Presse Anregung hierzu zu geben. Wieviel kann dadurch verhindert, wievielen Kindern und jungen Leuten die hl. Reinigkeit erhalten werden!" (*Mahnwort*. Augsburg o. J. S. 12).

56. „Der Gehorsam der Kinder gegen die Eltern hat Ähnlichkeit mit dem der [schwachen] Frau gegen den Mann; aber er muß ihn noch übertreffen. Denn Gott bemißt die Pflicht des schuldigen [!] Gehorsams nach dem Grade unserer eigenen Bedürfnisse und nach der Größe der Wohlthaten, die er uns durch seine Geschöpfe zu teil werden läßt. Deshalb ist es billig, daß, je mehr Gutes wir von unseren Eltern genießen, desto größer auch die Unterwürfigkeit, Dankbarkeit und Liebe sei." (*Ztschr. Hl. Familie*. 1 (1893). S. 135)

57. Als Motor hierfür genannt wird die Erinnerung des Kindes „an die Beschwerden, Leiden, Arbeiten und Sorgen, die es seinen Eltern verursacht hat, [und bei einem christlich erzogenen Kind sogleich auch die entsprechenden Schuldgefühle hervorruft (*Ztschr. Hl. Familie*. 1 (1893). S. 164)] als es noch unfähig war, selbst für sich zu sorgen. Es muß die Sorgfalt bedenken, mit der es Vater und Mutter umgeben haben und muß nun seinerseits seinen Eltern die Kräfte seiner Jugendjahre leihen und ihnen jene Unterwürfigkeit erzeigen, welche es den Urhebern seines Lebens schuldet. Es muß seinen Eltern alle möglichen Beweise seiner Liebe geben und darf den Urheber seiner Tage nicht durch Laster und Widersetzlichkeit betrüben, noch seiner Mutter durch unordentliches, gottentfremdetes Leben Thränen erpressen." (ebda. 7 (1899). S. 248 f)

58. „Je mehr aber die Eltern auf Gott vergaßen ihren Kindern gegenüber, desto mehr werden auch *diese* auf ihn vergessen den Eltern gegenüber, und davon kommen dann so viel traurige Erscheinungen, die man heutzutage beklagt." (*Ztschr. Hl. Familie*. 1 (1893). S. 249)

59. Hierfür ist der Vater zuständig.

60. Nach den Angaben der Zeitschrift stammt dieses Zitat aus einer Schrift der 1847 verstorbenen Ordensschwester Marie Lataste.

61. In diesem Zusammenhang taucht der Begriff besonders häufig auf.

62. Die einschränkende Formulierung ‚gewissermaßen' deutet an, daß zum Ende des 19. Jhdts. das Dienstpersonal, im Gegensatz zum ‚Gesind' der frühneuzeitlichen Hauslehre, realiter nicht zum Familienverband gerechnet wurde, der durch die genealogische Beziehung der Personen untereinander charakterisiert war.

63. „Lernet darum christliche Familienväter, im Hinblick auf den hl. Joseph, der da „gerecht" war, – christliche Liebe auch [!] gegen Dienstboten, nicht bloß gegen Gattin und Kinder sondern auch gegen Dienstboten, Gesellen, Lehrlinge u. a." (*Ztschr. Hl. Familie*. 2 (1894). S. 11 f). Unter der Überschrift ‚*Regeln für Hausväter und Hausmütter!*' formuliert *Lautenschlager*: „Sorget für euere Dienstboten wie euere Kinder! So lange sie unter euch stehen, seid ihr Vater und Mutter darüber." (*Lautenschlager*: Die hl. Familie. Augsburg o. J. S. 370).

64. Dies er Punkt hatte sich schon bei den Forderungen der Kölner Christenlehrbruderschaft vom Anfang des 18. Jhdts. gefunden, wurde also bis zum Ende des 19. Jhdts. tradiert.

65. Der Begriff ‚heilig' in Bezug auf die Verpflichtungen des Familienoberhauptes gegenüber den Familienmitgliedern soll anscheinend eine fehlende gesetzliche Verpflichtung, die nach der Ideologie des ‚Allgemeinen Vereins' völlig unnötig ist, ersetzen, denn hiermit erfolgt zugleich der Hinweis auf die höchste Instanz – Gott –, der Rechenschaft verlangt.

66. *Lautenschlager* fordert dementsprechend den Familienvorstand auf: „Verfahret mit euren Dienstboten nicht hart und trotzig; überladet sie nicht mit der Arbeit! Gebet ihnen an Kost und Lohn, was recht und billig ist! Verstoßet und verlasset sie nicht, wenn sie krank sind! einem Dienstboten den bedungenen und verdienten Lohn entziehen oder schmälern ist eine himmelschreiende Sünde." (*Lautenschlager*: Die hl. Familie. Augsburg o. J. S. 371 f).

67. Sie wird noch effektiver, dadurch daß die Dienstboten zu gegenseitiger Bespitzelung aufgefordert werden: „Wenn du bei den Kindern oder Mitdienstboten etwas Unrechtes siehst, mache dich nicht durch Stillschweigen fremder Sünden teilhaftig, sondern zeige es dem Hausvater oder der Hausmutter an!" (*Lautenschlager*: Die hl. Familie. Augsburg o. J. S. 374).

68. Dieser Katalog entspricht den Erziehungsmitteln des Vaters gegenüber seinen Kindern.

69. Die *Ztschr. Hl. Familie* gibt die Aufforderung: „Christliche *Dienstboten*, weiht euch in Demut und Freude Jesu, der für uns sich aufs tiefste *erniedrigt*; weiht euch Maria, der reinen und demütigen, *„Magd des Herrn"*; weiht euch dem hl. Joseph, der im *Schweiße seines Angesichtes*, aber *mit Jesus* und *für Jesus* arbeitete! Thuet desgleichen." (*Ztschr. Hl. Familie*. 2 (1894). S. 6)

70. „Viel tausendmal Dank der lieben Mutter Gottes für Hilfe in einer Krankheit. A. A. in M." oder „Dank dem hl. Joseph und der hl. Familie für erlangte Hilfe in vielen verschiedenen Anliegen. M. W. Schachtholz." oder „Innigsten Dank der lieben Mutter Gottes für Hilfe in einem Fußleiden. Th. P. in M." (*Ztschr. Kath. Familie*. 4 (1897). S. 200).

71. „Ein treuer Abonnent bittet die lieben Leser und Leserinnen um das Gebet zu Ehren der Mutter Gottes von der immerwährenden Hilfe und dem hl. Joseph in einem schwie-

rigen Anliegen. Im Voraus ein herzliches vergelts Gott." (*Ztschr. Kath. Familie.* 4 (1897). S. 200).

72. „Für das Volk hatte die Kommunion ihre strukturelle und substantielle Bedeutung in weitem Ausmaß verloren. Es war fast ausschließlich zur Regel geworden, bisweilen selbst in klösterlichen Genossenschaften, sie nicht im unmittelbaren Anschluß an die Kommunion des Priesters zu spenden, sondern vor und nach der Messe auszuteilen, die Kommunikanten „abzuspeisen". Damit wird die schon seit langer Zeit heranwachsende Auffassung des Kommunionempfanges als einer besonderen Andachtsübung noch weiter gefestigt und in die Praxis umgesetzt. [...]. Der wirkliche, sakramentale, von den kirchlichen Meßgebeten, von jeder schönen Postcommuio vorausgesetzte sakramentale Empfang war für die Meßbesucher in *allen* Gebets- und Andachtsbüchern für gewöhnlich ersetzt durch die „geistliche Kommunion", durch Gebete und Akte der Anbetung, der Demut, der Sehnsucht und des Dankes: [...]." (*Mayer* 1953. S. 63).

73. In dieselbe Sparte gehörte das Abfragen des Katechismus' in Schule und Christenlehre (*Petrat* 1979. S. 44).

74. Dies widerspricht dem Hang der Volksfrömmigkeit, die Wirkung der Gebete ihrer Quantität beizumessen. Vgl. auch die Häufung von Heiligendarstellungen und Gnadenbildern in den Votivtafeln, die ebenfalls die Bedeutung der Quantität im Volksglauben verdeutlich.

75. Entsprechnd vergißt der Autor auch nicht, die Liturgiereform der Auflärung mit dem Attribut ‚pietistisch‘ zu belegen, ein Attribut, das schon seit langem den mehr oder minder versteckten Vorwurf der Ketzerei beinhaltete.

76. So heißt es bei *Reger*: Gebet- und Regelbüchlein. Straubing 1893. ausdrücklich in einer Anmerkung (S. 37): „Diese vorstehenden Gebetlein, welche [die Kinder] auch in der Schule lernen, sollen namentlich die Kinder an jedem Morgen beten, und die Mütter sollen sorgen, daß sie es regelmäßig auch thun, damit sie sich daran *gewöhnen*!"

77. *Aich* und *Toussaint* nehmen diese beiden Punkte als Ordnungsprinzipien ihrer Predigten, die das Gebet betreffen, in ihre Sammlungen auf (*Aich*: Die hl. Familie von Nazareth. Regensburg 1896. S. 209–222. *Toussaint*: Die hl. Familie. Regensburg 1899. S. 163–168).

78. im Gegensatz zum barocken Tischgebet, das von einem der Kinder durchgeführt werden sollte.

79. Vgl. die ‚Regeln für die Eheleute als Familien- und Hausvorstände‘, besonders den Abschnitt ‚Fromme Uebungen‘. (*Reger*: Gebet- und Regelbüchlein. Straubing 1893. S. 220–225).

80. Hierzu gehört auch die Einhaltung des Sonn- und Feiertagsgebotes, wie uns einige Erzählungen der *Ztschr. Hl. Familie* eindringlich vor Augen führen (ebda. 1 (1893). S. 9 ff: ‚*Gottes Fluch und zeitliches Unglück sind Folgen der Sonntagsgeschäfte*‘ oder ebda. S. 183: ‚*Wohin die Sonntagsentheiligung führt*‘).

81. Hierzu gehören die Vereinsgebete für christliche Familien, Gebete für Hausfrauen, Mütter, Väter, Eltern, Eheleute, Kinder, Dienstboten, Herrschaften, Freunde und Wohltäter und für die Verstorbenen.

82. sodaß die väterliche Autorität und Kontrolle über die einzelnen Mitglieder verloren geht. Vgl. z.B. die Emanzipationsversuche der Frau, die als „schimpfliche[...] und

verführerische[...] Lehren von weiblicher Unabhängigkeit" abqualifiziert wurden (*Ztschr. Hl. Familie.* 1 (1893). S. 134).

83. das z.B. um die Jahrhundertwende auf den Fahnen des Kolpingvereins, die den hl. Joseph mit dem Jesusknaben in der Werkstatt zeigten, zitiert wurde.

84. In der älteren Hausväterliteratur war zwar die Vorstellung von der Arbeit schon recht dominant, aber eher funktional als moralisch – wie im 19. Jhdt. – gesehen worden.

85. „Der Mensch muß vielmehr das Seinige thun, muß arbeiten und sich anstrengen, nur dann wird auch der Segen des Himmels nicht ausbleiben." (*Ztschr. Hl. Familie.* 1 (1893). S. 169). Und: „Die Arbeit ist ein Gebot Gottes für alle Menschen; alle die nicht durch ihre Kindheit oder ihr hohes Alter oder durch ihre Krankheit verhindert sind, müssen arbeiten." (*Faustmann*: Handbüchlein. Würzburg 1893. S. 27). Vgl. auch *Geremek* 1988., der schon für das Spätmittelalter eine ähnliche Einstellung zur Eindämmung des Bettelwesens konstatiert, sodaß nur die durch Arbeitsunfähigkeit hervorgerufene Armut als gesellschaftlich sanktioniert galt und der Personenkreis der Unterstützungswürdigen durch diese Klassifizierung eingegrenzt werden konnte. *Toussaint* sieht die Arbeit nicht nur als Disziplinierungsmittel des zum Müßiggang neigenden und also sinnlichen Menschen, sondern auch als Bußmittel (eine alte Deutungsvariante). So faßt er zusammen: „Das ist nun die Auffassung, welche der wahre Christ von der Arbeit haben soll. Er arbeitet, um seine Zeit ehrenvoll zu verwenden; er arbeitet, um seine Sündenschuld abzutragen; er arbeitet, um die Versuchungen leichter zu überwinden; er arbeitet, um sich Verdienste und Himmelslohn zu erwerben." (*Toussaint*: Die hl. Familie. Regensburg 1899. S. 75).

86. Vgl. den vorigen Abschnitt über das Gebet, als dessen Folgen bei *Toussaint* die Sicherung des zeitlichen Auskommens versprochen wird.

87. „Die Arbeitgeber haben die Pflicht, den Arbeitern auch eine genügende Bezahlung zukommen zu lassen." (*Lautenschlager*: Die hl. Familie. Augsburg (1900). S. 376).

88. „Christlicher Arbeitgeber, sei deinen Arbeitern wie ein Vater, behandle sie wie deine Kinder." (*Lautenschlager*: Die hl. Familie. Augsburg (1900). S. 378).

89. Vgl. auch die Anrufung des hl. Joseph für christliche Handwerker und Arbeiter. „Wehre ab von mir und den Meinigen Armut und Not und erhalte mir durch Deine mächtige Fürbitte die Zufriedenheit mit den Verhältnissen meines Standes, damit die trügerischen Reize irdischer Ehren und Reichtümer niemals mein Herz von dem Streben nach den wahren himmlischen Gütern ablenken." (*Andacht hl. Familie.* Köln 1893. S. 32).

90. Diese Zielrichtung wird in dem oben schon genannten ‚*Gebet für Arbeiter zum heiligen Joseph*‘ aus dem Jahre 1891 deutlich. Neben der allgemeinen Bitte um Schutz, ein tägliches Auskommen, Ausdauer in der Befolgung der erlaubten [!] Wege, Mildtätigkeit der Reichen, christlicher Liebe zwischen Arbeitgebern und -nehmern und einem guten Tod ist eine Seite des insgesamt dreiseitigen Gebetzettels ganz diesem Thema gewidmet: „Ich bitte heute aber auch für den ganzen Arbeiterstand, für unsere Mitbrüder alle, die Arbeiter sind. Große Gefahren umlagern gegenwärtig die Arbeiter. O stehe ihnen bei, da ungläubige Führer sie losreißen wollen vom

Herzen Jesu und von Deinem Herzen, da Abgefallene versuchen, die Gemüther zu verbittern gegen Thron und Altar, da falsche Propheten goldene Berge versprechend, sich anstrengen, Glaube, himmlische Hoffnung und Zufriedenheit aus den Herzen der Menschen zu reißen und so Elend und Jammer in vielen Häusern und Familien noch vermehren. Und da sie selbst die Grundlage eines christlichen Familienlebens zu erschüttern versuchen, so droht Unheil dem ganzen deutschen Vaterland. Sanct Joseph, Patron der christlichen Arbeiter, flehe Du bei Deinem göttlichen Pflegesohn, der aus Liebe zum Arbeiterstand Arbeiterkind sein wollte [der auserwählte Stand!] und bitte für alle, die verblendet, um Erleuchtung und Umkehr. Heiliger Joseph, Du mächtiger Schutzherr, stell Du Dich an unsere Spitze und führe und segne die Arbeiter, die noch festhängen am Glauben der Väter [Tradition!], segne im Besondern die christl. *Arbeitervereine*, segne uns alle zum Kampf gegen Unglaube und Laster – erflehe uns männlichen Mut, unerschrocken einzutreten für Glaube und Sitte der Väter, für das Beste der christlichen Familien, für des Vaterlandes Heil, für die höchsten Güter von Menschenwürde und Menschenfreiheit." (*Gebet.* Augsburg/München 1891. S. 2 f).

91. Bei Jesus wird das Leiden zur Berufung, zum Leidensberuf (*Ztschr. Hl. Familie.* 1 (1893). S. 5).

92. Vgl. Abb. 89. Dieses Bildthema war zwar schon seit langem geläufig, wurde aber in der zweiten Hälfte des 19. Jhdts. von der ehemaligen Allgemeinheit auf die speziellen Probleme der Industrialisierung übertragen und erhielt so eine Legitimationsfunktion in der konservativen katholischen Sozialpolitik.

93. Duldung ist nach der Vereinsideologie eine Kategorie des Gehorsams, als dessen Folge Glück in Aussicht gestellt wird: "Ja, der kindliche Gehorsam gegen Gott, die Ergebung in Gottes Willen bringt notwendig Ruhe und Frieden in das Menschenherz; sie verschafft ihm ein Glück, das nicht abhängig ist von günstigen oder widrigen Ereignissen, von der wechselnden Laune der Mitmenschen, nicht abhängig von Geld, Ehre, Gesundheit. Dieses Glück ist nicht von dieser Welt; es ist ein echtes, inneres, dauerhaftes." (*Ztschr. Hl. Familie.* 1 (1893). S. 108).

94. So rät die Schwester dem zur christlichen Religion und ihren Tugenden zurückgekehrten Bruder in der Erzählung ,*Das vergessene Bild der heiligen Familie*': "Und damit du auch durch ein Werk der Barmherzigkeit für die Gnade des Himmels der heiligen Familie deinen Dank abstattest, so kannst du durch deine Frau [!] jener armen Familie, [...], ein Almosen zukommen lassen, um ihre jetzt noch drückendere Armut zu erleuchten." (*Ztschr. Hl. Familie.* 1 (1893). S. 211).

95. Als Beispiel dieser Standeszufriedenheit wird in der Zeitschrift ,*Die hl. Familie*' nicht darauf verzichtet, ,passenderweise' die Familie des Prinzen Ludwig von Bayern anzuführen und das Beispiel zu kommentieren: "Das ist ein schönes Beispiel für christliche Familien, daß sie den Kindersegen nicht fürchten, sondern wünschen sollen und daß sie nicht hoch über ihren Stand hinausstreben." (*Ztschr. Hl. Familie.* 1 (1893). S. 11). Die Beschreibung scheint aus heutiger Sicht unerträglich, da der – als besonders bescheiden beschriebenen – Erzherzogin Maria Theresia von Österreich als Gattin des Prinzen ein zufriedenes Leben wohl

leichter gefallen sein wird, als einer Arbeiterfamilie, die sich in einer weniger ,erträglichen' Situation befand.

96. Die Analogie scheint nach dieser Ideologie auch deshalb berechtigt, da alle Menschen zwar vor Gott gleich sind, er sie aber nicht gleich geschaffen hat (*Aich*: Die hl. Familie von Nazareth. Regensburg 1896. S. 177).

97. Demnach gibt es im Staat genausowenig mündige Bürger wie in der Familie mündige Kinder.

98. Umgekehrt heißt es in dem ,*Gebet für das Vaterland und dessen Regenten*': "Laß nie zu, daß deine heilige Kirche leide unter der Macht der Mächtigen, sondern gib uns die Gnade, daß Kirche und Staat segensreich wirken zum Wohl aller Unterthanen!" (*Lautenschlager*: Die hl. Familie. Augsburg (1900). S. 289 f).

99. Man denke daran, welch große nachteilige Wirkung die französische Revolution für die katholische Kirche in Frankreich wie auch im Deutschen Reich durch die Säkularisation hatte.

100. Außerdem verfaßte Corvin das Buch ,*Die goldene Legende*' (als Persiflage auf die Legenda Aurea), in der er die katholische Heiligenverehrung aufs Korn nahm. Ein Teilabdruck erschien 1876 in Bern unter dem Titel ,*Die heilige Familie*'.

101. Der Begriff ,Bürger' wird hier quasi seiner staatsrechtlichen Dimension entkleidet.

102. So führt *Korff* über die Bedeutung des Gehorsams im späten 19. Jhdt. aus: "Diese Zurichtung der hierarchisch-autoritären Gehorsamkeitsmentalität durch die paternalistische Josefsfigur und die zur Demutsgeste verknappte Notburgalegende hat unmittelbare Auswirkung auf das politische Bewußtsein und Handeln der katholischen Arbeiterschaft, indem sie die Entwicklung defensiver solidarischer Strategien verhinderte." (*Korff* 1973. S. 105).

103. *Toussaint* geht sogar so weit, daß das "Wirtshaustreiben [...] um Glauben und Religion, um Seele und Seligkeit" bringt (*Toussaint*: Die hl. Familie. Regensburg 1899. S. 212). "Da wird geleugnet, was die Kirche lehret, da wird die geistliche Obrigkeit geschmäht, da wird zu unkeuschen Zoten gelacht, da werden unzüchtige Lieder gesungen, da werden schlechte Zeitungen gelesen [!], da wird ein gottloses Leben gelobt und schrankenlos auch geführt. Ist das nicht Götzendienst zu Ehren des Teufels? Das Ende aber dieses Treibens, die Folge dieses täglichen Unfugs im Wirtshaus ist das Gericht der Verwerfung, die ewige Verdammnis. Aus der lasterhaften Wirtshaushölle fahren die verblendeten Sünder in die endlose Feuerhölle." (ebda.); kurz, der Wirtshausbesucher entgleitet den Händen der kirchlichen Kontrolle und Normen. Dementsprechend wartet auf ihn, dessen Arbeitskraft [!] durch den Alkoholgenuß sinkt, die "Ewige Verdammnis" und die "endlose Feuerhölle" (ebda.). Diesem negativen Einfluß der "Kapelle des Teufels"- wie *Toussaint* das Wirtshaus nennt (ebda.) – kann sich niemand entziehen, und schon deshalb ist es zu meiden.

104. Vgl. den Artikel ,*Ein Mörder des Familienglückes*' (*Ztschr. Hl. Familie.* 1 (1893). S. 51–54).

105. "Verderblich ist das Wirtshausleben, weil es alle Häuslichkeit, alles pflichtgemäße Familienleben zerstört. Die Pflege trauter Häuslichkeit und liebevollen Familienlebens fordern nicht nur Anstand und Menschlichkeit, sondern auch die Religion und das Gewissen." (*Toussaint*: Die hl. Fami-

lie. Regensburg 1899. S. 210); und: „Die Wirtshaussucht untergräbt den Wohlstand, richtet das Vermögen zu Grunde." (ebda. S. 211).

106. „Sittliche Verkommenheit verbunden mit Irreligiösität, die sich nicht davon trennen läßt, sind zu einem nicht geringen Teil die tieferen Ursachen der schlimmen Zeitübel, welche in der sogenannten sozialen Frage zu allgemeiner Beunruhigung hervortreten." (*Ztschr. Hl. Familie*. 1 (1983). S. 200).

107. „Ich kenne Orte, wo man sogar den Wiegenkindern Branntwein gibt, damit sie schlafen sollen. Ist es da zu wundern, wenn die Eltern ihre unheilvolle Aussaat endlich schrecklich aufgehen sehen?" (*Ztschr. Hl. Familie*. 1 (1893). S. 30). Mit dieser Aussicht ist jedes christliche Ehepaar zu schockieren, da ihm doch gesagt wurde, daß die Kinder ihr ganzes Ziel und der gesellschaftliche Zweck ihres Ehelebens seien und sie Rechenschaft über die Seelen ihrer Kinder vor Gott abgeben müßten.

108. Die Vereinszeitschrift ‚*Die hl. Familie*' widmet diesem Gegenstand in ihrem ersten Jahrgang 1893 eine dreiteilige Artikelreihe (ebda. S. 24 f, 47 ff, 60 ff).

109. Von 1890 bis 1897 stellten die Verhandlungen der Generalversammlung der Katholiken Deutschlands – eine seit 1848 jährlich einberufene Versammlung der katholischen Vereine, die heutigen ‚Katholikentage' – immer wieder das Thema eine deutsche Kapelle in der Basilika von Loreto auf ihre Tagesordnung. Wiederholt rief die Versammlung zu Spenden auf, mit denen die Restaurierung der deutschen ‚Nationalkapelle' finanziert werden sollte, die von der *Bruderschaft des hl. Hauses* betreut wurde (*Verhandlungen*. 37 (1890). S. 336. ebda. 38 (1891). S. 175. ebda. 39 (1892). S. 295, 408. ebda. 41 (1894). S. 235. ebda. 42 (1895). S. 319. ebda. 44 (1897). S. 185). Die von anderen Ländern finanzierten Ausmalungen der Seitenkapellen in der Loreto-Basilika zeigen keinen vergleichbaren Hl. Familie-Kult. Auch in der Jesuitenkirche von Rom Il Gésu wurde erst im letzten Jahrzehnt des 19. Jhdts. ein Hl. Familie-Altar geweiht (2. Kapelle: Altarblatt: Hl. Familie von Giov. Gagliardi. Walter *Buchowiecki*: Handbuch der Kirchen Roms. Bd. III. Rom o. J.).

110. Vgl. das Kirchenlied ‚*Das Haus von Nazareth*', das zum erstenmal 1898 auftritt (*Ztschr. Hl. Familie*. 6 (1898). *Baute*: Nazareth. Münster 1899.). Auch *Bäumker* weist keine frühere Fassung aus (*Bäumker* 1886–1911. IV. S. 571). Eine noch prägnantere Zusammenfassung der Vereinsideologie bietet der Text ‚*Das heilige Haus zu Nazareth*' aus einem Neumarkter Aufnahmebüchlein aus dem Jahre 1893. Es lautet: „Vor dem kleinen, armen Hause / Sitzt Maria mit dem Kind; / Joseph schafft in stiller Klause, / Schweiß ihm von der Stirne rinnt. /// Spät erst, wenn die Sonne sinket, / Läßt er seine Arbeit steh'n; / Dann Maria freundlich winket, / Zu dem göttlich' Kind zu geh'n. /// Süße Ruhe, die am Abend / Gott nach treuer Arbeit schickt, / Wenn Sankt Josephs Liebe labend / Leib und Seele sanft erquickt. /// Wenn aus Kindes Aug' und Leben / Heil'ge Liebe blickt heraus: – / Wahrlich Engel Gottes schweben / Dann um solch' ein glücklich Haus. /// Fleiß und Arbeit, fromme Sitte, / Elternliebe, Kinderlust / Schaffen auch in kleinster Hütte / Einen Himmel in der Brust. /// Und der Himmel ist auf Erden / Wo es gut im Herzen steht. / Gott, laß alle Häuser werden / Wie das Haus zu Nazareth!" (*Aufnahmebüchlein*. Neumarkt i. d.

Ober-Pfalz 1898. S. 24). Dilettantische Gedichte in ähnlicher Manier finden sich äußerst zahlreich auch in den Vereinszeitschriften.

111. Vgl. die umfangreiche Zusammenfassung aller Argumente bei *Toussaint*: Die hl. Familie. Regensburg 1899. S. 209–213.

112. die von den Individuen der Familie ausging und auf eine gesamtgesellschaftliche Sicht verzichtete.

Schluß

1. Vgl. den Wiegendruck zu *Ludwig Moser*: Bereitung zu dem heiligen Sakrament. Basel (ca. 1485) (*Schramm* 1940. XXII,2. S. 55. Abb. 433 ff) und die *Meditationes Vitae Christi*.

2. in der minimalen Ausprägung als Kernfamilie mit nur zwei Generationen.

3. Vom Bäcker Widmann in München oder von der Gräfin v. Baden (in ihrem Palais, ebenfalls in München).

4. Man denke nur an die zahlreichen Beglaubigungen, die dem Andachtsbuch für Widmanns Kapelle beigefügt waren (*Die heilige Familie*. München o. J. (zw. 1843–1848).).

5. die in der Grundidee in jenen Bildern wiederzufinden ist, die das Mahl Gottes in Gestalt dreier Männer bei Abraham zeigen (Gen. 18,1–8).

6. Der narrative Charakter blieb also potentiell erhalten.

7. Der variierte Hl. Wandel ist zwischen ‚Der 12jährige Jesus im Tempel' und ‚Tod Josephs' gestellt.

8. Vgl. *Ludwig Moser*: Bereitung zu dem heiligen Sakrament. Basel (ca. 1485). (Farbtafel XIII.) und die Titelillustration von Jacob Cornelisz. van Amsterdam zu der in Gouda verlegten Josephsgeschichte von ca. 1500 (Abb. 39).

9. im Darreichen der verbotenen Frucht durch Eva.

10. Vgl. Br.zettel von Mittelpettnau/Tirol (Abb. 51) und Angath/ Tirol (*Hochenegg* 1984. S. 86 f, 122 f). Der Mittelpettnauer Br.zettel kombiniert – entsprechend dem Gebetstext – den Hl. Wandel mit dem Bildmotiv des flammenden Herzens, indem er Jesus, Maria und Joseph in ein solches Herz setzt.

11. Vgl. bei M. v. Cochem die Ursache für Josephs Tod (*M. v. Cochem*: Leben Christi. Mainz/Köln 1716. S. 501. s. oben. Kap. Hl. Joseph).

12. Das Lied wurde in den Anfangszeilen sogar als Bildunterschrift zum Hl. Wandel zitiert (vgl. hintere Kap. der Filialkirche St. Joseph von Hinterstein (Schwaben, Lkr. Oberallgäu, Gemeinde Missen-Wilhams. Freundl. Hinweis von Herrn Dr. Kraft, Bayerisches Landesamt f. Denkmalpflege, München).

13. Die Approbation stammt aus der Zeit des Kölner Erzbischofs Maximilian Heinrich (1662) (*Küppers* 1981. *Bäumker* 1886–1911. III. S. 34. Nr. 50. S. 232).

14. In Burghausen steht der Hl. Wandel – allerdings ohne himmlische Ebene und in der ‚wandernden' Variante – sogar über dem Westportal der ehemaligen Jesuitenkirche von 1631 (Abb. 52. *KD Bayern. Oberbayern*. III. S. 2443).

LITERATUR

(Die Liste enthält nur die im Text und in den Anmerkungen erscheinenden Titel der Quellen und Sekundärliteratur.)

AASS = Acta Sanctorum. Martii. a Joanne Bollando S. I. collegi feliciter coepta. A Godefrido Henschenio et Daniele Papebrochio eiusdem Societatis Iesu aucta, digesta & illustrata. Tomus III. Antverpiae M.DC.LXVIII. (Antwerpen 1668).

Abr. a S. Cl.: Astriacus Austriacus. = Abraham a Sancta Clara: Astriacus Austriacus Himmelreichischer Oesterreicher Der Hochheilige Markgraff LEOPOLDVS Vor der gesambten Käyserl. Hoffstatt / in dem von Ihme fundirten Hochlöbl. Stifft / und zu Ehr der Allerseeligsten Mutter GOttes erbauten Gottshauß zu Closter-Neuburg. In Gegenwart seiner H. Reliquien in einer Lob-Predigt vorgestellt. In: *Abr. a S. Cl.:* Reimb dich. (ohne Seitenzählung)

Abr. a S. Cl.: Paradeyß-Blum Joseph. = Abraham a Sancta Clara: Neuerwöhlte Paradeyß-Blum / Von dem Allerdurchlauchtigsten Ertz=Hauß Oesterreich / vnd dessen allgehörigen Erb, Cronen vnd Provintzen / ec. Das ist: Danckbarliche Lob= und Lieb=Verfassung von dem glorreichsten Heiligen IOSEPH. Welcher Hochvermögende Trost=volle Ehr= und Nehr=Vatter Christi für einen allgemeinen Patronen und Schutz=Herren mit hoch feyerlicher Solennität und gröstem Eyffer/ so woll beyder Käyserl. Majest. als deß hauffig versambten hohen Adels / wie auch deß geistreichen Cleri, &c. ist offentlich an= und auffgenommen worden den 12 Tag May / 1675. In: *Abr. a S. Cl.:* Reimb dich. (ohne Seitenzählung)

Abr. a S. Cl.: Reimb dich. = Abraham a Sancta Clara: Reimb dich / oder Ich Liß dich / Das ist: Allerley Materien / Discurs, Concept, vnnd Predigen / welche bißhero in underschiedlichen Tractätlen gedruckt worden / vnd zusammen geraumbt / Mit einem beygefügten Indice Concionatorio, und neuen Zusatz mehrer Concepten; Denen Herren Predigern für ein Interim geschenkt / biß etwas anders bald folgen wird. Durch Fr. Abraham à S. Clara. Au[gu]stiner Baarfüsser Ordens / Käyserl. Prediger / und der Zeit Prior / ec. Ao. M.DC.LXXXVIII. 1684. Luzern 1688. (1. Aufl. 1684).

Achten 1988. = Achten, Gerhard: Das christliche Gebetbuch im Mittelalter. Andachts- und Stundenbücher in Handschrift und Frühdruck. Ausst. Bonn-Bad Godesberg. Wissenschaftszentrum 11.2.–10.4.1988. U. Mitarb. v. Eva Bliembach. 2. verb. u. verm. Aufl. Berlin 1987. (= Staatsbibliothek Preußischer Kulturbesitz. Ausstellungskat. 13.).

ADB = Allgemeine Deutsche Biographie. Hrsg. durch die historische Commission bei der Königl. Akademie der Wissenschaften. 56 Bde. Leipzig 1875–1912.

Aich: Die hl. Familie von Nazareth. Regensburg 1896. = Aich, Franz Xaver: Die heilige Familie von Nazareth und die christliche Familie. Ein Cyclus Predigten z. Gebr. b. d. Versamm-

lungen d. frommen Vereins v. d. hl. Familie. Unter Mitwirkung mehrerer Priester. Regensburg 1896.

AKL = Allgemeines Künstler-Lexikon. Die bildenden Künstler aller Zeiten und Völker. Bd. I. Leipzig 1983.

Ambrosius v. Milan: Expositio Evangelii secundum Lucam. In: CCSL. XIV. Sancti Ambrosii Mediolanensis opera. Pars IV.

Amyntor: Eine heilige Familie. Leipzig 1888. = Amyntor, Gerhard von (Pseud. f. Gerhardt, Dagobert v.): Eine heilige Familie. 2. Aufl. Leipzig 1888.

Andacht hl. Familie. Köln 1893. = Andacht zu Ehren der heiligen Familie. Von einem Priester der Erzdiözese Köln. 5. Aufl. Köln-Ehrenfeld 1895 (1. Aufl. 1893).

Andacht hl. Familie. München 1891. = Andacht zur heiligen Familie. (Lateinisch und deutsch). Von Papst Leo XIII. mit Breve vom 20. November 1890 den christlichen Familien empfohlen. München 1891.

Andacht hl. Familie. Paderborn 1893. = Andacht zur heiligen Familie. (Lateinisch und deutsch) Nebst den Statuten u. Ablässen d. allgemeinen Vereins der christlichen Familien zur Verehrung der hl. Familie von Nazareth. Paderborn 1893.

Münchnerische Andachts-Ordnung. 1773. = Münchnerische Andachts-Ordnung für das Jahr 1773 oder Verzeichniß der Gottesdienste und Andachten, wie selbe in den Kirchen der Churfürstl. Haupt- und Residenzstadt München und der nahe anliegenden Orte das ganze Jahr hindurch gehalten werden. München 1773.

Appuhn 1974. = Appuhn, Horst: Maria Mater Misericordiae. in: Die Gottesmutter. I. S. 215–226.

Ariès 1980. = Ariès, Philippe: Studien zur Geschichte des Todes. München 1980. (zitiert nach der Taschenbuch-Ausgabe München 1982.).

Aufnahme-Büchlein. Augsburg 1893. = Aufnahme-Büchlein in den frommen Verein von der hl. Familie zu Nazareth. Mit den Statuten, Ablässen und Privilegien. Mit oberhirtlicher Approbation. Augsburg 1893.

Aufnahmebüchlein. Neumarkt i. d. Ober-Pfalz 1898. = Aufnahmsbüchlein in den Allgemeinen Frommen Verein der christlichen Familien zu Ehren der heiligen Familie von Nazareth. samt Statuten, Ablässen, Privilegien, Vereinsgebeten u. and. Gebeten. 14. Aufl. Neumarkt i. d. Ober-Pfalz 1898.

Auktionskat. Hauswedell & Nolte 1981. = Gemälde, Zeichnungen und Graphik des 15.–19. Jahrhunderts. Auktion 238. 11. Juni 1981. Hauswedell & Nolte. Hamburg 1981.

Aurenhammer 1965.= Aurenhammer, Hans: Martino Altomonte. Mit einem Beitrag „Martino Altomonte als Zeichner und Graphiker" von Gertrude Aurenhammer. Wien/München 1965. (= Veröffentlichung der Österreichischen Galerie in Wien.)

Aurenhammer 1967. = Aurenhammer, Hans: Lexikon der christlichen Ikonographie. Bd. I. Wien 1967.

Bäumker 1886–1911. = Bäumker, Wilhelm: Das katholische deutsche Kirchenlied in seinen Singweisen von der frühesten Zeit bis gegen Ende des siebzehnten Jahrhunderts. 4 Bde. Freiburg i. Br. 1886–1911.

Baier 1977. = Baier, Walter: Untersuchungen zu den Passionsbetrachtungen in der Vita Christi des Ludolf v. Sachsen. Ein quellenkritischer Beitrag zu Leben und Werk Ludolfs und zur Geschichte der Passionstheologie. 3 Bde. Salzburg 1977. (= Analecta Cartusiana. 44.).

Baldaas 1942. = Baldaas, Ludwig: Hans Memling. Wien 1942.

Barner 1970. = Barner, Wilfried: Barockrhetorik. Untersuchungen zu ihren geschichtlichen Grundlagen. Tübingen 1970. [Habil. Tübingen 1968/69].

Bartsch = The Illustrated Bartsch. hrsg. v. Walter L. Strauss. New York 1978–1989.

Bauch 1966. = Bauch, Kurt: Rembrandt. Gemälde. Berlin 1966.

Bauer 1986. = Bauer, Barbara: Jesuitische „ars rhetorica" im Zeitalter der Glaubenskämpfe. Frankfurt a. M./Bern/New York 1986. (= Mikrokosmos. Beiträge zur Literaturwissenschaft und Bedeutungsforschung. 18.). [Diss. München 1980].

Bauer/Rupprecht 1976–1987. = Bauer, Hermann / Rupprecht, Bernhard: Corpus der Barocken Deckenmalerei in Deutschland. 3 Bde. München 1976–1987.

Baute: Nazareth. Münster 1899. = Baute, Johannes (Priester der Diözese Osnabrück): Nazareth. Andachtsbüchlein für den Verein der heiligen Familie. Münster 1899.

Baxandall 1987. = Baxandall, Michael: Die Wirklichkeit der Bilder. Malerei und Erfahrung im Italien des 15. Jahrhunderts. Sonderausg. Frankfurt a. M. 1987.

Beissel 1890/1892. = Beissel, Stephan (S. J.): Die Verehrung der Heiligen und ihrer Reliquien in Deutschland im Mittelalter. 2 Teile. Darmstadt 1976. Nachdr. der Ausg. 1890/1892.

Beissel 1909. = Beissel, Stephan (S. J.): Geschichte der Verehrung Marias in Deutschland während des Mittelalters. Ein Beitrag zur Religionswissenschaft und Kunstgeschichte. Freiburg i. Br. 1909.

Beissel 1910. = Beissel, Stephan (S. J.): Geschichte der Verehrung Marias im 16. und 17. Jahrhundert. Ein Beitrag zur Religionswissenschaft und Kunstgeschichte. Freiburg i. Br. 1910.

Beitl 1973. = Beitl, Klaus: Votivbilder. Zeugnisse einer alten Volkskunst. Salzburg 1973.

Belting 1990. = Belting, Hans: Bild und Kult. Eine Geschichte des Bildes vor dem Zeitalter der Kunst. München 1990.

Beringer 1900. = Beringer, Franz (S. J.): Die Ablässe, ihr Wesen und Gebrauch. Paderborn [12]1900.

Bernhard v. Clairvaux: Super *missus est* Homiliae. In: Migne PL. 183. Sp. 55–88.

Bernhard/Glotzmann 1979. = Bernhard, Fritz / Glotzmann, Fritz: Spitzenbilder. 84 kolorierte Pergamentschnitte. Dortmund 1979. (= Die bibliophilen Taschenbücher. 131.).

Berve 1969. = Berve, Maurus: Die Armenbibel. Herkunft Gestalt Typologie. Dargestellt anhand von Miniaturen aus der Handschrift Cpg 148 der Universitätsbibliothek Heidelberg. Beuron 1969.

Birsens 1991. = Birsens, Josy (SJ): Philippe de Scouville. In: Die Gesellschaft Jesu und ihr Wirken im Erzbistum Trier. Katalog-Handbuch zur Ausst. im Bischöfl.Dom- und Diözesanmuseum Trier. 11. Sept. – 21. Okt. 1991. Hrsg. v. Bischöfl. Dom- und Diözesanmuseum Trier und der Bibliothek des Bischöfl. Priesterseminars Trier. Mainz 1991. (= Quellen und Abhandlungen zur mittelrheinischen Kirchengeschichte. Bd. 66.). S. 353–356.

Bloch 1968. = Bloch, Ernst: Arkadien und Utopien. In: Garber: Europ. Bukolik. S. 1–7.

Bodenstaedt 1944. = Bodenstaedt, Maria Immaculate (SND): The Vita Christi of Ludolphus the Carthusian. Washington 1944.

Böschenstein-Schäfer 1967. = Böschenstein-Schäfer, Renate: Die Idyllen Theokrits. In: Garber: Europ. Bukolik. S. 8–13.

Boespflug 1987. = Boespflug, François: Die bildenden Künste und das Dogma. Einige Affären um Bilder zwischen dem 15. und 18. Jahrhundert. In: Dohmen, Christoph / Sternberg, Thomas (Hrsg.): . . . kein Bildnis machen. Kunst und Theologie im Gespräch. Würzburg 1987. S. 149–166.

Braun 1943. = Braun, Joseph (S. J.): Tracht und Attribute der Heiligen in der deutschen Kunst. Stuttgart 1943. Nachdr. München 1974.

Brez: Lust-Garten. 1720. = Brez, Christian (OFF Min.): HortVs DeLICIarVM splrItVaLIs Immarcessibili Sanctorum Corona[m?] gloriosus & floridus. Geistlicher Lust=Garten Mit Unverwelcklicher Cron der Heiligen Glor= und Florreich, Das ist: PREDIGEN auff jede Feyertäg des gantzen Jahrs So wohl des HERRN / als Seiner Jungfräulichen unbefleckten Mutter MAriä, der Aposteln, Beichtiger, und anderer Heiligen GOttes, derren Täg hochfeyerlich begangen worden; . . . o. O. 1720.

Briefe P. P. Rubens. = Die Briefe des P. P. Rubens. übersetzt und eingeleitet von Otto Zoff. Wien 1918.

Bringéus 1982. = Bringéus, Nils-Arvid: Beten bei Tisch. In: Sozialkultur der Familie. Gießen 1982. (= Hessische Blätter für Volks- und Kulturforschung. NF. Bd. 13.). S. 58–76.

Bruderschaffts Büchlein. Köln 1716. = Bruderschaffts Büchlein / Begreiffend Die Reglen / Ablässen unnd Nutzbarkeit der Löblichen Seelen=Bruderschafft zu Prag in der Laureta / Unter Denen HH. Nahm[e]n Jesu / Mariä / Joseph. Für die Abgestorbene . . . Köln 1716.

Brückner 1958. = Brückner, Wolfgang: Die Verehrung des Heiligen Blutes in Walldürn. Volkskundlich-soziologische Untersuchungen zum Strukturwandel barocken Wallfahrtens. Aschaffenburg 1958. (= Veröffentlichungen des Geschichts- und Kunstvereins Aschaffenburg e. V. 3.).

Brückner 1969. = Brückner, Wolfgang: Populäre Druckgraphik Europas. Deutschland vom 15. bis zum 20. Jahrhundert. München 1969.

Brückner 1979. = Brückner, Wolfgang: Volksfrömmigkeit – Aspekte religiöser Kultur. In: Kölner Zeitschrift für Soziologie und Sozialpsychologie. 31 (1979). S. 559–569.

Brückner 1982. = Brückner, Wolfgang: Zum Wandel der religiösen Kultur im 18. Jahrhundert. Einkreisungsversuch des „Barockfrommen" zwischen Mittelalter und Massenmissionierung. In: Hinrichs, Ernst / Wiegelmann, Günter (Hrsg.): Sozialer und kultureller Wandel in der ländlichen Welt des 18. Jahrhunderts. Wolfenbüttel 1982. (= Wolfenbütteler Forschungen. Bd. 19.). S. 65–83.

Burchard/d'Hulst 1958/1963. = Burchard, L. / d'Hulst, R.-A.: Rubens Drawings. Brüssel. Teil 1: Illustrations. 1958. Teil 2: Text. 1963. (= Monographs of the „Nationaal Centrum voor de Plastische Kunsten van de XVIde en XVIIde Eeuw." I/II.).

Burger 1986. = Burger, Christoph: Aedificatio, Fructus, Utilitas. Johannes Gerson als Professor der Theologie und Kanzler der Universität Paris. Tübingen 1986. (= Beiträge zur Historischen Theologie. hrsg. v. Johannes Wallmann. 70.). [Habil.].

Camesina 1863. = Camesina, Albert (Hrsg.): Die Darstellungen der Biblia Pauperum in einer Handschrift des XIV. Jahrhunderts, aufbewahrt im Stifte St. Florian im Erzherzogthume Österreich Ob der Enns. erläutert v. G. Heider. Wien 1863.

Catholische Mayntzische Bibel. Frankfurt a. M. 1740. = Catholische Mayntzische Bibel, das ist, Die Gantze Heilige Schrifft Alten und Neuen Testaments … Nach dem 1622. in Mayntz gedruckten Exemplar mit grossem Fleiß übersehen, Frankfurt a. M. 1740.

Chowanetz 1987. = Chowanetz, Gisbert: Die Kornfeldlegende. Ikonographische Untersuchungen zu einem Bildthema des Mittelalters und der frühen Neuzeit. Hausarbeit zur Erlangung des Magistergrades der Philosophischen Fakultät der Westfälischen Wilhelms-Universität zu Münster (Westf.). Münster 1987. [unveröff. Masch.]

Conrad: Andacht hl. Familie. Würzburg 1893. = Conrad, Franz (Priester der Erzdiözese Bamberg): Die Andacht zur hl. Familie von Nazareth. enthaltend die Statuen des von Papst Leo XIII. errichteten allgemeinen Vereins der christlichen Familien, sowie eine kurze Belehrung über dessen Zweck und Bedeutung, ferner das Verzeichniß[!] der Ablässe und Privilegien. Würzburg 1893.

Conway 1976. = Conway, Charles Abbott (jr.): The Vita Christi of Ludolph of Saxony and late medieval devotion centred on the Incarnation: a descriptive analysis. Salzburg 1976. (= Analecta cartusiana. 34.).

Coo 1965. = Coo, Josef de: In Josephs Hosen Jhesus ghewonden wert. Ein Weihnachtsmotiv in Literatur und Kunst. In: Aachener Kunstblätter. 30 (1965). S. 144–184.

Coreth 1959. = Coreth, Anna: Pietas Austriaca. Ursprung und Entwicklung barocker Frömmigkeit in Österreich. München 1959. (= Österreich Archiv. Schriftenreihe des Arbeitskreises für österreichische Geschichte.).

Corpus Rubenianum = Corpus Rubenianum Ludwig Burchard. Bd. II,2: The Eurast Series. Brüssel 1978. Bd. VIII,1: Saints. Brüssel 1972. Bd. VIII,2: Saints. Brüssel 1973. Bd. XVIII,1: Landscapes. New York 1982. Bd. XXI,2: Book illustrations and Title-Pages. Brüssel 1977.

Creux 1980. = Creux, René: Ex voto. Die Bilderwelt des Volkes. Brauchtum und Glaube. Frauenfeld 1980.

CS = Petrus de Natalibus: Catalogus sanctorum et gestorum eorum ex diversis voluminibus collectus: editus a reverendissimo in xp̄o patre domino Petro de natalibus de venetiis de gratia epo Equilino. Venedig 1502.

Debes 1988. = Debes, Dietmar (Hrsg.): Zimelien. Bücherschätze der Universitätsbibliothek Leipzig. Leipzig 1988.

Dechêne: Die heilige Familie. Essen 1897. = Dechêne, Wilhelm (Priester der Erzdiözese Köln): Die heilige Familie. Gebet und Belehrungsbuch für die Mitglieder des Vereins der heil. Familie zu Nazareth. Essen 1897.

Dehio 1980. = Dehio-Handbuch. Die Kunstdenkmäler Österreichs. Tirol. von Heinrich Hammer u. a. Nachdr. d. 4. Aufl. Wien 1980.

Deuchler 1978. = Deuchler, Florens: Gotik. München 1978. (= Belser Stilgeschichte im dtv. Bd. 7.).

Dictionnaire de spiritualité. 1964. = Dictionnaire de spiritualité, ascétique et mystique, doctrine et histoire. Fondé par M. Viller, F. Cavallera, J. de Guibert, S.J. Continué par André Rayez et Charles Baumgartner, S.J. Tome V: Faber-Fyot. Paris 1964.

Dierse 1982. = Dierse, Ulrich: Artikel ‚Ideologie'. In: Geschichtliche Grundbegriffe. Historisches Lexikon zur politisch-sozialen Sprache in Deutschland. Hrsg. v. Otto Brunner, Werner Conze, Reinhart Koselleck. Bd. III. Stuttgart 1982. S. 131–169.

Dobrzeniecki 1972. = Dobrzeniecki, Tadeusz: Malarstwo tablicowe. Katalog zbiorów. Warschau 1972. (= Galeria sztuki średniowiecznej. 1.).

Döry 1979. = Döry, Ludwig Baron: Die Ausstattung der Pfarrkirche St. Aureus und Justina in Oberursel-Bommersheim. In: Mitteilungen der Vereins für Geschichte und Heimatkunde. Oberursel. 23 (1979). S. 1–22.

Dogaer 1987. = Dogaer, Georges: Flemish miniature painting in the 15th and 16th centuries. Amsterdam 1987.

Duhr 1907–1928. = Duhr, Bernhard (S.J.): Geschichte der Jesuiten in den Ländern deutscher Zunge. 4 Bde. Freising i. Br./München/Regensburg 1907–1928.

Dumont 1883–1926. = Dumont, Karl Theodor (Hrsg.): Geschichte der Pfarreien der Erzdiözese Köln. Nach den einzelnen Dekanaten geordnet. [mit wechselnder Bandzählung]. Köln/Bonn/Mönchen-Gladbach 1883–1926.

Emiliani 1985. = Emiliani, Andrea: Federico Barocci (Urbino 1535–1612). 2 Bde. Bologna 1985.

Emmerick und Brentano. 1983. = Emmerick und Brentano. Dokumentation eines Symposions der bischöfl. Kommission „Anna Katharina Emmerick". Münster 5./6. April. Dülmen (Westf.) 1983.

Erichsen-Firle/Vey 1973. = Erichsen-Firle, Ursula / Vey, Horst: Katalog der deutschen Gemälde von 1550 bis 1800 im Wallraf-Richartz-Museum und im öffentlichen Besitz der Stadt Köln mit Ausnahme des kölnischen Stadtmuseums. Köln 1973. (= Kataloge des Wallraf-Richartz-Museums. Bd. X.).

Ersch/Gruber 1818–1850. = Ersch, J. S. / Gruber, J. G. (Hrsg.): Allgemeine Encyklopädie der Wissenschaften und Künste in alphabetischer Folge von genannten Schriftstellern bearbeitet. Mit Kupfer und Charten. 1. Section: 99 Bde. 2. Section: 42 Bde. 3. Section: 25 Bde. Leipzig 1818–1850.

Erzb. Archiv Köln. = Erzbischöfliches Archiv Köln: Dekanat Bergheim: Dec. Bergh. Visitationsprotokolle. F. I (1738/1739). F. V (~ 1744 f). G. (1753) (= Berchemensia Protocollum visitates. 1753/54.)

– Dekanat Deutz: Dec. Tuit. Visitationsprotokolle. C. (1755).

– Dekanat Düsseldorf: Dec. D'dorf. Generalia I. Nr. 3 (1716). Nr. 5 (1725 f).

– Dekanat Jülich : Dec. Jul. Visitationsprotokolle. E. (1745).

– Dekanat Eifel: Dec. Eifl. Visitationsprotokolle. B₁. (1718). B₂. (1719). C. (1744/45). D. (1752–54).

– Dekanat Neuss: Dec. Nov. Visitationsprotokolle. A. (1738).

– Dekanat Zülpich: Dec. Tulp. Visitationsprotokolle. B. (1721, Notitiae Generales). Dec. Tolp. C. (Prot. Visit. Oestling. 1744, Notitiae Generales).

Esser 1986. = Esser, Werner: Die heilige Sippe. Studien zu einem spätmittelalterlichen Bildthema in Deutschland und den Niederlanden. Bonn 1986. [Diss. Bonn].

Evans 1986. = Evans, Robert J. W.: Das Werden der Habsbur-germonarchie 1550–1700. Gesellschaft, Kultur, Institutionen. Wien/Köln/Graz 1986. (= Forschungen zur Geschichte des Donauraumes. Bd. 6.).

Fabricius: Hist. Jos.. Hamburg 1723. = Fabricius, Johann Albert: Codicis Pseudepigraphi Veteris Testamenti. Volument alterum accedit Josephi veteris christiani scriptoris Hypomnesticon. Hamburg 1723. darin: Historia Josephi, fabri lignarii. ex arabico codice manuscripto. Bibliothecae regiae parisiensis Latine versa à V. C. Gerogio Wallino; sveco.

Die heilige Familie. Heidelberg 1828. = Die heilige Familie. Ein romantisch-religiöses Gedicht in 10 Gesängen, von E. D. (einer Dame). Heidelberg 1828.

Die heilige Familie. München o. J. = Die heilige Familie in fünf mehr als lebensgroßen Wachsfiguren nebst zwei Genien (vom röm. Prof. J. v. Albani). Aufgestellt für Freunde der Religion und Kunst, in der Hauskapelle des Herrn Bäckermeister Wid-man in München (vor dem Isartor Haus Nr. 4). München o. J. (zw. 1843–1848).

Faustmann: Handbüchlein. Würzburg 1893. = Faustmann, Domi-nikus Joseph (freires. Pfarrer in Würzburg): Handbüchlein für den allgemeinen frommen Verein der christlichen Familien zu Ehren der hl. Familie von Nazareth sammt allgemeinen Aufnahme-schein, Statuten, Vereinsgebeten, Ablässen und Privilegien des Vereins nebst Betrachtungen über das Leben der hl. Fami-lie. Mit Genehmigung des Hochw. Bischöflichen Ordinariates Würzburg. Würzburg 1893.

Felmayer 1967. = Felmayer, Johanna: Die Altäre des 17. Jahr-hunderts in Nordtirol. Innsbruck 1967. (= Schlern-Schriften. 246.).

Festschr. M. v. Cochem 1984. = Pater Martin von Cochem. Kapu-ziner. Festschrift zur Feier des 350. Geburtstages in seiner Heimatstadt. Cochem 1984.

Fichtenau 1961. = Fichtenau, Heinrich: Die Lehrbücher Maximi-lians I. und die Anfänge der Frakturschrift. Hamburg 1961.

Finkenstaedt 1968. = Finkenstaedt, Helene und Thomas: Vorläufi-ges Inventar der Prozessionsstangen in Bayern. In: Bayeri-sches Jahrbuch für Volkskunde. 1968. S. 13–44.

Finkenstaedt 1981. = Finkenstaedt, Helene und Thomas: Beiträge zu einem Inventar der südtiroler Prozessionsstangen. In: Der Schlern. Monatszeitschrift für Südtiroler Landeskunde. 55 (1981). S. 299–312.

Flögel 1984. = Flögel, Evelyn: Die Loretokapellen in Baden-Württemberg, Bayern und der Republik Österreich. München 1984. [Diss. München].

Forstner 1969. = Forstner, Karl: Die Salzburger Armenbibel. Codex a IX 12 aus der Erzabtei St. Peter zu Salzburg. Salz-burg/München 1969.

Foster 1978. = Foster, Marjory Bolger: The iconography of St. Joseph in Netherlandish art. 1400–1550. Univ. of Kansas 1978. [Diss.].

Fromm 1965. = Fromm, Hans: Artikel ‚Mariendichtung'. In: Reallexikon der deutschen Literaturgeschichte. Bd. 2. Berlin ²1965. S. 274 f.

Fromm/Grubmüller 1973. = Fromm, Hans / Grubmüller, Klaus (Hrsg.): Konrad von Fussesbrunnen. Die Kindheit Jesu. Ber-lin/New York 1973.

Frühsorge 1978. = Frühsorge, Gotthardt: Die Begründung der ›väterlichen Gesellschaft‹ in der europäischen oeconomia chri-stiana. Zur Rolle des Vaters in der ›Hausväterliteratur‹ des 16. bis 18. Jahrhunderts in Deutschland. In: Tellenbach, Hubertus (Hrsg.): Das Vaterbild im Abendland. Bd. I: Rom, frühes Christentum, Mittelalter, Neuzeit, Gegenwart. Stutt-gart/Berlin/Köln/Mainz 1978. S. 110–123.

Fuga in Aegyptum. Graz 1605. = (Fuga in Aegyptum). Handschrift eines Jesuitendramas ohne Titel. Graz. 1605. (Stiftsbibliothek Rein/Österreich: Cod. Run. 183.).

Garber 1976. = Garber, Klaus (Hrsg.): Europäische Bukolik und Georgik. Darmstadt 1976. (= Wege der Forschung. Bd. 355.).

Gebet. Augsburg/München 1891. = Gebet für Arbeiter zum heili-gen Joseph. 2. Ausg. Augsburg/München 1891.

Gebet-Büchlein. Neumarkt i. d. Ober-Pfalz 1893. = Gebet-, Aufnahms- und Unterrichtsbüchlein für den allgemeinen frommen Verein der christlichen Familien zu Ehren der heili-gen Familie von Nazareth. Neumarkt in der Ober-Pfalz 1893.

Gebete für Kinder. Augsburg 1833. = Gebete für Kinder zum allge-meinen Gebrauche in den katholischen Volksschulen Bayerns. Im Anhange: Das apostolische Glaubensbekenntnis erklärt; die heilige Messe, wie sie der Priester am Altare ließt; und einige Lieder. 2,. verb. u. verm. Aufl. Mit Approbation des Hochw. Erzbischöfl. Ordinariats München [vom 23. Juni 1828]. Augsburg 1833.

Gebhard 1956. = Gebhard, Torsten: Die Heilige Familie bei Tisch und das Tischgebet der Hl. Familie. In: Bayerisches Jahrbuch für Volkskunde. (1956). S. 57 ff.

Gebhard 1968. = Gebhard, Torsten: Die volkstümliche religiöse Graphik des 17. Jahrhunderts, ihre Quellen und ihr Einfluß auf die süddeutsche Volkskunst. In: Zeitschrift für Volkskunde. 64 (1968). S. 52–66.

Gebhard 1986. = Gebhard, Torsten: Glocken als Quelle der Frömmigkeitsgeschhichte. Eine Darstellung des „Hl. Wan-dels" auf der ehemaligen Glocke der Korbinianskirche in Unterhaching. In: Lusus Campanularum. Beiträge zur Glockenkunde. Sigrid Thurm zum 80. Geburtstag. hrsg. v. Tilmann Breuer. München 1986. (= Arbeitsheft 30 des Bayeri-schen Landesamtes für Denkmalpflege.). S. 32 ff.

Gemäldegalerie Berlin. = Gemäldegalerie Berlin. Geschichte der Sammlung und ausgewählte Meisterwerke.

Geremek 1988. = Geremek, Bronisław: Geschichte der Armut. Elend und Barmherzigkeit in Europa. Aus dem Polnischen von Friedrich Griese. München/Zürich 1988.

Gerson = Gerson, Jean (Johannes): Œuvres complètes. Introduc-tion, texte et notes par Mgr Glorieux. Paris/Tournai/Rom/New York. Bd. II: L'œuvre épistolaire. 1960. Bd. IV: L'œuvre poétique. 1962. Bd. V: L'œuvre oratoire. 1963. Bd. VII: L'œuvre française. 1966. VIII: L'œuvre spirituelle et pastorale. 1971.

Gierse 1980. = Gierse, Ludwig: Das kleine Andachtsbild und der Verein zur Verbreitung religiöser Bilder in Düsseldorf. In: Kat. Religiöse Graphik aus der Zeit des Kölner Dombaus 1842–1880. Erzbischöfliches Diözesan-Museum Köln 2. Okt. 1980 – 31. Januar 1981. Köln 1980.

Glockenatlas 1956–1985. = Deutscher Glockenatlas. hrsg. v. Günther Grundmann und Franz Dambeck. bearb. v. Sigrid Thurm. 4 Bde. München/Berlin 1959–1985.

Glossarium Latino-Germanicum 1854/1867. = Glossarium Latino-Germanicum, … von Laurentius Diefenbach (Suppl. zu Du Cange) Frankfurt a. M. 1854. und Ausg. 1867.

Görres 1803–1808. = Görres, Joseph: Gesammelte Schriften. Bd. 3: Geistesgeschichtliche und literarische Schriften. I (1803–1808). hrsg. v. Günther Müller. Köln 1926.

Gombrich 1986. = Gombrich, Ernst H.: Tobias und der Engel. In: Ders.: Zur Kunst der Renaissance. Bde. II: Das symbolische Bild. Stuttgart 1986. S. 36–41.

Gorissen 1973. = Gorissen, Friedrich: Das Stundenbuch der Katharina v. Kleve. Analyse und Kommentar. Berlin 1973.

Grass 1967. = Grass, Franz: Studien zur Sakralkultur und kirchlichen Rechtshistorie Österreichs. Innsbruck/München 1967. (= Forschungen zur Rechts- und Kulturgeschichte. Bd. 2.).

Grass 1979. = Grass, Nikolaus: Loreto im Bergland Tirol. In: Jahrbuch für Volkskunde. N.F. 2 (1979). S. 161–186.

Greenhill 1962. = Greenhill, E. S.: Die geistigen Voraussetzungen der Bilderreihe des Speculum Virginum. Münster 1962. (= Beitr. zur Gesch. der Philosophie und Theologie des Mittelalters.).

Gribl 1981. = Gibl, Albrecht A.: Unsere liebe Frau zu Dorfen. Dorfen 1981. [Diss.]

Gribl 1984. = Gribl, Albrecht A.: Altötting – Dorfen. Der Begriff der Mehrortswallfahrt anhand eines altbayerischen Beispiels. In: Wallfahrt kennt keine Grenzen. München/Zürich 1984. S. 193–202.

Grimm = Grimm, Jacob und Wilhelm: Deutsches Wörterbuch. 16 Bde. (1949 ff hrsg. von der Dt. Akademie der Wissenschaften zu Berlin). Leipzig 1854–1960.

Groër 1987. = Groër, Hans Hermann: Die Rufe von Loreto. Wien 1987.

Grosche 1978. = Grosche, Robert: Der Kölner Altarbau im 17. und 18. Jahrhundert. Mit Beiträgen von Christian Pesch und Hans Peter Hilger. Köln 1978. (= Veröffentlichung des Vereins für christliche Kunst im Erzbistum Köln und Bistum Aachen e. V.).

Gugitz 1950. = Gugitz, Gustav: Das kleine Andachtsbild in den österreichischen Gnadenstätten in Darstellung, Verbreitung und Brauchtum nebst einer Ikonographie. Ein Beitrag zur Geschichte der Graphik. Wien 1950. (= Buchreihe „Österreichische Heimat". Bd. 16.).

Gugitz 1955–1958. = Gugitz, Gustav: Österreichs Gnadenstätten in Kult und Brauch. Ein topographisches Handbuch zur religiösen Volkskunde in fünf Bänden. Wien 1955–1958.

Guldan 1966. = Guldan, Ernst: Eva und Maria. Eine Antithese als Bildmotiv. Graz/Köln 1966.

Hahn 1984. = Hahn, Cynthia: Joseph as Ambrose's „Artisan of the Soul" in the Holy Family in Egypt by Albrecht Dürer. In: Zeitschrift für Kunstgeschichte. München 4 (1984). S. 515–522.

Hahn 1986. = Hahn, Cynthia: ‚Joseph will perfect, Mary enlighten and Jesus save thee': The Holy Family als marriage Model in the Mérode Triptych. In: The Art Bulletin. 68. H. 1 (März 1986). S. 54–66.

HDA = Handwörterbuch des deutschen Aberglaubens. Hrsg. v. Hanns Bächtold-Stäubli. 9 Bde. Berlin/Leipzig 1927–1942. (= Handwörterbuch zur deutschen Volkskunde. Abt. I.).

Harvolk 1979. = Harvolk, Edgar: Votivtafeln. Bildzeugnisse von Hilfsbedürftigkeit und Gottvertrauen. München 1979.

Hawlik-van de Water 1987. = Hawlik-van de Water, Magdalena: Die Kapuzinergruft. Begräbnisstätte der Habsburger in Wien. Wien/Freiburg/Basel 1987.

Helvetia Sacra = Helvetia Sacra. Abt. V. Bd. 2: Die Franziskanerorden: Die Kapuziner und Kapuzinerinnen in der Schweiz. Bern 1974. Abr. VII: Der Regularklerus. Die Gesellschaft Jesu in der Schweiz. bearb. v. Ferdinand Strobel (S.J.). Bern 1976.

Hegel 1979. = Hegel, Eduard (Hrsg.): Geschichte des Erzbistums Köln. Bd. IV: Das Erzbistum Köln zwischen Barock und Aufklärung. Vom Pfälzischen Krieg bis zum Ende der französischen Zeit (1688–1814). Köln 1979.

Heimbucher 1933/34. = Heimbucher, Max: Die Orden und Kongregatioenen des katholischen Kirche. 2 Bde. Nachdr. d. 3. großenteils neubearb. Aufl. von 1933/34. 4. Aufl. Paderborn/München/Wien 1980.

Hendy 1933. = Hendy, Philipp: Ein berühmter Tizian wieder aufgetaucht. In: Pantheon. Monatsschrift für Freunde und Sammler der Kunst. München 11 (Jan.–Juni 1933). S. 52 ff.

Henggeler 1955. = Henggeler, Rudolf (OSB): Die kirchlichen Bruderschaften und Zünfte in der Innerschweiz. Einsiedeln 1955.

Hennecke/Schneemelcher 1968. = Hennecke, Edgar: Neutestamentliche Apokryphen in deutscher Übersetzung. 4. Aufl. Durchgesehener Nachdruck der 3. Aufl. hrsg. v. Wilhelm Schneemelcher. Bd. I: Evangelien. Tübingen 1968.

Henning 1987. = Henning, Michael: Die Tafelbilder Bartholomäus Sprangers (1546–1611). Höfische Malerei zwischen „Manirismus" und „Barock". Essen 1987. (= Kunst. Geschichte und Theorie. Bd. 8.).

Herlihy 1983. = Herlihy, David: The making of the medieval family: symmetry, structure, and sentiment. In: Journal of Family History. Studies in Family, Kinship and Demography. 8,2 (Sommer 1983). S. 116–130.

Das Herz. 1965–1969. = Das Herz. 3 Bde. Biberach a. d. Riss 1965–1969.

Herzogenberg 1973. = Herzogenberg, Johanna von: Zum Kult des heiligen Johannes von Nepomuk. In: [Kat.] Johannes von Nepomuk. Variationen über ein Thema. hrsg. von Franz Matsche u. a.. München/Paderborn/Wien 1973. S. 25–35.

Hibbard 1980. = Hibbard, Howard: The Metropolitan Museum of Art. New York 1980.

Hilger 1982. = Hilger, Hans Peter: Die ehemalige Jesuitenkirche St. Mariae Himmelfahrt in Köln. In: Die Jesuitenkirche St. Mariae Himmelfahrt in Köln. Dokumentation und Beiträge zum Abschluß ihrer Wiederherstellung 1980. Düsseldorf 1982. (= Beiträge zu den Bau- und Kunstdenkmälern im Rheinland. Bd. 28.). S. 9–30.

Hilger 1990. = Hilger, Hans Peter: Stadtpfarrkirche St. Nicolai in Kalkar. Mit Beiträgen von Holger Brülls, Norbert Nußbaum, Guido de Werd. Kleve 1990.

Hist. Jos. = Historia Josephi fabri lignarii. (vgl. Ausg. Fabricius und Ausg. Morenz).

Hist. Wörterbuch d. Philosophie. = Historisches Wörterbuch der Philosophie. Hrsg. v. Joachim Ritter und Karlfried Gründer. Völlig neubearb. Ausgabe des ›Wörterbuchs der philosophischen Begriffe‹ von Rudolf Eisler. (bisher erschienen 7 Bde.) Basel/Stuttgart 1971–1989.

Hochenegg 1963. = Hochenegg, Hans: Die Tiroler Kupferstecher. Graphische Kunst in Tirol vom 16. bis zur Mitte des 19. Jahrhunderts. Innsbruck 1963. (= Schlern-Schriften. Bd. 227.).

Hochenegg 1965. = Hochenegg, Hans: Die Verehrung des hl. Josef in Tirol. In: Ders.: Heiligenverehrung in Nord- und

Osttirol. Beiträge zur religiösen Volkskunde. Innsbruck 1965. (= Schlern-Schriften. 170.). S. 29–43.

Hochenegg 1984. = Hochenegg, Hans: Bruderschaften und ähnliche religiöse Vereinigungen in Deutschtirol bis zum Beginn des zwanzigsten Jahrhunderts. Innsbruck 1984. (= Schlern-Schriften. 272.).

Hoffmann 1959. = Hoffmann, Julius: Die „Hausväterliteratur" und die Predigten über den „christlichen Hausstand". Weinheim/Berlin 1959. (= Göttinger Studien zur Pädagogik. 37.).

Hoffmann-Axthelm 1973. = Hoffmann-Axthelm, Inge: „Geisterfamilie". Studien zur Geselligkeit der Frühromantik. Frankfurt a. M. 1973.

Hollstein = Hollstein, F. W. H.: Dutch and flemish etchings engravings and woodcuts. ca. 1450–1700. 33 Bde. Amsterdam 1949–1989.

Homburger 1958. = Homburger, Otto: Zur Stilbestimmung der figürlichen Kunst Deutschlands und des westlichen Europas im Zeitraum zwischen 1190 und 1250. In: Formositas Romanica. Beiträge zur Erforschung der romanischen Kunst. Festschrift Joseph Gantner. Frauenfeld 1958.

Hubala 1984. = Hubala, Erich: Die Kunst des 17. Jahrhunderts. Frankfurt a. M./Berlin/Wien 1984. (= Propyläen Kunstgeschichte. Bd. 9.).

Huber: Gebet- und Liedgut. 1981. = Huber, Helmut: Gebet- und Liedgut um Tod und Begräbnis aus Niederösterreich. Mit einem Beitrag von Walter Deutsch. Wien 1981.

Huber: Totenbrauchtum. 1981. = Huber, Helmut: Totenbrauchtum in Niederösterreich. Häusliche Leichenwache in der alpinen Zone. Erscheinungsformen des 20. Jahrhunderts. Wien 1981. (= Dissertationen der Universität Wien. 149.).

Huschenbett 1985. = Huschenbett, Dietrich: Die Literatur der deutschen Pilgerreisen nach Jerusalem im späten Mittelalter. In: DVjs. 59. H. 1. (1985). S. 29–46.

Jászai 1990. = Jászai, Géza: Gotische Skulpturen 1300–1450. Münster 1990. (= Bildhefte des Westfälischen Landesmuseums für Kunst und Kulturgeschichte Münster. Nr. 29.).

Jaspers 1988. = Jaspers, G. J.: De Blokboeken en Incunabelen in Haarlems Libry. Haarlem 1988.

Jedin 1935. = Jedin, Hubert: Entstehung und Tragweite des Trienter Dekrets über die Bilderverehrung. In: Theologische Quartalschrift. 116 (1935). S. 143 ff und 464 ff.

Jedin 1985. = Jedin, Hubert (Hrsg.): Handbuch der Kirchengeschichte. (Sonderausgabe) 7 Bde. Freiburg/Basel/Wien 1985.

Jesus, das göttliche Kind. Regensburg 1872. = Jesus, das göttliche Kind. Den Kindern zum Vorbild gegeben. Regensburg 1872.

IESVS, MARIA, IOSEPH. Innsbruck 1640. = IESVS, MARIA, IOSEPH, Ein schönes, neues Geistliches Lied / von disen dreyen hochheiligen Personen. IESV, MARIA, IOSEPH. Zu Nutz vnnd Trost allen frommen IESV / MAIRAE vnd IOSEPHS= Kindern / welche dise drey hochheilige Personen von Hertzen lieben / vnd sich befleissen sie allzeit zu loben / zu ehrenn vnd zu preisen / hie zeitlich vnd dort ewig. Getruckt zu Inßprugg / bey Michael Wagner Anno M. DC. XXXX [Innsbruck 1640].

JESVS MARIA JOSEPH. München 1636. = JESVS MARIA JOSEPH. In all jhrem Elendt Drey Sonnen oder Drey Summen Rechter Vollkommenheit / Jedermänniglich Zu grösser Lieb der Tugendt fürgestellt Von dem Churfürstlichen Gymnasio der Societet IESV zu München / den 7. vnd 9. Octobris M. DC. XXXVI. [München 1636] [lat.-dt. Perioche]

J. P. Getty Museum 1975. = The J. Paul Getty Museum: Greek and Roman Antiquities. Western European Paintings. French Decorative Arts of the Eighteenth Century. Malibu (Calif.) 1975.

Irblich 1988. = Irblich, Eva: Herrschaftsauffassung und persönliche Andacht Kaiser Friedrichs III., Maximilians I. und Karls V. im Spiegel ihrer Gebetbücher. In: Codices manuscripti. Zeitschrift für Handschriftenkunde. H. 1. Jg. 14 (Wien 1988). S. 11–45.

Kaspar 1954. = Kaspar, Karl: Die ikonographische Entwicklung der Sacra Conversazione. Tübingen 1954. [Diss. Masch.].

Kat. Abr. a S. Cl.. 1982. = [Katalog] Abraham a Sancta Clara. Eine Ausstellung der Badischen Landesbibliothek und der Wiener Stadt- und Landesbibliothek. Karlruhe 1982.

Kat. Adriaen van Wesel. 1980. = Halsema-Kubes, W. / Lemmens, G. / Werd, G. de: [Katalog] Adriaen van Wesel. Een Utrechtse beeldhouwer uit de late middeleeuwen. Ausstellung Rijksmuseum Amsterdam. Den Haag 1980.

Kat. Albrecht v. Brandenburg. 1990. = Reber, Horst: [Katalog] Albrecht von Brandenburg. Kurfürst. Erzkanzler. Kardinal. Zum 500. Geburtstag eines deutschen Rennaissancefürsten. Hrsg. v. Berthold Roland. Landesmuseum Mainz 26. Juni – 26. August 1990.

Kat. Andachtsbücher. 1987. = [Katalog] Andachtsbücher des Mittelalters aus Privatbesitz. bearb. v. Joachim M. Plotzek. Katalog zur Ausstellung im Schnütgen-Museum. Hrsg. v. Anton Legner. Köln 1987.

Kat. Braunschweig 1976. = [Katalog] Herzog Anton Ulrich-Museum Braunschweig: Verzeichnis der Gemälde vor 1800. Braunschweig 1976.

Kat. Deutscher Orden. 1990. = [Katalog] 800 Jahre Deutscher Orden. Ausstellung des Germanischen Nationalmuseums Nürnberg in Zusammenarbeit mit der Internationalen Historischen Kommission zur Erforschung des Deutschen Ordens. Hrsg. v. Germanischen Nationalmuseum und der Internationalen Historischen Kommission zur Erforschung des Deutschen Ordens von Gerhard Bott und Udo Arnold. Gütersloh/München 1990.

Kat. Gods, Saints & Heros. 1980. = [Katalog] Gods, Saints & Heros. Dutch Painting in the Age of Rembrandt. National Gallery of Art, Washington. The Detroit Institute of Arts. Rijksmuseum, Amsterdam. Washington 1980.

Kat. Rel. Graphik. 1981. = [Katalog] Religiöse Graphik aus der Zeit des Kölner Dombaus 1842–1880. Erzbischöfliches Diözesan-Museum Köln. Köln 1981.

Kat. Heimathaus Bevergern. 1982. = [Katalog] Heimathaus Bevergern: Kleine Andachtsbilder aus Bevergern. Katalog zu der Ausstellung „Kleine Andachtsbilder aus Bevergern". Bearb. v. Kurt Dröge und Thomas Ostendorf. Bevergern 1982.

Kat. Jesuiten. 1991. = Die Jesuiten in Bayern 1549–1773. Ausstellung des Bayerischen Hauptstaatsarchivs und der Oberdeutschen Provinz der Gesellschaft Jesu. Ausstellung in München. Weißenhorn 1991. (= Ausstellungskataloge der Staatlichen Archive Bayerns. Bd. 29.).

Kat. Kurfürst Max Emanuel. 1976. = [Katalog] Kurfürst Max Emanuel. Bayern und Europa um 1700. Bd. 1: Zur Geschichte und Kunstgeschichte der Max-Emanuel-Zeit. hrsg. v. Hubert

Glaser. Bd. 2: Katalog der Ausstellung im Alten und Neuen Schloß Schleißheim. 2. Juli bis 3. Oktober 1976. München 1976.

Kat. Luther. 1983. = [Katalog] Luther und die Folgen für die Kunst. Hrsg. v. Werner Hofmann. Hamburger Kunsthalle. München 1983.

Kat. Nazarener. 1977. = [Katalog] Die Nazarener. Städelsches Kunstinstitut und Städtische Galerie Frankfurt a. Main. Frankfurt a. Main 1977.

Kat. Prag. 1988. = [Katalog] Prag um 1600. Kunst und Kultur am Hofe Rudolfs II. Essen 1988.

Kat. Rubens. Antwerpen 1977. = [Katalog] P. P. Rubens. Gemälde – Ölskizzen – Zeichnungen. Antwerpen Königliches Museum der Schönen Künste. Antwerpen 1977.

Kat. Rubens. Köln 1977. = Bott, Gerhard: [Katalog] Peter Paul Rubens 1577–1640. Katalog II: Maler mit dem Grabstichel – Rubens und die Druckgraphik. Wallraf-Richartz-Museum und Kunsthalle Köln. 15. Okt. – 15. Dez. 1977.

Kat. Rubens. Rom 1977. = Bodart, Didier: [Katalog] Rubens e l'incisione nelle collezioni del Gabinetto Nazionale delle Stampe. Villa della Farnesina alla Lungara Rom. 8. Febr. – 30. April 1977.

Kat. Staufer. 1977. = [Katalog] Württembergisches Landesmuseum Stuttgart: Die Zeit der Staufer. Geschichte – Kunst – Kultur. Hrsg. v. Christian Väterlein unter Mitarb. v. Ursula Schneider und Hans Klaiber. 5 Bde. Stuttgart 1977.

Kat. Wittelsbach und Bayern. 1980. = [Katalog] Wittelsbach und Bayern. Bd. II/2: Um Glauben und Reich. Kurfürst Maximilian [I.]. Kat. der Ausstellung in der Residenz in München 12. Juni – 5. Oktober 1980. hrsg. v. Hubert Glaser. München/Zürich 1980.

Kat. WMR Köln. 1986. = [Katalog] Wallraf-Richartz-Museum Köln. Gemäldesammlung: Von Stephan Lochner bis Paul Cézanne. 120 Meisterwerke der Gemäldesammlung. Köln/Mailand 1986.

Kat. Wort und Bild. = Raupp, H.-J.: [Katalog] Wort und Bild. Buchkunst und Druckgraphik in den Niederlanden im 16. und 17. Jahrhundert. Köln (1981).

KD Baden. VI,1. = Die Kunstdenkmäler des Großherzogthums Baden. Bd. VI: Kreis Freiburg. Abt. I: Landkreis Freiburg (Amtsbezirk Breisach, Emmendingen, Ettenheim, Freiburg (Land), Neustadt, Stauffen und Waldkirch). Tübingen/Leipzig 1904.

KD Bayern. Lkr. Augsburg. = Bayerische Kunstdenkmale. hrsg. v. Heinrich Kreisel und Adam Horn. Bd. 30: Neu, Wilhelm: Landkreis Augsburg. München 1970.

KD Bayern. Stadt Augsburg. = Bayerische Kunstdenkmale. hrsg. v. Heinrich Kreisel und Adam Horn. Bd. 1: Breuer, Tilmann: Die Stadt Augsburg. München 1958.

KD Bayern. Füssen. = Bayerische Kunstdenkmale. hrsg. von Heinrich Kreisel und Adam Horn. Bd. 8: Petzet, Michael: Stadt und Landkreis Füssen. München 1960.

KD Bayern. Illertissen. = Bayerische Kunstdenkmale. hrsg. v. Torsten Gebhard und Adam Horn. Bd. 27: Habel, Heinrich: Landkreis Illertissen. München 1967.

KD Bayern. Kempten. = Bayerische Kunstdenkmale. hrsg. v. Heinrich Kreisel und Adam Horn. Bd. 5: Petzet; Michael: Stadt und Landkreis Kempten. München 1959.

KD Bayern. Marktoberdorf. = Bayerische Kunstdenkmale. hrsg. v. Torsten Gebhard und Adam Horn. Bd. 23: Petzet, Michael: Landkreis Marktoberdorf. München 1966.

KD Bayern. Mindelheim. = Bayerische Kunstdenkmale. hrsg. von Heinrich Kreisel und Adam Horn. Bd. 31: Habel, Heinrich: Landkreis Mindelheim. München 1971.

KD Bayern. Niederbayern. XIV. = Die Kunstdenkmäler von Bayern. Regierungsbezirk Niederbayern. Bd. XIV: Bezirksamt Vilshofen. Bearb. v. Felix Mader und Joseph Maria Ritz. München 1926.

– XVI. = Bd. XVI: Stadt Landshut mit Trausnitz. bearb. von Felix Mader. München 1927.

KD Bayern. Oberbayern. = Die Kunstdenkmäler des Königreichs Bayern. hrsg. im Auftr. d. kgl. Bayer. Staatsministeriums d. Innern f. Kirchen- und Schulangelegenheiten. Bd. I: Die Kunstdenkmale des Reg.-Bez. Oberbayern. 3 Teile. München 1895–1905.

KD Bayern. Schwaben. III. = Die Kunstdenkmäler von Bayern. Regierungsbezirk Schwaben. Bd. III: Der Landkreis Donauwörth. bearb v. Adam Horn. München 1951.

– VI. = Bd. VI: Die Stadt Dillingen an der Donau. bearb. v. Werner Meyer und Alfred Schädler. München 1964.

– VII. = Bd. VII: Landkreis Dillingen an der Donau. bearb. v. Werner Meyer. München 1972.

– VIII. = Bd. VIII: Landkreis Sonthofen. Bearb. v. Michael Petzet. München 1964.

KD Eupen-Malmedy. = Die Kunstdenkmäler von Eupen-Malmedy. Unter Mitarb. v. Dr. Heinrich Neu. Bearb. und hrsg. v. Prof. Dr. Heribert Reiners. Düsseldorf 1935.

KD Rheinprovinz. Geldern. = Die Kunstdenkmäler der Rheinprovinz. Bd. I,2: Die Kunstdenkmäler des Kreises Geldern. hrsg. v. Paul Clemen. Düsseldorf 1891.

KD Rheinprovinz. Köln. = Die Kunstdenkmäler der Rheinprovinz. Bd. VII,1: Die Kunstdenkmäler der Stadt Köln. hrsg. v. Paul Clemen. Düsseldorf 1911.

KD Rheinprovinz. Koblenz. = Die Kunstdenkmäler der Rheinprovinz. Abt. III. Bd. 16: Die Kunstdenkmäler des Landkreises Koblenz. bearb. v. Hans Erich Kubach, Fritz Michel, Hermann Schnitzler. Düsseldorf 1944.

KD Schweiz. Luzern. = Die Kunstdenkmäler der Schweiz. Die Kunstdenkmäler des Kantons Luzern. Bd. I: Die Ämter Entlebuch und Luzern-Land. Basel 1946.

KD Schweiz. Schwyz. = Die Kunstdenkmäler der Schweiz. Kanton Schwyz. Bd. II: Gersau, Küssnach und Schwyz. Von Dr. Linus Birchler. Basel 1930.

KD Schweiz. Zug. = Die Kunstdenkmäler der Schweiz. Kanton Zug. Von Dr. Linus Birchler. Basel 1934.

KD Südtirol. = Weingartner, Josef: Die Kunstdenkmäler Südtirols. 3 Bde. 3. und 4. Aufl. Innsbruck/Wien/München 1961–1965.

KD Württemberg. Donaukreis. I. = Die Kunst- und Altertums-Denkmale im Königreich Württemberg. Hrsg. v. Eduard v. Paulus und Eugen Gradmann. Inventar Donaukreis. Bd. I: Oberämter Biberach, Blaubeuren, Ehingen, Geislingen, Eßlingen a. N. 1914.

Keller 1893. = Keller, Joseph Anton: Des heiligen Karl Borromäus Satzungen und Regeln der Gesellschaft der Schulen christlicher Lehre. Paderborn 1893. (= Sammlung der bedeutendsten pädagogischen Schriften aus alter und neuer Zeit. Bd. 16.).

Keim 1979. = Keim, Helmut: Die Konstruktion der Tiroler Pfostenspeicher und -scheunen. Kapitel II: Türen, Fenster, Zwischenwände, Treppen, Maßsystem, Schmuckformen und Inschriften. In: Der Schlern. Monatszeitschrift für südtiroler Landeskunde. 53 (1979). S. 138–156. [Teilabdr. Diss. TU München 1975/76]

Kemp 1981. = Kemp, Cornelia: Angewandte Emblematik in süddeutschen Barockkirchen. München/Berlin 1981. (= Kunstwissenschaftliche Studien. Bd. 53.).

Klesse 1973. = Klesse, Brigitte: Katalog der italienischen, französischen und spanischen Gemälde bis 1800 im Walraf-Richartz-Museum. Köln 1973.

Klussmann 1986. = Klussmann, Paul Gerhard: Ursprung und dichterisches Modell der Idylle. In: Wedewer/Jensen: Idylle. S. 33–65.

Knipping 1974. = Knipping, John B.: Iconography of the Counter Reformation in the Netherlands. Heaven on earth. 2 Bde. Leiden 1974.

König-Nordhoff 1982. = König-Nordhoff, Ursula: Ignatius v. Loyola. Studien zur Entwicklung einer neuen Heiligen-Ikonographie im Rahmen einer Kanonisationskampagne um 1600. Berlin 1982.

Konr. = Konrad v. Fussesbrunnen: Kindheit Jesu (vgl. Ausg: Fromm / Grubmüller. 1973.).

Korff 1973. = Korff, Gottfried: Zur Ideologisierung der populären Frömmigkeit im späten 19. Jahrhundert. In: Wiegelmann, Günter (Hrsg.): Kultureller Wandel im 19. Jahrhundert. Verhandlungen des 18. Deutschen Volkskunde-Kongresses in Trier vom 13. bis 18. September 1971. Göttingen 1973. (= Studien zum Wandel von Gesellschaft und Bildung im Neunzehnten Jahrhundert. Bd. 5.).

Korte 1935. = Korte, Gandulf (OFM): P. Christian Brez O.F.M. Ein Beitrag zur Erforschung des Barockschrifttums. Werl i. Westf. 1935. (= Franziskanische Forschungen. H. 1.).

Kotrba 1958. = Kotrba, Victor: Infantia Christi. Příspěvek k ikonologii středověku. In: Umění. (1958). S. 244–252.

Krausen 1980. = Krausen, Degar: Die Bruderschaftsbriefe der Sammlung Dr. Anton Roth. In: Jahrbuch für Volkskunde. 3 (1980). S. 137–155.

Krettner 1980. = Krettner, Josef: Erster Katalog von Bruderschaften in Bayern. Unter Mitarbeit von Thomas Finkenstaedt zusammengestellt von Josef Krettner. München/Würzburg 1980. (= Veröffentlichungen zur Volkskunde und Kulturgeschichte. 6.).

Krieg 1987. = Krieg, Elsbeth: Katholische Kleinkindererziehung im 19. Jahrhundert. Frankfurt a. M./Bern/New York/Paris 1987. (= Europäische Hochschulschriften: Reihe 11, Pädagogik; Bd. 317.). [Diss. Frankfurt a. M.]

Kriss 1953–1956. = Kriss, Rudolf: Die Volkskunde der Altbayrischen Gnadenstätten. 3 Bde. München-Pasing 1953–1956.

Kroos 1985. = Kroos, Renate: Vom Umgang mit Reliquien. In: [Katalog] Ornamenta Ecclesiae. Kunst und Künstler der Romanik. hrsg. v. Anton Legner. Bd. III. Köln 1985. S. 25–49.

Kühnel 1980. = Kühnel, Harry: Abbild und Sinnbild in der Malerei des Spätmittelalters. In: Europäische Sachkultur des Mittelalters. Wien 1980. S. 83–100.

Küppers 1974. = Küppers, Leonhard (Hrsg.): Die Gottesmutter. Marienbild in Rheinland und in Westfalen. 2 Bde. Recklinghausen 1984.

Küppers 1981. = Küppers, Kurt: Das Himmlisch Palm-Gärtlein des Wilhelm Nakatenus S J (1617–1682). Untersuchungen zu Ausgaben, Inhalt und Verbreitung eines katholischen Gebetbuchs der Barockzeit. Regensburg 1981. (= Studien zur Pastoralliturgie. Bd. 4.). [Diss. Trier].

Küppers 1987. = Küppers, Kurt: Marienfrömmigkeit zwischen Barock und Industriezeitalter. Untersuchungen zur Geschichte und Feier der Maiandacht in Deutschland und im deutschen Sprachgebiet. St. Ottilien 1987. (= Münchner Theologische Studien. I. Hist. Abt. Bd. 27.).

Kurth 1926. = Kurth, Betty: Die deutschen Bildteppiche des Mittelalters. 3 Bde. Wien 1926.

LA = Jacobi a Voragine [Jacobus de Voragine]: Legenda aurea vulgo historia lombardica dicta. Hrsg. v. Th. Graesse. Breslau ^{3}1890. (Dt. Ausg. aus dem Lateinischen übersetzt von Richard Benz. Heidelberg 1975.).

LA els. = Die ›Elsässische Legenda Aurea‹. Tübingen. Bd. 1: Williams, Ulla / Williams-Krapp, Werner (Hrsg.): Das Normalcorpus. 1980. Bd. 2: Kunze, Konrad (Hrsg.): Das Sondergut 1983. (= Texte und Textgeschichte. Würzburger Forschungen. Bd. 3 und 10.).

Laschitzer 1889. = Laschitzer, Simon: Die Heiligen der „Sipp-, Mag- und Schwägerschaft" des Kaisers Maximilian I. In: Jahrbuch der Kunsthistorischen Sammlungen des allerhöchsten Kaiserhauses. 4 (1889). S. 70–88. und 5 (1887). S. 117–262.

Lautenschlager: Die hl. Familie. Augsburg (1900). = Lautenschlager, Johann Baptist (Pfarrer der Diözese Regensburg): Die heilige Familie Jesus, Maria und Joseph. Sammlung von Ablaßgebeten und gründliche Belehrung für alle katholischen Christen, entnommen aus den Werken Heiliger Kirchenväter. Augsburg (1900).

LCI = Lexikon der christlichen Ikonographie. Hrsg. v. Wolfgang Braunfels. 8 Bde. Rom/Freiburg/Basel/Wien 1968–1976.

Legner 1985. = Legner, Anton: Das Andachtsbild im späten Mittelalter. Eine Betrachtung vor dem Elendschristus im Braunschweiger Dom. In: [Katalog] Stadt im Wandel. Kunst und Kultur des Bürgertums in Norddeutschland 1150–1650. Hrsg. v. Cord Meckseper. Stuttgart/Bad Cannstatt 1985. Bd. 4. S. 449–459.

Lex. Cap. = Lexikon Capuccinum. Promptuarium Historico-Bibliographicum Ordinis Fratrum Minorum Capuccinorum (1525–1950). Rom 1951.

Lexikon der Kunst. = Lexikon der Kunst. Architektur, Bildende Kunst, Angewandte Kunst, Industrieformgestaltung, Kunsttheorie. Hrsg. v. Ludger Alscher u. a.. 5 Bde. Berlin (West) 1981.

LeGoff 1984. = LeGoff, Jacques: Die Geburt des Fegefeuers. Vom Wandel des Weltbildes im Mittelalter. Aus dem Französischen übersetzt von Ariane Forkel. Stuttgart 1984. (zitiert nach der Taschenbuch-Ausgabe München 1990. dtv/Klett-Cotta. 4532.)

Lhotsky 1952. = Lhotsky, Alphons: AEIOV. Die „Devise" Kaiser Friedrichs III. und sein Notizbuch. In: MIÖG. LX (1952). S. 155–193.

Liebenwein-Krämer 1977. = Liebenwein-Krämer, Renate: Säkularisierung und Sakralisierung. Studien zur Bedeutungswandel christlicher Bildformen in der Kunst des 19. Jahrunderts. Frankfurt a. M. 1977. [Diss.]

Lingl: Neueste Predigten. Augsburg 1798/99. = Lingl, Johann Nepomuk (OSB): Neueste Predigten auf einige Festtage des Herrn, Mariens der Mutter Jesu und seiner Heiligen. Dem Städter, dem Bürger und dem Landmanne mit Wärme ans Herz gelegt von Johann Nepomuk Lingl, Benediktiner in dem oberpfälzischen Kloster Weissenohe. 2 Bde. Augsburg 1798/99.

Lorenz 1985. = Lorenz, Angelika: Das deutsche Familienbild in der Malerei des 19. Jahrhunderts. Darmstadt 1985.

LThK = Lexikon für Theologie und Kirche. 2. völlig neu bearbeitete Aufl. hrsg. v. Josef Höfer und Karl Rahner. 10 Bde. (1 Registerbd., 3 Ergänzungsbde.) Freiburg i. Br. 1957–1968.

Lundberg 1966. = Lundberg, Mabel: Jesuitische Anthropologie und Erziehungslehre in der Frühzeit des Ordens (ca. 1540 – ca. 1650). Uppsala 1966. (= Acta Universitatis Upsaliensis. Studia Doctrinae Christianae Upsaliensia. Bd. 6.).

M. v. Cochem: Leben Christi. Mainz/Köln 1716. = Martin v. Cochem: Das grosse Leben Christi, Oder ausführliche, andächtige und bewegliche Beschreibung des H. Lebens und Leidens unsers Herrn Jesu Christi, Und seiner Glorwürdigsten Mutter Mariae … Köln/Mainz 1716.

Mahnwort. Augsburg o. J. = Ein väterliches Mahnwort an Eltern. Hütet die Unschuld eurer Kinder! Augsburg o. J.

Maisak 1982. = Maisak, Petra: Das barocke Arkadien. Berührungspunkte zwischen einer paganen und einer christlichen Bildwelt. In: Das Münster. Zeitschrift für christliche Kunst und Kunstwissenschaft. H. 1. Jg. 35 (1982). S. 141–144.

Mâle 1951. = Mâle, Émile: L'art religieux de la fin du XVIe siècle, du XVIIe siècle et du XVIIIe siècle. Italie – France – Espagne – Flandres. Paris ²1951.

Malecki 1950. = Malecki, Herbert: Das Familienbildnis im 16. und 17. Jahrhundert. Seine Vorstufen, seine Entwicklung und die Beziehung zur familiären Lebensform. Göttingen 1950. [Diss. Masch.]

Marienlexikon. = Marienlexikon. Hrsg. im Auftrag des Institutum Marianum Regensburg e. V. von Prof. Dr. Remigius Bäumer und Prof. Dr. Leo Scheffczyk. (bisher 2 Bde. erschienen). St. Ottilien 1988.

Masser 1969. = Masser, Achim: Bibel, Apokryphen und Legenden. Geburt und Kindheit Jesu in der religiösen Epik des deutschen Mittelalters. Berlin 1969. [Habil. Köln].

Matsche 1978. = Matsche, Franz: Gegenreformatorische Architekturpolitik. Casa-Santa-Kopien und Habsburger Loretokult nach 1620. In: Jahrbuch für Volkskunde. N.F. 1 (1978). S. 81–118.

Matsche 1981. = Matsche, Franz: Die Kunst im Dienst der Staatsidee Karls VI. Ikonographie, Ikonologie und Programmatik des „Kaiserstils". 2 Teilbde. Berlin/New York 1981. (= Beiträge zur Kunstgeschichte. Bd. 16.).

Matsche 1984. = Matsche, Franz: Wallfahrtsarchitektur – die Ambitenanlage böhmischer Wallfahrtsstätten im Barock. In: Wallfahrt kennt keine Grenzen. München/Zürich 1984. S. 352–367.

Mauquoy-Hendrickx 1978. = Mauquoy-Hendrickx, Marie: Les Estampes des Wierix. Conservees au Cabinet des Estampes de la Bibliotheque Royale Albert Ier. Catalogue raisonné enri-

chi de notes prises dans diverses autres collections. 5 Bde. Brüssel 1978 ff.

Mayer 1938. = Mayer, Anton L.: Die heilbringende Schau in Sitte und Kult. In: Heilige Überlieferung. Ausschnitte aus der Geschichte des Mönchtums und des heiligen Kultes dem hochwürdigen Abte von Maria Laach Dr. theol. et jur. h.c. Ildefons Herwegen zum silbernen Abtsjubiläum. Münster (Westf.). 1938. S. 234–262.

Mayer 1953. = Mayer, Anton L.: Die Stellung der Liturgie von der Zeit der Romantik bis zur Jahrhundertwende. In: Archiv für Liturgiewissenschaft. 3 (1953). H. 1. S. 1–77.

Mayer/Westermayer 1874–1884. = Statistische Beschreibung des Erzbisthums München-Freising. Aus amtlichen Quellen zu bearbeiten unternommen von Anton Mayer, Beneficiat an der Domkirche zu U. L. Frau in München, fortgesetzt und vollendet von Georg Westermayer, Pfarrer in Feldkirchen. 3 Bde. München/Regensburg 1874–1884.

McMurray Gibson 1972. = McMurry Gibson, Gail: The thread of Life in the hand of the Virgin. In: [Katalog] Sivia Heyden. Recent Tapestries. 11. März – 23. April 1972. Duke University Museum of Art Durham/North Carolina 1972.

Meier 1977. = Meier, Christel: Gemma spiritalis. Methode und Gebrauch der Edelsteinallegorese vom frühen Christentum bis ins 18. Jahrhundert. Teil I. München 1977. (= Münstersche Mittelalterschriften. 34,1.).

Meiss 1936. = Meiss, Millard: The Madonna of Humility. In: The Art Bulletin. 18 (1936). S. 435–464.

Metken 1977. = Metken, Sigrid: Nazarener und „nazarenisch" – Popularisierung und Trivialisierung eines Kunstideals. In: Kat. Nazarener. Frankfurt a. M. 1977. S. 365–388.

Metzger 1982. = Metzger, Wolfram: Beispielkatechese der Gegenreformation. Georg Voglers „Catechismus in Außerlesenen Exempeln" Würzburg 1625. Würzburg 1982. (= Veröffentlichungen zur Volkskunde und Kulturgeschichte. Bd. 8.).

Michaud 1854. = Michaud, Joseph Francois: Biographie universelle ancienne et moderne. Unveränd. Abdr. der 1854 bei Desplace & Michaud in Paris erschienenen Aufl. 45 Bde. Graz 1966–1970.

Miegroet 1989. = Miegroet, Hans J. van: Gerard David. Antwerpen 1989.

Mielke 1975. = Mielke, H.: Antwerpener Graphik in der 2. Hälfte des 16. Jahrhunderts. Der Thesaurus veteris et novi Testamenti des Gerard de Jode (1585) und seine Künstler. In: Zeitschrift für Kunstgeschichte. 38 (1975). S. 29–83.

Missong 1970. = Missong, Alfred: Heiliges Wien. Ein Führer durch Wiens Kirchen und Kapellen. Mit neuen Photos von Ekkehard Ritter. Wien ³1970. (1. Aufl. Wien 1933.)

Mittler 1986. = Mittler, Mauritius: I. Angestellte der Abtei Siegburg 1650–1803. II. Das Bruderschaftsbuch der Jesus-Maria-Joseph-Bruderschaft von St. Servatius in Siegburg 1747–1843. Siegburg 1986. (= Siegburger Studien. Bd. 18.)

Morenz 1951. = Morenz, Siegfried: Die Geschichte von Joseph dem Zimmermann. Übersetzt, erläutert und untersucht von S. M.. Berlin 1951. (= Texte und Untersuchungen zur Geschichte der altchristlichen Literatur. Bd. 56. = V. Reihe. Bd. 1.).

Moser 1972. = Moser, Dietz-Rüdiger: Die Hl. Familie auf der Flucht. Apokryphe Motive in volkstümlichen Legendenliedern. Mit einem Beitrag zur Formel „Biə virə ischt aüf" im

Liedgut der Gottschee. In: Rheinisches Jahrbuch für Volkskunde. 21 (1972). S. 255–328.

Moser 1981. = Moser, Dietz-Rüdiger: Verkündigung durch Volksgesang. Studien zur Liedpropaganda und -katechese der Gegenreformation. Berlin 1981.

Moser-Rath 1984. = Moser-Rath, Elfriede: Predigtmärlein der Barockzeit. Berlin 1984.

Müller 1959. = Müller, Theodor: Die Bildwerke in Holz, Ton und Stein von der Mitte des XV. bis gegen Mitte des XVI. Jahrhunderts. München 1959. (= Kataloge des Bayerischen Nationalmuseums München. Bd. XIII,2.).

Musper 1961. = Musper, H. Th.: Die Urausgaben der holländischen Apokalypse und Biblia pauperum. 2 Bde. München 1961.

Muthmann 1975. = Muthmann, Friedrich: Mutter und Quelle. Studien zur Quellenverehrung im Altertum und im Mittelalter. Basel/Mainz 1975.

MVC = (Pseudo-Bonaventura): Meditationes Vitae Christi. (vgl. Ausgabe Ragusa/Green).

Nagler 1835–1852. = Nagler, G.-K.: Neues allgemeines Künstler-Lexikon. 3. Aufl. Unveränderter Abdruck der ersten Auflage Leipzig 1835–1852.

Nakatenus: Palm-Gärtlein. Köln (1722). = Nakatenus, Wilhelm (S.J.): Himmlisch Palm-Gärtlein / zur beständigen Andacht / und geistlichen Ubungen / nicht allein mit Tagzeiten / Litaneyen / Gebettern / Betrachtungen / ec. ... Köln (1722).

Nakatenus: Palm-Gärtlein. Köln 1737. = Nakatenus, Wilhelm (S.J.): Himmlisch Palm-Gärtlein, Zur beständigen Andacht und geistlichen übungen, Nicht allein mit Tag-Zeiten, Litaneyen, Gebettern, Betrachtungen, ec. Sondern auch mit Heylsamen auß Göttlichem Wort und HH. Vättern gezogenen Unterweisungen und Lehr-stücken Reichlich besetzt / Fruchtbarlich gegründet / Annehmlich gezieret: ... [13. Aufl.] Köln 1737.

Naumann 1981. = Naumann, Otto: Frans van Mieris the elder (1635–1681). 2. Bde. Doornspijk 1981.

Nazareth und Bethlehem. München 1899. = Nazareth und Bethlehem oder die heilige Familie als Vorbild der Gnade, der Tugend und Heiligkeit für alle Stände. Ein vollst. Betrachtungs- und Gebetbuch zur Verehrung und Nachfolge der heil. Familie. Nachden Betrachtungen der gottsel. Klosterfrau Anna Katharina Emmerich und den Schriften von Silbert und anderen Verehrern des Lebens der heil. Familie. Gesammelt, bearb. u. hrsg. vom Verfasser von „Gethsemane und Golgatha". (Approbation 1856). Einsiedeln 1866.

NDB = Neue Deutsche Biographie. Hrsg. von der Historischen Kommission bei der Bayerischen Akademie der Wissenschaften. (bisher 15 Bde. erschienen). Berlin 1953–1987.

Nederlandsche Monumenten. III/1,2. = De Nederlandsche Monumenten van Geschiedenis en kunst. Teil III. 1. Abt.: De Monumenten van Geschiedenis en Kunst in de provincie Gelderland. Den Haag 1932.

Neumann 1951. = Neumann, Jaromír: Malířství XVII. Stoletíν Čechách. Barokní Realismus. Prag 1951.

Nordhoff: KD Hamm. = Nordhoff, Josef Bernhard: Die Kunst- und Geschichts-Denkmäler des Kreises Hamm. Münster 1880. (= Die Kunst- und Geschichts-Denkmäler der Provinz Westfalen. 1.)

Nordhoff: KD Warendorf. = Nordhoff, Josef Bernhard: Die Kunst- und Geschichts-Denkmäler des Kreises Warendorf. Münster 1886. (= Die Kunst- und Geschichts-Denkmäler der Provinz Westfalen. 2.).

Offermans: Bruderschafts-Büchlein. 1863. = Offermans, Leopold (SJ): Bruderschafts=Büchlein der christlichen Lehre oder Gesellschaft Jesus, Maria, Joseph, unter dem Schutz des H. Francisci Xaverii zu mehrerer[!] Beförderung der christlichen Lehre ... o. O. 1863. [Appr. 1700 und 1769]

Ohly 1982. = Ohly, Friedrich: Typologie als Denkform der Geschichtsbetrachtung. Vortrag gehalten auf dem 34. Deutschen Historikertag in Münster am 7. Oktober 1982. In: Natur, Religion, Sprache, Universität. Universitätsvorträge 1982/83. Münster 1983. (= Schriftenreihe der Westfälischen Wilhelms-Universität Münster. Heft 7.). S. 68–102.

Ohly 1989. = Ohly, Friedrich: Süsse Nägel der Passion. Ein Beitrag zur theologischen Semantik. Baden-Baden 1989. (= Saecvla Spiritalia. Bd. 21.).

Olsen 1962. = Olsen, Harald: Federico Barocci. Kopenhagen 1962.

Oppé 1970. = Oppé, A. Paul: Raphael. ed. with an introduction by Charles Mitchell. London 1970.

Otto 1923. = Otto, Rudolf: Das Heilige. Über das Irrationale in der Idee des Göttlichen und sein Verhältnis zum Rationalen. Breslau [10]1923. (1. Aufl. 1917).

Pächt 1989. = Pächt, Otto: Van Eyck. Die Begründer der altniederländischen Malerei. Hrsg. v. Maria Schmidt-Dengler. München 1989.

Pailler 1881/1883. = Pailler, Wilhelm (Hrsg.): Weihnachtslieder und Krippenspiele aus Oberösterreich und Tirol. 2 Bde. Innsbruck 1881/1883.

Panofsky 1927. = Panofsky, Erwin: „Imago Pietatis". Ein Beitrag zur Typengeschichte des „Schmerzensmanns" und der „Maria Mediatrix". In: Festschrift für Max J. Friedländer zum 60. Geburtstag. Leipzig 1927. S. 261–308.

PATROCINIVM DIVI IOSEPHI. Konstanz 1653. = PATROCINIVM DIVI IOSEPHI Das ist. Vätterliche Vorsorg deß Junckfräwlichen Gesponß Vnser Lieben Frawen. Uber Seine / jhme mit Andacht zugethane Kinder Auff offentlicher Schawbüne[!] fürgestelt / von der deß H. Joseph liebenden Jugend deß Gymnasij Soc. IESV. Zu Veldkirch. Den 2. und 4. September, 1653. Konstanz 1653. [Perioche]

Petrat 1979. = Petrat, Gerhardt: Schulunterricht. Seine Sozialgeschichte in Deutschland. 1750–1850. München 1979.

Ph. = Bruder Philipp: Marienleben. (vgl. Ausg. Rückert)

Pinck 1926–1939. = Pinck, Louis: Verklingende Weisen. Lothringer Volkslieder gesammelt und hrsg v. Louis Pinck. 4 Bde. Metz 1926–1939. Neudruck mit erg. 5. Bd. gesammelt und hrsg. v. Angelika Merkelbach-Pinck unter Mitwirkung von Joseph Müller Blattau. Kassel 1962/63.

Plessen/Zahn 1979. = Plessen, Marie-Louise / Zahn, Peter von: Zwei Jahrtausende Kindheit. Stuttgart 1979.

Plummer 1966. = Plummer, John: Die Miniaturen aus dem Stundenbuch der Katharina v. Kleve. Mit einer Einleitung und Erläuterungen von John Plummer. Berlin 1966.

Po-chia Hsia 1989. = Po-chia Hsia, Ronnie: Die Sakralisierung der Gesellschaft: Blutfrömmigkeit und Verehrung der Heiligen Familie vor der Reformation. In: Bickle, Peter / Kunisch, Johannes (Hrsg.): Kommunalisierung und Christianisierung. Voraussetzungen und Folgen der Reformation 1400–1600.

Berlin 1989. (= Zeitschrift für historische Forschung. Beiheft 9.). S. 57–75.

Pötzl 1979. = Pötzl, Walter: Loreto in Bayern. In: Jahrbuch für Volkskunde. N.F. 2 (1979). S. 187–218.

Pötzl 1984. = Pötzl, Walter: Santa-Casa-Kult in Loreto und in Bayern. In: Wallfahrt kennt keine Grenzen. München/Zürich 1984. S. 368–382.

Pohlen 1985. = Pohlen, Ingeborg: Untersuchungen zur Reproduktionsgraphik der Rubenswerkstatt. Augsburg 1985. (= Beiträge zur Kunstwissenschaft. Bd. 6.). [Diss. Münster]

Pokorny 1978. = Pokorny, Veronika: Clementia Austriaca. Studien zur Bedeutung des clementia-Prinzips für die Habsburger im 16. und 17. Jahrhundert. In: MIÖG. 86 (1978). S. 310–364. [Zusammenfassung der Diss. Wien 1973].

Pons/Barret 1971. = Pons, Maurice / Barret, André: Patinir ou l'harmonie du monde. Paris 1980. (= L'Atelier du Merveilleux.)

Pope-Hennessy 1971. = Pope-Hennessy, J.: Raphael. London 1971.

Prokop v. Templin: Adventuale. München 1666. = Prokop von Templin: Adventuale, ac Natale IESV Christi sive Deliciae Spiritus Hibernales. Hertzens-Frewd vnd Seelen-Lust im harten Winter. Das ist vber hundert annemnbliche liebliche Discurs oder Predigen von der Allersüssesten Kindheit vcnnd Jugend JESV Christi vnsers heylands vnd Seelichmachers. … Gantz new gestellet Durch P. F. Procopium Capucciner der Oesterreichischen Provintz / sonst aber von Templin auß der marck Brandenburg gebürtig / Priester und Prediger. … München 1666.

Pulkert 1973. = Pulkert, Oldrich: Domus Lauretana Pragensis. Catalogus Collectionis perum artis musicale. Pars prima: Catalogus. Prag 1973.

Ragusa/Green 1961. = Ragusa, Isa / Green, Rosalie B.: Meditations on the Life of Christ. An illustrated manuscript of the fourteenth century (Paris, Bibliothèque Nationale, MS. Ital. 115.) Princeton/New York 1961. (= Princeton Monographs in Art and Archaeology. XXXV.).

Raupp 1991. = Raupp, Hans-Joachim: Haushalt und Familie in der deutschen und niederländischen Kunst des 15. und frühen 16. Jahrhunderts. In: Ehlert, Trude (Hrsg.): Haushalt und Familie in Mittelalter und früher Neuzeit. Vorträge eines interdisziplinären Symposions vom 6.–9. Juni 1990 an der Rheinischen Friedrich Wilhelms-Universität Bonn. Sigmaringen 1991. S. 245–268.

RDK = Reallexikon zur deutschen Kunstgeschichte. hrsg. v. Otto Schmitt u. a. (bisher 8 Bde. erschienen). Stuttgart/München 1937–1987.

Réau 1957. = Réau, Louis: Iconographie de l'art chrétien. Tome second: Iconographie de la bible. II: Nouveau Testament. Paris 1957.

Reclams Kunstführer. Dtschl. I. = Reclams Kunstführer. Deutschland. Bd. I: Reitzenstein, Alexander von / Brunner, Herbert: Bayern. Baudenkmäler. Stuttgart [8]1974.

Regeln der Heil. Bruderschafft. (um 1800). = Regeln der Heil. Bruderschafft JEsu / Maria / Joseph / für die Seelen im Fegfeuer. o. O. o.J. (Walldürn um 1800).

Reger: Gebet- und Regelbüchlein. Straubing 1893. = Reger, St. D. (bischöfl. geistl. Rath und Stadtpfarrer): Gebet- und Regel-büchlein für die Mitglieder des frommen Vereins von der heiligen Familie zu Nazareth. 2. Aufl. Straubing 1893.

Reinsch 1879. = Reinsch, Robert: Die Pseudo-Evangelien von Jesu und Maria's Kindheit in der romanischen und germanischen Literatur mit Mittheilungen aus Pariser und Londoner Handschriften. Halle 1879.

Reznicek 1961. = Reznicek, E. K. J.: Die Zeichnungen von Hendrick Goltzius. Mit einem beschreibenden Katalog. 2 Bde. aus d. Holländ. Utrecht 1961. (= orbis artium. Utrechtse Kunsthistorische Studiën. VI.).

RGG = Die Religion in Geschichte und Gegenwart. Handwörterbuch für Theologie und Religionswissenschaft. Bd. II. Tübingen 1910.

Richter 1892. = Richter, Wilhelm: Die Jesuitenkirche zu Paderborn. Festschrift zur zweihundertjährigen Kirchweih. Paderborn 1892.

Riedle: Handbüchlein. München 1892. = Riedle, Ignaz: Handbüchlein für den allgemeinen Verein der christlichen Familien zu Ehren der Heiligen Familie von Nazareth. München 1892.

Rode 1957. = Rode, Rosemarie: Studien zu den mittelalterlichen Kind-Jesu-Visionen. Frankfurt a. M. 1957. [Diss.].

Ronig. = Ronig, Franz J.: Zum theologischen Gehalt des Bildes der stillenden Muttergottes. in: Die Gottesmutter. I. S. 197–214.

Rückert 1966. = Rückert, Heinrich: Bruder Philipps des Carthäusers Marienleben. o. O. o. J. (= Bibliothek der deutschen National-Literatur. Bd. XXXIV.). Ndr. Amsterdam 1966.

Ruelens/Rooses 1887–1909. = Ruelens, Ch. / Rooses, Max: Correspondance de Rubens et document épistolaires concernant sa vier et ses œuvres. 6 Bde. Antwerpen 1887–1909. Nachdr. Soest/Holland o.J. (= Codex Diplomaticus Rubenianus.).

Säkularisation. = Die Säkularisation 1803. Vorbereitung – Diskussion – Durchführung. Eingeleitet und zusammengestellt von Rudolfine Freiin von Oer. Göttingen 1970. (= Historische Texte. Neuzeit. 9.).

Saupere 1971. = Saupere, Augusti Durani: Populäre Druckgraphik Europas. Spanien vom 15. bis zum 20. Jahrhundert. München 1971.

Sauren 1883. = Sauren, Joseph: Das hl. Haus zu Loreto und die Lauretanischen Gnadenorte in deutschen Landen. 2. gänzlich umgearbeitete Aufl. Einsiedeln/New York/Cincinnati und St. Louis 1883.

Schapiro 1945. = Schapiro, M.: ‚Muscipula Diaboli'. The Symbolism of the Mérode Altarpiece. In: The Art Bulletin. XXVII (1945). S. 182–187.

Schematismus Köln. 1966. = Handbuch des Erzbistums Köln. 2 Bde. Nach dem Stand vom 1. Sept. 1965. Bearbeitung: Amtliche Zentralstelle für kirchliche Statistik des kath. Dtschls. in Köln. 26. Ausg. 1966. Köln 1966.

Schematismus Münster. 1946. = Handbuch des Bistums Münster. Mit einer historischen Karte: Fürstbistum Münster. Berarb. v. Dr. Heinrich Börsting und DDr. Alois Schöer. 2 Bde. Münster 1946.

Schewe 1958. = Schewe, Josef: Unserer Lieben Frauen Kindbett. Ikonographische Studien zur Marienminne des Mittelalters. Diss. Kiel 1958. [Masch.]

Schiller 1966. = Schiller, Gertrud: Ikonographie der christlichen Kunst. 4 Bde. Gütersloh 1966–1980.

Schlee 1978. = Schlee, Ernst: Die Volkskunst in Deutschland. Ausstrahlung, Vorlagen, Quellen. München 1978. (= Volkskunst der Welt in Einzeldarstellungen. Deutschland.).

Schleusener-Eichholz 1985. = Schleusener-Eichholz, Gudrun: Das Auge im Mittelalter. 2 Bde. München 1985. (= Münstersche Mittelalterschriften. 35,1 und 2.).

Schmid 1953/1975. = Schmid, Wolfgang: Tityrus Christianus. Probleme religiöser Hirtendichtung an der Wende vom vierten zum fünften Jahrhundert. In: Garber: Europ. Bukolik. S. 44–121.

Schmidt 1959. = Schmidt, Gerhard: Die Armenbibeln des XIV. Jahrhunderts. Graz/Köln 1959. (= Veröffentlichungen des Instituts für österreichische Geschichtsforschung. Bd. XIX.).

Schmidt 1963. = Schmidt, Leopold: Die Volkserzählung. Märchen. Sage. Legende. Schwank. Berlin 1963.

Schmidt 1980. = Schmidt, Leopold: „Sankt Joseph kocht ein Müselein". Zur Kindlbreiszene in der Weihnachtskunst des Mittelalters. In: Europäische Sachkultur des Mittelalters. Wien 1980. S. 143–166.

Schmithals 1985. = Schmithals, Walter: Einleitung in die drei ersten Evangelien. Berlin/New York 1985. (= De-Gruyter-Lehrbuch.).

Schmitz-Cliever 1967. = Schmitz-Cliever, Egon: Repertorium medico-historicum Aquense. Ein Beitrag zur medizinhistorischen Topographie. In: Aachener Kunstblätter. 34 (1967). S. 194–251.

Schmülling 1951. = Schmülling, Wilhelm: Hausinschriften in Westfalen und ihre Abhängigkeit vom Baugefüge. Münster i. Westf. 1951. (= Schriften der volkskundlichen Kommission im Provinzialinstitut für Westfälische Landes- und Volkskunde. Heft 9.).

Schneevoogt 1873. = Schneevoogt, C. G. Voorhelm: Catalogue des Estampes Gravées d'après P. P. Rubens avec l'indication des collections ou se trouvent les tableaux et les gravures. Harlem 1873.

Schnütgen-Museum. 1989. = Schnütgen-Museum: Die Holzskulpturen des Mittelalters (1000–1400). Bearb. v. Ulrike Berghaus. Hrsg. v. Anton Legner. Köln 1989.

Schramm 1940. = Schramm, Albert: Bilderschmuck der Frühdrucke. Bd. XXII: Die Drucker in Basel. Teil 2. Leipzig 1940.

Schreiner 1970. = Schreiner, Klaus: „. . . wie Maria geleichet einem puch". In: Börsenblatt für den deutschen Buchhandel. Beilage. 26 (1970). Nr. 23. S. 651–674.

Schrems 1929. = Schrems, Karl: Die religiöse Volks- und Jugendunterweisung in der Diözese Regensburg vom Ausgang des 15. Jhdts. bis gegen Ende des 18. Jhdts. (Ein Beitrag zur Geschichte der Katechese). Historisch-kritisch dargelegt. München 1929. (= Veröffentlichungen des Vereins zur Erforschung der Regensburger Diözesangeschichte. 1.).

Schrems 1979. = Schrems, Karl: Die Methode katholischer Gemeindekatechese im deutschen Sprachgebiet vom XVI. bis zum XVIII. Jahrhundert. Historisch-kritisch dargelegt. Aus dem Nachlaß v. W. Nastainczyk. Bern 1979. (= Regensburger Studien zur Theologie. Bd. 21.).

Schretlen 1925. = Schretlen, M. J.: Dutch and Flemish Woodcuts of the fifteenth Century. Mit einem Vorwort von M. J. Friedländer. London 1925.

Schütz 1986. = Schütz, Sabine: Idyllische Utopien. Bemerkungen zur Verwandtschaft idyllischen und utopischen Denkens. In: Wedewer/Jensen: Idylle. S. 98–109.

Schulten 1982. = Schulten, Walter: Die Beichtstuhlbilder der Kirche St. Mariä Himmelfahrt in Köln. Eine ikonographische Studie. In: Die Jesuitenkirche St. Mariae Himmelfahrt in Köln. Dokumentation und Beiträge zum Abschluß ihrer Wiederherstellung. Düsseldorf 1982. (= Beiträge zu den Bau- und Kunstdenkmälern im Rheinland. Bd. 28.). S. 248–368.

Schulz 1980. = Schulz, Alexander: Maria Königin Bild. Eine Wallfahrt in Schwaben. Weißenhorn 1980. (= Günzburger Hefte.).

Seitz 1908. = Seitz, Joseph: Die Verehrung des hl. Joseph in ihrer geschichtlichen Entwicklung bis zum Konzil von Trient dargestellt. Freiburg i. Br. 1908.

Sengle 1971. = Sengle, Friedrich: Biedermeierzeit. Deutsche Literatur im Spannungsfeld zwischen Restauration und Revolution 1815–1848. 3 Bde. Stuttgart 1971.

S. IOSEPHVS. Freiburg 1648. = S. IOSEPHVS ΘΕΟΤΡΟΦΟΣ. Das ist IOSEPH Ein außwöhlter Nähr- vnd Ziechvatter JESV CHristi. Ein Junckfräwlicher Ehemann der Mütter[!] Gottes MARIAE. Ein hellglantzender reiner Spiegel aller Glaubigen[!]. Zum Exempel Spilweiß fürgerstellt von der studierenden Jugend deß Neo-Gymnasij der Societet JESV zu Sollothurn. Freiburg 1648. [dt.-frz. Perioche]

Snell 1955. = Snell, Bruno: Arkadien. Die Entdeckung einer geistigen Landschaft. In: Garber: Europ. Bukolik. S. 14–43.

Spamer 1930. = Spamer, Adolf: Das kleine Andachtsbild vom XIV. bis zum XX. Jahrhundert. München 1930.

Stackelberg 1956. = Stackelberg, Jürgen v.: Das Bienengleichnis. Ein Beitrag zur Geschichte der literarischen Imitatio. In: Romanische Forschungen. 68 (1956). S. 271–293.

Stahl 1909. = Stahl, Hans: P. Martin von Cochem und das „Leben Christi". Ein Beitrag zur Geschichte der religiösen Volksliteratur. Bonn 1909. (= Beiträge zur Literaturgeschichte und Kulturgeschichte des Rheinlandes. Bd. 2.).

Steichele/Schröder 1864–1939. = Steichele, Anton: Das Bistum Augsburg, historisch und statistisch beschrieben. fortgesetzt von Alfred Schröder und Friedrich Zoepfl. 9 Bde. Augsburg 1864–1939.

Stiegemann 1989. = Stiegemann, Christoph: Heinrich Gröningen. Paderborn 1989.

Stierle 1979. = Stierle, Karlheinz: Die Identität des Gedichts. Hölderlin als Paradigma. In: Marquard, Odo / Stierle, Karlheinz: Identität. München 1979. (= Poetik und Hermeneutik. Bd. 8.).

Strauss 1977. = Strauss, Walter L. (Hrsg.): Hendrik Goltzius. 1558–1617. The complete engravings and woodcuts. 2 Bde. New York 1977.

Strauss/Alexander 1977. = Strauss, Walter L. / Alexander, Dorothy: The German Single-Leaf Woodcut. 1600–1700. A pictorial Catalogue. 2 Bde. New York 1977.

Sumowski 1983. = Sumowski, Werner: Gemälde der Rembrandt-Schüler. 5 Bde. Landau i. d. Pfalz/London 1983.

Szarota 1979–1987. = Szarota, Elida Maria: Das Jesuitendrama im deutschen Sprachgebiet. Eine Periochen-Edition. Texte und Kommentare. 4 Bde. München 1979–1987.

Theil: Loretoschatz. 1971. = Theil, Edmund: Der Loretoschatz von Klausen. Bozen 1971. (= Laurin Kunstführer. 28.).

Theil: Kirchen. 1971. = Theil, Edmund: Die Kirchen von Klausen. Bozen 1971. (= Laurin Kunstführer. 29.).

Thelen 1967. = Thelen, Heinrich: Zur Entstehung der Hochaltar-Architektur von St. Peter in Rom. Berlin 1967. [Habil. Berlin]

Theopold 1978. = Theopold, Wilhelm: Votivmalerei und Medizin. Kulturgeschichte und Heilkunst im Spiegel der Votivmalerei. München 1978.

Theopold 1981. = Theopold, Wilhelm: Das Kind in der Votivmalerei. München 1981.

Thieme/Becker. = Thieme, Ulrich / Becker, Felix (Hrsg.): Allgemeines Lexikon der bildenden Künstler von der Antike bis zur Gegenwart. 37 Bde. Leipzig 1907–1950.

Thudichum 1906. = Thudichum, Friedrich: Die Diözesen Konstanz, Augsburg, Basel, Speier, Worms nach ihrer alten Einteilung in Archidiakonate, Dekanate und Pfarreien. Tübingen 1906. (= Tübinger Studien für Schwäbische und Deutsche Rechtsgeschichte. Bd. I. Heft 2.).

Timmers 1949. = Timmers, Jan Joseph Marie. Houten Beelden. De Houtsculptuur in de noordlijke Nederlanden Tijdens de late Middeleeuwen. Amsterdam/Antwerpen 1949.

Toussaint: Die hl. Familie. Regensburg 1899. = Toussaint, Johann Peter: Die heilige Familie dem christlichen Volke als Vorbild dargestellt. Regensburg 1899.

TRE = Theologische Realenzyklopädie. in Gemeinschaft mit Horst Robert Balz u. a. hrsg. von Gerhard Krause und Gerhard Müller. 19 Bde. (bisher ersch.). Berlin/New York 1977–1990.

Tschackert 1877. = Tschackert, Paul: Peter von Ailli (Petrus de Alliaco). Zur Geschichte des grossen abendländischen Schisma und der Reformconcilien von Pisa und Constanz. Gotha 1877. NDr. Amsterdam 1968.

VC = Ludolphus de Saxonia [Ludolph v. Sachsen]: Vita Jesu Christi ex evangeeio et appobatis ab ecclesia catholica doctoribus sedule collecta. Editio novissima curante L.-M. Rigollot. Paris/Rom 1870.

Valentin 1983/1984. = Valentin, Jean-Marie: Le Thétre des Jésuites dans le Pays de Langue Allemande. Répertoire chronologique des pièces représentées et des documents conservés (1555–1773). 2 Bde. Stuttgart 1983/84. (= Hiersemanns bibliographische Handbücher. Bd. 3/4.).

Vergilius: Bucolica. = Vergilius Marco, Publius: Bucolika. Landleben / Vergil. Ed. Johannes und Maria Götte. Vergil-Viten / ed. Karl Bayer. Lat. u. dt. 4. verb. Neuaufl. München 1981. (= Tusculum-Bücherei.).

Verhandlungen. = Verhandlungen der 1.ff General-Versammlung des katholischen Vereins Deutschlands. ab 1859: Verhandlungen der nn. General-Versammlung der katholischen Vereine Deutschlands. ab 1875: Verhandlungen der nn. General-Versammlung der Katholiken Deutschlands. Wechselnde Orte 1846 ff.

Vogler 1930. = Vogler, Karl: Die Ikonographie der „Flucht nach Ägypten". Heidelberg 1930. [Diss. Heidelberg].

Vogler: Catechismus. Würzburg 1625. = Vogler, Georg (SJ): Catechismus In außerlesenen Exempeln, kurtzen Fragen, schönen Gesängern, Reymen und Reyen für Kirchen und Schulen von newem freißig außgelegt und gestelt Durch R. P. Georgium Voglerum Engen ... der Societet IESV priestern. Würzburg 1625.

Vogler: Trostbronn. Würzburg 1624. = Vogler, Georg (SJ): Trostbronn, Mariae und Joseph, Betrübte, Krancke, Sterbende, gefangene wie auch Malefitz personen mit vorlesen, Zusprechen, ermahne[n], vorbetten, Zu trosten stercken, und auffzurichten, in 7. Bücher als 7. Heillsame bronrören vonn newen beschrieben Durch R. P. Georgium Voglerum der Societet IESV Priester. Würzburg 1624.

VR = Vita Beate Virginis Marie et Salvatoris Rhythmica. Hrsg. von A. Vögtlin. Tübingen 1888. (= Bibliothek des Litterarischen Vereins in Stuttgart. 180.).

Walzer 1965. = Walzer, Albert: Das Herz im christlichen Glauben. In: Das Herz im Umkreis des Glaubens. Biberach a. d. Riss 1965. S. 107–148.

Warncke 1977. = Warncke, Martin: Peter Paul Rubens. Leben und Werk. Köln 1977. (= DuMont-Taschenbücher. 51.).

Warncke 1987. = Warncke, Carsten-Peter: Sprechende Bilder – sichtbare Worte. Das Bildverstehen in der frühen Neuzeit. Wiesbaden 1987. (= Wolfenbütteler Forschungen. Bd. 33.).

Wedewer/Jensen 1986. = Wedewer, Rolf / Jensen, Jens Christian (Hrsg.): Die Idylle. Eine Bildform im Wandel. Zwischen Hoffnung und Wirklichkeit, 1750–1930. Köln 1986. (= DuMont-Dokumente.).

Weitlauff 1985. = Weitlauf, Manfred: Die Reichskirchenpolitik des Hauses Bayern unter Kurfürst Max Emanuel (1679–1726). Vom Regierungsantritt Max Emanuels bis zum Beginn des spanischen Erbfolgekrieges (1679–1701). St. Ottilien 1985. (= Münchener theologische Studien. I. Historische Abteilung. Bd. 24.).

Wentzel 1942. = Wenzel, Hans: Maria mit dem Jesusknaben an der Hand. Ein seltenes deutsches Bildmotiv. In: Zeitschrift des Deutschen Vereins für Kunstwissenschaft. 9 (1942). S. 203–250.

Wentzel 1956. = Wentzel, Hans: Die Madonna mit dem Jesusknaben an der Hand aus Welver. In: Westfalen. Hefte für Geschichte, Kunst und Volkskunde. Münster 34 (1956). H. 1–3. S. 217–233.

Wentzel 1957. = Wentzel, Hans: Die Kornfeldlegende in Parchim, Lübeck, den Niederlanden, England, Frankreich und Skandinavien. In: Festschrift Kurt Bauch. Kunstgeschichtliche Beiträge zum 25. November 1957. Stuttgart/München 1957. S. 177–192.

Wentzel 1959. = Wentzel, Hans: Das Jesuskind an der Hand Mariae auf dem Siegel des Burkard von Winon 1247. In: Festschrift Hans R. Hahnloser zum 60. Geburtstag. Basel/Stuttgart 1959. S. 251–270.

Wentzel 1960. = Wentzel, Hans: Ad Infantiam Christi. Zu der Kindheit unseres Herren. In: Das Werk des Künstlers. Studien zur Ikonographie und Formgeschichte. Hubert Schrade zum 60. Geburtstag dargebracht von Kollegen und Schülern. hrsg. v. Hans Fegers. Stuttgart 1960. S. 134–160.

Wentzel 1965. = Wentzel, Hans: Die „Kornfeldlegende". In: Aachener Kunstblätter. (1965). H. 30. S. 131–143.

Wethey 1969. = Wethey, Harold E.: The Paintings of Titian. Bd. 1: The religious painting. London 1969.

Wilhelm-Kästner 1958. = Wilhelm-Kästner, Kurt: Gnadenstuhl und Madonna als Doppelfigur. Eine Studien zur westfälischen Plastik der ersten Hälfte des 15. Jahrhunderts. In: Festschrift Martin Wackernagel zum 75. Geburtstag. Hrsg. vom Kunsthistorischen Seminar der Universität Münster. Köln/Graz 1958. S. 82–101.

Wille 1986. = Wille, Clemens: Bildstöcke – Wegekreuze. Religiöse Kleinkunstdenkmale in Borgentreicher Stadtteilen. Borgentreich 1986.

Wimmer 1982. = Wimmer, Ruprecht: Jesuitentheater. Didaktik und Fest. Das Exemplum des ägyptischen Joseph auf den deutschen Bühnen der Gesellschaft Jesu. Frankfurt a. M. 1982. (= Das Abendland. N.F. 13. Forschungen zur Geschichte europäsichen Geisteslebens.).

Wirth 1968. = Wirth, Karl-August: Religiöse Herzemblematik. Biberach a. Riss 1968. (= Das Herz. Eine Monographie in Einzeldarstellungen.).

Witte 1932. = Witte, Fritz: Tausend Jahre deutscher Kunst am Rhein. Die Denkmäler der Plastik und des Kunstgewerbes auf der Jahrtausend-Ausstellung in Köln. 2. Tafelbd. Berlin 1932.

Wurzbach 1906/1910. = Wurzbach, Alfred von: Niederländisches Künstler-Lexikon. 2 Bde. Wien/Leipzig 1906/1910.

Wyss 1983. = Wyss, Robert, L.: Die Handarbeiten der Maria. Eine ikonographische Studie unter Berücksichtigung der textilen Techniken. In: Artes Minores. Dank an Werner Abegg. hrsg. v. Michael Stettler und Mechthild Lemberg. Bern 1983. S. 113–188.

Zenetti 1987. = Zenetti, Lothar: Das Jesuskind. Verehrung und Darstellung. München 1987.

Zglinicki 1983. = Zglinicki, Friedrich von: Geburt. Eine Kulturgeschichte in Bildern. Braunschweig 1983.

Zohner 1987. = Zohner, Wilhelm: Jesu Wandel – die Hl. Familie der Benediktinerinnen-Abtei Frauenchiemsee ein Werk Georg Petels? In: Altmann, Lothar (Hrsg.): Festschrift für Norbert Lieb zum 80. Geburtstag. München 1987. (= Jahrbuch des Vereins für christliche Kunst in München e. V. Bd. 16.). S. 87–96.

Zweite 1980. = Zweite, Armin: Martin de Vos als Maler. Ein Beitrag zur Geschichte der Antwerpener Malerei in der zweiten Hälfte des 16. Jahrhunderts. Berlin 1980.

Ztschr. Hl. Familie = Die heilige Familie. Monatschrift für die christliche Familie insbesondere für die Mitglieder des allgemeinen frommen Vereins der christlichen Familien zu Ehren der heiligen Familie von Nazareth. Hrsg. v. Isidor Mayer (Stadtpfarrprediger), ab Jg. 1896 Clemens Schlecht (Krankenhauskurat). Freising/München 1893 ff.

Ztschr. Kath. Familie = Die katholische Familie. Illustrierte Wochenschrift für das katholische Volk insbesondere für die Verehrer der hl. Familie und die Mitglieder des von Papst Leo XIII. eingeführten „Allg. Vereins der christlichen Familien zu Ehren der hl. Familie von Nazareth". Red. G. P. Lautenschlager. Augsburg 1894–1906.

PATROZINIEN

Einige Anmerkungen zu der Patrozinienliste, die chronologisch geordnet ist:

In der Rubrik ‚Bistum‘ habe ich mich um eine Zuordnung zum Bistum zur Zeit der Errichtung bzw. Gründung (Nachweis) der Kirchen, Kapellen, Bruderschaften u. ä. bemüht (GK = Gemeindekirche; Kap. = Kapelle; Gl. = Glocke; Br. = Bruderschaft; V = Verein).

Die Rubrik ‚Ort‘ soll hingegen eine rein geographische Hilfestellung sein, die die Landschaft, den Landkreis, den nächsten größeren Ort und schließlich den Ort, an dem das entsprechende Patrozinium vorkommt, angibt. Die Orte, die ich in die gegenwärtigen politischen Verwaltungsordnung nicht einordnen konnte, erscheinen zumeist mit der Angabe der im 18. und 19. Jahrhundert übergeordneten Dekanate, die ich den Kölner Visitationsprotokollen, sowie den alten Handbüchern und Schematismen der Bistümer entnommen habe.

Jahr	Bistum (hist.)	Ort	Art	Bezeichnung/Beschreibung
1335	B. Utrecht	Niederrhein, Kreis Kleve, Kleve, Huissen	Kap.	Hl. Familie (möglicherweise Seitenkapelle der 1335 geweihten Marienkirche; existiert nicht mehr)
1467	ErzB. Köln	Niederrhein, Kreis Kleve, Kerken, Aldekerk	GK	Hl. Familie (Nebenpatron)
1478	ErzB. Köln	Rheinland, Kreis Schleiden, Blankenheim, Kronenburg: St. Johannes Bapt.	Gl.	„Jesus Maria Joseph Johannes der deuffer beit Gott fur uns arme Sünder amen. MCCCCLXXVIII"
16. Jhdt.	ErzB. Köln	Belgien, Malmedy, Meyrode, kath. Pfarrkirche: St. Martin	Altar	Hl. Familie (heute: späte Kopie nach einem Bild aus dem 16. Jhdt.)
1559	B. Augsburg	Schwaben, Kreis Donauwörth, Wemding: GK St. Emmeran	Gl.	„CVM ESSET DESPONSATA IESV MARIA IOSEPH, ANTEQVA[m] CONVENIRENT. INVENTA EST IN VTERO HABENS DE SPIRITV SANCTO: MATH: 1. LVCE. 2" (nach Brand des Glockenturms, als Stiftung des bayerischen Herzogs Albrecht V.)
1588/1624	B. Freising	Schwaben, Lkr. Friedberg, Günzlhofen Schloßkapelle auf dem Spielberg	Kap.	Hl. Familie (unklar, ob mit dem ersten Bau (1588) oder dem Neubau des Schlosses von 1624 errichtet)
1592	B. Freising	München, Pfarrei: St. Ludwig (ehem. zu St. Peter)	Br.	Bruderschaft unter dem Namen und Schutze der heil. Familie; auch „Liebesbund von Jesus, Maria und Joseph" bzw. „Verein für Fußboten" oder „Verband der Kanzleiboten" genannt; 1838 in „Verein herrschaftlicher Diener umbenannt"
17. Jhdt.	B. Brixen	Tirol, Landeck, Pfunds, Greit, Obergreit	Kap.	Hl. Familie (Altarbild mit Hl. Familie von 1765)
1600	ErzB. Köln	Rheinland, Kreis Grevenbroich, Garzweiler: St. Pancratius	Gl.	„JESUS MARIA, JOSEPH, S. PANCRATIUS LAUDET PLEBS SALVATOREM. TEMPORE PRAEFECTI JOANNIS ROLANDI WEIERSTRAS ET R. D. P. ANTONII HEIDEN. GOERD VON STOMMEL GUS MICH. A. D. 1600"
1624/25 (N)	B. Würzburg	Würzburg	Br.	Katechismussodalität (Jesus, Maria, Joseph ?)
1631	B. Konstanz	Kanton Uri, Bürglen, Riedertal	Br.	Bruderschaft zu Ehren der Schmerzhaften Mutter und des hl. Joseph (als Vorform der JMJ-Br.en zu verstehen)
1642	B. Brixen	Tirol, Innsbruck, Hall, Mils	Altar	Hl. Wandel (bei Felmayer als Anna, Maria und Joachim bezeichnet; ehem. Altar der Anna-Kapelle)
1645	B. Augsburg	Schwaben, Lkr. Marktoberdorf, Wald, Bergers	Kap.	Zu Ehren der Flucht nach Ägypten (1678 Errichtung einer Josephsbruderschaft)
um 1650	B. Brixen	Tirol, Längenfeld (im Ötztal), Eigenhofen	Kap.	Flucht nach Ägypten unter dem Schutz Gottvaters (Hl. Wandel)

um 1650	B. Brixen	Tirol, Landeck, Kappl, Holdernach	Kap.	Hl. Familie (Altarbild mit Hl. Wandel)
1650	ErzB. Köln	Rheinland, Dekanat Meckenheim, Hilberath: St. Martinus	Br.	Bruderschaft Jesus, Maria, Joseph und St. Franz Xaverius von der christlichen Lehre (durch die Jesuitenpatres Henning Cnell und Johann Heringsdorff eingerichtet, am 31. 3. 1716 neu errichtet)
nach 1650	B. Eichstätt	Oberbayern, Ingolstadt, Pfarrkirche: St. Moritz, 2. Kapelle	Altar	Kindheit Christi (Joseph und Maria an der Wiege)
1654	B. Konstanz	Kanton Luzern, Hergiswil, Hergiswald: Loretokapelle	Br.	„Bruderschaft der Hausgenossen Jesu, Maria und Josef in der Loreto-Kapelle im Herrgottswald"
1655	B. Brixen	Tirol, Hall, Absam: St. Michael	Br.	„Bruderschaft zur Nachahmung des hl. Wandels Jesu, Mariä und Josefs" (bis 1780)
1658	B. Brixen	Tirol, Innsbruck, Baumkirchen: Annenkapelle	Altar	Hl. Familie (nach Felmayer Variante v. Annaselbdritt mit Joseph und Joachim; Gehversuche des kleinen Jesuskindes)
1659	ErzB. Köln	Rheinland, Rhein-Sieg-Kreis, Oberdollendorf	Br.	Bruderschaft Jesus, Maria, Joseph (durch den Zisterzienser Jacob Broichhausen (Bruchhausen) aus Heisterbach eingerichtet)
1660	B. Konstanz	Kanton Luzern, Wolhusen, Steinhausen: Filialkap.	Br.	Jesu, Maria und Josef (err. durch Weibel Melchior von Arburg, mit Gutheißen des 1. Pfarrers von Wolhusen, Leodegar von Meggen; Nachweis bis 1830)
1660	B. Freising	Oberbayern, Markt Schwaben, Isen	Br.	Jesus- Maria- und Joseph-Bruderschaft
1661	ErzB. Köln	Rheinland, Rhein-Sieg-Kreis, Niederkassel: St. Matthäus	Gl.	„JESUS, MARIA, JOSEPH CUM PATRONO NOSTRO SANCTO MATHAEO PRORI [...] PAROCHIAE HAE ET OMNIBUS HABITANTIBUS IN EA ET A FULGURE ET A TEMPESTATE NOS SEMPE[R] RESERVATE. CLAUD[IUS] LAMIRAL IN BONN ME FECIT ANNO 1661"
1664	B. Augsburg	Schwaben, Lkr. Kempten, Mittelberg, Bachtel: Kath. Filialkirche	GK	Dreifaltigkeit, Hl. Familie, Hl. Dreikönige (aufgrund der dreifachen personalen Trias besteht die Möglichkeit, daß bei der Hl. Familie im Bild an den Hl. Wandel gedacht worden ist)
1664	B. Konstanz	Kanton Luzern, Beromünster	Br.	Jesus, Maria und Josephbruderschaft auf dem Bürgermoos (möglicherweise Mitte des 18. Jhdts. in eine Josephsbr. übergegangen, bestand bis ca. 1906)
1664	B. Freising	Oberbayern, Lkr. Rosenheim, Högling, Weihenlinden: Wallfahrtskirche Trinität, Mariä Geburt, St. Joseph	Br.	„Bruderschaft der Heiligen Gesellschaft" (Jesus, Maria und Josephs-Br., Josephsbr.); besitzt zwei Josephsreliquien (Mantelstoff und Ring)
1665	ErzB. Salzburg	Tirol, Kufstein, Erl: St. Andreas Apost.	Br.	„Bruderschaft des hl. Wandels Jesus, Maria und Joseph"
1666	B. Freising	Oberbayern, Lkr. Erding, Dorfen: Marienwallfahrtskirche	Kap.	Jesus-, Maria-, Joseph-Kapelle (von der Rosenkranzbr. err. und betreut)
1666	B. Brixen	Tirol, Innsbruck, Matrei, Mühlbachl: Wallfahrtskirche Maria Waldrast	Altar	Hl. Wandel (linker Seitenaltar; nach Dehio: Hl. Familie auf der Wanderschaft, nach Felmayer: Anna-Maria-Joachim)
1667	B. Brixen	Tirol, Landeck, Serfaus a. Inn: U. L. Frau Mariä Himmelfahrt	Br.	Jesus-, Maria- und Josephsbruderschaft
1667	B. Augsburg	Oberbayern, Dekanat Egenhofen, Aufkirch a. d. Maisach	Br.	Bruderschaft zu Ehren Jesu, Mariä und Joseph (Josephsreliquie)
um 1669	ErzB. Köln	Rheinland, Kreis Schleiden, Dollendorf: Hl. Dreifaltigkeit (seit 1627, vorher: Joh. Bapt.)	Br.	Bruderschaft Jesus, Maria, Joseph (von dem Jesuiten Philipp Scouville errichtet; bis um 1819, 1856 wiedererr.)
1669	B. Freising	Oberbayern, München, München-Unterhaching	Br.	Jesus, Maria und Joseph Bruderschaft („Drei Personen Bruderschaft", 1671 conf.)
1669	B. Brixen	Südtirol, Laatsch: St. Luzius	Br.	„Erzbruderschaft zu Ehren des hl. Wandels von Jesus, Maria und Joseph"
1669	B. Brixen	Südtirol, Brixen, Franzensfeste/ Fortezza, Oberau	GK	Hl. Familie (1669 erbaut, 1720 abgebrannt, 1721 wieder aufgebaut)
1670	B. Brixen	Tirol, Imst, Längenfeld i. Ötztal, Am Kropfbüchl: Dreifaltigkeitskirche	Altar	Hl. Wandel (nach Felmayer: Anna-Maria-Joachim)
1670	B. Brixen	Tirol, Imst, Längenfeld i. Ötztal, Am Kropfbüchl: Dreifaltigkeitskirche	Br.	Jesus-, Maria- und Josefs-Bruderschaft

1670	ErzB. Köln	Rheinland, Dekanat Wipperfürth (?), Oberbreidenbach	Kap.	Ad S. Familiam (ohne Sanctissimum; die Baupflicht liegt bei der Gemeinde Linde: St. Joseph)
1673	B. Freising	Niederbayern, Kreis Kelheim, Mainburg, Au	Br.	Bruderschaft der Hl. Familie
1673	B. Eichstätt	Schwaben, Lkr. Donauwörth, Rögling: St. Peter und Paul	Br.	Bruderschaft Jesus-Maria-Joseph
1673	ErzB. Köln	Rheinland, Kreis Schleiden, Baasem: Mariä Geburt	Br.	Bruderschaft von Jesus, Maria, Joseph (von dem Jesuiten Philipp Scouville err.)
1674	B. Freising	Oberbayern, Dekanat Steinhöring, Zorneding (bei München), Möschenfeld	Br.	Bruderschaft Jesu, Mariä und Joseph
1674 (N)	B. Brixen	Tirol, Innsbruck, Pettnau, Pettnau-Leiblfing: St. Georg	Br.	Bruderschaft vom hl. Wandel („Bruderschaft des Wandels Jesu, Maria und Josephs"; „Bruderschaft zu Ehren des hl. Lebenswandels Jesus, Maria und Josephs" (1792))
1675	B. Freising	Oberbayern, Dekanat Wolfratshausen, Münsing	Br.	„Jesus, Maria und Joseph, die heiligste auf Erden wandelnde Gesellschaft" („Bruderschaft des allerheiligsten Vaters Joseph")
1676	B. Freising	München (Stadt): Josephsspitalkirche (gehörte zur Pfarrei St. Peter)	Br.	„Jesu, Mariä und Josephi-Bruderschaft. Löbliche Bruderschafft deß heiligen Wandels Jesus, Mariä und Josephs" (err. von dem Jesuiten Adam Schinabeck; in der Säkularisation aufgehoben)
1676	B. Augsburg	Schwaben, Lkr. Friedberg, Stäzling	Br.	Bruderschaft des heiligsten Wandels Jesus, Maria und Joseph
1677	B. Augsburg	Schwaben, Lkr. Dillingen, Dillingen (Stadt): Spitalkirche des Hofspitals: Hl. Geist	Br.	Bruderschaft unter dem Titel des hl. Lebens und Wandels Jesu, Maria und Joseph (Josephs-Bruderschaft)
1678	B. Brixen	Tirol, Innsbruck, Inzing, Hatting: St. Ägidius	Altar	Jesus, Maria, Joseph (Seitenaltar, nicht erhalten)
1678	B. Augsburg	Niederbayern, Landkapitel Hohenwart, Weichenried: St. Anna (südl. v. Ingolstadt)	Br.	Jesus, Maria und Joseph
1678	B. Augsburg	Schwaben, Lkr. Donauwörth, Mertingen: St. Martin	Gl.	„IESVS MARIA IOSEPH ANNA NOS CUM PROLE PIA BENEDICTA" (benedicat) (nach einem Brand neu gegossen)
um 1679	B. Konstanz	Kanton Schwyz, Schwyz, Biberegg: Loreto-Kapelle	Altar	Hl. Familie
1680	B. Bamberg	Mittelfranken, Lkr. Hiltpoltstein, Gräfenberg: St. Bartholomäus (Filialkirche)	Gl.	„IESVS : MARIA : JOSEPH / JOACHIM : ANNA : A : 1680"
um 1680	ErzB. Salzburg	Tirol, Kitzbühel, Reith: St. Ägidius und Silvester	Br.	Jesus-, Maria- und Joseph-Bruderschaft (1784 aufgehoben)
1681	ErzB. Salzburg	Tirol, Kitzbühel, Reith: St. Ägidius und Silvester	Altar	Verborgene Schnitzgruppe mit dem Hl. Wandel hinter dem Altarblatt des Hochaltars (Hll. Hubertus, Augustinus und Georg)
1682	B. Augsburg	Schwaben, Lkr. Wertingen, Unterschöneberg, Violau: Wallfahrtskirche St. Michael	Gl.	(Engelskopf) „IESVS MARIA IOSEPH" (Engelskopf) „VIVANT IN ETERNVM"
1683	B. Brixen	Südtirol, Franzensfeste/Fortezza, Oberau: Hl. Familie	Br.	Bruderschaft zu Jesus, Maria und Joseph
1684	B. Brixen	Tirol, Innsbruck, Gries am Brenner, Am Lueg: St. Sigismund und Christoph	Br.	Bruderschaft zu Jesus, Maria und Joseph (1811 aufgehoben)
1684	B. Trient	Tirol, Passeier: St. Martin	Br.	Jesus-, Maria- und Josephs-Bruderschaft
1685	B. Augsburg	Schwaben, Lkr. Sonthofen, Wertach: Wallfahrtskirche St. Joseph	Altar	Hl. Wandel (Altarbild, 1893 durch Brand zerstört)
1685	B. Konstanz	Schwaben, Lkr. Sonthofen, Greggenhofen, Untermaiselstein: Kap. St. Maria Magdalena	Gl.	„IESVS . MARIA . IOSEPH . S. ANNA . S: FRANCISCVS . S: ANNTONI . S: ELISABETHA ." (stammt aus der Kirche in Lenzfried, Kreis Kempten)
1685	B. Konstanz	Schwaben, Lkr. Sonthofen, Bühl, Ratholz: Kap. St. Martin	Gl.	„IESVS . MARIA . IOSEPH." (Schulterinschrift, Abb.: St. Wendelin und Martin; aus der abgebrochenen Wendelinskapelle des Ortes)

1685	ErzB. Köln	Rheinland, Dekanat Meckenheim, Adendorf: Jungfrau Maria	Br.	Bruderschaft Jesus, Maria, Joseph
1686	B. Augsburg	Schwaben, Lkr. Schwabmünchen, Prittriching, Winkl: St. Peter und Paul	Br.	Bruderschaft vom hl. Wandel Jesu, Maria und Joseph (Titularfest: St. Joseph, St. Michael; das Patronatsrecht der Kirche hatten die Jesuiten aus Landsberg a. Lech inne)
1686	B. Augsburg	Schwaben, Landkapitel Aichach (bei Augsburg), Tandern: Kap. U. L. Frau, Maria-Hilf-Kapelle	Br.	Bruderschaft „Jesus, Maria und Joseph um ein seliges Ende" (als „Bruderschaft des heiligen Wandels Jesus-Maria-Joseph" 1707 approbiert)
1686	B. Augsburg	Schwaben, Lkr. Dillingen, Blindheim, Gremheim: Filialkirche St. Andreas	Gl.	„iesvs – maria – ioseph . 1686" (heute nicht mehr vorhanden)
1687	ErzB. Köln	Rheinland, Kreis Schleiden, Alendorf: St. Agatha	Br.	Bruderschaft Jesus, Maria, Joseph
1687	ErzB. Köln	Rheinland, Kreis Bonn, Niederbachem: St. Gereon	Br.	Bruderschaft Jesus, Maria, Joseph (vom Jesuiten Philipp Scouville err.)
1687	B. Augsburg	Schwaben, Lkr. Günzburg, Ettenbeuren: B. Mariae V. in coelos assumptae	Gl.	„Iesvs Maria Ioseph sind protectio nostra contra fvlgvra grandines tempestates" (nach dem Einsturz des Kirchenturmes gegossen)
1687	B. Straßburg	Baden, Ortenaukreis (ehem. Kreis Bühl), Achern, Gamshurst: St. Nikolaus	Gl.	„Jesus Maria Joseph secunda Trinitas sit nostra salus et aeterna foelicitas" (heute verloren)
um 1687	B. Konstanz	Schwaben, Lkr. Sonthofen, Bühl, Ratholz: Kap. St. Martin	Altar	Tempelgang der Hl. Familie (evt. Hl. Wandel; ehemaliges Altarblatt aus der Wendelinskapelle)
vor 1688	ErzB. Köln	Rheinland, Rhein-Sieg-Kreis, Oberpleis: St. Pancratius	Br.	Bruderschaft Jesus, Maria, Joseph
um 1688	B. Augsburg	Schwaben, Lkr. Krumbach, Aichen, Bernbach: Kap. St. Joseph	Altar	Hl. Familie (Altar mit Figuren)
1688	B. Brixen	Tirol, Reutte, Biberwier bei Lermoos: Kapelle	Altar	Jesus, Maria, Joseph (heute nicht mehr vorhanden)
1690	B. Brixen	Tirol, Innsbruck, Patsch: St. Donatus Episcopus	Br.	Bruderschaft zu Jesus, Maria und Joseph
1690	B. Augsburg	Tirol, Reutte, Bichlbach	Br.	Jesus-, Maria- und Josefs-Bruderschaft (aus ihr ging die 1726 bestätigte Zunft der Maurer und Zimmerleute hervor, die schon 1710 die St. Josephs-Kirche des Ortes als Zunftkirche erbaute)
1690	ErzB. Köln	Rheinland, Dekanat Krefeld, Willich: St. Pancratius	Br.	Bruderschaft Jesus, Maria, Joseph zur Beförderung der christlichen Lehre (1830 wiedererr.)
1691	B. Brixen	Tirol, Landeck, Strengen: St. Martin	Br.	Jesus-, Maria- und Joseph-Bruderschaft
1691	ErzB. Köln	Rheinland, Kreis Bonn, Villip: St. Simon und Judas (Apostel)	Br.	Bruderschaft Jesus, Maria, Joseph (bis ca. 1878, 1887 neu err.)
1692	B. Brixen	Südtirol, Gsies: St. Martin	Br.	Bruderschaft zu Jesus, Maria und Joseph
1692	B. Konstanz	Württemberg, Kreis Biberach, Warthausen: St. Johannes Evangelist	Gl.	mit Abb. der Hl. Familie
1692	ErzB. Köln	Rheinland, Dekanat Münstereifel, Stotzheim: St. Martin	Br.	Bruderschaft Jesus, Maria, Joseph
1693	B. Augsburg	Schwaben, Lkr. Augsburg, Gablingen: Friedhofskap. St. Markus	Gl.	mit Abb. der Hl. Familie
nach 1693	ErzB. Köln	Rheinland, Dekanat Bonn, Endenich: St. Maria Magdalena	Br.	Bruderschaft von Jesus, Maria und Joseph zur Beförderung der christlichen Lehre (anstelle der 1693 gegr. Marianischen Liebesversammlung errichtet)
1694	B. Augsburg	Schwaben, Lkr. Donauwörth, Kaisheim: Mariä Himmelfahrt	Gl.	„ET / VERB – CARO – FACT / VM EST – IHS∼ MR∼A – IP∼H."
1694	B. Augsburg	Schwaben, Landkapitel Jettingen, (Lkr. Günzburg) Scheppach: Wallfahrtskirche Allerheiligen	Br.	Bruderschaft zu Ehren der hl. Familie (cons. 1779)
1694	B. Konstanz	Württemberg, Alb-Donau-Kreis (ehem. Kreis Ulm), Dietenheim: St. Martin	Gl.	mit Abb. der Hl. Familie mit der Taube des Hl. Geistes (evt. Hl. Wandel)
1694	B. Konstanz	Württemberg, Kreis Biberach, Winterstettendorf: St. Pankratius	Gl.	„MARIA IESVS IOSEPH." (Flanken-Abb. mit der Hl. Familie)
1696/1698	ErzB. Köln	Malmedy, Hünningen	Kap.	urspr. Hl. Familie. St. Quirinus, St. Nikolaus (heute: St. Joseph; 1925 Neubau)

1696	B. Augsburg	Schwaben Lkr. Marktoberdorf, Unterthingau: St. Nikolaus	Gl.	„S. TRINITATI CREATAE IESV MARIAE ET IOSEPHO CAMPANA EST CONSECRATA. A FVLGVRE ET TEMPESTATE LIBERA NOS DOMINE." (mit Abb. der hl. Familie; nach Kirchenbrand gegossen)
1697	B. Augsburg	Schwaben, Lkr. Füssen, Weissensee, Wies	Kap.	urspr.: Zu Ehren der hl. Namen Jesus, Maria und Joseph (heute: St. Joseph auf der Wies)
1697	B. Augsburg	Schwaben, Lkr. Füssen, Weissensee, Wies: Kap. S. Joseph auf der Wies	Gl.	Schulterinschrift: „IESVS MARIA IOSEPH" Schlaginschrift: „IN HONOREM S^{MAE} TRINITATIS CREATAE IESV MARIAE IOSEPH(I) ET S. MAGNIFIERI CVRAVIT GERARDVS ABBAS IN FVESSEN"
1697	B. Brixen	Südtirol, Brixen, St. Andrä: Mariahilf-Kap. im Friedhof	Br.	Bruderschaft zu Jesus, Maria und Joseph
1697	ErzB. Köln	Rheinland, Dekanat Siegburg, Bergheim an der Sieg: St. Lambertus	Br.	Bruderschaft Jesus, Maria, Joseph (zusammen mit der Trinitätsbr. gegründet)
zw. 1697–1720	ErzB. Köln	Rheinland, Dekanat Grevenbroich, Neukirchen-Hülchrath: St. Jacobus d. Ä.	Br.	Bruderschaft Jesus, Maria, Joseph (der Gründer, Pastor Adolph Hahn, stiftete außerdem eine Vikarie unter dem Titel Jesus, Maria, Joseph)
1698	B. Mainz	Württemberg, Kreis Buchen/ Odenwald, Walldürn	Br.	Seelenbruderschaft zu den drei heiligen Namen Jesus, Maria, Joseph („Sub titulo Jesu et Maria ac Sancti Josephi pro suffragio annimarum purgatorii")
1698	B. Brixen	Tirol, Innsbruck, Pettnau: B. Maria V.	Altar	Jesus, Maria, Joseph (linker Seitenaltar)
1698	B. Brixen	Tirol, Imst, Nassereith: Hl. Drei Könige	Altar	Jesus, Maria, Joseph (linker Seitenaltar, nicht erhalten); Gang der Hl. Familie nach Nazareth (rechter Seitenaltar aus der Mitte des 19. Jhdts.)
1699	B. Augsburg	Schwaben, Lkr. Sonthofen, Oberstdorf: Joh. Bapt.	Altar	Altarblatt: Hl. Familie mit Johannesknaben (1865 zerstört)
1699	B. Konstanz	Schwaben, Lkr. Sonthofen, Fischen: Marienkapelle	Altar	Altarblatt: Hl. Familie (nördl. Seitenaltar)
17. Jhdt. (Ende)	B. Augsburg	Schwaben, Lkr. Marktoberdorf, Geisenried	Br.	Bruderschaft zum Trost der armen Seelen („sub patrocinio Jesu, Mariae et Joseph")
17. Jhdt. (Ende)	ErzB. Salzburg	Tirol, Kufstein, Brixlegg: U. L. Frau	Altar	Hl. Wandel (linker Seitenaltar, Figurengruppe)
vor 1700	ErzB. Köln	Rheinland, Dekanat Hersel, Witterschlick: St. Laurentius	Br.	Bruderschaft Jesus, Maria, Joseph zur Beförderung der christlichen Lehre (es wurden alle Kommunionkinder der Pfarrei aufgenommen)
um 1700	B. Augsburg	Oberbayern, Lkr. Starnberg, Inning (am Ammersee)	Br.	Jesus-, Maria- und Joseph-Bruderschaft
um 1700	B. Salzburg	Tirol, Kitzbühel, Reith: St. Ägidius und Silvester	Altar	Maria und Joseph als Fürbitter vor dem Christuskind (Aufsatz: Tod Josephs; linker Seitenaltar)
um 1700	B. Brixen	Südtirol, Klausen: Kapuzinerkirche St. Felix v. Cantalicio	Altar	Hl. Familie mit Gottvater, Hl. Geist und Engels (Seitenaltar, von Carlo Cagnani)
um 1700	B. Augsburg	Schwaben, Lkr. Schwabmünchen, Wehringen: St. Georg, Maria, Urban (im 18. Jhdt. durch St. Joseph ersetzt)	Br.	Bruderschaft Jesus, Maria und Joseph
um 1700	B. Augsburg	Schwaben, Kempten: Seelenkap. (ehem. Friedhofskap.)	Altar	Die armen Seelen erflehen die Fürbitte der Hl. Familie
um 1700	B. Augsburg	Schwaben, Lkr. Memmingen, Attenhausen: Kap. St. Joseph	Altar	Altarblatt: Hl. Familie
Anfang 18. Jhdt.	ErzB. Köln	Rheinland, Kreis Bonn, Sechtem-Merten: St. Martinus	Br.	Bruderschaft Jesus, Maria, Joseph
Anfang 18. Jhdt.	ErzB. Köln	Rheinland, Kreis Bonn, Sechtem-Rösberg: St. Marcus	Br.	Bruderschaft Jesus, Maria, Joseph (von den Kapuzinern aus Euskirchen und den Franziskanern aus Brühl betreut)
Anfang 18. Jhdt.	ErzB. Köln	Rheinland, Dekanat Hersel, Waldorf: Erzengel Michael	Br.	Bruderschaft Jesus, Maria, Joseph
Anfang 18. Jhdt.	ErzB. Köln	Rheinland, Dekanat Hersel, Hemmerich: St. Aegidius	Br.	Bruderschaft von Jesus, Maria und Joseph
18. Jhdt.	ErzB. Köln	Rheinland, Dekanat Bonn, Kessenich	Br.	Bruderschaft zu Ehren Jesus, Maria und Joseph zur Verbreitung der christlichen Lehre (1889 wiedererr.)

18. Jhdt.	ErzB. Köln	Rheinland, Kreis Bonn, Berkum: St. Gereon	Br.	Bruderschaft Jesus, Maria, Joseph (1897 wiedererr.)
18. Jhdt.	ErzB. Köln	Rheinland, Rhein-Sieg-Kreis, Hennef-Geistingen: Erzengel Michael	Br.	Bruderschaft Jesus, Maria, Joseph
18. Jhdt.	B. Augsburg	Oberbayern, Lkr. Starnberg, Inning: Mariä Heimsuchung	Altar	Hl. Wandel (rechter Seitenaltar)
18. Jhdt.	B. Brixen	Tirol, Heinfels, Gschwendt	Kap.	Hl. Familie
18. Jhdt.	B. Augsburg	Schwaben, Lkr. Sonthofen, Gaisalpe: Wegkapelle	Altar	Altarblatt: Hl. Familie mit dem hl. Ignatius v. Loyola
18. Jhdt.	ErzB. Salzburg	Tirol, Kitzbühel, Kössen, Kramsach (auf der Josephshöhe)	Kap.	Hl. Familie
18. Jhdt.	B. Brixen	Tirol, Landeck, Serfaus, Madatschen	Kap.	Hl. Familie
18. Jhdt.	ErzB. Salzburg	Oberbayern, Traunstein, Surberg: Schneiderkapelle	Kap.	Hl. Familie
18. Jhdt. (1. Hälfte)	B. Konstanz	Schwaben, Lkr. Memmingen, Legau	Altar	Flucht nach Ägypten (Gleichzeitig: Fronleichnamsaltar)
1700	B. Augsburg	Schwaben, Lkr. Schwabmünchen, Baindelkirch, Holzburg: Kap. B. Mariae V. (Ende 17. Jhdt.)	Br.	Bruderschaft „Jesus, Maria und Joseph" (zus. mit der Weihe der Marienkapelle errichtet, 1807 nach Baidelkirch verlegt)
1700	ErzB. Köln	Rheinland, Dekanat Eifel, Oberehe (zw. Geroldstein u. Nürburg)	Br.	Bruderschaft Jesus, Maria, Joseph
1700	ErzB. Köln	Rheinland, Kreis Schleiden, Tondorf: St. Lambertus (Muttergottes, St. Joseph)	Br.	Bruderschaft von der christlichen Lehre
nach 1700 (frühes 18.Jhdt.)	B. Freising	Oberbayern, Lkr. Erding, Isen: St. Zeno	Altar	Jesus, Maria, Joseph (Altarbild: Flucht nach Ägypten, bez. Joh. Deg[ler])
nach 1700 (frühes 18. Jhdt.)	B. Regensburg	Niederbayern, Lkr. Dingolfing-Landau, Unterframmering: St. Michael	Altar	Hl. Familie (südl. Seitenaltar)
1701	B. Brixen	Südtirol, Kematen/Caminata, Außerpfitsch: St. Nikolaus	Br.	Jesus-, Maria- und Josephbruderschaft
1701	ErzB. Salzburg	Tirol, Kufstein, Angath (i. Inntal): Hl. Geist	Br.	Bruderschaft des Hl. Wandels („Bruderschaft unter dem Titel des hl. Lebenswandels von Jesus, Maria und Joseph")
1701	B. Regensburg	Niederbayern, Lkr. Dingolfing-Landau, Niederhöcking: St. Martin	Br.	Jesus-, Maria- und Joseph-Bruderschaft (1838 als Christenlehrbruderschaft nachgewiesen)
1701	ErzB. Köln	Malmedy, Hünningen: Kap. St. Josephi (ehem. Hl. Familie, Quirinus, Nikolaus)	Altar	Hl. Familie (Altarbild mit Wappen des Abtes Wilhelm Henn von Trier (1700–1727) und der Aufschrift: „GUILHELMVS HENN ABBAS MONASTERII SANCTI MATTHIAE ANNO 1701".)
um 1703	ErzB. Köln	Rheinland, Dekanat Eifel, Niederehe	Br.	Bruderschaft „in honorem Jesu, Mariae et Josephi pro solatio defunctorum"
1704 (N)	B. Brixen	Tirol, Kampill: St. Lucia	Br.	Bruderschaft zu Jesus, Maria und Joseph
1704	ErzB. Salzburg	Tirol, Kitzbühel, Hopfgarten (im Brixental): Hll. Apostel Jakobus d. Ä. und Leonhard	Br.	Jesus-, Maria- und Joseph-Bruderschaft
1704	ErzB. Salzburg	Oberbayern, Lkr. Rosenheim, Hasbach, Vachendorf	Br.	Jesus-, Maria- und Joseph-Bruderschaft
1705	B. Konstanz	Kanton Zug, Loreto bei Zug: Loreto-Kapelle	Altar	Hl. Wandel
1705	B. Konstanz	Württemberg, Bodensee-Kreis, Tettnang: St. Gallus	Gl.	mit Abb. der Hl. Familie in brenndem Herzen
um 1705	B. Augsburg	Tirol, Reutte, Vils: U. L. F. Mariä Himmelfahrt	Altar	Altarblatt: die Armen Seelen vor Christus, Maria und Joseph (linker Seitenaltar, von Paul Zeiller)
1706	B. Konstanz	Schwaben, Lkr. Sonthofen, Immenstadt: St. Nikolaus	Gl.	mit Abb. der Hl. Familie im brennendem Herzen. Überschrift: „WO EWR SCHATZ IST DA WIRDT AVCH SEIN EWR / HERTZ LVCAE XII." Unterschrift: „O DREY HERTZ LIEBSTE NAMEN / WO IHR KOMMET ZVSAMMEN / DA STEHT DAS HERTZ IN FLAMEN"

1706	B. Konstanz	Schwaben, Lkr. Sonthofen, Missen, Börlas: Wendelins-Kapelle	Altar	Altarblatt: Hl. Wandel
1707/1713	ErzB. Köln	Malmedy, Deidenberg	Kap.	St. Familiae (1707 erb., 1713 gew., 1791 umgebaut)
1708	ErzB. Köln	Rheinland, Kreis Bonn, Lessenich: St. Laurentius	Br.	Bruderschaft Jesus, Maria, Joseph
1709	B. Augsburg	Tirol, Reutte, Vils: U. L. F. Mariä Himmelfahrt	Br.	Jesus-, Maria- und Josephs-Bruderschaft
1709	ErzB. Köln	Rheinland, Rhein-Sieg-Kreis, Hennef: St. Simon und Judas Thaddäus (Apostel)	Br.	Bruderschaft Jesus, Maria, Joseph
1710	B. Konstanz	Württemberg, Kreis Ravensburg (ehem. Kreis Wangen), Isny: St. Jakobus und Georg	Gl.	mit Abb. der Hl. Familie in brennendem Herzen; Unterschrift: „UBI THESAURUS VESTER / IBI SIT ET COR VESTRUM / LUCAE XII."
1710	ErzB. Köln	Rheinland, Kreis Bonn, Miel: St. Georg	Br.	Bruderschaft Jesus, Maria, Joseph von der christlichen Lehre (1856 wiedererr.)
1710/1720	B. Augsburg	Schwaben, Lkr. Wertingen, Holzen: ehem. Benediktinerinnenkloster- kirche	Altar	Hl. Familie (nördl. Seitenaltar)
1711	B. Brixen	Tirol, Imst, Arzl im Pitztal, Blons	Kap.	Hl. Familie (mit Altarbild: Hl. Familie von 1850)
1711	B. Konstanz	Württemberg, Kreis Konstanz, Engen, Kommingen, Uttenhof	Kap.	„Jesu, Mariae et Joseph" (Filialkapelle)
1711	ErzB. Köln	Rheinland, Dekanat Hersel, Brenig: St. Evergislus	Br.	Bruderschaft Jesus, Maria, Joseph von der christlichen Lehre
1712	ErzB. Köln	Rheinland, Rhein-Sieg-Kreis, Sieglar: St. Johannes ante portam latinam	Br.	Bruderschaft Jesus, Maria, Joseph
um 1712	ErzB. Köln	Rheinland, Rhein-Sieg-Kreis, Troisdorf: St. Hippolytus	Br.	Bruderschaft Jesus, Maria, Joseph
um 1712	ErzB. Köln	Rheinland, Kreis Bonn, Sechtem: St. Nikolaus	Br.	Bruderschaft von Jesus, Maria, Joseph
zw. 1713–1719	ErzB. Köln	Rheinland, Dekanat Grevenbroich, Hoisten: St. Petrus	Br.	Bruderschaft Jesus, Maria, Joseph
1715	B. Konstanz	Schwaben, Lkr. Sonthofen, Missen, Wilhams: Kapelle hl. Joseph	Altar	Altarblatt: Hl. Wandel (nach dem Vorbild von Wertach)
1715	ErzB. Köln	Rheinland, Wissen: hl. Kreuz	Br.	Bruderschaft Jesus, Maria, Joseph (bis 1790)
1716	ErzB. Köln	Dekanat Eifel, Uxheim	Br.	„Confraternitas Doctrina[e] X[chris]tiana[e]"
1716	ErzB. Köln	Rheinland, Kreis Schleiden, Tondorf: St. Lambertus (Muttergottes, Joseph)	Altar	Jesus, Maria Joseph (linker Seitenaltar)
1716	ErzB. Köln	Rheinland, Rhein-Wupper-Kreis, Langenfeld-Richrath: St. Martin	Br.	Confraternitas „doctrina[e] christiana[e] sub invocatione: Jesu, Maria, Joseph"
1716 (N)	ErzB. Köln	Rheinland, Kreis Schleiden, Blankenheimerdorf: St. Peter und Paul (Nebenpatrone: Antonius Eremit. und Jesus, Maria, Joseph)	Br.	Bruderschaft Jesus, Maria, Joseph (vgl. Seitenaltar mit JMJ von nach 1716)
1716 (N)	ErzB. Köln	Rheinland, Kreis Schleiden, Rohr: Mariae Virg.	Br.	Bruderschaft der christlichen Lehre
um 1716	ErzB. Köln	Rheinland, Dekanat Eifel, Steffelen	Br.	Confraternitas „de doctrina[e] christiana[e] sub titulo Jesu Maria et Joseph"
um 1716	ErzB. Köln	Rheinland, Kreis Düsseldorf- Mettmann, Wittlaer	Br.	Bruderschaft Jesus, Maria, Joseph
um 1716	ErzB. Köln	Rheinland, Kreis Düsseldorf- Mettmann, Angermund	Br.	„Confraternitas doctrina[e] Christiana[e]"
nach 1716	ErzB. Köln	Rheinland, Kreis Schleiden, Blankenheimerdorf: St. Peter und Paul	Altar	Jesus, Maria, Joseph (Seitenaltar) vgl. JMJ-Bruderschaft mit Nachweis von 1716
1717	B. Brixen	Südtirol, Pfalzen: St. Cyriakus	Br.	Bruderschaft zu Jesus, Maria und Joseph
1717	B. Brixen oder Salzburg	Tirol, Nikolsdorf (früher Igglsdorf): St. Bartholomäus Apost.	Br.	Bruderschaft zu Jesus, Maria und Josef
1717	B. Augsburg	Schwaben, Lkr. Neuburg a. d. Donau, Rain a. Lech: Rathaus	Gl.	mit Abb. der Hl. Familie
1717	ErzB. Köln	Rheinland, Dekanat Rheinbach, Esch: St. Clemens	Br.	Bruderschaft Jesus, Maria, Joseph

1718	B. Augsburg	Schwaben, Lkr. Memmingen, Markt Rettenbach: Wallfahrtskirche Maria Schnee	Altar	Hl. Familie (rechter Seitenaltar)
1718	B. Freising	Schwaben, Lkr. Friedberg, Eismannsberg (bei Dachau): Filialkirche St. Castulus	Gl.	mit Abb. der Hl. Familie
1718	B. Fulda	Fulda: Probstei St. Michaelis	Br.	Jesus-Maria-Joseph zum Trost der verstorbenen Gläubigen
1718	Erzb. Köln	Rheinland, Dekanat Eifel, Amelen	Br.	„confraternitas Doctr[inae] X[chris]tiana[e]"
1719 (N)	ErzB. Köln	Rheinland, Dekanat Eifel, Hilgerath	Br.	„fraternitas doctrina[e] christiana[e]"
1719 (N)	ErzB. Köln	Rheinland, Dekanat Eifel, Lissendorff	Br.	„Confraternitas Doctrina[e] Christiana[e] sub titulo Jesu, Maria, Joseph"
1719 (N)	ErzB. Köln	Rheinland, Dekanat Eifel, Sarresdorff	Br.	Confraternitas „de doctrina[e] X[chris]tiana[e] sub invocare Jesu Maria et Joseph"
1719 (N)	ErzB. Köln	Rheinland, Kreis Schleiden, Schmidtheim: St. Martin	Br.	„confraternitas de doctrina[e] christiana[e]"
1719 (N)	ErzB. Köln	Rheinland, Dekanat Eifel, Weiler	Br.	confraternitas „de Jesu, Maria ex Josepho doctrina[e] christiana[e]"
1719 (N)	ErzB. Köln	Rheinland, Dekanat Eifel, Weisbaum	Br.	„confraternitas Doctrina[e] Christiana[e]"
1721 (N)	ErzB. Köln	Rheinland, Dekanat Zülpich, Contzen (= Kreis Monschau, Konzen: St. Peter?)	Br.	Bruderschaft Jesus, Maria, Joseph zur Beförderung der christlichen Lehre
1721 (N)	ErzB. Köln	Rheinland, Dekanat Siegburg, Rott: Mariä Heimsuchung	Br.	„Confraternitas Jesu Maria[e] Joseph[i]"
1721	ErzB. Köln	Rheinland, Rhein-Sieg-Kreis, Wahlscheid-Neuhonrath: Mariä Himmelfahrt	Br.	Bruderschaft Jesus, Maria, Joseph (durch den Volksmissionar Heinrich Krämer, der auch die Neugründung der Pfarrei Neuhonrath initiierte)
1721	ErzB. Köln	Rheinland, Dekanat Münstereifel, Mutscheid	Br.	Bruderschaft Jesus, Maria, Joseph
1722	B. Lüttich	Belgien, Eupen, Eynatten, Berlotte	Kap.	Jesus, Maria, Joseph
zw. 1722–1724	ErzB. Köln	Rheinland, Dekanat Hersel, Urfeld: St. Thomas	Br.	Bruderschaft Jesus, Maria, Joseph
um 1723	ErzB. Köln	Rheinland, Kreis Bonn, Werthoven, Fritzdorf: Maria, Georg und Sebastian	Altar	Hl. Familie (= Hl. Sippe; Maria, Joachim, Anna, Georg, Norbert, Joseph)
1723	ErzB. Köln	Rheinland, Kreis Bonn, Odendorf: St. Paulus	Br.	Bruderschaft Jesus, Maria, Joseph
1723 (N)	B. Trient	Südtirol, Vöran: St. Nikolaus	Br.	Jesus-, Maria- und Josephs-Bruderschaft vom guten Tod
1724	ErzB. Köln	Rheinland, Kreis Schleiden, Dekanat Blankenheim, Ormont: St. Margaretha	Br.	Bruderschaft von den armen Seelen unter Anrufung von Jesus Maria Joseph (1859 als Bruderschaft Jesus, Maria, Joseph von der christlichen Lehre nachgewiesen)
1724	B. Augsburg	Württemberg, Ostalbkreis, Neunheim (Röhlingen): Schutzengelkapelle	Gl.	mit Abb. der Hl. Familie (vermutl. Hl. Wandel)
1724	B. Augsburg	Schwaben, Dillingen: Stadtpfarrkirche St. Peter	Gl.	Schulterinschrift: „INIT. S. EVANG. Z ^{DVM} LVCAM / IN HONOREM CRVCIFIXI D.(omini) N.(ostri) IESV CHRISTI EIVSQUE VIRGINEAE MATRIS, AC PATRIS NVTRITY IN NOMINE / EIVSDEM S. ET CREATAE TRINITATIS CVI HONOR ET GLORIA IN SAECVLA SAECVLORVM AMEN." Schlaginschrift: „CUM ESSET DESPONSATA MATER + IESVS + MARIA IOSEPH" (Engelsköpfchen) „ANNO 1724"
nach 1724	ErzB. Köln	Rheinland, Siegkreis. Lauthausen-Bödingen: Schmerzhafte Mutter Maria	Br.	Bruderschaft Jesus, Maria, Joseph
1725	B. Brixen	Südtirol, Sexten/Sesto: Peter und Paul	Br.	Jesu-, Maria- und Joseph-Bruderschaft
1725/1726 (N)	ErzB. Köln	Rheinland, Düsseldorf-Bilck: St. Martin	Br.	„Confraternitas Jesu Maria ex Joseph"
1725/1726 (N)	ErzB. Köln	Rheinland, Düsseldorf-Itter: St. Suitbert	Br.	„confraternitas doctrina[e] christiana[e]"

1725/1726 (N)	ErzB. Köln	Rheinland, Kreis Düsseldorf-Mettmann, Ratingen: St. Peter und Paul	Br.	„Confraternitas de Jesu Maria et Joseph"
1727	B. Augsburg	Schwaben, Lkr. Sonthofen, Oberstdorf: Josephskapelle	Altar	Altarblatt: Hl. Familie (1873 verloren)
1727	ErzB. Köln	Rheinland, Dekanat Bergheim, Goltzheim	Br.	Bruderschaft Jesus, Maria, Joseph
1728	B. Augsburg	Schwaben, Lkr. Kaufbeuren, Gutenberg: St. Margareth	Gl.	„IESVS MARIA IOSEPH"
1728	ErzB. Köln	Rheinland, Siegkreis, Lauthausen-Happerschoß: St. Remigius	Br.	Bruderschaft Jesus, Maria, Joseph
1729	B. Augsburg	Schwaben, Lkr. Schwabmünchen, Schwabmünchen: Kap. Maria U. L. Frau	Gl.	„IESVS MARIA IOSEPH"
1729	B. Konstanz	Kanton Luzern, Rothenburg	Br.	Bruderschaft zu Ehren von Jesus, Maria und Josef (durch Anna Barbara Brunner und ihren Mann Jost Ottinger gestiftet)
um 1730	B. Augsburg	Schwaben, Lkr. Memmingen, Engetried: St. Blasius	Altar	Altarblatt: Hl. Familie
1730	B. Konstanz	Kanton Schwyz, Gersau	Br.	St. Annabruderschaft oder Meisterzunft (Patrone: Jesus, Maria, Joseph, Anna)
1730	B. Konstanz	Schwaben, Lkr. Lindau, Heimenkirch, Schloß Syrgenstein	Gl.	mit Abb. der Hl. Familie
1730	B. Brixen	Tirol, Innsbruck: Stadtpfarre St. Nikolaus	Br.	Jesus-, Maria- und Josefs-Bruderschaft, um Unbemittelten ein würdiges Begräbnis zu verschaffen (Nachweis bis 1857)
1731	B. Augsburg	Schwaben, Lkr. Neuburg a. d. Donau, Ambach: St. Martin	Gl.	mit Abb. der Hl. Familie (vermutl. Hl. Wandel; heute verloren)
1731	Erzb. Köln	Rheinland, Kreis Düsseldorf-Mettmann, Wittlaer: St. Remigius	Br.	Bruderschaft Jesus, Maria, Joseph von der christlichen Lehre
1731 (N)	ErzB. Köln	Rheinland, Dekanat Königswinter, Menden: St. Augustinus	Br.	Bruderschaft Jesus, Maria, Joseph
um 1732	ErzB. Köln	Rheinland, Dekanat Blankenheim, Hallschlag: St. Nikolaus	Br.	Bruderschaft von Jesus, Maria und Joseph (vermutlich während der 1732 abgehaltenen Volksmission durch die Jesuiten aus Münstereifel gegründet; 1747 erfolgt die Bitte um die Privilegierung eines Bruderschaftsaltares)
1732	ErzB. Köln	Rheinland, Kreis Schleiden, Dahlem: St. Hieronymus	Br.	Bruderschaft von Jesus, Maria, Joseph von der christlichen Lehre (umfaßt fast alle Pfarrmitglieder)
1733	B. Augsburg	Schwaben, Lkr. Mindelheim, Pfaffenhausen: St. Stephan	Gl.	mit Abb. der Hl. Familie (Hl. Wandel)
1733	B. Hildesheim	Niedersachsen, Kreis Hildesheim, Diekholzen-Barienrode	Br.	Bruderschaft vom christlichen Unterricht zu Ehren Jesus Maria Joseph
1733	B. Hildesheim	Niedersachsen, Kreis Hildesheim, Söhre	Br.	Bruderschaft vom christlichen Unterricht Jesus, Maria, Joseph (1888 neu err.)
zw. 1733–1752	ErzB. Köln	Rheinland, Siegkreis. Inger-Birk: Mariä Geburt	Br.	Bruderschaft Jesus, Maria, Joseph (gegr. durch den Minoriten Ludwig Pütz; 1869 wiedererr.)
um 1734	ErzB. Köln	Rheinland, Siegkreis, Aegidienberg: St. Aegidius	Br.	„Gesellschaft zu Ehren Jesus, Maria und Joseph"
1734	ErzB. Köln	Rheinland, Siegkreis, Honnef: St. Johannes Bapt.	Br.	„Bruderschaft oder Gesellschaft von Jesus, Maria und Joseph zur Beförderung der christlichen Lehre"
1734 (N)	ErzB. Köln	Rheinland, Kreis Schleiden, Uedelhoven: Maria Himmelfahrt	Br.	Bruderschaft Jesus, Maria, Joseph
1735	B. Hildesheim	Niedersachsen, Kreis Peine, Hohenhameln	Br.	Bruderschaft von der christlichen Lehre (Jesus-, Maria-, Joseph-Bruderschaft)
1735	B. Hildesheim	Niedersachsen, Kreis Hildesheim, Harsum, Adlum	Br.	Jesus-, Maria-, Joseph-Bruderschaft
1735	B. Hildesheim	Niedersachsen, Kreis Hildesheim, Schellerten, Ottbergen (gleichzeitig für Farmsen)	Br.	Bruderschaft von der christlichen Lehre (Jesus, Maria, Joseph)
1735	B. Hildesheim	Niedersachsen, Kreis Hildesheim, Harsum, Asel	Br.	Bruderschaft von der christlichen Lehre Jesus, Maria, Joseph (neu gegr. 1908)
1735	ErzB. Köln	Rheinland, Dekanat Siegburg, Lohmar: Johannis Enthauptung	Br.	Bruderschaft von Jesus, Maria und Joseph „sub patrocinio S. Francisci Xaverii et S. Antonii Paduani"

1736	B. Augsburg	Schwaben, Lkr. Krumbach, Bayersried, Ursberg: St. Joh. Ev. und Peter (ehem. Prämonstratenserklosterkirche)	Gl.	mit Abb. der Hl. Familie
1737	B. Augsburg	Schwaben, Lkr. Augsburg, Oberschöneberg: St. Ulrich	Gl.	mit Abb. der Hl. Familie (Hl. Wandel)
1737 (N)	ErzB. Köln	Rheinland, Kreis Schleiden, Kronenburg: St. Johannes Bapt.	Br.	Bruderschaft Jesus, Maria, Joseph
1737 (N)	ErzB. Köln	Rheinland, Kreis Schleiden, Mülheim: St. Johannes Bapt.	Br.	Bruderschaft Jesus, Maria, Joseph (1731 fand in der Pfarrei eine Volksmission der Jesuiten statt)
1738	ErzB. Köln	Rheinland, Kreis Köln, Esch am Griesberg: St. Martin	Br.	Confraternitas „de doctrina[e] Christiana[e] sub tit[itulo] Jesu Maria et Joseph"
1738 (N)	ErzB. Köln	Rheinland, Dekanat Neuss, Dormagen	Br.	„Confraternitas doctrina[e] Christiana[e] sub titulo Jesus Maria Joseph"
1738 (N)	ErzB. Köln	Rheinland, Köln-Worringen	Br.	„confraternitas [...] sub titulo J. M. Josephi, ex Doctrina [...] X[chris]tiana"
1739	ErzB. Köln	Westfalen, Kreis Recklinghausen, Dorsten: Kapelle der Klosterkirche der Ursulinen	Kap.	Ad S. Familiam
1739	B. Augsburg	Schwaben, Lkr. Wertingen, Markt: Schloßkap. St. Johannes Bapt.	Gl.	mit Abb. der Hl. Familie (Hl. Wandel)
1740	B. Augsburg	Schwaben, Lkr. Kempten, Mittelberg, Bachtel: Filialkirche Hl. Drei Könige, Hl. Familie, Hl. Dreifaltigkeit	Altar	Hl. Familie (nördl. Seitenaltar)
1740 (N)	ErzB. Köln	Rheinland, Kreis Bergheim, Lipp: St. Ursula	Br.	„Confraternitas doctrina[e] christiana[e]"
1740 (N)	ErzB. Köln	Rheinland, Kreis Bergheim, Sindorf: St. Ulrich	Br.	Confraternitas „sub Patrocinio Jesu, Maria, et Joseph servatur Catechesis"
um 1740 (N)	ErzB. Köln	Rheinland, Kreis Grevenbroich, Elfgen: St. Gregorius	Br.	Bruderschaft Jesus, Maria, Joseph
1740 (N)	ErzB. Köln	Rheinland, Kreis Jülich, Boslar: St. Gereon	Br.	Bruderschaft Jesus, Maria, Joseph
1740 (N)	ErzB. Köln	Rheinland, Dekanat Jülich, Correnteig	Br.	Bruderschaft Jesus, Maria, Joseph
1740 (N)	ErzB. Köln	Rheinland, Dekanat Jülich, Gewenich	Br.	Bruderschaft Jesus, Maria, Joseph
1740 (N)	ErzB. Köln	Rheinland, Kreis Jülich, Glimbach: St. Agatha	Br.	Confraternitas „Jesus Maria Joseph sive doctrina[e] X[chris]tiana[e]"
1740 (N)	ErzB. Köln	Rheinland, Dekanat Jülich, Lohn	Br.	confraternitas „Jesus Maria et Josephi de doctrina[e] X[chri]tiana[e]"
1740 (N)	ErzB. Köln	Rheinland, Dekanat Jülich, Merschen	Br.	confraternitas „Jesu M.[aria] Joseph, de doctrina[e] X[chri]tiana[e]"
1740 (N)	ErzB. Köln	Rheinland, Dekanat Jülich, Niederziehr	Br.	Bruderschaft Jesus, Maria, Joseph
1740 (N)	ErzB. Köln	Rheinland, Dekanat Jülich, Oberzier	Br.	„Confraternitas J. M. J."
1740 (N)	ErzB. Köln	Rheinland, Dekanat Jülich, Pattern (zu Gewenich)	Br.	Confraternitas „Jesu, Maria, Joseph (doctrina[e] X[chris]tiana[e])"
1740 (N)	ErzB. Köln	Rheinland, Reg.-Bez. Aachen. Jülich-Selgersdorf: St. Stephan	Br.	„Confraternitas Jesu, Maria, Joseph, de propaganda Doctrina[e] X[chris]tiana[e]"
1740 (N)	ErzB. Köln	Rheinland, Kreis Jülich, Titz: St. Cosmas und Damian	Br.	Bruderschaft Jesus, Maria, Joseph
1741	B. Augsburg	Schwaben, Lkr. Neuburg a. d. Donau, Ehekirchen: St. Stephan	Gl.	mit Abb. der Hl. Familie
1741	B. Augsburg	Schwaben, Lkr. Marktoberdorf, Unterthingau: Loreto-Kapelle	Altar	Hl. Familie mit Johannesknaben (Choraltar, von Johann Michael Zick)
1741	ErzB. Köln	Rheinland, Dekanat Grevenbroich, Otzenrath: St. Simon und Judas (Apostel)	Br.	Bruderschaft Jesus, Maria, Joseph
1741 (N)	ErzB. Köln	Rheinland, Dekanat Jülich, Berrendorff	Br.	„Confraternitas Jesu, Maria et Joseph"
1741 (N)	ErzB. Köln	Rheinland, Dekanat Jülich, Brachelen	Br.	Bruderschaft Jesus, Maria, Joseph

1741 (N)	ErzB. Köln	Rheinland, Kreis Jülich, Lych (zu Rödingen)	Br.	Bruderschaft Jesus, Maria, Joseph
1741 (N)	ErzB. Köln	Rheinland, Dekanat Jülich, Mercken (zu Pier)	Br.	Bruderschaft Jesus, Maria, Joseph
1741 (N)	ErzB. Köln	Rheinland, Kreis Jülich, Müntz: St. Peter	Br.	Bruderschaft Jesus, Maria, Joseph
1741 (N)	ErzB. Köln	Rheinland, Dekanat Jülich, Otweiler (Oidtweiler)	Br.	„Confraternitas sub titulo Jesu Maria Joseph habet doctrina[e] christiana[e]"
1741 (N)	ErzB. Köln	Rheinland, Dekanat Jülich, Pier	Br.	Bruderschaft Jesus, Maria, Joseph
1741 (N)	ErzB. Köln	Rheinland, Kreis Jülich, Rödingen	Br.	Bruderschaft Jesus, Maria, Joseph
1741 (N)	ErzB. Köln	Rheinland, Kreis Jülich, Titz-Spiel: St. Gereon	Br.	„Confraternitas Doctrina[e] X[chris]tiana[e]"
1741	ErzB. Köln	Rheinland, Kreis Geilenkirchen-Heinsberg, Süggerath	Br.	„confraternitas doctrina[e] christiana[e]"
1741 (N)	ErzB. Köln	Rheinland, Dekanat Jülich, Vicht	Br.	Christenlehrbruderschaft
1742 (N)	ErzB. Köln	Rheinland, Kreis Düren, Lendersdorf, Langenbroch	Br.	„Confraternitas J[esus]. M[aria]. J[oseph]. Gen. Doctrina[e] X[chris]tiana[e]"
1742 (N)	ErzB. Köln	Rheinland, Kreis Düren, Lendersdorf	Br.	Christenlehrbruderschaft
1742 (N)	ErzB. Köln	Rheinland, Dekanat Jülich, Moschenich	Br.	„Confraternitas doctrina[e] X[chris]tiana[e]"
1743	ErzB. Köln	Belgien, Malmedy, Robertville – Zur Bievel: St. Joseph	Altar	Hl. Familie auf der Flucht, über ihr die Taube und ein Engelkranz (evt. Hl. Wandel; von Louis Felix Rhenasteine aus Malmedy (1718–1798), gestiftet von Joseph Dester von Malmedy)
1743 (N)	B. Brixen	Südtirol, Bozen: Dompfarre	Br.	Bruderschaft des Hl. Wandels
1743 ff (N)	ErzB. Köln	Rheinland, Dekanat Ahr, Breysig (Brysach)	Br.	Christenlehrbruderschaft Jesus, Maria, Joseph
1743 ff (N)	ErzB. Köln	Rheinland, Dekanat Ahr, Brenich	Br.	„[con]fraternitas: Jesu M[aria]: Joseph"
1743 ff (N)	ErzB. Köln	Rheinland, Dekanat Ahr, Ahrweiler, Dernaw	Br.	„Confraternitas Doctrina[e] Christiana[e]"
1743 ff (N)	ErzB. Köln	Rheinland, Kreis Bonn, Heimerzheim	Br.	Bruderschaft Jesus, Maria, Joseph (Christenlehrbruderschaft)
1743 ff (N)	ErzB. Köln	Rheinland, Dekanat Ahr, Honingen bei Arham	Br.	„confraternitas doctrina[e] christiana[e] sub nomine J[esus]. M[aria]. J[oseph]."
1743 ff (N)	ErzB. Köln	Rheinland, Dekanat Münstereifel, Houverath: St. Thomas (Apostel)	Br.	Confraternitas „de doctrina[e] christiana[e] sub titulo Jesu, Maria, Josephi et Francisci Xaverii"
1743 ff (N)	ErzB. Köln	Rheinland, Dekanat Ahr, Kesseling	Br.	„Confraternitas de doctrina[e] christiana[e]"
1743 ff (N)	ErzB. Köln	Rheinland, Dekanat Ahr, Kirchsahr	Br.	„Confraternitas Doctrina[e] Christiana[e]"
1743 ff (N)	ErzB. Köln	Rheinland, Dekanat Ahr, Lind	Br.	„[con]fraternitas doctrina[e] christiana[e]"
1743 ff (N)	ErzB. Köln	Rheinland, Dekanat Ahr (Rheinbach), Metternich: St. Martinus	Br.	„Confraternitas doctrina[e] C[h]ristiana[e] Sub titula Jesus Maria Joseph" (1888 wiedererr.)
1743 ff (N)	ErzB. Köln	Rheinland, Dekanat Ahr, Mayschoß	Br.	Christenlehrbruderschaft
1743 ff (N)	ErzB. Köln	Rheinland, Dekanat Ahr, Neukirchen (bei Heymersheim)	Br.	„confraternitas Doctrina[e] Christiana[e]"
1743 ff (N)	ErzB. Köln	Rheinland, Dekanat Ahr, Ruperath	Br.	Christenlehrbruderschaft
1743 ff (N)	ErzB. Köln	Rheinland, Dekanat Brühl (Ahr), Schwadorf: St. Severinus	Br.	„confraternitas doctrina[e] X[chris]tiana[e]" (Bruderschaft Jesus, Maria, Joseph]
1743 ff (N)	ErzB. Köln	Rheinland, Dekanat Ahr, Vischell	Br.	„confraternitas Doctrina[e] Christiana[e]"
um 1743	ErzB. Köln	Rheinland, Kreis Euskirchen, Weilerswist: St. Martin	Br.	Confraternitas „Doctrina[e] Christiana[e] sub T[itu]l[a] J[esus]. M[aria]. et J[oseph]."
1743 ff (N)	ErzB. Köln	Rheinland, Dekanat Ahr (Hersel), Keldenich: St. Andreas	Br.	Christenlehrbruderschaft Jesus, Maria, Joseph
1743 ff (N)	ErzB. Köln	Rheinland, Dekanat Ahr (Hersel), Wesseling: St. Germanus	Br.	Bruderschaft Jesus, Maria, Joseph
1743 ff (N)	ErzB. Köln	Rheinland, Kreis Bonn, Lüftelberg: St. Petrus	Br.	Bruderschaft Jesus, Maria, Joseph (Christenlehrbruderschaft)
1744	B. Augsburg	Schwaben, Lkr. Neuburg a. d. Donau, Bertoldsheim: St. Michael	Gl.	mit Abb. der Hl. Familie (Hl. Wandel); Unterschrift: „IOSEPH ZAGLMAIR / GUETTETER."
1744	ErzB. Köln	Rheinland, Dekanat Bergheim (Siegburg), Altenrath: St. Georgius	Br.	Bruderschaft Jesus, Maria, Joseph (Christenlehrbruderschaft) (Mitglieder: alle Erstkommunikanten)

um 1744 (N)	ErzB. Köln	Rheinland, Kreis Bergheim, Blatzheim	Br.	Christenlehrbruderschaft Jesus, Maria, Joseph
um 1744 (N)	ErzB. Köln	Rheinland, Köln-Bocklemünd	Br.	„Confraternitas jesu, Maria et joseph sub titulo Sti Xaverii"
um 1744 (N)	ErzB. Köln	Rheinland, Dekanat Bergheim, Buir	Br.	„[con]fraternitas de doctrina[e] X[chris]tiana[e]"
um 1744 (N)	ErzB. Köln	Niederrhein, Kreis Geldern, Kapellen: St. Georg	Br.	Christenlehrbruderschaft Jesus, Maria, Joseph
um 1744 (N)	ErzB. Köln	Rheinland, Dekanat Bergheim (Grevenbroich), Gierath: St. Martinus	Br.	„confraternitas Jesus Maria Joseph, Doctrina[e] X[chris]tiana[e]"
um 1744 (N)	ErzB. Köln	Rheinland, Kreis Grevenbroich, Neukirchen-Hülchrath	Br.	„confraternitas J[esus]. M[aria]. J[oseph]"
um 1744 (N)	ErzB. Köln	Rheinland, Dekanat Bergheim, Kelz	Br.	„Confraternitas [...] Jesu, Maria et Josephi de doctrina[e] christiana[e]"
um 1744 (N)	ErzB. Köln	Rheinland, Kreis Bergheim, Oberaussem: St. Barbara	Br.	„Confraternitas Jesus, Maria, Josephi"
um 1744 (N)	ErzB. Köln	Rheinland, Dekanat Bergheim, Pingsheim	Br.	„Confraternitas jesu, maria et josephi"
um 1744 (N)	ErzB. Köln	Rheinland, Kreis Grevenbroich, Garzweiler: St. Pankratius	Br.	Christenlehrbruderschaft Jesus, Maria, Joseph
um 1744 (N)	ErzB. Köln	Rheinland, Dekanat Bergheim (Meckenheim), Arzdorf: St. Jakobus Apost.	Br.	Christenlehrbruderschaft Jesus, Maria, Joseph
um 1744 (N)	ErzB. Köln	Rheinland, Dekanat Grevenbroich (ehem. Bergheim), Neuenhausen: St. Cyriacus	Br.	Christenlehrbruderschaft Jesus, Maria, Joseph
um 1744	ErzB. Köln	Rheinland, Rheinisch-Bergischer Kreis, Porz-Zündorf: Mariä Geburt	Br.	Bruderschaft Jesus, Maria, Joseph (wiedererr. 1874)
1744 (N)	ErzB. Köln	Rheinland, Dekanat Bergheim, Borschenich (Borschemich)	Br.	„Confraternitas Doctrina[e] Sacra sub tit[ula] J[esus]. M[aria]. J[oseph]."
1744 (N)	ErzB. Köln	Rheinland, Kreis Bergheim, Glesch (Filiale von Pfaffendorf): St. Cosmas und Damian	Br.	„confraternitas Jesus Maria Joseph qua servatui conformiter Doctrina[e] christiana[e]" (um 1754)
1744 (N)	ErzB. Köln	Rheinland, Kreis Bergheim, Paffendorf: St. Pankratius	Br.	„confraternitas Doctrina[e]"
1744 (N)	ErzB. Köln	Rheinland, Dekanat Zülpich, Ameln	Br.	„confraternitas in nominis jesu et joseph [!] ac doctrina[e] X[chris]tiana[e]"
1744 (N)	ErzB. Köln	Rheinland, Dekanat Zülpich, Bützenbach	Br.	confraternitas „jesu et Maria [!] sub protectione S. Xaverii"
1744/45 (N)	ErzB. Köln	Rheinland, Kreus Euskirchen, Antweiler: St. Johannes Bapt.	Br.	„Confraternitas doctrina[e] X[chris]tiana[e] sub titulo Jesu, Maria, et Joseph"
1744/45 (N)	ErzB. Köln	Rheinland, Kreis Euskirchen, Schönau: St. Goar	Br.	„confraternitas Jesu Maria et Joseph de doctrina[e] christiana[e]"
1744/45 (N)	ErzB. Köln	Rheinland, Dekanat Eifel, Nohn	Br.	„confraternitas doctrina[e] X[chris]tiana[e]"
1744/45 (N)	ErzB. Köln	Rheinland, Kreis Ahrweiler, Nürburg	Br.	„confraternitas doctrina[e] christiana[e]"
1744/45 (N)	ErzB. Köln	Rheinland, Dekanat Eifel, Stadtkill	Br.	„Confraternitas Jesu, Maria et Joseph"
1744/45 (N)	ErzB. Köln	Rheinland, Dekanat Eifel, Wershoven	Br.	Confraternitas „sub titulo Jesu, Maria et Joseph" (Christenlehrbruderschaft)
1745	B. Konstanz	Württemberg (Südwürttemberg), Kreis Ravensburg, Wolfegg: Schloßkapelle	Gl.	mit Abb. der Hl. Familie (sitzend)
1745	ErzB. Köln	Rheinland, Dekanat Brühl, Berzdorf	Br.	Bruderschaft zu Ehren Jesus, Maria, Joseph (Christenlehrbruderschaft)
1745 (N)	ErzB. Köln	Rheinland, Kreis Düren, Lendersdorf, Langenbroch	Kap.	Jesus, Maria Joseph
1745 (N)	ErzB. Köln	Rheinland, Kreis Euskirchen, Bliesheim	Br.	Christenlehrbruderschaft
1745 (N)	ErzB. Köln	Rheinland, Kreis Düren, Hochkirchen: St. Victor	Br.	Bruderschaft Jesus, Maria, Joseph
1745 (N)	ErzB. Köln	Rheinland, Kreis Schleiden, Blankenheim: Mariä Himmelfahrt	Br.	Confraternits „SSma trinitatis, jesu, maria, Joseph"
1745 (N)	ErzB. Köln	Rheinland, Dekanat Jülich, Harrem	Br.	Bruderschaft Jesus, Maria, Joseph

1745 (N)	ErzB. Köln	Rheinland, Dekanat Jülich, Hushoven	Br.	confraternitas „doctrina[e] Christiana[e] sub N. Jesu Maria Joseph"
um 1745	B. Freising	Oberbayern, Bez.-Amt Mühldorf a. Inn, Grafengars (Klostergars): St. Michael	Altar	Hl. Familie (Seitenaltar)
1745	ErzB. Köln	Rheinland, Dekanat Rheinbach, Neukirchen-Sürth: St. Margaretha	Br.	Bruderschaft Jesus, Maria, Joseph
1746	B. Hildesheim	Niedersachsen, Dekanat Gronau, Poppenburg	Br.	Jesus- Maria- Joseph-Bruderschaft
1746	ErzB. Köln	Rheinland, Kreis Grevenbroich, Bedburdyck: St. Martinus	Br.	Christenlehrbruderschaft Jesus, Maria, Joseph
1746	ErzB. Köln	Rheinland, Dekanat Grevenbroich, Hemmerden: St. Maurus	Br.	Christenlehrbruderschaft Jesus, Maria, Joseph
1748 (N)	B. Regensburg	Niederbayern, Dingolfing	Br.	Christenlehrbruderschaft Jesus, Maria, Joseph
1748	ErzB. Köln	Rheinland, Kreis Bergheim, Niederembt	Br.	„confraternitas doctrina[e] X[chris]tiana[e]"
1748	ErzB. Köln	Rheinland, Kreis Bonn, Godesberg-Rüngsdorf: St. Andreas, Maria, Joseph	Br.	„Bruderschaft zu Ehren Jesus, Maria und Joseph zur Beförderung der christlichen Lehre"
1748	ErzB. Köln	Rheinland, Kreis Bonn, Oberbachem: Drei Könige	Br.	Bruderschaft Jesus, Maria, Joseph (von dem Sekretär im Kapitel des Aargauer Dekanats, Pfarrer Bernhard Meyer, err.)
1749	B. Augsburg	Schwaben, Lkr. Kaufbeuren, Irsee: St. Stephan	Br.	„Bruderschaft unter dem Titel Jesus, Maria und Joseph um eine selige Sterbestunde" (err. von Abt des Klosters Irsee, Bernhard Beck (1731–1765))
um 1750	B. Augsburg	Schwaben, Lkr. Memmingen, Engetried: St. Blasius	Altar	Altarblatt: Hl. Familie mit der Familie von Joh. Bapt. (Seitenaltar)
um 1750	B. Augsburg	Schwaben, Lkr. Dillingen, Obermedlingen	Altar	Hl. Familie (südl. Seitenaltar) Altarblatt: Tod Josephs
um 1750	ErzB. Köln	Rheinland, Dekanat Siegburg, Mondorf: St. Laurentius	Br.	Bruderschaft Jesus, Maria, Joseph
1750	B. Freising	Oberbayern, Lkr. Bad Tölz-Wolfratshausen, Lenggries	Br.	Jesus- Maria- und Joseph-Versammlung
1750	B. Augsburg	Schwaben, Lkr. Augsburg, Stadtbergen: St. Nikolaus	Gl.	mit Abb. der Hl. Familie (Hl. Wandel) zwischen Engelchen (heute verloren)
nach 1750	B. Brixen	Tirol, Landeck, Kappl, Bild	Altar	Hl. Familie
nach 1750	B. Regensburg	Niederbayern, Lkr. Dingolfing-Landau, Mengkofen, Obertundingen: St. Katharina	Altar	Hl. Familie mit der hl. Katharina
1752	B. Freising	Oberbayern, Lkr. Dachau, Dachau:	Br.	„Liebesbund christlicher Herzen zur Liebe des Nächsten und zu den hl. Herzen Jesu, Mariä und Joseph"
1752	B. Augsburg	Schwaben, Lkr. Neuburg a. d. Donau, Mauern: ehem. Wallfahrtskirche Mariä Himmelfahrt	Gl.	mit Abb. der Hl. Familie (Hl. Wandel)
1752	ErzB. Salzburg	Tirol, Kössen	Br.	Geistlicher Bund unter dem Schutz von Jesus, Maria, Joseph für die Verheirateten und der Unbefleckten [Mutter Maria] für die Ledigen
1752 (N)	ErzB. Köln	Rheinland, Dekanat Eifel, Brokenheidt	Br.	„confraternitas doctrina[e] christiana[e]"
1752 (N)	ErzB. Köln	Rheinland, Dekanat Eifel, Rokeskiel	Br.	„Confraternitas Doctrina[e] X[chris]tiana[e]"
1752 (N)	ErzB. Köln	Rheinalnd, Dekanat Eifel, Uhs	Br.	„confraternitas X[chris]tiana[e] doctrina[e]"
1752 (N)	ErzB. Köln	Rheinland, Dekanat Eifel, Ulmen	Br.	„confraternitas doctrina[e] Christiana[e] sub titulo Jesus Maria ex Joseph"
1752/54 (N)	ErzB. Köln	Rheinland, Dekanat Eifel, Baarweiler	Br.	Confraternitas „Jesu M[aria]. Josephi"
1752/54 (N)	ErzB. Köln	Rheinland, Dekanat Eifel, Hümmel	Br.	„confraternitas [...] J[esus]: M[aria]: et ioseph"
1752/54 (N)	ErzB. Köln	Rheinland, Dekanat Eifel, Oberehe	Br.	„[con]fraternitas de doctrina[e] christiana[e] sub titulo et nomine Jesu, Maria, et Joseph"
1752/54 (N)	ErzB. Köln	Rheinland, Dekanat Eifel, Weinfeldt	Br.	„Confraternitas Doctrina[e] Christiana[e]"
nach 1752	ErzB. Köln	Rheinland, Dekanat Münstereifel, Kirspenich: St. Bartholomäus Apost.	Br.	Bruderschaft Jesus, Maria, Joseph

1753 (N)	ErzB. Köln	Rheinland, Dekanat Bergheim, Berckdorff	Br.	„Confraternitas doctrina[e] X[chris]tiana[e]"
1753 (N)	ErzB. Köln	Rheinland, Dekanat Bergheim, Fliesteden	Br.	„Confraternitas subtitulo J[esus]. M[aria]. J[oseph]."
1753 (N)	ErzB. Köln	Rheinland, Dekanat Bergheim, Geyen	Br.	Christenlehrbruderschaft
1753 (N)	ErzB. Köln	Rheinland, Dekanat Bergheim, Nettesheim	Br.	„confraternitas doctrina[e] christiana[e]"
1753 (N)	ErzB. Köln	Rheinland, Dekanat Bergheim, Morcken	Br.	„[con]fraternitas J[esus]. M[aria]. J[oseph]".
1753 (N)	ErzB. Köln	Rheinland, Kreis Bergheim, Quadrath: St. Laurentius	Br.	Bruderschaft Jesus, Maria, Joseph
1753 (N)	ErzB. Köln	Rheinland, Kreis Köln, Brühl: St. Margaretha	Br.	Christenlehrbruderschaft Jesus, Maria, Joseph
1753 (N)	ErzB. Köln	Rheinland, Kreis Köln, Immendorf: St. Servatius	Br.	Bruderschaft Jesus, Maria, Joseph
1753 (N)	ErzB. Köln	Rheinland, Dekanat Brühl (ehem. Bergheim), Meschenich: St. Blasius Ep.	Br.	Christenlehrbruderschaft Jesus, Maria, Joseph
1753 (N)	ErzB. Köln	Rheinland, Kreis Jülich, Titz-Mündt: St. Urban	Br.	Christenlehrbruderschaft
1753 (N)	ErzB. Köln	Rheinland, Dekanat Brühl (ehem. Bergheim), Hermülheim: St. Severinus Ep.	Br.	Christenlehrbruderschaft Jesus, Maria, Joseph (1882 wiedererr.)
1753	B. Augsburg	Schwaben, Lkr. Dillingen, Dillingen: Mitteltorturm	Gl.	mit Abb. der Hl. Familie
1753	ErzB. Köln	Rheinland, Rhein-Sieg-Kreis, Troisdorf: St. Hippolytus	Gl.	„S. ANNONIS. S. SEBASTIANI. S. ROCHI UND S. ANTONII ABBATIS; IN EHREN JESUS, MARIA, JOSEPH; STI HIPPOLITI, MEISTER JACOB HILDEN GOSS MICH IN CÖLLEN ANNO 1753"
1753/54 (N)	ErzB. Köln	Rheinland, Kreis Euskirchen, Lechenich: St. Kilian	Br.	Christenlehrbruderschaft Jesus, Maria, Joseph
1754 (N)	ErzB. Köln	Rheinland, Kreis Bergheim, Kaster: St. Georg	Br.	„Confraternitas [. . .] doctriana christiana"
1754 (N)	ErzB. Köln	Rheinland, Dekanat Bergheim, Gotteskirchen	Br.	„Doctrina[e] christiana[e] Confrater[nitas]"
1754 (N)	ErzB. Köln	Rheinland, Kreis Schleiden, Zingsheim: St. Peter	Br.	„sola Confraternitas de doctrina[e] X[chris]tiana[e]"
1754 (N)	ErzB. Köln	Rheinland, Kreis Schleiden, Alenborn (Alpendorf?)	Br.	„Confraternitas in honorem Jesu Maria et Josephi"
1754 (N)	ErzB. Köln	Rheinland, Dekanat Zülpich, Bergstein	Br.	„[confraternitas] de jesu,: m[aria]: et Joseph"
1754 (N)	ErzB. Köln	Rheinland, Dekanat Zülpich, Eicherscheidt	Br.	„Confraternitas Jesu Maria et Josephi"
1754 (N)	ErzB. Köln	Rheinland, Dekanat Zülpich, Embken	Br.	„confraternitas Jesu, Maria et Josephi"
1754 (N)	ErzB. Köln	Rheinland, Kreis Euskirchen, Zülpich-Hoven	Br.	„confraternitas sub titulo jesu maria joseph"
1754 (N)	ErzB. Köln	Rheinland, Kreis Monschau, Kalterherberg	Br.	„Confraternitas Jesus, Maria, Josephi"
1754 (N)	ErzB. Köln	Rheinland, Dekanat Zülpich, Kesternich	Br.	„Confraternitas in honorem Jesu Maria ex Josephi"
1754 (N)	ErzB. Köln	Rheinland, Kreis Düren, Nideggen: St. Johannes Bapt.	Br.	„[confraternitas] J[esus]: M[aria]: Joseph"
1754 (N)	ErzB. Köln	Rheinland, Dekanat Zülpich, Rohren	Br.	„Confraternitas Jesu, Mariae, et Josephi"
1754 (N)	ErzB. Köln	Rheinland, Dekanat Zülpich, Schmidt	Br.	„Confraternitas doctrina[e] christiana[e] J[esus]: M[aria]: J[oseph]:"
1754 (N)	ErzB. Köln	Rheinland, Dekanat Zülpich, Simmerath	Br.	„[confraternitas] Jesu, maria, joseph"
1754 (N)	ErzB. Köln	Rheinland, Kreis Monschau, Vossenack	Br.	„Confraternitas Doctrina[e] Christiana[e] sola"

1754 (N)	ErzB. Köln	Rheinland, Kreis Monschau, Zweifall: St. Rochus	Br.	„confraternitas sub [titulo]: jesus maria joseph"
1755	ErzB. Köln	Rheinland, Dekanat Blankenheim, Udenbreth: St. Hubertus, Maria und St. Wendelin	Br.	„Jesu, Mariä und Joseph, zur Erhaltung eines glückseligen Todes unterm Schutz des h. Francisci Xaveri" (1869 erneuert)
1755 (N)	ErzB. Köln	Rheinland, Dekanat Deutz, Bechen	Br.	„Confraternitas Jesu Maria Joseph"
1755 (N)	ErzB. Köln	Rheinland, Dekanat Deutz, Burg	Br.	„Confraternitas [...] doctrina[e] Christiana[e] sub patrocinio jesu maria et joseph"
1755 (N)	ErzB. Köln	Rheinland, Dekanat Deutz, Bürrich	Br.	„confraternitas doctrina[e] christiana[e]"
1755 (N)	ErzB. Köln	Rheinland, Dekanat Deutz, Kürten	Br.	„confraternitas doctrina[e] christiana[e]"
1755 (N)	ErzB. Köln	Rheinland, Dekanat Deutz, Mülheim	Br.	Bruderschaft Jesus, Maria, Joseph
1755 (N)	ErzB. Köln	Rheinland, Rheinisch-Bergischer-Kreis, Niederzündorf: Mariä Geburt	Br.	„Confraternitas doctrina[e] christiana[e]"
1755 (N)	ErzB. Köln	Rheinland, Rheinisch-Bergischer-Kreis, Oberzündorf: St. Martin	Br.	„confraternitas Doctrina[e] Christiana[e]"
1755 (N)	ErzB. Köln	Rheinland, Rheinisch-Bergischer-Kreis, Olpe	Br.	„Confraternitas Jesus Maria Joseph"
1755 (N)	ErzB. Köln	Rheinland, Reg.-Bez. Düsseldorf, Opladen	Br.	„confraternitas doctrina[e] x[chris]tiana[e]"
1755 (N)	ErzB. Köln	Rheinland, Reg.-Bez. Düsseldorf, Leverkusen-Schlebusch: St. Andreas	Br.	„confraternitas doctrina[e] christiana[e]"
1755 (N)	ErzB. Köln	Rheinland, Dekanat Deutz, Steinbüchel	Br.	„confraternit[as] de[.] Jesu Maria et Joseph"
1755 (N)	ErzB. Köln	Rheinland, Dekanat Deutz, Wistorff	Br.	Bruderschaft Jesus, Maria, Joseph
1755 (N)	ErzB. Köln	Rheinland, Kreis Schleiden, Vlatten: St. Dionysius	Br.	„Confraternitas de doctrina[e] X[chris]tiana[e]"
1757	ErzB. Köln	Rheinland, Rhein-Sieg-Kreis, Dekanat Siegburg, Lohmar: St. Johannis Enthauptung	Altar	Jesus, Maria und Joseph (Seitenaltar, der mit Ablässen zwecks Totengedenken belegt war)
1759	Quasidiözese Berchtesgaden	Oberbayern, Berchtesgaden, Schloß Fürstenstein	Kap.	Hl. Familie (Nebenpatrozinium, Hauptpatron: St. Joachim; erb. v. Fürstprobst Michael Balthasar)
1759	B. Augsburg	Schwaben, Lkr. Kempten, Mittelberg, Haslach	Altar	Hl. Familie (nördl. Seitenaltar)
1759	ErzB. Köln	Rheinland, Kreis Geldern, Kapellen: St. Georg	Br.	„Confraternitas Jesus, Mariae et Joseph"
1759	ErzB. Köln	Rheinland, Reg.-Bez. Düsseldorf, Neuss-Holzheim: St. Martin	Br.	Christenlehrbruderschaft Jesus, Maria, Joseph (bestand bis 1882)
1760	B. Hildesheim	Niedersachsen, Kreis Hildesheim, Gießen, Groß-Förste	Br.	Bruderschaft vom christlichen Unterrichte unter Anrufung der Namen Jesus, Maria, Joseph
1760	B. Hildesheim	Niedersachsen, Kreis Goslar, Vienenburg, Wiedelah	Br.	Bruderschaft vom christlichen Unterricht: Jesus, Maria, Joseph
1760	B. Hildesheim	Niedersachsen, Kreis Hildesheim oder Peine, Dingelbe	Br.	Bruderschaft von der christlichen Lehre zu Ehren Jesus, Maria, Joseph (1885 neu err.)
1760	ErzB. Köln	Rheinland, Kreis Geldern, Kapellen-Gilverath: St. Cosmas und Damian (später: St. Clemens)	Br.	Bruderschaft Jesus, Maria, Joseph (Matrikelbücher bis 1796)
1760 (N)	ErzB. Köln	Rheinland, Dekanat Jülich, Arths	Br.	Christenlehrbruderschaft Jesus, Maria, Joseph
1760 (N)	ErzB. Köln	Rheinland, Dekanat Jülich, Dohr	Br.	„confraternitas Doctrina[e] christiana[e]"
1761/68	ErzB. Salzburg	Tirol, Kitzbühel, Hopfgarten (im Brixental): Hll. Apostel Jakobus d. Ä. und Leonhard	Altar	Altarblatt: Hl. Familie als Trost der Armen Seelen (rechter Seitenaltar, von J. Weiss)
1762	B. Würzburg	Baden-Württemberg, Lkr. Ansbach, Virnsberg, Neustetten: Filialkirche St. Jakob	Altar	Hl. Familie (rechter Seitenaltar)
1763	B. Eichstätt	Schwaben, Lkr. Donauwörth, Rögling	Br.	Jesus-, Maria-, Joseph-Bruderschaft
1766/1769	B. Freising	Oberbayern, Starnberg: St. Joseph	Altar	Hl. Familie mit den Heiligen Nepomuk und Franz Xaver (von Ignaz Günther)
zw. 1766–1812 (N)	ErzB. Köln	Rheinland, Siegkreis, Hennef-Geistingen: Erzengel Michael	Altar	Jesus, Maria, Joseph (Seitenaltar, erwähnt von Pfarrer Johann Wilhelm Klostermann)

1767	B. Konstanz	Württemberg, Alb-Donau-Kreis (ehem. Kreis Ehingen), Schmiechen: St. Vitus	Gl.	Inschrift: „IESUS . MARIA . IOSEPH . IN . HONOREM". Mit Abb. der Hl. Familie (wahrscheinl. Hl. Wandel)
1768	ErzB. Köln	Rheinland, Kreis Köln, Hürth-Effern: Nativitas B. M. V.	Br.	Christenlehrbruderschaft Jesus, Maria, Joseph
1768	ErzB. Köln	Rheinland, Dekanat Grevenbroich, Wanlo: Mariä Himmelfahrt	Br.	Bruderschaft Jesus, Maria, Joseph (1869 wiedererr.)
1769	B. Augsburg	Schwaben, Lkr. Augsburg, Täfertingen: Mariä Himmelfahrt	Br.	„Jesus, Maria und Joseph, zur Erlangung einer glücklichen Sterbestunde"
1770	B. Trient	Südtirol, Ridnaun: St. Joseph	Br.	Bruderschaft zu Jesus, Maria, Joseph
1770/1780	B. Augsburg	Schwaben, Lkr. Nördlingen, Öttingen: Spitalkirche	Altar	Altarplastik: Hl. Wandel (nördl. Seitenaltar)
1772	B. Brixen	Südtirol, Sterzing	Br.	Bruderschaft vom hl. Wandel (Bruderschaft Jesus, Maria, Joseph um ein glückseliges End der Sterbenden)
1772	ErzB. Köln	Rheinland, Dekanat Rheinbach, Müggenhausen	Br.	Bruderschaft Jesus, Maria, Joseph (1867 wiedererr.)
1773	B. Augsburg	Schwaben, Kreis Neu-Ulm, Oberelchingen: Maria (ehem. Benediktinerklosterkirche)	Gl.	mit Abb. der Hl. Familie
1775	B. Trient	Südtirol, Kampenn	GK	Hl. Familie
um 1775	B. Trient	Südtirol, Kampenn: Hl. Familie	Altar	Altarbild: Hl. Familie (von C. Henrici)
1778	B. Augsburg	Schwaben, Lkr. Marktoberdorf, Bidingen, Königsried: St. Stephan und Ulrich	Gl.	„IESUS MARIA IOSEPH"
1783	B. Hildesheim	Niedersachsen, Kreis Hildesheim? Dekanat Detfurth, Itzum	Br.	Bruderschaft vom christlichen Unterricht zu Ehren von Jesus, Maria, Joseph
vor 1784	ErzB. Salzburg	Tirol, Reith bei Kitzbühel: St. Ägidius und Silvester	Br.	Jesus-, Maria-, Joseph-Bruderschaft (vermutlich von ca. 1680, da aus dieser Zeit zwei Hl. Familie-Altäre in der Kirche von Reith stammen)
1784	B. Augsburg	Schwaben, Lkr. Dillingen, Schabringen	Altar	Flucht nach Ägypten (nördl. Seitenaltar)
1785	B. Konstanz	Württemberg, Kreis Saulgau (heute z. T. Kreis Biberach, Kreis Sigmaringen), Upflamör: St. Blasius	Gl.	mit Abb. der Hl. Familie
1788 (N)	ErzB. Köln	Rheinland, Dekanat Grevenbroich, Hoisten: St. Petrus	Altar	Zu Ehren der Hl. Familie Jesus, Maria, Joseph (Seitenaltar)
1793	B. Konstanz	Württemberg, Ost-Alb-Kreis (ehem. Kreis Schwäbisch Gmünd), Wißgoldingen: St. Johannes Baptist	Gl.	mit Abb. der Hl. Familie
1794	B. Brixen	Tirol, Imst: Kapuzinerkirche St. Joseph	Altar	Hl. Familie (Altarbild; Ruhe auf der Flucht; bez. J. Kranewitter 1794)
1794	B. Konstanz	Schwaben, Lkr. Kempten, Weitenau, Bühl: Kapelle	Gl.	mit Abb. der Hl. Familie
1794	ErzB. Köln	Rheinland, Sieg-Kreis, Oberkassel: St. Cäcilia	Br.	Jesus-, Maria-, Joseph-Junggesellen-Schützen-Bruderschaft
1796	B. Konstanz	Schwaben, Lkr. Lindau, Grünenbach, Schönau: Kap. St. Martin	Gl.	mit Abb. der Hl. Familie
1798	B. Augsburg	Schwaben, Lkr. Sonthofen, Schöllang, Unterthalhofen: Kapelle St. Joseph	Altar	Altarblatt: Hl. Familie (klassizistisch)
vor 1800	B. Freising	München, Palais der Freifrau v. Gi(e)se: Hauskapelle	Altar	Christus, Maria und Joseph
1800	ErzB. Köln	Rheinland, Siegkreis, Oberkassel: St. Cäcilia	Br.	Bruderschaft Jesus, Maria, Joseph (erste Einf. nicht nachzuweisen, 1800 wiedererr.)
zw. 1800–1850	B. Augsburg	Schwaben, Kreis Mindelheim, Mindelheim: Schloßkapelle St. Georg	Gl.	„IESUS . MARIA . IOSEPH"
frühes 19. Jhdt.	B. Augsburg	Schwaben, Lkr. Sonthofen, Immenstadt: Kalvarienbergkapelle	Altar	ehem. Altarblatt: Hl. Familie mit dem Johannesknaben
vor 1802	B. Augsburg	Schwaben, Lkr. Füssen, Füssen: St. Magnus (ehem. Klosterkirche)	Br.	Seelenbruderschaft unter dem Namen der heil. Familie Christi (unterstand dem Kloster Füssen und wurde 1802 zusammen mit dem Kloster aufgehoben)

1802	ErzB. Köln	Rheinland, Kreis Köln, Rondorf-Rodenkirchen, St. Maternus	Br.	Bruderschaft Jesus, Maria, Joseph
vor 1805	ErzB. Köln	Rheinland, Siegkreis, Sieglar, Burganlage ‚Haus Rott‘: Kapelle Mariä Heimsuchung	Altar	Hl. Familie (Seitenaltar; stammt auf der Heisterbacher Klosterkirche (Zisterzienserkloster, aufgehoben in der Säkularisation), in Zweitverwendung nach 1805 in Haus Rott)
1805	B. Brixen	Tirol, Innsbruck, Absam: St. Michael	Br.	Bruderschaft der thätigen Nächstenliebe zu Ehren Jesu, Marias und Josefs (als Nachfolgebr. für die 1780 aufgehobene Br. zu Ehren des Hl. Wandels)
1826	ErzB. Köln	Rheinland, Kreis Bonn, Fritzdorf: St. Maria	Br.	Bruderschaft Jesus, Maria, Joseph (1645 als Bruderschaft U. L. Frau vom Berge Carmel gegr., 1826 in Br. J. M. J. umgewandelt)
1827	ErzB. Köln	Rheinland, Dekanat Krefeld, Osterath, St. Nikolaus	Br.	Bruderschaft Jesus, Maria, Joseph
1827	B. Augsburg	Schwaben, Kreis Mindelheim, Gernstall, Unggenried: Kap. St. Franziskus v. Padua	Gl.	„JESUS MARIA IOSEPH“
1837	ErzB. Köln	Rheinland, Dekanat Grevenbroich, Grevenbroich: St. Peter und Paul	Br.	Bruderschaft Jesus, Maria und Joseph
1838 (N)	B. Regensburg	Niederbayern, Kreis Straubing-Bogen, Ascha	Br.	Jesus-, Maria-, Joseph-Bruderschaft (wahrscheinlich Christenlehrbr.)
1838 (N)	B. Regensburg	Württemberg, Schnaittenbach	Br.	Jesus-, Maria-, Joseph-Bruderschaft (wahrscheinlich Christenlehrbr.)
1838 (N)	B. Regensburg	Niederbayern, Kreis Straubing-Bogen, Falkenfels	Br.	Jesus-, Maria-, Joseph-Bruderschaft (wahrscheinlich Christenlehrbr.)
1838 (N)	B. Regensburg	Niederbayern, Kreis Dingolfing-Landau, Martinsbuch	Br.	Jesus-, Maria-, Joseph-Bruderschaft (wahrscheinlich Christenlehrbr.)
1838 (N)	B. Regensburg	Niederbayern, Kreis Kelheim, Abensberg	Br.	Jesus-, Maria-, Joseph-Bruderschaft (wahrscheinlich Christenlehrbr.)
1838 (N)	B. Regensburg	Niederbayern, Kreis Dingolfing-Landau, Tunzenberg	Br.	Jesus-, Maria-, Joseph-Bruderschaft (wahrscheinlich Christenlehrbr.)
1838 (N)	B. Regensburg	Niederbayern, Kreis Dingolfing-Landau, Pilsting	Br.	Jesus-, Maria, Joseph-Bruderschaft (wahrscheinlich Christenlehrbr.)
1839	ErzB. Köln	Malmedy, Wallerode: St. Wendelin	Gl.	„JESUS MARIA JOSEPH ANTONIUS RENOVATUS SUM 1839“
1839	ErzB. Köln	Malmedy, Meyerode: St. Martin	Gl.	„JESVS MARIA JOSEPH ALBINUS RENOVATUS SUM 1839“ (Umguß der Marienglocke von 1401)
1844	B. Lüttich	Lüttich	Br.	„Bruderschaft zu Ehren der Hl. Familie armer Jünglinge und Männer, gegen die Angriffe der Gottlosigkeit und Sittenverderbnis“ (von Redemptoristen geleitet; 23.4. 1847 von Pius IX. zur Erzbr. erhoben)
1845 (N)	ErzB. Salzburg	Tirol, Kufstein, Brixlegg: U. L. Frau	Br.	„Bruderschaft des hl. Josephs in Brixlegg unter dem Titel des Hlg. Wandels von Maria mit Jesus und Joseph“
1845	B. Augsburg	Schwaben, Lkr. Sonthofen, Diepolz	Altar	Altarblatt. Hl. Familie (ehem. Seitenaltar)
1845	ErzB. Köln	Rheinland, Kreis Krefeld, Anrath: St. Johannes Bapt. Enthauptung	Gl.	„Zum Lobe und zur Ehre Jesus Maria Joseph und aller Heiligen Gottes mit den zwei größten Glocken neu gegossen in Anrath im Juni 1845“
1847	B. Augsburg	Schwaben, Kreis Schwabmünchen, Bobingen, Aussegnungshalle	Gl.	mit Abb. der Hl. Familie in Halbfiguren in ovalem Lorbeerrahmen auf rechteckig gerahmter Plakette, in den Zwickeln je ein Engelskopf
1848	ErzB. Köln	Rheinland, Rheinisch-Bergischer Kreis, Porz-Wahn: St. Ägidius	Br.	Bruderschaft Jesus, Maria, Joseph
1852	B. Augsburg	Schwaben, Lkr. Sonthofen, Vorderburg, Acker: Kapelle	Kap.	Hl. Familie (mit Hl. Wandel im Altarbild)
1853 (23.7.)	ErzB. Köln	Rheinland, Dekanat Königswinter, Menden: St. Augustinus	Gl.	„WERDE ICH GEZOGEN SO HORCHE / RVFE ICH ZVM GOTTESDIENST SO KOMME / ICH RVFE DIE LEBENDEN! DIE VERSTORBENEN BEWEINE ICH / DEN WAHREN GOTT LOBE ICH VND VERHERRLICHE DIE FESTE VNTER DEM SCHVTZE DES H. AVGUSTIN VND JESVS . MARIAE . IOSEPHS .“

1854	B. Brixen	Tirol, Imst, Obsteig, Holzleiten	Kap.	Hl. Familie
1854/1855	ErzB. München-Freising	Niederbayern, Dekanat Albers, Abens (Ambs)	Br.	Bruderschaft vom guten Tode („In honor. Jesu Mariae et Joseph um Erlangung einer glückl. Sterbestunde")
vor 1855	ErzB. Köln	Rheinland, Kreis Bonn, Beuel-Küdinghofen: St. Gallus	Br.	Bruderschaft Jesus, Maria, Joseph
1857	ErzB. Köln	Rheinland, Dekanat Brühl, Fischenich: St. Martin v. Tour und St. Antonius	Gl.	„Ad honorem S. S. Jesus Maria Joseph consecrabar Me fecit Christianus Clarem ex Sieglar 1857"
1858	B. Konstanz	Kanton Luzern, Hitzkirch	Br.	„Christkatholische Elternbruderschaft unter dem Schutze der Hl. Familie"
1859	ErzB. Köln	Rheinland, Kreis Schleiden, Blankenheim, Ormont: St. Margaretha	Br.	Bruderschaft Jesus Maria Joseph von der christlichen Lehre (Christenlehre schon 1752/54 nachgewiesen)
1859	ErzB. Köln	Rheinland, Kreis Köln, Sinnersdorf-Esch: St. Clemens	V	Verein von der Hl. Familie
nach 1859	ErzB. Köln	Rheinland, Dekanat Grevenbroich, Jackerath (bei Mündt): Maria mater doloros.	Br.	Bruderschaft Jesus, Maria, Joseph
1860	ErzB. München-Freising	Oberbayern, Dekanat Laufen, Petting, Kirchstein	Br.	Jesus, Maria und Joseph Bruderschaft
1860	B. Hildesheim	Niedersachsen, Dekanat Borsum, Einum	Br.	Jesus-, Maria-, Joseph-Bruderschaft
1866	B. Münster	Westfalen, Kreis Recklinghausen, Grafenwald	GK	Hl. Familie
1867	ErzB. Köln	Rheinland, Kreis Euskirchen, Wißkirchen: St. Medardus	Br.	Bruderschaft Jesus, Maria, Joseph
1869	ErzB. Köln	Rheinland, Kreis Bonn, Beuel-Schwarzrheindorf: St. Clemens	Br.	Bruderschaft Jesus, Maria, Joseph
1869	ErzB. Köln	Rheinland, Reg.-Bez. Köln, Bonn-Graurheindorf: St. Margaretha	Br.	Bruderschaft Jesus, Maria, Joseph
ca. 1871	B. Augsburg	Schwaben, Lkr. Sonthofen, Bühl, Ratholz: Kapelle St. Martin	Altar	Altarblatt: Hl. Familie
1880	ErzB. Freiburg	Württemberg, Kreis Buchen/Odenwald, Dornberg, Vollmersdorf	Kap.	Ad St. Familiam (Filialkapelle)
1885	ErzB. Freiburg	Baden, Nordbaden, Dekanat Tauberbischofsheim, Eiersheim	Kap.	Ad St. Familiam
1885 (N)	ErzB. Köln	Rheinland, Reg.-Bez. Düsseldorf, Krefeld: St. Dionysius	Br.	Bruderschaft zur Beförderung der christlichen Lehre
1886	ErzB. Bamberg	auf Diözesanebene		Priestervereinigung: „Confraternitas sacerdotum sub tutela: Jesus, Maria et Joseph" (seit 1894 durch den Zusammenschluß mit dem Ottonischen Priesterbund als Diözesanpriesterverband)
1886	ErzB. Köln	Rheinland, Siegkreis, Niederkassel: St. Matthäus	Br.	Bruderschaft Jesus, Maria, Joseph (erstes Gründungsdatum unbekannt, 1886 wiedererr.)
vor 1887	ErzB. Köln	Rheinland, Reg.-Bez. Köln, Bonn-Poppelsdorf: St. Martin	Br.	Bruderschaft Jesus, Maria, Joseph
um 1887	B. Aachen	Aachen, Kloster der Schwestern vom guten Hirten (1848 durch Helene und Luise Fey gegr, 1887 Bezug der Klostergebäude)	Kirche	Zur Hl. Familie (Klosterkirche)
1887	B. Hildesheim	Niedersachsen, Dekanat Borsum, Drispenstedt	Br.	Bruderschaft von der christlichen Lehre (Jesus, Maria, Joseph)
1887	B. Hildesheim	Niedersachsen, Dekanat Borsum, Drispenstedt	V	Verein der Hl. Familie
1888	B. Hildesheim	Niedersachsen, Dekanat Förste, Ahrbergen	Br.	Bruderschaft von der christlichen Lehre (Jesus, Maria, Joseph)
1888	B. Hildesheim	Niedersachsen, Dekanat Förste, Hasede	Br.	Bruderschaft von der christlichen Lehre (Jesus, Maria, Joseph)
1888	ErzB. Freiburg	Württemberg, Kreis Buchen, Eubigheim, Obereubigheim	Kap.	Jesu, Mariae et Joseph (Privateigentum)

1889	ErzB. Köln	Rheinland, Dekanat Siegburg, Lülsdorf: St. Jacobus d. Ä, Martinus, Pankratius	Br.	Bruderschaft Jesus, Maria, Joseph (erstes Gründungsdatum unbekannt, 1889 wiedererr.)
1889	ErzB. Köln	Rheinland, Rhein-Wupper-Kreis, Langenfeld-Richrath: St. Martin	Br.	Bruderschaft Jesus, Maria, Joseph (Nachweis bis 1911)
1889	ErzB. Köln	Rheinland, Sinthern: St. Martin	Br.	Bruderschaft Jesus, Maria, Joseph (Nachweis bis 1931)
1890	ErzB. Köln	Rheinland, Rhein-Wupper-Kreis, Langenfeld-Richrath: St. Martin	V	Allgemeiner Verein der christlichen Familien (Nachweis bis 1910)
1891	ErzB. Köln	Rheinland, Dekanat Meckenheim, Hilberath: St. Martinus	V	Verein der Hl. Familie
1892	B. Augsburg	Schwaben, Lkr. Sonthoven, Fischen, Weiler	Kap.	Hl. Familie (1894 gew.; im Altar Holzfiguren der Hl. Familie)
1892	ErzB. Köln	Rheinland, Kreis Bonn, Heimerzheim: St. Kunibert	V	Verein von der hl. Familie
1892	B. Hildesheim	Niedersachsen, Dekanat Hildesheim, Moritzberg	V	Verein der hl. Familie von Nazareth (168 Mitgl.)
1892	B. Hildesheim	Niedersachsen, Dekanat Goslar, Dorstadt	V	Verein der hl. Familie (90 Mitgl.)
1892	B. Hildesheim	Niedersachsen, Duderstadt	V	Verein der hl. Familie
1892	B. Hildesheim	Niedersachsen, Dekanat Gieboldehausen, Hilkerode (bei Duderstadt)	V	Verein der christlichen Familie (100 Mitgl.)
1892	B. Hildesheim	Niedersachsen, Dekanat Detfurth, Hockeln	V	Verein der hl. Familie (34 Mitgl.)
1892	B. Hildesheim	Niedersachsen, Dekanat Detfurth, Marienrode	V	Verein der hl. Familie (30 Mitgl.)
1892	B. Hildesheim	Niedersachsen, Dekanat Bocknem, Ringelheim	V	Verein der hl. Familie (19 Mitgl.)
1892	B. Hildesheim	Niedersachsen, Dekanat Gronau, Sorsum	V	Verein der christlichen Familie (160 Mitgl.)
1893	ErzB. Köln	Rheinland, Kreis Bonn, Villip: St. Simon und Judas (Apostel)	V	Verein der christlichen Familie (Nachweis bis 1897)
1893	ErzB. Köln	Rheinland, Siegkreis, Lauthausen-Happerschoß: St. Remigius	V	Verein von der christlichen Familie (1891 Volksmission der Franziskaner)
1893	ErzB. Köln	Rheinland, Kreis Düsseldorf-Mettmann, Wittlaer: St. Remigius	V	Verein von der christlichen Familie
1893	ErzB. Köln	Rheinland, Rheinisch-Bergischer Kreis, Porz-Zündorf: Mariä Geburt	V	Allgemeiner Verein der hl. Familie zu Nazareth (bestand bis 1899)
1893	ErzB. Köln	Rheinland, Reg.-Bez. Düsseldorf, Neuss-Holzheim: St. Martin	V	Verein von der hl. Famiie (bestand bis 1909)
1893	ErzB. Köln	Rheinland, Dekanat Rheinbach, Müggenhausen	V	Verein von der hl. Familie
1893 (N)	ErzB. Köln	Rheinland, Kreis Euskirchen, Wißkirchen: St. Medardus	V	Verein der christlichen Familien zur Verehrung der hl. Familie von Nazareth
1893	ErzB. Köln	Rheinland, Dekanat Meckenheim, Meckenheim: St. Johannes Bapt.	V	Verein von der Hl. Familie
1893	ErzB. Köln	Rheinland, Reg.-Bez. Köln, Bonn-Graurheindorf: St. Margareta	Br.	Bruderschaft von der hl. Familie (Nachweis bis 1922)
1893	ErzB. Köln	Rheinland, Rheinisch-Bergischer Kreis, Porz-Urbach: St. Bartholomäus	V	Allgemeiner Verein der christlichen Familien (Nachweis bis 1933)
1894	ErzB. Köln	Rheinland, Kreis Bonn, Miel: St. Georg	V	Verein der christlichen Familie (1895 erloschen)
1895	B. Hildesheim	Niedersachsen, Dekanat Verden, Hemelingen	V	Verein der hl. Familie (97 Mitgl.)
1895	B. Limburg	Hessen, Dekanat Herborn, Gladenbach	Kap.	„In honor. S. Familiam"
1895	B. Speyer	Pfalz, Pirmasens: Nardini-Haus	Kap.	Hl. Familie
1895/1897	B. Münster	Niederrhein, Dekanat Goch, Uedemerbruch	GK	Ad S. Familiam
1896	B. Hildesheim	Niedersachsen, Dekanat Borsum, Hüddessum	V	Verein der christlichen Familie (80 Mitgl.)

1896 (N)	ErzB. Köln	Rheinland, Siegkreis, Hennef: St. Simon und Judas Thaddäus Apost.	V	Verein der christlichen Familie
um 1897	B. Essen	Westfalen, Essen: St. Engelbert, Haus Nazareth	Kap.	Hl. Familie (Klosterkapelle)
1897	B. Hildesheim	Niedersachsen, Dekanat Peine, Bolzum	Br.	Christliche Lehrbruderschaft zu Ehren von Jesus, Maria und Joseph (60 Mitgl.)
1898	ErzB. Köln	Rheinland, Reg.-Bez. Köln, Bonn-Süd: St. Petrus-Krankenhaus	Kap.	Hl. Familie (Krankenhauskapelle)
1899	ErzB. Freiburg	Baden-Württemberg, Kreis Konstanz, Weiterdingen, Pfaffwiesen	Kap.	Ad S. Familiam (Privateigentum)
1900	B. Hildesheim	Niedersachsen, Dekanat Goslar, Salzgitter	Br.	Jesus-, Maria-, Joseph-Bruderschaft
1900	B. Mainz	Hessen, Dekanat Alsfeld, Ruhlkirchen, Ohmes	GK	Hl. Familie, St. Willigis (Filialkirche)
1900 (N)	ErzB. Köln	Rheinland, Dekanat Münstereifel (ehem. Ahr), Houverath: St. Thomas Apost.	Br.	Bruderschaft von der hl. Familie
1900 (N)	ErzB. Köln	Rheinland, Kreis Euskirchen, Mutscheid	V	Verein von der hl. Familie
1900 (N)	ErzB. Köln	Rheinland, Kreis Euskirchen, Stotzheim: St. Martinus	Br.	Bruderschaft von der hl. Familie
1901	B. Essen	Westfalen, Gelsenkirchen-Bulmke	GK	Hl. Familie
vor 1902	ErzB. Bamberg	Franken, Dekanat Scheßlitz, Steinfeld, Roßdorf am Berg	GK	„In honor. S. Familiam"
vor 1902	ErzB. Bamberg	Franken, Dekanat Stadtsteinach, Münchberg	GK	Lokalkaplanei: S. Familia (Münchberg war mehrheitl. protestantisch)
1902	B. Aachen	Rheinland, Erkelenz, Immenrath: Krankenhaus und Fürsorge-erziehungsheim der Töchter vom hl. Kreuz, Haus Nazareth	Kap.	Hl. Familie
1902	B. Aachen	Nordeifel, Dekanat Mechernich, Kallmuth, Kalenberg	GK	Hl. Familie (Filialkirche)
1902	ErzB. Köln	Rheinland, Siegkreis, Rosbach: Krankenhaus	Kap.	Hl. Familie (Eigentum der Stadt Köln)
1903	B. Hildesheim	Niedersachsen, Dekanat Borsum, Einum	V	Verein der hl. Familie (53 Mitgl.)
1903/1904	B. Aachen	Rheinland, Dekanat Wegberg, Klinkum	GK	Hl. Familie
1906	B. Aachen	Rheinland, Dekanat Heinsberg, Kirchhoven, Vinn	Kap.	Hl. Familie
1906	B. Hildesheim	Niedersachsen, Dekanat Verden, Grohn bei Bremen	GK	S. Familia
1906	ErzB. Salzburg	Tirol, Kufstein, Walchsee: St. Johannes Baptist	Br.	Bruderschaft zu Ehren der hl. Familie
1909	ErzB. Freiburg	Odenwald, Dekanat Waibstadt, Amt Sinsheim, Weiler	GK	Ad S. Familiam (Filialkirche)
1911	ErzB. Salzburg	Tirol, Kufstein, Walchsee: St. Johannes Baptist	Altar	Altarblatt: Hl. Familie (linker Seitenaltar)
1911/1914	B. Mainz	Odenwald, Dekanat Heppenheim, Hammelbach	GK	Hl. Familie (Nebenpatron: St. Walburga)
1912	ErzB. Köln	Rheinland, Düsseldorf-Heerdt: St. Benedikt		Kloster Hl. Familie
1912	ErzB. Köln	Rheinland, Düsseldorf-Heerdt: Kloster Hl. Familie	Kap.	Hl. Familie (Klosterkapelle)
1912	B. Münster	Westfalen, Kreis Recklinghausen, Speckhorn	GK	Ad S. Familiam
1917	ErzB. Köln	Rheinland, Siegkreis, Bad Honnef: St. Johann Bapt.	Kap.	Hl. Familie (Kapelle im Jugendheim Haus Nazareth)
vor 1918	B. Hildesheim	Niedersachsen, Dekanat Borsum, Groß-Algermissen	Br.	Christliche Lehrbruderschaft zu Ehren Jesus, Maria, Joseph
vor 1918	B. Hildesheim	Niedersachsen, Dekanat Gieboldehausen, Fuhrbach	V	Verein der hl. Familie

vor 1918	B. Hildesheim	Niedersachsen, Dekanat Gieboldehausen, Gieboldenhausen	V	Verein der hl. Familie
vor 1918	B. Hildesheim	Niedersachsen, Dekanat Gieboldehausen, Langenhagen	V	Verein der hl. Familie
vor 1918	B. Hildesheim	Niedersachsen, Dekanat Gieboldehausen, Obernfeld	V	Verein der hl. Familie
vor 1918	B. Hildesheim	Niedersachsen, Dekanat Gieboldehausen, Rhumspringe	V	Verein der hl. Familie
vor 1918	B. Hildesheim	Niedersachsen, Dekanat Gieboldehausen, Rollhausen	V	Verein der hl. Familie
1922	B. Chur	Kanton Unterwalden, Nidwalden, Stansstad am Vierwaldstätter See	Br.	Hl. Familie-Bruderschaft
o. J.	ErzB. München-Freising	Niederbayern, Tittling, Sesselstein (Felsen, an den sich eine Fluchtlegende knüpft)	Kap.	Hl. Familie
o. J.	ErzB. Köln	Rheinland, Dekanat Brühl, Fischenich: St. Martin v. Tours	Br.	Bruderschaft von der christlichen Lehre unter dem Titel von Jesus, Maria, Joseph
o. J.	ErzB. Köln	Rheinland, Kreis Köln, Frechen: St. Audomarus	Br.	Bruderschaft Jesus, Maria, Joseph
o. J.	ErzB. Köln	Rheinland, Köln-Lindenthal, Kriel: St. Stephanus	Br.	Bruderschaft Jesus, Maria, Joseph
o. J.	ErzB. Köln	Rheinland, Dekanat Brühl, Pingsdorf: St. Pantaleon	Br.	Bruderschaft Jesus, Maria, Joseph
o. J.	ErzB. Köln	Rheinland, Kreis Köln, Rondorf-Sürdt: St. Remigius Ep.	Br.	Bruderschaft Jesus, Maria, Joseph zur Beförderung der Christenlehre
o. J.	ErzB. Köln	Rheinland, Dekanat Grevenbroich, Allrath: St. Matthäus Ev.	Br.	Bruderschaft Jesus, Maria, Joseph zur Beförderung der christlichen Lehre
o. J.	ErzB. Köln	Rheinland, Kreis Grevenbroich, Frimmersdorf: St. Martinus Ep.	Br.	Bruderschaft Jesus, Maria, Joseph
o. J.	ErzB. Köln	Rheinland, Dekanat Grevenbroich, Honingen: Inventio S. Stephani	Br.	Bruderschaft Jesus, Maria, Joseph
o. J.	ErzB. Köln	Rheinland, Dekanat Grevenbroich, Neuenhoven	Br.	Bruderschaft Jesus, Maria, Joseph
o. J.	ErzB. Köln	Rheinland, Kreis Grevenbroich, Oekhoven: St. Brictius	Br.	Bruderschaft Jesus, Maria, Joseph
o. J.	ErzB. Köln	Rheinland, Kreis Grevenbroich, Wevelinghoven: St. Mauritius	Br.	Bruderschaft Jesus, Maria, Joseph
o. J.	ErzB. Köln	Rheinland, Kreis Bonn, Hersel: St. Aegidius	Br.	Bruderschaft Jesus, Maria, Joseph
o. J.	ErzB. Köln	Rheinland, Dekanat Königswinter, Ittenbach: Schmerzhafte Mutter Maria	Br.	Bruderschaft Jesus, Maria, Joseph
o. J.	ErzB. Köln	Rheinland, Siegkreis, Niederpleis: St. Martinus	Br.	Bruderschaft Jesus, Maria, Joseph
o. J.	ErzB. Köln	Rheinland, Siegkreis, Stieldorf: St. Margaretha	Br.	Bruderschaft Jesus, Maria, Joseph
o. J.	ErzB. Köln	Rheinland, Dekanat Münstereifel, Cuchenheim: St. Nikolaus	Br.	Bruderschaft Jesus, Maria, Joseph
o. J.	ErzB. Köln	Rheinland, Dekanat Münstereifel, Cuchenheim: St. Nikolaus	V	Verein von der Hl. Familie
o. J.	ErzB. Köln	Rheinland, Kreis Euskirchen, Effelsberg: St. Stephan	Br.	Bruderschaft Jesus, Maria, Joseph
o. J.	ErzB. Köln	Rheinland, Kreis Euskirchen, Flamersheim: St. Stephanus	Br.	Bruderschaft Jesus, Maria, Joseph
o. J.	ErzB. Köln	Rheinland, Kreis Euskirchen, Großbüllesheim	Br.	Bruderschaft Jesus, Maria, Joseph
o. J.	ErzB. Köln	Rheinland, Kreis Euskirchen, Iversheim: St. Laurentius	Br.	Bruderschaft Jesus, Maria, Joseph
o. J.	ErzB. Köln	Rheinland, Kreis Euskirchen, Iversheim: St. Laurentius	Br.	Bruderschaft von der Hl. Familie

o.J.	ErzB. Köln	Rheinland, Kreis Euskirchen, Kleinbüllesheim: St. Petrus und Paulus	Br.	Bruderschaft Jesus, Maria, Joseph und Franziskus Xaver
o.J.	ErzB. Köln	Rheinland, Kreis Euskirchen, Münstereifel: St. Chrysanthus und Daria	V	Verein von der hl. Familie
o.J.	ErzB. Köln	Rheinland, Dekanat Münstereifel, Roitzheim: St. Stephanus	Br.	Bruderschaft Jesus, Maria, Joseph
o.J.	ErzB. Köln	Rheinland, Dekanat Münstereifel, Roitzheim: St. Stephanus	V	Verein von der hl. Familie
o.J.	ErzB. Köln	Rheinland, Dekanat Münstereifel, Rupperath	Br.	Bruderschaft Jesus, Maria, Joseph
o.J.	ErzB. Köln	Rheinland, Dekanat Münstereifel, Rupperath	Br.	Bruderschaft von der Hl. Familie
o.J.	ErzB. Köln	Rheinland, Kreis Euskirchen, Weidesheim: Mariä Himmelfahrt	V	Verein von der hl. Familie
o.J.	ErzB. Köln	Rheinland, Kreis Euskirchen, Stotzheim: St. Martinus	Br.	Bruderschaft von der hl. Familie
o.J.	ErzB. Köln	Rheinland, Siegkreis, Hennef-Blankenberg: St. Katharina	Br.	Bruderschaft Jesus, Maria, Joseph
o.J.	ErzB. Köln	Rheinland, Reg.-Bez. Düsseldorf, Reydt: St. Dionysius Areopagita	Br.	Bruderschaft Jesus, Maria, Joseph
o.J.	ErzB. Köln	Rheinland, Siegkreis, Lauthausen-Seligenthal: St. Antonius v. Padua	Br.	Bruderschaft Jesus, Maria, Joseph
o.J.	ErzB. Köln	Rheinland, Reg.-Bez. Köln, Siegburg: St. Servatius	Br.	Bruderschaft Jesus, Maria, Joseph
o.J.	ErzB. Köln	Rheinland, Dekanat Siegburg, Spich: Mariä Himmelfahrt	Br.	Bruderschaft Jesus, Maria, Joseph
o.J.	ErzB. Köln	Rheinland, Reg.-Bez. Düsseldorf, Krefeld: St. Stephan	Br.	Bruderschaft Jesus, Maria, Joseph
o.J.	ErzB. Köln	Rheinland, Kreis Bonn, Flerzheim: St. Martin	Br.	Bruderschaft Jesus, Maria, Joseph
o.J.	ErzB. Köln	Rheinland, Kreis Bonn, Ludendorf: St. Petrus und Paulus	Br.	Bruderschaft Jesus, Maria, Joseph
o.J.	ErzB. Köln	Rheinland, Kreis Bonn, Rheinbach, Rheinbach: St. Martinus	Br.	Bruderschaft Jesus, Maria, Joseph
o.J.	ErzB. Köln	Rheinland, Dekanat Rheinbach, Straßfeld: St. Martinus	Br.	Bruderschaft Jesus, Maria, Joseph
o.J.	ErzB. Köln	Rheinland, Siegkreis, Hennef: St. Simon und Judas Thaddäus (Apostel)	V	Verein der christlichen Familien
o.J.	ErzB. Köln	Rheinland, Kreis Euskirchen, Mutscheid	V	Verein von der Hl. Familie
o.J.	ErzB. Köln	Rheinland, Dekanat Münstereifel, Houverath: St. Thomas (Apostel)	Br.	Bruderschaft von der hl. Familie
o.J.	ErzB. Köln	Rheinland, Kreis Bonn, Bornheim: St. Servatius (bis 1859 Filiale von Brenig)	Br.	Bruderschaft Jesus, Maria, Joseph zur Beförderung der christlichen Lehre
o.J.	ErzB. Köln	Rheinland, Kreis Bonn, Heimerzheim: St. Kunibert	Br.	Bruderschaft Jesus, Maria, Joseph
o.J.	ErzB. Köln	Rheinland, Kreis Düsseldorf-Mettmann, Wittlaer: St. Remigius	Br.	Bruderschaft der christlichen Lehre

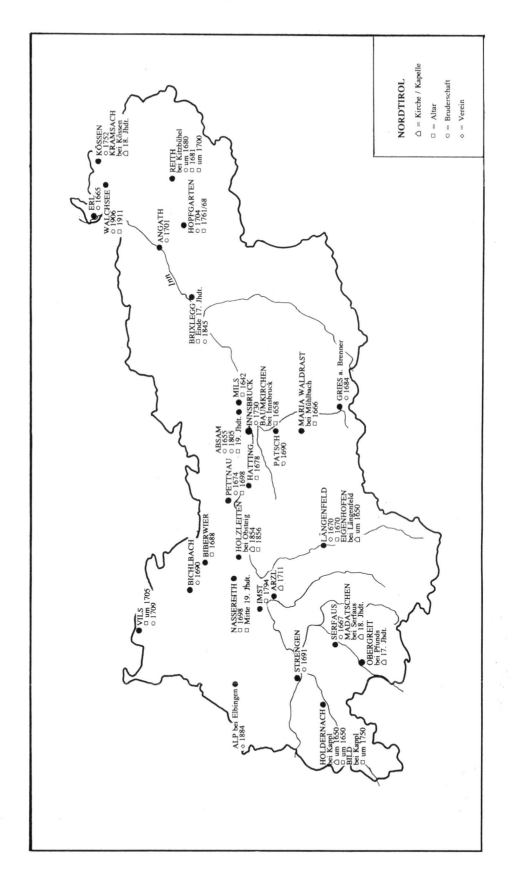

Karte 1: Tirol

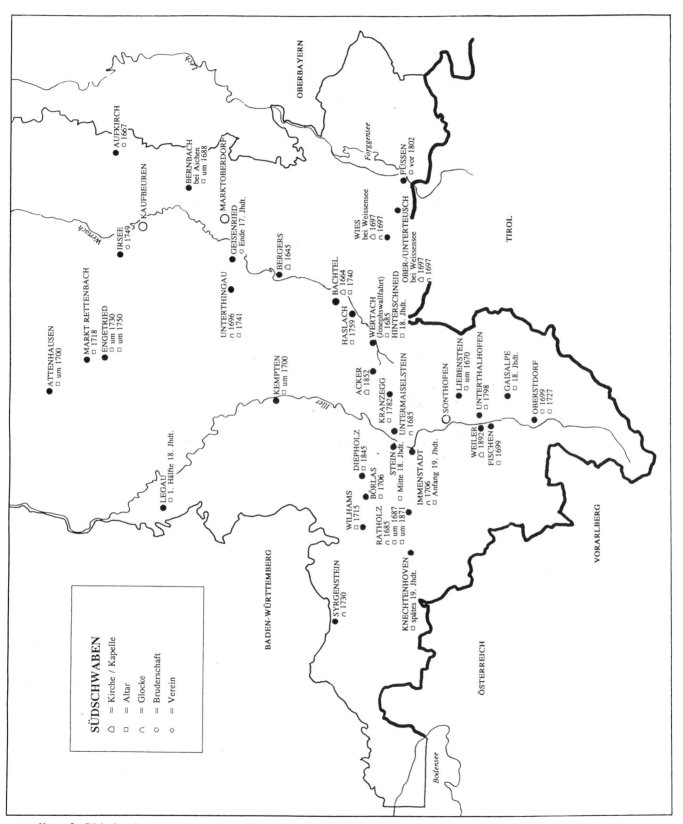

Karte 2: Südschwaben

Belege der Hl. Familie-Patrozinien
(in Jahrzehnten)

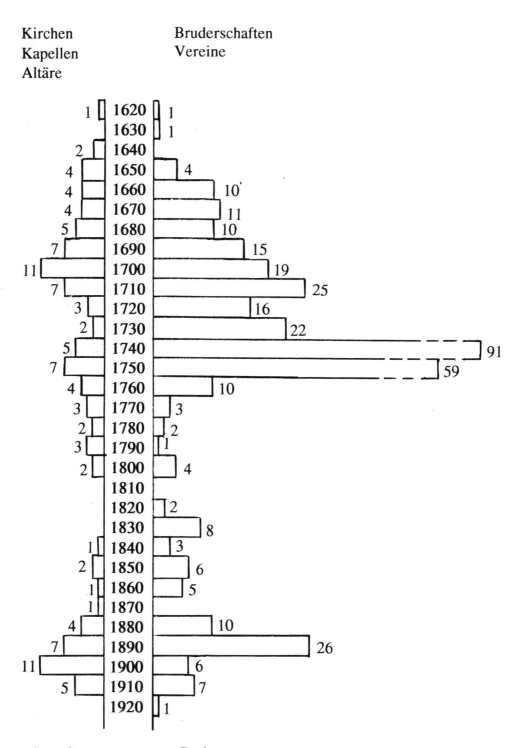

Kirchen	Bruderschaften
Kapellen	Vereine
Altäre	

ohne oder mit nur ungenauer Datierung:
9 Kirchen / Kapellen / Altäre   49 Bruderschaften / Vereine

ABBILDUNGSLISTE

FRONTISPIZ nach Raffael (Raffaello Sanzio): Die Hl. Familie. (Madonna del Velo oder Madonna di Loreto). Mitte 16. Jhdt. Öl auf Holz. 120,5 × 91 cm (Malibu/California, Collection of the J. Paul Getty Museum)

Farbtafeln

 I. Flucht nach Ägypten mit Kornfeldlegende und Götzensturz. Ausschnitt aus einem Wandteppich zum Marienleben. Norddeutschland um 1500. (Halberstadt, Dommuseum: Inv.-Nr. 524)

 II. Joachim Patinir: Ruhe auf der Flucht nach Ägypten. Anfang 16. Jhdt. (Berlin, Staatliche Museen zu Berlin – Preußischer Kulturbesitz. Gemäldegalerie: Inv.-Nr. 608)

 III. Federico Barocci: Ruhe auf der Flucht nach Ägypten (‚Madonna della Scodella – Madonna mit den Kirschen‘). um 1570/1573. (Vatikan, Monumenti Musei e Gallerie Pontificie: Inv.-Nr. 377)

 IV. Federico Barocci: Madonna del Gatto. 1574/75. (London, The National Gallery: Inv.-Nr. 29)

 V. Peter Paul Rubens: Die Hl. Familie unter dem Apfelbaum. Außentafeln des Ildefonso-Altares. Brüssel 1630/1632. (Wien, Kunsthistorisches Museum. Gemäldegalerie: Inv.-Nr. 698)

 VI. Adam Elsheimer: Landschaft mit Flucht nach Ägypten. 1609. (München, Bayerische Staatsgemäldesammlungen. Alte Pinakothek: Inv.-Nr. 216)

 VII. Rembrandt Harmensz van Rijn: Die Hl. Familie mit dem Vorhang. 1646. (Kassel, Staatliche Museen. Gemäldegalerie Alte Meister: 240 Inv.-Nr. 1749/727)

 VIII. Meister des Stundenbuchs der Katharina v. Kleve: Die Hl. Familie beim Mahl. aus: Stundenbuch der Katharina v. Kleve. Samstags-Stundengebet U.L.Frau (Non). fol. 151. Utrecht um 1435/1440. (New York, The Pierpont Morgan Library: MS. 917)

 IX. Gerard David: Madonna mit der Breischüssel (Suppenmadonna). Flandern um 1500. (Brüssel, Musée Royaux des Beaux-Arts de Belgique: Inv.-Nr. 3559)

 X. Meister des Stundenbuchs der Katharina v. Kleve: Die Hl. Familie bei der Arbeit. aus: Stundenbuch der Katharina v. Kleve. Samstags-Stundengebet U.L.Frau (Sext). fol. 149. Utrecht um 1435/1440. (New York, The Pierpont Morgan Library: MS 917)

 XI. Georg Frehling: Der hl. Joseph mit Jesus bei der Arbeit. kolorierter Kupferstich. Augsburg 2. Hälfte 18. Jhdt. (Telgte, Museum Heimathaus Münsterland: Inv.-Nr. 92-1)

 XII. Jean Bourdichon: Der Tischler in seiner Werkstatt. aus: Les quatre États de la société. Miniatur auf Pergament. Paris um 1500. (Paris, Bibliothèque de l'École des Beaux Arts: Stiftung Masson)

 XIII. Michael Furter: Maria und Joseph führen Jesus an der Hand. kolorierter Holzschnitt aus: *Ludwig Moser*: Bereitung zu dem heiligen Sakrament. Basel um 1485. (Donaueschingen, Fürstlich Fürstenbergische Hofbibliothek)

 XIV. Votivbild einer Mehrortswallfahrt mit Wiesheiland, Hl. Wandel und verschiedenen Gnadenmadonnen aus Wessobrunn, Altötting, Dorfen und Mariazell. Bayern 1758. (Freising, Diözesanmuseum: Inv.-Nr. D 85107)

 XV. Der Hl. Wandel auf dem Dachfirst einer brennenden Kirche. Votivbild aus Wasserburg a. Inn 1668. (im 19. Jhdt. restauriert) (Wasserburg a. Inn, Heimathaus)

 XVI. Christophorus. Miniatur aus einem Psalter. Sachsen-Thüringen spätes 12. Jhdt. (Donaueschingen, Fürstlich Fürstenbergische Hofbibliothek: Cod. 509)

 XVII. Maria mit Birne im Blumenkelch. Gewandstickerei auf einem Kaselstab. Niederrhein um 1500. (Duisburg-Hamborn, Prämonstratenser-Abtei St. Johann)

 XVIII. Carlo Maratta: Tod des hl. Joseph. Wien 1676. (Wien, Kunsthistorisches Museum. Gemäldegalerie: Inv.-Nr. 121)

 XIX. Anonym: Die Ruhe auf der Flucht. Chromolithographie aus einer 43-teiligen Serie zum Alten und Neuen Testament. Hamburg 1887. (Telgte, Museum Heimathaus Münsterland: Inv.-Nr. 90-131)

Abbildungen im Text

 1. Heinrich Douvermann: Flucht nach Ägypten mit Räuberepisode und Götzensturz. Altar der Sieben Schmerzen Mariä (Kalkar, Nikolaikirche)

 2. Flucht nach Ägypten mit Palmbaumwunder und Götzensturz. Elfenbein. Bamberg Anfang 13. Jhdt. (Florenz, Museo Nazionale del Bargello. Kat. Supino 1898. Nr. 40)

 3. Jacques Callot: Joseph reicht dem Jesuskind den Kelch. um 1628. (Hamburg, Hamburger Kunsthalle. Kupferstichkabinett: Inv.-Nr. 32960)

 4. Tiziano Vecellio (Werkstatt oder Kopie): Madonna und hl. Dorothea. um 1530/1540. (Philadelphia, Philadelphia Museum of Art. George W. Elkins Collection: Inv.-Nr. 64.)

 5. Hendrik Goltzius: Ruhe auf der Flucht unter einem Kirschbaum. 1589. (Berlin, Staatlichen Museen zu Berlin – Preußischer Kulturbesitz. Kupferstichkabinett: B. 24)

 6. Hendrik Goltzius: Die Hl. Familie mit dem Johannesknaben. aus: Marienleben. 1593. (Berlin, Staatliche Museen zu Berlin – Preußischer Kulturbesitz. Kupferstichkabinett: B. 20-II)

7. Federico Barocci: Die Hl. Familie. 1561/1563. (Vatikan, Monumenti Musei e Gallerie Pontificie. Casino Pius IV. 1. Raum, mittleres Deckenfresko)

8. Jacob Matham (nach Hendrik Goltzius): Die Hl. Familie mit dem Johannesknaben. Anfang 17. Jhdt. (London, British Museum. Department of Prints and Drawings)

9. Albrecht Schmidt: Die Hl. Familie unter einem Apfelbaum. Augsburg 1700. (Augsburg, Städtische Kunstsammlungen. Graphische Sammlung: G. 1173-49)

10. Johann Philipp Steudner: Die Hl. Familie unter einem Apfelbaum. Augsburg um 1700. (Augsburg, Staats- und Stadtbibliothek)

11. a–d Herman van Swanevelt: Flucht nach Ägypten. vierteiliger Kupferstichzyklus. 1. Hälfte 17. Jhdt. (Amsterdam, Rijksmuseum. Rijksprintenkabinet: Holl. 6 II, B. 97; Holl 8 III, B. 99; Holl. 7 II, B. 98; Holl. 9 II, B. 100)

12. a–b Johann Toussijn: Die Flucht nach Ägypten. Die Rückkehr aus Ägypten. 7. und 8. Bild aus dem Gemäldezyklus zum Marienleben im Chor der Jesuitenkirche St. Mariä Himmelfahrt in Köln. 1. Hälfte 17. Jhdt.

13. Peter Paul Rubens: Die Hl. Familie mit dem Johannesknaben. vor 1617/1618. (London, British Museum. Department of Prints and Drawings: Inv.-Nr. 1860.6.16.89)

14. Peter Paul Rubens: Die Hl. Familie. 1620. Stechervorlage (Paris, Musée du Louvre. Département des Arts Graphiques: Inv.-Nr. 20319)

15. Johannes Brandenburg: Die Hl. Familie (Maria-Königin-Bild). Limbach 1680. (Burgau/Schwaben, Pfarrkirche: linker Seitenaltar)

16. Engelhard de Pee (zugeschr.): Familienbild der Wittelsbacher als Darstellung im Tempel. um 1575/1585. (München, Bayerische Staatsgemäldesammlungen. Alte Pinakothek: Inv.-Nr. 3511)

17. a–d Abraham Bach d. J.: *Die Vier Zeiten deß Tages*. Augsburg um 1670. (Nürnberg, Germanisches Nationalmuseum: HB 18406, 184070, 18408, 18409)

18. Geburt mit Kindlbreiszene. Ausschnitt aus dem Flügelaltar von Fröndenberg. (linker Altarflügel, rechts unten)

19. Jan Mostaert: Die Hl. Familie beim Mahl. 1. Hälfte 16. Jhdt. (Köln, Wallraf-Richartz-Museum. Gemäldesammlung: Inv.-Nr. 471)

20. Lienhart Ysenhut: *Cum Maria et Joseph pueri Jesu convictus atque conversatio* (Die Hl. Familie bei Tisch). aus: *Itinerarius sive peregrinarius Beatissime Virginis Marie*. Basel um 1489. (Bremen, Kunsthalle. Kupferstichkabinett: Inv.-Nr. 13/119)

21. Lehrbuchmeister: *Gratias*. Initialminiatur zu den Tischgebeten aus dem ‚Tafel‘-Lehrbuch für Kaiser Maximilian I. fol. 13ᵛ. Wien Ende 15. Jhdt. (Wien, Österreichische Nationalbibliothek. Handschriften- und Inkunabelabteilung: Cod. 2368)

22. Hans Hoffmann: *Der deutsch Benedicite – das Deutsch Gratias*. Einblattdruck. Nürnberg 1490. (Hannover, Kestner-Museum: Inv.-Nr. 346)

23. Abraham Bach d. J.: *Ein schöne Tischzucht*. Augsburg vor 1680. (Bamberg, Staatsbibliothek: VI. G. 155)

24. Anonym: DREÜ EINICHKEIT. IESUS MARIA U. IOSEPH. Hinterglasbild. um 1830/1840. (verschollen)

25. Anonym: Wunder der Holzlängung. aus: *Petrus de Natalibus*: Catalogus Sanctorum. Venedig: Luca Antonio da

Guienta 1502. fol. 66. (Münster, Westfälisches Landesmuseum. Bibliothek: SNB 14)

26. Lienhart Ysenhut: Die Hl. Familie bei der Arbeit. aus: *Itinerarius sive peregrinarius Beatissime Virginis Marie*. Basel um 1489. (Bremen, Kunsthalle. Kupferstichkabinett: Inv.-Nr. 13/119)

27. Adriaen van Wesel: Die Hl. Familie bei der Arbeit. Eiche. 3. Viertel 15. Jhdt. (Utrecht, Rijksmuseum Het Catharijneconvent: ABM. b 471)

28. Hieronymus Wierix: Die Hl. Familie bei der Arbeit. 4. Blatt aus: *Jesu Christi Dei Domini Salvatoris Nostri Infantia. p. 75*. Antwerpen Anfang 17. Jhdt. (Wien, Albertina: HB 77.1)

29. Hieronymus Wierix: Die Hl. Familie bei der Arbeit. 7. Blatt aus: *Jesu Christi Dei Domini Salvatoris Nostri Infantia*. Antwerpen Anfang 17. Jhdt. (Frankfurt a. Main, Städelsches Kunstinstitut)

30. Die Hl. Familie bei der Arbeit. Ausschnitt aus einem Bildteppich in Leinenstickerei mit der Hl. Sippe. Bodenseegebiet 1591. (Konstanz, Städtische Museen. Rosgartenmuseum)

31. Hieronymus Wierix: Die Hl. Familie bei der Arbeit im Haus. 5. Blatt aus: *Jesu Christi Dei Domini Salvatoris Nostri Infantia*. Antwerpen Anfang 17. Jhdt. (Frankfurt a. Main, Städelsches Kunstinstitut)

32. Strunz (nach Johann Friedrich Overbeck): *Venit Nazareth, et erat subditus illis*. Stahlstich für den ‚Verein zur Verbreitung religiöser Bilder‘. Düsseldorf 1864. (Telgte, Museum Heimathaus Münsterland)

33. Anonym: Maria kocht einen Brei. Wasserburg a. Inn, Josephskapelle (ehem. Wendelinskapelle) 17. Jhdt.

34. Ludovico Carracci: Maria als Wäscherin. Wende 16./17. Jhdt. (Wien, Graphische Sammlung Albertina: HB 36 (1) p. 14, Nr. 28)

35. Bartholomäus Kistler: Maria als Wäscherin. aus: *John Mandeville*: Reisebeschreibung. Straßburg 1499. (Göttingen, Kunstsammlungen der Universität. Graphische Sammlung)

36. a–b Die göttliche Vorsehung (*divina providentia*) über der Hl. Familie in der Werkstatt. Deckenfresken im Langhaus der Josephskirche von Starnberg. 1765.

37. Schelte à Bolswert: *Et erat subditus illis*. Hl. Wandel (nach einem Altar der Antwerpener Jesuitenkirche aus der Rubensschule, 1718 verbrannt). Antwerpen um 1630/1645. (Köln, Wallraf-Richartz-Museum. Graphische Sammlung: Inv.-Nr. 5515)

38. Hieronymus Wierix: Der Hl. Wandel. 9. Blatt aus: *Claudius Aquaviva*: Admodum Reverendo in Christo Patri. Antwerpen um 1600.

39. Jacob Cornelisz. van Amsterdam: Die Hl. Familie. Titelholzschnitt zu: *Die historie va[n] den heilige[n] patriarch Joseph: brudegom der maget marie en opuveder ons here[n] ihesu cristi*. Gouda 1500.

40. Anonym: Die Hl. Familie. Sandsteinepitaph. Bremen frühes 16. Jhdt. (Bremen, Dom)

41. Lucas Vorstermann (nach Peter Paul Rubens): Die Rückkehr aus Ägypten. Kupferstich. 1620. (Paris, Cabinet des Estampes de la Bibliothéque Nationale: Ec 73a 03)

42. a–b Anonym: Gnadenstuhl und Madonna. Doppelfigur aus Sandstein. Münster 1430/1440. (Münster, Westfälisches Landesmuseum. Leihgabe des Domkapitels Münster: D 178 WLM)

43. Schreinmadonna. um 1400. (Paris, Musée National des Thermes et de l'Hotel de Cluny: Cl. 12060)

44. Judocus Vredis (Joest Pelsers aus Vreden): Anna Selbdritt. Relief aus weißem Ton. 1. Drittel 16. Jhdt. (Münster, Westfälisches Landesmuseum. Dauerleihgabe des Altertumvereins: F 70 AV)

45. Kanzel in der Loreto-Kirche von Hergiswald (Kanton Luzern) um 1650/1660.

46. Anonym: Der Hl. Wandel. Titelkupfer zu: *Georg Vogler*: Catechismus in Außerlesenen Exempeln. Würzburg 1625. (Würzburg, Julius Maximilian-Universität)

47. ? und B. Anthonius Cöatgen(?): Der Hl. Wandel. Titelkupfer zu: *Martin v. Cochem*: Das große Leben Christi. Mainz 1727. (Köln, Erzbischöfliche Diözesanbibliothek)

48. Anonym: Der Hl. Wandel. aus: *Wilhelm Nakatenus*: Himmlisch Palm-Gärtlein. Köln (1722). S. 301. (Münster, Universitätsbibliothek: G³ 3248)

49. Johann Philipp Steudner: Die Hl. Familie. grob kolorierter Holzschnitt. Augsburg vor 1690. (Nürnberg, Germanisches Nationalmuseum: HB. 24353)

50. Anonym (verlegt bei Wiegand): IESUS. MARIA. IOSEPH. Röteldruck. (Kranenburg/Ndrh., Museum Katharinenhof)

51. Der Hl. Wandel im entflammten Herzen. Bruderschaftsbrief aus der Barbara-Gemeinde in Mittelpettnau (Nordtirol). um 1700.

52. Hl. Wandel-Gruppe über dem Hauptportal der ehem. Jesuitenkirche St. Joseph in Burghausen a. d. Salzach.

53. Anonym: Der Hl. Wandel. Altarbild in Loretto bei Zug (Kanton Zug). Anfang 18. Jhdt.

54. Grundriß der Wallfahrtskirche in Hergiswald / Kanton Luzern.

55. Christoph Jacob: Der Hl. Wandel. Kopie nach dem Hochaltarbild aus Wertach. 1715. (Wilhams, Josephkapelle)

56. Anonym: Der Hl. Wandel. Zunftstange der Holzarbeiter. Klausen (Südtirol) 2. Hälfte 17. Jhdt.

57. Hieronymus Wierix: Das Marienkind mit seinen Eltern. 3. Blatt aus: *Vita Deiparae Virginis Mariae. p. 73*. Antwerpen Anfang 17. Jhdt. (Wien, Albertina: Inv.-Nr. HB 77.1)

58. Figurengruppe aus einem der Beichtstühle im Querschiff der Kölner Jesuitenkirche. Köln um 1630.

59. Kassian Götsch: Der Hl. Wandel. Hochaltar der Dreifaltigkeitskirche in Längenfeld (Nordtirol). 1670.

60. Anonym: Maria mit ihren Eltern. aus: Annenleben. Escholzmatt (Kanton Luzern)

61. Inschrift auf einem Deelenbalken des Ackerbürgerhauses Wiethofstr. 1. Recklinghausen 1749.

62. Frederico Sartorij: Plan des Hl. Hauses von Loreto. Holzschnitt aus: *Antonio Lucidi*: Notizie della Santa casa di Maria Vergine, venerata in Loreto … Loreto 1781. Faltblatt zw. S. 14/15 (München, Bayerische Staatsbibliothek: V. SS. 608d)

63. a–d Anonym: Vier Darstellungen aus dem Alltag der Hl. Familie. Süddeutsch Anfang 17. Jhdt. (Köln, Wallraf-Richartz-Museum: Sammlung Hagen 51)

64. Anonym: Tischgebet der Hl. Familie. Andachtsblatt verlegt bei Johann Hendl. München 1. Hälfte 18. Jhdt. (Garmisch-Partenkirchen, Werdenfelser Heimatmuseum)

65. Anonym: Die Hl. Familie bei der Arbeit. Schnitzgruppe in der südöstl. Rundbogennische der Loretokapelle von Oberstdorf (Schwaben). um 1720/1730.

66. Albrecht Schmid: *Die allerheiligste Freundschaft JEsu. Familia Sacra.* Holzschnitt. Augsburg um 1700. (Augsburg, Städtische Kunstsammlungen. Graphische Sammlung: G 1745)

67. J. C. Reiff: Titelkupfer zu: *Christian Brez*: Virtuosius Pantheon Deo et Sanctis erectum … Nürnberg 1723. (München, Bayerische Staatsbibliothek: 4° Hom. 271)

68. Hieronymus Wierix: Jesus und Joseph arbeiten an einem Kahn. 11. Blatt aus: *Jesu Christi Domini Salvatoris Nostri Infantia*. p. 75. Antwerpen Anfang 17. Jhdt. (Wien, Albertina: HB 77.1)

69. Anonym: Der hl. Joseph trägt das Jesuskind auf dem Arm. Miniatur aus der Handschrift: (Pseudo-Bonaventura): *Meditationes Vitae Christi*. Cap. X. fol. 31ᵛ. Italien 14. Jhdt. (Paris, Bibliothèque Nationale: MS. Ital. 115)

70. Die Rückkehr aus Ägypten. aus: *Biblia pauperum*. fol. 5ʳ. Inkunabel. Holland spätes 15. Jhdt. (Leipzig, Universitäts-Bibliothek. Handschriftenabteilung: Rep. II 114)

71. Meister Karls V.: Der hl. Joseph mit dem Jesuskind an der Hand. Miniatur aus dem Stundenbuch Karls V. fol. 216ʳ. Brüssel 1516/1519. (Wien, Österreichische Nationalbibliothek: Cod. 1859)

72. Meister v. Flémalle (Nachfolge): Verkündigung. Flandern 1. Hälfte 15. Jhdt. (Brüssel, Musée Royous des Beaux Arts de Belgique: Inv.-Nr. 3937)

73. Anonym (nach Peter Paul Rubens): Der hl. Joseph mit dem Jesuskind. Zeichnung nach einem Altarbild bei den Karmelitern in Morlane bei Namur 1621. (verschollen)

74. J. W. Wolcker: Der hl. Joseph. Altarbild in Deubach (Schwaben): Pfarrkirche St. Martin, rechter Seitenaltar. 1746.

75. Anonym: Der hl. Joseph. Gnadenbild der Wallfahrt von Wertach (Schwaben). spätes 17. Jhdt.

76. a–d Herz-Embleme in der Kollegienkirche von Ehingen (Baden-Württemberg): *Dulce refrigerium. Lilium inter spinas. In hoc vivimus et sumus. Noli timere accipere.* 1719.

77. J. A. Corvinus (nach Samuel Kleiner): Die Josephssäule von Johann Emanuel Fischer von Erlach in Wien von 1725 (2. Fassung). aus: *Samuel Kleiner*: Vera et accurata delineatio omnium templorum et coenobiorum (etc.) quae tan in Caesarea Urbe ac Sede Viennae Austriae, … Wahrhaffte und genaue Abb. Aller Kirchen und Cloester (etc.), Welche in der … Statt Wien sich befinden (etc.) Verlegt und an den Tag gegeben durch Johann Andreas Pfeffel. Augsburg 1724–1737. Teil III. Tafel 6. (Wien, Österreichische Nationalbibliothek: Sign. 670.357 D.K.)

78. Tobias Sadeler: Der hl. Joseph. Titelkupfer zu: *Abraham a S. Clara*: Paradeyß-Blum Joseph. Wien 1675. (Wien, Stadt- und Landesbibliothek: A 12.244)

79. Titelkupfer zu: *Georg Vogler* (SJ): Trostbronn, Mariae und Joseph, Betrübte, Krancke, Sterbende, gefangene wie auch malefitz personen mit vorlesen, Zusprechen, ermahne[n], vorbetten, … Würzburg 1624. (Trier, Stadtbibliothek)

80. Totenzettel mit Hl. Herzen und Memento-Mori. Süddeutschland 1850. (Telgte, Museum Heimathaus Münsterland)

81. Anonym: Die Hl. Familie über den Seelen im Fegefeuer. Titelkupfer zu: Bruderschaftsbuch der Prager Seelenbruderschaft an der Loretokirche. Köln 1716. (Münster, Westfälisches Landesmuseum. Bibliothek: K 29)

82. Christian Friedrich a Lapide: *Maria und Joseph eühren Sohn, bittet, das Er Uns verschohn* (Die Hl. Familie über den Seelen

im Fegefeuer). Bruderschaftsbrief der Seelenbruderschaft aus St. Andrä (Südtirol) an der Friedhofskapelle Mariä-Hilf. um 1800. (Privatsammlung Hochenegg)

83. Tod eines gläubigen Christen. Kupferstich aus: *Wilhelm Nakatenus*: Palm-Gärtlein. Köln 1722. S. 684. (Münster, Universitätsbibliothek: Libri rari G^3 3248)

84. Andachtsbild. Spitzenbild mit Stahlstich. Paris 2. Hälfte 19. Jhdt. (Telgte, Museum Heimathaus Münsterland)

85. Heinrich Nüsser (nach Heinrich Lauenstein): *Jesus, Maria, Joseph!* Stahlstich für den ‚Verein zur Verbreitung religiöser Bilder‘. Düsseldorf 2. Hälfte 19. Jhdt. (Telgte, Museum Heimathaus Münsterland: Inv.-Nr. 89-12. Nr. 375)

86. Baumann (nach Johann Friedrich Overbeck): Die Heilige Familie. Frontispiz zu: *Friedrich Adolph Sauer*: Christus, der Weg, die Wahrheit und das Leben. Ein vollständiges Gebet- und Erbauungsburch für Katholiken. Arnsberg 1841. (Telgte, Museum Heimathaus Münsterland)

87. T. Bauer (nach Franz Ittenbach): Die hl. Familie. Stahlstich für den ‚Verein zur Verbreitung religiöser Bilder‘. Düsseldorf 2. Hälfte 19. Jhdt. (Telgte, Museum Heimathaus Münsterland: Inv.-Nr. 89-12. Nr. 349)

88. Adrian Schleich (nach Schlothauer): Die Hl. Familie in der Laube. Frontispiz zu: *Michael Hauber*: Vollständiges Christkatholisches Gebetbuch. München 1844. (Telgte, Museum Heimathaus Münsterland)

89. Heinrich Commans: Die Eheleute nehmen wie Christus das Kreuz auf sich. Holzschnitt 1879. (Köln, Diözesanmuseum: Inv.-Nr. SC b 347)

90. Silbermedaille der Erzbruderschaft der hl. Familie. Lyon Mitte 18. Jhdt. (Telgte, Heimathaus Münsterland: Inv.-Nr. 84-239)

91. Titelblatt der Zeitschrift ‚Die heilige Familie‘. Freising 1893. (München, Bayerische Staatsbibliothek: Asc 1806/1)

Karte 1: Tirol
Karte 2: Südschwaben
Graphik: Zeitliche Streuung der Hl. Familie-Patrozinien

Foto-Nachweis

Amsterdam: Rijksmuseum (11.a–d); Augsburg: Staats- und Stadtbibliothek (10), Städtische Kunstsammlungen (9, 66); Bamberg: Staatsbibliothek (23); Berlin: FOTO Jörg P. Anders (II., 5, 6); Bremen: Dommuseum (40); Kunsthalle (20, 26); Brüssel: Institut Royal du Patremoine Artistique (72), Musées royaux des Beaux-Arts de Belgique Nr. 703404 (IX.); Dachau: Wolf-Christian von der Mülbe (36.a–b); Donaueschingen: Georg Goerlipp (XIII., XVI.); Duisburg: Bernd Kirz (XVII.); Frankfurt a. Main: Städelsches Kunstinstitut (29, 31); Freising: Diözesanmuseum (XIV.); Garmisch-Partenkirchen: Franz Kölbl (64); Göttingen: Kunstsammlungen der Universität Göttingen (35); Hamburg: Elke Walford Fotowerkstatt (3); Hannover: Kestner-Museum (22); Innsbruck: Bundesdenkmalamt (59), Tiroler Landesmuseum Ferdinandeum (56); Kalkar: Foto-Mörsen (1); Kassel: Staatliche Museen (VII.); Köln: Erzbischöfliche Diözesanbibliothek (47), B. Matthäi, Erzbischöfl. Diözesan-Museum (89), Rheinisches Bildarchiv (12.a–b, 19, 37, 58, 63.a–d); Konstanz: Rosgartenmuseum (30); Kranenburg: Museum Katharinenhof (50);

Leipzig: Universität Leipzig (70); London: The National Gallery (IV.), British Museum (8, 13); Luzern: Denkmalpflege Kanton Luzern CH (45, 54, 60); Malibu/California: Collection of the J. Paul Getty Museum (Frontispiz); München: Bayer. Landesamt f. Denkmalpflege (15, 33, 52, 55, 65, 74, 75), Bayerische Staatsbibliothek (62, 67, 91), Bayerische Staatsgemäldesammlungen (16); Münster: Westfälisches Amt für Denkmalpflege (18), Westfälisches Landesmuseum (25, 42.a–b, 44, 81), Universitätsbibliothek (48, 79, 83); New York: 1993 The Pierpont Morgan Library (VIII., X.); Nürnberg: Germanisches Nationalmuseum (17.a–d, 49); Paris: Bibliothèque Nationale Service Photographique (41, 69), énsb-a (XII.), Musée du Louvre Département des Arts Graphique (14), R. M. N. (43); Peissenberg: Artothek Kunstdia-Archiv J. Hinrichs (VI.); Philadelphia: Philadelphia Museum of Art (4); Pliezhausen: Fotoatelier Joachim Feist (78.a–d); Telgte: Museum Heimathaus Münsterland (32, 80, 84, 85, 86, 87, 88, 90), Photoatelier Akzente (XI., XIX.); Utrecht: Rijksmuseum Het Catharijneconvent (27); Vatikan: Vatikanische Museen Archivio Fotografico (III., 7); Wasserburg a. Inn: Fotostudios Heck (XV.); Wien: Albertina (28), Bildarchiv d. Österr. Nationalbibliothek (21, 34, 57, 68, 71, 77), Kunsthistorisches Museum (V., XVIII.), Stadt- und Landesbibliothek (78); Würzburg: Julius Maximilian-Universität (46); Zug: Kunstdenkmäler-Inventar des Kantons Zug (53). Margit Koch (I.); Hildegard Erlemann (61); Buchvorlagen: *Corpus Rubenianum*. VIII,2. Abb. 67 (73); *Gebhardt* 1956. Abb. 8 (24); *Gebhardt* 1968. Abb. 2 (38); *Hochenegg* 1984. S. 87 (51); *Hochenegg* 1963. Tafel XII (82); *Kat. Staufer*. II. Kat. Nr. 630. Abb. 436 (2); *Schretlen* 1925. Tafel 78 D (39).